중국 당대문학 편년사

제2권

(1954.1~1959.12)

일러두기

1 — 이 책은 장젠張健 등의 『中國當代文學編年史』(濟南 : 山東文藝出版社, 2012)를 완역한 것이다.

2 — 인명은 모두 국립국어원의 외래어 표기법에 따라 중국어 발음대로 표기하였다.

3 — 작품명은 국립국어원의 외래어 표기법에 따라 중국어 발음대로 표기하였으나, 이미 국내에서 통용되는 표기가 존재하는 경우 그에 따라 표기하였다.(예 : 『태양은 쌍간강에서 빛난다太陽照在桑幹河上』 등)

4 — 강이나 산의 지명의 경우, 중국어 발음대로 '~장', '~허' 등으로 표기하였다.(예 : 창장長江, 화이허淮河 등)

5 — '중화인민공화국 성립 후', '건국 후', '해방 후' 등의 표현은 일괄적으로 '공화국 성립 후'로 표기하였다.

6 — '중일전쟁 승리 후'는 일괄 '종전 후'로 표기하였다.

7 — 역자 주는 모두 본문에 괄호를 추가해 표기하였다.

중국 당대문학 편년사

제2권

(1954.1~1959.12)

장젠張健 주편

장닝張檸 편

박희선 옮김

국학자료원

1954. 1 ~ 1959. 12

1954年

1월

1일, 『문사철文史哲』 월간 제1호(총권 17호)에 쑨쓰바이孫思白의 논문 「총노선을 학습해 학술 연구를 추진하자學習總路線, 推進學術研究」가 발표되었다. 본 논문은 1953년 중공중앙이 제정한 '과도기 총노선'의 기본 정신에 근거해 과도기의 문학예술공작에 관한 자신의 의견을 제시한 글로, "총노선의 사회주의 개조 정신"을 이용해 "문화, 교육, 학술사상에 대한 개조"를 진행할 것을 주장하였다.

쑨쓰바이(1913~2002), 본명은 쑨싱스孫興詩로 산둥성 장추章丘 출신이며 중공 당원이다. 1934년에 베이징대학 역사학과에 입학하였다. 공화국 성립 후에 산둥대학 역사학과 부교수, 『문사철』 편집위원, 중국사회과학원 근대사연구소 연구원, 민국사연구실民國史研究室 주임, 중국현대사학회中國現代史學會 고문 등을 역임하였다. 리신李新 등과 합동으로 『신민주주의 혁명시기 통사新民主主義革命時期通史』, 『민국인물론民國人物傳』 등을 편찬하였다. 또한 『홍루풍우紅樓風雨』 등을 편찬하였다. 『쑨쓰바이 사론집孫思白史論集』이 출간되었다.

『문사철』 같은 호에 루칸루陸侃如의 논문 「중국문학사의 주류는 무엇인가什麼是中國文學史的主流」가 발표되었다. 이 글은 현재 문학사의 주류가 "사회주의 현실주의"이며, "이는 30여 년 동안의 창작의 최고 규범"이라고 지적하면서 사회주의 현실주의가 "옛 현실주의와 구별되는 점은 이 사상이 혁명적 낭만주의와 결합한 현실주의라는 데 있다. 이 사상은 사회주의 사상 내용을 담은 현실주의이다"라고 주장하였다.

루칸루(1903~1978), 장쑤성 하이먼海門 출신이다. 1924년에 베이징대학 중문과를 졸업한 후 1935년에 파리대학교에서 문학박사학위를 취득하였다. 옌징대학, 중산대학, 둥베이대학, 산둥대학 교수를 역임하였다. 평생 중국 고대문학 연구와 교육에 힘을 쏟았으며 수많은 저술을 남겼다. 주요 저서로 『굴원屈原』, 『송옥宋玉』, 『악부고사고樂府古辭考』 등이 있다. 부인 펑위안쥔馮沅君과 합동으로 『중국시사中國詩史』, 『중국고전문학간사中國古典文學簡史』 등의 저서를 간행하였다.

『둥베이문학東北文學』 월간 제1호에 차오밍의 글 「총노선이 비추는 아래서 우리의 창작실험을 반성하자在總路線照耀下檢查我們的創作實踐」가 게재되었다. 그는 글에서 "투쟁에 깊이 침투해 생활이 우리의 창작 영감의 중요한 원천임을 세밀하게 연구해야 한다. 과도기 총노선의 분투 속에서 앞으로 더 많은 감동적인 기적이 나타날 것이다"라고 밝혔다. 또한 당시의 작품에 존재하는 "어째서 선진적 인물을 잘 표현하지 못하는가" 등의 문제에 대해 그 원인이 "모순과 투쟁"을 더 잘 표현하지 못하고, "인물 전형화" 묘사에 결핍이 존재하기 때문이라고 보았다.

『창장문예』 제1호에 사설 「총노선을 학습하고, 우리의 등대를 확실히 인식하자學習總路線, 認淸我們的燈塔」가 게재되었다. 글은 "중난구의 문예공작"에 대해 공화국 성립 후 4년간의 문예공작의 성적을 긍정하는 반면, "새로운 역사 시기의 본질"과 국가 총노선에 대한 인식이 모호하다고 평하였다. 또한 "중국의 새로운 인물은 누구인가? 바로 사회주의 건설을 촉진하는 인물(즉 공인계급)이다. 중국의 새로운 사상은 무엇인가? 바로 사회주의 사상이다. 우리는 무엇을 칭송해야 하는가? 사회주의 요소를 구비한 모든 사물을 칭송해야 한다. 우리는 무엇을 반대해야 하는가? 사회주의의 발전을 방해하는 모든 것에 반대해야 한다. 이 사회주의 사상은 반드시 우리 문예공작자의 머릿속에서 대단히 명확하게 수립되어 우리의 공작과 작품 속에서 관철되어야 한다." "우리의 창작방법은 반드시 사회주의 현실주의 방법이어야 한다." "우리는 우리 자신이 총노선을 학습해야 할 뿐만 아니라⋯⋯군중에게 총노선을 선전해야 한다"라고 지적하였다.

『창장문예』 제1호에 리준의 소설 「그 길을 갈 수 없다不能走那一條路」가 전재(본래 『허난일보』 1953년 11월 20일자, 『안후이일보』 1953년 12월 10일자, 『저장일보』 1954년 1월 15일자, 『인민일보』 1954년 1월 26일자, 『인민문학』 1954년 제2호 등에 게재)되었으며, 이 소설에 대한 위혜이딩의 평론 「현실생활에서 출발해 인물을 표현하다從現實生活出發表現人物」가 게재되었다.

『극본』 제1호에 장광녠張光年이 '중화전국희극공작자협회 전국위원회 확대회의에서의 결산 발언在中華全國戲劇工作者協會全國委員會擴大會議上的總結發言'을 수정해 집필한 논문 「총노선이 신중국 희극예술이 나아갈 길을 인도하고 있다總路線指引著新中國戲劇藝術前進的道路」가 발표되었다.

『역문』 제1호에 쑨융孫用, 가오언더高恩德, 메이웨이자梅維佳 등이 번역한 페퇴피 샨도르의 「시선시선選」이 게재되었다. 이「시선」에는「달구지牛車」,「작은 산기슭에서在小山邊」,「장미꽃 덤불有一叢玫瑰花」,「민족에게給民族」,「늙은 기수老旗手」등의 시가 수록되었다. 이 외에도 만타오滿濤가 번역한 고골의 소설「광인일기狂人日記」가 수록되었다. 이번 호에는 폴란드 작가 헨리크 시엔키에비치 소개 특집이 게재되어 스저춘이 번역한「오르소奧爾索」와「빵을 위하여爲了面包」등 2편의 소설과 왕이王易가 번역한 소련 평론가의 논문「헨리크 시엔키에비치亨利克 · 顯克微支」가 게재되었다.

『둥베이문학』제1호에 비예의 산문「봄날 아침春天的早晨」과 양쉬의「『삼천리강산』창작 만담<三千裏江山>寫作漫談」이 게재되었다.

『시난문예』제1호에 아이우의 소설「새 집新的家」이 게재되었다.

3일,『인민일보』에 소련『진리보』의 사설「신문과 잡지가 군중 속으로 침투하도록 하자使報紙和雜志到群眾中去」의 요약문이 게재되었다. 사설은 신문과 잡지가 "노동인민의 공산주의 교육의 강력한 무기이다. 우리 신문과 잡지의 모든 활동은 인민의 절실한 이익을 대표하는 공산당의 정책을 따르고 있다. 고도의 사상성과 정확성 및 인민과의 분리할 수 없는 관계가 우리 간행물의 특징이다……간행물 발행 공작은 정치적 의의를 가진 중요한 공작이다. 신문과 잡지의 구독 공작을 잘 조직하여 신문과 잡지를 광대한 노동인민 군중 속으로 들어가도록 해야 한다. 이는 즉, 경제와 문화건설 영역에서의 간행물의 동원 및 조직 역량을 더욱 제고해야 한다는 뜻이다. 그러나 아쉽게도 몇몇 공화국과 주州의 발행 공작에는 여전히 적지 않은 결점이 존재한다. 간행물의 발행 공작이 잘 배치되지 않아 몇몇 출판물은 독자에게까지 잘 전달되지 않는다……간행물 발행 공작에 대해서는 우선 당의 기관에서 책임을 져야 한다. 이 사업은 당 조직의 절실한 사업이자 책임이기 때문이다. 주 위원회와 변경구 위원회 및 연방 공화국 중앙위원회에서도 반드시 조치를 취하여 신문과 잡지의 부수를 전부 발행할 수 있도록 해야 한다. 당위원회는 '간행물 연합 발행국' 기관의 공작을 상시 지도 및 감독하여 이들이 간부를 선발하고 분배 및 양성하는 것을 도와야 한다"라고 지적하였다. 며칠 후에『인민일보』에도 총서기 흐루쇼프와 선전선동부 부장 등이 관련 회의에서 발표한 보고문의 요약문 등 소련의 간행물 발행 관리 경험을 소개하는 글이 게재되었다.

윈난성 인민문공단이 살니족 거주지인 루난路南현 구이산圭山구에서 3개월간 발굴 및 수집한 살니족의 구전 장편서사시『아스마』전설 20종을 궁류, 황톄, 양즈융楊知勇, 류치劉綺 등이 정리하고 다듬어『윈난일보雲南日報』부간에 연재하기 시작하였다.『인민문학』제5호와『시난문예』제5호에도 전재되었다. 단행본은 1954년 7월에 윈난인민출판사雲南人民出版社에서 출간되었으며 1954년 12월에는 중국청년출판사에서, 1955년 3월에는 인민문학출판사에서, 1956년 10월에는 중국소아

출판사中國少兒出版社에서 출간되었다. 1964년에 하이옌전영제편창海燕電影制片廠에서 영화로 제작하여 류충劉瓊이 감독을 맡고 양리쿤楊麗坤 등이 주연을 맡았다.

『문회보』에 위안원수袁文殊의 글 「1953년 영화 극작에 존재하는 몇 가지 문제一九五三年電影劇作中的幾個問題」가 발표되었다. 그는 글에서 1953년에 완성된 극영화 13편의 문학 극본에 대하여 우선 창작 수량과 질에 대해서 비교적 높게 평가한 후, 이들 작품에 존재하는 몇 가지 문제, 가령 "긍정적 인물 창조 문제", "주된 줄거리의 유사성 혹은 공식화 현상" 및 "영화 극본의 표현 기교" 등 부분에 대한 결함을 지적하였다.

5일, 『인민일보』에 친자오양의 특필 「야오롄쥔―산간 지대를 건설한 사람들 제2편姚連君――建設山區的人們之二」이 발표되었다.

『문회보』에 쨍커자의 시 「우리는 한 발 한 발 위로 올라가고 있다我們一步一步往上升」가 게재되었다.

『광명일보』에 셰위헝謝宇衡의 「건강한 길―리지의 장시 『국화석』을 읽고健康的道路――讀李季的長詩<菊花石>」가 게재되었다(「국화석菊花石」은 『인민문학』 1953년 제7, 8호 합본에 발표되었다). 셰위헝은 글에서 "이 시는 민간가요(산가체山歌體)의 형식에서 탈피해 시 전체가 완전하고 아름다우며 풍부한 민간 정서를 가진 소박한 풍격을 형성하도록 하였다. 이러한 풍격은 광대한 군중에게 환영받고 또한 쉽게 수용될 만한 것이다"라고 평했다. 동시에 그는 시에 존재하는 몇 가지 결점을 지적하였다. "가장 뚜렷한 결점은 시의 결말 부분에서 서술하려 하는 이야기 자체가 현실생활의 발전 규율에 부합하며 또한 인민의 희망에 부합하여, 작품 속에서 하나의 유기적인 구성 부분으로서 시 전체의 풍격을 완전하고 훌륭하게 해 주고 있다는 것이다. 따라서 이 부분은 대단히 필요한 것이다. 그러나 시인은 이 이야기가 삶의 피와 살을 가득 담게 하지 못하여, 이 때문에 이 이야기가 강렬한 승리의 정서를 담고서 시에 녹아들게 하지 못했다. 이로 인해 이 부분에 진실성과 감화력이 부족해졌을 뿐만 아니라, 시 전체의 예술적 완정성에도 어느 정도 영향을 받았다."

7일, 출판총서에서 각급 신문 출판행정기관 및 관련 기관에 행정 수속 간략화를 위해 각급 신문과 잡지의 창간, 폐간 및 변경 등 사항에 대한 비준, 수리, 등록의 보고 절차에 관한 규정을 정하여 1954년부터 시행하겠다고 통보하였다.

『인민문학』 제1호에 루링의 단편소설 「첫눈初雪」, 커중핑의 장시 『지원군에게 바치다獻給志願軍』, 위안잉袁鷹의 「톰스리버에 보내는 시寄到湯姆斯河去的詩」, 옌전嚴陣의 「라오장의 손老張的手」, 볜즈린의 「추수 2편秋收二首」 등의 시와 가오샹전杲向真의 아동소설 「샤오팡과 샤오쑹小胖和小松」이 게재되었다. 루링의 소설 「첫눈」은 한국전쟁 당시의 중국과 북한 인민의 우정을 주제로 한 소설이다. 이 소설은 당시의 일반적인 '현실주의' 소설과는 다른 특별한 창작방식을 취하여, 북한의 갓난아이에 대한 지원군 전사의 관찰자적 시각을 통해 서사를 전개하였다. 이 소설은 이후에 비판을 받았다.

위안잉(1924~), 본명은 톈푸춘田複春이며 이후에 톈중뤄田鍾洛로 개명하였다. 필명은 중뤄鍾洛로 장쑤성 화이안淮安 출신이다. 공화국 성립 전에는 오랫동안 신문사 기자 및 편집자로 근무하였다. 공화국 성립 후에는 『세계신보世界晨報』, 『연합만보聯合晩報』 부간 편집자, 『해방일보』 문교조 조장, 『인민일보』 문예부 부주임 및 주임, 『산문세계散文世界』 책임 편집자 등을 역임하였다. 주요 저서로 산문집 『첫 번째 불꽃第一個火花』, 『훙허 남북紅河南北』, 『돛風帆』, 『열 번째 봄第十個春天』, 시집 『강호집江湖集』, 『화환花環』(원제聞捷와 합동 창작) 등이 있으며 아동문학 저서로는 여행기 『딩딩이 베이징성을 여행하다丁丁遊曆北京城』, 시집 『횃불이 타오를 때篝火燃燒的時候』, 『톰스리버에 보내는 시』, 산문집 『후 아저씨가 너희의 안부를 묻는다胡伯伯向你們問好』, 동요집 『베이징을 노래하자唱一唱北京』가 있다.

옌전(1930~), 본명은 옌구이칭閻桂青으로 산둥성 라이양萊陽 출신이며 중공 당원이다. 『자오둥일보膠東日報』 편집자, 안후이성 문예창작연구실 부주임, 『청명淸明』 부편집장, 『시가보詩歌報』 편집장, 중국작가협회 이사 등을 역임하였다. 저서로 시집 『봄, 봄이여! 파종을 할 때春啊, 春啊!播種的時候』, 『강남곡江南曲』, 『해녀漁女』, 『금천琴泉』, 정치서정시 『모죽茅竹』, 장편서사시 『붉은색의 목가紅色牧歌』, 『용을 굴복시키다降龍記』, 장편소설 『황막기종荒漠奇蹤』, 산문집 『무단위안 이야기牡丹園記』 등이 있다.

9일, 『인민일보』에 「농업생산합작사 발전에 관한 중국공산당 중앙위원회의 결의中國共產黨中央委員會關於發展農業生產合作社的決議」(중공중앙에서 1953년 12월 16일에 통과시킨 결의), 「농업생산합작사 발전에 관한 중국공산당 중앙위원회의 결의를 정확하게 관철하자正確地貫徹中國共產黨中央委員會關於發展農業生產合作社的決議」가 발표되었다. 「결의」는 2년여 간의 시범 운영을 통해 당중앙에서 1951년에 통과시킨 '농업생산상호합작'에 관한 결의가 정확하다는 것이 증명되었으므로 앞으로 전국에 보급할 것이라고 밝혔다.

같은 호에 영화 「지취화산智取華山」(왕쭝위안王宗元, 런핑任萍 원작, 궈웨이, 지예, 둥팡東方 각색, 궈웨이 감독, 중앙전영국 베이징전영제편창 제작, 1953년 작품)에 대한 위안원수의 평론이 발표되었다. 그는 글에서 "영화 「지취화산」의 주제 사상이 요구하는 범위 내에서 중국인민해방군의 기본적인 특징, 즉 지혜롭고 용감하고 강인하고 완강하며, 어떠한 고난도 극복해 적을 소멸하는 우수한 품성, 그리고 군중에게 긴밀히 의지하는 훌륭한 태도를 반영하였다." "작품 주제의 단일성과 이야기의 집중성, 그리고 사건의 긴장성이 이 작품이 성공을 거둔 두 번째 특징이다." "화산의 자연 풍경에 대한 감독의 묘사 또한 이 영화에 큰 힘을 더해 주었다"라고 평하면서도, "가장 주된 결점은 인물 형상 측면에서 성격 묘사가 결핍되어 있다는 점이다"라고 지적하였다. 그는 종합하여 볼 때 이 영화가 "수많은 관중들이 환영할 만한 영화로 사상성과 예술성이 비교적 높은 작품이며, 스릴의 처리라는 면에서 보면 이 영화는 우리나라 스릴러 영화의 훌륭한 시작이라 할 수 있다"라고 평했다.

11일, 『인민일보』에 리잉의 시 「헌화獻花」가 게재되었다. 이 시는 이달 16일자 『문회보』에 전재되었다.

12일, 『해방군문예』 제1호에 두펑청杜鵬程의 장편소설 『옌안을 보위하라保衛延安』의 부분인 「사자뎬沙家店」이 발표되었다(그 외에 「창청의 경계 위에서長城線上」와 「판룽전蟠龍鎮」 등 두 부분은 각각 『인민문학』 제2호와 『해방군문예』 제2호에 발표되었다. 단행본은 6월에 인민문학출판사에서 출간되었다). 같은 호에 궁류의 시 「그는 국경을 수호하고 있다他守衛在邊防」, 리구베이李古北의 소설 「양식糧食」이 발표되었다.

두펑청(1921~1991), 본명은 두훙시杜紅喜이며 필명은 쓰마쥔司馬君이다. 산시陝西성 한청韓城 출신이다. 공화국 성립 전에는 농촌, 공장, 부대 등에서 생활하였다. 저서로 장편소설 『옌안을 보위하라』, 중편소설 『평화로운 나날 속에서在和平的日子裏』, 소설집 『젊은 친구年輕的朋友』, 『평범한 여인平凡的女人』, 『두펑청 소설선杜鵬程小說選』 및 평론집 『나와 문학我與文學』 등이 있다.

왕야오王堯, 관더우산關鬥山의 특필 「궁가산의 명절에在貢嘎山的節日裏」가 『중국청년보』에 게재되었다.

13일, 상하이시 문련 제2차 문대회 준비위원회에서 확대 이사회를 소집하여 상하이시 제2차 문대회 개최 준비 업무에 관해 토론하였다.

14일, 중국문련이 베이징에서 전국위원회 주석단 제2차 확대회의를 소집하였다. 마오둔이 회의를 주관하고 양한성 등이 문련과 각 협회 및 각 연구회의 1954년도 공작계획의 요점을 보고하였으며, 토론을 거쳐 통과시켰다. 회의에서는 국가 '총노선'의 요구에 근거해 문예창작을 발전시키기로 결정하였다. 『문예보』제2호의 '국내문학 소식'란에 이에 관한 기사가 게재되었다.

15일, 중국미술가협회에서 편찬하는 기관 간행물 『미술美術』이 베이징에서 창간되었다. 창간호에는 장펑江豊의 「4년간의 미술공작 상황 및 전국미술가협회의 앞으로의 임무四年來美術工作的狀況和全國美協今後的任務」가 게재되었다.

『문예월보』제1호에 사설 「문학예술창작은 반드시 국가 총노선을 위해 적극적으로 복무해야 한다文學藝術創作, 應積極爲國家總路線服務」가 발표되었다. 사설은 "총노선은 사회주의 현실주의 문학 발전의 현실적 기초이다", "문학예술 창작 속의 인물은 바로 현실을 진실하게 반영하는 것이다"라고 지적하면서, 선진적 인물의 "고상한 품성과 공산주의 도덕"을 묘사함으로써 인민을 교육하고 고무하여 역사의 전진을 추진하고, 나아가 작가에게 "총노선을 진지하게 학습"하고 생활에 깊이 침투하여 사회주의 현실주의 창작방법을 학습하고 장악할 것을 요구하였다.

같은 호에 류바이위의 소설 「나루터渡口」와 「판궈진과 허취안더范國金與何全德」, 웨이진즈의 소설 「위험한 계획一個危險的計劃」, 탕타오의 소설 「옛길을 가지 않는다不走老路」가 게재되었으며, 아이밍즈의 영화 극본 「위대한 기점偉大的起點」이 연재를 시작하였다.

『문예보』제1호에 아이우의 산문 「집 안의 봄屋裏的春天」이 발표되었다. 이 소설은 안산강철공사鞍山鋼鐵公司의 노동모범 멍타이孟泰를 묘사한 소설이다. 같은 호에 한국전쟁에 관한 루링의 특필 「7월 20일 오후 10시부터從七月二十日下午十時起」가 발표되었다.

15일~31일, 톈진시 문화사업관리국에서 톈진시 제1회 희곡관람공연대회를 개최해 19개 전문극단의 희곡공작자 700여 명이 대회에 참가해 경극, 허베이방쯔河北梆子, 평극評劇, 월극越劇 등 총 46편의 작품을 공연하였다. 이 가운데 평극 「부녀 대표婦女代表」와 경극 「염양루灩陽樓」등 10개 작품이 수상하였다.

16일, 『인민일보』에 친자오양의 특필 「보리 이삭ー산간 지대를 건설한 사람들 제3편麥穗──建設山區的人們之三」이 발표되었다.

19일, 『중국청년보』에 캉줘의 소설 「가장 기쁠 때最高興的時候」가 발표되었다. 같은 호에 루딩이의 「밝고 찬란한 사회주의 사회를 향해 전진하자向光明燦爛的社會主義社會前進」가 발표되었다. 그는 글에서 "우리나라가 현재 처해 있는 과도기는 바로 신민주주의 사회에서 사회주의 사회로 전환되는 과도기이다", "중국 청년에게는 영광스러운 전통이 있다. 역사적으로 중국 청년은 언제나 가장 큰 열정으로 중국공산당의 영도 아래 국가의 아름다운 장래를 위해 분투해 왔다. 청년들은 지금 총노선의 실현을 위해 분투해야 한다. 이는 청년 자신의 앞길을 위한 분투이기도 하다"라고 호소하였다.

루딩이(1906~1996), 장쑤성 우시 출신이다. 1926년 가을에 중국공산주의청년단 중앙위원회 선전부에서 근무하였다. 중일전쟁 발발 후에는 『신화일보』 화베이판 업무를 지도하였다. 옌안 정풍운동 시기에는 『해방일보』 부간 『학습學習』의 편집을 맡았으며 이후에는 『해방일보』 편집장을 맡았다. 공화국 성립 후에는 중공중앙 선전부 부장, 중앙인민정부 문교위원회 부주임을 역임하였다. 1959년에는 국무원 부총리를 맡았으며 1962년에는 중공중앙 서기처 서기를 맡았다. 1965년에는 문화부 부장을 겸임하였다. 저서로 『금색의 낚싯바늘金色的魚鉤』, 『중국공농홍군 제1방면군 장정기中國工農紅軍第一方面軍長征記』, 『라오산제老山界』 등이 있다.

20일, 중국희극가협회의 기관 간행물 『희극보戲劇報』가 베이징에서 창간되어 장경이 편집장을, 톈한이 사장을 맡았다. 창간호에는 톈한의 글 「등대의 거대한 불빛 아래 전진하자在燈塔的巨大光芒下前進」가 게재되었다. 그는 글에서 지난 1년간의 희극계의 공작 성취를 회고한 후, 다가오는 새해에는 "창작과 공연을 통해 무대 위에서 사회주의 정신과 애국주의 정신을 갖춘 생명력이 왕성한 영웅 인물 형상을 계속해서 창조해야 한다"라고 주장하였다. 또한 "우리나라 역사상의 모든 선진적 인물의 고상한 품성을 계속해서 발양하고 표창"하고, "역사논의 영웅 인물과 그들이 국가와 인민과 자유주의를 사랑한 위대한 정신을 정확하게 표현해야 한다. 이는 오늘날 우리의 국가 건설자들의 새로운 품성을 배양하는 데 큰 역할을 할 것이다"라고 지적하였다. 이를 위해 희극공작자는 우선 자기 자신이 "고도의 사회주의 사상적 각오를 이루어야 한다"라고 보았다.

같은 호에 어우양위첸의 「나는 경극 연기를 어떻게 공부했는가我怎樣學習了演京戲」(제2호에 연재 완료), 자오쥐인의 「스타니슬랍스키로부터 배우자向斯坦尼斯拉夫斯基學習」, 중뎬페이의 「영화 「지취화산」의 스릴 양식과 그 표현예술影片<智取華山>的驚險樣式和它的表演藝術」, 장경의 「중국화극운동사 초고中國話劇運動史初稿」(이번 호에 연재를 시작해 제9호에 제2장 제3절까지 연재)가 게재되었다.

『이야기하고 노래하다』 제1호부터 제3호까지 류다하이劉大海, 리웨이망李未芒이 공안公安을 소재로 창작한 소설 「전투의 변경戰鬥的邊疆」이 연재되었다.

20일 저녁 7시, 중공중앙위원회가 베이징 화이런탕懷仁堂에서 위대한 혁명 지도자 레닌 서거 30주년 기념대회를 개최하여 류사오치 동지가 중요 보고를 진행하였다. 류사오치, 주더, 저우언라이, 천윈陳雲, 펑더화이, 가오강, 펑전 및 주중국소련대사 유진 등의 지도자가 참석하였다. 21일자『인민일보』에 본 대회에 관한 기사와 류사오치의 보고문 전문이 게재되었다.

22일,『어문학습語文學習』제1호에 짱커자의 글「시의 낭송詩的朗誦」이 발표되었다.

25일, 위펑보의「우리는『홍루몽』을 어떻게 읽어야 할 것인가我們應該怎樣讀<紅樓夢>」가『문회보』에 발표되었다. 그는 글에서 우선 작가의 사상과 태도라는 면에서 보면 "원망하면서도 추억하는 모순적인 사상"이 "폭로하는 동시에 덮어 감추는 복잡한 문체"를 형성하였다고 지적하였다. 이러한 "완곡하게 에둘러 쓰는 문체"가 형성된 원인은 한편으로는 "작가 본인의 사상 모순" 때문이고, 다른 한편으로는 작품이 "봉건 가정과 봉건 사회의 어두운 면을 진실하게 반영"했기 때문이다. 뿐만 아니라 "당시 조씨 가문이 처해 있던 두렵고 난처한 상황은 미루어 짐작할 수 있는 것이다. 작가는 자연히 이를 마음껏 표현할 수 없었고, 에둘러 표현하는 방식을 취해 반만 이야기하고 반은 남겨둘 수밖에 없었"기 때문이라고 보았다. 이처럼 완곡하게 에둘러 쓰는 문체는 그 자체가 나름의 의미를 가지고 있는데, 이는 바로 "예술논의 처리 문제"로, 작가가 책에서 누차 제시하고 있는 '진실'과 '거짓'의 관념으로 표현된다. "명확히 쓴 것은 거짓이고, 반대로 넌지시 암시하는 것이야말로 진실이다." 그러나『홍루몽』이 "원저자와 속편의 저자 모두 그 사상에 시대와 생활의 제약을 받아, 기본적으로는 진보적인 사상을 가지고 있지만 그 속에 일부 낙후된 부분이 있다"는 점을 명확히 인식해야 한다고 지적하였다.

26일,『대중전영』제2호의 '항미원조 제2부' 특집란에 궈모뤄의 시「「항미원조」제2부를 보고看了<抗美援朝>第二部」와 천이의 글「생생한 교과서一部生動的教科書」가 발표되었다.

28일,『인민일보』에 중국·인도 우호협회 대표단이 인도를 방문한 기록을 위안수이파이가 집필한 글「화환과 우정花環和友情」이 발표되었다.

30일,『문예보』제2호에「영화제작공작 강화에 관한 결정關於加強電影制片工作的決定」,「영화상영망 및 영화공업 건립에 관한 결정關於建立電影放映網與電影工業的決定」 등 중앙인민정부 정무원에서 1953년 12월 24일에 개최한 제199차 정무회의에서 통과된 두 가지 결정이 게재되었으며, 『인민일보』의 사설 「인민 영화사업을 더욱 발전시키자進一步發展人民電影事業」가 전재되었다.

『문예보』 제2호에 리충李琤(문예보 편집자 허우민쩌侯敏澤의 필명)의 「「그 길을 갈 수 없다」 및 그 비평<不能走那一條路>及其批評」이 발표되었다. 이 글은 1953년 11월 20일에 『허난일보』에 발표된 리준의 단편소설 「그 길을 갈 수 없다」에 관한 글이다. 리충은 쑤진싼의 「「그 길을 갈 수 없다」를 읽고讀<不能走那一條路>」(1953년 12월 20일 『허난문예』에 발표, 25일에 『허난문예』에 전재)와 위헤이딩의 논고 「현실생활에서 출발해 인물의 진실한 형상을 표현하다從現實生活出發表現人物的真實形象」(『창장문예』 1954년 제1호에 전재) 등 두 편의 평론을 결합해 "수많은 비평과 소개에 대해", 그 가운데 "청년 작가 양성 공작 과정에서 주의할 만한 문제", 즉 "청년 작가 양성을 소홀히 하는" 문제가 반영되어 있다고 지적하면서 "실사구시"적 시각에서 작품을 분석하고 평가해서는 안 되며, "격려와 도움을 주어야 한다"라고 주장하였다.

『문예보』 제2호에 바런의 독서수필 「「첫눈」을 읽고讀<初雪>」와 탕즈의 「「화이하이 강가의 자녀」를 평하다評<淮河邊上的兒女>」가 발표되었다. 바런은 글에서 「첫눈」이 "공인계급에 속하는 인물을 진실하게 파악하기 위해 노력"한 점을 긍정하면서, "이러한 묘사가 진실하기 때문에 시적인 정취를 가지고 있다"라고 평했다. 그는 이 작품이 "평범한 생활 속에서 삶의 최고의 진실을 발견"하였으며, 또한 "생활의 실천이 이미 우리의 작가들을 인도해, 자기 자신으로부터 점차 노동인민에 대한 사랑을 기르게" 했음을 반영하였다고 보았다.

궈모뤄의 5막 화극 「굴원」이 모스크바 에르몰로바 극장에서 공연되었다. 이는 「서상기」, 「백모녀」, 「전투 속에서 성장하다」를 이어 소련에서 네 번째로 공연된 중국 극본이다.

31일, 『인민일보』 '항미원조' 특집란에 거비저우의 시 「바위 위의 푸른 소나무: 조선의 노부인에게 바치다岩上靑松:獻給朝鮮的老大娘」가 발표되었다.

이달에 레닌 서거 30주년을 기념하여 『문예보』 제1호에 뤼잉의 「레닌의 문학사상列寧的文學思想」이, 제2호에는 A · 미야스니코프의 「레닌과 문학예술문제를 논하다論列寧與文學藝術問題」 등의 특약 원고가 발표되었다.

중국 · 인도 우호협회 대표단이 인도와 미얀마를 방문하였다. 딩시린이 단장을, 샤옌이 부단장을 맡았다.

다롄시 문학예술계연합회에서 편찬한 월간 『해연海燕』이 창간되었다.

중앙신문기록전영제편창中央新聞紀錄電影制片廠에서 제작한 문헌 기록 영화 「항미원조抗美援朝」 (제2부)가 3일부터 상영을 시작해 총노선 선전에 호응하였다.

즈샤知俠의 장편소설 『철도유격대鐵道遊擊隊』가 신문예출판사에서 출간되었다.

리잉루李英儒의 장편소설 『후퉈허 위에서의 전투戰鬪在滹沱河上』, 루뎬蘆甸의 중편소설 『파도 속의 사람들浪濤中的人們』이 작가출판사에서 출간되었다.

리잉루(1913~1989), 허베이성 바오딩 출신이다. 1936년에 혁명에 투신하였다. 1954년에 첫 장편소설 『후퉈허 위에서의 전투』를 발표하였다. 이후에 창작한 장편소설 『야화춘풍투고성野火春風鬪古城』은 1963년에 8·1전영제편창에서 극영화로 제작되었다. 중국전영가협회 회원, 8·1전영제편창 고문을 역임하였으며 『8·1영화』의 창간 업무에 참여해 편집장을 맡았다. 저서로 장편소설 『여자 유격대장女遊擊隊長』, 『내 국토를 돌려달라還我河山』, 『지난 세대의 사람上一代人』, 『연조군웅燕趙群雄』, 『호랑이 굴 부부虎穴伉儷』, 『계집아이女兒家』, 『혼단진성魂斷秦城』 등이 있다.

천톈닝陳天寧의 중편소설 『하이허 양쪽 기슭의 봄海河兩岸的春天』, 아펑阿鳳의 소설 『발탁하다提拔』 와 『설을 쇠다過年』, 왕쉐보王血波의 가극 『마음에 둔 사람心上的人』이 톈진통속출판사天津通俗出版社에서 출간되었다.

톈젠의 장편서사시 『인력거꾼 전기趕車傳』의 재판이 인민문학출판사에서 출간되었다. 이 책은 1949년 5월에 톈진신화서점에서 초판이 출간되어 '중국인민문예총서中國人民文藝叢書'에 포함되었다.

『짱커자 시선臧克家詩選』이 작가출판사에서 출간되었다.

쩡커의 『계획 및 기타計劃及其他』가 신문예출판사에서 출간되었다.

마펑의 『세 친구三個好朋友』, 위안잉의 『딩딩이 베이징성을 여행하다』, 두펑杜風의 『화해하다和好』, 주보朱波 등의 『몽골족 소녀 지마蒙族小姑娘吉瑪』가 소년아동출판사에서 출간되었다.

안보의 화극 『봄바람이 뉘민허까지 불어온다』(『극본』 1953년 제12호에 처음으로 발표) 단행본이 작가출판사에서 출간되었다. 1958년 12월에 인민문학출판사에서 재판이 출간되었다.

2월

1일, 『인민일보』 편집장 덩퉈가 중국 신문공작자 대표단을 이끌고 소련작가협회의 초청에 응해 소련을 방문하였다. 대표단은 소련작가협회와 좌담회를 가지고 간행물 공작과 특필작가의 임무 및 특필이라는 문학양식의 특징 등에 대해 토론하였다.

『둥베이문학』 제2호에 위핑보의 「『홍루몽』의 사상성과 예술성紅樓的思想性及藝術性」이 발표되었다.

『시난문예』 제2호에 류사허流沙河의 스케치 「채마밭에서菜園裏」가 발표되었다.

류사허(1931~2019), 본명은 위쉰탄餘勳坦으로 쓰촨성 진탕金堂 출신이다. 고등학교에 재학 중이던 1948년부터 작품을 발표하였다. 1952년에 쓰촨성 문련으로 이동하여 『쓰촨군중四川群眾』과 『별星星』의 편집을 맡았다. 1956년에 첫 시집 『농촌야곡農村夜曲』을 출간하였다. 1957년에 시 간행물 『별』의 창간에 참여하였으며, 산문시 「초목편草木篇」을 발표해 시단과 문학계의 주목을 받았다. 그러나 얼마 지나지 않아 「초목편」이 "백화제방의 이름을 빌려 옳지 못한 사상을 마구 떠벌렸다"라고 평가되어 이로 인해 우파로 오인되어 공개적으로 비판을 받았다. 저서로 시집 『류사허 시집流沙河詩集』, 『고향과 이별하다故園別』, 『유랑의 발자취遊蹤』, 『농촌야곡』, 『화성과 작별하다告別火星』, 단편소설집 『창窗』 등이 있다.

『창장문예』 제2호에 리준의 「나는 「그 길을 갈 수 없다」를 어떻게 썼는가」가 전재되었다(이 글은 『허난문예』의 내부 간행물 『허난문예통신원河南文藝通訊員』 1953년 제12호에 처음 발표되었다).

『역문』 제2호에 소련 작가 파블렌코의 단편소설 「길 위의 부름路上的呼喚」(야커亞克 번역), 「산중이야기山中故事」(첸청錢誠 번역), 「그레고리 · 소루시아格利果裏 · 蘇路西亞」(뤼제呂潔 번역) 및 만타오가 번역한 고골의 소설 「소로친치 큰 장索羅慶采市集」이 게재되었다.

『신관찰』 제3호에 예성타오의 「양가죽 뗏목을 타고 뤄탄으로 가다坐羊皮筏到羅灘」가 발표되었다.

2일, 출판총서에서 화둥신문출판국華東新聞出版局에 회신을 보내 외국 저작을 번역 출판하는 경우 원저자에게 원고료를 지급해야 하는가 하는 문제에 대해 답변하였다. 출판총서에서는 외국 작가의 서적을 번역 출판하는 경우, 저자가 출판사에 원고료를 요구하지 않는다면 일단은 지급할 필요가 없으며, 만약 요구한다 하더라도 구체적인 상황에 따라 결정해야 한다고 답변하였다.

베이징인민예술극원北京人民藝術劇院이 소련 극작가 아나톨리 소프로노프의 신작 「이렇게 살아야만 한다非這樣生活不可」를 공연하였다. 어우양산쭌이 감독을, 메이첸梅阡이 부감독을 맡았으며 예쯔葉子, 댜오광탄刁光覃, 잉뤄청英若誠 등이 주연을 맡았다.

5일, 『중국청년보』에 왕야오王堯, 관더우산의 특필 「목장에서의 사랑牧場上的愛情」이 발표되었다.

『광명일보』에 장보쥔章伯鈞의 글 「반드시 계속해서 항미원조운동을 심화해야 한다 — 영화 「항미원조」 제2부를 보고必須繼續深入抗美援朝運動——看了影片<抗美援朝>第二部」가 발표되었다.

6일, 『인민일보』에 사오옌샹의 시 「우리가 이 초고압 송전선을 가설했다我們架設了這條超高壓送電線」가 발표되었다.

『광명일보』에 진딩金丁의 글 「사팅의 단편소설에 관하여關於沙汀的短篇小說」가 발표되었다. 인민문학출판사에서 출간된 『사팅 단편소설집沙汀短篇小說集』에는 22편의 단편소설이 수록되었는데, 진딩은 이 책에 대해 "소설의 중요한 측면은 우선 작가가 주로 무엇을 긍정하였으며 무엇을 부정하였는가에 있다. 작가들은 모두 각자의 애증을 가지고 있다. 이러한 애증의 감정은 작가가 선택한 형상을 통해 드러나며, 작품의 주제와 작가의 사상 경향을 보여준다"라고 지적하면서, "생활은 앞으로 나아가는 것이다. 새로운 생활 속에는 새로운 사상과 감정이 존재한다. 따라서 독자가 작가에게 이러한 요구를 하는 것도 지극히 자연스러운 일이다"라고 보았다.

진딩(1910~1998), 본명은 왕진딩汪金丁으로 베이징 출신이다. 중국민주동맹 회원이자 중공 당원이며 중국인민대학 교수를 역임하였다. 1929년부터 작품을 발표하였으며 1949년에 중국작가협회에 가입하였다. 저서로 단편소설집 『아이들孩子們』, 『옛일과 지식인往事與文化人』, 『삼성기 아래서在三星旗下』, 회고록 『좌련에 관한 몇 가지 추억有關左聯的一些回憶』, 『소서구몽蘇西舊夢』, 『아직 길을 끝까지 가지 않았다路還沒有走完』 등이 있다.

7일, 『인민문학』 제2호에 정전둬의 산문 「바르샤바행華沙行」, 류바이위의 산문 「먼 곳에서 온 편지遠方來信」와 리준의 단편소설 「그 길을 갈 수 없다」(전재)가 발표되었다.

8일, 『인민일보』에 위지虞棘의 「문헌기록영화 「항미원조」 제2부를 보고看文獻記錄影片<抗美援朝>第二部」, 루하오陸灝의 「왕충룬 이야기王崇倫的故事」 및 위안수이파이가 지원군 전사에게 보낸 편지 「중국에 대한 인도 인민의 사랑印度人民對中國的愛」이 발표되었다.

『광명일보』에 바런의 평론 「「시멘트」에 관하여關於<土敏土>」가 발표되었다. 그는 글에서 소련작가 글라드코프의 작품 「시멘트」(1925년에 출판되어 1931년에 중국에 소개됨)와 그 역사적 배경 및 소재에 대해 소개하고, 작품에 표현된 사상전선에서의 계급투쟁과 예술 측면에서 거둔 성공에 대해 평하였다.

12일, 『해방군문예』제2호에 사설 「문예 무기를 활용해 국가 과도기 총노선을 선전하자運用文藝武器, 努力宣傳國家過渡時期的總路線」, 루링의 단편소설 「너의 영원히 충실한 동지你的永遠忠實的同志」, 두펑청의 소설 「판룽전」 및 바진의 특필 「어느 영웅 중대의 생활—個英雄連隊的生活」 등이 발표되었다.

15일, 『문예보』제3호에 펑쉐펑의 「『수호전』에 관한 몇 가지 문제에 답하다回答關於<水滸>的幾個問題」가 연재되기 시작하여 11호에 연재가 완료되었다. 글의 주된 내용은 『수호전』의 판본에 대하여/진실성 문제/작가는 농민 봉기의 근거지인 양산박을 어떻게 표현했는가/'도盜'와 '관寇'의 '명분' 및 작가의 담력/양산박 영웅 인물의 인민 군중성/옛 전통적 견해 및 전반부와 후반부에서 각각 무엇이 중요한가 하는 문제/작품에서의 송강의 성격에 대한 묘사 및 복종을 받아들이는 문제/작가에 대한 견해/농민혁명사상과 그 한계성/『수호전』과 당시 도시인민의 정의 투쟁/무송이 형수를 살해한 일, 양웅이 처를 살해한 일 및 부녀에 대한 『수호전』의 태도(부녀관)/무송에 대한 문제/이규에 관하여/이들 영웅 인물의 정신적 품성은 오늘날의 우리에게 어떤 의의가 있는가 등이다.

『문예보』같은 호의 '독자 의견'란에 왕스더王世德, 자오쥔趙尊의 「「일상생활을 통해 영웅인물을 표현하는 데 능해야 한다」에 대한 의견對<要善於通過日常生活來表現英雄人物>的意見」(장쿵양의 글 「일상생활을 통해 영웅인물을 표현하는 데 능해야 한다」는 『문예월보』1953년 제9호에 발표됨)과 우지無忌의 「「보기 드문 손님」에 대한 의견對<稀罕的客人>的意見」(사오쯔난의 「보기 드문 손님稀罕的客人」은 『군중문예』1953년 제7호에 발표됨)이 게재되었다.

『문예월보』제2호에 천덩커의 소설 「고향을 떠나다離鄉」, 가오샤오성高曉聲의 소설 「계약을 취소하다解約」, 볜즈린의 연작시 「채릉 외 2편采菱外兩首」이 게재되었다. 이 외에도 장위張禹의 「장난 토지개혁을 반영한 소설一本反映江南土改的小說」이 발표되었다. 장위는 글에서 "천쉐자오 동지의 소설 「토지土地」는 장난 토지개혁 이후에 처음으로 발표된 비교적 긴 작품으로, 전형적인 중농中農이 자신의 결점과 잘못을 극복하고 마침내 '기꺼이', 그리고 결연히 고용인인 빈농과 함께 투쟁에 임하는 과정을 묘사하였다"라고 평하였다. 그러나 "이야기의 발전 과정 속에서 중요한 긍정적 임무가 충분히 활동할 기회를 얻지 못했다." "농민 군중의 해방운동 과정 역시 묘사가 대단히 부족했다." "작품은 투쟁이 진행되는 전형적 환경을 잘 반영하지 못했다." "사상과 창작방법에 있어 작가의 결점은 첫째로 전형적 인물, 특히 긍정적 인물의 전형이 가지는 의의에 대한 인식이 부족하다는 것"이고, 둘째는 "사실상 여기(즉 거창린葛長林, 저우더차이周德才 등 긍정적 인물을 묘사한 중요 부분)에서 작가가 사회주의 현실주의의 특징과 방법에서 벗어나 있다"는 것이며, 셋째는 "작가가 사물의 내재적 모순을 종종 부정확하게 처리하고 있다"는 것이라고 지적하였다. 그는 또한 "무산계급 작가는 사회의 각종 전형에 대해 결코 중립적인 입장을 취할 수 없다. 작가는 자신의 계급의 당성이 가진, 형상을 약화시키는 것이 아니라 강화하는 역량을 영원히 숨길 필요가 없다―이것이 바로 사회주의 현실주의의 특징이자 장점이다"라고 지적하였다.

가오샤오성(1928~1999), 장쑤성 우진 출신이다. 『신화일보』문예부간 편집자를 역임하였다. 1954년에 소설 「계약을 취소하다」를 발표해 문단의 주목을 받았다. '탐구자探求者' 문학사의 발기에 참여해 동인의 성격을 띤 문학 간행물 『탐구자』의 창간을 계획한 일로 인해 1957년에 우파로 오인되어 장쑤성 우진의 농촌에 '노동개조'를 목적으로 보내졌다. 1962년에 창작을 재개하였으나 문화대혁명 시기에 농촌에서 노동에 종사하였다. 1979년에 복권된 이후 문단 활동을 재개하였다. 중국작가협회 이사, 작가협회 장쑤분회 부주석을 역임하였다. 80년대 초에 「천환성이 도시로 가다陳奐生上城」, 「'가난한 집'의 주인"漏鬥戶"主」, 「리순다가 집을 짓다李順大造屋」 등 현대 농민의 운명을 묘사한 작품들을 발표해 높은 평가를 받았다. 주요 저서로 소설집 『79소설집79小說集』, 『가오샤오성 1980년 단편소설집高曉聲1980年短篇小說集』, 『가오샤오성 1981년 단편소설집高曉聲1981年短篇小說集』, 『가오샤오성 1982년 단편소설집高曉聲1982年短篇小說集』, 『가오샤오성 1983년 소설집高曉聲1983年小說集』, 『가오샤오성 1984년 소설집高曉聲1984年小說集』 및 장편소설 『푸른 하늘이 위에 있다青天在上』, 『천환성이 도시로 가서 출국하다陳奐生上城出國記』 등이 있다.

『신관찰』제4호에 예성타오의 산문 「안탑에 오르다登雁塔」와 위안수이파이의 인도 통신 「12월은 장미의 계절十二月是玫瑰的季節」이 발표되었다.

20일, 『이야기하고 노래하다』에 사설 「총노선이 비추는 아래서 통속문예의 역할을 더욱 발휘하자在總路線的照耀下發揮通俗文藝的更大作用」가 발표되었다.

『희극보』제2호에 1954년부터 전국 각지의 화극 공연이 활기를 띠고 있다는 기사가 게재되었다.

25일, 『문회보』에 판옌範琰의 소설 「사양행射陽行」 1~4부분이 연재되기 시작해 3월 2일에 연재가 완료되었다.

28일, 스탈린 서거 1주기를 기념해 『문예보』제4호에 리량李梁의 「스탈린과 문학예술斯大林與文學藝術」, 저우리보의 「스탈린은 우리의 전진을 계속해서 격려하고 있다斯大林繼續鼓舞著我們前進」가 게재되었다.

둥베이작가협회에서 개설한 문학강습반이 정식으로 개강하였다.

『문예보』 제4호에 바런의 독서수필 「「파도 속의 사람들」을 읽고讀<浪濤中的人們>」가 발표되었다(「파도 속의 사람들」은 루뎬의 중편소설이다). 바런은 글에서 「파도 속의 사람들」이 "공인계급의 정신생활 성장을 묘사한 소설"이라고 평하며, "현실주의 작품은 전형적인 환경 속의 전형적 성격을 정확하게 표현해야" 할 뿐만 아니라 "세부적인 사항의 진실성"에도 주의해야 한다고 지적하였다. 그는 소설에 표현된 "투쟁이 마지막까지 발전했을 시점에 와서도 모순이 자본가의 추악한 면모를 드러낼 만큼 충분히 두드러지지 않았"기 때문에 "이 작품의 예술적 구성이 완정하다고 말하기 힘들다"라고 평하였다.

팡롄方聯의 평론 「「조장과 사위」를 평하다評<組長和女婿>」(「조장과 사위」는 팡즈方之의 단편소설로 『이야기하고 노래하다』 1953년 제11호에 발표되었다)는 "이 소설의 언어는 비교적 생동감이 있다. 언어는 인물의 성격 및 생활의 정서와 대체로 어우러지며, 또한 군중이 좋아할 만한 형상화의 특징을 구비하고 있다"라고 평하였다.

차이톈蔡田의 평론 「「지취화산」을 보고看<智取華山>」는 이 영화가 "우리나라 최초의 스릴러적 특성을 가진 영화"로 "생활의 진실에 근거"하여 창작되었다고 평하면서, "「지취화산」의 예술적 역량은 관중과 영웅들이 함께 호흡하게 하는 데 있다. 이 영화는 관중의 감정과 영웅들의 운명이 긴밀히 연결되도록 하였다"라고 보았다. 그는 영화에서 만족스럽지 못한 부분에 대해 첫째는 "영화 속에서 주인공의 성격에 대한 묘사가 부족해 한두 명의 인물에 대해 두드러지고 집중적으로 표현하지 못했기 때문에 관중들에게 깊은 인상을 주지 못한" 점이며, 둘째는 "영화 줄거리의 발전이 다소 단순하고 직선적"인 것이라고 평했다.

『문예보』 같은 호에 추양邱揚의 번역 소개 「극본 「이렇게 살아야만 한다」劇本<非這樣生活不可>」가 게재되었다(이 극본은 소련 극작가 아나톨리 소프로노프의 작품으로, 린윈林耘이 번역해 『극본』 1953년 제11호에 게재되었다).

팡즈(1930~1979), 본명은 한젠궈韓建國로 본적은 후난성 샹탄湘潭이며 난징에서 출생하였다. 50년대 초기에 첫 소설 「형제가 한데 모이다兄弟團圓」를 발표하였다. 1957년 이후에 장쑤성 문련, 난징시 문련에서 전문 창작에 종사하였다. '탐구자探求者' 문학사의 발기에 참여한 일로 인해 우파로 오인되어 비판을 받았다. 문화대혁명 시기에 지속적으로 공격을 받았다. 1977년에 난징으로 돌아갔다. 저서로 중편소설 『파도와 돌浪頭與石頭』, 단편소설 『내부의 첩자內奸』 등이 있으며, 단편소설집 『샘가에서在泉邊』, 『팡즈 작품선方之作品選』 등이 출간되었다.

이달에 중화서국에서 푸장칭浦江清 등의 『조국의 열두 시인祖國十二詩人』이 출간되었다.

사오쯔난 등의 단편소설집 『길路』이 시난문예사西南文藝社와 충칭시인민출판사重慶市人民出版社에서 합동으로 출간되었다.

런다싱의 『뤼샤오강과 그의 누이동생呂小鋼和他的妹妹』이 중국청년출판사에서 출간되었다. 이 작품은 이후에 영어, 러시아어 등으로 번역되었으며 각색을 거쳐 아동 극영화 「오빠와 누이동생哥哥和妹妹」으로 제작되었다.

중국청년출판사에서 『영웅으로부터 배우자向英雄學習』를 편집 출판하였다. 이 책에는 주로 "청년들에게 추천할 만한 기본적으로 우수한 문학작품"을 수록하였는데, 「사랑스러운 중국可愛的中國」, 「류후란 약전劉胡蘭小傳」, 「조선통신보고선朝鮮通訊報告選」, 「모든 것을 당에 바치다把一切獻給黨」, 「오스트롭스키 강연·논문·서신집奧斯特洛夫斯基演講·論文·書信集」, 「오스트롭스키 전기奧斯特洛夫斯基傳」, 「나의 아들我的兒子」, 「조야와 수라 이야기卓婭和舒拉的故事」, 「평범한 병사─마트로소프普通一兵──馬特洛索夫」, 「구리아의 길古麗雅的道路」, 「나의 집단 농장 생활我的集體農場生活」, 「등에牛虻」 등이 수록되었다.

왕구이산王桂山의 산둥 쾌서山東快書『수수쌀 한 수레一車高粱米』, 펑쓰커朋斯克의 중단편소설집 『금색의 싱안링金色興安嶺』, 푸둬의 화극『여명 전의 어둠을 돌파하다沖破黎明前的黑暗』, 예성타오의 『겨울방학의 어느 날寒假的一天』, 라오서의 『대잡원 속의 사람들大雜院裏的人們』, 저우리보의 단편소설집 『입대하다參軍』, 자오수리의 장편소설 『라오양 동지老楊同志』, 양숴의 장편소설 『야오창경 가족姚長庚一家人』이 인민문학출판사에서 출간되었다.

펑쓰커(1930~), 몽골족으로 네이멍구 싱안멍커興安盟科 우중기右中旗 출신이다. 1947년에 혁명에 참가하였다. 월간 『초원』 부편집장을 역임하였다. 1951년부터 작품 발표를 시작하였다. 저서로 단편소설집 『복숭아꽃 필 무렵桃汛時節』, 『금색의 싱안링』, 『펑쓰커 중단편소설집朋斯克中短篇小說集』, 장편소설 『이허타라 전투伊和塔拉之戰』 등이 있다.

리웨이시의 소설 『성급한 사람』, 마자의 소설 『강산촌십일』, 류사오탕의 단편소설집 『푸른 가지와 잎』, 우창의 보고문학 『영웅의 업적』, 후펑의 잡문 단편 『근원에서 큰 흐름까지從源頭到洪流』, 궈모뤄의 산문집 『파도海濤』와 역사학 저서 『역사 인물歷史人物』 및 자서전 『소년시대少年時代』(제1권)가 신문예출판사에서 출간되었다.

3월

1일, 『광명일보』 학술 부간 『문학유산文學遺產』이 창간되었다. 「발간사」에서는 제2회 문대회에서 저우양이 제기한 "민족문학예술의 유산을 체계적으로 정리하고 연구하는 일을 우리 문학예술사업의 가장 중요한 임무 중 하나로 삼는다", "이 간행물을 통해 전국 고전문학 연구공작자들 사이의 연계를 강화하고, 연구공작자와 독자 군중 사이의 연계를 중진하기를 바란다"는 의지를 거듭 천명하였다.

둥베이작가협회에서 창간한 월간 『둥베이문학』에 폴레보이의 「스탈린 시대의 사람斯大林時代的人」에 대한 좌담회 기록이 발표되었다.

『창장문예』 제3호에 사설 「스탈린 동지 서거 1주년을 기념하며紀念斯大林同志逝世一周年」와 지쉐페이의 소설 「작은 백기의 풍파一面小白旗的風波」가 발표되었다.

『역문』 제3호에 러우스이와 린치林齊가 번역한 일본 작가 코바야시 타키지의 소설 「1928년 3월 15일一九二八年三月十五日」이 게재되었다.

『신관찰』 제5호에 리잉의 시 「가장 훌륭한 노래最好的歌」가 발표되었다.

『인민일보』에 친자오양의 특필 「늙은 양치기─산간 지대를 건설한 사람들 제4편老羊工──建設山區的人們之四」이 발표되었다.

3일, 『문회보』에 왕웨이디王維堤의 글 「스탈린을 기념하며紀念斯大林」가 발표되었다.

『극본』 제3호에 편집부의 글 「전국 극단에 요구한다向全國劇團提出要求」가 발표되어, 전국의 여러 극단에 공연 피드백을 제공해 줄 것과 극작가와의 연계를 강화할 것을 요구하였다. 이 외에도 란광藍光의 단막극 「두 자매姐妹倆」가 발표되었다.

5일, 『문회보』에 첸구룽錢穀融의 글 「「가장 위대한 우정」을 학습하자學習<最偉大的友誼>」가 발표되었다(「가장 위대한 우정」은 마오쩌둥이 스탈린 서거를 기념하기 위해 쓴 글로, 1953년 3월 9일자 『인민일보』에 최초로 발표되었다).

첸구룽(1919~2017), 본명은 첸궈룽錢國榮으로 장쑤성 우진 출신이다. 1942년에 중앙대학 국문과를 졸업하였다. 공화국 성립 후에 문학이론 및 중국현대문학의 연구와 교육에 오랫동안 종사하였다. 충칭시립중학 교사, 교통대학 강사, 화둥사범대학 교수, 『문예이론연구文藝理論研究』 편집장, 중국현대문학연구회 부회장, 중국작가협회 제4기 이사 등을 역임하였다. 저서로 『'문학은 인학이다'를 논하다論"文學是人學"』, 『문학의 매력文學的魅力』, 『인생 산책散淡人生』, 『「뇌우」 인물담<雷雨>人物談』 등이 있다.

『광명일보』에 샤오싼의 시 「스탈린은 영원히 살아 있다斯大林永遠活著」와 저우리보의 글 「스탈린은 우리의 전진을 계속해서 격려하고 있다」가 게재되었다.

7일, 『인민문학』 제3호에 뤼위안의 연작시 「베이징의 시北京的詩」(「중난하이의 붉은 담을 따라 걷다沿著中南海的紅牆走」, 「공원에 놀러 가다到公園去玩」, 「눈雪」을 수록), 아이우의 단편소설 「밤에 돌아오다夜歸」, 루링의 단편소설 「저지대에서의 '전투'窪地上的"戰役"」가 발표되었다.

『문예보』 1954년 제12호에 허우진징이 「루링의 소설 세 편을 평하다評路翎的三篇小說」를 발표하여 「저지대에서의 '전투'」와 「전사의 마음戰士的心」(『인민문학』 1953년 제12호), 「너의 영원히 충실한 동지」(『해방군문예』 1954년 제2호) 등 세 편의 소설을 비평하였다. 허우진징은 이 작품들이 "심각한 결점과 오류를 가지고 있다. 부대의 정치생활을 왜곡하여 묘사하였다"며, 부대 내에 나쁜 영향을 끼쳤다고 보았다. 뒤이어 천융, 웨이웨이, 캉줘, 양숴, 쑹즈더, 바진 등이 비평을 발표하였는데, 비평의 초점은 주로 「저지대에서의 '전투'」에 집중되어 있었다.

허우진징은 글에서 "작가는 「저지대에서의 '전투'」에서 북한 처녀 김성희金聖姬와 지원군 전사 왕잉훙王應洪의 연애 이야기를 서술하면서 그 속에서 규율과 사랑의 충돌을 전개하였다." "이러한 사랑은 부대의 정치 규율이 허용할 수 없는 것으로, 전투에 이롭지 못한 것이다. 따라서 사실상 국제주의 정신과 배치되는 것이다." "작가가 개인적 온정주의에 입각하여 개인과 집단—사랑과 규율 사이의 모순을 강력히 과장하였기 때문에……병사들의 진실한 정신과 신성한 책임감을 왜곡하였으며, 이들이 용감히 전진하도록 고무할 수 없고, 전쟁 승리에 대한 사람들의 견고한 믿음을 불러일으킬 수 없으며……청년 독자들이 전진할 길을 밝혀 줄 수 없다"라고 지적하였다. 그는 루링의 작품이 "집단주의와 계급 각오의 거대한 힘은 빼 버리고, 그 대신 보잘것없고 심지어 저속하기까지 한 개인적 행복에 대한 동경을 묘사하였으며, 이를 인민군대의 전투 역량의 원천으로 표현하였다. 앞서 평한 루링의 작품들은 개인주의를 선전하는 해로운 작품이라 할 수 있다"라고 비평하였다. 그는 마지막으로 "루링이 계속해서 생활에 깊이 침투하고 자기 자신을 진지하게 개조하는 과정 속에서 잘못된 사상과 창작방법을 철저히 바로잡아, 현실을 진실하게 반영하고, 건강하고 정확하며 수많은 독자들에게 이로운 훌륭한 작품을 창작하기를 바란다"라고 말했다.

1954년 말에 루링은 4만 자에 이르는 답변의 글 「어째서 이러한 비평이 발생했는가?爲什麼會有這樣的批評?」를 발표해 해명하였다. "김성희 모녀는 전쟁을 위해 희생했으며 성실한 노동을 바쳤다. 이러한 인민은 지원군 전사에 대해 더욱 열렬한 감정을 가지게 될 것이다. 그녀들의 감정이 발생하고 발전하는 과정은 부대와 인민, 즉 중국인민지원군과 북한 인민의 혈연관계를 표현한다. 이것이 바로 소설에서 표현한 사랑의 사회적 내용이다." "소설에서는 전사 왕잉홍에 대한 김성희 모녀의 감정을 표현하였고, 바로 이러한 감정을 통해 소설의 주제, 즉 인민의 희망과 피비린내 나는 제국주의의 근본적 대립, 그리고 우리 군 전사의 자각 정신이라는 주제를 표현하였다." 루링은 비평가들의 글에 반박하며 "내 소설을 비평한 비평가들의 기본적인 관점은 집단주의와 애국주의에 관한 내용은 전사들과 그들의 고향 및 친지와의 감정적 연결과 대립된다는 것이다." "비평가들은 정치적 결론이라는 방법을 남용해 창작 문제에 대한 토론을 대체하였다……내 소설에 대한 비평가들의 수많은 사소한 곡해는……소설의 주제에 대한 곡해에서 온 것이다"라고 지적하였다(『문예보』 1955년 제1~4호).

같은 호에 아이칭의 논문 「시의 형식 문제-시의 형식주의 경향에 반대한다詩的形式問題——反對詩的形式主義傾向」가 발표되었다. 아이칭은 현재 중국의 시에는 내용과 형식의 두 가지 면에 모두 문제가 존재한다고 보았다. "그중에서 가장 중요한 문제는 형식주의 경향이다. 이러한 경향은 창작에 있어서는 내용의 공허와 형식에 대한 맹목적인 추구라는 형태로 나타나고, 이론에 있어서는 형식에 대한 일련의 혼란한 관념이라는 형태로 드러난다. 이러한 관념들은 각기 다른 정도로 창작을 방해한다." 논문은 시의 민족형식 문제, 자유시와 격률시 문제, 몇 가지 형식주의 이론 등 세 부분으로 구성되었다.

9일, 『문회보』에 관더우산, 왕야오王堯의 특필 「묘족 형제가 샹산에서 만나다苗家兄弟會香山」가 발표되었다.

12일, 『문회보』에 샤옌의 「남인도행南印度之行」이 발표되었다. 이 글은 샤옌이 중국 · 인도 우호협회 인도 방문 대표단의 부단장으로서 인도를 방문한 후 쓴 글로, 본래 『세계지식世界智識』에 발표되었다. 이 외에도 바오스包時가 각색한 「그 길을 갈 수 없다」의 상편이 발표되었으며, 중편은 13일자에, 하편은 14일자에 연재되었다.

『해방군문예』제3호에 루리의 시 「스탈린 묘 앞에서在斯大林墓前」와 궁류의 소설 「영예榮譽」가 발표되었다.

14일, 『문회보』에 장커의 시 「나는 금색의 기념장을 가져왔다我帶上金色的紀念章」가 발표되었다.

15일, 『문예보』제5호에 딩링의 「천덩커에게 보내는 서신給陳登科的信」이 게재되었다. 이 서신은 1954년 2월 12일에 쓴 것이다. 딩링은 「화이하이 강가의 자녀」에 대해 이 작품이 비록 "잘 쓰지 못한" 작품이지만 그럼에도 "내용이 있는 견실한 작품"이라고 평하였다. 또한 이 작품에 관한 독자 의견과 탕즈의 평론(『문예보』제2호)에 대해 자신의 견해를 제시하였는데, 이 평론들이 좋은 의견뿐만 아니라 결점도 가지고 있다고 평하면서, "독자들이 작품을 분석하는 것을 도와 독자들의 이론 상식을 제고해 주기는 하지만, 독자들이 작품을 이해하고 작품 속의 생활을 체험하게 해 주는 면은 부족하다. 작가의 인식을 돕기는 하나, 작가가 새로운 문제에 대해 창작하고자 하는 마음을 불러일으키기에는 부족하다"라고 보았다. 같은 호에 본지 기자의 「「유서호」 각색에 대한 토론改編<遊西湖>的討論」이 게재되었다(「유서호遊西湖」는 「홍매각紅梅閣」이라고도 하며, 1953년 9~10월 사이에 마젠링이 동명의 진극秦劇 극본을 진강秦腔 극본으로 각색한 작품이다).

『안후이문예』제3호에 사설 「스탈린 서거 1주년을 기념하며紀念斯大林逝世一周年」 및 옌천의 시 「마음의 노래心的歌」가 발표되었다.

『문예월보』제3호에 '위대한 스탈린 서거 1주년 기념' 사설 「새로운 승리를 향해 전진하자向著新的勝利前進」가 발표되었다. 사설은 문예에 대한 스탈린의 지시와 지도적 역할 및 중국 사회주의에서 가지는 의의를 간략히 서술하고, 작가들에게 스탈린의 혁명 학설과 소련 문예의 경험을 학습하고 또한 적극적으로 창작 실험에 종사할 것을 요구하였다. 이 외에도 위링의 「총노선이 비추는 아래서의 영화예술공작總路線照耀下的電影藝術工作」과 쓰민스민의 시 「집안에 햇빛이 가득하다屋子裏充滿了陽光」 및 한쯔의 단편소설 「불굴의 손가락不屈的手指」이 발표되었다.

16일, 『허난문예』제6호에 리준의 소설 「비雨」가 발표되었다.

『중국청년보』에 우윈둬의 「총유탄은 어떻게 만들어지는가槍榴彈是怎樣造成的」(우윈둬의 전기 소설 「모든 것을 당에 바치다」에서 발췌)가 게재되어, '인민교육출판사의 중학교 어문 보충교재'로 선정되었다.

『신관찰』제5호에 캉줘의 산문 「봄의 기쁨春天的喜悅」이 발표되었다.

『문회보』에 추강丘崗의 「햇빛이 초원 위의 사람들을 비춘다陽光照耀著草原上的人們」가 발표되었다. 이 글은 영화 「초원 위의 사람들」을 소개한 글이다(이 영화는 마라친푸의 단편소설 「커얼친 초원의 사람들」을 각색한 것으로, 1953년에 상영되었으며 쉬타오가 감독을 맡았다).

20일, 『이야기하고 노래하다』 제3호에 팡즈의 중편소설 「촌장이 펜을 사다鄕長買筆」가 발표되었다.

중앙희극학원 감독간부훈련반導演幹部訓練班이 정식으로 개강하였다. 본 훈련반의 목적은 전문 감독들이 체계적으로 이론, 특히 스타니슬랍스키 체계의 학습을 돕는 것이다.

22일, 『인민일보』 '항미원조' 특집호에 톈젠의 시 「어느 장군에게給一位將軍」가 발표되었다.

24일, 상하이시위원회 선전부에서 공인문학창작문제 좌담회를 개최하였다.

24일~30일, 문화부에서 제4차 전국문화공작회의를 소집하였다. 회의에서는 1953년의 공작을 결산하고 현재 문화공작의 방침과 임무 및 1954년 공작계획에 관해 토론하였다. 또한 문예창작이 현실에 비해 낙후되어 있으며 사상지도가 느슨해진 현상 및 새로운 작가와 작품에 응당 필요한 지지가 부족한 점, 유해한 구사상에 대한 경계와 투쟁이 부족한 점, 그리고 민족예술전통을 대함에 있어 '좌' 혹은 '우'의 경향이 종종 발생하는 점 등을 지적하였다. 이에 지도를 강화하고, 공농병을 위해 복무하는 정치 방향 아래 각종 문예의 자유경쟁을 격려하고, 정확한 비평과 자아비평을 전개할 것을 요구하였다.

희극에 관해서는 국가의 과도기에 인민의 이익에 합치하며 현재 필요한 문학예술 창작을 적극적으로 발전시키고 예술 실천을 강화하는 것이 현재 문화공작에 있어 가장 중요한 임무라고 보았다. 회의에서는 또한 희극의 창작과 배우의 공연예술의 제고, 민간 직업극단에 대한 지도와 관리 등의 문제의 중요성을 강조하고, 희극공작이 방대한 노동자의 요구에 호응할 것, 공농병을 위해 복무할 것, 그리고 군중창작을 돕는 데 주의를 기울일 것을 요구하였다.

26일, 『중국청년보』에 친자오양의 소설 「왕융화이王永淮」(4월 3일자 『문회보』에 전재)가 발표되어 '인민교육출판사의 중학교 3학년 어문 보충교재'로 선정되었다.

28일, 중국희극가협회에서 소련의 희극전문가 레슬리列斯裏가 중국을 방문하여 교육을 진행하는 것을 환영하는 대회를 개최하였다. 회의에서 레슬리는 「스타니슬랍스키의 엄격한 정신을 학습하자學習斯坦尼斯拉夫斯基的嚴格精神」라는 제목의 연설을 진행하였다(연설문은 『희극보』 제4호에 게재).

30일, 『문예보』 제6호에 위칭於晴의 「영화극본 「위대한 기점」電影劇本<偉大的起點>」이 발표되었다. 아이밍즈의 「위대한 기점」은 『문예월보』 1954년 1월호와 제2호에 발표되었다. 위칭은 이 극본이 "전체적으로 보아 깊이가 충분하지 않은 작품이라 해야 할 것이다. 그러나 소설에 등장하는 인물들이 한 일, 그리고 그들의 통곡과 환호는 우리를 매료시키고, 우리나라가 현재 앞을 향해 발전하는 생활을 영위하고 있음을 느낄 수 있게 해 준다." "작품의 결말에는 여전히 기술을 강조하는 작품 특유의 '구조'의 흔적이 남아 있는 듯하다"라고 평하였다. 이 외에도 원산聞山의 「「장허의 물」을 읽고讀<漳河水>」가 게재되었다.

푸젠성 문학예술공작자 제1차 대표대회가 푸저우에서 개최되었다.

이달에 천인커가 『전유인연시석증錢柳因緣詩釋證』의 집필을 시작하였다. 이후에 『유여시 별전柳如是別傳』으로 제목을 변경하였으며, 1964년 여름에 완성하였다.

위안수이파이의 시집 『시 14수詩十四首』가 신문예출판사에서 출간되었다. 궁류의 시집 『변경단가邊地短歌』가 중난인민문학예술출판사에서 출간되었다.

딩링의 문예논집 『옌안집延安集』이 인민문학출판사에서 출간되었다.

런다린任大霖의 『우리는 모두 마오 주석을 사랑한다我們都愛毛主席』, 바이샤오원白小文의 『두두杜杜』, 황웨이룽黃維榮의 『중국 원인中國猿人』, 왕양즈王仰之의 『지구 이야기地球的故事』가 소년아동출판사에서 출간되었다. 또한 터키 작가 사바하틴 알리의 『어린 핫산小哈桑』과 소련 작가 구바레프의 『시간은 준비하고 있다時刻准備著』가 번역되었다.

런다린(1929~1995), 저장성 샤오산蕭山 출신으로 저명한 아동문학가이다. 1949년 7월에 저장성 기관 간행물 편집자를 맡았으며, 1953년에 상하이로 이동해 출판공작에 종사하면서 소년아동출판사와 상하이문예출판사에서 문학편집자, 주임, 편집심사위원을 역임하였다. 1980년 이후로는 소년아동출판사 편집장 및 편집심사위원을 맡았다. 저서로 단편소설집 『귀뚜라미蟋蟀』, 『논이 푸르러질 때稻田發綠的時候』, 이론 저서 『아동소설창작론兒童小說創作論』 등이 있다.

4월

1일, 출판총서에서 도서 판본 기록에 관한 규정을 수정 및 보충하여 4월 19일에 전국의 출판 기관에 발포해 집행하고, 이전에 발포한 관련 규정은 전부 폐지하도록 하였다.

『창장문예』 제4호에 타오주陶鑄가 광저우문학예술계 학습토론회에서 연설한 원고「창작에 존재하는 몇 가지 문제에 관하여關於創作上的一些問題」가 발표되었다. 그는 글에서 "문예공작자는 사상의 자아개조를 진행해야 하고, 창작은 생활에 깊이 침투해야 하며, 비평과 자아비평을 결합해야 한다. 문예공작에 대한 당의 지도를 강화하고, 작가는 농촌, 공장, 부대로 가야 하며, 훌륭한 작품, 특히 소련의 작품을 많이 읽어야 한다"라고 지적하였다. 같은 호에 궁류의 소설「산중의 여명山中黎明」, 하이모의 소설「증명 서신證明信」이 발표되었다.

타오주(1908~1969), 타오지화陶際華라고도 하며 호는 젠한劍寒, 가명은 타오레이陶磊이다. 후난성 치양祁陽 출신이다. 1965년 1월에 국무원 부총리를 맡았으며, 1966년 5월에는 중공중앙 서기처 상무서기 겸 중앙선전부 부장을 맡았다. 1967년 1월에 장칭 등의 모함을 받아 잔혹한 박해를 받았다. 이후에 중국공산당 제11기 중앙위원회 제3차 전체회의에서 복권되었다. 저서로『이상·지조·정신생활理想·情操·精神生活』,『소나무의 풍격松樹的風格』등이 있다.

『허베이문예』 제4호에 창야오昌耀가 1953년에 북한 전선에서 창작한 연작시「너는 어째서 이렇게나 강직한가你爲什麼這般倔强」가 게재되었다. 그는 시에서 한국전쟁에 참전한 북한 인민군 여전사가 눈보라를 뚫고 전선으로 나아가는 모습을 묘사하였다.

창야오(1936~2000), 본명은 왕창야오王昌耀로 본적은 후난성 타오위안桃源이다. 1954년부터 작품을 발표하였으며 1955년에 칭하이성青海省 문련으로 이동하였다. 1982년 이후에 '신변새시新邊塞詩' 운동에 참여하여 신변새시파新邊塞詩派의 대표적 시인 중 하나로 꼽힌다. 주요 작품으로「저어라, 노를 저어라, 아버지들이여!划呀, 划呀, 父親們!」,「자항慈航」,「의서意緒」등이 있으며 저서로 시집『창야오 서정시집昌耀抒情詩集』,『운명의 책命運之書』,『어느 도전하는 여행자가 하느님의 모래판을 걷는다一個挑戰的旅行者步行在上帝的沙盤』,『창야오의 시昌耀的詩』등이 있다. 2000년에 서거한 후에『창야오 시가 총집昌耀詩歌總集』이 출간되었다.

1일~12일, 허난성 문예공작자 제1차 대표대회가 개최되어 허난성 문련이 설립되고 웨밍嶽明이 주석을 맡았다.

3일, 『극본』 제4호에 차오위喬羽의 13장 가극 「행림기杏林記」와 왕웨이汪惟, 장린張琳, 저우위周禹가 창작한 3막 화극 「홍기紅旗」가 발표되었다.
출판총서에서 소련문학 명작의 개작본을 함부로 출판하는 일을 금지하기로 결정하였다.

4일, 베이징도서관과 중국작가협회가 주관하는 문예강연회가 개최되어 작가 저우리보가 고전문학 작품 『삼국연의三國演義』에 대해 강연하였다.

7일, 『인민문학』 제4호에 마펑의 단편소설 「사육사 자오 아저씨飼養員趙大叔」, 시룽의 단편소설 「분쟁糾紛」, 뤄빈지의 단편소설 「겨울 휴가年假」 및 하이모의 시 「초원 위에서草原上」, 바이랑의 「나는 먼 곳의 벗을 그리워한다我懷念著遠方的朋友」가 발표되었다.

9일, 『문회보』에 인민교육출판사에서 편찬한 '중학교 어문 보충교재'가 게재되었다. 본 교재에는 소련 작가 폴레보이의 「견습생見習生」과 독일민주공화국 작가 빌리 브레델의 '3부작' 「친척과 친구들親戚與朋友們」의 제1부 「아버지들父親們」이 수록되었다.
중공중앙에서 중앙선전부의 「인민출판사 공작상황 개선에 관한 보고關於改進人民出版社工作狀況的報告」를 인가하였다.
출판총서에서 「잡지 및 서적에 국민경제 숫자를 발표하는 데 대한 몇 가지 규정關於在雜志和書籍上發表國民經濟數字的若幹規定」을 발포하였다.

11일, 출판총서에서 정무원 문화교육위원회에 「출판물 저작권 보장에 관한 임시 시행 규정保障出版物著作權暫行規定」(초안)을 발송해 심사를 요청하였다.

12일, 『해방군문예』 제4호에 「지원군의 하루志願軍一日」 편집위원회의 호소문 「「지원군의 하루」의 완성을 위해 노력하자爲完成＜志願軍一日＞寫作而努力」 및 「「지원군의 하루」 원고 모집 요약문＜志願軍一日＞征稿簡約」이 게재되었다. 이 외에도 스차오史超의 소설 「비적을 붙잡다擒匪記」, 왕궁푸

王公浦의 소설 「녹색의 저층綠色的底層」, 구궁顧工의 시 「당신을 환영한다, 마오 주석이 파견한 이여歡迎你, 毛主席派來的人」 및 해군의 어느 군함 직원들이 공동 창작한 「잊을 수 없는 항행難忘的航行」, 추이싱화崔星華의 「누장 다리를 놓다―캉짱 통신架起怒江橋――康藏通訊」이 게재되었다.

15일, 『문예보』 제7호에 캉줘의 「「'그 길을 갈 수 없다' 및 그 비평」을 평하다評<"不能走那一條路"及其批評>」(『창장문예』 제5호, 『허난문예』 제9호에 전재)가 발표되었다. 글의 서두에 추가된 '편집자의 말'은 『문예보』에 평론을 발표하는 원칙에 관하여 "인민과 사회주의 건설을 위해 복무하는 문예사업의 발전에 이로운 모든 평론을 조직하고 발표한다"라고 설명하고, 또한 이와 관련한 편집공작에 관하여, 평론공작의 가장 큰 결점은 바로 "문예작품의 정치적, 사회적 영향을 발양하기 위한 노력이 매우 부족"한 것이라고 반성하였다. 그러면서 평론은 "생활의 실제와 정치의 요구를 떠나"서는 안 되며, 또한 "평론의 대상인 구체적인 작품의 실제에서 벗어나"서도 안 된다고 지적하였다. 캉줘는 글에서 "위헤이딩과 쑤진싼 동지가 리준 동지의 작품을 열렬히 소개하고 칭찬한 것은 마땅하고 또한 정확한 일이다"라고 긍정하면서도, 위헤이딩의 평론의 결점은 "과도한 평가를 한 것과 실제에 부합하지 않는 부분이 있는 것"이라고 지적하고, 리충의 글에 대해서는 "이러한 결점을 원칙적인 오류로 확대하였으며, 또한 근거가 부족한 상태에서 중난과 허난 문예계의 전체 지도자들까지 연관지었다"며, 이는 "경솔하고 잘못된" 일이라고 지적하였다.

같은 호에 우팅관吳廷琯의 「「밤에 황니강을 가다」를 읽고讀<夜走黃泥崗>」(「밤에 황니강을 가다夜走黃泥崗」는 뤄빈지의 소설로, 『인민문학』 1953년 제2호에 발표되었다), 진진金近의 「동화 창작의 몇 가지 문제童話創作上的幾個問題」가 발표되었다. 진진은 글에서 동화에서의 현실과 환상 문제, 동화의 민족형식 문제 및 동화의 교육적 의의에 대해 언급하였다. 이 외에도 독자 장자지張家驥의 서신이 게재되었는데, 그는 서신에서 루링에 대해 "자신이 공상해 낸 구조와 인물의 묘사만을 추구하고, 생활의 최소한의 진실마저 완전히 무시했다"라고 비평하였다.

『문예월보』 제4호에 왕시옌의 소설 「절벽懸崖」, 이췬의 「희극 작품의 창작사상 문제에 관하여關於戲劇作品中的創作思想問題」 및 뤄쉰羅蓀의 학습필기 「생활과 정책生活和政策」이 발표되었다. 이췬은 글에서 1951년 이후의 화둥 지역 희극의 창작사상에 존재하는 문제를 정리하고, 시모노프의 「소련 희극창작 발전 문제蘇聯戲劇創作發展的問題」에 대한 학습에서 출발하여 긍정적 인물에 대한 희극의 표현에 대해 중점적으로 토론하고, 공허화 및 개념의 이상화를 반대하였다. 또한 "긍정적 인물의 이상이 발전하고 성숙하는 구체적 과정"을 묘사할 것을 주장하고, 극작가들에게 사회 현실에 대한 인식과 인민 생활에 대한 체험을 심화할 것을 요구하였다.

뤄쑨은 글에서 일각에서 제시한 '선진적인 중농'을 '빈농'으로 고쳐 써야 하지 않느냐는 의견에 대해 "정책은 생활을 대체할 수 없"으며, "작품은 모든 구체적인 투쟁 속에서 농민의 심리에 일어난 거대한 변화와 발전을 심도 있게 드러낼 수 있어야 한다"라고 주장하였다. 작가는 인물을 선택할 때 정책에 따라 기계적이고 단편적으로 틀에 맞춰서는 안 되고, "현실생활 자체가 발전하는 규율 속에서 인물이 생성되도록 해야 한다"라고 지적하였다.

이 외에도 장리원의 「소설 「상간링」에 관하여關於小說<上甘嶺>」가 발표되어 소설의 "소설의 주제는 이 소설이 지원군 지휘관들의 참신한 혁명영웅주의적 품성을 개괄적으로 표현한 점에서 가장 뚜렷하게 드러난다"라고 평하였다.

뤄쑨(1912~1996), 문예평론가로 산둥성 지난 출신이다. 공화국 성립 후에 난징시 문련 부주석, 상하이문학연구소 부소장, 『문예보』 편집장, 중국작가협회 서기처 서기 등을 역임하였다. 저서로 잡문집 『전투에는 힘이 필요하다戰鬥需要力量』, 『희극세계喜劇世界』, 『결렬집決裂集』, 평론집 『사회주의 문학을 수호하자保衛社會主義文學』, 『문학산론文學散論』, 『뤄쑨 문학평론집羅蓀文學評論選』 등이 있다.

『시난문예』 제4호에 '한 청년 공인의 기록一個靑年工人的筆記'에 관해 사오쯔난이 집필한 특필 「나는 시멘트 노동자다我是一個水泥工」가 발표되었다.

16일, 『문회보』에 인민교육출판사에서 편찬한 '중학교 어문 보충교재'가 게재되었다. 본 교재에는 소련 작가 오스트롭스키의 「도로를 건설하다」가 수록되었다.

『광명일보』에 펑즈의 「안강을 노래하다歌唱鞍鋼」 '시 4편'이 발표되었다. 「나는 안강을 노래한다我歌唱鞍鋼」, 「노동모범勞動模範」, 「퇴근─안산 거리 소묘 제1편下了班──鞍山街頭素描之一」, 「밤에 눈이 온다─안산 거리 소묘 제2편夜裏下著雪──鞍山街頭素描之二」이 수록되었다.

문화부에서 희곡 「마풍녀」의 공연을 금지할 것을 건의하는 둥베이행정위원회 문화부의 보고에 대해 서면으로 의견을 표시하였다. 문화부는 의견을 통해 본 희곡이 비과학적이고 어리석은 사상을 선전하는 내용을 담고 있으며, 추악한 무대의 모습이 관중에게 좋지 못한 영향을 끼칠 수 있는 점에 기본적으로 동의하였다. 그러나 정치적인 반동 내용 외에는 행정 명령으로써 공연을 금지하는 방법을 과도하게 사용하는 것은 적절치 못하므로 사상에 대한 분석과 비판을 강조해야 한다고 지적하였다.

17일, 『인민일보』에 딩링이 봄에 고향인 후난으로 돌아가 창작한 산문 「타오화핑 여행기記遊桃花坪」가 발표되었다.

『광명일보』 부간 『문예생활』 제3호에 천샹허陳翔鶴의 「『아이우 단편소설』을 읽고讀<艾蕪短篇小說>」가 발표되었다(아이우의 본 소설집에는 그가 1931년에서 1948년 사이에 창작한 단편소설 18편이 수록되었다). 천샹허는 글에서 본 소설집을 읽은 후 받은 인상에 대해 서술하였는데, "작가는 생활과 사회에 대해, 우리가 처해 있는 시대와 우리 노동인민에 대해 충실하고 진지하며 큰 사랑을 가지고 있다. 때문에 그의 창작방법은 자연히 현실과 시대를 반영하는 방법을 기초로 하고 있다"라고 보면서, 작가가 "중국의 광대한 노동인민의 시각에서 사회와 인생을 판단하였고, 이를 인식하고, 이에 능숙해져 이를 분석 및 비판한 끝에 이를 표현하였으므로, 그 결과 성취를 얻은 것은 당연한 일이다." "아이우 동지의 소설은 건강하고 소박하며, 적극적이고 아름답다. 그의 소설은 사회주의 현실주의적 요소를 구비하고 있다"라고 평하였다.

천샹허(1901~1969), 충칭 출신이다. 1923년에 린루지林如稷, 펑즈 등과 함께 '천초사', '침종사'를 조직하였다. 중일전쟁 발발 후 고향으로 돌아갔으며 다음해에 문협에 가입하여 청두분회 상무이사를 맡았다. 1945년에 중국민주동맹 쓰촨성위원회 집행위원을 맡았다. 공화국 성립 후에는 쓰촨성 문련 부주석, 중국작가협회 고전문학부 부부장, 『문학유산』 책임 편집자 등을 역임하였다. 역사소설 『도연명이 「만가」를 쓰다陶淵明寫<挽歌>』, 『광릉산廣陵散』 등을 발표해 큰 반향을 불러일으켰다. 저서로 소설집 『불안정한 영혼不安定的靈魂』, 『도연명이 「만가」를 쓰다』, 『광릉산』, 극본 『낙화落花』 등이 있다.

『공인일보』에 궈융國湧의 「철강 도시의 늙은 영웅 - 멍타이鋼都的老英雄——孟泰」가 발표되었다. 이는 최초로 멍타이의 사적을 전반적으로 소개한 작품이다.

19일, 출판총서에서 「내용과 가치가 있는 근대 학술 저역서 및 문화지식 서적을 조직 및 재판해야 한다應該組織重印一些有價值有內容的近代學術著譯、文化知識讀物」는 통지를 발포하였다.

출판총서에서 「도서 판본 기록에 관한 규정關於圖書版本記錄的規定」을 발포하였다.

출판총서에서 「각 출판사는 출판한 양서의 선전과 소개에 주의해야 한다各出版社應注意宣傳和介紹所出版的好書」는 통지를 발포하여, 앞으로 출판사에서 우수한 신간을 출판하면 반드시 서평가에게 의뢰해 서평을 받아 신문에 투고해 발표해야 하며, 서평이 신문에 발표되었는지의 여부와 상관없이 출판사는 서평가에게 원고료를 지급해야 한다고 통지하였다.

20일, 『중국청년보』에 천덩커의 소설 「거대한 파도 속에서在巨浪中」가 발표되었다.

21일~27일, 화둥미술가협회가 상하이에서 성립되었다.

23일, 영국의 위대한 희극가 셰익스피어 탄생 390주년을 기념하여 화둥작가협회, 상하이희극가협회, 상하이전영공작자협회가 합동으로 상하이예술극장에서 기념행사를 개최하여 바진, 슝포시 등이 참석하였다. 이 외에도 셰익스피어 저서 및 공연 자료 전시회, 생에 및 저서 상황 보고회, 기념 만찬 등이 개최되었다. 『희극보』, 『문회보』 등 여러 신문에 이달부터 셰익스피어를 소개하는 글이 다수 발표되었다. 쑨다위, 무무텐 등이 『문예보』, 『문예학습』 및 『문사철』 등의 간행물에 기념 논고를 발표하였다. 인민문학출판사에서는 3월 8일부터 『셰익스피어 회극집莎士比亞戲劇集』 제1~12권을 출간하였다. 본 희극집은 주성하오朱生豪가 번역하였다.

셰익스피어 탄생 390주년을 기념하기 위해 『문회보』에 차오웨이펑曹未風의 「셰익스피어의 생애에 관한 전설關於莎士比亞生平的傳說」, 슝포시의 「셰익스피어가 배우의 예술을 논하다莎士比亞論演員的藝術」, 쑨다위의 「셰익스피어의 생애, 작품 및 그 의의莎士比亞底生平、作品和它們的意義」가 발표되었다. 쑨다위는 글에서 셰익스피어 작품의 주된 특징이 "르네상스 시기 영국 내지 서유럽 각 계층 인민의 풍부하고 다채로운 생활을 반영하였다. 그의 작품들은 당시 새롭게 탄생한 낙관주의와 과거 회고, 미래에 대한 전망을 풍부하게 담고 있어, 복잡하며 현재도 급격히 변화하고 있어 사람들의 눈을 어지럽게 하는 인생에 대한 깊고도 투명한 관점을 담고 있다. 그의 작품의 예술적 노선은 진보적 현실주의이며, 이데올로기적으로는 민주적인 분위기 혹은 인민성이 충만해 있다"는 것이라고 평하였다.

24일, 문예월보사에서 상하이 공인작가 좌담회를 개최하였다.

24일, 27일, 리지의 시 「춘풍보도옥문관春風普度玉門關」의 첫 부분인 「우리의 유전我們的油礦」이 『중국청년보』에 연재되었다.

27일, 중국작가협회에서 편찬한 문예보급 간행물 『문예학습文藝學習』이 창간되었다. 본 간행물의 주된 임무는 "광대한 청년 군중에게 문학교육을 진행하고, 문학의 기본지식을 보급하며, 군중의 문학 감상 및 창작 능력을 제고하여 우리나라 문학 대오의 양성을 위해 역량을 예비해 두는 것"이다. 창간호에는 탕커신의 단편소설 「나의 스승我的師傅」, 커란의 「탕거신 동지의 「나의 스승」

에 관하여談唐克新同志的<我的師傅>」 및 아이칭의 시론 「시와 감정詩與感情」이 발표되었다.

아이칭은 글에서 "생활이 불러일으킨 풍부하고 강렬한 감정이 시 창작의 첫 번째 조건이다. 이 감정이 부족하다면 시를 쓰기 시작할 수 없고, 시를 썼다 하더라도 읽는 이를 감동시킬 수 없다." "시 창작은 정서가 충만해진 때에야 시작할 수 있다. 즐거움이든 고통이든, 이러한 정서가 마음속을 흠뻑 적실 때가 와야 한다." "감정은 자랄 수도, 배양할 수도 있는 것이다. 새로운 사물을 더욱 가까이하고, 이들을 더욱 숙지한다면 자연히 새로운 감정이 생겨날 것이다." "새롭고 예리한 감각과 천진한 열정을 시종일관 유지하는 이들, 옛말의 표현을 빌리자면 '적자지심赤子之心'을 유지하는 이들만이 노년이 되어서도 서정의 향기가 짙은 시를 쓸 수 있다. 대단히 엄준하게 인간과 사회를 비판하는 서사시 형식의 대형 시 작품은 인생 경험이 비교적 풍부하며 연령이 높은 사람만이 완성할 수 있으리라 생각된다. 셰익스피어이든 괴테이든 모두 이 문제를 설명할 수 있을 것이다"라고 보았다. 그는 "시인이 새로운 시를 쓰려면 반드시 새로운 사물에 대해 대단히 강렬한 정서를 가져야 한다", "독자들이 시를 즐겨 읽는 것의 최종 목적은 시 속에서 감정의 깨달음 혹은 도움을 얻는 것이다", "생활이 불러일으킨 풍부하고 강렬한 감정이 시 창작의 첫 번째 조건"이므로, "시인은 반드시 인민 군중 가운데 가장 선진적인 사상 감정으로써 수많은 이들의 사상 감정에 영향을 끼쳐야 한다"라고 지적하였다.

본지의 '문학지식'란에는 무무톈의 「셰익스피어와 그의 희극莎士比亞和他的戲劇」이 발표되었다.

30일, 『문예보』 제8호에 류칭의 「등대여, 우리를 비춰 다오!燈塔, 照耀著我們吧!」, 왕페이王沛의 「문예는 사회주의 공업화를 위해 더욱 잘 복무해야 한다文藝應加强爲社會主義工業化而服務」, 왕이보王亦波의 「「강철 운송병」에 관하여談<鋼鐵運輸兵>」, 팡찬方燦의 「소설 「상간링」을 읽고小說<上甘嶺>讀後」가 발표되었다.

이달에 허치팡이 「대답回答」이라는 시를 창작하여(『인민문학』 1954년 제10호에 발표) 정신세계의 갈등을 드러내었다.

저우언라이 총리가 제네바에서 저명한 영화예술가 찰리 채플린과 함께 「양산백과 축영대」를 관람하였다.

중공중앙에서 중앙선전부의 「인민출판사 공작상황 개선에 관한 보고」를 비준하였다. 이에 따라 인민출판사 내에 싼롄서점 편집부가 설립되었다.

문화부와 전국과학기술협회가 합동으로 전국의 각 대도시에서 제1차 전국과학교육영화 전람회를 개최하였다.

중국 대륙에서 신형 점자를 사용한 간행물 『맹아 학교 학습 참고서盲童學校課外讀物』와 『노래선집歌選』을 간행하였다.

중국청년예술극원이 베이징에서 황티黃悌의 4막 6장 화극 「강철 운송병」을 공연하였다. 우쉐가 감독을 맡았다.

두펑청의 장편소설 『옌안을 보위하라』가 인민문학출판사에서 출간되어 '해방군문예총서解放軍文藝叢書'에 포함되었다. 1956년 1월에 수정을 거쳐 재판이 출간되었으며, 1958년 12월에 3판이 출간되면서 「후기」가 추가되었다. 1979년 4월에 4판이 출간되었다. 4판 서두에는 펑쉐펑의 서문 「『옌안을 보위하라』를 논하다論保衛延安」가, 책의 말미에는 저자의 「재판 후기重版後記」가 수록되었다. 1984년 12월에 건국 35주년 기념본이 출간되었다.

선모쿤의 중편소설 『도강 정찰기渡江偵察記』가 중국청년출판사에서 출간되었다.

양쉬의 단편소설집 『북흑선北黑線』, 캉줘의 단편소설집 『공인 장페이후工人張飛虎』, 쿵줴의 단편소설집 『고통받는 이들受苦人』, 루치의 중편소설 『봄갈이 때春耕的時候』, 후정의 시 『연단主席台』, 뤼잉의 『공인문예에 관하여關於工人文藝』, 귀모뤄의 『불갱집沸羹集』이 신문예출판사에서 출간되었다.

저우쩌런의 수필집 『루쉰 소설 속의 인물魯迅小說裏的人物』이 상하이출판공사에서 출간되었다.

우댜오궁吳調公이 편찬한 『웨이웨이의 조선통신魏巍的朝鮮通訊』과 『인민작가 자오수리人民作家趙樹理』, 쉬친원許欽文이 편찬한 『노신 소설 독해魯迅小說助讀』(상), 후산위안胡山源의 논저 『소설이란 무엇인가小說是什麼』가 상하이쓰롄출판사上海四聯出版社에서 출간되었다.

쉬친원(1897~1984), 본명은 쉬성야오許繩堯로 저장성 산인山陰 출신이다. 1922년에 첫 단편소설 「현기증暈」을 발표한 이후로 『신보』 부간에 다수의 소설 및 잡문을 발표하였다. 1926년에 루쉰이 선택하여 지원한 단편소설집 『고향故鄉』이 출간되었는데, 루쉰은 그를 '향토작가'에 포함시켰다. 1955년 이후로 저장성 문화국 부국장, 중국작가협회 저장분회 부주석, 저장성 문련 부주석, 중국민주촉진회中國民主促進會 중앙집행위원, 민주촉진회 저장성위원회 부주임위원 등을 역임하였다. 저서로 장편소설 『자오 선생의 번뇌趙先生的煩惱』, 『치마 두 벌兩條裙子』, 중편소설 『콧물 아얼鼻涕阿二』, 단편소설집 『고향故鄉』, 『귀가回家』, 『나비蝴蝶』 등이 있다.

후산위안(1897~1988), 소설가, 문학번역가. 본명은 후싼위안胡三元으로 장쑤성 장인江陰 출신이다. 1923년에 신문학단체 '미쇄사彌灑社'의 조직에 참여하였다. 공화국 성립 후에는 쑤난문교학원蘇南文教學院 교수, 푸젠사범학원(푸저우대학福州大學의 전신) 중문과 주임, 상하이사범학원 중문과 교수를 역임하였다. 1916년부터 작품을 발표하였다. 저서로 장편소설 『남명연의南明演義』, 『도깨

비魍魎』, 『산화사散花寺』, 『3년三年』, 『용녀龍女』, 단편소설집 『무지개虹』, 소품집 『유머 필기幽默筆記』, 『고금주사古今酒事』, 『고금차사古今茶事』, 회고록 『굴곡진 일생坎坷的一生』, 극본 『풍진삼협風塵三俠』 및 번역서 『오 헨리 단편소설집歐·享利短篇小說集』, 『셰익스피어 평전莎士比亞評傳』, 『구미 여성위인전歐美女偉人傳』, 『걸작의 인생傑作的人生』, 『이른 연애早戀』 등이 있다.

5월

1일, 『시난문예』에 사오쯔난의 시 「오빠가 돌아왔다哥哥回來了」, 사어우의 시 「광부의 등불礦工的燈」(외 1편)이 게재되었다.

류쭈춘劉祖春이 「옌안문예좌담회에서의 강화」 발표 12주년을 기념해 집필한 「문예간행물 공작에 존재하는 지극히 중요한 문제文藝刊物工作中的一個極重要的問題」가 『창장문예』 제5호에 발표되었다. 그는 글에서 "당의 문학 대오는 전문 혹은 아마추어 작가 및 공농군중 가운데 문학예술에 뜻을 가진 지식분자를 단결해야 한다"라고 지적하였다.

리준의 소설 「백양나무白楊樹」, 궁류의 시 「변경 단가邊地短歌」(2편), 한안칭韓安慶의 소설 「지원志願」, 쑤잉蘇鷹의 소설 「어느 성실한 사람 이야기一個老實人的故事」가 『창장문예』 제5호에 발표되었다. 이 외에도 각지에서 「그 길을 갈 수 없다」를 각색 및 공연하는 과정에서의 문제들을 평론한 글 「'쑹라오딩'을 정확하게 인식하고 표현하자正確認識和表現"宋老定"가 게재되었다.

『중국청년』 제9호에 캉줘의 보고 「바이거우춘에서在白溝村」와 아이우의 산문 「가위剪刀」가 발표되었다.

『광명일보』에 류녠취劉念渠의 「「강철 운송병」에 관하여關於<鋼鐵運輸兵>」가 발표되었다. 그는 글에서 중국청년예술극원에서 공연한 4막 6장 화극이 "진실하고 친근해, 관중은 자신의 사상과 감정이 영화 속 임무의 사상과 감정을 따라 변화하고 감동하게 하지 않을 수 없으며, 또한 영화 속 인물들의 생활과 투쟁을 자신과 떼놓을 수 없음을 인정하지 않을 수 없어, 영화 속 인물의 생활과 투쟁이 자신에게 준 영향을 받아들여 그들에게 관심을 가지고 그들을 사랑하게 되며, 그들을 자신의 본보기로 삼아 배우게 된다"라고 평하였다. 그러나 이 작품 속의 "인물 창조는 다소 빈약하다"라고 보았다.

상무인서관이 고등교육출판사高等教育出版社로 개편(1957년에 다시 편제를 회복)되었으며, 중화서국은 재정경무출판사財政經濟出版社로 개편(재정 및 경제 분야 외의 서적은 중화서국의 명의로 출판됨)되었다. 이는 중앙의 "상무인서관과 중화서국이 유구한 역사를 가지고 있어 우리나라 문화계에 상당한 영향을 가지고 있으므로, 본 기관들에 대해 개조를 실행함에 있어 반드시 신중한 태도로 퇴보가 아닌 개선을 목표로 해야 한다"는 지시에 따른 것으로, 출판총서와 고등교육부 및 화둥신문출판국에서 상무인서관과 중화서국의 전면적인 공동 경영에 큰 역할을 하여 조직 편성한 것이다. 그러나 상무인서관과 중화서국의 명의는 보류하기로 하였다.

3일, 중국인민대외문화협회中國人民對外文化協會가 정식으로 설립되어 추투난이 회장을, 딩시린, 양한성, 훙선이 부회장을 맡았다.

『인민일보』에 장후이의 「단막극을 말하다談獨幕劇」가 발표되었다.

『극본』 제5호에 장광녠의 「단막극을 말하다談獨幕劇」와 소련 작가 글레포프格列波夫의 「단막극에 관하여關於獨幕劇」, 예르밀로프의 「체호프의 창작을 논하다論契訶夫的創作」 및 예선葉深의 단막극 「백년대계百年大計」, 자커의 단막극 「대세의 흐름大勢所趨」이 발표되었다.

같은 호에 1953년도 단막극 극본 심사 결과가 공포되어 9편의 극본이 수상하였다. 쑨위의 「부녀 대표」가 1등 상을, 「사람은 높은 곳을 향해 간다人往高處走」, 「백년대계」, 「회의를 열다開會」, 「부부 사이夫妻之間」가 2등 상을 수상하였으며 「풀과 싹이 다투어 자라다草苗爭長」, 「창하이가 왔다長海來了」, 「홍수와 경주하다」, 「가둬둘 수 없는 사람」이 3등 상을 받았다.

『문회보』에 인민교육출판사의 '중학교 어문 보충교재'가 게재되어 우위장의 특필 「용감히 노동하고 각고 분투하여 새로운 승리를 쟁취하자英勇勞動, 艱苦奮鬥, 爭取新的勝利」와 소련 작가 안젤리나의 소설 「첫 번째 승리第一次勝利」가 수록되었다.

4일, '5·4' 35주년 기념대회가 개최되어 중공중앙 정치국 위원 류사오치 등이 참석하였으며, 주더 동지가 중요한 지시를 발표하였다. 이 연설 내용은 같은 날의 『중국청년보』에 게재되었다. 『인민일보』에는 '실러 서거 150주년' 기념의 글이 발표되었다.

『광명일보』에 리허린李何林의 「5·4 시대 문학작품 속의 사회주의 현실주의의 맹아五四時代文學作品中的社會主義現實主義的萌芽」가 발표되었다. 그는 5·4 시대의 신문학에 사회주의 현실주의의 맹아가 존재한다고 지적하면서, 그 원인에 대해 "우리에게는 몇 천 년간의 우수한 고전 현실주의 문학의 전통이 있는 데다가 세계의 우수한 현실주의 문학(주로 19세기 러시아 현실주의 문학)의 유산을 계승했을 뿐만 아니라, '10월 혁명'의 포성이 울려 우리에게 마르크스레닌주의를 전파"해 주어, 5·4 시대의 선진 인물들이 "무산계급의 우주관을 국가의 운명을 관찰하는 도구로 삼아 자신의 문제를 다시 고찰"할 수 있었기 때문이라고 보았다. 또한 이러한 사상은 루쉰의 '초기' 작품, 즉 1918년에서 1927년 사이의 작품 속에 표현되어 있어, "'완전'한 진화론 사상이며, 동시에 계급론 혹은 사회주의 사론의 '맹아', '요소' 혹은 '성분', 즉 사회주의 현실주의의 맹아를 품고 있다"라고 지적하였다.

리허린(1904~1988), 본명은 주녠竹年으로 안후이성 휘추霍丘(지금의 휘추霍邱) 출신이다. 1928년에 루쉰의 미명사에 가입해 혁명문예활동에 종사하였다. 톈진사범학교, 중파대학, 화중대학, 베이징사범대학 및 난카이대학에서 교수 및 중문과 주임을 역임하였으며, 루쉰박물관 관장, 루쉰연구실 주임, 전국문련 제4기 위원, 중국작가협회 제3기 이사 및 고문 등을 역임하였다. 저서로 『루쉰론魯迅論』, 『근 20년간의 중국문예사조론近二十年中國文藝思潮論』, 『중국신문학사 연구中國新文學史研究』, 『중국현대문학에 관하여關於中國現代文學』, 『루쉰의 생애와 잡문魯迅的生平和雜文』 등이 있다.

7일, 『인민문학』 제5호에 저우양의 「'5·4' 문학혁명의 전투 전통을 발양하자發揚"五四"文學革命的戰鬥傳統」가 발표되었다. 그는 글에서 "5·4 시기부터 시작된 인민문학예술운동은 공전의 규모로써 공농병 군중을 위해 복무하는 방향과 사회주의 현실주의 창작원칙을 따라 앞을 향해 발전하고 있다"라고 지적하였다. 같은 호에 쑨푸위안, 왕퉁자오, 중징원, 아이우 등의 '5·4' 기념 논고가 발표되었다. 이 외에도 1954년 1월 3일부터 『윈난일보』에 연재되었던 살니족의 장편서사시 『아스마』가 전재되었으며, 친자오양의 특필 「한증록韓增祿」, 리뤄빙李若冰의 「치롄산 기슭─지질 탐사 생활 잡기祁連山麓──地質勘探生活散記」, 루페이逯斐의 소설 「어린 의사小大夫」, 거비저우의 「시 3편詩三首」(「산이 높고 물길이 길다山高水流長」, 「인민人民」, 「벽돌頂磚」 수록)이 발표되었다.

리뤄빙(1926~2005), 산시陝西성 징양涇陽 출신으로 필명은 사퉈링沙駝鈴이다. 중국작가협회 산시분회 부주석 및 당위원회 서기, 중국작가협회 이사, 산시성 문련 주석, 산시성 문화청 청장을 역임하였다. 저서로 산문집 『탐사하는 길 위에서在勘探的道路上』, 『차이다무 수기柴達木手記』, 『여도집旅途集』, 『고원어사高原語絲』, 『타림 서간塔裏木書簡』, 『리뤄빙 산문李若冰散文』 등이 있다.

10일, 광둥문예사廣東文藝社에서 편찬한 『광둥문예廣東文藝』 월간이 창간되었다. 창간호에는 북한 전지에 관한 황구류의 특필 「랴오우의 가서廖五的家書」가 발표되었다.

12일, 『문회보』에 쯔강子岡의 특필 「관팅 저수지의 봄官廳水庫的春天」이 발표되었다.

14일, 『해방군문예』 제5호에 홍젠洪建의 4막 7장 화극「'1211' 고지"一二一一"高地」, 웨이웨이의 소설「오래된 굴뚝老煙筒」, 푸둬의「「여명 전의 어둠을 돌파하다」의 창작 과정<沖破黎明前的黑暗>創作經過」이 발표되었다.

『문회보』에 팡멘의「「네루다 시문집」을 읽고讀<聶魯達詩文集>」가 발표되었다. 팡멘은 글에서 "그의 시는 라틴아메리카의 모든 인민의 독립과 자유, 민주를 쟁취하고자 하는 바람과 목소리를 대변하였다……시인이 이처럼 고도의 사상성과 예술성을 구비한 작품을 쓸 수 있었던 것은 그의 드높은 정치적 열정과 뗄 수 없는 관계를 가지고 있다. 그의 시는 제국주의 및 봉건 통치와의 투쟁의 공구로서 출현했기 때문에, 그의 모든 시는 어느 정도의 정치사상 내용을 포함하고 있으며, 이러한 정치사상 내용은 가장 큰 주제, 즉 평화 수호라는 주제를 꿰뚫고 있다"라고 지적하였다.

15일, 천덩커가 안후이성 아마추어 창작회에서 진행한 발언문「몇 가지 이해를 말하다談幾點體會」가 『안후이문예』 제5호에 발표되었다.

『문예월보』 제5호에 쓰민의 소설「비바람風雨」, 쥔칭의 단편소설「늙은 물소 할아버지老水牛爺爺」 및 예루퉁의 글「문예생활 속의 비평과 자아비평을 환영한다歡迎文藝生活中的批評和自我批評」가 발표되었다.

예루퉁은 글에서 우선 리준의 소설「그 길을 갈 수 없다」에 관한 자료를 정리하였다. 본 소설의 원작은 1953년 11월 20일자 『허난일보』에 발표되었으며, 『장쑤문예』 1954년 제4호에 원작을 각색한 지방극 극본「갈림길에서 돌아오다岔路回頭」가 발표되었다. 『저장문예』 1954년 제3호에는 곡극에 근거해 각색한 월극 극본이, 『푸젠문예』 1954년 제3호에는 원작에 근거해 각색한 소가극 극본이 발표되었다. 상하이 『문회보』는 1954년 3월호에 원작을 각색한 화극을 발표하였다. 소설 원작을 전재한 간행물은 『인민일보』, 『인민문학』, 『신관찰』, 『창장문예』, 『저장일보』, 『안후이일보』 등이 있다. 이 소설에 관한 평론은 『허난문예』 1953년 제24호에 게재된 쑤진싼의「「그 길을 갈 수 없다」를 읽고」, 『창장문예』 1954년 1월호에 게재된 위헤이딩의「현실생활에서 출발해 인물의 진실한 형상을 표현하다」, 『문예보』 1954년 제2호에 게재된 리충의「「그 길을 갈 수 없다」 및 그 비평」 등이 있다. 예루퉁은 글에서 리충의 글이 문예비평에 존재하는 교조주의를 범한 비합리적이고 원칙성이 결여된 비평이라고 보았다. 그는 현재의 문예비평이 인민 군중의 요구를 만족시킬 수 없으므로, 우리는 문학작품에 대한 정확하고 유익한 비평뿐만 아니라 문예비평 자체에 대한 비평도 필요하다고 지적하였다.

같은 호에 샤오리曉立의「「간바노프」에서 「저지대에서의 전투」를 연상하다從<甘瓦諾夫>聯想到

<窪地上的戰役>」가 발표되었다. 그는 글에서 「저지대에서의 전투」의 감정이 지나치게 "불명확하고 복잡"하며, 분위기가 과하게 "가늘고 연약"하다고 평하면서, 루링이 "자신의 주관을 통해 생활을 '체험'하고, 자신의 사상 감정으로써 공농병의 정신적 면모를 대체"하여 그가 "진정으로 사회주의 현실주의로 나아가는 것"을 방해했다고 지적하였다.

16일, 『신관찰』 제10호에 빙신의 산문 「인도 기행印度紀行」이 연재되기 시작해 제12호에 연재가 완료되었다. 같은 시기에 훙류洪流의 「우리의 정책我們的政策」도 발표되었다.

빙신(1900~1999), 여성 작가로 본명은 셰완잉謝婉瑩이며 푸젠성 창러長樂 출신이다. 1918년에 셰허여자대학協和女子大學 이공계 예과반에 입학하였다. 다음해 8월에 『신보』에 최초로 '빙신'이라는 필명을 사용한 첫 소설 「두 가정兩個家庭」을 발표하였으며, 뒤이어 「이 사람만 홀로 초췌하구나 斯人獨憔悴」 등 '문제소설'을 발표하였다. '문학연구회'에 가입한 후로 「초인超人」을 발표하여 평론계의 주목을 받았으며, 그 외에도 「뭇별繁星」, 「춘수春水」 등의 단시를 발표해 신시 초기의 '단시[小詩]' 창작의 추세를 촉진하였다. 유학 전후로 이후에 『꼬마 독자들에게寄小讀者』라는 제목이 붙은 통신 산문을 발표해 중국 아동문학의 기초를 다진 작품으로 평가받았다. 저서로 시집 『뭇별』, 『춘수』, 『여인에 관하여關於女人』, 『귀향 잡기還鄕雜記』, 소설 및 산문집 『초인』, 『옛일往事』, 『만청집晚晴集』, 소설·산문·시 합본집 『소길등小桔燈』, 통신집 『꼬마 독자들에게』, 『꼬마 독자들에게 제2집再寄小讀者』, 『꼬마 독자들에게 제3집三寄小讀者』 등이 있다.

『인민일보』에 샤옌의 『소품문에 관하여談小品文』가 발표되었다. 그는 글에서 5·4 이후 30년간 "소품문이 진보적 간행물의 필수불가결한 부분"이었으며, "정치 투쟁과 사상 투쟁의 격화"가 소품문이 "5·4 운동 이후에 소품문이 점차 발전하고 나날이 독자들의 사랑과 중시를 받"게 된 주된 원인이라고 보았다. 동시에 그는 소품문 작가가 반드시 구비해야 할 조건은 첫째로 "선명하고 정확한 정치적 입장과 날카로운 관찰 능력, 즉 일정 수준의 마르크스레닌주의 사상 수준"이고, 둘째는 "계급투쟁에 대한 분명한 애증, 즉 '민중투쟁에 대한 열렬한 동정' 및 부정적이고 부패하며 사멸하는 모든 열악한 것들에 대한 증오, 그리고 이처럼 강렬한 사랑과 증오에서 생겨난 '말하지 않고는 배길 수 없는' 진실한 감정"이며, 셋째는 "문학공작사로서 응당 가져야 하는 문학적 소양, 정련된 문체, 풍자와 유머에 대한 재능"이고, 넷째는 "심도 있는 생활 경험과 해박한 사회 지식"이라고 지적하였다. 같은 호의 '항미원조' 제174호에 리잉의 통신 「네이탄춘의 투쟁內灘村的鬥爭」이 발표되었다.

『문회보』에 하콴구이哈寬貴의 시 「너희는 봄과 함께 온다你們和春天一起來」가 발표되었다.

하콴구이(1929~1982), 회족으로 필명은 샤오룽小龍, 리징李敬이며 장쑤성 난징 출신이다. 상하이시 문련 창작조장, 닝샤 문련 부주석, 닝샤 작가협회 부주석 등을 역임하였다. 1951년부터 작품 발표를 시작하였다. 저서로 특필집 『소년 유격대원 퍄오진쑤가 전진한다少年遊擊隊員樸金素在前進』, 『강산홍등江上紅燈』, 『톄뉴 호 트랙터 운전수鐵牛號拖拉機手』, 『하콴구이 소설산문선哈寬貴小說散文選』 등이 있다.

20일, 『희극보』 제5호에 '나쁜 희곡 상영에 반대한다'라는 제목으로 몇 통의 독자 서신이 게재되어 「마풍녀麻風女」, 「원명원을 불태우다火燒圓明園」, 「매강설梅降雪」 등 현재 유행하는 좋지 못한 희곡을 비평하였다.

『문회보』에 천보추이의 시 「장미의 노래ー영웅적인 조선 부녀에게 경의를 표하다薔薇之歌──向英雄的朝鮮婦女致敬」가 발표되었다.

출판총서에서 「출판물의 비밀 엄수 주의에 관한 통지關於出版物應注意保密的通知」를 발포하였다.

20일~30일, 중앙군위원회 총정치부에서 1954년도 중국인민해방군 전군 제2회 창작회의를 소집하여 각 특수 병과의 문예과장, 전문 작가, 아마추어 작가, 문예전사 대표 등 총 76명이 참석하였다. 회의에서는 부대문예창작이 과도기에 처한 당의 총노선과 군대의 현대화 문제를 어떻게 선전할 것인지에 관해 중점적으로 토론하였다. 군위원회 총정치부 문화부 부장 천이가 결산을 진행하였다.

21일, 중국문련에서 문예계 인사들을 조직하고 인솔하여 아편전쟁 때부터 '5·4' 시기까지의 역사를 체계적으로 학습하기 위해 '중국근대사 강좌'를 개설하였다. 라오서, 차오위, 훙선 등이 솔선해서 수강하였다.

『문회보』에 즈샤의 「「철도유격대」의 창작 과정<鐵道遊擊隊>的寫作經過」이 발표되었다.

22일, 『문예월보』에서 『잡감 수필雜感隨筆』 작가 좌담회가 개최되어 소품문 창작에 관해 토론하였다.

23일, 문화부에서 「민간 직업극단의 지도 및 관리공작에 관한 지시關於加強民間職業劇團的領導和管理工作的指示」를 발포하였다.

『인민일보』에 사설 「민간 직업극단에 대한 지도를 강화하자加强對民間職業劇團的領導」가 발표되었다.

25일, 충칭시 문련에서 문예작품 낭송회를 개최해 200여 명이 참석하였다.

25일~6월 1일, 광시성 문학예술공작 제1차 대표대회가 난닝南寧에서 개최되었다.

26일, 『대중전영』 제10호에 진진의 「「긴급 공문」의 하이와에 관하여談<雞毛信>的海娃」가 발표되었다.

27일, 위안수이파이의 시 「프랑스 희극法蘭西喜劇」이 『인민일보』에 발표되었다. 이 시는 프랑스 정부가 소련 발레단의 파리 공연을 금지한 일이 신문에 실린 사건을 소재로 한 것이다.
바런의 「고리키의 『어머니』高爾基的<母親>」가 『문예학습』 제5호에 발표되었다.

29일, 공인출판사의 『문화를 배우다學文化』 제10호에 짱커자의 「시 감상에 관하여談詩的欣賞」가 발표되었다.

31일, 중국인민아동보호전국위원회中國人民保衛兒童全國委員會에서 개최한 '4년간의 전국 아동 문예창작 심사 활동'의 결과가 『인민일보』에 공포되었다. 각지에서 추천된 289명의 작가의 문학, 미술, 음악 등 각 분야의 작품 총 443편 가운데 문학 분야에서는 장톈이의 「뤄원잉 이야기」, 가오 스치高士其의 「우리의 토양 엄마我們的土壤媽媽」, 펑쉐펑의 「루쉰과 그의 유년시절 친구魯迅和他少年 時候的朋友」, 친자오양의 「작은 제비의 만리 비행기小燕子萬裏飛行記」, 궈쉬郭墟의 「양 사령의 소년선 봉대楊司令的少先隊」 등이 1등 상을, 옌원징의 「지렁이와 꿀벌 이야기」, 위안잉의 「톰스리버에 보 내는 편지」 등이 2등 상을, 장산예江山野의 「책걸상 위원桌椅委員」, 자오전난의 「짝꿍同桌」, 진진의 「어린 오리가 헤엄을 배우다小鴨子學遊泳」 등이 3등 상을 받았다. 『인민일보』 같은 호에 「4년간의 전국아동문예창작 심사 공고關於四年來全國兒童文藝創作評獎的公告」가 게재되었다.
가오스치(1905~1988), 본명은 가오스치高仕錤로 푸젠성 푸저우 출신이다. 1925년에 칭화대학 미국 유학 예과반을 졸업한 후 1926년부터 1930년까지 미국에서 화학과 의학을 수학하였다. 1937

년에 옌안으로 갔다. 공화국 성립 후에는 『자연과학自然科學』부편집장, 중국과보창작가협회中國科普創作家協會 명예회장, 전국문련 위원, 중국작가협회 이사, 중국인민아동보호전국위원회 위원을 역임하였다. 저서로 과학소품집 『우리의 전쟁 영웅我們的抗敵英雄』, 『세균과 사람細菌與人』, 『전쟁과 방역抗戰與防疫』등이 있다.

이달에 상하이 총공회에서 개설한 공인문예훈련반 제1기가 수료하였다.

중국청년예술극원이 베이징에서 샤옌의 유명한 화극 「파시즘 세균」을 공연하여 홍선이 감독을 맡았다. 이는 공화국 성립 이후에 대형 정규극단이 '5·4' 화극을 최초로 공연한 사례이다.

윈난성 문련에서 조직 및 정리한 살니족 장시 『아스마』의 초고가 완성되었다.

귀모뤄 등의 『영원히 우리의 전진을 격려하다永遠鼓舞我們前進』, 하이모의 장편소설 『임진강을 돌파하다』, 장톈이의 소설 『청명 시절』, 뉴한의 시집 『사랑과 노래愛與歌』, 왕원스王汶石의 4막 가극 극본 『전우戰友』가 작가출판사에서 출간되었다. 『영원히 우리의 전진을 격려하다』는 스탈린 서거 기념 시문집으로 귀모뤄, 마오둔, 딩링, 정전둬, 바진, 펑쉐펑, 라오서, 샤옌, 톈젠 등 시인 및 작가 32인의 작품이 수록되었다. 시집 『사랑과 노래』는 2집으로 구성되었는데, 제1집에는 「레닌 동지는 우리와 함께 있다」, 「깃발은 밤에 오른다旗幟在夜裏升起來」등 12편의 시가 수록되었으며 제2집에는 「어얼둬쓰 초원鄂爾多斯草原」, 「채색된 생활」등 18편의 시가 수록되었다.

비예의 단편소설집 『행복한 사람幸福的人』, 루리의 시집 『별의 노래星的歌』, 이먼(아룽)의 시론집 『시란 무엇인가詩是什麼』가 신문예출판사에서 출간되었다.

딩훙, 자오환趙寰, 둥샤오화董曉華의 『진정한 전사真正的戰士』(둥춘루이 전기)가 중국청년출판사에서 출간되었다.

『러우스 소설선집柔石小說選集』, 『경제건설통신보고선經濟建設通訊報告選』이 인민문학출판사에서 출간되었다. 『경제건설통신보고선』에는 왕서우산汪受善의 「라오멍타이의 하루老孟泰的一天」, 류빈옌劉賓雁의 「내가 푸순에서 본 것我在撫順看到的」, 양쉬의 「석유 도시石油城」, 예성타오의 「시안에서 란저우까지從西安到蘭州」, 친자오양의 「왕수이준王水准」, 루하오陸灝의 「왕충룬 이야기王崇倫的故事」등이 수록되었다.

류빈옌(1925~2005), 지린성 창춘長春 출신으로 공화국 성립 후부터 작품을 발표하였다. 『중국청년보』, 『인민일보』기자, 중국작가협회 부주석 등을 역임하였다. 1957년에 「상하이는 숙고 중이다上海在沉思中」를 발표해 우파로 오인되었다. 1958년부터 1962년까지 농촌으로 보내져 노동개조에 임하였다. 1966년 3월에 오명을 벗었으나 같은 해 6월 초에 다시 '반당' 분자로 오인되어 또 다시 농촌으로 보내져 1977년까지 노동개조에 임했다. 1979년부터 1987년까지『인민일보』고급 기자를 맡았다. 1987년에 당적에서 제적당하고 파면되었으며 1989년 이후에는 중국작가협회에 서 제명당했다. 2005년에 미국에서 사망하였다. 저서로 보고문학『교량 공사 현장에서在橋梁工地上』, 『본지 내부 소식本報內部消息』,『인간과 요괴 사이人妖之間』,『한 사람과 그의 그림자一個人和他的影子』, 『힘겨운 이륙艱難的起飛』등이 있다.

루하오(1920~2003), 본명은 쉬빈장許彬章, 필명은 뤄위안落源으로 장쑤성 우시 출신이다. 1938 년에 옌안산베이공학에서 수학하였으며 진차지 변구 시베이전지 복무단, 퉈황극사, 항적극사에서 문예공작에 종사하였다.『진차지일보』특파기자,『인민일보』기자, 상하이푸단대학 신방과 교수, 『문회보』부편집장, 상하이신문공작자협회 부주석 등을 역임하였다. 1942년부터 작품을 발표하 였다. 저서로 산문집『안산을 건설한 사람들建設鞍山的人們』,『창장 다리 어귀長江橋頭』,『왕충룬 이 야기』, 특필집『루하오 신문작품선陸灝新聞作品選』등이 있다.

6월

1일,『창장문예』제6호에 사설「『창장문예』창간 5주년을 기념하며紀念<長江文藝>創刊五周年」 및 리준의 소설「비」, 톈디田地의 연작시「포즈링의 봄佛子嶺的春天」, 쉬마오융의「고리키가 사회주 의 현실주의 문예의 몇 가지 문제를 논하다高爾基論社會主義現實主義文藝的二三問題」가 발표되었다. 쉬 마오융은 글에서 문예공작자는 모두 "사람과 노동을 사랑하고, 새로운 현실의 성장을 정확히 반영 해야 하며, 새로운 현실의 성장을 방해하는 쇠락한 힘을 비판하여 우리의 작품이 사회주의 건설을 추진하는 무기가 되도록 해야 한다"라고 지적하였다.

『중국청년보』에 캉줘의 소설「소사원小社員」이 발표되었다.

3일, 중화전국총공회, 중국작가협회에서 합동으로 베이징 소재 작가 및 문예공작자 좌담회를 소집하여 문예창작이 국가 공업 건설을 어떻게 표현할 것인가 및 문예공작자의 공장행 체험 생활 등의 문제에 대해 토론하였다. 좌담회에는 90여 명의 문예공작자가 참석하였다. 라오서 등의 발언 문은 이후에『작가통신作家通訊』제4호에 게재되었다. 그 외에도 중앙인민정부 정무원 경제위원회 부주임 리푸춘李富春 및 중앙 각 공업부의 책임자들이 초청을 받아 참석하였다. 리푸춘이 중요 연설을 진행하였는데, 그는 회의상에서 작가들이 발언한 내용 및 회의 전에 수집한 상황과 문제 등에 근거해 '무엇을 쓸 것인가', '어떻게 쓸 것인가' 및 '어떻게 공장으로 갈 것인가' 등의 문제에 관해 중점적으로 언급하였다.

『극본』 제6호에 후커의 5막 화극 「전선이 남쪽으로 이동하다戰線南移」, 두펑의 단막 화극 「최전방 진지前沿陣地」가 발표되었다.

5일, 중국전영공작자 방문단이 단장 왕란시王蘭西의 인솔하에 소련을 약 1개월간 방문하였다.

충칭시 문련과 충칭인민방송국에서 시인 굴원 서거 2231주년 기념 만찬을 개최하였다.

안후이성 제1차 문학예술공작자 대표대회 준비위원회가 6월 5일에 허페이合肥에서 성립되었다. 준비위원은 51인으로 구성되었으며, 다이쭝戴宗을 주임으로, 양제楊傑, 천덩커, 류광쑹劉芳松 등을 부주임으로 추대하였다.

『광명일보』 부간 『문예생활』 제10호에 쟝커자의 「「지원군에게 바치다」에 대한 의견對<獻給志願軍>的意見」(『인민문학』 1월호에 커중핑의 시 「지원군에게 바치다」가 발표되었다)이 발표되었다. 쟝커자는 글에서 이 시가 "시안의 수많은 군중이 중국인민지원군 귀국대표단을 환영하는 위대한 장면을 통해 조국과 평화를 수호하며 용감히 전투에 임한 영웅들에 대한 중국 인민의 드높은 경애의 마음을 표현하였다"며, 이 시의 주제는 "엄숙하고, 적극적"인 것이라고 평했다. 그러나 "그 사상 내용의 심도가 부족하고, 내용의 일부가 진실하지 못하며, 형상과 언어의 운용이 적절치 못하기 때문에" "독자가 감동받지 못하고 오히려 내용이 공허하다고 여기게 되었다"라고 지적하였다.

6일, 둥베이작가협회 아마추어문학연구반에서 좌담회를 소집하여 수췬舒群의 소설 「추이이崔毅」, 차이톈신의 소설 「웨이칭허 위에서韋青河上」, 셰팅위의 소설 「감정인驗收員」, 추이쉬안崔瑄의 소설 「바지褲子」 등에 대해 토론하였다.

수췬(1913~1989), 만주족으로 본명은 리수탕李書堂이며 리쉬둥李旭東이라고도 한다 헤이룽장성 아청阿城 출신이다. '둥베이 작가군'의 대표적 인물이다. 1935년에 '좌련'에 가입했으며 옌안 『해방일보』 부간 책임 편집자를 맡았다. 공화국 성립 후에는 중국작가협회 주회작가駐會作家, 중국문련 부비서장, 중국작가협회 제2, 3기 이사 및 중국작가협회 고문 등을 역임하였다. 저서로 중편소설 『비밀 이야기秘密的故事』, 장편소설 『제3전투第三戰役』, 『이 세대 사람這一代人』, 단편소설집 『조국이 없는 아이沒有祖國的孩子』, 『추이이』, 『나의 여선생님我的女教師』, 『마오쩌둥 이야기毛澤東故事』 등이 있다.

7일, 『인민문학』 제6호에 자즈의 「커중핑의 시 작품柯仲平的詩作」이 발표되었다. 자즈는 글에서 커중핑의 "창작 노선에 있어서의 이정표"가 서사시 「변경의 자위군邊區自衛軍」이며, 그가 "형식주의의 암초에 부딪친" 작품이 신작인 「지원군에게 바치다獻給志願軍」라고 보았다. 자즈는 커중핑의 "창작론의 특징"이 "숭고한 전투정신", "자신의 작품을 독자가 이해하기 쉽도록 노력한다는 점 및 군중에게 사랑받을 수 있는 민간 가요의 풍격을 가지게 한다는 점"이라고 설명하였다. 또한 「지원군에게 바치다」의 결점이 "전형적인 명랑한 예술형상이 결핍"되어 독자들에게 "장황하고 난삽하여 이해하기 어려운" 인상을 주는 점이라고 분석하면서, 그 근본적인 원인이 "작가가 생활을 숙지하지 못하고, 풍부한 항미원조 투쟁의 여러 방면에 대해 생활의 실감이 부족하기 때문"이라고 지적하였다.

같은 호에 톈젠의 시 「나는 평화를 노래하는 가객이다我是和平的歌者」, 칭린青林의 단편소설 「추수 무렵秋收的時候」, 천샹허의 단편소설 「피로연喜筵」, 수췬의 단편소설 「추이이」, 마라친푸의 단편소설 「눈보라 속에서在暴風雪中」, 천덩커의 단편소설 「검은 처녀黑姑娘」 등이 발표되었다.

문화부와 전국총공회에서 「공장과 광산, 공사현장, 기업에서의 문화예술공작 강화에 관한 지시關於加强廠礦、工地、企業中文化藝術工作的指示」를 발포하였다. 본 지시는 다음날 『인민일보』에 게재되었으며 사설 「공장과 광산의 문화공작을 더욱 잘 전개하자進一步開展工礦文化工作」가 발표되었다.

중국작가협회에서 주석단 확대회의를 소집해 저우양, 딩링, 린모한, 사팅 등이 참석하여 주로 루링을 비평하였다.

9일, 저우양이 베이징 각 문예간행물의 편집자를 소집해 회의를 열어 루링에 관해 재차 비평을 전개하였다.

10일, 『중국청년보』 '작가와 독자'란에 딩링의 「문예학습에는 지름길이 없다文藝學習沒有捷徑可走」가 발표되었다.

12일, 『광명일보』에 진딩의 「「파시즘 세균」 관람 후의 몇 가지 깨달음」이 발표되었다. 진딩은 글에서 "이 작품은 비교적 광범위한 역사 배경 위에서 생활의 진실을 구체적으로 반영하였다"라고 평하면서, "문학작품은 단순히 역사의 도해가 아니"므로 "작가는 위스푸俞實夫 개인의 운명과 국가 전체의 운명과의 뗄 수 없는 관계를 통해, 그의 성격이 성장하고 발전하는 과정을 통해, 그리고 그가 학문에 전념하면서도 정치적 모순에 의문을 가지지 않는 태도를 통해 우리로 하여금 격렬한 생활 투쟁 속에서는 이와 같이 현실을 마주하고 인민 군중의 뜨거운 투쟁 속에 적극적으로 참여하는 사람만이 자신의 사업에서 앞길을 찾고, 응당 얻어야 할 공헌과 성취를 얻을 수 있음을 인식하게 해 준다"라고 보았다. 진딩은 이 극본 혹은 영화를 통해 "우리는 문학작품이 정치를 위해 복무한다는 것, 혹은 특정한 역사적 조건 아래 혁명의 전투에 참여한다는 것이 결코 어떠한 추상적인 이론 혹은 주관적인 사상에 기대어서가 아니라, 문학작품 특유의 감화력과 선명한 예술형상을 통해 얻은 결과라는 사실 역시 깨달을 수 있다"라고 지적하였다.

출판총서 부서장 천커한陳克寒이『인민일보』에「출판사에 관한 몇 가지 문제關於出版社的某些問題」를 발표해 현재 출판되는 신간 도서의 종류가 적고 질이 낮으며 내용이 무미건조한 것 등의 결점을 지적하면서 구체적인 개선 방안을 제시하였다.

13일,『해방일보』에 췬칭의 단편소설「구식 교통老交通」이 발표되었다.

14일, 중앙인민정부 제30차 회의에서「중화인민공화국 헌법 초안中華人民和國憲法草案」이 통과되었다.

15일,『문예월보』제5호에 장춘차오張春橋의 글「신문은 작가가 생활과 접촉하는 기지이다—소련 작가가 작가와 신문의 관계를 말하다報紙是作家接觸生活的一個基地──蘇聯作家談作家和報紙的關系」및 웨이진즈의 단편소설「라오구와 샤오구老牯和小牯」, 비신畢欣의 소설「네 선생님聶老師」, 옌저우彦周의 소설「윈즈 어머니와 윈즈雲芝娘和雲芝」가 발표되었다.

장춘차오(1917~2005), 필명은 디커狄克로 산둥성 쥐예巨野 출신이다. 30년대에 상하이에서 문화활동에 종사하였다. 1938년에 옌안으로 가서『진차지 일보』책임 편집자를 맡았다. 공화국 성립 후에는 화둥신문출판국 부국장, 신화통신사 화둥총분사 사장, 상하이『해방일보』사장 겸 편집장, 중공상하이시위원회 선전부 부부장, 중공상하이시위원회 문예공작부 부장, 중공상하이시위원회 서기처 서기 등을 역임하며 선전문화공작에 종사하였다. 1966년 5월부터 1969년 9월까지 중공중앙 문화혁명영도소조 부조장을 맡았으며, 1967년 초에 야오원위안, 왕훙원王洪文과 함께 상하이 '1월 폭풍'을 일으켜 전국에 권력 투쟁을 불러일으켰다. 1975년 1월부터 국무원 부총리를 맡았다. 1976년 10월에 격리 심사를 받은 후 당 내외의 모든 직무에서 파면되었다. 이후에 '린뱌오·장칭 반혁명집단 사건'의 주범으로 규정되었다. 저서로『소련 견문 잡기訪蘇見聞雜記』, 잡문집『금조집今

朝集』,『용화집龍華集』이 있다.

　옌저우(1928~2006), 즉 루옌저우魯彦周를 말한다. 안후이성 차오현巢縣(지금의 차오후巢湖시) 출신이다. 1956년부터 전문 창작에 종사하였으며 1959년에 중국작가협회에 가입하였다. 이후에 안후이성 작가협회 및 극협 부주석,『청명』잡지 부편집장 등을 역임하였다. 저서로 영화문학 극본『봉황의 노래鳳凰之歌』,『38강변三八河邊』,『눈바람 부는 다볘산風雪大別山』,『톈윈산 전기天雲山傳奇』,『랴오중카이廖仲愷』, 단편소설집『도화풍전桃花風前』, 장편소설『고탑 위의 풍경古塔上的風鈴』,『배꽃이 눈처럼 희다梨花似雪』, 산문집『화이베이 전언淮北寄語』등이 있다. 이후에『루옌저우 소설산문집魯彦周小說散文集』,『루옌저우 영화극본선집魯彦周電影劇本選集』이 출간되었다.

　17일,『인민일보』에 사오옌샹의 시「열두 명의 처녀十二個姑娘」가 발표되었다(6월 22일자『문회보』에 전재).

　18일, 중앙사법부에서 문예계 인사를 초청해 좌담회를 개최하여 문예형식을 활용해 사법공작을 선전하는 방법에 대해 토론하였다.

　『중국청년』제12호에 마톄딩馬鐵丁의 잡문「문화의 휴식文化的休息」및 딩링이 독자에게 답한 서신「어느 청년 독자에게 답하다覆一個靑年讀者」, 펑쉐펑의 논문「단쓰싸오즈와 샹린싸오單四嫂子和祥林嫂」가 발표되었다. '마톄딩'이란 1950년대 초기에 천샤오위陳笑雨(쓰마룽司馬龍), 장톄푸張鐵夫, 귀샤오촨郭小川(딩윈丁雲) 세 사람이 각자 이름자 한 자씩을 따서 만든 필명이다. 그들은 1950년에 한커우에서 '마톄딩'이라는 필명을 써서 돌아가면서『창장일보』의 '사상잡담思想雜談'란에 잡문을 발표하여 큰 영향을 끼쳤다. 1952년에 천샤오위가 우한에서 베이징 신화사 본사로 이동하게 되면서 귀샤오촨, 장톄푸 세 사람의 합동 집필은 기본적으로 종결되고, '마톄딩'은 천샤오위의 전용 필명으로 남았다. 저서로 잡문집『마톄딩 잡문선馬鐵丁雜文選』,『사상잡담思想雜談』,『장치집張馳集』등이 있다.

　19일, 중난작가협회와『창장문예』편집부에서 합동으로 기념 좌담회를 개최하였다(6월 18일은『창장문예』창간 5주년이다). 총 60여 명이 참석하였으며, 중난작가협회 주석이자『창장문예』편집장인 위헤이딩이 회의를 주관하고 연설하였다.

20일, 『이야기하고 노래하다』제6호에 마펑의 중편소설 「순라오다가 혼자 일을 하다孫老大單幹」, 아이우의 소설 「100톤 기중기百噸吊車」가 발표되었다.

『희극보』제6호에 홍선의 「안톤 체호프 서거 15주년을 기념하며安東·契訶夫逝世十五周年紀念」, 거이훙葛一虹의 「중국에서의 체호프 희극契訶夫的戲劇在中國」, 자오쉰의 「「봄바람이 눠민허까지 불어온다」의 주제 사상에 관하여談<春風吹到諾敏河>的主題思想」, 장경의 「어째서 「파시즘 세균」을 공연하는가爲什麼上演<法西斯細菌>」, 류녠취의 「「파시즘 세균」의 재공연<法西斯細菌>的再演出」, 우쭈광의 「아이들과 함께 희곡을 보다和孩子們在一起看戲」가 발표되었다.

거이훙(1913~2005), 희극이론가, 번역가, 희극사학자. 본명은 거청지葛曾濟로 상하이 자딩嘉定 출신이다. 1933년에 좌련에 가입하였으며 문협 이사를 역임하였다. 공화국 성립 후에는 중국희극가협회 연구실 주임, 중국희극출판사 사장 겸 편집장, 『외국희극外國戲劇』편집장, 중국예술연구원 외국문예연구소 소장, 화극연구소 소장 등을 역임하였다. 저서로 『제3 특별유치실第三特別留置室』, 장막극 『홍영창紅纓槍』, 『5·4운동 이후 중국현대화극의 창작과 발전五四運動後中國現代話劇的創作與發展』등이 있으며 『중국화극통사中國話劇通史』의 주편을 맡았다.

29일, 중국·폴란드 문화합작협정 1954년 집행계획에 의거해 중국 문화대표단이 폴란드를 방문하였다. 대표단은 양한성, 커중핑, 뤼지呂驥, 장광녠, 왕차오원, 저우샤오옌周小燕, 장톈줘蔣天佐 등으로 구성되었다.

『중국청년보』에 마펑의 단편소설 「한메이메이韓梅梅」가 발표되었다(8월 15일자 『후난문예』제5호에 전재).

중국예술전람회가 체코 프라하에서 개막하였다.

30일, 중국·독일, 중국·루마니아 문화합작협정 1954년 집행계획에 의거해 작가 펑즈, 톈젠이 독일과 루마니아를 차례로 방문하였다.

베이징인민예술극원에서 차오위의 유명 화극 『뇌우』를 공연하였다. 샤춘夏淳이 감독을 맡았으며 쑤민蘇民, 정룽鄭榕, 위스즈於是之, 주린朱琳 등이 주연을 맡았다.

『문예보』제12호에 「중화인민공화국 헌법 초안」의 전문이 게재되었으며, 예성타오, 어우양위첸, 라오서, 차오위, 홍선, 메이란팡, 위핑보 등 30여 명의 축하의 글이 게재되었다. 같은 호에 친자오양의 「「농촌 잡기」에 대한 비평에 관한 감상關於對<農村散記>的批評的感想」이 발표되었다. 이 글은『문예보』제6호에 발표된 푸춘우浦存伍의「친자오양의「농촌 잡기」에 관하여談秦兆陽的<農村散記>」에 대한 글로, 친자오양 본인에 관한 평론에 대해 자아비평을 진행하는 동시에 이들 평론에 대해 다른 의견을 제기하였는데, 특히 비평 방법상에 문제가 존재한다고 지적하였다.

이달에 화둥작가협회와 상하이시 문련에서 합동으로 '문학강좌'를 개설하여 창작을 처음 공부하는 작가에 대한 지도를 강화하였다. 둥베이작가협회에서도 지속적으로 아마추어 문학연구반을 운영해 아마추어문학 강습반을 증설하였다.

화둥희곡연구원에서 편찬한『화둥희곡극종소개華東戲曲劇種介紹』(총5권)가 상하이신문예출판사에서 출간되기 시작하였다.

중국청년예술극원이 베이징에서 롼장징의 5막 10장 화극「시대의 열차 위에서在時代的列車上」를 공연하였다. 정톈젠鄭天健이 감독을 맡았다(극본은『극본』제7호에 발표되었다).

중공중앙군사위원회 총정치부 문화부에서 제4차 전군 문화부장 좌담회를 소집하여 각 군구 및 각 특수 병과의 정치부 문화부장, 각 학원 및 학교 클럽의 주임이 참석하였다. 회의에서는 부대 클럽의 공작과 문공단(문공대)의 건설, 문예창작 및 부대 문화예술간부 육성 등의 문제에 대해 중점적으로 토론하였다.

중앙인민정부 문화부에서 민간직업극단에 대한 지도 및 관리 강화에 관한 지시를 발포하였다. 본 지시는 민간직업극단이 민주적인 지도를 수립하고 기구를 건전하게 조직하며 극단 구성원의 정치, 문화 및 업무 학습을 강화하고, 극단의 발전과 예인의 이익을 방해하는 불합리한 제도를 개혁하여 공연 프로그램의 계획 및 관리 등을 강화할 수 있도록 각급 문화주관부문에서 도울 것을 요구하였다.

『인민일보』에 사설「민간직업극단에 대한 지도를 강화하자加强對民間職業劇團的領導」가 발표되었다.

상하이전영제편창에서 스릴러 극영화「도강 정찰기」의 상영을 시작하였다.

웨이웨이의 보고문학집『누가 가장 사랑스러운 사람인가』의 재판이 인민문학출판사에서 출간되었다. 재판에는 웨이웨이가 1952년 4월에 다시 북한 전선을 방문해 집필한「끝까지 무너뜨려라擠垮它」,「전진하라, 조국이여!前進吧, 祖國!」등의 작품이 추가되었다.

루링의『판문점 전선 잡기板門店前線散記』가 작가출판사에서 출간되었다.

지광의 장편소설『이곳에는 겨울이 없다這裏沒有冬天』, 한쯔의『평화 박물관和平博物館』(한국전쟁에 관한 단편소설 및 산문집), 바런의『문학논고文學論稿』가 신문예출판사에서 출간되었다.

판빈樊斌의 중편소설『설산 영웅雪山英雄』이 중국청년출판사에서 출간되었다.

지쒜페이의 단편소설집『작은 백기의 풍파』가 중난인민문학예술출판사에서 출간되었다.

여름에 중국사회과학원 문학연구소 연구원 쑨젠빙孫劍冰이 네이멍구 시린궈러맹錫林郭勒盟 민족지구 및 네이멍구 서부 허타오河套 지구를 방문해 민간고사와 민가를 수집하였다. 그는 파산가爬山歌(네이멍구 서부 지역의 민요－역자 주) 수집가인 한옌루韓燕如와 함께 네이멍구 우라터전기烏拉特前旗 농업지구의 마을 6곳에서 이야기를 채집하였다. 그는 이곳에서 여성 구술가 친디뉘秦地女 노부인을 발견해 그녀의 이야기 속에서「장다안춘과 리댜오위張打鵪鶉李釣魚」,「사랑蛇郎」등의 이야기를 기록하였다. 이 이야기들은 이후에『네이멍구 민간고사內蒙古民間故事』,『중탄 민간고사中灘民間故事』,『텐뉴랑이 혼인하다天牛郎配夫妻』등의 고사집으로 엮여 출판되었다. 이번 조사 이후에 그는 중국 민간고사 수집사상 최초로 이야기 구술자 개인의 구술 풍격 문제를 제기하였다.

6월~9월, 중국영화고찰단中國電影考察團이 소련을 방문해 고찰을 진행하였으며, 뒤이어 중국의 영화예술 및 기술 인원이 모스크바전영제편창을 방문해 1년간 실습하였다.

7월

1일,『창장문예』제7호에 웨이양未央의 시「그는 아직 영웅이 아니다他還不是英雄」와 덩하오鄧浩, 딩루이丁瑞 등이 엮은「우즈산의 노래五指山之歌」가 발표되었다.

『신관찰』제13호에 루룽汝龍의「체호프의 애국주의 사상契訶夫的愛國主義思想」및 체호프의 소설「성 밖의 하루城外一日」의 번역문이 발표되었다.

『시난문예』제7호에 리차오의 단편소설「첫 번째 치료第一次醫治」, 궁류의 단편소설「변경의 붉은 구름邊地紅雲」, 양허의 시「열차 위의 젊은 기술자年輕的技術員在列車上」가 발표되었다.

『문사철』제7호에 황자더黃嘉德, 쩡셴푸曾憲溥의「체호프의 사상과 창작契訶夫的思想和創作」이 발표되었으며, 루칸루陸侃如, 펑위안쥔馮沅君의「중국문학사고中國文學史稿」의 연재가 시작되었다.

펑위안쥔(1900~1974), 본명은 수란淑蘭, 필명은 간 여사淦女士, 위안쥔沅君 등으로 허난성 탕허唐河 출신이다. 베이징여자고등사범학교北京女子高等師範學校와 베이징대학을 졸업한 후 프랑스로 유학하여 파리대학교에서 문학박사학위를 취득하였다. 1923년부터 소설 창작을 시작하였다. 진링

대학金陵大學, 중파대학, 지난대학, 푸단대학, 안후이대학, 베이징사범대학, 베이징대학 등에서 교편을 잡았으며 1929년에 문학사학자인 루칸루와 결혼하였다. 1949년 이후로 산둥대학 중문과 교수로 근무하였다. 저서로 단편소설집『권시卷葹』,『봄의 흔적春痕』,『겁화劫灰』, 고전문학논저『중국시사中國詩史』(루칸루와 합동 창작),『남희습유南戲拾遺』,『고극설회古劇說彙』 등이 있다.

2일, 톈팡田方이 단장을 맡고 자이창翟強이 부단장을 맡은 중국 영화공작자 대표단이 컬러 극영화「양산백과 축영대」, 극영화「초원 위의 사람들」,「지취화산」, 컬러 다큐멘터리「민간체육공연民間體育表演」, 대형 다큐멘터리「안강은 건설 중이다鞍鋼在建設中」등 5편의 필름을 가지고 제8회 국제영화제에 참가하기 위해 체코슬로바키아로 출발하였다.

3일,『인민일보』에 자오쉰의「화극「봄바람이 눠민허까지 불어온다」를 평하다評話劇<春風吹到諾敏河>」가 발표되었다.

팡란方然의「체호프 작품의 사상성을 논하다論契訶夫作品中的思想性」가『신건설』제7호에 발표되었다.

4일, 아이칭이 네루다 50세 생일 경축행사에 참석하기 위해 칠레로 출발하였다. 당시에는 태평양을 통과하는 항공편이 없어 외교관계가 없는 국가들을 경유해야 했다. 아이칭 일행은 8일 동안 유럽의 프라하, 빈, 제네바, 리스본, 남아메리카의 리우데자네이루, 부에노스아이레스를 거친 끝에 마침내 12일에 칠레의 수도인 산티아고에 도착해 경축행사에 참석하였다. 아이칭은 이 여행 기간 동안「빈維也納」,「암초礁石」등의 시를 창작하였다. 9월 중순 아이칭 일행의 방문 일정이 끝날 때 네루다는 아이칭과 술자리를 갖고 대화를 나누었으며, 그를 공항까지 배웅했다. 아이칭은 비행기에서「고별告別」이라는 시를 창작하였다.

5일, 저장도서관은 중국 고전문학의 명저『장생전長生殿』의 작가 홍승洪昇의 서거 250주년 기념회를 개최하였다.

7일,『인민문학』제7호에 레이자雷加의 소설『지지支持』의 결말 부분 3장(『지지』는 거의 18만 자에 이르는 장편소설로,『압록강에 봄이 오다春天到了鴨綠江』의 속편이다), 캉쥐의 단편소설「가축

전문가牲畜專家」, 류사오탕의 단편소설 「산자춘의 노랫소리山楂村的歌聲」, 리지의 「치롄산 연가祁連山情歌」, 쩌우디판의 「5月 서정시五月抒情詩」, 사오옌샹의 「시 2편詩二首」(「5·1절에 안강에서 쓰다五一節寄自鞍鋼」와 「다훠팡 저수지 공사현장에서在大夥房水庫工地上」), 아이밍즈의 공장 수기 「젊은 마음年輕的心」, 바이런의 「수리 공사현장 생활 잡기水利工地生活散記」, 위안원수의 「1953년 영화 극작에 존재하는 몇 가지 문제一九五三年電影劇作中的幾個問題」가 발표되었다. '체호프 기념 특집'란에 바진의 「체호프를 기념하며紀念契訶夫的話」, 뤼빈지의 「체호프에 관하여略談契訶夫」, 루룽의 「체호프의 소설에 관하여關於契訶夫的小說」 및 체호프의 단편소설 「애상哀傷」과 「유배 도중에在流放中」의 번역문이 게재되었다.

10일, 『광명일보』 '문학유산' 제11호에 위핑보의 「지연재본 『홍루몽』 평론 및 주해 집록 과정輯錄脂硯齋本<紅樓夢>評注的經過」이 발표되었다.

11일, 중국·불가리아 문화합작협정 1954년 집행규정에 근거해 불가리아 시인 물라사예프穆拉薩耶夫가 베이징을 방문하였다.

푸단극단複旦劇團 창작소조가 공동 창작한 단막극 「전면적으로 발전하다全面發展」가 『문회보』에 연재되기 시작하였다.

12일, 『인민일보』에 왕야핑의 시 「평화 전사에게─시인 네루다給和平戰士──詩人聶魯達」가 발표되었다.

『해방군문예』 제7호에 펑쉐펑이 제2차 중국인민해방군 전군 창작회의에서 연설한 원고 「인물 등에 관하여關於人物及其他」가 발표되었다. 그는 글에서 "총노선과 창작을 어떻게 결합할 것인가" 하는 문제에 관해 모든 작품들이 매일 발생하는 모든 새로운 운동들의 구체적인 임무에 "호응"해야 한다는 것은 아니며, 특히 장편을 창작하는 동지들이 수시로 "임무에 호응"하기 위해 내용을 바꾸면 분명히 좋은 결과를 얻지 못할 것이므로, 최대한 자신의 본래 계획에 따라 창작하되 작품이 사회주의 정신과 교육적 역할을 갖추면 된다고 보았다. "인물 서술" 문제에 관해서는 인물 서술이 창작의 근본적인 문제로, 작가가 실제 생활에 근거해 전형적인 형논의 창조를 통해 진실성과 정치적 임무를 긴밀히 결합해야 한다고 보았다.

같은 호에 펑무馮牧의 「우리는 문예창작 조직에 있어 무엇을 했는가我們在組織文藝創作上作了些什麼」가 발표되어 시난西南으로 진군한 이래 4년간의 부대문예창작이 얻은 성과와 부족한 점을 정리하였다. 또한 양쒀의 보고문학 「'평화 열차'─지원군의 영웅적인 운전사 리궈헝을 기억하며"和平列車"——記志願軍英雄司機李國珩」, 장바이張白의 「위대한 러시아 작가 체호프偉大的俄羅斯作家契訶夫」가 발표되었다.

평무(1919~1995), 본명은 펑셴즈馮先植로 베이징 출신이다. 『해방일보』문예편집자, 쿤밍군구昆明軍區 문화부장을 역임하였다. 1957년에 중국작가협회로 이동해『신관찰』편집장, 문화부 정책 연구실 책임자, 중국문학예술계연합회 준비소조 부조장 겸 비서장, 중국작가협회 부주석,『문예보』편집장 등을 역임하였다. 저서로 문예평론집『만발한 꽃과 풀잎繁花與草葉』,『격류소집激流小集』,『경운문집耕耘文集』,『신시기 문학의 주류新時期文學的主流』등이 있다.

13일, 중국작가협회에서 네루다 시 좌담회를 개최해 칠레 시인 네루다의 50세 생일을 축하하였다. 거바오취안戈寶權, 천바이천, 자오수리, 무무톈, 짱커자, 위안수이파이, 롼장징, 허징즈 등 베이징 문예계 인사 100여 명이 참석하였다.

거바오취안(1913~2000), 외국문학 연구자이자 번역가로 장쑤성 둥타이東台 출신이다. 1932년에 상하이 다샤대학大夏大學을 졸업하였다. 1935년에는『대공보』소련 주재 기자를 맡았으며 1938년에는『신화일보』편집위원을 맡았다. 공화국 성립 후에는 주 구소련 중국대사관 임시 대리 대사 및 문화참사관, 중소우호협회 총회 부비서장 등을 역임하였다. 저서로『중국에서의 푸시킨普希金在中國』,『세계문학에서의 루쉰의 지위魯迅在世界文學上的地位』및 다수의 번역서가 있다.

14일, 베이징시 중소우호협회, 베이징시 문련, 베이징 소련대외문화협회에서 합동으로 보고회를 개최해 세계문화 명인인 체호프 서거 50주년을 기념하였다. 문예공작자 600여 명이 참석하였으며 라오서가 개회사를 하고 라흐마닌이 보고를 진행하였다.

『광명일보』에 짱커자의 시 「나는 작은 소리로 당신의 이름을 읽는다─파블로 네루다 50세 생일을 기념하며我用小聲念著你的名字——紀念巴勃羅·聶魯達五十壽辰」가 발표되었다.

중난, 후베이, 우한 문예계에서 합동으로 체호프 서거 50주년 기념대회를 개최하여 총 300여 명이 참석하였다. 중난작가협회 부주석 리루이李蕤가 체호프의 일생을 소개하였으며 리니麗尼가 「체호프─위대한 현실주의 작가契訶夫——偉大的現實主義作家」라는 제목의 보고를 진행하였다(보고문은『창장문예』1954년 제8호에 게재).

15일, 『인민일보』에 사설 「문예간부의 정치적 수양과 예술적 수양을 제고하자提高文藝幹部的

政治修養和藝術修養」가 발표되었다(『문예보』제14호에 전재). 사설은 "문예간부의 학습 상황이 만족스럽지 못하다", "우리의 일부 문예간부의 지식 부족은 놀라울 정도이다"라고 지적하면서, 사회주의 건설과 사회주의 개조라는 시대적 사명이 문학예술공작자에게 높은 사상적 수준과 문화예술 수양을 요구하고 있으므로, 문학예술공작자는 정치 학습과 업무 학습을 자신의 중대한 책임으로 인식해야만 당과 인민이 그들에게 부여한 임무를 맡을 수 있다고 보았다.

7월 15일은 19세기 러시아의 위대한 작가 체호프 서거 50주년 기념일이다. 15일 저녁에 베이징시 청년궁靑年宮에서 세계문화 명인이자 러시아의 현실주의 작가 안톤 파블로비치 체호프 서거 50주년 기념대회를 성대히 거행하였다. 대회는 중국인민세계평화수호위원회, 중국인민대외문화협회, 중소우호협회 총회, 중국작가협회, 중국희극가협회 등의 단체가 합동으로 개최하였다. 마오둔이 대회를 주관하고 연설하였으며 톈한이 「광명을 굳게 믿는 위대한 현실주의 작가 체호프로부터 배우자向堅信光明自信的偉大現實主義作家契訶夫學習」라는 제목의 보고를 진행하였다. 주중국소련대사관 대리 대사가 연설하였다. 추투난, 홍선, 뤄룽지羅隆基, 저우양, 정전둬, 라오서, 차오위, 어우양위첸 등이 참석하였다. 회의 중에 중국의 예술가들이 체호프의 단막극 「청혼求婚」을 공연하였으며 체호프의 단편소설을 낭송하였다. 이날 『인민일보』에 허자화이何家槐의 「위대한 러시아 현실주의 작가 안톤 체호프를 기념하며紀念偉大的俄羅斯現實主義作家安東‧契訶夫」가 발표되었다. 톈한, 바진, 리젠우 등이 『인민문학』, 『극본』, 『톈진일보』등의 신문 및 잡지에 기념 논고를 발표하였다.

『문예보』제13호에 루룽의 글 「체호프의 소설에 관하여」, 딩눠丁諾의 단평 「'5‧4' 희곡의 상연을 정확히 인식하자正確認識"五四"劇目的上演」, 뤼잉의 「셰익스피어의 희극 「한여름 밤의 꿈」莎士比亞的喜劇<仲夏夜之夢>」이 발표되었다. 딩눠는 글에서 최근에 베이징에서 샤옌의 「파시즘 세균」과 차오위의 「뇌우」등 '5‧4' 이후의 비교적 우수한 화극 작품 두 편을 공연하는 일에 대해 의미가 있으며 환영할 만한 일이라고 평하면서, 동시에 이 작품들이 정도의 차이는 있으나 약점과 한계성을 가지고 있어 적절한 분석과 평론이 필요하다고 지적하였다. 뤼잉은 글에서 희곡 「한여름 밤의 꿈」에 대한 자산계급 학자의 연구는 항상 유심론에서 출발해 이 작품을 통속적이고 천박하게 만든다고 지적하였다. 『문예보』제13, 15호에는 예르밀로프의 「위대한 노동자, 천재란 무엇인가?偉大的勞動者, 什麽叫天才?」(『체호프 전기契訶夫傳』제1장)가 발표되었다.

『문예월보』제7호에 스저춘의 「마르틴 안데르센 넥쇠―추모와 소개馬丁‧安德遜‧尼克索――悼念與介紹」(6월 1일은 덴마크 작가 마르틴 안데르센 넥쇠가 사망한 날이다), 주이전朱一震, 천뤼바이陳侶白의 화극 「귤을 심는 사람들種橘的人們」(4막 6장 화극, 제7호부터 제8호까지 연재), 왕시젠의 소설 「농촌으로 돌아가다回到農村」(장편소설 『인간 세상에 봄이 오다春到人間』의 제19~22장), 진이靳

以의 특필 「포즈링으로 가다到佛子嶺去」 및 팡쉰方隼의 「체호프를 기념하며紀念契訶夫」와 고리키의 서신 「체호프의 신작 단편소설 「골짜기」에 관하여關於契訶夫的新作短篇小說<在峽穀裏>」의 번역문이 발표되었다.

『안후이문예』 제7호에 스훙石泓의 단편소설 「출로出路」, 바오인鮑蔭의 단편소설 「마오산 마을의 봄茅山塢的春天」이 발표되었다.

『저장문예』 제7호에 지광의 단편소설 「물고기魚」, 루궁路工, 진판金帆의 시 「바다 위의 뱃노래海上漁歌」(4편)가 발표되었다.

16일, 중국작가협회와 중국극협이 합동으로 체호프 극작 좌담회를 개최하여 톈한, 훙선, 차오위, 천바이천, 차오징화, 자오쥐인 등 60여 명이 참석하였다. 톈한이 회의를 주관하고 축사를 하였으며 차오징화, 자오쥐인, 훙선, 차오위, 거이훙 등이 체호프 창작의 특징과 창작 노선 및 중국 작가가 체호프를 어떻게 학습해야 하는가 등의 문제에 관해 주제발언을 진행하였다.

중앙관철혼인법운동위원회中央貫徹婚姻法運動委員會 사무실에서 베이징의 문예공작자들을 초청해 좌담회를 개최하여, 국가 과도기의 총노선에 근거해 문예형식을 활용하여 사회주의 원칙을 통해 혼인법 관철 선전공작을 진행하는 일에 관해 토론하였다. 문화부 부부장 류즈밍劉芝明 및 빙신, 자오수리, 마펑, 시룽 등 문예공작자 30여 명이 참석하였다.

『신관찰』 제14호에 양셴이楊憲益의 「아리스토파네스와 그리스 희극阿裏斯托芬和希臘喜劇」이 발표되었다.

양셴이(1915~2009), 문학번역가로 안후이성 쓰현泗縣 출신이다. 1940년에 영국 옥스포드대학교를 졸업하였다. 구이양사범학원貴陽師範學院 영문과 주임, 청두광화대학成都光華大學 영문과 교수, 베이징외문국北京外文局 『중국문학中國文學』 편집장, 전국정협 위원, 중국작가협회 이사, 중국문련 위원을 역임하였다. 홍콩대학에서 명예문학박사학위를 취득하였다. 저서로 수필집 『영묵신전零墨新箋』, 『영묵속전零墨續箋』, 『역여우습譯餘偶拾』, 중편소설 『적미군赤眉軍』, 영문 자서전 『백호성의 운명에 따르다白虎星照命』(중문판 제목은 『물 새는 배에 술을 싣고 옛날을 추억하다漏船載酒憶當年』), 번역서 『오디세이아奧德修記』, 『롤랑의 노래羅蘭之歌』, 『버나드 쇼 희극집蕭伯納戲劇集』 및 부인 글래디스(영국인 학자)와 합동 번역한 『위진 남북조 소설선魏晉南北朝小說選』, 『당대 전기선唐代傳奇選』, 『송명 평화소설선宋明平話小說選』, 『요재선聊齋選』, 『초사楚辭』, 『사기史記』, 『유림외사儒林外史』, 『홍루몽紅樓夢』, 『루쉰 선집魯迅選集』, 『왕구이와 리샹샹』, 『백모녀』 등이 있다.

『허난문예』 제14호에 야오쉐인의 「「태양이 떠오를 때」를 읽고讀<當太陽出來的時候>」가 발표되었다.

17일, 중국작가협회 주석단이 제7차 확대회의를 개최해 토론을 통해 문예공작자의 정치이론 및 고전문학 유산 학습의 제1차 참고서적 목록을 통과시켰다(목록은 『문예학습』 제8호에 게재되었다). 목록에는 마르크스레닌주의 이론 21편, 문학 명작 133편(중국 고전문학 33편, 루쉰 작품 3편, 러시아 및 소련문학 35편, 기타 국가 문학 62편)이 포함되었다.

출판총서에서 「금지 및 발매 중지 도서를 각지 도서관, 문화관, 문화참에 통지하는 데 관한 통보 關於査禁、停售圖書應通知各地圖書館、文化館、站的通報」를 발포하여, 앞으로 출판총서에서 전국적으로 금지 및 발매 중지한 도서를 통지하면 반드시 중앙문화부 및 각지 출판행정기관에서 각지의 문화 부문에 전달하여, 진열이 중단된 도서는 규정 외에 함부로 소각하는 것을 금지하였다.

18일, 『해방일보』에 진이의 산문 「비―포즈링 잡기 제1편 雨――佛子嶺散記之一」이 발표되었다.

19일, 『인민일보』에 소련 시인 마야코프스키의 시 「국가의 동량 國家的棟梁」이 발표되었다. '편집자의 말'은 "오늘은 소련의 위대한 시인이자 사회주의 현실주의 시의 기초를 다진 인물인 마야코프스키의 생일이다(1893년 7월 19일 출생). 그는 불후의 작품으로써 사회주의 제도와 소비에트라는 국가와 인민을 열렬히 노래하였으며, 또한 소련 사회와 대립하는 모든 적대적인 잔존 사상을 냉정하게 비난하였다. 그의 풍자시는 영원히 무뎌지지 않는 무기이다"라고 밝혔다.

중국작가협회에서 체호프 소설 좌담회를 개최하였다. 마오둔이 체호프의 소설을 구체적으로 분석하였으며 친자오양, 마펑이 체호프 작품을 학습한 소감을 이야기하였고, 루룽이 체호프 창작사상의 발전 노선을 분석하였다.

20일, 『이야기하고 노래하다』 제7호에 라오서가 헌법 초안 공포에 관해 창작한 「대회 大喜」, 왕야핑의 시 「기쁜 소식 喜訊」, 친자오양의 단편소설 「사돈 親家」이 발표되었다.

『희극보』 제7호에 홍선, 장이성 張逸生의 「「파시즘 세균」 감독 자문 기록 導演<法西斯細菌>自問錄記」이 발표되었다.

『허베이문예』 제7호에 중링 鍾鈴의 단막극 「첫 번째 풍작 第一次豐收」이 발표되었다.

베이징수도전영원 北京首都電影院에서 '폴란드 인민공화국 영화 상영 주간' 개막식을 거행하였다.

22일, 후펑이 중공중앙에 약 30만 자에 이르는 「해방 이후의 문예실천 상황에 관한 보고 關於解

放以來的文藝實踐情況的報告」(즉 '의견서' 혹은 '30만 자의 의견서')를 제출하였다. 본 보고서는 1954년 3월에서 7월 사이에 작성되었으며 총 네 부분으로 구성되었다. 서두에는 당중앙과 마오쩌둥 주석 등에게 보내는 서신을 첨부하여 보고서의 전체 내용에 관해 설명하였다. 보고서를 작성한 이유에 대해 후펑은 "2년여 동안 나는 끝내 몇몇 동지들에 의해 정면으로, 그리고 완전히 문예발전의 유일한 죄인 혹은 적으로 간주되었다. 발언권뿐만 아니라 노동 조건까지 완전히 박탈당했다. 이러한 과정에서 나는 최대한 성실하게 노력해 왔지만 번번이 실패했다. 문예실천 상황에 대한 근심과 노동에 대한 갈구가 늙은 공인인 나의 마음속에 항상 남아 있었음에도, 그리고 일부 동지들이 중일전쟁 초기부터의 나에 대한 저우 총리의 지도적 관계와 사상적 영향마저 부정했음에도, 나는 당중앙이 나를 기본적으로 신임하고 있다는 것을 단 한 번도 의심한 적이 없었다. 나는 당에 의지해 문제를 해결할 수 있다는 믿음을 포기하지 않았으며, 반드시 투쟁이 전개되어 나의 발언권과 노동조건이 회복될 것임을 줄곧 믿었다." "그러나 내 문제는 결코 개인적인 성질의 문제가 아니라 객관적 상황에서 생겨난 중요 현상 중 하나였기 때문에, 나는 나의 보고서를 당중앙에 직접 제출할 수밖에 없었다"라고 밝혔다.[1]

보고서의 제1부분인 「몇 년간의 경과 개황幾年來的經過簡況」에서 후펑은 "내가 1949년에 해방구로 이동한 시기부터 이러한 반성을 시작하게 된 때까지 겪은 상황을 서술하였다. 나는 나의 자유주의 오류의 구체적인 성질을 반성하였다. 이 오류는 중공중앙 제4차 전체회의의 결의를 통해 깨달음을 얻은 후에야 마침내 극복할 수 있었다"라고 밝혔다.[2]

제2부분인 「몇 가지 이론적 문제에 관한 설명 자료關於幾個理論性問題的說明材料」에서 그는 "어느 정도 선에서 린모한 동지와 허치팡 동지의 나에 대한 비평을 전면적으로 분석하였다. 이 분석을 통해 나는 두 동지의 이론이 혼란한 주관주의 혹은 저속한 기계론임을 완전히 확인하였다. 그러나 그들이 비평에서 폭로한 몇 가지 기본 논지가 바로 몇 년간 문예전선 전체를 통치해 온 지도적 이론의 중요한 구성부분이었기 때문에 실천에 있어 심각한 위해를 끼쳤다." "이러한 이론은 종법주의의 기초 위에서만이 '합법'적인 자격을 얻을 수 있으며, 종법주의적인 통치방식을 통해서만이 지배적 지위를 점할 수 있다. 이러한 이론은 마오 주석의 몇 가지 원칙을 기계유심론적 교조주의로 왜곡했으며, 역사적 조건에서 완전히 동떨어져 멋대로 운용되어 문예실천의 규율을 압살하였고, 그러면서도 오히려 온갖 방법을 써서 이들과 의견이 다른 이들을 '종법주의' 혹은 '반대파'로 간주하여 이러한 비당非黨적인 지도사상을 위해 완전한 '통일' 국면을 조성할 것을 의도한다." "이로써

---

1) 후펑, 『후펑 전집胡風全集』 제6권, 제95-96쪽, 후베이인민출판사 1999년
2) 『후펑 전집』 제6권, 제96-97쪽

신문예의 생기가 거의 숨이 막힐 정도로 꺾어 버려, 문예전선의 위축되고 혼란한 상황을 야기하였다"라고 밝혔다.3)

제3부분인 「실제 사례 및 당성에 관하여事實擧例和關於黨性」에서는 "나는 당성黨性의 요구에 따라 나의 자유주의 오류의 사상적 실천을 더욱 분석하였다. 이 분석으로 얻은 확신을 통해 나는 저우양을 중심으로 하는 종법주의 통치의 몇 가지 중요한 방식을 정리하였다"라고 밝혔다.4)

제4부분인 '첨부 문서' 「참고로서의 건의作爲參考的建議」에서 후펑은 "몇 년간 문예실천의 결정적인 문제는 종법주의 통치 및 이 통치를 무기로 하는 주관공식주의의 (저속한) 기계론적 이론 통치였다. 문예실천 규율을 파괴하고 사상투쟁을 압살한 이 통치하에서는 군중 속에서 각종 부정한 사건과 비당적 행위가 야기될 수밖에 없다." "내가 이논의 보고서를 제출한 것은 중앙에 문제를 알리기 위함이며, 또한 문예실천 상황을 주동적으로 반성한 자료 중 하나로서 심도 있는 반성 과정에서 이 보고의 내용 역시 심사를 받도록 하기 위함이었다"라고 밝혔다.5)

중앙문화부에서 '폴란드 인민공화국 영화 상영 주간'을 시작하였다.

23일, 베이징에서 저우타오펀鄒韜奮 서거 10주년 추모회를 개최해 선쥔루沈鈞儒, 마오둔, 후위즈, 후성, 장유위張友漁 등이 참석하였다.

24일, 저우타오펀 서거 10주년을 기념하여 『인민일보』에 후위즈의 「타오펀과 그의 사업韜奮和他的事業」, 마오둔의 「저우타오펀과 '대중생활'鄒韜奮和"大眾生活"」 등 두 편의 기념 문장이 발표되었다. 『광명일보』에도 사설 「중국 지식분자의 모범―저우타오펀 선생 서거 10주년을 기념하며中國知識分子的榜樣――紀念鄒韜奮先生逝世十周年」 및 선쥔루의 「타오펀 동지의 길을 가다走韜奮同志的路」, 류스柳湜의 「타오펀 서거 10주년韜奮逝世十周年」 등 두 편의 기념 문장이 발표되었다.

25일, 제8회 국제영화제가 체코슬로바키아에서 폐막하였다. 중국 영화 「지취화산」이 '자유투쟁상'을, 「양산백과 축영대」가 음악상을 수상하였다.

26일, 『인민일보』에 위안수이파이의 「선명한 대비」가 발표되었다. 그는 글에서 '폴란드 인민

---

3) 『후펑 전집』 제6권, 제97−98쪽
4) 『후펑 전집』 제6권, 제98쪽
5) 『후펑 전집』 제6권, 제402−403쪽

공화국 영화 상영 주간'에 상영된 두 편의 영화「마지막 계단最後階段」과「바르샤바를 재건하다重建華沙」를 소개 및 비평하였다.

27일,『문예학습』제7호에 짱커자의「살니족 인민의 장편서사시—『아스마』撒尼族人民的敍事長詩——＜阿詩瑪＞」, 예성타오의「문예창작은 반드시 언어에 의지해야 한다文藝寫作必須依靠語言」, 라오서의「시와 쾌판詩與快板」이 발표되었다.

궁류의 연작시「카와산佧佤山」가운데 8편이 중국청년보『문예원지文藝園地』에 발표되어 29일에 연재가 완료되었다.

27일부터 8월 5일까지 저장성 문학예술공작자 제1차 대표대회가 항저우에서 개최되어 총 243인이 참석하였다.

28일, 중국희극가협회 배우클럽이 베이징에서 제1차 배우와 관중 대면회를 진행하였다.

30일,『문예보』제14호에 마오둔의「스톡홀름 잡기斯德哥爾摩雜記」, 펑쉐펑의「『옌안을 보위하라』의 성취와 그 중요성을 논하다論＜保衛延安＞的成就及其重要性」(14, 15호에 연재), 위안수이파이가 중국작가협회에서 개최한 네루다 50세 생일 축하 시가 좌담회에서 발언한 원고「평화수호운동의 최전선에 서 있는 시인-파블로 네루다 50세 생일을 축하하며站在保衛和平運動最前列的詩人——祝賀巴勃羅·聶魯達五十誕辰」, 왕차오원의「예술의 기교를 논하다論藝術的技巧」(14, 15호에 연재)가 발표되었다.

펑쉐펑은 글에서 "이 책(두펑청의『옌안을 보위하라』)의 걸출한 성취는 의심할 여지가 없다. 이 작품은 진정으로 독자를 감동시키는 인면혁명전쟁의 장면을 묘사하여 인민이 적과 싸워 이긴 생생한 역사의 한 페이지를 성공적으로 그려내었다"라고 평하며, 이 작품은 "위대한 역사적 의의를 가진 유명한 영웅전쟁을 묘사한 한 편의 서사시라고 충분히 불릴 만하다. 보다 높은 요구 혹은 이 작품이 더욱더 다듬어질 수 있다는 의미에서 보아도 이러한 영웅서사시의 초고라고 할 만하다. 그 영웅서사시의 기초는 이미 확정되어 있다"라고 보았다. 그는 또한 "이 작품이 혁명전쟁에 대한 당 중앙과 마오 주석의 영명한 지도와 지휘를 묘사하고, 모든 어려움과 싸워 이기는 인민해방군과 인민 군중의 혁명영웅주의를 묘사한 한 편의 영웅서사시가 될 수 있었던 것은 작가가 이 전쟁에 대해 파악하고 그 위대한 정신을 강력하게 긍정하는 방법 및 태도와 밀접한 관련이 있다"라고 보았다. 평쉐핑은 "작가의 묘사 수완 또한 이미 뛰어난 수준에 이르렀다", "작품 전체의 언어도 생동감과 심도 및 리듬감을 가지고 있으며, 때로는 시적인 의미가 충만하다"라고 평했다. 그러나 "작품 전체를 놓고 보면, 분명히 더욱 정련되게 쓸 수 있다. 그렇게 된다면 작품의 예술성도 더욱 제고되고 빛날 것이다. 나는 개인적으로 이 작품이 이미 도달한 근본적인 서사시 정신은 고전문학 가운데 불후의 영웅서사시(가령 『수호전』, 『타라스 부르바』, 『전쟁과 평화』 등)에도 비할 수 있으나, 예술의 기교 혹은 표현방법 면에서는 물론 아직 고전 걸작의 수준에 이르지 못한다고 본다. 다시 말해 예술적 성취에 있어서는 아직 고전 영웅서사시와 어깨를 나란히 할 수 없다"라고 평했다.

『해방일보』에 사설 「문예간부의 정치와 업무 학습을 강화하자加强文藝幹部的政治和業務學習」가 발표되었다. 본 사설은 『인민일보』의 호소에 호응하여 문학예술계에서 정치 및 예술적 수양을 제고하는 것이 문학예술사업의 발전에 있어 가지는 중요성을 충분히 인식하고 정치와 업무 학습을 더욱 강화할 것을 요구하였다.

중국문련과 전영발행공사電影發行公司에서 사전 상영 초대회를 개최해 일본의 진보 영화 「아니, 우리는 살아갈 것이다!不, 我們要活下去!」를 중국에서 최초로 상영하였다.

31일, 베이징극장에서 수도 대학·중학생 여름방학 시가 낭송회를 개최해 위안수이파이가 시가 문제에 관해 발표하였다.

이달에 중국작가협회 주석단 제7차 확대회의를 통해 대구大區가 폐지된 후 각 대구 작가협회를 모두 본래 소재지인 성시의 분회로 개편할 것을 결정하여 상하이, 우한, 선양, 충칭, 시안, 광저우 등 6개 대도시에 분회를 설립할 것을 잠정 결정하였다.

중앙선전부에서 「신문, 잡지상의 도서평론 강화에 관한 지시關於加强報紙雜志上的圖書評論的指示」를 발포하였다.

베이징, 상하이, 선양, 충칭, 우한, 광저우, 시안, 톈진 등지에서 15일 전후로 체호프 기념회, 전람회 및 체호프 극본의 공연을 진행하여 체호프 서거 50주년을 기념하였다.

러시아 작가 체호프 서거 50주년을 기념하여 베이징에서 일련의 기념행사를 전개하였다. 15일에 개최한 기념회 외에도 베이징 문예계에서는 체호프 작품의 좌담회 및 희곡, 영화 관람회를 개최하였다. 베이징도서관에서도 체호프를 소개하는 전람회와 보고회를 거행하였다. 각지 출판사에서도 체호프의 작품을 연달아 출판하였다. 인민문학출판사에서는 체호프 극작 단행본 『벚나무 동산櫻桃園』과 『세 자매三姊妹』를 출판하였으며 8월에 『바냐 외삼촌萬尼亞舅舅』을, 9월에는 『갈매기海

鷗』, 『이바노프伊凡諾夫』, 『체호프 단막극집契訶夫獨幕劇集』을 출판하기로 계획하였다. 작가출판사에서도 최근의 러시아어판에 근거하여 체호프의 저명한 희곡『벚나무 동산』, 『세 자매』, 『바냐 외삼촌』, 『갈매기』, 『이바노프』를 다시 번역 출간하기로 하였다.

마평의 동명의 소설을 각색한 영화 「결혼結婚」이 베이징 및 전국 각 대도시에서 상영되었다.

중국문련, 중국극협 및 중소우호협회 연맹이 합동으로 영화 관람회를 개최하여 체호프 작품을 각색한 소련 단편영화 「얼간이蠢貨」, 「기념일紀念日」, 「가면 무도회假面舞會」, 「범죄행위罪行」 및 컬러 극영화 「남에게 의지해 살아가는 안나依人爲生的安娜」를 상영하였다. 체호프 서거 50주년 기념 준비위원회에서는 『체호프 기념 화집紀念契訶夫畫冊』을 발간하였다. 『극본』 월간에는 「체호프 기념 특집紀念契訶夫專刊」이 발간되었다. 중앙인민방송국에서는 자오쥐인의 보고 「체호프와 우리 시대契訶夫和我們的時代」와 체호프의 작품 「행복한 사람幸福的人」의 낭송을 방송하였으며, 베이징인민방송국에서는 체호프의 작품 「완카萬卡」의 낭송을 방송하였다.

국립베이징도서관에 여러 저명한 당대 작가 및 학자(루쉰, 원이둬, 량치차오, 주쯔칭 등)의 원고, 인쇄 견본, 개정본 등 친필 원고 수백 종이 소장되었다.

『신화월보』 제7호에 문화부, 중화전국총공회의 「공장, 광산, 공사현장, 기업에서의 문화예술 공작 강화에 관한 지시關於加强廠礦、工地、企業中文化藝術工作的指示」, 중국인민아동보호전국위원회의 「4년간의 전국 아동문예창작 심사 표창에 관한 공고關於四年來全國兒童文藝創作評奬的公告」 및 「1953년도 월간『극본』의 단막극 원고 모집 심사 수상 극본 목록<劇本>月刊一九五三年獨幕劇征稿評奬得奬劇本名單」이 게재되었다. 이 외에도 양즈융楊知勇의 「살니족 서사시『아스마』 정리 과정撒尼族敍事詩<阿詩瑪>整理經過」이 발표되었다.

천쒜자오의 장편소설 『공작은 아름다운 것이다工作著是美麗的』(상권)의 재판이 작가출판사에서 출간되었다(1949년 3월 다롄신중국서국大連新中國書局에서 초판 발행).

우보샤오吳伯簫의 산문집 『출발집出發集』이 상하이신문예출판사에서 출간되었다.

살니족 장편서사시 『아스마』가 윈난인민출판사에서 출간되었다.

구리가오古立高의 단편소설집 『승리가 시간을 재촉하고 있다勝利追趕著時間』가 작가출판사에서 출간되었다.

구리가오(1923~2007), 본명은 구리가오顧立高로 허베이성 푸핑阜平 출신이다. 1942년에『항적삼일간抗敵三日刊』에 첫 작품을 발표하였다. 『인민문학』의 창간에 참여하여 소설 편집자를 맡았다. 저서로 단편소설집『늙은 대대장老營長』, 『영생하는 전사永生的戰士』, 『승리가 시간을 재촉하고 있다』, 중편소설『영원히 앞을 향하다永遠向著前面』, 『막을 수 없는 쇳물不可阻擋的鐵流』, 장편소설『엄동隆冬』, 『이른 봄早春』, 『한류寒流』, 『우뚝 솟은 뭇 봉우리屹立的群峰』 및 자서전『견습생에서 작가까지 부침의 기록從學徒到作家浮沉錄』이 있다. 『구리가오 문집古立高文集』(전10권)이 출간되었다.

8월

1일, 중국과학원에서 창립한 과학출판사科學出版社가 베이징에 설립되었다.

『창장문예』 제8호에 리니의 「체호프─위대한 현실주의 작가契訶夫──偉大的現實主義作家」 및 이중亦中, 딩루이定瑞 등이 편찬한 「하이난 산가海南山歌」가 발표되었다.

『역문』 제8호에 소련 작가 보로비요프의 소설 3편, 미국 작가 마크 트웨인의 「주지사 경선競選州長」 등 소설 3편, 프랑스 작가 아나톨 프랑스의 소설 「클라비어克蘭比爾」, 샤오첸이 번역한 체코 작가 하셰크의 「용감한 병사 슈베이크好兵帥克」 제1권(제8, 9호에 연재)이 번역 소개되었다.

『신관찰』 제15호에 황강의 특필 「혁명 어머니 샤 부인革命母親夏娘娘」, 샤옌의 「「파시즘 세균」에 관하여關於<法西斯細菌>」가 발표되었다.

『시난문예』 제8호에 후자오胡昭의 시 「놋다리人橋」, 량상취안梁上泉의 시 「열차 위에서列車上」, 저우량페이周良沛의 시 「편지信」, 가오핑高平의 시 「톈안먼 앞天安門前」, 구이저우런桂舟人의 단편소설 「아들의 편지가 온 후兒子來信後」, 장롄광張聯方의 단편소설 「들불은 전부 태우지 못한다野火燒不盡」 및 사오쯔난의 「'무충돌론'은 쉽게 없앨 수 없다"無沖突論"並不是容易肅清的」가 발표되었다.

량상취안(1931~), 쓰촨성 다현達縣 출신이다. 1950년에 입대하여 부대문공단에서 창작조 부조장을 맡았다. 1957년 말에 베이징에서 전역한 후 충칭시 가무극단의 각본가를 맡았다. 1982년에 충칭시 문련으로 이동해 전문작가를 맡았다. 저서로 시집『와자지껄한 고원喧騰的高原』, 『윈난의 구름雲南的雲』, 『산천집山泉集』, 장편서사시『홍운애紅雲崖』, 『화운조火雲鳥』 등이 있다.

2일, 광시성 문련 상무위원회에서 제2차 회의를 소집하여 구이린에 광시성 문련 구이린창작조를 설립하였다.

3일, 『극본』 제8호에 톈한의 「광명을 굳게 믿는 위대한 현실주의 작가 체호프로부터 배우자」가 발표되었다. 본 글은 중국작가협회, 중국극협 등의 단체가 합동으로 베이징에서 개최한 체호프 서거 50주년 기념회에서의 톈한의 보고문이다.

6일, 전국 농민 아마추어 문화교육회의全國農民業餘文化教育會議가 베이징에서 개최되었다.

7일, 『인민일보』에 소련 작가 시모노프의 「생활 속에서 중요한 것이 바로 희극창작에서 중요한 것이다生活裏主要的就是戲劇創作中主要的」가 발표되었으며 '편집자의 말'이 추가되었다. '편집자의 말'은 "……시모노프는 여기서 일부 작가들이 긍정적 인물 혹은 부정적 인물 형상을 창조하는 데 있어 가지고 있는 문학의 당성 원칙을 위반하는 잘못된 관점, 즉 예술창조에 있어서의 전형화 방법에 대해 의심하고, 작가가 반드시 '사람의 본래 모습에 따라' 묘사를 해야 한다고 여기며, 인물을 긍정적 인물과 부정적 인물로 구분하는 것이 공식주의를 발생시킨다고 생각하는 관점을 비평하고 있다. 중국 문예계에서 긍정적 인물의 전형적 형상 창조에 관한 논쟁을 할 때도 이와 유사한 혼란한 사상이 발생하였으며, 생활 속에서 영웅 인물을 찾을 수 없다는 등의 논조가 출현한 바 있다. 본 글은 우리나라 문예공작자들에게 참고가 될 것으로 생각된다"라고 밝혔다.

『인민문학』 제8호에 샤옌의 극본 「시험考驗」(5막 6장), 류전劉真의 단편소설 「춘 누나春大姐」, 샤오핑蕭平의 단편소설 「해변의 아이海濱的孩子」, 차이치자오의 시 「해상海上」, 자오루이훙趙瑞蕻의 「도이치 민주공화국에 바치는 시獻給德意志民主共和國的詩」, 우쭈광의 「유림외사의 사상과 예술─오경재 서거 200주년을 기념하며儒林外史的思想與藝術──紀念吳敬梓逝世200周年」가 발표되었다.

류전(1930~), 여성 작가로 본명은 류칭롄劉清蓮이며 산둥성 샤진夏津 출신이다. 1939년에 팔로군에 참가하였으며 1948년부터 전지문예통신을 발표하였다. 1952년에 베이징중앙문학강습소에서 수학하였으며 1954년에 전문 작가가 되었다. 저서로 소설집 『숲속의 길林中路』, 『기나긴 유수長長的流水』, 『영웅의 악장英雄的樂章』, 산문집 『생 열귀나무山刺玫』 및 회고록 『고개를 돌려 다시 바라보다回首再望』, 『문단에서의 나의 30년我在文壇三十七年』이 있다.

7일~11일, 정저우시 문학예술공작자 제2차 대표대회가 개최되어 4년간의 정저우시 문예공작을 결산하고, 앞으로의 문예공작 방침 임무와 결의 등을 통과시켰다.

8일, 『해방일보』에 쿼칭峻青의 단편소설 「당원 등기표黨員登記表」가 발표되었다.

쿼칭(1922~1991), 본명은 쑨쥔칭孫俊卿으로 산둥성 하이양海陽 출신이다. 1940년에 혁명에 참가하였으며 1944년 이후로 자오둥膠東당위원회 기관 간행물인 『대공보』 기자 및 신화사 종군기자를 맡았다. 공화국 성립 후에 중난국 신문기관에서 근무하였다. 저서로 단편소설집 『여명의 강가黎明的河邊』, 『바다제비海燕』, 『자오둥 기록膠東紀事』, 장편소설 『해일海嘯』, 『결전決戰』 및 산문집 『추색부秋色賦』 등이 있다.

황이칭黃衣青의 소설 「표를 작성하다填表」, 중쑤鍾甦의 소설 「소를 방목하다放牛」가 『문회보』에 발표되었다.

11일, 『인민일보』에 샤옌의 「「아니, 우리는 살아갈 것이다!」 감상<不, 我們要活下去!>觀感」이 발표되어 이 "전쟁 후에 중국에서 최초로 상영된 일본 영화"에 관해 간단히 평하였다.

12일, 『해방군문예』 제8호에 바진의 특필 「리쉐푸 동지를 기억하며記栗學福同志」, 바이화의 시 「인민은 한 명의 장군을 그리워하고 있다人民懷念著一位將軍」, 차이치자오의 시 「나는 수호한다我守衛」, 쉬화이중徐懷中의 중편소설 「지상의 무지개地上的長虹」(제8, 9호에 연재) 및 쑹즈宋之의 「어디가 잘못되었는가?—루링의 소설 「저지대에서의 '전투'」를 평하다錯在哪裏?──評路翎的小說<窪地上的"戰役">」가 발표되었다.

쑹즈는 글에서 「저지대에서의 '전투'」는 개인과 집단의 갈등이라는 문제를 제기하기는 했으나, 작가가 주관적으로 몇몇 진실하지 못한 인물을 만들어낸 탓에 결국 이 갈등에 대해 완전히 잘못된 결론을 얻었으며, 모든 인물들이 영웅의 외모 속에 옹졸한 영혼을 숨기고 있다고 지적하면서, 이러한 자산계급의 유심주의적 방법은 사회주의 현실주의 방법과는 배치되는 것이라고 보았다.

쉬화이중(1929~), 허베이성 한단邯鄲 출신이다. 1945년에 팔로군에 참가한 후 군구에서 미술 및 선전공작에 종사하였다. 1954년부터 작품을 발표하였으며 1956년에 중국작가협회에 가입하였다. 저서로 장편소설 『우리는 사랑을 파종한다我們播種愛情』, 영화문학 극본 『무정한 연인無情的情人』, 중편소설 『서부 전선 일화西線軼事』, 『날개 없는 천사沒有翅膀的天使』 등이 있다.

14일, 중앙선전부에서 출판총서에 「사영 도서발행업 개조에 관한 보고關於改造私營圖書發行業的報告」를 전달하였다.

15일, 중앙선전부에서 출판총서에 「출판업 정돈 및 개조에 관한 보고關於整頓和改造出版業的報告」

를 전달하여 사영 도서발행업 및 출판업에 지속적으로 사회주의 개조를 진행할 것을 결정하였다.

『문예보』제15호에 사설「학습을 강화해 정치적 열정과 도덕 수양을 제고하자加強學習, 提高政治熱情和道德修養」, 황강의「평화민주를 위해 투쟁하는 일본 진보영화爲和平民主而鬥爭的日本進步電影」, 팡바이方白의「예성타오의「예환지」를 읽고讀葉聖陶的<倪煥之>」, 화쥔우의「풍자화가는 문예계의 불량한 경향을 풍자해야 한다諷刺畵家應當諷刺文藝界的不良傾向」및 딩뉘丁諾의「투쟁이 우리가 이 무기를 드는 것을 필요로 한다鬥爭需要我們拿起這個武器」와 수페이舒霈의「작가는 현재의 작품에 관심을 가져야 한다作家應該關心當前的作品」등 두 편의 단평이 발표되었다. 이 외에도「어느 공인문학 창작소조一個工人文學寫作小組」(상하이 통신)이라는 제목으로 상하이인민방송국에서 조직한 '공인문학 창작소조工人文學寫作小組'의 공작경험 및 본 창작소조에서 탕커신 등 적지 않은 공인 청년작가를 양성했다는 소식을 보도하였다.

『문예월보』제8호에 구중이의「헨리 필딩의 생애와 저작亨利·非爾丁的生平與著作」, 첸둥푸錢東甫가 희곡 작가 홍승 서거 250주년을 기념해 집필한「홍승과 그의 희곡「장생전」에 관하여關於洪昇和他的戲曲<長生殿>」가 발표되었다.

구중이(1903~1965), 극작가이자 희극이론가로 저장성 위야오餘姚 출신이다. 1924년에 둥난대학東南大學을 졸업하였다. 상무인서관 편집자, 지난대학 및 푸단대학 교수, 상하이시립실험희극학교上海市立實驗戲劇學校 교장을 역임하였다. 공화국 성립 후에는 상하이희극학원上海戲劇學院 교수로 근무하였다. 저서로 희곡『고도 남녀孤島男女』,『양홍옥梁紅玉』및 논저『극작 이론 및 기교編劇理論與技巧』등이 있다.

『광시문예』제8호에 롼잉阮英의 단막극「구숙이 품앗이조에 참가하다九叔參加互助組」, 량펑梁豐의 단편소설「라오리 삼촌老李叔」이 발표되었다.

『저장문예』제8호에 지광의 단편소설「길을 서두르는 두 사람兩個趕路的人」이 발표되었다.

『안후이문예』제8호에 레이쯔蕾子의 시「폭풍우 속의 전사暴風雨中的戰士」, 궈거郭鴿의 단편소설「인화와 그녀의 아버지銀花和她的爹」, 옌저우彥周의 단막극「한밤중의 풍랑夜半風浪」이 발표되었다.

16일, 『인민일보』에 단평「문예번역공작에 대한 지도를 강화하자加強對文學翻譯工作的領導」가 발표되었다.

16일~22일, 시난문학공작자협회가 청두에서 집행위원회 전체(확대)회의를 소집해 문학공작자의 정치이론학습과 예술학습 강화 문제 및 생활 진입 문제에 관해 집중적으로 토론하였다.

18일~25일, 중국작가협회가 베이징에서 전국문학번역공작회의全國文學翻譯工作會議를 개최하여 「세계문학 명저 소개 선정 계획 초안世界文學名著介紹選題計劃草案」을 중점적으로 토론하였다. 중국작가협회 주석 마오둔이 「문학번역사업 발전과 번역의 질 제고를 위해 분투하자爲發展文學翻譯事業和提高翻譯質量而奮鬥」라는 제목의 보고를 진행하였으며 궈모뤄, 예성타오, 딩시린, 정전둬, 라오서 등이 연설하고 저우양이 결산 발언을 하였다. 회의에는 총 102인의 번역공작자가 참석하였다. 회의에서는 문학번역공작이 중국의 신문화 발전과 국제문화교류 촉진에 있어 가지는 중요한 의의를 천명하고, 또한 번역공작에 존재하는 문제에 대해서도 지적하였다. 마오둔의 보고 요약문과 궈모뤄의 연설은 「문학번역공작에 관하여談文學翻譯工作」라는 제목으로 29일자 『인민일보』에 게재되었다.

19일, 허난성 문련에서 제2차 상무위원회를 소집하여 토론을 통해 「각 시 문련의 몇 가지 문제에 대한 의견對各市文聯幾個問題的意見」, 「성 문련 창작위원회의 조직 및 공작에 관한 의견對省文聯創作委員會之組織及工作的意見」 등의 사항을 통과시켰다.

20일, 『이야기하고 노래하다』 제8호에 런이任一의 단막극 「생활의 시작生活的開端」, 리난리, 우웨의 소설 「분구 사령원分區司令員」(『어느 평범한 전사의 성장一個普通戰士的成長』 가운데 일부로, 단행본은 9월 말에 중국청년출판사에서 출간되었다)가 발표되었다.

　『희극보』 제8호에 톈한의 특필 「3만 리를 위문하고 돌아오다三萬裏慰問歸來」, 안강의 「「뇌우」의 새로운 공연에 관하여談<雷雨>的新演出」, 천줘유陳卓猷의 「「파시즘 세균」의 무대와 인물 형상에 관하여談<法西斯細菌>的舞台人物形象」, 자오줘인의 「체호프와 모스크바 예술극원 및 스타니슬랍스키契訶夫和莫斯科藝術劇院與史坦尼斯拉夫斯基」 등의 글이 발표되었다.

　『허베이문예』 제8호에 류샤오탕의 단편소설 「추석中秋節」, 구위의 단편소설 「사료 장부草料賬」, 창야오昌耀의 시 「젊은 자매年輕的姉妹」가 발표되었다.

20일~9월 14일, 제1회 저장성 희곡관람공연대회가 개최되어 월극 등 7종 희곡의 배우 379명이 참가하였다.

21일, 『인민일보』에 린단추林淡秋의 「『옌안을 보위하라』를 읽고讀<保衛延安>」가 발표되어 최근 출판된 두펑청의 장편소설 『옌안을 보위하라』를 평하였다.

22일, 『인민일보』에 중뤄鍾洛(위안잉)의 「소수민족 문예공작 발전에 관한 몇 가지 문제關於發展少數民族文藝工作的幾個問題」가 발표되었다.

24일, 『인민일보』에 라오서의 글 「마오 주석이여, 나는 당신을 뽑았습니다!毛主席, 我選擧了您!」가 발표되었다.

24일~9월 3일, 문화부에서 전국희곡공작 좌담회를 소집하여 희곡개혁의 중심 임무 및 민간 직업극단에 대한 관리공작의 구체적 조치에 관해 토론하고 이를 명확히 하였다. 회의에서 마옌샹이 「희곡예술의 개혁 및 창조공작을 더욱 강화하자進一步加强戲曲藝術的改革和創造工作」라는 제목의 보고를 진행하였다.

27일, 『문예학습』 제8호에 '문예공작자의 정치이론 및 고전문학 학습 참고서적 목록'이 게재되었다. 목록은 마르크스레닌주의 이론 저서와 중국 및 외국의 고전문학 명저 두 부분으로 구성되었다. 첨부된 '설명'은 본 목록이 "문예공작자가 읽을 작품을 선택하는 것을 도와 체계적이고 계획적으로 자기수양을 진행할 수 있도록 하기 위해 작성"되었다고 밝혔다. 이 외에도 라오서, 류칭柳青의 「문예학습 편집부의 문제에 답하다回答文藝學習編輯部的問題」가 발표되었다.

29일, 중국작가협회 창작위원회에서 공인 좌담회를 개최하여 문학창작에 대한 공인들의 의견을 청취하였다.

『해방일보』에 뤄쑨의 「지광의 소설 「이곳에는 겨울이 없다」를 평하다評冀汸的小說<這裏沒有冬天>」가 발표되었다.

30일, 중국희극가협회 무대미술연구조가 성립되었다.

『문예보』 제16호에 「중화인민공화국 각 민주당파 및 각 인민단체의 타이완 해방을 위한 연합선언中華人民共和國各民主黨派各人民團體爲解放台灣聯合宣言」, 사설 「문학번역공작 발전과 번역공작의 질 제고를 위해 노력하자爲發展文學翻譯工作並提高翻譯工作質量而努力」 및 황차오의 「생활의 모순과 충돌을 대담하게 표현하다—후커의 5막 화극「전선이 남쪽으로 이동하다」를 읽고大膽地表現生活的矛盾和冲突——讀胡可的五幕話劇<戰線南移>」, 뤼저呂哲의「「철도유격대」를 읽고讀<鐵道遊擊隊>」, 리예李鄴의 단평「각종 형식을 활용해 사회주의 공업화 투쟁을 반영하자用各種形式反映社會主義工業化的鬥爭」, 장밍江明의 단평「몇 년간의 문예비평을 일률적으로 말살해서는 안 된다不要一槪抹煞幾年來的文藝批評」가 발표되었다.

31일~9월 23일, 상하이에서 화둥지구 화극관람공연대회가 개최되어 화둥 지역 각 성시의 모든 국영 화극단체가 공연에 참가하였다. 중요 공연 목록은「시험」(상하이인민예술극원, 황쭤린 감독, 샤옌 극본),「내일을 위하여爲了明天」(상하이인민예술극원, 취추屈楚, 딩리丁力, 저우쥔周均 극본, 뤼푸呂復 감독),「귤을 심는 사람들」(푸젠성 화극단, 주이전朱一震, 천뤼바이陳侶白 극본, 주이전 감독),「봄바람이 눠민허까지 불어온다」(안후이성 화극단, 안보 극본, 칸왕闞望 감독),「시대의 열차 위에서在時代的列車上」(저장성 화극단, 롼장징 극본, 청웨이자程維嘉, 뤄커駱可 감독),「조국의 원지祖國的園地」(중국복리회 아동극단中國福利會兒童劇團, 런더야오任德耀 극본 및 감독),「집家」(장쑤성 화극단, 차오위 극본, 저우터성周特生, 위링윈於淩雲 감독),「로젠버그 부부羅森堡夫婦」(폴란드 작가 크루츠코프스키 극본, 리스이李世儀 감독) 등 장막극 8편 및 산둥성 화극단의「사람은 높은 곳을 향해 간다人往高處走」,「백년대계百年大計」,「두 자매姐妹倆」등 3편의 단막극 등이다. 이 가운데「시험」,「내일을 위하여」,「귤을 심는 사람들」,「봄바람이 눠민허까지 불어온다」,「조국의 원지」,「집」,「로젠버그 부부」,「백년대계」등 8편이 수상하였다. 대회의 공연에 맞춰 상하이시에서는 화둥구 화극관람공연자료 전람회를 개최하였다.

이달 초순부터 일본 영화「아니, 우리는 살아갈 것이다!」가 전국 각 주요 도시에서 상영되었다. 이는 공화국 성립 후 최초로 중국어로 번역된 영화이다.

아이칭의「5·4 이후의 중국 시五四以來中國的詩」가『인민중국人民中國』제15호에 발표되었다.

천창陳窗의「하이난다오 잡기海南島散記」가『해방군문예』제8, 9, 11호에 연재되었다.

한쯔의 단편소설집『분쟁糾紛』이 상하이신문예출판사에서 출간되었다.

『인푸 시문선집殷夫詩文選集』이 인민문학출판사에서 출간되었다.

왕차오원의『생활을 향하다面向生活』(문예평론)가 예술출판사藝術出版社에서 출간되었다.

9월

1일, 『문사철』제9호에 리시판李希凡, 란링藍翎의 글「「『홍루몽』약론」등에 관하여關於<紅樓夢簡論>及其他」(『문예보』1954년 제18호에 전재. 위핑보의「『홍루몽』약론紅樓夢簡論」은『신건설』1954년 제3호에 발표)가 발표되어 위핑보의『홍루몽』연구에 존재하는 유심주의 관점을 비평하였다.

리시판과 란링은 글에서 "『홍루몽』의 현실적 의의를 정확하게 평가해야 한다. 단순히 책에 표현된 작가의 세계관에 드러나는 낙후된 요소 및 몇 가지 문제에 대한 작가의 태도를 통해 단편적인 판단을 할 것이 아니라, 반드시 작가가 표현한 예술 형논의 진실성의 깊이를 통해 이 문제를 토론해야 한다"라고 보았다. 또한 위핑보의 연구가 "반현실주의적이며 유심론적인 관점으로써『홍루몽』을 분석하고 비평"하였으며,『홍루몽』의 "원망하지만 분노하지 않는" 풍격을 찬양하고『홍루몽』의 반봉건적인 경향성을 부인하여,「『홍루몽』약론」이 "현실주의 원칙을 통해 홍루몽이 가진 선명한 반봉건적 경향을 탐구하지 못하고, 작품의 개별적인 부분과 몇몇 문제에 대한 작가의 태도에 미혹되어 애매모호한 결론을 얻을 수밖에 없었다"라고 평하였다. 위핑보는『홍루몽』을 '색色'과 '공空' 관념의 표현으로 해석하였는데, 이는『홍루몽』이 현실주의 작품임을 부인한 것이며, "채대합일釵黛合一"(설보채와 임대옥의 합일－역자 주) 관념은 "인물 관념화에 대한 이해"로, "모든 형상이 드러내는 사회적 내용을 말살"한 것이며 "현실주의 문학형상에 대한 곡해"라고 보았다. 더 나아가 위핑보의 유심론 관점은『홍루몽』의 전통성 문제를 대할 때 더욱 명확히 드러나는데, "『금병매』의 기초에서 변형된 것", "원본『서상기』" 등의 표현은 문학수양과 문학전통을 뒤섞어 구별을 불명확하게 했으며, 문학의 전통성이 현실주의 창작방법과 인민성 전통의 계승 및 발양에 있다는 점을 경시하였다고 지적하였다. 리시판과 란링은 이처럼 여러 잘못된 결론을 얻은 이유가 위핑보가『홍루몽』을 연구함에 있어 단순히 고증의 방법만을 이용한 점과 관련이 있다고 보았다.

리시판(1927~2018), 본명은 리시판李錫範으로 베이징시 퉁현通縣 출신이다. 1953년에 산둥대학 중문과를 졸업한 후 추천을 통해 인민대학 교사연구반教師研究班 철학연구생으로 입학하였다. 1955년부터 1986년까지『인민일보』문예부 편집자를 맡았다. 1986년에 중국예술연구원으로 이동해 연구원으로 근무했으며 부원장을 역임하였다. 1951년에 첫 논문「전형적 인물의 창조典型人

物的創造」를 발표하였다. 주요 저서로 『『홍루몽』 평론집<紅樓夢>評論集』(란링과 합동 창작), 『현외집弦外集』, 『중국고전소설의 예술형상을 논하다論中國古典小說的藝術形象』, 『조설근과 그의『홍루몽』曹雪芹和他的<紅樓夢>』 등이 있다.

란링(1931~2005), 본명은 양젠중楊建中으로 산둥성 단현單縣 출신이다. 지난화둥대학濟南華東大學(이후에 산둥대학에 합병됨)을 졸업한 후 1953년에 베이징사범대학 공농속성중학工農速成中學 교사로 근무하다가 1954년에 『인민일보』 문예부로 이동해 편집자를 맡았다. 1958년 우파로 몰렸다가 1979년에 『인민일보』로 복귀해 문예부 주임을 맡았다. 저서로 『『홍루몽』 평론집』(리시판과 합동 창작), 『계속집繼續集』, 『료료록了了錄』, 『금대집金台集』이 있다.

『해방일보』에 사설 「화극운동 전개에 힘쓰자努力開展話劇運動」가 발표되어 몇 년간의 화둥지방 화극공작의 성취와 결점에 대해 평론하였다.

『창장문예』 제9호에 궁류의 단편소설 「모두의 고향大家的家鄉」, 지쉐페이의 단편소설 「망하望夏」가 발표되었다.

『신관찰』 제17호에 쉬츠의 보도 「5년간의 변화五年來的變化」가 발표되었으며, 거양戈楊의 「왕진중 이야기王進忠的故事」의 연재가 시작되었다.

『시난문예』 제9호에 양허楊禾의 단편소설 「사무위원社務委員」(『인민문학』 제11호에 전재), 수판의 단편소설 「책임責任」, 린옌의 시 「5월의 황혼五月的黃昏」, 사어우의 「풍자시 2편諷刺詩二首」이 발표되었다.

뉴스 기록영화 「장엄한 한 표莊嚴的一票」, 「1954년 5·1절1954年五一節」, 「우정의 시합友誼的比賽」, 「7대 1七比一」 등이 전국 각지에서 상영을 시작하였다.

3일, 『해방일보』에 사설 「문예비평을 진지하게 발전시키자認真發展文藝批評」가 발표되어 '문예정풍' 이래 문예비평에 약간의 발전과 진보가 있었으나 낙후된 상황이 근본적으로 완전히 변하지 않아, 수많은 문예공작자들에게 자산계급의 개인주의 사상과 종법정서 등의 문제가 존재한다고 지적하였다. 이 외에도 치쥔齊軍의 「아름다운 민간전설의 통속화에 반대한다反對把優美的民間傳說庸俗化」가 발표되어 자오칭거趙清閣의 소설 「양산백과 축영대」의 통속화 경향을 비평하였다.

자오칭거(1914~1999), 여성 작가로 필명은 칭구清穀, 톄궁鐵公, 자오톈趙天 등이다. 허난성 신양信陽 출신이며 중공 당원이다. 공화국 성립 후에 상하이전영제편창 각본가, 상하이사회과학원 연구원, 상하이시 문련 위원을 역임하였다. 1931년부터 작품을 발표하였다. 저서로 화극 극본 『여걸女傑』, 『소상숙녀瀟湘淑女』, 『이 한은 끝이 없다此恨綿綿』, 『청풍명월清風明月』, 『화목란花木蘭』, 『자유천지自由天地』,『『홍루몽』화극집紅樓夢話劇集』, 단막극집『다리橋』, 영화문학 극본『모델模特兒』, 『자유천지』,『해바라기가 피다向陽花開』, 단편소설집『아침早』,『화베이의 가을華北的秋』, 중편소설『강상연江上煙』,『봉황鳳』, 장편소설『부부가 함께 기거하다雙宿雙飛』,『달 위의 버드나무 가지 끝月上柳梢』, 산문집『낙엽落葉』,『행운산기行雲散記』,『인생이 꿈처럼 덧없다浮生若夢』,『옛일이 연기와 같다往事如煙』 등이 있다.

『신건설』 제9호에 뤄녠성羅念生의 글「아리스토파네스의 희극阿裏斯托芬的喜劇」이 발표되었다.

4일, 중국문련에서 중국작가협회, 희극가협회, 미술가협회, 음악가협회와 회동하여 베이징 소재 작가와 예술가들을 소집해 각기 좌담회를 개최해 각 민주당파와 각 인민단체의 타이완 해방을 위한 연합선언을 학습 및 토론하였다. 약 100여 명이 참석하였다.

5일,『인민일보』에 소련 이론가 예르밀로프의 글「사회주의 현실주의를 위해 투쟁하자爲社會主義現實主義而鬥爭」(1954년 6월 3일자 소련『진리보』에 실린 글을 류징劉競이 번역), 궁류의 시「사냥꾼의 아들－전투영웅 위안잉중 동지에게 바치다獵人的兒子──寫給戰鬥英雄袁應忠同志」가 발표되었다.

7일,『인민문학』 제9호에 차오위의 극본「명랑한 날明朗的天」(4막 8장으로 제9, 10호에 연재되었으며 동시에『극본』 제9, 10호에도 연재), 돤무훙량의 단편소설「종鍾」, 스퉈의 단편소설「석공石匠」, 스궈의 단편소설「관복점官福店」, 쿵쥐에와 위안징의 단편소설「직책에 있다在崗位上」, 양쉬의 특필「황자푸黃家富」, 바이화의 시「송별送別」, 바류叭柳 등의 시솽반나 태족西雙版納傣族 민가「집을 짓다蓋屋」(궁류, 저우량페이 정리)가 발표되었다.

9일, 중앙문화부가 베이징 등 20개 성시에서 북한 영화 상영 주간이 시작되었다.

12일,『인민일보』에 사오옌샹의 시「우리는 우리의 토지를 사랑한다我們愛我們的土地」가 발표되었다.

『해방일보』에 뤄왕若望의「쥔칭의「자오둥 잡기」를 평하다評峻青的＜膠東散記＞」가 발표되었다.

『해방군문예』 제9호에 바이원의「동해 최전선東海最前線」(4막 7장 화극), 뤄녠성의「평화 전사 아리스토파네스和平戰士阿裏斯托芬」, 위지虞棘의「조선 영화「정찰병」과「대공사격조」소개介紹朝鮮

影片<偵察兵>和<對空射擊組>」가 발표되었다.

15일~28일, 중화인민공화국 제1기 전국인민대표대회 제1차 회의가 베이징에서 개최되었다. 마오쩌둥이 중화인민공화국 주석으로 당선되었으며 주더가 부주석으로, 류사오치가 전국인민대표대회 위원장으로 당선되었다. 저우언라이는 국무원 총리에 임명되었다.

15일, 『문예보』 17호에 사설 「제1기 전국인민대표대회 개최를 경축하며慶祝第一屆全國人民代表大會召開」, 위안수이파이의 「6억 인민의 장엄한 맹세六億人民的莊嚴誓言」, 덩퉈의 「그라노비타야 궁전의 저녁 연회多棱宮的夜宴」, 쩌우디판의 「우리는 평화를 노래한다我們歌唱和平」 및 쉬잔許湛의 독서 찰기 「몇 편의 단편소설에 관하여談幾篇短篇小說」, 민쩌의 「「작은 백기의 풍파」에 관하여談<一面小白旗的風波>」, 지망紀芒의 「두 편의 희극 비평에 대한 의견對兩篇戲劇批評的意見」, 리시李賜의 통신 「네이멍구의 문예창작內蒙古的文藝創作」이 발표되었다.

『문예월보』 제9호에 쉰칭의 단편소설 「동쪽으로 가는 열차東去列車」, 스퉈의 소설 「인상기印象記」(「다리橋」, 「세 처녀三個姑娘」, 「'사회주의 나무''社會主義樹'」, 「그他」 등 4편의 단편을 수록), 궁류의 시 「아, 사랑하는 삼엽수여哎, 心愛的三葉樹呀」, 탕타오의 여행 스케치 「부광더와 그의 어린 통신원葡廣德和他的小通訊員」이 발표되었다. 이 외에도 류진의 「감정 문제 및 기타—어느 친구와의 대화感情問題及其他——與一個朋友的談話」가 발표되어, 루링의 「저지대에서의 '전투'」에 대한 샤오리(『문예월보』 1954년 제5호)와 허우진징(『문예보』 제12호)의 비평을 지지하였다. 황차오의 「루링의 소설 두 편을 평하다評路翎的兩篇小說」는 루링의 소설 「저지대에서의 '전투'」(『인민문학』 1954년 제3호)와 「너의 영원히 충실한 동지」(『해방군문예』 1954년 제2호)의 사상 감정 측면에 존재하는 중점적인 문제는 작가의 개인주의적 세계관과 인생관이라고 보았다.

『광시문예』 제9호에 리위쿤李玉昆의 단편소설 「가뭄과 싸우다抗旱」가 발표되었다.

16일, 『신관찰』 제18호에 차이치자오의 시 「일요일, 시자오 길 위에서星期日西郊道上」(외 3편)가 발표되었다.

19일, 『해방일보』에 양뤼팡楊履方의 단편소설 「밤에 건너다夜渡」가 발표되었다.

양뤼팡(1925~), 극작가로 쓰촨성 비산璧山 출신이며 중공 당원이다. 1949년에 상하이실험희극학교 연구반을 졸업하고 같은 해에 해방군에 참가하였다. 쑤난군구 문공단 및 화둥군구 예술극원 각본가, 마안산시馬鞍山市 문화국 창작조 부조장, 우한군구 경극단 창작원, 중국극협 제3기 이사 등을 역임하였다. 작품으로 화극 극본 「뻐꾸기가 또 울었다布穀鳥又叫了」, 「우리의 대오는 태양을 향한다我們的隊伍向太陽」, 현대경극 극본 「천추절千秋節」 등이 있다.

20일, 제1기 중국인민대표대회 제1차 회의에서 「중화인민공화국 헌법中華人民共和國憲法」이 통과되었다. 헌법은 중화인민공화국의 공민이 언론, 출판, 신앙의 자유를 가진다고 규정하였다.

『이야기하고 노래하다』 제9호에 라오서의 쾌판 「우리는 마오 주석을 뽑았다我們選舉了毛主席」, 우원둬의 소설 「각오覺悟」(「모든 것을 당에 바치다」 수정본의 일부로, 이후에 공인출판사에서 출간)가 발표되었다.

『희극보』 제9호에 라오서의 「나는 계속 극본 창작 학습에 힘쓸 것이다我還要努力學寫劇本」가 발표되었다.

21일, 상하이시 공인 아마추어 예술단이 설립되었다.

24일, 중소우휴협회 총회, 중국문련, 중국작가협회가 합동으로 소련 작가 오스트롭스키 탄생 50주년 기념회(9월 29일은 오스트롭스키 탄생 50주년 기념일이다)를 개최해 베이징의 문예계 인사 약 400여 명이 참석하였다. 양한성이 기념회를 주관하고 거바오취안이 보고를 진행했으며 라흐마닌이 초대 연설을 진행하였다.

25일~11월 6일, 화둥구 희극관람공연대회가 상하이에서 개최되어 40일 동안 진행되었다. 경극, 호극 등 36개 극종의 158개 작품이 참가하였다. 이번 대회의 특징은 참가 작품 가운데 대형의 고전 전통극과 가무를 위주로 한 민간 소품뿐만 아니라 현대 생활 소재를 반영한 작품도 점차 증가하고 있다는 점이다. 대회 기간에 희곡문헌전람회 및 이와 관련된 일련의 문제에 대한 좌담회, 주제발표회 등이 열렸다. 폐막식에서 샤옌이 「신시대 희곡예술의 제고와 발전을 위해 분투하자爲提高和發展新時代的戲曲藝術而奮鬥」라는 제목으로 결산보고를 진행하였다(『희극보』 제12호에 게재).

27일, 『문예학습』 제9호에 저우리보, 양쒀의 「문예학습 편집부의 문제에 답하다回答文藝學習編輯部的問題」, 쑨리의 「창작 만담─여름방학 강좌에서 학생들에게 한 말寫作漫談──在暑期講座上對同學們講的話」, 황추원黃秋耘의 「폴레보이 창작의 특징試談波列伏依創作上的特點」, 황야오몐의 「인물 묘사에 관하여談人物描寫」(제9, 10호에 연재)가 발표되었다.

황추원(1918~2001), 본명은 황차오셴黃超顯, 필명은 추원秋雲, 자오옌昭彥으로 본적은 광둥성 순더順德이며 홍콩에서 출생하였다. 1935년에 칭화대학에 입학하여 '12·9' 학생운동에 참가하였다. 1936년에 중국공산당에 가입하였다. 1954년에 『문예학습』 편집위원을, 1959년에 『문예보』 편집위원을 맡았으며 1966년에 광저우 『양청만보羊城晚報』로 이동해 근무하였다. 광둥성 출판사업관리국 부국장, 중국작가협회 광둥분회 부주석 등을 역임하였다. 주로 산문과 평론 및 잡문 창작에 종사하였으며, 「영혼을 수놓아 손상시킨 비극繡損了靈魂的悲劇」, 「인민의 고통 앞에서 눈을 감지 말라不要在人民的疾苦面前閉上眼睛」 등을 발표하였다. 저서로 작품집 『황추원 산문선黃秋耘散文選』, 『황추원 문학평론선黃秋耘文學評論選』, 『황추원 자선집黃秋耘自選集』, 『옛일은 연기와 같지 않다往事並不如煙』, 『잡문선수雜文選粹』 및 회고록 『비바람 부는 세월風雨年華』 등이 있다.

29일, 상하이에서 오스트롭스키 탄생 50주년 기념회를 개최하였다.

30일, 『문예보』 제18호에 리시판, 란링의 평론 「「『홍루몽』 약론」 등에 관하여」(『문사철』 1954년 제9호)가 전재되었다. 첨부된 편집자의 말은 "저자의 의견은 분명히 충분히 세밀하고 전면적이지 못한 부분이 있으나, 두 저자가 『홍루몽』을 인식한 방식은 기본적으로 정확하다"라고 평했다.

이 외에도 뤼저의 단평 「조잡한 문학이론 서적에 주의하자注意粗制濫造的文學理論讀物」 및 격주간 간행물 『해방일보』의 문예비평을 소개한 본지 기자의 글 「문예비평을 중시하자重視文藝批評」, 팡푸方浦의 「독일 영화 「지지 않는 사람들」德國電影<不可戰勝的人們>」, 중몐페이의 「다큐멘터리 「안강은 건설 중이다」를 평하다評紀錄影片<鞍鋼在建設中>」, 탕메이唐梅의 「해외에서의 중국 문예작품中國文藝作品在國外」이 발표되었다.

이달에 중앙문화부에서 북한 영화 상영 주간을 운영하였다.

『인민중국』 제17호에 빙신의 「인도에서의 나날을 추억하며回憶我在印度的日子」, 장톄셴張鐵弦의 「중국에서의 체호프 작품契訶夫的作品在中國」이 발표되었으며, 제18호에는 라오서의 「생활, 학습,

공작生活、學習、工作」, 쉬츠의 보고문학「다리를 건설하는 사람들修建水橋的人們」이 발표되었다.

저우웨이周圍의「돼지와 숫소를 끌고 가는 사람一個牽豬牯的人」이『광둥문예』제9호에 발표되었다.

딩링이 선별해 수정한『딩링 단편소설선집丁玲短篇小說選集』, 빙신이 직접 서문을 쓴『빙신 소설 산문선집冰心小說散文選集』, 지예가 편찬한『칭하이 민가선青海民歌選』이 인민문학출판사에서 출간되었다.

레이자의 소설『압록강에 봄이 오다春天來到了鴨綠江』, 류바이위의 산문통신집『평화에 선전포고를 하다對和平宣戰』가 작가출판사에서 출간되었다.

10월

1일,『인민일보』에 펑쉐펑의 글「5년간의 우리나라 문학창작의 발전 방향五年來我國文學創作的發展方向」(『문예월보』1954년 제10호에 전재), 저우리보의「영원히 인민과 고락을 함께하다永遠和人民同甘苦」, 쉬샤오빙徐肖冰의「더 좋은 영화를 더 많이 창조하자創造更多更好的電影」등이 발표되었다.

『역문』제10호에 마오둔이 전국문학번역공작회의에서 진행한 보고문「문학번역사업 발전과 번역의 질 제고를 위해 분투하자」의 전문이 게재되었다. 글의 주된 내용은 1. 세계 각국의 문학을 소개하는 것은 영광되고도 어려운 임무이다. 2. 문학번역공작은 반드시 조직적이고 계획적으로 진행되어야 한다. 3. 문학번역공작을 반드시 예술창조의 수준까지 제고해야 한다. 4. 문학번역의 비평 및 자아비평과 집단 상부상조 정신을 강화하여 새로운 번역 역량을 양성해야 한다는 것 등이다. 이 외에도 진커무가 번역한「사비트리莎維德麗」(인도의 대서사시『마하바라다摩訶婆羅多』의 한 에피소드), 샤오첸이 번역한 영국 작가 필딩의 소설「위인 조나단 와일드 전기大偉人江奈生・魏爾德傳」제4권이 발표되었다.

『창장문예』제10호에 황밍치黃鳴岐가「루쉰의 시魯迅的詩」라는 제목으로 정리한 루쉰의 유작시 및 리준의 단편소설「멍광타이 영감孟廣泰老頭」, 정다鄭達, 쓰마위상司馬玉裳의 단막 화극「생활은 전진한다生活向前」가 발표되었다.

『신관찰』제19, 20호에 뤼위안의 장시『다섯 번째 10월에 경의를 표하다向第五個十月致敬』(총 4장)가 연재되었다.

『시난문예』제10호에 궁류의 시「뎬난 3편滇南三首」, 장롄광의 단편소설「봄바람이 불면 또 자라난다春風吹又生」가 발표되었다.

『허난문예』제19호에 리준의 단편소설 「천차오 나루陳橋渡口」가 발표되었다.

3일, 『신건설』제10호에 장웨차오張月超의 「영국 현실주의 소설의 기초를 다진 인물 필딩英國現實主義小說的奠基者菲爾丁」이 발표되었다.

5일~7일, 중국문련이 베이징에서 제2기 전국위원회 제2차 회의를 개최하였다. 회의에서는 비평 및 자아비평 정신을 충분히 발휘하여 최근 1년간의 중국 문학예술 창작지도 및 비평공작에 존재하는 문제에 대해 토론하였다. 마오둔, 저우양, 정전둬, 라오서, 샤옌, 바진 등 75인이 참석해 발언하였으며 문예계 인사 41인이 참관하였다. 양한성, 사오취안린, 톈한이 각각 중국문련, 중국 작가협회, 중국극협의 공작에 대한 보고를 진행하여 공작의 성취를 긍정하는 한편 문예공작에 존재하는 결점 및 여러 비정상적이고 낙후된 현상, 가령 문예지도 기구에서 단순한 행정적 방식으로써 예술창작을 지도하려 하는 난폭한 태도와 관료주의적 작풍, 작가의 창조성이 마땅한 존중을 받지 못하는 문제, 문예창작의 새로운 역량이 제대로 된 중시와 양성을 받지 못하는 문제, 문예비평 공작에 자유 토론의 공기가 결핍되어 있다는 점 등을 폭로하였다. 회의 참석자들은 문예공작 분야에서 작품 경쟁과 자유 토론을 전개하는 것이 사회주의 문예사업을 발전시키는 중요한 부분이라고 의견을 모았다. 회의 기간에 희극조에서 세 차례의 좌담회를 개최하여 희곡의 연기 예술 개혁 문제에 관해 열띤 토론을 전개하였다. 『희극보』제11호에 이번 좌담회 토론의 종합기사 「희곡예술 개혁 문제의 초보적 탐구戲曲的藝術改革問題的初步探討」가 발표되었다.

7일, 『인민문학』제10호에 자오수리의 「비가 오기를 빌다求雨」(『인민중국』제23호에 전재), 친자오양의 「경선競選」, 마펑의 「찰흙땅 18묘八十畝膠泥地」, 레이자의 「청춘의 부름靑春的召喚」, 캉줘의 「휴가 때放假的時候」, 차오밍의 「탄생誕生」, 류시柳溪의 「'책임 사고"責任事故'」 등의 소설, 마오둔의 단문 「톈안먼의 예포天安門的禮炮」, 허치팡의 「시 3편詩三首」, 롼장징의 「조국의 아침祖國的早晨」, 짱커자의 「우리는 이미 멀리 걸어왔다我們已經走得很遠」, 웨이양의 「너를 노래한다, 조국의 10월이여歌唱你, 祖國的十月」, 쉬츠의 「10월 헌시十月獻詩」 등의 시가 발표되었다.

이 가운데 허치팡의 「시 3편」 중 한 편인 「대답回答」은 얼마 지나지 않아 비평을 받았다. 차오양曹陽은 『문예보』1955년 제6호에 발표한 「건강하지 못한 감정不健康的感情」에서 "우리는 시인이 실은 자신의 숭배자들에게 '대답'하고 있다는 것을, 그가 '이렇게 침묵'하고 '새처럼 날아올라 노래'하지 못하는 이유가 '흙먼지 같기도 하고, 어떤 통곡 같기도 한' 무언가가 '무겁게' 그의 '날개'를 '누르고' 있어 그가 '땅에서 걸어다닐 수밖에 없'게 만들었기 때문임을 설명하고 있다는 것을 점차 깨닫게 되었다. 과연 이것이 우리에게 필요한 '대답'인가?" "허치광 동지의 이 시를 읽고 나는 시인이 개인의 협소한 감정의 테두리 안에서 날개를 친다면 그가 써낸 시편은 반드시 실패하게 되어 있다는 사실을 다시금 절실히 깨달았다. 이것은 중요한 교훈이 아닐 수 없다"라고 지적하였다.

8일, 중국극협에서 제3차 상무이사회를 소집하였다. 톈한이 「1년간의 희극공작과 극협 공작 一年來的戲劇工作和劇協工作」이라는 제목의 보고(원문은 『희극보』 제10호에 게재)를 진행하였으며, 장광녠이 전 러시아 희극협회全俄戲劇協會의 경험을 학습해 극협 공작을 개선하는 문제에 관해 연설하였다.

필딩 서거 200주년을 기념해 『인민일보』에 샤오쳰의 글 「위대한 현실주의 작가 필딩偉大的現實主義作家非爾丁」이 발표되었다.

9일, 중국작가협회에서 소련 작가 벤클로바 환영회를 개최하였다.

10일, 『광명일보』 '문학유산' 제24호에 리시판, 란링의 「『홍루몽』 연구』를 평하다評<紅樓夢研究>」가 발표되었다(『『홍루몽』 연구』는 위핑보가 1923년 상하이야둥도서관上海亞東圖書館에서 출간된 『『홍루몽』변紅樓夢辨』을 수정하여 1952년에 상하이탕디출판사에서 출간한 책이다). 리시판과 란링은 글에서 위핑보의 『『홍루몽』 연구』가 제시하고 있는 자연주의적 주관주의 견해가 "후스의 진부한 말을 그대로 쓰고 있는 것과 다름없"으며, 『홍루몽』이 위대한 현실주의 걸작이며 전형적인 '신색은파新索隱派'의 대표적 작품임을 부인했다고 지적하였다.

11일, 『인민일보』에 「희극공작에 대한 희극가들의 의견戲劇家們對戲劇工作的意見」이라는 제목으로 제1기 전국인민대표대회 제1차 회의에 대표로 참석한 톈한, 어우양위쳰, 메이란팡, 훙선, 차오위 등 희극가들에 대한 취재 기사가 게재되었다.

12일, 『해방군문예』 제10호에 천치퉁의 화극 「만수천산萬水千山」(6막 8장 화극으로 제10, 11호에 연재)이 발표되었다. 본 화극은 1956년 전국 제1차 화극공연대회에서 수상한 작품으로, 이후에 동명의 영화로 제작되어 상영되었다. 이 외에도 황셴쥔黃賢俊의 「헨리 필딩과 그의 작품亨利·菲爾丁和他的作品」 및 체호프의 작품「프리시베예프 중사普裏希別葉夫中士」의 번역본이 발표되었다.

13일, 『인민일보』에 류중핑劉仲平의 글「민주 독일 영화「지지 않는 사람들」을 보고看民主德國影片<不可戰勝的人們>」가 발표되었다. 「지지 않는 사람들」은 독일 공인계급의 투쟁사를 그린 영화이다.

14일, 문화부에서 「민간 직업극단의 등록 관리 공작에 관한 지시關於民間職業劇團的登記管理工作的指示」와 「극장관리공작 강화에 관한 지시關於加強劇場管理工作的指示」를 발포하였다.

15일, 『문예보』 제19호에 샤옌의 「즐거운 나날 속에서在歡樂的日子裏」, 펑즈의 「인민의 부탁을 저버리지 않기 위해爲了不辜負人民的委托」, 딩링의 「영화「자전거를 훔치는 사람」을 보고影片<偷自行車的人>觀後」 및 뉴한의 논문 「인푸의 시에 관하여試談殷夫的詩」가 발표되었다. 뉴한은 글에서 인푸의 시가 중국 '5·4' 이후에 대표성을 가지고 있으며 전투적 특징이 풍부한 현실주의 창작이라고 평하였다.

『문예월보』 제10호에 쿼칭의 단편소설 「주인主人」, 커란이 오스트롭스키 탄생 50주년을 기념해 집필한 「가장 굳센 전사이자 작가最堅强的戰士、作家」, 이췬의 「예술의 진실과 생활의 진실에 관하여ㅡ화둥구 화극관람공연대회를 보고談藝術的真實和生活的真實——華東區話劇觀摩演出觀後」가 발표되었다.

『안후이문예』 제10호에 장즈張智의 단막극 「이사搬家」가 발표되었다.

소련의 간행물 공작자 대표단 일행 20인이 『인민일보』의 초청에 응해 중국을 방문해 베이징에 도착하였다. 단장은 『진리보』 편집위원인 포드쿠르코프가 맡았으며, 저명한 특필 작가 오베치킨도 대표단에 포함되어 있었다. 중공중앙 선전부 부부장 장지춘張際春, 『인민일보』 편집장 덩튀 및 신화사, 인민일보사, 문화부, 중국작가협회, 문예보 등의 기관 대표들이 공항에 나가 대표단을 환영하였다. 대표단 방문 기간 동안 류빙옌이 러시아어 통역을 맡았다. 오베치킨은 방문 기간에 「특필에 관하여談特寫」(류빙옌 번역)라는 제목으로 연설하였는데(『문예보』 1955년 제7, 8호에 연재), 특필의 중요성과 특징 및 작가가 생활에 침투하는 문제에 관해 예리하게 분석하였다.

16일, 마오쩌둥이 중앙정치국 동지들 및 기타 동지들에게 「『홍루몽』 연구 문제에 관한 서신 關於紅樓夢研究問題的信」을 발송하였다. 그는 서신에서 "이(리시판, 란링이 위핑보를 반박한 글)는 30 여 년간 소위 『홍루몽』 연구 권위자로 불려온 작가의 잘못된 관점에 대한 최초의 진지한 공격이다", "보아하니 고전주의 영역에서 30여 년 동안 청년들에게 해를 깨쳐 온 후스胡適과 자산계급 유심론에 반대하는 투쟁을 시작해도 될 것 같다. 이 일은 두 사람의 '작은 인물'이 시작한 것이지만, '큰 인물'은 왕왕 주의하지 않거나 혹은 방해하곤 한다. 그들은 유심론 측면에서 자산계급 작가들과 통일 전선을 형성하고 있어 기꺼이 자산계급의 포로가 되려 한다. 이는 영화 「청궁비사」와 「무훈전」 상영 당시의 상황과 거의 동일하다"라고 밝혔다.6)

『허난문예』 제20호에 야오쉐인의 단편소설 「방송원廣播員」이 발표되었다.

17일, 사오싱시에서 루쉰 기념 연회를 성대하게 개최하였다. 이날부터 문화부에서 전국 각지에 '도이치 민주공화국 영화 상영 주간'을 시작하였다.

18일, 중국작가협회 당조黨組에서 회의를 소집해 마오쩌둥의 「『홍루몽』 연구 문제에 관한 서신」을 전달하였다.

19일, 『문회보』에 핑신平心의 「청년들은 루쉰으로부터 무엇을 배우는가—루쉰 서거 18주년을 기념하며青年向魯迅學習什麼——紀念魯迅逝世十八周年」가 발표되었다.

우한 문예계에서 루쉰 기념비를 건조해 제막식을 거행하였다. 후베이와 우한 문예계 인사 200여 명이 참석하였다. 제막식 후에 작가와 문예공작자 40여 명이 루쉰 서거 18주년 기념 좌담회를 진행하였다. 상하이, 항저우, 허난 등지에서도 기념행사를 진행하였다.

이날부터 베이징의 루쉰 고거가 개방되었다.

20일, 『이야기하고 노래하다』 1월호에 펑바이의 단편소설 「쉐 둘째 형수薛二嫂子」가 발표되었다.

『희극보』 제10호에 톈한의 「1년간의 희극공작과 극협 공작」(10월 5일에 중국문련 전국위원회에서, 10월 8일에 극협 상무이사회에서 보고한 원고), 본지 자료실의 「최근 5년간 우리나라에서

---

6) 마오쩌둥: 『마오쩌둥 선집毛澤東選集』 제5권, 제134-135쪽, 인민출판사 1977년

공연된 소련 희극 통계近五年來蘇聯戲劇在我國演出統計」, 구중이의 「헨리 필딩의 희극작품亨利·菲爾丁的戲劇作品」, 슝포시의 「「로젠버그 부부」를 보고我看<羅森堡夫婦>」, 이천의 「예술의 진실과 생활의 진실에 관하여－화둥구 화극관람공연대회를 보고」, 마사오보의 「경극예술의 진일보 개혁에 관한 논의關於京劇藝術進一步改革的商榷」 등의 글이 발표되었다.

『허베이문예』 제10호에 폐팡芺芳의 단막극 「가장 귀중한 선물最珍貴的禮物」이 발표되었다.

20일~27일, 네이멍구 문예공작자들이 후허하오터呼和浩特에서 제1차 대표대회를 개최하였다.

23일, 『인민일보』에 중뤄鍾洛(위안잉)의 글 「『홍루몽』 연구에 존재하는 잘못된 관점에 대한 비평을 중시해야 한다應該重視對<紅樓夢>研究中的錯誤觀點的批判」가 발표되었다. 그는 글에서 리시판, 란링의 「「『홍루몽』 약론」 등에 관하여」(『문사철』 1954년 제9호), 「『『홍루몽』 연구』를 평하다」(10월 10일 『광명일보』 '문학유산' 제24호) 등 두 편의 글에서 위핑보의 『홍루몽』 연구에 대해 비평한 내용이 "정확하며 또한 필요한 것"이라고 지적하였다.

24일, 중국작가협회 고전문학부에서 『홍루몽』 연구에 관한 토론회를 개최하였다. 토론회의 목적은 "학술상의 자유 토론을 통해 고전문학 연구 내부에서 줄곧 청산되지 못하고 있는 자산계급 유심주의 관점을 비판하고, 마르크스레닌주의로써 고전문학 유산을 대하는 태도와 방법을 확립하여 이로써 고전문학 연구공작을 정확한 방향으로 인도하는 것"이다. 정전둬가 회의를 주관하였으며 마오둔, 저우양, 펑쉐펑, 사오취안린, 아잉, 장톈이 등 60여 명이 참석하였다. 위핑보, 왕페이장王佩璋, 우쭈샹, 펑즈, 수우, 중징원, 왕쿤룬王昆侖, 라오서, 우언위吳恩裕, 황야오몐, 판닝範寧, 정전둬, 녜간누, 치궁啓功, 양후이, 푸장칭, 허치팡, 란링, 저우양 등이 발언하였다.

우선 위핑보와 왕페이장이 최근에 위핑보의 이름으로 발표된 몇 편의 연구논문에 대해 설명하였다. 대다수의 발언자가 최근에 발표된 리시판과 란링 등의 글이 『홍루몽』에 관한 위핑보의 연구에 존재하는 잘못된 관점에 대해 비판한 내용이 대단히 중요하며 중시할 만한 것이라고 지적하였다. 참석자들은 고전문학 연구 영역에서 마르크스레닌주의적 입장, 관점 및 방법을 통해 자산계급 유심주의를 비판하는 것이 중요한 사상투쟁이라는 데 의견을 모았으며, 『홍루몽』에 대한 위핑보의 연구방법이 후스의 자산계급 유심주의 및 형식주의적 관점과 방법을 답습하여, 취미에서 출발해 작품의 거대한 사회적 의의를 경시하고 사소한 고증에만 몰두했다고 보았다. 토론회에서는 일반 고전문학 연구 문제도 다루었으며, 본 토론회를 학술연구의 자유 논쟁 토론 방식의 '시작'이라고 보았다.

『인민일보』에 리시판, 란링의 「어떤 길을 갈 것인가?─『홍루몽』 연구에 관한 위핑보 선생의 잘못된 관점을 다시 평가하다走什麽樣的路?──再評俞平伯先生關於<紅樓夢>研究的錯誤觀點」가 발표되었다(10월 30일자 『해방일보』에 전재). 리시판과 란링은 글에서 위핑보의 『『홍루몽』변』이 실험주의적이며 주관유심론적인 고증 방법을 사용해 후스즈胡適之가 말한 "(청년 독자의) 코를 꿰어 '고유문화' 더미 속을 향해 끌고 가는, 현실에서 동떨어지고 당시의 예리한 계급투쟁에서 벗어난" 학술노선을 따르고 있다고 지적하였다.

25일, 『인민일보』에 우쭈광의 글 「심금을 울리는 영화動人心弦的影片」가 발표되어 이탈리아의 진보영화 「자전거를 훔치는 사람」을 평하였다.

25일~28일, 베이징시 문예공작자들이 제2차 대표대회를 개최하여 약 400명이 참석하였다. 차오위가 개회사를 하고 라오서가 보고하였다. 대회를 통해 앞으로의 베이징시 문련의 방침 임무를 확정하였으며 라오서, 메이란팡, 차오위 등 45인을 시 문련 이사회 이사로 선출하였다.

25일~11월 하순, 중국작가협회와 문화부 전영국이 합동으로 베이징에서 영화극본 창작 강습회를 진행하여 긍정적 인물 형상 창조 문제를 중점적으로 연구하였다. 저우양 등이 창작문제에 관한 보고를 진행하였다.

26일, 모스크바 음악극원 예술가 및 직원 총 360명이 공연을 위해 베이징을 방문하였다. 31일에 첫 공연을 진행하였는데, 공연한 작품은 유명 오페라 「템페스트」이다. 공연의 휴식시간에 주더, 저우언라이, 쑹칭링이 본 음악극원의 원장과 배우를 접견하였다. 11월 3일, 모스크바 음악극원 방문 공연이 베이징시 톈차오 대극장에서 정식으로 열려 문화부 부부장 딩시린이 개막식을 주관하고 연설하였다. 11월 4일부터 「템페스트」, 「예브게니 오네긴葉夫根尼 · 奧涅金」, 「다뉴브 강 너머의 코사크인多瑙河彼岸的査波羅什人」 등의 오페라와 「백조의 호수天鵝湖」, 「노트르담 드 파리巴黎聖母院」 등의 발레 작품을 공연하여 베이징 관중의 열렬한 환영을 받았다. 방문 공연은 12월 29일에 종료되었다.

27일, 중국문련과 대외문화협회 등의 단체가 합동으로 베이징 청년궁에서 영국 작가 필딩 서거 200주년 기념회를 개최하였다. 라오서가 행사를 주관하고 축사를 하였으며 정전둬가 「영국의 위대한 현실주의 작가 필딩을 기념하며紀念英國偉大的現實主義作家菲爾丁」라는 제목으로 보고를 진행하였다.

『문예학습』제10호에 수신舒辛의 「문학작품에서 정신적 역량을 취하자向文學作品汲取精神力量」가 발표되었다(제10, 11호에 연재). 이 글은 본 잡지에 최근에 개설된 "작품 내용과 자기 생활에 직접적인 관계가 없으면 읽는 것이 무슨 소용이 있는가"라는 토론에 대한 정리라 할 수 있다. 이 외에도 궈위형, 저우젠런, 허자후이 등이 루쉰의 작품과 독서 방법에 관해 토론한 일련의 글과 아이우의 「문예학습 편집부의 문제에 답하다」가 발표되었다.

28일, 『인민일보』에 위안수이파이의 「『문예보』 편집자에게 묻다」가 발표되었다. 위안수이파이는 글에서 『문예보』제18호에 전재된 리시판, 란링의 글에 첨부된 편집자의 말이 "'권위 있는 학자'의 자산계급 사상에 대해서는 양보하는 태도를, 생기 넘치는 마르크스주의 사상에 대해서는 낡은 태도"를 취하고 있다고 지적하며, 편집자의 말이 "중국 고전문학 연구에 존재하는 유심론 관점을 반대하고, 문예계가 이러한 유심론 관점에 대해 용인하고 의존하며 심지어 찬양하는 것을 반대하는" 토론의 본질을 제시하지 못했다고 보았다. 또한 『문예보』등의 간행물이 "온갖 방법을 써서 새로운 역량을 흡수해 자신의 대오를 강대하고 새롭게 하는 것이 아니라, 오히려 길 위에 가로누워 새로운 역량의 전진을 막고 있다"라고 말했다.

29일과 11월 4일에 베이징사범대학 중문과 중국문학교연실 고전문학조의 교수와 학생들이 위핑보의 『홍루몽』 연구 문제에 관한 좌담회를 개최하였다.

30일, 『인민일보』에 저우루창周汝昌의 글 「위핑보의 『홍루몽』 연구에 존재하는 잘못된 관점에 대한 나의 견해我對俞平伯研究紅樓夢的錯誤觀點的看法」가 발표되었다. 그는 글에서 '홍학紅學'이 후스와 위핑보의 손안에서 "모습과 정신이 일변"해 버렸다고 말하며, 『홍루몽』에 대한 위핑보의 연구가 "작품이 가진 모든 사회 정치적 의미를 경시하여 『홍루몽』이 그저 '사랑 타령'을 하는 잡기가 되게 했다고 지적하였다.

저우루창(1918~2012), 자는 위옌玉言으로 톈진 출신이다. 저명한 홍학자로 고증파 홍학을 집대성한 인물이다. 쓰촨대학 강사, 인민문학출판사 편집자, 중국예술연구원 연구원 등을 역임하였다.

1937년부터 작품을 발표하였으며 1964년에 중국작가협회에 가입하였다. 저서로『『홍루몽』신증紅樓夢新證』,『범성대 시선範成大詩選』,『양만리 선집楊萬裏選集』,『조설근曹雪芹』,『조설근 약전曹雪芹小傳』등이 있다.

화둥작가협회에서『홍루몽』에 관한 연구토론회를 개최하여 60여 명이 참석하였다. 샤옌이 토론회를 주관하였으며 궈사오위, 류다제劉大傑, 천루헝陳汝衡, 웨이진즈, 리쥔민李俊民, 저우쉬량周煦良, 왕뤄왕王若望, 왕위안화王元化, 뤄지난羅稷南, 황위안黃源 등이 발언하였다. 대부분의 발언자들은 최근에『문사철』,『광명일보』,『인민일보』등에 발표된 위핑보의『홍루몽』연구공작에 나타난 자산계급 유심주의 관점을 비평한 글에 대해 기본적으로 동의를 표했다.

31일,『인민일보』에 황쑤추黃鼎秋의 글「고전문학의 귀중한 자료를 독점해 폭리를 노리는 열악한 작풍에 반대한다反對對古典文學珍貴資料壟斷居奇的惡劣作風」가 발표되었다. 그는 글에서 위핑보 등 소수의 사람들이 고전문학 자료를 독점하고 공개하지 않는 작풍 역시 엄연한 자산계급 작풍이라고 보았다.

31일~12월 8일, 중국문련과 중국작가협회 주석단이 합동 확대회의를 총 8회 개최하여『홍루몽』연구에 존재하는 자산계급 유심론 경향 및 이 문제에 관한『문예보』의 잘못 등의 문제에 대해 토론하였으며, 후스의 반동사상에 대한 비판을 더욱더 전개할 것을 호소하였다.

이달에 영화「강철 운송병」이 베이징에서 상영되었다.

인민문학출판사에서 타고르의 시집『신월新月集』및 자전적 소설『나의 유년我的童年』, 칼리다사의 극본『샤쿤탈라』등 인도문학 서적 세 권을 출간하였다.

이달 중순부터 중국인민해방군 총정치부 문화부가 베이징에서 2개월여 동안 대규모의 화극 공연을 조직하였다.「전선이 남쪽으로 이동하다」(화베이군구 정치부 문공단 공연, 후커 각본, 딩리丁裏, 류자劉佳 감독),「만수천산」(총정치부 문공단 공연, 천치퉁 각본 및 감독),「동해 최전선東海最前線」(화둥군구 정치부 문공단 공연, 바이원 각본, 모옌漠雁 감독) 등의 작품이 공연되었다.

차오위의「베이징-어제와 오늘北京——昨日和今天」이『인민중국』제19, 20호 합본에 발표되었다.

허징즈의 시집『해바라기가 피다朝陽花開』가 작가출판사에서 출간되었다. 리잉의 시집『톈안먼 위의 홍등天安門上的紅燈』이 인민문학출판사에서 출간되었다.

『왕라오주 시선王老九詩選』이 통속독물출판사에서 출간되었다.

왕라오주(1894~1969), 민간 예인으로 본명은 왕젠루王建祿이며 산시陝西성 린퉁臨潼 출신이다. 농촌에서 성장하면서 사숙에서 단 1년간 수학하였고, 56세 때에야 글을 익혔다. 당과 사회주의, 노동인민의 해방을 찬양하는 내용의 시를 주로 창작하여 '농민시인'이라고 불렸다. 저서로 시집『왕라오주 시선』,『동방에서 큰 용이 날아오르다東方飛起一巨龍』,『시안으로 들어가다進西安』등이 있다.

바이위안의『인간 세상의 봄人間的春天』이 작가출판사에서 출간되었다. 보고문학 작품「낙원을 건설하는 사람들建設樂園的人們」,「좡자후莊稼湖」등이 수록되었다.

11월

1일,『창장문예』제11호에 궁류의 보도「대군채大軍寨」, 바이화의 시「경마회에서賽馬會上」, 웨이양의 시「미워하는 것과 경모하는 것唾棄的和崇敬的」이 발표되었다.

『역문』제11호에 위안수이파이가 번역한 네루다의 시「몇 가지 일에 대한 해석解釋一些事情」및 독일 작가 볼프의 극본「여자 촌장 안나女村長安娜」(황셴쥔 번역, 제11, 12호에 연재)가 발표되었다.

『신관찰』제21호에 사오옌샹의「시 2편詩二首」(「갱의 밑바닥에서在礦井的底層」,「새 광산에 보내다寄到一座新礦山」)이 발표되었다.

『시난문예』제11호에 가오핑의 시「그는 다리 어귀에 서 있다他站在橋頭上」,「간쯔 초원의 밤甘孜草原的夜晚」, 린옌의 시「음악을 배우는 친구一位學音樂的朋友」, 바이화의 시「나는 봄눈이 녹기를 기다리고 있다我等待著春雪融化」, 수판의 시「종鍾」이 발표되었다.

2일, 헝가리와 체코슬로바키아의 작가들이 화둥작가협회와 상하이 소재 중국 작가, 시인, 희극가, 공연예술가들과 함께 좌담회를 가졌다. 중국에서는 샤옌, 진이, 황위안, 탕타오, 왕뤄왕 등이 참석하였다.

3일, 위핑보 선생의 학술 조수 왕페이장이『인민일보』에「나는 위핑보 선생을 대신해 몇 편의 글을 썼는가我代俞平伯先生寫了哪幾篇文章」를 발표하여 최근에 위핑보가 발표한 글 가운데「『홍루몽』의 사상성과 예술성紅樓夢的思想性與藝術性」(『둥베이문학』1954년 제12호),「『홍루몽』간설紅樓夢簡說」(『대공보』1953년 12월 19일자),「우리는『홍루몽』을 어떻게 읽어야 하는가我們怎樣讀紅樓夢」

(『문회보』1954년 1월 25일자), 「『홍루몽』소개紅樓夢簡介」(『인민중국』1954년 제10호) 등 네 편
의 문장이 자신이 집필한 것이라고 밝히면서 자기반성을 하는 동시에 위핑보를 비평하였다.

『신건설』제11호에 리시판, 란링의 「『홍루몽』의 인민성을 논하다論紅樓夢的人民性」가 발표되었
다. 이들은 글에서 작가가 어떠한 경향을 가지고 있는가 하는 것이 그 작가의 작품을 분석하고 비
평하는 일의 근본적인 출발점이며, 이것이 현실주의 문학비평에서는 구체적으로 문학의 '인민성'
문제를 뜻한다고 보았다. 더 나아가『홍루몽』의 '인민성'은 우선 그 깊은 현실주의 정신에 표현되
어 있으며, 이 작품이 "3천 년간의 중국 봉건주의 사회가 붕괴를 향해 가는 시기의 역사적인 기록
이자 총결산"이라고 보았다. 또한『홍루몽』이 가진 인민성의 다른 측면은 바로 예술형상에 반영
된 역사적 현실의 진실성이 지닌 깊이, 즉 긍정적 인물 형상(가보옥, 임대옥)의 철저한 반봉건성이
라고 주장하였다. 이들은 글에서 작가와 작품뿐만 아니라『홍루몽』의 '인민성'에 대한 양후이, 우
쭈샹, 바런 등의 부정 혹은 폄하에 대해서도 비평하였다.

『극본』제11호에 장광녠의 「소련 희곡공작의 선진 경험을 학습하자學習蘇聯戲劇工作的先進經驗」,
천치퉁의 화극 「만수천산」이 발표되었다.

4일, 『인민일보』에 펑쉐펑의 「내가 『문예보』에서 범한 오류를 반성한다檢討我在<文藝報>所犯
的錯誤」가 발표되었다. 그는 글에서 위안수이파이가 10월 28일자『인민일보』에 발표한 비평 의견
이 "완전히 정확하다.『문예보』의 오류의 본질과 심각성을 완전히 폭로하였다"라고 말하며, 이러
한 오류에 대해 자신이 전부 책임을 지겠다고 밝혔다. 이는 그가『문예보』편집장이기 때문만이
아니라 그 편집자의 말을 그가 썼기 때문이기도 하다. 마지막으로 그는 오류를 철저히 바로잡고,
『문예보』의 공작을 철저히 정돈하겠다고 결심하였다. 펑쉐펑은 "이번 오류에 대해 나는 당과 인
민의 기대에 미치지 못한 것을 통감한다. 이는 입장의 오류이고 반마르크스레닌주의적 오류로, 용
인할 수 없는 것이다"라고 밝혔다. 마오쩌둥은 "반마르크스레닌주의적 오류"라는 말 옆에 "이 말
에 집중하여 펑쉐펑을 비판해야 한다"라는 비평을 적었다.[7]

5일, 『인민일보』에 왕뤄수이王若水의 글 「후스의 반동철학이 남긴 독소를 철저히 제거하자─
또한 위핑보의『홍루몽』연구에 존재하는 잘못된 관점과 방법을 평하다淸除胡適的反動哲學遺毒──兼
評俞平伯研究紅樓夢的錯誤觀點和方法」가 발표되었다. 그는 글에서 "오늘날, 후스의 정치사상은 이미 옛
중국이 사망함에 따라 철저히 실패하였다. 그러나 그의 '학술사상', 그의 실험주의 철학은 여전히

---

7) 마오쩌둥:『건국 이후 마오쩌둥 문고』제4권, 제603쪽, 중앙문헌출판사 1990년

학술계에 영향을 끼치고 있다. 그의 유령이 위핑보와 그 외의 일부 문화계 인사들에게 붙어 있다. 후스 사상의 반동성을 명확히 인식하고 그의 영향을 철저히 제거하는 것이 문화계의 현안이며 임무이다"라고 지적하였다.

왕뤄수이(1926~2002), 필명은 왕처王澈로 장시성 타이허泰和 출신이다. 1950년 이후에『인민일보』이론조 편집자, 중국사회과학원 철학연구소 겸임연구원, 변증유물주의연구회辯證唯物主義研究會 이사, 잡지『철학연구哲學研究』의 편집위원, 랴오닝대학 명예교수 등을 역임하였다. 저서로『마르크스주의의 인식은 실천론이다馬克思主義的認識是實踐論』,『철학 전선에서在哲學戰線上』,『인도주의를 위한 변호爲人道主義辯護』등이 있다.

문화부와 중소우호협회 총회가 합동으로 베이징에서 '소련 영화 상영 주간'을 진행하였다.

6일, 화둥구 희극관람공연대회가 폐막하였다. 폐막식에서 샤옌이 「신시대 희곡예술의 제고와 발전을 위해 분투하자」라는 제목으로 결산 연설을 하였다(『문예보』제23, 24호 합본에 게재).

베이징대학 중국어언문학과에서『홍루몽』연구에 관한 좌담회를 개최하였다. 베이징대학 철학과, 역사학과, 서양언어학부 및 베이징대학 문학연구소의 교수와 연구원들, 중국작가협회의 대표 등 총 200여 명이 참석하였다. 가오밍카이高名凱, 유궈언遊國恩, 웨이젠궁魏建功, 푸장칭, 린겅, 왕리王力, 옌젠비閻簡弼 등의 교수들이 발언하였다. 이들은『홍루몽』연구에 관한 이번 토론이 학술사상 영역에서의 계급투쟁이라고 보았다. 9일자『인민일보』에 본 좌담회에 관한 기사가 실렸다.

7일, 후펑이 중국문련과 중국작가협회 합동 주석단 확대회의에서 발언하였다. 그는 "『문예보』가 지금 범하고 있는 오류는 역사적 근원과 사상적 근원을 가지고 있다"라고 지적하면서 아래와 같은 네 가지 방면의 의견을 제시하였다. 1. "후스파의 기치 중 한 사람"인 주광첸을 예로 들어, 주광첸의 문학사상에 대한『문예보』의 타협 행위가 "반동적인 후스파 사상에의 투항"이라고 비평하였다. 2. 아룽을 예로 들어, 진보 작가와 "작은 인물"에 대한『문예보』의 태도가 난폭하고 억압적이라고 설명하였다. 3.『문예보』가 5년간 문예비평공작에서 통속사회학적 관점을 가지고 지배적인 위치를 점하고 있어, 문예계의 신생 역량이 타격을 받게 되었다고 보았다. 4.『문예보』가 통속사회학의 미학적 특징 중 하나인 형식주의를 제창하여 결국 "자산계급의 미학에 투항"할 수밖에 없게 되었다고 지적하였다(『문예보』1954년 제22호).

『인민문학』제11호에 아이칭의 「남아메리카 여행南美洲的旅行」, 당리의 「계수나무桂花樹」, 량난의 「과테말라 형제여, 나는 그대를 바라본다!危地馬拉兄弟, 我望見你!」, 광지의 「시 3편詩三首」등의 시와 리준의 「멍광타이 영감」(『허난일보』에 처음 발표된 후 『허난문예』 1954년 제17호, 『창장문예』 제10호에 전재), 아이우의 「수혈輸血」, 리광리李方立의 「여명黎明」 등의 소설, 바이화의 기록문학 「방울 없는 마장수一個無鈴的馬幫」가 발표되었다.

『문예보』 제20호에 위안수이파이의 「『문예보』 편집자에게 묻는다質問<文藝報>編者」, 펑쉐펑의 「내가 『문예보』에서 범한 오류를 반성한다」, 수우의 「고전문학 연구에 존재하는 자산계급 사상에 대한 투쟁을 단호히 전개하자堅決開展對古典文學硏究中資産階級思想的鬥爭」, 허쯔禾子의 「『홍루몽』에 관하여略談<紅樓夢>」 등 위핑보의 『홍루몽』 연구에 존재하는 잘못된 관점을 비판하는 글들이 발표되었다. 이 외에도 정전둬가 10월 27일 필딩 서거 200주년 기념회에서 진행한 보고문 「영국의 위대한 현실주의 작가 필딩을 기념하며」가 게재되었다.

『문예학습』 편집부에서 독자들을 대상으로 『홍루몽』 문제 좌담회를 개최하여 30여 명이 참석하였다. 회의에서는 후스파派의 홍루몽 연구에 존재하는 잘못된 관점을 폭로하고, 본 간행물에 대한 독자들의 의견을 구하였다.

8일, 『광명일보』에 문화학술계에서 『홍루몽』 연구에 존재하는 자산계급 유심론적 관점을 비판하는 일에 대한 중국과학원 원장 궈모뤄의 인터뷰 기사가 발표되었다. 궈모뤄는 위핑보의 『홍루몽』 연구에 존재하는 잘못된 관점이 불러일으킨 토론이 현재 문화학술계의 중대한 사건으로, 마르크스레닌주의 사상과 자산계급 유심론 사상 사이의 투쟁이라고 지적하였다. 그는 문화학술계는 반드시 이러한 토론을 충분히, 또한 자주 전개해야 한다고 보면서, 자유토론을 통해 그 정신을 충분히 배양하고 또한 새로운 역량을 육성해야 한다고 말했다.

어우양위첸이 중국극협 희곡 및 가극부 부장으로서 베이징 소재 희극가 및 희곡개혁에 종사하는 작가들을 초청해 '희곡의 예술개혁 문제 좌담회'를 개최하였다. 좌담회는 12일, 22일, 27일, 12월 1일 등 총 네 차례 진행되었으며 라오서, 쑹즈더, 우쭈광, 청옌추程硯秋, 딩시린, 홍선, 마옌샹, 장윈시張雲溪 등 22인이 발언하였다. 발언 내용은 『희극보』 제12호를 시작으로 지속적으로 발표되었다.

청옌추(1904~1958), 만주족 예인으로 본명은 청린承麟이며 베이징 출신이다. 경극 '4대 명배우四大名旦' 중 한 사람으로 청파程派 예술의 창시자이다. 1950년에 전국인민대표대회 대표로 당선되었으며 중국극협 이사회 주석단 위원을 맡았다. 1953년에는 중국희곡연구원 부원장을 맡았으며 1957년에 중국공산당에 가입하였다. 저서로 논저 『청옌추 문집程硯秋文集』이 있다.

『해방일보』에 사설 「희곡예술을 번영시키고, 희곡개혁공작에 대한 지도를 강화하자繁榮戲曲藝術, 加强對戲曲改革工作的領導」가 발표되었다.

8일~20일, 중앙광파사업국中央廣播事業局 제2차 전국광파공작회의全國廣播工作會議가 베이징에서 진행되었다.

9일, 『인민일보』에 바런의 글 「소련 영화 「수확」을 평하다評蘇聯電影<收獲>」, 사오옌샹의 시 「밤의 도로 위에서在夜晚的公路上」가 발표되었다.

10일, 『인민일보』에 리즈黎之(리수광李曙光)의 「『문예보』 편집자는 자산계급적 작풍을 철저히 반성해야 한다<文藝報>編者應該徹底檢査資産階級作風」가 발표되어 『문예보』의 5년간의 공작 과정에 드러난 몇 가지 중대한 오류에 대해 전면적으로 비평하였다.

11일, 후펑이 중국문련과 중국작가협회 합동 주석단 확대회의에서 재차 발언하였다. 후펑은 이번에는 허치팡의 "실천의 요구에서 이탈하여 마르크스주의 학원파學院派와 관료주의를 주시하는 태도"를 비평하고, 『문예보』와 『문학유산』의 '편집자의 말' 역시 같은 오류를 범했다고 지적하였다. 그는 『문예보』가 "한편으로는 권위 있는 학자인 위핑보의 반동적 미학 관점을 추앙하고, 다른 한편으로는 작은 인물인 리시판, 란링 동지가 현실주의 미학 관점을 활용해 위핑보를 비평한 글에 냉수를 퍼부었다"라고 비평하였다. 그는 "이러한 통속사회학으로 무장한 비평가는 '자아가 팽창'하여 작가를 전우 혹은 노동의 동지로 대하지 않고, 자신을 때로는 정치 선생의 입장에, 때로는 기교 선생의 입장에 둔다. 물론 가장 심한 것은 자신을 판결을 내리는 사법관의 입장에 두는 것이다. 종합하면 작가에게 자신의 공식과 법칙에 맞춰 창작하게 하고, 창작 실천에 대해 극도로 냉혹한 태도를 취하며, 개별 작가들의 실제 기초와 창작 요구를 고려하지 않을 뿐만 아니라 구체적인 작품의 진실한 내용과 객관적 의의에 파고들지도 않는 것이다. 이것이 극단까지 발전하면 작가에 대해 간단히 계급 성분을 구분해 버리는 방식을 취하게 된다. 이러한 계급 구분은 작가가 움직이지 못하게 만들고, 작품의 세부 내용에 대해 자신의 결론에 끼워 맞춘 왜곡된 해석을 취한다. 이들에게 반박하려면 작가는 모든 세부 내용에 대해 아주 길고 상세하게 설명하지 않으면 안 된다. 물론, 사실상 그것은 해석이되 작가들에게는 결코 용납하지 않는 해석이다"라고 문예에 대한 통속사회학의 폐해를 재차 강조하였다(『문예보』 1954년 제22호).

텐진 문화학술계에서 『홍루몽』 연구 문제에 대한 좌담회를 개최하였다.

12일, 『인민일보』에 바이둔白盾의 「『홍루몽』은 '원망하지만 분노하지 않'는가?─위핑보의 「『홍루몽』의 풍격」을 평하다紅樓夢是"怨而不怒"的嗎?──評俞平伯的<紅樓夢的風格>」가 발표되었다.

『해방군문예』 제11호에 웨이웨이의 산문 「고향에 보내다寄故鄕」, 구궁의 「란창장에서 야루짱부장까지─캉짱 생활 잡기 제1편從瀾滄江到雅魯藏布江──康藏生活散記之一」, 리잉의 시 「철鐵」, 바이화의 시 「설산 위에서 야영하다露營在雪山上」, 천치퉁의 「「만수천산」의 창작에 관하여關於<萬水千山>的創作」, 장리윈의 「전진하는 도로 위에서─화극 「만수천산」을 평하다在前進的道路上──評話劇<萬水千山>」, 푸중이 제4차 전군 문화부장 좌담회에서 연설한 원고 「현재 부대의 문예창작 문제當前部隊的文藝創作問題」 및 '지원군의 하루志願軍一日'라는 제목으로 묶인 다섯 편의 글 등이 발표되었다.

12일~15일, 상하이, 우한, 쓰촨 등지의 문학예술단체와 고등교육기관에서 『홍루몽』 연구에 존재하는 잘못된 관점에 대한 비평을 전개하였다.

13일, 『인민일보』에 리경李庚의 「청년의 고전문학 작품 독서를 정확하게 지도해야 한다正確地指導靑年閱讀古典文學的作品」가 발표되어 청년의 고전문학 작품 독해에 대한 지도라는 관점에서 『홍루몽』 등 고전문학 연구에 존재하는 자산계급 유심론 관점을 비평하였다.

14일, 『광명일보』 '문학유산' 제29호에 중국작가협회 고전문학부의 「『홍루몽』 연구 좌담회 기록紅樓夢研究座談會記錄」이 발표되었다. '편집자의 말'은 좌담회에 49명이 참석하였으며 방청객은 약 20인이었고, 19명이 발언하였다고 밝혔다.

15일, 중국작가협회와 중국극협이 베이징에서 합동으로 고대 그리스 희극가 아리스토파네스 탄생 2,400주년 기념회를 개최하여 총 1,000여 명이 참석하였다. 훙선이 기념회를 주관하고 축사를 하였으며 톈한이 「위대한 평화민주 전사 아리스토파네스偉大的和平民主戰士阿裏斯托芬」라는 제목으로 보고를 진행하였다. 기념회의 마지막에는 문예공작자들이 아리스토파네스의 몇몇 작품을 발췌해 낭독하였다. 이날 『인민일보』에 리젠우의 「아리스토파네스─조국을 사랑한 위대한 희극 작가阿裏斯托芬──熱愛祖國的偉大喜劇作家」가 발표되었다.

『문예보』에서 고전문학 연구공작자 좌담회를 소집하였다.

인민대학과 푸단대학에서 『홍루몽』 연구 문제에 대한 좌담회를 개최하였다.

『문예월보』제11호에 사설「문예 영역에 존재하는 자산계급 사상과 단호히 투쟁하자堅決和文藝領域中的資産階級思想作鬥爭」가 발표되어 위핑보의 『홍루몽』 연구에 존재하는 잘못된 관점과 방법에 대한 비판을 지지하였다. 광췬의「원칙을 고수하고 비평을 지속하자堅持原則, 堅持批評」는 위핑보의 『홍루몽』 연구에서 폭로된 잘못된 관점이 문예비평 영역에서 '권위'를 맹신하고, 명확한 계급투쟁 관점이 결핍되어 있기 때문에 발생한 것이라고 지적하였다. 이 외에도 위링이 화둥구 화극관람공연대회에서 진행한 예술 주제보고「생활을 사랑하는 사람들에게致熱愛生活的人們」가 발표되었다.

『안후이문예』제11호에 뤄푸의 단막극「경계警惕」가 발표되었다.

16일, 베이징의 문예계 인사들이 모여 헝가리 작가 요커이 모르 서거 50주년을 기념하였다. 라오서가 행사를 주관하고 축사를 하였다.

국무원에서「중화인민공화국 국무원 조직법中華人民共和國國務院組織法」의 규정에 따라 국무원은 출판총서를 설립하지 않고, 출판총서에서 관리하던 출판행정 업무는 문화부에 귀속한다는 통지를 발포하였다.

『해방일보』편집부에서 상하이 문화학술계 인사들을 초청해『홍루몽』 연구에 존재하는 잘못된 관점을 비판하는 좌담회를 개최하였다(발언 요약문은 11월 28일자『해방일보』에 게재).

『신관찰』제22호에 란링의「『홍루몽』의 시사와 인물 성격紅樓夢的詩詞與人物性格」, 비예의 단편 소설「후판허로 가다去虎盤河」, 저우량페이의 시「변경 만찬회邊疆晚會」가 발표되었다.

리준 등이 동명의 소설을 각색한 화극「그 길을 갈 수 없다」가『허난문예』제22호에 발표되었다.

18일, 중국청년예술극원이 이날부터 연속 공연을 시작하여「바냐 외삼촌」,「강철 운송병」, 「파시즘 세균」,「시대의 열차 위에서」등 4편의 작품을 공연하기로 결정하였다. 이는 중국 화극계에 있어 큰 의미를 가지는 새로운 시도이다.

19일,『문예보』제21호에 편집부의 글「『문예보』에 대한 엄정한 비평을 열렬히, 진심으로 환영한다熱烈地、誠懇地歡迎對＜文藝報＞進行嚴肅的批評」및 왕야오, 녜간누, 황야오몐, 루칸루, 판닝, 옌둔이嚴敦易, 우샤오루吳小如 등의 글이 발표되었다.『광명일보』부간『문학유산』편집자 역시 자신들이 신생 역량을 억압하고, 자산계급 사상을 용인 및 비호하는 잘못을 저질렀다고 공개적으로 반성하였다.

20일, 『인민일보』에 허치광이 장문 「비평이 없으면 전진할 수 없다沒有批評, 就不能前進」를 발표하여 위핑보의 『홍루몽』 연구에 대한 리시판과 란링의 비평이 "30여 년 동안 『홍루몽』 연구에서 절대적인 통치적 지위를 점하고 있던 후스파 자산계급 유심론에 대한 최초의 진지한 비판"이라고 보았다. 그는 『홍루몽』 연구계에 있어 후스에서 위핑보에 이르는 공통점이 계급사회 속의 계급 존재에서 벗어난 고립된 연구라고 지적하면서, 후스파 자산계급 유심론의 영향을 제거하는 것이 현재 학술계의 "중대한 전투 임무"라고 보았다.

『이야기하고 노래하다』 제11호에 편집부의 글 「『홍루몽』 연구에 존재하는 잘못된 관점 비판 투쟁을 중시하자重視批判<紅樓夢>研究的錯誤觀點的鬥爭」 및 캉줘의 단편소설 「봄에 심어 가을에 거두다春種秋收」(1953년 3월에 작가출판사에서 출간된 동명의 단편소설집에 수록), 궁류, 저우량페이가 정리한 「시솽반나 태족 민가西雙版納傣族民歌」가 발표되었다.

『희극보』 제11호에 자오쥐인의 「공연예술의 세 가지 주된 문제表演藝術上的三個主要問題」(베이징시 문예공작자 제2차 대표대회에서 진행한 주제발언 「베이징시 희극공작에 존재하는 몇 가지 문제北京市戲劇工作上的幾個問題」의 부분)가 발표되었다. 그는 글에서 현재 우리의 무대 공연에 존재하는 문제들, 예컨대 전통 희곡 작품의 공연방법을 어떻게 개선할 것인가, 어떻게 옛 형식을 돌파해 새로운 형식을 창조할 것인가, 공연상의 개념화를 어떻게 극복할 것인가 등의 문제를 제기하였다. 이 외에도 장경의 「「만수천산」의 인물에 관하여談<萬水千山>裏的人物」가 발표되었다.

화둥사범대학 교수 및 학생 약 900명이 좌담회를 개최하여 『홍루몽』 연구에 존재하는 잘못된 관점을 비판하였다.

21일, 『광명일보』에 리이의 「『홍루몽』 후반 40회에 대한 위핑보 선생의 몇 가지 견해를 평하다評俞平伯先生對<紅樓夢>後四十回的一些看法」가 발표되었다.

23일, 중국희극가협회에서 좌담회를 개최하여 장경이 『희극보』에 발표한 「중국 화극운동사 초고中國話劇運動史初稿」에 대해 토론하였다. 톈한, 어우양위첸, 홍선, 아잉, 장광녠, 딩리, 장경, 천치퉁 등 20여 명이 참석하였다. 톈한이 좌담회를 주관하였으며 톈한, 어우양위첸, 홍선, 장광녠 등이 발언하였다. 참석자들은 발표된 초고에 중국 화극의 전통에 대한 견해가 정확하지 못하고, 초기 화극단체 및 개인에 대한 평가가 부정확하며, 몇몇 부분이 역사적 사실과 일치하지 않는 등 중요한 오류가 다수 존재한다고 지적하였다. 이는 저자가 자신이 입수한 자료를 과도하게 신뢰하여 당시에 운동에 참여한 대선배들을 적극적으로 방문하지 않았기 때문으로, 이것은 작가 사상의 깊은 곳에 남아 있는 자산계급의 유심론적 관점의 영향이라고 비평하였다. 장경은 참석자들의 비평을 겸허하게 수용하고 더욱 심도 있는 자기반성을 계속해서 진행하겠다고 밝혔다.

문화부 당조에서 중국희곡연구원 및 그 부속 기관에 대해 개편을 진행할 것을 결정하였다. 중국희곡연구원을 유지하여 희곡개혁에 관한 연구공작을 주로 진행하도록 하고, 그 부속 기관은 문화부 직속으로 개편하며, 중국경극단은 중국경극원으로, 중국평극단은 중국평극원으로 개편하였으며 희곡실험학교는 중국희곡학교로 명칭을 변경하였다. 신중화진극공작단新中華秦劇工作團을 민영공조 극단으로 개편하여 잠정적으로 중국희곡연구원의 산하에 두었다.

23일과 25일에 중국작가협회 강습소에서『홍루몽』연구에 관한 토론회를 개최하였다.

25일,『톈진일보』에 톈한의 산문「유럽 여행기 단편歐洲遊記斷片」이 발표되었다.

25일~12월 13일, 베이징시 인민정부 문화사업관리처에서 베이징시 제1회 희곡관람공연대회를 개최하였다. 경극, 평극, 진강秦腔, 곡예극 등 네 가지 극종의 27개 극단이 참가하여 총 27개의 작품을 공연하고 20개 작품을 전시하였다. 폐막식에서 왕야핑이「베이징의 희곡예술사업 발전과 번영을 위해 분투하자爲發展繁榮首都的戲曲藝術事業而奮鬥」라는 제목으로 결산 보고를 진행하였다 (요약문은『희극보』1955년 1월호에 게재).

27일,『문예학습』제11호의 '문예학습 좌담'란에 위핑보의『홍루몽』연구와 후스파 사상에 대한 비판 및『문예보』에 대한 비평의 글이 여러 편 발표되었다. 이 외에도 바런의「「청년 근위군」의 예술 구성 및 그 인물 형상<靑年近衛軍>的藝術構成及其人物形象」, 리바이黎白의「소설『옌안을 보위하라』창작 과정에서의 두세 가지小說<保衛延安>創作過程中的二三事」가 발표되었다.

『문회보』에 왕쑹王松의 단편소설「리잉과 쉬허우춘 사람들李瑩和所後村的人們」이 발표되었다.

28일,『광명일보』'문학유산' 제31호에 왕페이장의「『『홍루몽』연구』공작 과정에서의 위핑보 선생의 잘못된 태도를 말하다談俞平伯先生在<紅樓夢研究>工作中的錯誤態度」, 지쉐페이의「사 연구 분야에서의 위핑보의 유심론 사상을 평하다評俞平伯在詞的研究方面的唯心論思想」, 류옌원劉衍文의「위핑보 선생의 『홍루몽』 연구에 대한 비판으로부터 이야기를 시작하다從對俞平伯先生研究<紅樓夢>的批判說起」가 발표되었다.

『베이징일보』에 허자후이의 「위핑보의 『홍루몽』 연구가 청년에게 끼치는 폐해俞平伯的<紅樓夢>研究給予青年的毒害」가 발표되었다(『문회보』 12월 3일자에 전재).

29일, 『인민일보』에 서수성佘樹聲의 「가씨 가문의 전형성 및 기타-리시판, 란링 두 동지와의 논의關於賈家的典型性及其他——向李希凡、藍翎兩同志商権」가 발표되었다. 그는 글에서 가씨 가문이 봉건 통치 집단의 대표로서 붕괴한 원인에 대해 리시판, 란링과는 다른 견해를 제시하며 "국내외 공상 자본"이 봉건 통치 붕괴의 원인이라는 견해에 이의를 제기하였다. 이 외에도 '독자 서신 선정 게재' 란에 「『홍루몽』 연구 문제에 대한 의견對<紅樓夢>研究問題的意見」이 발표되었다. 11월 26일까지 편집부에서 받은 『홍루몽』 연구에 관한 원고는 총 273편으로, 대부분이 본지의 비평을 지지하였으며 새로운 의견은 거의 없었다고 밝혔다.

화둥작가협회에서 홍승 기념회를 개최하였다.

30일, 출판총서가 정식으로 폐지되었다. 국무원의 결정에 따라 모든 출판행정공작은 문화부로 이관되었으며, 문화부 산하에 출판사업관리국이 신설되었다.

『문예보』 제22호에 「『문예보』에 대한 비평-중국문련 주석단 및 중국작가협회 주석단 연합 (확대)회의에서의 발언對<文藝報>的批評——在中國文聯主席團和中國作協主席團聯席(擴大)會議上的發言」이 게재되어 짱커자, 류바이위, 후펑, 캉줘, 위안수이파이, 라오서의 발언 요약문이 발표되었다. 이 외에도 천위안후이陳元暉의 「고전문학 연구 분야의 실용주의의 폐해를 제거하자肅清古典文學研究中實用主義的毒素」, 딩리의 「대부분이 '광대 문학'인가?大都是"俳優文學"嗎?」, 천이쉬陳亦絜의 「비평가의 비평과 자아비평에 관하여談批評家的批評與自我批評」 및 베이징 소재 외지 출신 작가 및 문예공작자 좌담회와 고전문학 연구공작자 좌담회에서 발표된 『문예보』에 대한 의견「『문예보』의 오류와 결점을 비평한다批評<文藝報>的錯誤和缺點」, 편집부에서 정리한 「1년간의 독자의 『문예보』에 대한 비평一年來讀者對<文藝報>的批評」, 산둥대학 교수들의 토론 기록 정리문 「『홍루몽』 연구에 대한 우리의 초보적 의견我們對於<紅樓夢>研究的初步意見」이 발표되었다.

이달에 아이칭이 저장 저우산舟山 군도로 가서 생활을 체험하였다. 그는 돌아온 후에 장편서사시 『검은 뱀장어黑鰻』를 창작하였다.

중국청년예술극원에 베이징에서 체호프의 유명 화극 「바냐 외삼촌」을 공연하였다. 쑨웨이스가 감독을 맡았다.

샤우쿤의 장편소설 『5월의 광산五月的礦山』, 루리의 시집 『붉은 깃발紅旗子』이 작가출판사에서 출간되었다.

장헌수이의 장편소설 『양산백과 축영대』가 베이징보문당서점北京寶文堂書店에서 출간되었다.

싱리빈邢立斌 등의 산문집 『묘족의 새 사람苗家的新人』이 구이저우인민출판사에서 출간되었다.

바진의 통속문학 『평화를 수호하는 사람들』이 중국청년출판사에서 출간되었다. 책에는 바진이 두 번째로 북한을 방문한 후에 창작한 「조선 입국 잡기入朝散記」, 「어느 중대의 생활一個連隊的生活」, 「리쉐푸 동지를 기억하며」 등이 수록되었다. 그는 「후기」에서 "만약 열정적인 독자가 이 책 속에서 취할 만한 부분을 찾아내려 한다면, 그것은 아마도 '진真'이라는 글자일 것이다"라고 말했다.

징옌둔井岩盾의 『임진강변의 통신臨津江邊的通訊』이 랴오닝인민출판사에서 출간되었다.

라오서의 『공인들과 함께 창작을 이야기하다和工人們談寫作』가 공인출판사에서 출간되었다.

이췬의 『문예사상문제 필기文藝思想問題筆記』가 신문예출판사에서 출간되었다.

12월

1일, 문화부 출판사업관리국이 설립되었다. 각 성, 시, 구의 신문출판행정기구가 각 성, 시, 구의 문화국에 합병되었다.

『창장문예』 제12호에 '문학 영역에서의 자산계급 사상에 대한 투쟁을 전개하자' 특집란이 개설되어 류서우쑹劉綬松, 리루이, 청첸판 등이 비판의 글을 발표하였다. 이 외에도 스위차오史玉樵의 단막극 「남향 인가向陽人家」가 발표되었다.

『역문』 제12호에 인도 작가 아난드의 「인도 동화 6편印度童話六篇」(「세계는 어떻게 시작되었을까世界是怎樣開始的」 등 6편, 빙신 번역), 프랑스 작가 볼테르의 중편소설 「캉디드天真漢」(푸레이傳雷 번역)가 발표되었다.

『신관찰』 제23호에 리시판, 란링의 「『홍루몽』 속의 대립하는 두 전형—임대옥과 설보채紅樓夢中兩個對立的典型——林黛玉和薛寶釵」가 발표되었다. 이들은 글에서 위핑보가 『홍루몽』 연구에서 제기한 '채대합일' 개념이 반동 유심론적인 미학관점이라고 보았다. 이 외에도 팡지의 산문 「푸시킨 성을 기억하며記普希金城」가 발표되었다.

『문사철』 제12호에 황자더黃嘉德의 「필딩과 그의 대표작「톰 존스」-필딩 서거 200주년을 기념하며菲爾丁和他的代表作<湯姆·瓊斯>——紀念菲爾丁逝世200周年」가 발표되었다.

『시난문예』 제12호에 궁푸의 단편소설 「무명고지 위에서無名高地上」, 구궁의 시 「공통된 바람共同的願望」, 「산을 깎는 포성開山的炮聲」, 젠셴아이의 「교만함에 반대하고 겸손한 태도를 제창한다反對驕傲自滿, 提倡謙遜態度」가 발표되었다.

2일, 중국과학원 원무회 및 중국작가협회 주석단에서 합동 회의를 개최해 후스 사상을 비판하는 토론회를 합동으로 개최하여 후스의 자산계급 유심론에 대해 전면적인 비판을 전개하기로 결정하였다. 본 토론회는 29일부터 시작하여 다음해 3월까지 총 21회 진행되었다.

저우양이 마오쩌둥에게 「후스 문제 비판 조직 계획에 관한 보고關於批判胡適問題組織計劃的報告」를 제출하였다. 그는 보고에서 "주석께서 어젯밤 진행하신 담화의 정신에 근거해 후스 문제 토론 계획에 관한 본래의 초안을 근본적으로 수정하고, 오후에 진행한 중국과학원 원무회와 작가협회 주석단의 연합확대회의에서 토론을 통해 수정된 계획 초안을 통과시켰습니다"라고 밝혔다. 본 계획 초안은 '『홍루몽』 연구' 비판에서 후스 사상 비판으로 그 주된 내용이 변경되어, 토론의 제목 역시 1. 후스 철학사상 비판(의장 아이쓰치艾思奇), 2. 후스 정치사상 비판(의장 허우와이루侯外廬), 3. 후스 역사관 비판(의장 판원란), 4. 후스 『중국철학사』 비판(의장 펑유란), 5. 후스 문학사상 비판(의장 황야오몐), 6. 후스 『중국문학사』 비판(의장 허치팡), 7. 역사학과 고전문학 연구공작에서의 고증의 지위와 역할(의장 인다尹達), 8. 『홍루몽』의 인민성과 예술적 성취 및 『홍루몽』이 탄생한 사회적 배경(의장 장톈이), 9. 『홍루몽』 연구 저작에 대한 비판(의장 녜간누)으로 변경되었다. 본 토론을 지도하기 위해 위원회가 조직되어 궈모뤄, 마오둔, 저우양, 덩퉈, 판쯔녠潘梓年, 후성, 라오서, 인다 등으로 구성되었다.[8]

3일, 『신건설』 제12호에 린겅의 글 「『홍루몽』 연구에 존재하는 자산계급 유심론 관점을 비판한다批判紅樓夢研究中的資產階級唯心觀點」가 발표되었다.

3일~9일, 제1차 안후이성 문예공작자 대표대회가 허페이에서 개최되어 안후이성 문학예술

---

8) 『건국 이후 마오쩌둥 문고』 제4권, 제620-621쪽 '주석 1' 참고. 중앙문헌출판사 1990년

공작자연합회가 정식으로 성립되었다.

5일, 『라오닝문예遼寧文藝』 제5호에 추이더즈崔德志의 단막극 「류롄잉劉蓮英」이 발표되었다.

추이더즈(1927~), 필명은 마페이馬非로 헤이룽장성 칭강青岡 출신이다. 1947년부터 작품을 발표하였으며 1956년에 중국작가협회에 가입하였다. 둥베이인민예술극원 및 라오닝성 문련 창작원, 중국작가협회 선양분회 이사, 라오닝인민예술극원 각본가, 중국희극가협회 이사 등을 역임하였다. 대표작으로 단막극 「류롄잉」, 「시간의 죄인時間的罪人」, 「생활의 찬가生活的讚歌」, 장막극 『봄의 노래春之歌』, 『앵초報春花』, 『붉은 장미紅玫瑰』 등이 있으며 저서 『추이더즈 극작선崔德志劇作選』이 출간되었다.

7일, 『인민문학』 제12호에 저우리보의 「처음 며칠最初的幾天」(장편소설 『쇳물이 세차게 흐른다鐵水奔流』의 제1~4장), 시룽의 「보리 수확麥收」, 바이런의 「격류激流」 등의 소설, 사오옌샹의 「중국의 도로가 자동차를 부르고 있다中國的道路呼喚著汽車」, 푸처우의 「삼림의 노래森林之歌」, 궁류의 「시명의 아침西盟的早晨」 등의 시 및 예딩葉丁의 기록문학 「모앙秧」(본래 『창장문예』 1954년 제11호에 발표)가 발표되었다. 이 외에도 '『홍루몽』 연구 특집란'이 게재되어 라오서, 바이둔, 후녠이胡念眙, 린둥핑林冬平(쑨리) 등의 글이 발표되었다.

『문회보』에 쉬즈차오許之喬의 「『홍루몽』은 인민에 속한 것이다—어느 청년 동지에게 보내는 편지<紅樓夢>是屬於人民的——給一位青年同志的信」가 발표되었다(본래 『문예학습』 제11호에 발표).

8일, 중국문련과 중국작가협회 주석단이 연합 확대회의를 개최하였다. 회의를 통해 「『문예보』에 관한 결의關於<文藝報>的決議」(『인민일보』 1954년 12월 9일자, 『문예보』 1954년 제23, 24호 합본)를 통과시켜 『문예보』의 편집기구를 개편하여 편집위원회를 새롭게 설립하고, 집단지도의 원칙으로 편집할 것을 결정하였다. 궈모뤄가 「세 가지 건의三點建議」라는 제목으로 발언하였다(『인민일보』 1954년 12월 9일자, 『문예보』 1954년 제23, 24호 합본). '세 가지 건의'란 "첫째, 우리는 반드시 자산계급 유심론에 대한 사상투쟁을 단호히 전개해야 한다. 둘째, 우리는 반드시 학술상의 자유토론을 광범위하게 전개하여 건설적인 비평을 제창해야 한다. 셋째, 우리는 반드시 신생 역량의 육성에 박차를 가해야 한다" 등이다.

저우양은 「우리는 반드시 전투해야 한다我們必須戰鬥」(『인민일보』 1954년 12월 9일자, 『문예보』 1954년 제23, 24호 합본)라는 제목으로 발언해 후스파 자산계급 유심론에 대한 투쟁 전개, 『문예보』의 오류, 후펑의 관점과 우리의 관점 사이의 불일치 등 세 가지 측면의 내용을 언급하였다. 그는 "후펑 선생은 회의에서 적극적으로 발언하였다. 우리는 그가 후스파 자산계급 유심론에 대한 투쟁과 『문예보』의 오류에 대한 비평에 참여하는 것을 환영한다. 그러나 우리는 그의 발언에 드러난 여러 관점과 우리의 관점 사이에 근본적인 불일치가 존재함을 지적해야 한다." "후펑 선생은 『문예보』 및 통속사회학에 대한 비평이라는 명목으로 문학의 여러 가지 진정한 마르크스주의적 관점을 싸잡아 통속사회학으로 간주하고 이를 부정하였다"라고 지적하였다. 마오둔이 「양호한 시작良好的開端」이라는 제목으로 폐회사를 하였다.

『인민일보』에 장샤오후張嘯虎의 글 「위펑보의 홍루몽 연구에 존재하는 오류의 또 다른 근원俞平伯研究紅樓夢的錯誤的又一根源」이 발표되었다.

9일, 10일, 항저우 문화교육계와 광저우의 고등교육기관 등에서 좌담회를 개최하여 『홍루몽』 연구에 존재하는 자산계급 관점을 비판하였다.

10일, 『문예보』에 새로운 편집기구가 설립되어 편집위원회가 캉줘, 허우진징, 친자오양, 펑쉐펑, 황야오몐, 류바이위, 왕야오 등 7인으로 구성되었으며, 캉줘, 허우진징, 친자오양 3인이 상무편집위원을 맡았다. 편집위원회는 1955년 1월 1일부터 업무를 개시하기로 하였다.

11일, 중국작가협회에서 오경재 서거 200주년 기념회를 개최하여 문예계 인사 800여 명이 참석하였다. 마오둔이 회의를 주관하고 축사를 하였으며 허치팡이 「오경재의 소설 『유림외사』吳敬梓的小說<儒林外史>」라는 제목으로 보고를 진행하였다.

『광명일보』에 중징원의 글 「『문예보』에 게재된 『『홍루몽』 연구』 소개문이 범한 오류<文藝報>刊載<紅樓夢研究>介紹文所犯的錯誤」가 발표되었다.

12일, 베이징인민예술극원이 베이징에서 차오위의 4막 8장 화극 「명랑한 날」을 공연하였다. 자오쥐인이 감독을, 메이첸이 부감독을 맡았으며 잉뤄청, 주쉬朱旭, 예쯔, 댜오광탄, 둥차오童超 등이 주연을 맡았다. 극본은 『극본』 제9, 10호에 연재되었으며 『인민문학』 제9호에도 발표되었다.

『해방군문예』 제12호에 왕위안젠王願堅의 단편소설 「당비黨費」(1956년 7월에 공인출판사에서 출간된 동명의 단편소설집에 수록), 웨이웨이의 항일시초 6편 「수수야 자라라高粱長起來吧」, 웨이강옌魏鋼焰의 보도 「『옌안을 보위하라』는 어떻게 창작되었는가<保衛延安>是怎樣寫成的」가 발표되었다.

왕위안젠(1929~1991), 산둥성 주청諸城 출신이다. 1952년부터 1956년까지 『해방군문예』 및 혁명 회고록 『불티가 번져 들판을 태우다星火燎原』의 편집공작에 종사하였다. 1954년부터 단편소설 창작을 시작해 「당비」, 「양식 이야기糧食的故事」 등이 좋은 평가를 받았다. 중국작가협회 이사, 해방군예술학원解放軍藝術學院 예술과(작가반) 주임을 역임하였다. 저서로 단편소설집 『당비』, 『후대後代』, 『평범한 노동자普通勞動者』, 『왕위안젠 소설선王願堅小說選』 등이 있으며, 이 외에도 영화문학극본 「반짝이는 붉은 별閃閃的紅星」, 「진달래映山紅」 등을 합동 창작하였다.

13일~16일, 화둥작가협회 이사회에서 확대회의를 소집하여 후스파 자산계급 반동사상에 대해 비판하고, 『문예월보』의 편집사상 및 작풍에 대해 중점적으로 반성하였다. 또한 화둥작가협회를 중국작가협회 상하이분회로 개편할 것을 선포하였다.

15일, 저우양, 딩링, 라오서 등으로 구성된 중국작가협회 대표단이 소련의 초청을 받아 제2차 전소련작가대표대회에 참석하였다.

중국작가협회에서 「중국작가협회의 창작대출 및 보조금 임시 시행 조치中國作家協會擧辦創作貸款及津貼暫行辦法」를 발표하였다(제9차 주석단 확대회의에서 통과되어 『문예보』 제23, 24호 합본에 게재).

『문예월보』 제12호에 편집부의 글 「더욱 광범위하고 날카로운 비평을 열렬히 환영한다熱烈地歡迎更廣泛、更尖銳的批評」, 청첸판의 「『홍루몽』의 풍격」을 통해 자산계급의 미학관점을 보다從<紅樓夢的風格>看資産階級的美學觀點」, 톈루田廬의 「문예비평과 자유토론을 반드시 전개해야 한다必須開展文藝批評和自由討論」, 뤼쑨의 「투쟁에는 힘이 필요하다鬥爭需要力量」 및 바진의 「인상, 감상, 추억—소련의 체호프 서거 50주년 기념도시 행사 참가 잡기印象、感想、回憶──赴蘇參加契訶夫逝世五十周年紀念省城活動瑣記」, 샤옌이 화둥구 희곡관람공연대회에서 진행한 결산 발언 「신시대 희곡예술의 제고와 발전을 위해 분투하자」, 바이화의 시 「홍등紅燈」 창야오昌耀의 시 「나는 돌아오지 않을 것이다我不回來了」 등이 발표되었다.

16일, 『신관찰』 제24호에 사오옌샹의 시 「알바니아에 보내다寄給阿爾巴尼亞」가 발표되었다.

17일, 『인민일보』에 왕쯔쑹汪子嵩, 왕칭수王慶淑, 장언츠張恩慈, 타오양陶陽, 간린甘霖의 「후스의 반동 정치사상을 비판한다批判胡適的反動政治思想」가 발표되었다.

『문회보』에 사어우의 「위핑보의 방법론과 세계관은 무엇인가?俞平伯的方法論和世界觀是什麼?」가 발표되었다.

19일, 『인민일보』에 저우양의 「전소련작가대표대회에서의 축사在全蘇作家代表大會上的祝詞」가 발표되었다.

20일, 『인민일보』에 샤오산蕭山의 「위핑보의 잘못된 문예사상의 일관성俞平伯的錯誤文藝思想的一貫性」, 양정뎬楊正典의 「반동철학사상 실용주의의 영향을 철저히 제거하자徹底肅淸反動哲學思想實用主義的影響」가 발표되었다.

수우의 「어디에서 어긋났는가分歧在哪裏」가 『문회보』에 발표되었다. 수우는 글에서 위핑보가 『홍루몽』 연구에서 채용한 자산계급 유심론 관점이라는 방법과 마르크스주의 유심론 관점이라는 방법이 세 가지 기본적인 문제, 즉 1. 문학작품은 사회현상 내지는 사회적 존재인가? 2. 문학작품은 과학연구의 대상인가? 3. 연구에 있어 현실주의의 규율을 따를 것인가, 아니면 반현실주의의 규율을 따를 것인가 하는 문제들에 대한 답이 서로 다르다고 지적하였다.

『희극보』 제12호에 장광녠의 「『문예보』의 오류에서 교훈을 취해 우리의 편집공작을 성실히 반성하고 개선하자從<文藝報>的錯誤吸取敎訓, 切實檢查並改進我們的編輯工作」(12월 9일에 중국희극가협회 편집출판부 확대회의에서의 보고), 샤옌의 「신시대 희곡예술의 제고와 발전을 위해 분투하자」(화둥구 희곡관람공연대회에서의 결산 발언) 및 극협에서 소집한 '희곡의 예술개혁 문제' 좌담회에서의 라오서, 쑹즈더, 우쭈광, 마옌샹, 메이란팡, 자오수리 등의 발언문이 발표되었다.

『허베이문예』 제12호에 두허杜河의 단막극 「마지막 비석最後一塊石碣」, 창야오의 시 「겨울밤冬夜」이 발표되었다.

20일~26일, 소련에서 중국영화제가 개최되었다.

22일, 『인민일보』에 딩리의 「화극 「만수천산」의 공연을 평하다評話劇<萬水千山>的演出」가 발표되었다.

26일, 『문회보』에 궁류의 「변경 전사를 축복하다—카와산 연작시 제1편祝福邊疆戰士——作佤山組詩之一」이 발표되었다.

27일, 『문예학습』 제12호에 쑨리, 비예의 「『문예학습』편집부의 문제에 답하다回答文藝學習編輯部的問題」, 리시판, 양젠중의 「『홍루몽』의 비극성 충돌의 시대적 의의를 논하다論紅樓夢悲劇性沖突的時代意義」, 서수성의 「임대옥에 관하여略談林黛玉」, 장옌張岩의 「화극「만수천산」에 관하여談話劇<萬水千山>」 등의 글이 발표되었다.

28일, 『인민일보』에 왕뤄수이의 「5·4운동 과정에서의 후스와 듀이五四運動中的胡適和杜威」가 발표되었다.

29일, 『인민일보』에 어우양위첸의 「소련 발레「노트르담 드 파리」를 보고看了蘇聯舞劇<巴黎聖母院>以後」가 발표되었다.

중국과학원과 중국작가협회가 합동으로 소집한 후스 사상 비판 토론회가 정식으로 시작되어, 제1차 토론회에서 '후스의 철학사상 비판', '『홍루몽』의 인민성과 예술적 성취' 두 가지 의제에 대해 토론하였다.

30일, 중국희곡연구원이 베이징에서 전체 회의를 개최하였다. 메이란팡이 기구의 조정에 대한 결의를 선포하여 본래의 중국희곡연구원과 그 산하 사업 및 교육기구를 조정해 중국희곡연구원, 중국경극원, 중국평극원, 중국희곡학교 등 4개 기구로 개편할 것을 결정하였다.

『문예보』 제23, 24호 합본에 차이이의 「후스 사상의 반동적 본질과 문예계에 끼친 악영향胡適思想的反動本質和它在文藝界的流毒」, 펑즈의 「『유림외사』를 논하다論<儒林外史>」, 왕쿤룬의 「화습인론花襲人論」, 왕야오의 「고전문학 연구공작의 현재 상황에 관하여談古典文學研究工作的現狀」, 우샤오루의 「내가 본 현재 고전문학 연구공작의 몇 가지 문제我所看到的目前古典文學研究工作中的一些問題」, 미리장米理章의 「청년 세대를 교육하는 책임을 성실히 지자!切實負起教育青年一代的責任來!」, 장톈이의 「청년의 고전문학 작품 독해 지도에 관한 몇 가지 의견關於指導青年閱讀古典文學作品的幾點意見」, 톈젠의 「어떤 석상一座石像」(「유럽 여행기歐洲遊記」 부분) 및 샤옌의 화둥구 희곡관람공연대회에서의 결산 발언 「신시대 희곡예술의 제고와 발전을 위해 분투하자」, 거바오저우의 「헝가리의 위대한 작가 요커이 모르를 기념하며紀念匈牙利的偉大作家約卡伊·莫爾」가 발표되었다.

왕쿤룬(1902~1985), 저명한 홍학자이자 사회활동가로 허베이성 바오딩 출신이다. 1922년에 베이징대학 철학과를 졸업하였다. 저서『『홍루몽』인물론紅樓夢人物論』은 역사유물주의적 관점으로『홍루몽』연구를 시도한 최초의 논저이다. 이 외에도 저서로 곤곡昆曲 극본『청문晴雯』(딸 왕진링王金陵과 합동 창작) 등이 있다.

31일,『인민일보』에 리다의 글「후스의 정치사상 비판胡適的政治思想批判」이 발표되었다.

문화부에서「중앙급 출판사의 일반서적 및 교과서 정가 기준표中央級出版社一般書籍、課本定價標准表」,「중앙급 출판사의 표지 및 삽입 페이지 정가 기준표中央級出版社封面、插頁定價標准表」를 발포하여 1955년 3월 1일부터 시행할 것을 규정하였다.

이달에 중앙선전부에서「'마오쩌둥 사상'의 설명 방법 문제에 관한 통지關於"毛澤東思想"應如何講解問題的通知」를 발포하여 "당 헌장을 통해 이미 '마오쩌둥 사상'이 곧 '마르크스레닌주의 이론과 중국혁명 실천의 통일된 사상'이며, 그 내용은 마르크스레닌주의와 동일한 것임을 지적하였다. 마오쩌둥 동지는 앞으로 오해를 불러일으키지 않기 위해 '마오쩌둥 사상'이라는 용어를 사용하지 않을 것을 지시한 바 있다. 우리는 앞으로 당내의 동지들이 글이나 보고서를 집필할 때 마오쩌둥 동지의 지시에 따라 처리해야 한다고 본다"라고 밝혔다. 또한 "글을 집필하거나 연설을 하다가 마오쩌둥 사상을 언급해야 할 때는 '마오쩌둥의 저작'이라는 용어를 쓸 수 있다"라고 밝혔다.

『인민중국』제24호에 쌍커자의「책―인민의 친구書――人民的朋友」, 리허李訶의「신중국의 단막극新中國的獨幕劇」이 발표되었다.

『중국인민지원군 시선中國人民志願軍詩選』이 인민문학출판사에서 출간되었다.

궁무의 시집『중화인민공화국 송가中華人民共和國頌歌』가 작가출판사에서 출간되었다.

웨이양의 시집『조국이여, 내가 돌아왔다祖國, 我回來了』, 장융메이의 시집『신춘新春』이 후베이인민출판사에서 출간되었다.

양숴의 단편소설집『만고청춘萬古青春』이 중국청년출판사에서 출간되었다.

쑨리의 단편소설집『농촌 스케치農村速寫』(증보판)이 통속독물출판사에서 출간되었다.

1954년 정리

법률출판사, 경공업출판사, 국방공업출판사, 지질출판사, 인민체육출판사 등이 설립되었다. 상무인서관과 중화서국은 베이징으로 이동하였다.

무단이 차량정査良錚이라는 본명으로 티모페예프의 『문학 원리文學原理』, 푸시킨의 『청동 기사青銅騎士』, 『예브게니 오네긴歐根·奧涅金』, 『푸시킨 서정시집普希金抒情詩集』을 번역 출간하였다. 저우위량周與良의 회고에 따르면 "그 당시는 량정의 시 번역의 황금기였다. 당시 그는 젊고 기력이 왕성하며 힘이 넘쳐 일찍 일어나고 늦게 잠들었다. 낮에는 강의를 하고 각종 회의에 참가하면서도 밤 시간과 여가 시간에는 늘 시를 번역했다." 그러나 그는 "업무에 뛰어나고", "책을 많이 출간하고", "강의를 잘 하고", "학생들의 환영을 받"는 것 등으로 인해 "남들과 어울리지 못"했다. 연말에 『홍루몽』 연구 문제에 관한 토론회에서 여러 발언자가 '소집단小集團'으로 몰렸다. 무단은 발언을 하지 않았음에도 "발언 원고를 준비"했다는 이유로 함께 '소집단'으로 몰렸다. 난카이대학의 '외국어문학부 사건' 이후에 무단이 중일전쟁 당시 원정군에 참가했다는 '문제'가 다시 제기되어 점차 '숙청운동'의 '숙청 대상'으로 간주되었다. 그러나 이 사건 이전에 그는 이미 이 당시의 일을 난카이대학에 사실대로 보고하였으며, "확실히 얘기했으니 괜찮을 거라고 생각했다".9)

화둥작가협회에서 왕시옌, 진이, 커란, 우창 등 15인을 소집해 좌담회를 개최하여 소설 「철도유격대」에 관해 토론하였다.

화둥작가협회와 상하이문련에서 '문학강좌'를 진행하여 초보 창작자를 지도하였다.

신디辛笛가 중앙경공업부 화둥사무소 사무실 주임직에서 이동하여 연초공업공사煙草工業公司 당측 부지배인을 맡았다.

신디(1912~2004), 본명은 왕신디王馨迪로 톈진 출신이다. 구엽파 시인이다. 청년기에 칭화대학 주간의 문예편집자를 맡았으며 베이핑예문중학北平藝文中學 및 베이만여자중학貝滿女子中學에서 교편을 잡았다. 영국 에든버러대학교로 유학하여 영국어문학을 전공한 후 귀국하여 상하이광화대학上海光華大學, 지난대학 교수로 근무하였다. 1935년에 첫 신시집 『주패집珠貝集』을 베이징에서 출간하였다. 공화국 성립 후에는 상하이공업국 비서과 과장, 중앙경공업부 화둥사무소 사무실 부주임,

---

상하이연초공업공사 부지배인, 상하이식품공업공사 부지배인 등을 역임하였다. 저서로 시집『수장집手掌集』,『신디 시고辛笛詩稿』,『인상·꽃다발印象·花束』등이 있다.

딩링이「혹한의 나날 속에서在嚴寒的日子裏」(『태양은 쌍간강에서 빛난다』의 속편)의 창작을 시작하였다.

대형 보고문학집『지원군의 하루志願軍一日』가 인민문학출판사에서 출판되기 시작하여 '중국인민해방군 문예총서中國人民解放軍文藝叢書'에 포함되었다.

톈젠의 시선집『전투자에게給戰鬪者』, 우창의 중편소설『그는 눈처럼 빛나는 기병총을 높이 든다』가 신문예출판사에서 출간되었다.

커란의 소설『홍기가 펄럭인다紅旗呼啦啦飄』, 바이화의 소설『변경의 목소리邊疆的聲音』, 왕야핑의『왕야핑 시선王亞平詩選』, 쩌우디판의 시집『북방을 향해 가다走向北方』, 주쯔치의 산문집『평화승리의 신호和平勝利的信號』, 딩링의 논문집『군중 속에 정착하다到群衆中去落戶』, 정전둬의『중국속문학사中國俗文學史』(상·하권)이 작가출판사에서 출간되었다.

뤄홍羅洪의 산문특필집『등대가 우리를 비추고 있다燈塔照耀著我們』가 상하이문화생활출판사에서 출간되었다.

뤄홍(1910~2017), 여성 소설가로 본명은 야오쯔전姚自珍이며 상하이 쑹장松江 출신이다. 1929년에 쑤저우여자사범학교蘇州女子師範學校를 졸업하였으며 1931년부터 소설을 발표하였다. 중학교 교사로 근무하였으며 1953년 이후에는『문예월보』,『상하이문학』,『수확收穫』의 편집자를 역임하였다. 저서로 장편소설『춘왕정월春王正月』,『고도시대孤島時代』, 중편소설『야심침夜深沉』, 단편소설집『부서집腐鼠集』,『아동절兒童節』,『혼영鬼影』,『활로活路』,『이 시대這時代』,『우리는 한가족이다咱是一家人』, 산문특필집『조국의 성장을 위하여爲了祖國的成長』,『등대가 우리를 비추고 있다』등이 있다.『뤄홍 문집羅洪文集』(전3권)이 출간되었다.

『마오쩌둥 이야기와 전설毛澤東的故事和傳說』이 중국민간문예연구회中國民間文藝研究會에서 편찬 및 출간되었다.

취추바이가 번역한 고리키의『고리키 논문선집高爾基論文選集』,『고리키 창작선집高爾基創作選集』이 인민문학출판사에서 출간되었다.

롄수성連樹聲이 번역한 소련 작가 아스타호바 등의『소련 인민창작 서론蘇聯人民創作引論』, 크라예프스키의『소련 구두문학 개론蘇聯口頭文學槪論』이 상하이동방서점上海東方書店에서 출간되었다. 두 책 모두 인민구두창작학습회人民口頭創作學習會에서 편찬하였으며 중징원이『소련 구두문학 개론』의 서문을 집필하였다.

올해 말까지 중국 대륙에 설립된 출판사는 모두 167곳으로, 그 가운데 중앙급 출판사는 30곳, 지방 출판사는 40곳, 사영 출판사는 97곳이다. 출판한 서적은 17,760종으로 그 가운데 신판 도서는 10,685종이며, 총 인쇄 수량은 9억 3,900만 권이다. 잡지는 304종이 출간되었다.

올해 상영된 중요 영화는 「도강 정찰기」(선모쥔 각본, 탕샤오단 감독, 상하이전영제편창 제작), 「긴급 공문」(장쥔샹 각색, 스후이 감독, 상하이전영제편창 제작), 「양산백과 축영대」(쉬진徐進, 쌍후桑弧 각본, 쌍후, 황사黃沙 감독, 상하이전영제편창 제작) 등이다.

1954. 1 ~ 1959. 12

1955年

1월

1일, 『창장문예』 1월호에 리지의 시「손풍금 고마워요謝謝你的手風琴」, 궁류의 시「시솽반나 연작시西雙版納組詩」(7편), 야오쉐인의 「위핑보 미학사상의 타락성 및 그 근원을 논하다論兪平伯的美學思想的腐朽性及其根源」, 한베이핑韓北屛의 소설 「중대한 순간嚴重的時刻」(장편소설 『고산대동高山大峒』 부분)이 발표되었다.

『시난문예』 1월호에 저우량페이의 시「캉짱 3편康藏三首」, 싱훠星火의 시「줴얼산의 선로 보수雀兒山上的道班」, 「길路」, 허무何牧의 글 「『시난문예』에 발표된 『홍루몽』과 『서상기』에 관한 평가에 드러난 문제<西南文藝>發表的關於<紅樓夢>和<西遊記>的評介中的問題」, 정팡강鄭方剛의 평론「설산 영웅雪山英雄」(「설산 영웅」은 중국청년출판사에서 출간된 판빈의 소설로, 티베트로 진군한 운송부대의 전투생활을 소재로 한 작품이다)이 발표되었다.

『광명일보』에 바이화의 글「변경의 인민을 축복하다向邊疆人民祝福」, 팡밍方明의 글「천극은 개혁 중에 있다川劇在改革的道路上」가 발표되었다.

『역문』 1월호에 거바오취안이 번역한 고리키의 논문「로맹 롤랑을 논하다論羅曼·羅蘭」와 프랑스 작가 로맹 롤랑의 산문「나는 혁명의 길을 간다我走向革命的道路」, 「나는 누구를 위해 쓰는가?我爲誰寫作?」가 발표되었다.

2일, 『인민일보』에 저우지창周姬昌의 글「후펑 선생의 입장은 무엇인가—중국문학예술계연합

회 주석단 및 중국작가협회 주석단 연합확대회의에서의 후펑 선생의 발언문을 읽고胡風先生的立場
是什麼——讀胡風先生在中國文學藝術界聯合會主席團和中國作家協會主席團擴大聯席會議上的發言」가 발표되었다.
그는 글에서 "후펑 선생의 입장은 불안정하다. 그는 제대로 된 마르크스주의자가 아니다." "나는
중국문학예술계연합회 주석단과 중국작가협회 주석단에 신속히 필요한 조치를 취해 후펑 선생의
잘못된 언론에 대해 엄정한 비판을 진행할 것을 호소한다. 또한 이번 운동을 정확히 평가하여 시
비를 가리지 못하고, 고의로 사실을 왜곡하고, 『문예보』에 발생한 오류만을 간파하고 오류가 수정
되어 비관적인 분위기가 확산된 본말전도적인 주관 유심론적이며 통속적인 견해가 야기한 해로운
영향은 간파하지 못한 후펑 선생의 태도를 일소할 것을 호소한다. 나아가 군중의 눈과 귀를 가리
고 투쟁의 방향을 바꾸어 사실상 우리에게서 마르크스주의의 무장을 해제해 버린 후펑 선생의 악
랄하고 도전적인 작풍을 비판할 것을 호소한다"라고 밝혔다.

저우지창(1928~1995), 저장성 원저우溫州 출신이다. 1947년에 중국공산당 지하조직에 참가하
였다. 1952년 이후에는 둥베이공업부東北工業部, 국가경공업부國家重工業部, 야금부冶金部 기자 및 우
강교육처武鋼敎育處 영어교사, 우한대학 중문과 교수, 우한대학 기업문화연구소 소장 및 부교수, 교
수 등을 역임하였다. 1948년부터 작품을 발표하였으며 1986년에 중국작가협회에 가입하였다.

3일, 『인민일보』에 인단추의 글「후스의 문학관 비판胡適的文學觀批判」이 발표되었다.

『인민일보』에 톈젠의 산문「베를린의 하루柏林一日」가 발표되었다.

『극본』 1월호에 중국인민해방군 푸젠군구 정치부 문공단에서 합동 창작하고 왕쥔王軍, 장룽제
張榮傑가 집필한 4막 화극「해변의 격전海濱激戰」이 발표되었다.

4일, 『인민일보』에 톈젠의 산문「스탈린 시斯大林市」 및 중국작가협회 문학강습소의 먀오빙린
繆炳林, 난징제8문화속성중학南京第八文化速成中學의 천랴오陳遼, 선양 시민 천밍취안陳明權 등이 후펑
을 비판한 글「문련과 작가협회 주석단 연합확대회의에서의 후펑의 발언에 대한 의견對胡風在文聯
和作協主席團擴大聯席會議上的發言的意見」의 개요가 발표되었다.

『해방일보』에 커란의 글「상하이공인창작선집 출판을 환영하며歡迎上海工人創作選集的出版」가 발
표되었다.

『문회보』에 랴오샤오판廖曉帆의 시「비약하는 조국飛躍中的祖國」 및「도강 정찰기渡江偵察記」의
연환화連環畫 두 점이 발표되었다.

5일, 『인민일보』에 리루이의 글 「후펑의 영화평론 「인도가 고발하다」를 읽고讀胡風的影評<人道在控訴>」가 발표되었다. 그는 글에서 후펑이 마르크스주의 사상을 지도 사상으로 삼지 않았기 때문에 문예작품과 역사 및 생활에 대한 그의 이해가 잘못되었다고 보았다.

『베이징일보』의 '지원군의 하루'란에 류칭샹劉慶祥의 통신 「적의 포진지를 교묘히 빼앗다巧奪敵人炮陣地」, 장핑張萍의 「경제전선에서의 승리의 보증─영화 「위대한 기점」을 보고經濟戰線上勝利的保證──我看影片<偉大的起點>」, 뤄사羅莎의 시 「아이들의 계몽자에게給孩子們的啟蒙者」가 발표되었다.

『랴오닝문예遼寧文藝』 제1, 2호 합본에 루리츠魯藜詞, 수모舒模의 「나는 베이징을 사랑한다我愛北京」, 리자롄李嘉廉의 평론 「극본 「류롄잉」을 읽고讀劇本<劉蓮英>」가 발표되었다.

『문회보』의 도서 소개란에 『승리를 향해 가다走向勝利』(저우제푸 저, 신문예출판사 출판)가 소개되었는데, 이 소설이 인민해방전쟁을 반영한 비교적 훌륭한 문예작품이라고 평하였다.

6일, 『인민일보』에 중뎬페이의 「다큐멘터리 「전투의 우정」을 평하다評紀錄片<戰鬥的友誼>」가 발표되었다.

『베이징일보』에 닝이凝壹의 글 「화극 「명랑한 날」 소개介紹話劇<明朗的天>」, 사오쥔紹君의 「과학과 정치─「명랑한 날」 관람 필담科學和政治──<明朗的天>觀後筆談」이 발표되었다.

7일, 『인민일보』에 후성의 글 「후스파의 타락한 자산계급 인생관을 논하다論胡適派腐朽的資產階級人生觀」가 발표되었다.

『광명일보』에 허간즈何幹之의 글 「5·4 이후에 후스파는 중국 고전문학을 어떻게 왜곡하였는가五四以來胡適派怎樣歪曲了中國古典文學」가 발표되었다.

『인민문학』에 자오수리의 장편소설 『삼리만三裏灣』(제4호까지 연재 완료, 단행본은 5월에 통속독물출판사에서 출간), 궈모뤄의 시 「마나나瑪娜娜」, 옌전嚴陣의 시 2편 「다볘산 단가大別山短歌」(「매응」, 「홍엽紅葉」), 량상취안梁上泉의 「시 2편詩二首」(「그녀는 티베트족 위생원이다姑娘是藏族衛生員」, 「야크 팀의 처녀犛牛隊的姑娘」), 톈젠의 시 2편 「흑해에게給黑海」, 쉬광야오의 산문특필 「선을 보다相親」, 루메이魯煤의 산문특필 「아버지 세대의 교사父輩教師」, 정빙쳰鄭秉謙의 「류진다오와 그의 아내柳金刀和他的妻子」, 마오싱毛星의 논문 「위핑보 선생의 '색공'설을 평하다評俞平伯先生的"色空"說」, 녜간누의 논문 「『홍루몽』에 대한 위핑보의 '거짓을 가려내고 진실을 남기는' 방식을 논하다論俞平伯對紅樓夢的"辨偽存真"」 및 제2차 전소련작가대표대회에 궈모뤄와 마오둔이 보낸 축전과 저우양의 「제2차 전소련작가대표대회에서의 축사在第二次全蘇作家代表大會上的祝詞」가 발표되었다.

『문회보』에 궁류의 시 「순찰 및 기타—카와산 연작시 제2편會哨及其它——佧佤山組詩之二」이 발표되었다.

8일, 『광명일보』에 멍위孟瑜의 글 「후펑의 「인도가 고발하다」에 대한 의견對胡風<人道在控訴>的意見」이 발표되었다.

『문예학습』에 왕훙모王鴻謨의 평론 「『압록강에 봄이 오다』소개介紹<春天來到了鴨綠江>」, 왕야오의 문학지식 「산곡散曲」이 발표되었다.

『해방일보』에 후성의 글 「후스파의 타락한 자산계급 인생관을 논하다」가 전재되었다.

9일, 『인민일보』에 덩퉈의 글 「『홍루몽』의 사회배경과 역사적 의의를 논하다論<紅樓夢>的社會背景和歷史意義」가 발표되었다.

『베이징일보』에 장멍겅張夢庚의 글 「제1회 베이징시 희곡관람공연대회를 보고看北京市第一屆戲曲觀摩演出」가 발표되었다.

『해방일보』에 다이부판의 글 「월극 「춘향전」에 관하여談越劇<春香傳>」가 발표되었다.

『문회보』에 뤼푸의 평론 「「로마—방어하지 않는 도시」를 보고看<羅馬——不設防的城市>」가 발표되었다. 그는 글에서 본 영화가 파시즘의 잔혹한 통치를 강력히 고발하였으며 파시즘에 반대하는 이탈리아 인민의 굳센 의지를 강렬하게 표현하였다고 평하면서, 정면으로 설교하지 않고 각기 다른 사회 계층에 속한 인물들의 진실한 생활의 모습을 통해 사물의 본질을 표현하였다고 보았다.

10일, 베이징에서 중국경극원 설립대회가 개최되었다. 중국경극원 원장 메이란팡이 중국경극원은 앞으로 경극개혁의 시범적인 극원이 될 것이라고 선포하였으며, 문화부 부부장 첸쥔루이錢俊瑞가 연설하였다. 메이란팡이 원장을, 마샤오보가 부원장을, 아자가 총감독을 맡았으며 산하에 세 개의 극단을 두어 각각 배우 리사오춘李少春, 예성란葉盛蘭, 장윈시張雲溪가 단장을 맡았다(1월 12일자 『인민일보』, 『문회보』).

11일, 『광명일보』에 뤄커팅羅克汀의 글 「후스의 실용주의적 '진리론'의 반동 본질을 논하다論胡適底實用主義的"真理論"之反動本質」가 발표되었다.

『베이징일보』에 우쉐린吳學林의 글 「주위 사람들에게 더욱 관심을 가지자—「류다는 지금 어디에 있는가?」를 읽고請多關心你周圍的人——<現在柳達在哪裏?>讀後」(「류다는 지금 어디에 있는가?現在柳達在哪裏」는 소련 작가 빅토르 올린의 풍자 소품으로 같은 날 『베이징일보』에 게재되었다)가 발표되었다.

『문회보』에 웨이밍蔚明의 글 「「뇌우」에서 「명랑한 날」까지—극작가 차오위를 방문하다從<雷雨>到<明朗的天>——訪劇作家曹禺」가 발표되었다. 웨이밍은 글에서 차오위는 여타 지식분자들과 마찬가지로 자아개조의 길을 따라 자기 자신을 단련하면서 창작생활의 원천을 개척하였으며, 「명랑한 날」이 바로 이러한 노력의 성과라고 밝혔다.

12일, 마오쩌둥은 「후펑이 중앙에 보고한 내용 일부의 공개 인쇄 발행에 관한 중국작가협회의 설명中國作協關於公開印發胡風給中央報告的部分內容的說明」에 지시를 덧붙이고, 본 '설명'을 수정하고 내용을 추가하였다. 1월 15일, 마오쩌둥은 「후펑과의 대화 상황에 관한 저우양의 보고周揚關於同胡風談話情況的報告」에 "후펑의 자산계급 유심론과 반당적, 반인민적 문예사상에 대해 철저히 비판하여, 그가 '소자산계급 관점' 속으로 도망쳐 숨지 않도록 하라"는 지시를 덧붙였다.[1]

『광명일보』에 쑨딩궈孫定國의 글 「후스 철학사상의 반동 본질에 대한 비판胡適哲學思想反動實質的批判」이 발표되었다.

『베이징일보』에 장옌張岩—의 글 「그들은 우수하다—화극 「여명 전의 어둠을 돌파하다」의 몇몇 인물에 관하여他們是優秀的——略談話劇<沖破黎明前的黑暗>中的幾個人物」가 발표되었다.

『인민일보』에 『문예보』의 새로운 편집위원회 7인, 즉 캉줘, 허우진징, 친자오양, 펑쉐펑, 황야오몐, 류바이위, 왕야오의 명단이 공포되었다. 캉줘, 허우진징, 친자오양 3인이 상무편집위원을 맡았으며, 편집위원회의 결의를 통해 편집위원회의 일상 공작을 처리하기로 하였다.

『해방군문예』에 1954년 12월 8일에 진행된 중국문학예술계연합회 주석단 및 중국작가회의 주석단 연합확대회의에서의 궈모뤄의 발언 「세 가지 건의」, 마오둔의 발언 「양호한 시작」, 저우양의 발언 「우리는 반드시 전투해야 한다」가 발표되었다. 이 외에도 라오서의 중편소설 「무명고지에 이름이 생겼다無名高地有了名」가 연재되기 시작하여 제4호에 연재가 완료되었으며, 가오위바오의 장편소설 『가오위바오』의 부분 「다롄의 1월大連一月」, 리잉의 「시 2편詩兩首」(「폴란드 변경波蘭邊境」 외 1편)이 발표되었다.

같은 호에 '독자 산론讀者散論'란이 게재되어 소설 「지상의 무지개」에 관한 토론이 진행되었다.

---

1) 마오쩌둥:『건국 이후 마오쩌둥 문고』제5권, 제5–9쪽, 중앙문헌출판사 1991

편집자의 말은 "본지 1954년 제8호와 제9호에 쉬화이중 동지의 중편소설 「지상의 무지개」가 발표된 후에 본지 편집부는 각지의 독자들로부터 이 작품에 대한 감상과 의견을 적은 수많은 원고와 서신을 받았다. 이들 원고와 서신만 보아도 이 작품에 대한 독자들의 감상과 의견은 서로 간에 큰 차이가 있다. 이번 호에 독자 의견 가운데 몇 편을 발표하여 더욱 심도 있는 토론이 진행되기를 바란다"라고 밝혔다.

독자 의견 가운데 리싱구이李興貴의 「「지상의 무지개」는 좋은 작품이다<地上的長虹>是一篇好作品」는 「지상의 무지개」가 인민군대의 신영웅주의를 찬양한, 전투성과 예술적 감화력이 풍부한 작품으로, 읽은 후에 머릿속에 매우 강렬한 감상을 남기는 작품이라고 평하였다. 장즈쿠이張志魁는 「철도 건설 영웅에 대한 심도 있는 묘사對於築路英雄的深刻描寫」에서 이 작품이 훌륭한 이유는 분명히 작가가 직접 철도 건설 과정에 참여하여 철도 건설 영웅 전사들과 동고동락했으며, 큰 노력을 기울여 철도 건설 과정에 관한 자료를 관찰, 분석하고 정련한 후 섬세하게 그려내었기 때문이라고 평하였다. 위더퉁於德同은 「주관적으로 지어낸 소설一篇主觀臆造的小說」에서 「지상의 무지개」는 해방군의 어느 사단이 췌얼산 일대에서 철로를 건설했다는 사실에 대한 묘사를 통해 우리 군대의 용맹하고 굳센 노동을 찬양하고, 소수민족을 무한히 배려하는 당의 위대한 정책을 노래하려고 시도했다고 보았다. 그러나 작가가 완전히 주관적으로 지어낸 이야기를 통해 현실을 왜곡했기 때문에 작가의 이러한 주관적인 바람이 소설 속에서 대단히 모호하게 표현되어, 독자로 하여금 작가가 찬양하고 있다는 것을 믿기 힘들게 만들었다고 평했다. 한타오韓濤는 「영웅은 반드시 군중 속에서 태어나야 한다英雄應該從群眾中生長出來」에서 작가가 현실을 충실하고 정확하게 묘사하지 않고, 소설 속의 주인공이 '기적을 창조'하려고 역으로 인민해방군 간부와 전사들의 면모를 추악하게 묘사하여, 부대 내에서의 당의 정치공작과 군중의 지혜를 말살했다고 평하였다.

15일, 『인민일보』에 예성타오의 글 「「어법 수사 강화」로부터 이야기를 시작하다從<語法修辭講話>談起」, 장페이張沛의 장문 「'학자'-정치 음모자-사상 및 정치면에서의 후스의 반동 본질"學者"——政治陰謀家——胡適在思想上和政治上的反動本質」이 발표되었다.

16일, 『인민일보』에 왕뤄수이의 글 「실용주의에서 개량주의까지-후스의 '문제와 주의' 해부從實用主義到改良主義——胡適的"問題與主義"的解剖」가 발표되었다.

『광명일보』에 왕황王璜의 글 「『유림외사』에 대한 후스의 모독을 질책한다斥胡適對<儒林外史>的誣蔑」, 추빈제褚斌傑의 글 「『『홍루몽』 신증』을 평하다評<紅樓夢新證>」가 발표되었다.

『베이징일보』에 쯔강子岡의 글「평범한 공작이 빛나게 하자—소련 장편소설『갈매기』를 읽고讓平凡的工作發光——蘇聯長篇小說<海鷗>讀後」, 아이란艾嵐의 글「예극「홍낭」의 공연에 관하여談豫劇<紅娘>的表演」가 발표되었다.

『해방일보』에 커란의 산문특필「답장 한 통一封回信」이 발표되었다.

『문회보』에 단막극「설 선물을 보내다春節送禮」가 발표되었다.

17일, 『인민일보』에 리시판, 란링의 글「'신홍학파'의 공적과 과실은 어디에 있는가?<新紅學派>的功過在哪裏?」가 발표되었다. 이들은 글에서 "그들은『홍루몽』이 한 사람이 창작한 것이 아니라는 빈틈을 이용하고,『홍루몽』중에서 소극적이고 낙후된 부분을 이용하여, '실험주의' 사소한 고증적 방법으로써 문학비평을 대신하고『홍루몽』의 현실주의적 성취를 왜곡 및 부정하고 반동 유심론적 관점과 방법을 선전하여, 독자들을 위핑보가 만들어낸 '허무하고 몽롱한 환상 세계'로 이끌었다. 그들은 고전문학 연구 영역에서의 마르크스레닌주의의 전파와 활용을 직접적으로 배척하였다. 그들의 모든 죄과는 바로 여기에 있다. '신홍학파', 특히 위핑보의 반동적 관점을 청산하는 것이 바로 조국의 문학유산을 보호하는 일이다. 이러한 엄숙한 사상 투쟁과 그의 여타 개별적인 성취를 혼동하는 것은 완전히 잘못된 일이다"라고 밝혔다.

『베이징일보』에 리팅李汀의 소설「새 대장新隊長」이 발표되었다.

『문회보』에 자오전난趙鎭南의 소설「얼음冰」이 발표되었다.

19일, 『인민일보』에 허린賀麟의 글「두 가지 비평, 한 가지 반성兩點批評, 一點反省」이 발표되었다.

20일, 『인민일보』에 리시판, 란링의 글「『홍루몽』신증을 평하다評<紅樓夢>新證」가 발표되었다. 이들은 글에서 "책 전체를 관통하는 주된 오류는 작가가 말했듯 '고증 방법'에서 '후스와 위핑보 두 사람의 포로'가 된 것뿐만이 아니라, 관점 면에서 후스와 위핑보의 '사실寫實'설, '자전自傳'설을 계승하고 발전시킨 점이다.『신증』은 그 관점과 방법에 심각한 오류가 존재하기는 하나,『홍루몽』의 작가에 대해 고증한 책으로서는 취할 만한 점이 적지 않다. 또한, 젊은 학술연구공작자인 저우루창 선생을 결코 후스, 위핑보와 똑같이 보아서는 안 된다. 저자는 고된 노동을 통해 새로운 길을 탐색하고 있다"라고 밝혔다.

『인민일보』에 거비저우의 시「친링산맥에게 길을 비키라고 명령하다命令秦嶺讓開路」가 발표되었다.

20일, 『이야기하고 노래하다』에 장밍章明의 산둥 쾌서山東快書 「키다리高個兒」, 리샤오창李嘯倉의 평론 「홍루몽의 고사 「노루연」에 관하여談紅樓夢鼓詞<露淚緣>」가 발표되었다.

21일, 『인민일보』에 바오창鮑昌의 글 「우리는 반드시 후펑의 문예사상과 선을 그어야 한다我們必須和胡風的文藝思想劃淸界限」가 발표되었다. 바오창은 글에서 "우리는 반드시 후펑의 반마르크스주의적 문예사상과 선을 그어야 한다. 이러한 문예사상을 엄중히 비판해야만 우리의 문예전선을 공고히 하고, 국가의 총노선을 위해 더욱 잘 복무할 수 있다"라고 밝혔다.

『문회보』에 쩡자오옌曾昭岩의 소설 「샤오밍과 거짓말하는 아빠小明和撒謊的爸爸」가 발표되었다.

베이징에서 중국평극원 설립대회가 열렸다. 장둥촨이 원장을 맡았다.

22일, 『인민일보』에 아이쓰치의 글 「후스 실용주의 철학의 반혁명성과 반과학성胡適實用主義哲學的反革命性和反科學性」이 발표되었다.

『문회보』에 저우펑周楓의 평론 「나는 감자다! ─영화 「작곡가 글린카」 소개我是馬鈴薯!──介紹影片<作曲家格林卡>」가 발표되었다. 글린카는 러시아 고전현실주의 음악의 기반을 다진 작곡가로, 본 영화는 글린카의 창작사상과 그의 음악이 가진 깊은 민족성과 민주성을 표현하였다.

『희극보』 1월호에 사설 「현재의 위대한 투쟁을 반영하자反映當前的偉大鬥爭」와 「희극계의 통속적인 공기를 배제하자排除戲劇界的庸俗空氣」 및 장경의 「『중국화극운동사고』의 오류에 대한 초보적인 인식對<中國話劇運動史稿>中錯誤的初步認識」, 왕야핑의 「수도 희곡예술사업의 발전과 번영을 위해 분투하자─제1회 베이징시 희곡관람공연대회 결산 보고(개요)爲發展繁榮首都的戲曲藝術事業而奮鬥──北京市第一屆戲曲觀摩演出總結報告(摘要)」가 발표되었다.

23일, 『광명일보』에 잔안타이詹安泰의 글 「후스의 소위 '과학적 방법' 등을 비판한다批判胡適所謂"科學的方法"及其他」, 장즈웨張志嶽의 글 「후스 고증학의 반동성을 반드시 명확히 인식해야 한다必須認淸胡適考據學的反動性」가 발표되었다.

『베이징일보』 '지원군의 하루'란에 자오징원焦景文의 통신 「내가 적기를 쏘아 떨어뜨린 것보다도 더 유쾌하다比自己打下敵機還要愉快」, 위탕宇堂의 시 「값을 매길 수 없는 보물을 사다買無價之寶」가 발표되었다.

『해방일보』에 아이쓰치의 글 「후스 실용주의 철학의 반혁명성과 반과학성」이 전재되었다

(1955년 1월 22일자『인민일보』).

　『문회보』에 룽청容城의 평론「당신의 아이를 믿어라! ─ 영화「추크와 게크」소개信任你的孩子!──介紹影片<丘克和蓋克>」가 발표되었다.

24일,『베이징일보』에 왕신톈王新田의 고사「두 모녀가 묘회에 가다娘倆趕會」가 발표되었다.

　『광명일보』에 커란의 산문「도시 사람을 관리하다 ─ 상하이 잡기 제7편管理城市的人──上海散記之七」이 발표되었다.

26일,『광명일보』에 판쯔녠의 글「자산계급 사상의 반동성과 위해성資産階級思想的反動性、危害性」, 왕칭수王慶淑의 글「후스의 '불후'론 비판批判胡適的"不朽"論」이 발표되었다.

27일,『베이징일보』에 위엔자오於燕郊의 글「가라앉지 않는 물 ─ 영화「수확」을 보고不沉的水──影片<收獲>觀後」(소련 컬러 극영화「수확收獲」은 소련의 여성 작가 니콜라예바의 장편소설『수확』을 각색한 작품이다), 장시쥔張錫鈞의 글「링스샹을 보고 떠오른 것 ─「명랑한 날」관람 필담從淩士湘想起的──<明朗的天>觀後筆談」이 발표되었다.

　『문회보』에 왕쿤룬의 글「조설근의 창작사상에 관하여關於曹雪芹的創作思想」가 발표되었다.

28일,『광명일보』에 쉬중몐徐仲勉의 글「후스는 어떻게 제국주의에 충실히 복무했는가胡適是怎樣忠實地爲帝國主義效勞的」가 발표되었다.

29일,『인민일보』에 장톈이의 글「『서유기』찰기<西遊記>劄記」가 발표되었다(『인민문학』1954년 1월호에 최초 발표).

　『광명일보』에 왕야핑의 글「곡극의 곡조와 그 발전 전망曲劇的唱腔和它的發展前途」, 차오제중曹借冏의 평론「둥시원의 신작「티베트에 봄이 왔다」를 논하다論董希文的新作<春到西藏>」가 발표되었다.

　『베이징일보』에 허츠何遲의 원작을 마싼리馬三立, 궈취안바오郭全寶가 각색한 상성「원숭이를 사다買猴兒」, 딩펑의 글「군중문화활동을 더욱 잘 전개하자 ─『퇴근 후』소개更好地開展群衆文化活動──介紹<下班以後>」가 발표되었다(『퇴근 후下班以後』는 소련 작가 피아트니츠키彼亞特尼茨基 등의 저서로 칭허清河가 번역하여 중국청년출판사에서 출간되었다).

『문회보』에 왕즈이王知伊의 글 「『『홍루몽』 신증』 등을 평하다評<紅樓夢新證>及其它」가 발표되었다.

30일, 『문회보』 제1, 2호 합본에 「문예 문제에 대한 후펑의 의견胡風對文藝問題的意見」이라는 제목으로 후펑의 「해방 이후의 문예실천 상황에 관한 보고」의 제2부분 「몇 가지 이론적 문제에 관한 설명 자료」와 제4부분 「참고로서의 건의」가 소책자 형식으로 발행되었다. 본 소책자의 분량은 총 18만 자로, '문예사상'과 '조직 지도' 문제에 관해 언급하였다. 이 외에도 린모한의 비평 「후펑의 반마르크스주의적 문예사상」과 허치팡의 비평 「현실주의의 길인가, 아니면 반현실주의의 길인가?」가 책자의 말미에 게재되었다.

『문예보』 같은 호에 류서우쑹의 글 「'5 · 4' 문학혁명운동 과정에서의 후스의 개량주의 사상을 비판한다批判胡適在"五四"文學革命運動中的改良主義思想」, 중징원의 「후스의 민간문학 연구 관점과 방법을 비판한다批判胡適在民間文學研究上的觀點和方法」, 제쓰解斯의 글 「노예의 철학과 얼굴奴才的哲學和嘴臉」, 사어우의 「미국에서 기르는 비루먹은 개美國豢養的癩皮狗」(풍자시), 선퉁헝沈同衡의 「아무리 변해도 본질은 그대로다萬變不離其宗」(만화) 등 후스를 비판하는 글이 게재되었다. 또한 '문련 및 작가협회 주석단 연합확대회의에서의 후펑의 발언에 대한 의견'란에 야오원위안의 「시비를 명확히 가려 선을 긋자分清是非, 劃清界限」, 류톈서우劉天壽, 위중후이餘鍾惠의 「우리는 분개한다我們憤慨」, 치성企生의 「기묘한 논리奇妙的邏輯」, 우잉吳穎의 「「시와 현실」에 관한 비평關於<詩與現實>的批評」, 우즈吳之의 「후펑 선생이 발언했다胡風先生發言了」가 발표되었다.

같은 호에 류바이위의 글 「두 가지 새로운 기록兩種新紀錄」, 리칭李晴의 글 「우리는 평화와 행복의 의미를 안다我們懂得和平和幸福的意義」, 바이화의 글 「진사장 양쪽 기슭의 일기金沙江兩岸的日記」 및 두펑청의 글 「삶이란 영원히 긴장된 전투이다―우윈둬의 「모든 것을 당에 바치다」를 읽고生活永遠是繁張的戰鬥――讀吳運鐸的<把一切獻給黨>」, 류이柳夷의 글 「하이펑 투쟁을 진실하게 반영한 극본真實反映海防鬥爭的劇本」, 웨이스魏時의 글 「「바냐 외삼촌」의 공연에 관하여談<萬尼亞舅舅>的演出」, 궁류의 글 「『아스마』의 정리 공작<阿詩瑪>的整理工作」 등이 발표되었다. 궁류는 글에서 "『아스마』는 살니족 인민이 공동으로 창작한 것으로, 흘러가는 감미로운 물처럼 옛것이지만 새롭다. 살니족 인민은 이 장편서사시에서 두 명의 장엄하고도 아름다운 인물, 즉 아스마와 아헤이를 창조하였다.", "『아스마』의 정리 공작은 결코 단순한 번역이 아니었다는 점을 확실히 해야 한다.", "사람들은 역사적 진실에 위배되는, 과도하게 '밝은' 결말을 맺을 수는 없었다.", "우리의 경험에 비추어 보아, 가장 어려운 문제는 번역된 문장이 정확하고 유창하며 시적 정취를 가지게 하는 것이었다.", "우리는 세부적인 내용에 구애받지 않고, 중국어의 흥미와 감각을 통해 원작의 선율과 풍격을 표현하려고 노력했다"라고 밝혔다.

『문예보』 같은 호에 해방군 전사 창린常琳의 비평 「「저지대에서의 '전투'」에 대한 몇 가지 의견 對<窪地上的"戰役">的幾點意見」이 발표되었다. 창린은 글에서 작품의 사상 관점이 충분히 명확하지 못해 당의 지도적 역할을 경시하고 인민과 영웅 전사의 모습을 왜곡했다고 지적하였다.

루링이 최근 1년간 그의 소설 「저지대에서의 '전투'」(『인민문학』 1954년 제3호), 「전사의 마음」 (『인민문학』 1953년 제12호), 「너의 영원히 충실한 동지」(『해방군문예』 1954년 제2호)를 비평한 글에 대해 반박하였다. 루링의 장문은 「어째서 이러한 비평이 발생했는가?ㅡ「저지대에서의 '전투'」 등 소설에 대한 비평에 관하여 爲什麽會有這樣的批評?——關於對<窪地上的"戰役">等小說的批評」라는 제목 으로 『문회보』에 연재되어 제4호에 연재가 완료되었다. 루링은 이러한 비평이 소설의 주제를 왜곡 하였으며, 독단적인 어조로 결론을 내렸다고 지적하였다. 그는 비평가들의 태도가 매우 포악하며, 이러한 비평은 당의 사상 원칙과 도덕 원칙을 정면으로 위배한 것으로 용인할 수 없는 것이라고 주장하면서, 이러한 곡해는 소설의 주제에 대한 곡해에서 온 것이므로 이 글에서는 소설의 주제에 대해서 설명할 수밖에 없다고 밝혔다. 그는 자신의 소설이 "개인주의" 혹은 "보잘것없고, 심지어 통속적인 개인의 행복에 대한 동경"이 아니라, "숭고한 전투 의식과 계급 감정"이라고 밝혔다.

『해방일보』에 탕타오의 글 「「술회」 시고 <述懷>詩考」가 발표되었다.

『베이징일보』에 쉬하오徐浩의 생활 스케치 「달 없는 밤 月黑天」, 바오밍루鮑明路의 시 「등불을 보 내는 처녀 送燈的姑娘」가 발표되었다.

『광명일보』에 왕원천王文琛의 글 「우리의 귀중한 문학유산을 보호하자ㅡ우리나라 고전소설 및 희곡에 대한 후스의 왜곡을 비판한다 保衛我們珍貴的文學遺産——批判胡適對我國古典小說戲曲的歪曲」, 저우 사오량周紹良의 글 「『홍루몽』 신증」의 가정을 반박한다 駁<紅樓夢新證>中的假定」가 발표되었다.

『문회보』에 사오췬少群의 소설 「당신이 한 일은 옳다 你做得很對」가 발표되었다.

31일, 『인민일보』에 왕야오의 글 「후펑의 '면모'에 따라 우리의 문예운동을 개조해서는 안 된 다 不能按照胡風的"面貌"來改造我們的文藝運動」가 발표되었다.

이달에 장헌수이의 장편소설 『백사전』이 통속문예출판사에서 출간되었다.

왕위안젠, 리양정李養正 등의 단편소설집 『둥산다오東山島』가 중국청년출판사에서 출간되었다.

『아이칭 시선艾靑詩選』, 옌천의 시집 『신성집晨星集』이 인민문학출판사에서 출간되었다.

2월

1일, 『인민일보』에 리시판, 란링의 글 「문학 전통 문제에서의 후펑의 반마르크스주의적 관점胡風在文學傳統問題上的反馬克思主義觀點」이 발표되었다.

『베이징일보』에 리펑黎風의 글 「소련 청년의 고상한 품성을 학습하자—「대학 1학년생」을 읽고學習蘇聯青年的高尚品質——讀<一年級大學生>」, 바오밍루의 시 「광산에서在礦井上」, 천강晨岡의 글 「경극 「정기가」에 관하여談京劇<正氣歌>」가 발표되었다.

『창장문예』에 궁류의 「시솽반나 연작시西雙版納組詩」(10편), 지쉐페이의 소설 「집안일家務」이 발표되었다.

『시난문예』에 구궁의 산문특필 「산골짜기를 뒤흔드는 환희—캉짱공로 생활 잡기 제1편震蕩山穀的歡樂——康藏公路生活散記之一」, 장쩌허우張澤厚의 시 「자쯔둥—미국과 장개석 도당의 충칭 수용소를 기억하며渣滓洞——記美蔣匪幫重慶集中營」, 후자오의 시 「꽃비花雨」가 발표되었다.

『광시문예』 제2호에 친자오양의 소설 「경선」이 발표되었다.

2일, 『문회보』에 캉쭝亢宗의 평론 「소비에트 교사의 숭고한 모습—「청춘은 영원하다」를 읽고蘇維埃教師的崇高形象——讀<青春長在>」가 발표되었다.

3일, 『인민일보』에 량수밍의 글 「타이완 동포에게 고하다告台灣同胞」, 우중쾅吳忠匡, 장산江山의 글 「루쉰이 말하는 후스魯迅筆下的胡適」가 발표되었다.

『광명일보』에 역사학자 퉁수예童書業의 글 「후스의 실험주의 '고증학'을 비판한다批判胡適的實驗主義"考據學"」가 발표되었다.

『베이징일보』에 위지虞棘의 평론 「스릴러 영화 「도강 정찰기」를 보고看驚險影片<渡江偵察記>」가 발표되었다.

『극본』 제2호에 후단페이의 3막 7장 화극 「봄이 오니 꽃이 핀다春暖花開」, 왕사오옌王少燕의 단막 풍자극 「포도가 썩었다葡萄爛了」가 발표되었다.

4일, 『문회보』에 리원왕黎文望의 평론 「소련의 모험소설에 관하여-「비적 소굴 소탕기」와 「눈밭의 추적」 소개略談蘇聯的冒險小說——介紹<匪巢覆滅記>和<雪地追蹤>」가 발표되었다.

5일, 중국작가협회 주석단이 5일과 7일에 제13차 확대회의를 두 차례 소집하여 1955년도 공작계획을 토론하고, 제2차 전소련작가대표대회에 대한 보고와 학습을 조직할 것 및 후평의 자산계급 유심주의 문예사상에 대한 비판을 전개할 것을 결정하였다. 이 외에도 중국작가협회의 각 공작부문 책임자에 대한 조정을 실시하여 류바이위가 창작위원회 주임을, 리지가 부주임을 맡았으며, 양쉬가 외국문학위원회 부주임을, 마펑이 보급공작부普及工作部 부부장을 맡았다(『인민일보』 2월 12일자에 게재).

『인민일보』에 사잉沙英의 글 「역사에서의 인민군중과 개인의 역할을 논하다-또한 이 문제에 대한 후스의 반동적 관점을 평하다論人民群眾和個人在歷史上的作用——兼評胡適對這個問題的反動觀點」가 발표되었다.

『광명일보』에 리중왕李仲旺의 글 「후평의 '주관전투정신'에 관하여談胡風的"主觀戰鬥精神"」, 런구이린任桂林의 글 「후평의 날조胡風的捏造」가 발표되었다.

『베이징일보』에 가오위안高原, 슈민秀敏의 소설 「류쯔파가 입사하다劉子發入社」가 발표되었다.

『해방일보』에 왕위안화王元化의 글 「후스파 문학사상 비판胡適派文學思想批判」, 우창의 글 「후스와 그의 스승 듀이胡適和他的師父杜威」가 발표되었다.

왕위안화(1920~2008), 문학이론가이자 『문심조룡文心雕龍』 연구자로 후베이성 우창 출신이다. 주요 저서로 논문집 『항전문예抗戰文藝』, 『문예만담文藝漫談』, 『문심조룡 창작론文心雕龍創作論』, 『헤겔 읽기讀黑格爾』, 『90년대 성찰록九十年代反思錄』 등이 있으며 번역서로 『문학풍격론文學風格論』 등이 있다.

『문회보』에 구중이의 「중국 인민의 꺾이지 않는 힘-「도강 정찰기」를 보고中國人民不可戰勝的力量——看了<渡江偵察記>之後」, 장이葦薏의 「「도강 정찰기」의 인물 처리<渡江偵察記>的人物處理」 등의 평론이 발표되었다.

6일, 『베이징일보』에 신원지辛文驥의 산문 「우정에 관하여關於友誼」가 발표되었다.

『문회보』에 저우춘우周春梧의 평론 「진정으로 행복한 길-「삼림지대에서」를 읽고真正幸福的道路——<在森林地帶>讀後」가 발표되었다. 그는 글에서 "청년의 행복이란 무엇인가? 어떠한 길을 통해 행복을 얻는가? 소련 소설 「삼림지대에서」는 감동적인 사실을 통해 이 문제를 설명하였다"라고 평했다.

7일, 중국작가협회 주석단에서 제13차 주석단 확대회의를 소집해 부녀를 희롱하는 행위를 한 품성이 대단히 비열한 회원 쿵줴(「신아녀영웅전」의 저자)를 협회에서 제명할 것을 결정하였다. 주석단은 "작가의 임무는 자신의 작품을 통해 인민의 고상한 품성과 사회주의 도덕을 배양하는 것이다. 작가 본인의 도덕적 품성은 이러한 영광된 임무를 완성하는 데 결정적인 역할을 한다. 도덕을 손상시키는 모든 행위는 작가라는 영광스러운 칭호와 결코 어울리지 않는다"라고 밝혔다(『인민일보』 2월 16일자에 게재).

『광명일보』에 마오리루이毛禮銳의 글 「후스파 반동사상이 교육에 끼친 영향을 제거하자肅清胡適反動思想在教育上的影響」가 발표되었다.

『해방일보』에 펑바이산의 글 「후스 정치사상의 반동성을 논한다論胡適政治思想的反動性」가 발표되었다.

8일, 『인민문학』에 궈모뤄와 마오둔이 전소련작가대표대회에 보낸 축전과 저우양의 축사가 게재되었다. 이 외에도 사오옌샹의 「시 4편詩四首」, 뉴한의 「나는 베이징 서쪽 교외를 찬미한다我贊美北京的西郊」, 리잉의 「바르샤바 야가華沙夜歌」, 루리의 「마오 주석의 목소리毛主席的聲音」 등의 시와 쉬츠의 「자동차 공장 스케치汽車廠速寫」, 커란의 「진귀한 선물珍貴的禮物」, 톈젠의 「카를레스의 노래卡萊斯的歌」 등의 산문특필 및 류바이위의 산문 「프랑스 친구에게 보내는 편지寄給法國朋友的一封信」 등이 발표되었다.

『문예학습』에 옌전의 시 「포즈링 2편佛子嶺二首」(「우정友誼」, 「연회 동안宴會間」), 톈란의 평론 「「산간 지대를 건설한 사람들」에 관하여關於＜建設山區的人們＞」가 발표되었다. 편집자의 말은 「산간 지대를 건설한 사람들」은 친자오양의 작품으로, 「왕융화이」, 「야오렌쿤」, 「보리 이삭」, 「늙은 양치기」 등 4편이 각각 1953년 12월 27일자, 1954년 1월 5일자, 1월 16일자, 3월 1일자 『인민일보』에 발표되었으며, 최근에 이 네 편의 작품이 모두 작가가 새롭게 출간한 『농촌 잡기農村散記』에 수록되었는데 이 가운데 「야오렌쿤」은 제목이 「야오량청姚良成」으로 변경되었다고 밝혔다.

같은 호에 짱커자의 시론 「'5·4' 이후 신시 발전의 윤곽"五四"以來新詩發展的一個輪廓」의 연재가 시작되어 제3호에 완료되었다. 이 장문의 글은 5·4 이후의 신시 역사에 대한 짱커자의 가치 판단의 결산이다. 이 외에도 딩링의 글 「약간의 경험一點經驗」과 류사오탕의 글 「문예를 사랑하는 청년 동지들에게給愛好文藝的靑年同志們」가 발표되었다.

『광명일보』에 우징차오吳景超의 글 「나와 후스—친구에서 적으로我與胡適——從朋友到敵人」가 발표되었다.

9일, 『인민일보』에 리룽무李龍牧의 글 「신문공작의 관점에서 후펑의 「문학운동의 방식」의 본질을 폭로한다從報刊工作的角度揭露胡風的＜文學運動的方式＞的實質」가 발표되었다.

『광명일보』에 장지안張繼安의 글 「후스의 반동 역사관점을 비판한다批判胡適的反動歷史觀點」가 발표되었다.

『희극보』 제2호에 위안싱袁行의 「배우와 배역의 관계 문제에 관하여關於演員和角色的關系問題」가 발표되었다. 그는 글에서 자오쥐인의 글 「감독의 예술창조」에서의 배우와 배역의 관계에 대한 서술에 대해 비평하였다.

10일, 『광명일보』에 짱커자의 「어느 농민시인의 시—『왕라오주 시선』을 읽고一個農民詩人的詩——讀＜王老九詩選＞」가 발표되었다.

『문회보』에 쉬판추徐盼秋의 글 「어째서 후스 사상을 비판해야 하는가?爲什麽要批判胡適思想?」, 차오빈喬彬의 글 「실용주의란 무엇인가?什麽叫做實用主義?」가 발표되었다.

11일, 『광명일보』에 황한성黃漢生의 글 「후스의 「국어 문법 개론」을 비판한다批判胡適的＜國語文法槪論＞」가 발표되었다.

『베이징일보』에 류강산劉崗山의 평론 「왕라오주와 그의 쾌판시—『왕라오주 시선』을 읽고王老九和他的快板詩——讀＜王老九詩選＞」가 발표되었다.

12일, 『해방군문예』에 쿼칭의 소설 「여명의 강변黎明的河邊」, 가오위바오의 장편소설 『가오위바오』 부분 「어머니의 죽음母親的死」, 리잉의 시 「부커 강변을 따라서沿著布可河岸」, 선모쥔의 글 「「도강 정찰기」의 창작 과정＜渡江偵察記＞的創作經過」, 황메이의 「긍정적 인물 형상의 창조를 논한다—중앙전영국 전영극작강습회에서의 발언論正面人物形象的創造——在中央電影局電影劇作講習會上的發言」이 발표되었다.

『광명일보』에 푸량普良의 글 「종법주의의 색안경을 벗고 보라摘下宗派主義的有色眼鏡看一看」가 발표되었다.

13일, 『인민일보』에 궈모뤄의 글 「평화의 역량을 강화해 원자 전쟁의 위협을 분쇄하자加强和平力量, 粉碎原子戰爭的威脅」가 발표되었다.

『광명일보』에 우샤오루의 글 「후스의 비과학적인 고증 방법을 반박한다駁胡適的非科學的考據方法」가 발표되었다.

15일, 『문예보』 제3호에 차이이의 「후펑의 자산계급 유심론 문예사상을 비판한다批判胡風的資産階級唯心論文藝思想」, 톈젠의 「화살은 어디로 향하는가?—후펑의 자산계급 논조를 평하다箭頭指向哪裏?——評胡風的一種資産階級論調」, 톈란의 「배후의 사격背後的射擊」 등 후펑을 비판하는 글이 여러 편 발표되었다. 이 외에도 딩링의 「봄날의 기록: 우리는 형제다—중소우호동맹 상호협력조약 체결 5주년을 경축하며春日紀事:我們是兄弟——爲慶祝中蘇友好同盟互助條約簽訂5周年而作」 및 탄피모譚丕模의 「독소가 가득한 『백화문학사』充滿毒素的<白話文學史>」, 왕충우王崇武의 「후스의 '역사벽'의 본질은 무엇인가?胡適的"曆史癖"的實質是什麽?」, 야오훙姚虹의 「루쉰과 취추바이가 말하는 후스魯迅和瞿秋白筆下的胡適」 등 후스를 비판한 글이 여러 편 발표되었다.

같은 호에 「쿵줴의 제명에 관한 중국작가협회 주석단의 결정中國作家協會主席團關於開除孔厥會籍的決定」이 발표되어 "최근에 본회 주석단에 여러 곳으로부터 본회 회원 쿵줴가 부녀를 희롱하는 등 도덕을 손상시키고 작가라는 영광스러운 칭호를 모독한 대단히 추악한 행위를 자행하였다는 폭로가 입수되었다." "주석단은 쿵줴의 이러한 타락한 행위가 작가로서 응당 갖춰야 할 품성을 완전히 상실하였을 뿐만 아니라 사람으로서의 도덕 또한 위배한 것으로 본다. 우리의 문예 대오는 결코 이러한 자를 수용할 수 없다. 이에 그 회원 자격을 박탈할 것을 결정한다"라고 밝혔다. 이 외에도 본지 기자의 글 「쿵줴의 추악한 행위를 보라請看看孔厥的醜惡行爲」, 중페이장鍾沛璋의 글 「작가들이여, 더 이상 침묵하지 말라作家們不要再沉默了」가 발표되었다.

같은 호에 허우진징의 평론 「높은 산이 고개를 숙이게 하고, 강물이 길을 비키게 하는 영웅적 성격—「만수천산」의 리유귀 형상에 관하여使高山低頭、 河水讓路的英雄性格——試談<萬水千山>中李有國的形象」, 예이펑葉一峰의 글 「「만수천산」에 대한 장리윈의 비평에 관하여談張立雲對<萬水千山>的批評」 및 비허우璧厚의 글 「회곡의 예술개혁 문제에 관한 토론關於戲曲的藝術改革問題的討論」, 팡자오方炤의 글 「새로운 사물을 육성하자扶植新生事物」 등이 발표되었다.

허우진징은 글에서 "천치퉁 동지가 각색하고 감독을 맡은 「만수천산」의 공연은 관중들을 강렬히 감동시켰다. 특히 교도원 리유궈라는 인물의 모습은 희곡을 관람한 모든 이의 마음속에 신성하고도 장엄한 감정을 불러일으켰다." "천치퉁 동지는 '긍정적인 예술형상을 창조해 새로운 형태의 인물의 찬란하고 빛나는 품성을 표현한다'는 역사적인 임무를 마주하여 오랫동안 고된 노동을 하여 창작 영역에 새로운 창조를 불러왔으며, 최소한 새로운 유형의 인물 창조라는 계단을 크게 한 걸음 올랐다고 할 수 있다"라고 평했다.

『문예월보』 2월호에 뤄쑨의 글 「'라프'파란 무엇인가什麼是"拉普"派」, 장춘차오張春橋의 「붉은 별이 비추는 곳에서在紅星照耀的地方」, 탕타오의 「'구홍학'과 '신홍학'이란 무엇인가什麼叫做"舊紅學"和"新紅學"」 및 루원푸陸文夫의 소설 「영예榮譽」가 발표되었다.

루원푸(1928~2005), 장쑤성 타이싱泰興 출신이다. 1956년에 발표한 단편소설 「골목 깊은 곳小巷深處」이 호평을 받았다. 같은 해에 첫 소설집 『영예』를 출간하였다. 1957년에 장쑤성 문련으로 이동해 전문 창작에 종사하였다. 이후에 '탐구자探求者' 문학사 및 문학동인지 『탐구자』의 준비공작에 참여한 일로 인해 공장으로 하방되어 노동에 참가하였다. 1960년에 문련에 복귀해 창작에 종사하여 소설 「거 사부葛師傅」, 「저우타이와 두 번 마주치다二遇周泰」 등의 소설을 발표하였다. 1964년 문예정풍운동 당시 비판을 받아 1965년에 다시 하방되어 노동에 참가하였다. 1978년에 쑤저우로 이동하여 다시 전문 창작에 종사하였다. 중국작가협회 부주석, 장쑤성작가협회 주석, 『쑤저우잡지蘇州雜志』 편집장 등을 역임하였다. 저서로 소설집 『골목 깊은 곳』, 『특별법정特別法庭』, 『골목인물지小巷人物志』, 문예이론집 『소설 문외담小說門外談』 등이 있으며 『루원푸 문집陸文夫文集』(5권)이 출간되었다.

16일, 『문회보』에 차오빈의 글 「주관유심론이란 무엇인가? 어째서 실용주의가 곧 주관유심론인가?什麼叫做主觀唯心論?爲什麼說實用主義就是主觀唯心論?」가 발표되었다.

17일, 『인민일보』에 후성의 글 「유심주의는 과학의 적이다―과학에 대한 후스파 사상의 곡해와 모독을 논하다唯心主義是科學的敵人――論胡適派思想對科學的曲解和汙蔑」이 발표되었다.

감독 셴췬이 베이징에서 사망하였다. 『인민일보』 2월 19일자에 부고가 게재되었다.

『베이징일보』에 허자화이의 글 「오경재와 『유림외사』에 대한 후스의 모욕胡適對於吳敬梓和<儒林外史>的誣蔑」이 발표되었다.

『문회보』에 자우전난의 소설 「집배원郵遞員」이 발표되었다.

18일과 28일에 중국극협에서 후평 문예사상 토론회를 진행하여 80여 명이 참석하였다. 톈한이 회의를 주관하고 「투쟁 속에서 희극이론을 수립하자在鬥爭中建立戲劇理論」라는 제목으로 발언하였다.

19일, 『광명일보』에 옌이덩顔一燈의 글 「우리의 문예대오를 순결히 하자純潔我們的文藝隊伍」, 양리강楊裏岡, 왕윈만王雲縵의 글 「영화 「도강 정찰기」의 우라오구이 인물 형상의 창조에 관하여談影片<渡江偵察記>吳老貴人物形象的塑造」가 발표되었다.

『베이징일보』에 황쭝쟝黃宗江의 글 「중국 무대에 선 조선의 춘향朝鮮的春香在中國舞台上」, 간징甘兢의 소품 「이 애는 어떻게 된 거야!這孩子, 怎麼搞的!」, 화멍華蒙의 글 「잊을 수 없는 1949년-영화 「도강 정찰기」를 보고難忘的一九四九年——看電影<渡江偵察記>所想的」가 발표되었다.

『문회보』에 펑치馮契의 글 「후스 사상에 대한 비판은 우리의 사상 역량을 강화할 것이다批判胡適思想將增強我們的思想力量」가 발표되었다.

20일, 『인민일보』에 위안수이파이의 장문 「후평의 창작을 통해 그의 이론의 파산을 보다從胡風的創作看他的理論的破產」가 발표되었다. 그는 글에서 후평과 추둥핑丘東平 등의 시에 대한 분석을 통해 후평 소집단의 자산계급 문예관을 비판하였다.

『광명일보』에 장쉬룽張緖榮의 글 「후평의 반동적 문학사상을 철저히 제거하자清除胡適反動的文學思想」가 발표되었다.

『베이징일보』에 천즈陳智의 단현單弦곡 「용감한 참수리勇敢的海鷹」, 후즈타오胡志濤의 평론 「교사들에게 좋은 책 한 권을 추천한다-소련 소설 「청춘은 영원하다」를 읽고給教師們推薦一本好書——蘇聯小說<青春長在>讀後」가 발표되었다.

『허베이문예』에 충웨이시從維熙의 소설 「갈대꽃이 필 때蘆花開放的時候」가 발표되었다.

충웨이시(1933~2019), 허베이성 위톈玉田 출신이다. 1950년에 첫 작품 「전장에서戰場上」를 출간하였으며 1956년부터 전문 창작을 시작하였다. 1957년에 우파로 오인되어 농장과 광산 등에서 노동에 참가하였다. 1978년에 복권되어 문단으로 복귀하였다. 베이징시 문련 전문작가, 작가출판사 사장 겸 편집장을 역임하였다. 저서로 장편소설 『난허의 봄 새벽南河春曉』, 『북국초北國草』, 『단교斷橋』, 소설집 『충웨이시 소설선從維熙小說選』, 『충웨이시 중편소설집從維熙中篇小說集』, 『멀어져 가는 흰 돛遠去的白帆』, 『연소하는 기억燃燒的記憶』, 『눈이 소리없이 황허에 떨어지다雪落黃河靜無聲』가 및 『충웨이시 문집從維熙文集』(8권), 기록문학 『혼돈을 향해 걸어가다走向混沌』(3부작) 등이 있다.

『이야기하고 노래하다』에 리샤오창李嘯倉의 평론 「『곡예논총』을 평하다評<曲藝論叢>」가 발표되었다(『곡예논총曲藝論叢』은 푸시화傅惜華의 저서로 1953년에 출간되었다).

21일, 『인민일보』에 차오위의 글 「후평 선생은 거짓말을 하고 있다胡風先生在說謊」가 발표되었다.

『광명일보』에 왕전즈王震之의 글 「셴췬 동지를 추모하며悼洗群同志」가 발표되었다.

22일, 『문회보』에 수런恕人의 평론 「공농홍군의 고귀한 품성을 학습하자─화극 「만수천산」을 보고學習工農紅軍的高貴品質──話劇<萬水千山>觀後」, 란마藍馬의 글 「영웅 역을 연기하는 감동扮演英雄的感觸」이 발표되었다.

23일, 『문회보』에 차오빈의 글 「다윈의 진화론이란 무엇인가? 후스의 실용주의는 어째서 과학적 진화론이 아니라 통속 진화론인가?什麼是達爾文進化論?爲什麼說胡適實用主義不是科學的進化論, 而是庸俗進化論?」가 발표되었다.

24일, 『베이징일보』에 판무凡木의 소품 「절벽 위에서在懸崖上」, 천야쉬안諶亞選의 「글린카는 어떤 인물인가─영화 「작곡가 글린카」의 상영에 부쳐格林卡是怎樣一個人──爲影片<作曲家格林卡>的上映而作」, 리즈의 글 「누가 마오 주석의 원칙에 '반대'했는가誰"反對了"毛主席的原則」가 발표되었다.

『문회보』에 런쥔의 시 「나는 내 이름을 적었다我簽上了自己的名字」, 쭝췬宗群의 평론 「책은 너희들의 좋은 친구다!─소련 교육영화 「너의 책」 소개書, 是你們的好朋友!──介紹蘇聯教育影片<你的書>」가 발표되었다.

26일, 『광명일보』에 덩유메이의 글 「작가는 이중생활을 해서는 안 된다作家不能有兩重生活」, 덩리의 글 「'라프파'로부터 이야기를 시작하다從"拉普派"談起」, 몽골 작가 훠얼차霍爾査의 글 「문예대오 속의 쓰레기를 제거하자淸除文藝隊伍中的垃圾」, 탕샤오단湯曉丹의 글 「영화의 스릴러 양식의 처리에 관하여─「도강 정찰기」 감독 수기談影片驚險樣式的處理──導演<渡江偵察記>手記」가 발표되었다.

탕샤오단(1910~2012), 감독. 푸젠성 화안華安 출신이다. 공화국 성립 후 상하이전영제편창에서 근무하면서 혁명전쟁과 인민해방군의 전투생활을 반영한 영화 「남정북벌」, 「도강 정찰기」, 「붉은 해紅日」, 「랴오중카이廖仲愷」 등을 감독하였다.

『베이징일보』에 닝칭凝淸의 평론 「사회주의의 꽃송이—영화 「추크와 게크」를 보고社會主義的花朵——影片<丘克和蓋克>觀後」가 발표되었다.

『문회보』에 량다梁達의 평론 「왕샤오허의 우수한 품성을 학습하자—중편 평탄 「왕샤오허」소개學習王孝和的優秀品質——介紹中篇評彈<王孝和>」, 장메이시張梅溪의 소설 「꼬리 없는 돼지와 '멧돼지'—샤오싱안링 이야기 제1편沒有尾巴的豬和"野豬"——小興安嶺的故事之一」이 발표되었다.

27일, 『광명일보』에 차오다오형曹道衡의 글 「조국 문학유산에 대한 후펑의 허무주의적 태도를 비판한다批判胡風對祖國文學遺産的虛無主義態度」가 발표되었다.

『문회보』에 장메이시의 소설 「누가 양식을 훔쳤는가—샤오싱안링 이야기 제2편誰偷了糧食——小興安嶺的故事之二」, 한싸오푸韓掃夫의 소설 「미꾸라지小泥鰍」가 발표되었다.

28일, 『문예보』 제4호에 친자오양의 「후펑의 '한 가지 기본적인 문제'를 논한다論胡風的"一個基本問題"」, 뤼위안의 「후펑의 잘못된 사상에 대한 나의 몇 가지 인식我對胡風的錯誤思想的幾點認識」, 위칭의 「'진실', '허위' 및 기타"眞誠"、"虛僞"及其它」, 허웨이何爲의 「진실의 의도는 어디에 있는가?眞實的意圖在哪裏?」, 쌍커자의 「후펑의 종법 정서胡風的宗派情緒」, 마사소보의 「후펑은 민족의 희극유산을 이렇게 대한다胡風是這樣看待民族戲劇遺産的」, 징산景山의 「개조하지 않는 '개조'不改造的"改造"」, 민쩌의 「후펑은 문예의 당성 문제를 어떻게 왜곡하고 제거하는가胡風怎樣歪曲和取消文藝的黨性原則」, 쉬창徐昌의 「궤변은 진리가 아니다詭辯不是眞理」 등 후펑을 비판하는 여러 편의 글이 발표되었다.

이 외에도 마오둔의 「반드시 원자 무기를 금지해야 한다必須禁止原子武器」, 라오서의 「학습 필기—제2차 전소련작가대표대회 감상學習筆記——第二次全蘇作家代表大會有感」, 뤄펑羅烽의 「"인민의 각오가 거대한 역량을 표현한다"人民的覺悟表現出巨大的力量」, 궁무의 시 「에이든 경의 철학艾登爵士底哲學」, 자오화趙化의 글 「품성이 나쁜 '작가'가 좋은 작품을 쓸 수 있는가?品質壞的"作家"能寫出好作品嗎?」, 원투文徒의 글 「'문자 상인'의 영혼"文字商"的靈魂」 등이 발표되었다.

허웨이(1922~), 본명은 허전예何振業로 저장성 딩하이定海 출신이다. 1937년부터 창작을 시작하였다. 공화국 성립 후에는 상하이전영문학연구소上海電影文學研究所 각본가, 상하이전영극본창작소上海電影劇本創作所 편집자, 푸젠성전영제편창福建省電影制片廠 편집조장, 중국작가협회 푸젠분회 부주석 등을 역임하였다. 주로 산문을 창작하였으며, 주요 저서로 산문집 『두 번째 시험第二次考試』, 『임창집臨窗集』, 『작은 나무와 대지小樹與大地』, 『허웨이 산문선何爲散文選』 및 보고문학 『장가오첸張高謙』 등이 있다.

이달에 쿼칭의 단편소설집 『여명의 강가黎明的河邊』가 신문예출판사에서 출간되었다. 책에는 단편소설 13편이 수록되었다. 이 책은 1957년 1월에 재판, 1958년 9월에 3판, 1959년 6월에 4판이 발행되었다.

팡수민房樹民 등의 생활 스케치 작품집 『작은 갈대꽃小蘆花』이 대중출판사에서 출간되었다.

천치퉁의 화극 『만수천산』이 인민문학출판사에서 출간되었다.

푸젠군구 정치부 문화부 창작조에서 공동 창작하고 왕줸, 장룽제가 집필한 화극 『해변의 격전』이 중국청년출판사에서 출간되었다.

3월

1일, 『창장문예』에 야오쉐인의 글 「후스와 백화운동胡適和白話運動」, 위린俞林의 글 「후펑의 '현실주의'란 무엇인가什麼是胡風的"現實主義"」가 발표되었다.

『시난문예』에 싱휘의 시 「아, 안춰후여啊, 安錯湖」, 바이화의 시 「선인장 한 그루一棵仙人掌」, 톈취안天泉의 시 「고원 전사의 노래高原戰士的歌」, 저우량페이의 산문특필 「열차가 전진하다列車前進」, 허무何牧의 글 「『홍루몽』과 『수호전』에 대한 후스의 왜곡을 비판한다批判胡適對<紅樓夢>和<水滸傳>的歪曲」가 발표되었다.

『문회보』에 루푸路夫의 평론 「중국 인민은 성공적으로 전진하고 있다−영화 「6억 인민의 의지」를 보고中國人民在勝利前進──影片<六億人民的意志>觀後」가 발표되었다.

『베이징일보』에 뤼화呂華의 산문 「어느 해군 전사의 결심一個海軍戰士的決心」이 발표되었다.

3일, 『인민일보』에 바오창의 글 「후펑 철학사상의 주관유심론을 비판한다批判胡風哲學思想上的主觀唯心論」가 발표되었다. 그는 글에서 후펑의 "주관전투정신" 이론이 마르크스주의의 외투를 걸친 반마르크스주의적 이론이라고 보았다.

『극본』 제3호에 장광녠의 「차오위 창작생활의 새로운 진전曹禺的創作生活的新進展」, 롄싱連星의 「화극 「만수천산」의 인물 묘사에 관하여談話劇<萬水千山>的人物描寫」가 발표되었다.

4일, 중국문련이 베이징에서 강좌를 진행하여 문예공작자들이 체계적으로 마르크스레닌주의 이론을 학습하도록 하였다. 중국문련 주석 궈모뤄가 강좌를 진행하였다. 강좌의 내용은 실천론(유물론), 모순론(변증법), 생산력과 생산의 관계, 경제 기초와 상부 구조 등 네 부분으로 구성되었으며 양셴전楊獻珍, 쑨딩궈孫定國, 아이쓰치, 저우양이 강의하였다. 총 1,200여 명의 문예공작자가 학습에 참가하였으며 강좌는 약 2개월간 진행되었다.

『문회보』에 판쯔녠의 글 「자산계급 유심주의에 대한 반대가 가지는 중대한 의의反對資産階級唯心主義的重大意義」, 선나이沈耐의 평론 「영웅의 성장과정—「진정한 전사 둥춘루이 이야기」를 읽고英雄的成長過程——<真正的戰士董存瑞的故事>讀後」가 발표되었다.

『베이징일보』에 왕즈량王智量의 글 「후펑 선생의 '마음'胡風先生的一顆"心"」, 아이강艾崗의 평론 「'훙냥'의 예술형상을 왜곡해서는 안 된다不要歪曲"紅娘"的藝術形象」가 발표되었다.

『문회보』에 린스林士의 글 「마르스크주의를 학습하고 실용주의를 비판하자—스탈린 서거 2주년을 기념하며學習馬克思主義, 批判實用主義——紀念斯大林逝世二周年」, 쉬제의 글 「스탈린을 기념하려면 유심론과 투쟁해야 한다紀念斯大林要和唯心論作鬥爭」, 쉬중위徐中玉의 글 「후펑이 우선인가 아니면 당이 우선인가?胡風第一還是黨第一?」, 장원위張文鬱의 글 「실용주의의 반동적 본질을 인식하자—천위안후이의 「실용주의 비판」 소개認識實用主義的反動本質——介紹陳元暉著<實用主義批判>」가 발표되었다.

쉬중위(1915~2019), 문예이론가로 장쑤성 장인江陰 출신이다. 중공 당원이며 민주동맹 회원이다. 1934년부터 작품을 발표하였다. 1939년에 중앙대학을, 1941년에 중산대학 대학원을 졸업하였다. 중산대학, 산둥대학, 퉁지대학同濟大學, 푸단대학, 후장대학滬江大學 등에서 교편을 잡았다. 상하이작가협회 부주석 및 주석, 화둥사범대학 중문과 교수, 중국문예이론학회 회장, 전국대학어문연구회 회장을 역임하였다. 저서로『루쉰의 소설과 잡문 등에 관하여關於魯迅的小說雜文及其他』,『고대 문예창작론古代文藝創作論』,『미국 인상美國印象』,『현대의식과 문화전통現代意識與文化傳統』,『격류 속의 탐색激流中的探索』 등이 있다.

『랴오닝문예』 제5호에 추이더즈의 단막극 「결함은 어디에 있는가毛病在哪裏」가 발표되었다.

6일, 궈모뤄의 글 「변증유물주의와 역사유물주의를 학습하자學習辨證唯物主義和歷史唯物主義」가 『인민일보』와『광명일보』에 동시에 발표되었다. 궈모뤄는 글에서 후스와 후펑은 곁보기에는 다르지만 "그 본질은 같다"라고 밝혔다.『인민일보』에는 이 외에도 녜간누의 「문예 원천 문제를 통해 후펑의 사상 오류를 보다從文藝源泉問題看胡風的思想錯誤」가 발표되었다.

『해방일보』에 루즈쥐안茹志鵑의 단편소설 「동서妯娌」, 왕위안화의 「후펑의 반마르크스주의적 입장 관점胡風的反馬克思主義的立場觀點」이 발표되었다.

루즈쥐안(1925~1998). 필명은 아루阿如, 추쉬初旭 등으로 본적은 저장성 항저우이며 상하이에서 출생하였다. 1948년부터 작품을 발표하였으며 1959년에 중국작가협회에 가입하였다. 중국작가협회 상하이분회『문예월보』편집자 및 작품조장, 중국작가협회 상하이분회 이사 등을 역임하였다. 저서로 소설집『높디높은 백양나무高高的白楊樹』,『고요한 산원靜靜的産院』,『백합꽃百合花』,『초원 위의 오솔길草原上的小路』및『루즈쥐안 소설선茹志鵑小說選』등이 있다.

7일,『문회보』에 쉬중위의 글「후펑은 타인의 논점을 날조한다胡風捏造別人的論點」가 발표되었다.

8일,『인민문학』3월호에 원제聞捷의 시「투루판 연가吐魯番情歌」(「사과나무 아래蘋果樹下」,「밤꾀꼬리가 날아갔다夜鶯飛去了」,「포도가 익었다葡萄成熟了」,「무도회가 끝난 후舞會結束以後」등을 수록), 뤄빈지의 소설「교역交易」, 마자의 소설「조국의 동방에서在祖國的東方」, 추이더즈의 극본「류롄잉劉蓮英」(『랴오닝문예』1954년 제5호에 최초 발표), 리창즈李長之의「후스의『백화문학사』비판胡適<白話文學史>批判」, 딩링의「생활, 사상 및 인물—전영극작강습회에서의 연설生活、思想與人物——在電影劇作講習會上的講話」이 발표되었다. 이 외에도 황메이의「소련문학의 위대한 강령을 학습하고 발전시키자學習發展蘇聯文學的偉大綱領」, 라오서의「청년들을 위해 더 많이 창작하자多給青年們寫點」, 톈젠의「원주 홀 밖에서在圓柱大廳外面」, 루리의「빛나는 본보기光輝的榜樣」등 라오서, 톈젠 등이 베이징시 문예계의 전소련작가대표대회 문서 학습 회의 후에 집필한 글이 발표되었다.

원제(1923~1971), 본명은 자오원제趙文節로 장쑤성 단투丹徒 출신이다. 1938년 초에 우한으로 가서 항일구국연극활동에 참가하였다. 1940년에 옌안으로 가서 해방전쟁 시기에 기자로서 시베이 해방 전투에 참가하였으며, 군대를 따라 신장으로 가서 신화사 시베이총분사西北總分社 취재부 주임으로 근무하였다. 1952년에 신화사 신장분사新疆分社 사장을 맡았다. 이후에는 시 창작에 전념하였다. 저서로 시집『톈산 목가天山牧歌』,『조국! 빛나는 10월祖國!光輝的十月』,『허시 회랑행河西走廊行』, 서사시『동풍이 황허의 물결을 재촉한다東風催動黃河浪』, 장편서사시『복수의 화염複仇的火焰』(제1부「불안한 시대動蕩的年代」, 제2부「반란의 초원叛亂的草原」) 및『원제 시선聞捷詩選』등이 있다.

『인민일보』에 마오둔의 글「반드시 후펑 문예사상에 대한 비판을 전면적으로 철저히 전개해야 한다必須徹底地全面地展開對胡風文藝思想的批判」가 발표되었다. 그는 글에서 후스와 후펑의 문예사상은 본질적으로 같으나, 후펑의 이론이 더욱 기만적이며 위해성이 크다고 보았다.

『베이징일보』에 예단葉丹의 평론「양환, 춘메이, 리푸 아주머니—영화「한 차례 풍파」의 세 부녀 형상에 관하여楊環、春梅、立福嫂——談影片<一場風波>中的三個婦女形象」, 장전張楨의 생활 스케치「부부夫妻」가 발표되었다.

『문예학습』에 바이랑의 글 「쿵쥐에의 '영혼'은 이미 죽었다孔厥的"靈魂"已死」, 치밍齊鳴의 「생활에서 창작으로-『옌안을 보위하라』의 창작 과정에 관하여從生活到創作——略談<保衛延安>的創作過程」가 발표되었다.

『문회보』에 궈모뤄의 글 「변증유물주의와 역사유물주의를 학습하자」가 전재되었으며, 루푸의 평론 「봉건 잔재를 소탕하자!-영화 「한 차례 풍파」 감상掃清封建殘餘!——看影片<一場風波>的感想」이 발표되었다.

9일, 『해방일보』에 펑바이산의 글 「후펑 창작사상의 반마르크스주의 관점을 논하다論胡風創作思想的反馬克思主義觀點」가 발표되었다.

『희극보』 제3호에 천둬陳多의 「중국희극사 연구에 존재하는 자산계급 유심론 사상에 반대한다反對中國戲劇史研究中的資産階級唯心論思想」가 발표되었다. 그는 글에서 저우이바이의 『중국희극사中國戲劇史』를 비평하였다.

10일, 중국문련 주석단에서 확대회의를 소집하여 중국작가협회 등 단체의 1955년도 공작계획을 토론하고, 중국문련의 1955년도 공작계획 요점을 통과시켰으며, 문예 영역에서 자산계급 사상에 반대하는 투쟁을 전개할 것을 결정하였다.

『베이징일보』에 왕수王述의 글 「사회주의 현실주의에 대한 후펑의 왜곡胡風對社會主義現實主義的歪曲」, 즈광之光의 평론 「평범한 공작을 충실히 하자-소련 장편소설 『갈매기』를 읽고做好平凡的工作——蘇聯長篇小說<海鷗>讀後」, 칭빙青冰의 생활 스케치 「녹색등綠燈」, 저우칭인周慶印의 글 「우리는 타이완에 맹세한다我們向台灣發誓言」가 발표되었다.

『문회보』에 쭤셴左弦의 글 「중편 평탄 「엽호기」에 관하여談中篇評彈<獵虎記>」가 발표되었다.

『인민일보』에 류칭의 산문 「한 무리의 돼지새끼一窩豬娃」가 발표되었다.

11일, 『문회보』에 추이징타이崔景泰의 글 「「만수천산」의 배우와 관중<萬水千山>的演員和觀衆」이 발표되었다.

12일, 『광명일보』에 진차오金草의 글 「후펑의 단장취의 예시胡風的斷章取義舉例」, 왕전즈의 평론「영화「한 차례 풍파」를 평하다評影片<一場風波>」가 발표되었다.

『해방군문예』에 리잉의 시「크레믈린 궁전 담장에서在克裏姆林宮牆邊」, 저우량페이의 시「변경의 강邊疆的江河」, 천치퉁의 글「원자 무기 사용에 반대한다反對使用原子武器」, 황차오의 글「나는 어떻게 가오위바오 동지가 소설을 수정하는 것을 도왔는가我怎樣幫助高玉寶同志修改小說」, 웨이웨이의 「규율: 계급사상의 시금석─루링의 소설「저지대에서의 '전투'」에 관하여紀律:階級思想的試金石──談路翎的小說<窪地上的"戰役">」가 발표되었다. 웨이웨이는 글에서 "루링이 한국전쟁을 묘사한 몇몇 소설들이 독자에게 주는 첫 번째 인상은 바로 진실하지 못하다는 것이다. 등장인물들은 모두 '지원군', '북한 인민'이라는 이름으로 등장하기는 하지만, 그들은 여전히 막후 인물 본인의 이야기를 연기하고 있다. 규율이라는 계급사상의 시금석 위에서는 그들과 무산계급 사상 감정 사이의 차이와 대립이 다른 문제에서보다 더욱 잘 드러나게 마련이다. 그 본질은 부패한 자산계급의 늪 속에 담긴 진창이다"라고 보았다. 이 외에도 장칭톈의 보도「평원의 꽃송이─조국의 변경을 수호하는 이들에게平原花朵──寄給守衛祖國邊疆的人們」, 싱훠의 시「금색의 라싸 계곡─라싸에 도로가 개통되던 날을 기억하며金色的拉薩河穀──記拉薩通車的一日」가 발표되었다.

13일, 『광명일보』에 궈위형의 글「후스의 소위 '두보의 특별한 해학'을 평하다評胡適所謂"老杜的特別風趣"」가 발표되었다.

『베이징일보』에 디위안창狄源滄의 글「폴란드 인민예술촬영전람회를 보고波蘭人民藝術攝影展覽會觀後」, 뤄허루羅合如의 글「곡극에 관하여談曲劇」, 양잉보楊英波의 생활 스케치「서로 모르는 길동무不相識的旅伴」가 발표되었다.

14일, 『베이징일보』에 우셴타오吳賢濤의 소설「졘다오산 위에서在尖刀山上」가 발표되었다.

『문회보』에 천샤오원陳小文의 소설「자기의 자리自己的位子」가 발표되었다.

15일, 『문회보』제5호에 마오둔의「반드시 후펑 문예사상에 대한 비판을 전면적으로 철저히 전개해야 한다」, 슝푸熊複의「반'라프'파 기치 아래의 후펑의 진면목在反"拉普"派旗幟下的胡風真面目」, 쑨징쉬안孫靜軒의「민족형식 문제에 관한 몇 가지 변론關於民族形式問題的幾點辯論」, 런자허任嘉禾의「고전문학 유산을 경시하는 후펑의 사상 근원胡風輕視古典文學遺産的思想根源」, 황모黃沫의「후펑의 궤변적 방법胡風的詭辯方法」등 후펑을 비판하는 글이 여러 편 발표되었다. 이 외에도 위핑보의 글「반동적인 후스 사상과 단호히 선을 긋자─본인의 『홍루몽』연구에 관한 초보적 반성堅決與反動的胡適思

想劃清界限——關於有關個人<紅樓夢>研究的初步檢討」, 양쉬의 글 「루링과 함께 창작을 이야기하다與路翎談創作」 등이 발표되었다. 양쉬는 글에서 "나는 한국전쟁을 묘사한 루링의 소설 몇 편을 읽고 매우 실망했다. 내가 이 작품들 속에서 본 것은 우리가 실제 생활 속에서 사랑하는 인물들이 아니었다. 이와는 반대로, 이 인물들은 모두 진실하지 않고, 이 작품들은 진실한 현실생활을 근본적으로 위배하였다"라고 밝혔다.

쑨징쉬안(1930~2003), 본명은 쑨예허孫業河로 산둥성 페이청肥城 출신이다. 교사, 편집자, 기자 등으로 근무하였다. 1953년 9월에 중앙문학강습소 제2기에 입학하여 1955년 3월에 졸업하였으며, 이후에 『시난문예』 편집자, 중국작가협회 쓰촨분회 부주석 등을 역임하였다. 저서로 시집 『나는 너를 기다린다我等待你』, 『훈허를 위해 노래하다唱給渾河』 등이 있다.

15일, 『문예월보』에 탕타오의 글 「후펑이 루쉰을 왜곡하게 두어서는 안 된다不許胡風歪曲魯迅」, 왕위안화의 「후펑의 반마르크스주의적 입장 관점胡風的反馬克思主義的立場觀點」, 야오원위안의 「후펑이 마르크스주의를 왜곡한 세 가지 수단胡風歪曲馬克思主義的三套手段」 및 팡지의 「톨스토이 생가를 방문하고訪問托爾斯泰的故居」, 뤄쑨의 「'세계주의'란 무엇인가什麼是"世界主義"」가 발표되었다.

『문예보』에 쉬위안의 「후펑의 잘못된 사상에 대한 나의 몇 가지 인식我對胡風的錯誤思想的幾點認識」이 발표되었다.

『안후이문예』 3월호에 리지의 소품 「"다들 쾌활하지 않다""都不快活"」가 발표되었다.

17일, 『인민일보』에 양얼楊耳의 글 「후펑은 마르크스주의의 '실천자'인가, 아니면 마르크스주의의 반대자인가?胡風是馬克思主義的"實踐者"呢, 還是馬克思主義的反對者?」가 발표되었다.

『문회보』에 천빙런陳炳仁의 글 「사물의 근원을 잊고 남에게 비굴하게 빌붙는 태도-후스의 정치사상 비판 제1편數典忘祖與奴顔婢膝——胡適的政治思想批判之一」이 발표되었다.

18일, 『광명일보』에 톈젠의 「배 이야기-유럽 여행기 제1편船的故事——歐洲遊記之一」이 발표되었다.

『베이징일보』에 한팅줘韓廷佐의 소설 「장춘야화張村夜話」가 발표되었다.

『문회보』에 류중이柳仲誃의 글 「후스는 어떤 인간인가?胡適是個怎樣的家夥?」, 장창사오張昌紹의 글 「내가 「은회색 가루」를 보고 느낀 것我看<銀灰色的粉末>的一些體會」이 발표되었다.

19일, 『베이징일보』에 웨이쿼이가 후펑을 비판한 글 「어디에서 어긋났는가?分歧在哪裏?」가 발표되었다.

『문회보』에 쑨딩궈의 「어째서 변증유물주의를 선전하고 자산계급 유심주의를 반대해야 하는가?爲什麼要宣傳辯證唯物主義, 反對資産階級唯心主義?」가 발표되었다.

20일, 『인민일보』에 사오취안린의 글 「후펑의 유심주의적 세계관胡風的唯心主義世界觀」이 발표되었다.

『광명일보』에 리시판, 란링의 「가보옥의 전형적 의의를 어떻게 이해할 것인가如何理解賈寶玉的典型意義」, 쑹훙원宋鴻文의 글 「문학유산에 대한 후펑의 반마르크스주의적 관점을 비판한다批判胡風對文學遺産的反馬克思主義觀點」가 발표되었다.

『문회보』에 양셴전楊獻珍의 글 「마르크스주의 철학을 어떻게 학습할 것인가怎樣學習馬克思主義的哲學」, 리차이麗采의 글 「평범하고 위대한 사람－「만수천산」의 리유궈를 보고 느낀 것平凡而偉大的人——從<萬水千山>李有國身上所感受到的」이 발표되었다.

20일, 『이야기하고 노래하다』가 폐간되었다. 폐간호에는 허우바오린侯寶林의 상성 「의사醫生」, 징치井琦가 정리한 태족 민가 「금국화金菊花」 등이 발표되었다. 「폐간사終刊詞」는 『이야기하고 노래하다』의 폐간 이유에 대해 "『이야기하고 노래하다』는 1950년 1월에 창간된 이래 지금까지 총 63호가 발간되었다", "본지는 나날이 전국적인 간행물로 성장하였으며, 본지의 독자와 작가들은 전국 각지에 퍼져 있다. 이들은 자연히 본지가 통속문학공작 전체에 있어 지도적 역할을 할 것을 요구하게 되었다. 그러나 여러 가지 조건적 한계가 존재하는 탓에 베이징시 문련은 전국 각지의 통속문예공작을 보살필 수 없다……따라서 『이야기하고 노래하다』의 제목을 『베이징문예北京文藝』로 변경하기로 결정하였다." "『베이징문예』는 베이징 생활과 공업건설을 반영하는 내용을 위주로 하는 종합적인 통속문예 간행물이다. 『베이징문예』와 『이야기하고 노래하다』는 아무 관련이 없지 않다. 『베이징문예』는 앞으로도 통속적이고 이해하기 쉬운 특성을 유지할 것이다. 또한 『베이징문예』에도 설창 형식의 작품을 일부 게재할 것이다. 다만 설창 형식의 작품이 주가 되지 않는 것뿐이다." "중국민간문예연구회에서 민간문학 작품과 이론을 전문적으로 발표하는 간행물 『민간문학民間文學』을 발간할 예정이니, 민간문학에 흥미가 있는 동지들이라면 이 잡지에서 만족을 얻을 수 있으리라 본다"라고 설명하였다.

22일, 『광명일보』에 톈젠의 글 「매개로서의 글자-유럽 여행기 제2편作爲橋梁的字——歐洲遊記之二」이 발표되었다.

『베이징일보』에 딩짠丁瓚의 평론 「과학을 구하라! 과학을 수호하라!-영화 「은회색 가루」를 보고拯敎科學!保衛科學!——看影片<銀灰色的粉末>」, 가오양高揚의 글 「「은회색 가루」 인물 소개<銀灰色的粉末>人物介紹」, 위진鬱進의 글 「「은회색 가루」는 평화와 전쟁의 격투를 표현한다<銀灰色的粉末>表現和平和戰爭的搏鬥」 등이 발표되었다.

『문회보』에 라오서의 글 「청년들을 위해 더 많이 창작하자」가 발표되었다(『인민문학』 1955년 제3호에 최초 발표).

23일, 『광명일보』에 왕위톈王雨田의 글 「후스는 어떻게 종교를 이용했는가胡適怎樣利用了宗敎」가 발표되었다.

『문회보』에 천쉬루陳旭麓의 글 「소위 '역사적 태도'를 폭로한다-후스의 역사관점 비판 제1편拆穿所謂的"歷史的態度"——胡適的歷史觀點批判之一」이 발표되었다.

24일, 상하이경극원과 상하이월극원이 성립대회를 개최하였다. 상하이경극원 원장 저우신팡과 월극원 원장 위안쉐펀이 연설하였다. 대회에서는 화둥희곡연구원華東戲曲硏究院의 폐지를 선포하였다.

『문회보』에 천런빙陳仁炳의 글 「개량인가, 아니면 혁명인가-후스의 정치사상 비판 제2편改良呢, 還是革命——胡適的政治思想批判之二」이 발표되었다.

25일, 『광명일보』에 톈젠의 글 「불꽃 빌딩-유럽 여행기 제3편火花大廈——歐洲遊記之三」이 발표되었다.

26일, 『인민일보』에 아이쓰치의 글 「후스 실용주의의 통속진화론 비판胡適實用主義的庸俗進化論批判」이 발표되었다.

『문회보』에 천쉬루의 글 「통속적 진화사관에 관하여-후스의 역사관점 비판 제2편談談庸俗的進化史觀——胡適的歷史觀點批判之二」이 발표되었다.

27일, 『베이징일보』에 자오중趙忠의 글 「후평 선생의 '인증 수작'胡風先生的"引證把戲"」이 발표되었다.

『창장일보』에 펑옌자오의 글 「반드시 가장 엄숙한 책임감을 불러일으켜야 한다必須激起最嚴肅的責任心」가 발표되었다.

28일, 『문회보』에 선즈위안沈志遠의 글 「마르크스주의 유물론의 기본적 특징馬克思主義唯物論的基本特征」(전6편, 4월 2일까지 연재), 야오원위안의 글 「후평 문예사상의 반동적 본질胡風文藝思想的反動本質」이 발표되었다.

29일, 중국작가협회에서 좌담회를 개최해 '한자 간화 방안 초안漢字簡化方案草案'을 토론하였다. 라오서가 회의를 주관하였으며 자오수리, 저우리보, 아이칭, 아이우, 천바이천 등 30여 명이 참석하였다. 참석자들은 모두 본 방안의 초안에 찬성하였으며 여러 가지 구체적인 의견을 제시하였다(『문예보』 제7호에 게재).

『인민일보』에 왕위안화의 글 「'조류파' 소집단의 그림자"潮流派"小集團的鬼影」가 발표되었다(본래 「후평의 반마르크스주의적 입장 관점」이라는 제목으로 『해방일보』에 발표되었으며, 수정을 거쳐 전재되었다).

『베이징일보』에 펑잉馮影의 산문특필 「조국이 나를 필요로 하는 곳에서在祖國需要我的地方」가 발표되었다.

『문회보』에 잉쥔應鈞의 평론 「고발―일본 진보영화 「혼혈아」를 보고控訴――日本進步影片<混血兒>觀後」가 발표되었다.

30일, 『문예보』 제6호에 황야오몐의 「후평의 '주관전투정신'을 논하다論胡風的"主觀戰鬥精神"」, 이가오亦高의 「추모라는 명목 아래在悼念的名義下」, 어우양위첸의 「중앙희극학원에 대한 후평의 모독에 항의한다抗議胡風對中央戲劇學院的誣蔑」 등 후평을 비판하는 글과 왕야오의 「후스의 반동적 문학사상을 비판한다―형식주의와 자연주의批判胡適的反動文學思想――形式主義與自然主義」 등 후스를 비판하는 글이 발표되었다.

이 외에도 진딩의 「전형적이지 않고 왜곡된 형상―루링의 「저지대에서의 '전투'」를 평하다不是典型的而是歪曲的形象――評路翎的<窪地上的"戰役">」, 류진의 「아니, 이것은 진실하지 않다!―「너의 영원히 충실한 동지」를 평하다不, 這是不眞實的!——評<你的永遠忠實的同志>」, 예쥔젠葉君健의 글「안데르센의 동화－안데르센 탄생 150주년을 기념하며安徒生的童話——紀念安徒生誕生一百五十周年」, 차오양曹陽의「건강하지 못한 감정－허치팡 동지의 시「대답」을 읽고不健康的感情——何其芳同志的詩〈回答〉讀後感」, 장톈이의 글「"작가들이여, 더 이상 침묵하지 말라""作家們不要再沉默了"」 등이 발표되었다.

장톈이는 글에서 "우리는 청소년을 위해 창작해야 하고, 청소년들의 책에 주의를 기울여야 한다. 현재 이것은 늦출 수 없는 시급한 투쟁 임무이다"라고 밝혔다. 류진은 글에서 "루링의 소설「너의 영원히 충실한 동지」를 처음 읽었을 때 나는 이 소설에 현혹되었다. 그러나 반복해서 읽으면서, 그리고 소설의 내용과 부대생활의 실제 상황을 비교한 후에, 나는 마침내 이러한 결론을 내렸다. '아니, 이것은 진실하지 않다.'" "내가 보기에 문제는 두 측면에 존재한다. 우선, 혁명부대의 동지들의 관계에 대한 묘사가 진실하지 못해 이러한 관계를 추악하고 통속적으로 만들었다. 둘째로, 혁명전사의 심리 생활에 대한 묘사가 진실하지 못해 혁명전사의 정신적 면모를 소자산계급처럼 묘사하였다"라고 밝혔다.

예쥔젠(1914~1999), 후베이성 황안黃安 출신이다. 1933년부터 작품을 발표하였다. 1936년에 우한대학 외국어문학과를 졸업한 후 1944년에 초청에 응해 영국으로 가서 근무하였으며 1949년에 귀국하였다. 푸런대학輔仁大學 교수, 문화부 외연국外聯局 편역처 처장,『중국문학』부편집장, 중국작가협회 서기처 서기, 중외문학교류위원회中外文學交流委員會 주임 등을 역임하였다. 저서로 장편소설『토지 3부작土地三部曲』,『적막한 군산 3부작寂靜的群山三部曲』, 산문집『두 수도 잡기兩京散記』, 단편소설집『예쥔젠 소설집葉君健小說選』,『예쥔젠 동화고사집葉君健童話故事集』 등이 있으며 번역서로『안데르센 동화 전집安徒生童話全集』 등이 있다.

『문회보』에 우웨의 연작시「위대한 우정－소련 경제 및 문화건설 성취 전람회를 관람하고偉大的友誼——參觀蘇聯經濟及文化建設成就展覽會」, 샤리夏裏의 평론「평범한 사람, 평범하지 않은 사람－양쉐의 특필집『만고청춘』을 읽고平常的人, 不平常的事——讀楊朔的特寫集<萬古靑春>」가 발표되었다.

31일,『베이징일보』에 홍쉰洪勳의 글「후펑의 마르크스주의 '도달'에 관하여關於胡風的"達到"馬克思主義」, 사어우의 풍자시「이상한 주방奇異的廚房」이 발표되었다.

이달에『경제건설 통신보고선 제2집經濟建設通訊報告選二集』,『원이둬 시문선집聞一多詩文選集』이 인민문학출판사에서 출간되었다.『경제건설 통신보고선』에는 하오젠슈郝建秀의「추억回憶」, 리뤄빙李若冰의「치롄산祁連山」, 쉬츠의「한수이차오 어귀에서漢水橋頭」, 쯔강子岡의「관청소년官廳少年」

등이 수록되었다.

류사오탕의 단편소설집 『산자춘의 노랫소리山楂村的歌聲』, 우쭈광의 산문집 『예술의 꽃봉오리藝術的花朶』가 신문예출판사에서 출간되었다.

리준의 단편소설집 『그 길을 갈 수 없다』가 중국청년출판사에서 출간되었다. 이 책은 1959년 4월에 인민문학출판사에서 재판되어 '문학소총서文學小叢書'에 포함되었다.

캉줘의 단편소설집 『봄에 심어 가을에 거두다』, 사어우의 시집 『붉은 꽃紅花』, 아잉의 화극 『리왕李王』, 롼장징의 화극 『시대의 열차 위에서』가 작가출판사에서 출간되었다.

리차오의 아동문학 『이족의 작은 영웅彝族小英雄』이 충칭시인민출판사에서 출간되었다.

4월

1일, 『인민일보』에 궈모뤄의 글 「반사회주의적인 후펑 강령反社會主義的胡風綱領」이 발표되었다. 그는 글에서 "십만 자가 넘는 후펑의 「문예 문제에 대한 의견對文藝問題的意見」은 혁명문예사업과 그 지도공작을 전면적으로 공격하고, 마르크스주의애 대한 극심한 증오를 표현하였다. 이는 후펑 소집단의 강령의 성격을 띤 정리라 할 수 있다.", "이 강령은 총 여섯 항목이 있는데, 그 내용은 작가가 공산주의 세계관을 파악하는 데 반대하는 것, 작가가 공농병과 결합하는 데 반대하는 것, 작가가 사상개조를 진행하는 데 반대하는 것, 문예 영역에서 민족형식을 활용하는 데 반대하는 것, 문예가 현재의 정치 임무를 위해 복무하는 데 반대하는 것, 그리고 마지막으로 문예계의 통일조직을 해산시키도록 건의해 사실상 당의 지도를 취소하는 것이다. 후펑은 공산주의 세계관을 제창하는 것, 공농병과의 결합을 제창하는 것, 사상개조를 제창하는 것, 민족형식을 제창하는 것, 정치를 위해 복무할 것을 제창하는 것이 '작가와 독자의 목에 들이대어진 다섯 개의 칼'이라고 보고 있다.", "후펑은 시종일관 마르크스주의자를 가장하고 있었지만, 이 점에서는 비밀이 새어나가 무심코 자신의 진심을 드러내어, 그가 마르크스레닌주의를 적대하는 사상적 입장에 서 있음을 스스로 표명하였다!"라고 밝혔다.

잡지 『작품作品』이 광저우에서 창간되었다. 창간호에는 한베이핑의 소설 「전투의 항해戰鬥的航程」(5월호까지 연재), 루디蘆荻의 시 「누가 감히 원자폭탄이 연기를 뿜게 하는가誰敢叫原子彈冒煙」, 쓰마원썬의 소설 「구위원회에서在區委會裏」가 발표되었다.

린후이인林徽因이 병으로 사망하였다.

린후이인(1904~1955), 푸젠성 민허우 출신이다. 중국 최초의 여성 건축학자로, 후스는 그녀를 중국의 일대 재녀一代才女라 칭하였다. 청소년기에 영국과 미국에서 유학하고 귀국한 후에는 신월파에 가입하여 활동하였다. 공화국 성립 후에는 칭화대학 건축학과 교수를 맡았다. 문학 영역의 대표 작품으로는 시「그대는 이 세상 4월의 좋은 날你是人間四月天」, 소설「99도 속九十九度中」, 화극「메이전과 그들梅真和他們」 등이 있다. 중화인민공화국 국장 및 톈안먼의 인민영웅기념비의 설계에 참여하였다. 벤즈린은「창 안팎: 린후이인을 기억하며窗子內外:憶林徽因」에서 "문학창작은 그녀의 여가 활동이라 해야 옳겠지만, 그녀가 거둔 성취는 그녀가 이 분야에 결코 문외한이 아님을 증명하고 있다. 어쩌면 대량으로 창작을 한 수많은 작가들에 비해 더욱 전문가일지도 모른다"라고 말했다(홍콩『문회보』1958년 3월 10일자). 샤오첸은「일대 재녀 린후이인(서문)一代才女林徽因(代序)」에서 "나는 시를 잘 모르지만 그녀의 시는 아주 좋아한다. 나는 그녀의 소설을 50년 전에 읽었지만 아직까지도 인상에 깊이 남아 있다. 나는 이 자리에서 다시 한 번 유감을 표하고 싶다. 그녀의 창작은 너무, 너무도 적다……기지가 충만하고 정취가 풍부한 그녀의 말을 그대로 기록하기만 해도 얼마나 훌륭한 책이 될 것인가!"라고 말했다.[2]

4월 2일자『베이징일보』에 부고가 게재되었다. 추모회 현장에서 그녀의 벗 진웨린金嶽霖과 덩이저鄧以蟄가 함께 쓴 애도문이 크게 주목받았다. "평생의 시의詩意는 천 길 폭포요, 만고 인간 세상은 4월의 좋은 날." 린후이인의 남편 량쓰청은 그녀에 대해 "린후이인은 아주 특별한 사람이다. 그녀는 다방면에 재능을 가지고 있다. 문학, 예술, 건축, 철학을 막론하고 그녀는 아주 깊은 소양을 가지고 있다. 그녀는 빈틈없는 과학공작자가 되어 나와 함께 시골의 벽지로 가서 옛 건축물을 조사하고, 대들보 위에 오르고, 평면을 측량해 정확한 분석과 비교를 할 수 있을 뿐만 아니라, 쉬즈모와 더불어 영국의 고전문학 혹은 우리나라의 신시 창작에 대해 영어로 토론할 수도 있다. 그녀는 철학가의 사유와 사물을 요약 정리하는 능력을 가지고 있다"라고 평가한 바 있다.[3] 페이정칭費正清[4]은 만년에 린후이인을 추억하면서 그녀에 대해 "그녀는 창조에 재능을 가진 작가이자 시인으로, 풍부한 심미적 능력과 해박한 지적 취향을 가진 여성이다. 또한 사교를 할 때는 사람을 끄는 매력이 넘쳐흘렀다. 이 집, 혹은 그녀가 있는 어느 곳에서든, 그 자리에 있는 모든 사람들은 언제나 그녀를 둘러싸고 있었다"라고 평가하였다.[5]

---

[2]『린후이인 선집林徽因選集』, 인민문학출판사 2005년

[3] 린주林洙,「비석은 국토 위에 서고, 아름다움은 사람의 마음속에 남는다-내가 아는 린후이인碑樹國土上 美留人心中——我所認識的林徽因」,『인물人物』1990년 제5호

[4] 페어뱅크(John King Fairbank), 하버드대학교 교수로 역사학자이자 저명한 중국문제 연구가

『창장문예』에 리준의 소설 「산회하는 길에散會路上」, 저우량페이의 시 「고원 단곡高原短曲」(7편)이 발표되었다.

『시난문예』에 류커劉克의 소설 「새싹新苗」, 웨이한韋涵의 소설 「단결구團結溝」, 쩡커의 글 「『옌안을 보위하라』을 읽고讀<保衛延安>」가 발표되었다.

1일~6월 27일, 문화부 예술국과 중국극협이 합동으로 베이징에서 제1기 희곡극작강습반을 진행하였다. 톈한이 강습반 주임을, 장광녠, 이빙伊兵이 부주임을 맡았다. 강습반에서는 「당지현심고명唐知縣審誥命」 등 23편의 희곡 극본을 수정 및 재창작하였다.

2일, 중화인민공화국 문화부가 수도전영원首都電影院에서 영화 초대회를 개최하여 헝가리 해방 10주년을 경축하였다. 초대회에서 헝가리 영화 「열네 명의 목숨이 구원받았다十四條生命被拯救了」가 상영되었다(『인민일보』 4월 3일자에 게재).

『인민일보』에 천보추이의 글 「안데르센으로부터 무엇을 배울 것인가?向安徒生學習什麼?」가 발표되었다.

『광명일보』에 커옌柯岩의 글 「「바냐 외삼촌」의 공연에 관하여談<萬尼亞舅舅>的演出」가 발표되었다.

커옌(1929~2011), 본명은 펑카이馮愷로 본적은 광둥성 난하이南海이며 허난성 정저우鄭州에서 출생하였다. 1949년부터 작품을 발표하였다. 공화국 성립 후에 중국청년예술극원 및 중국아동예술극원 창작원, 『시간』 부편집장 등을 역임하였다. 1960년에 중국작가협회에 가입하였다. 저서로 극본 『인형 가게娃娃店』, 『쐉쐉과 외할머니雙雙和姥姥』, 동시집 『졸병 이야기小兵的故事』, 『커옌 동시선柯岩兒童詩選』, 보고문학 및 산문집 『기이한 서신奇異的書簡』, 시집 『저우 총리, 당신은 어디에 있습니까?周總理, 你在哪裏?』 등이 있다.

『베이징일보』에 톈화田華의 글 「안데르센의 고향을 추억하며憶安徒生的家鄉」, 선야오沈嶢의 평론 「평극 「안안이 쌀을 보내다」는 무엇을 칭송했는가評劇<安安送米>歌頌了什麼」 및 쑹루松如가 후펑을 비판한 글 「어떠한 '주관전투정신'이 필요한가─뼈를 뽑고 가죽만 남기는 '현실주의' 제1편要什麼樣的"主觀戰鬥精神"──抽骨留皮的"現實主義"之一」이 발표되었다.

3일, 당중앙에서 「유물주의 사상 선전 및 자산계급 유심주의 사상 비판에 관한 중공중앙의 지

---

5) 페이정칭 저, 루휘이친陸惠琴, 천주화이陳祖懷, 천웨이이陳維益, 쑹위宋瑜 역, 장커성章克生 감수, 『페이정칭 중국 회고록費正淸對華回憶錄』 제122쪽, 지식출판사知識出版社 1991년

시中共中央關於宣傳唯物主義思想, 批判資産階級唯心主義思想的指示」를 발포하였다.

『인민일보』에 레이자의 글「인민중국에서의 페퇴피－헝가리 방문기裴多菲在人民中間──匈牙利訪問記」, 아이우의 「헝가리의 모범 선반공 먼스프 임레를 방문하다訪問匈牙利的模範鏇工孟斯夫·伊姆萊」가 발표되었다.

『광명일보』에 장쉬룽張緖榮의 글「민족형식의 파괴를 소리 높여 외치는 돈키호테－후펑 선생高叫炸毁民族形式的唐·吉訶德──胡風先生」이 발표되었다.

『베이징일보』에 구좡榖莊의 평론「나는 토냐를 사랑한다－소련 장편소설『용감』을 읽고我愛托尼亞──蘇聯長篇小說<勇敢>讀後」, 사오뤄少若의 평론「허베이 방쯔「타금지」에 관하여談河北梆子<打金枝>」가 발표되었다.

4일, 『문회보』에 천쉬루의 글「시비를 전도하는 조손의 방법－후스의 역사관점 비판 제3편顚倒是非的祖孫的方法──胡適的曆史觀點批判之三」, 루푸의 평론「알료샤, 사랑스러운 아이－「알료샤가 성격을 단련하다」를 보고阿遼沙, 可愛的孩子──<阿遼沙鍛煉性格>觀後」가 발표되었다.

5일, 『광명일보』에 아이우의 글「릴라푸레드에서의 하루－헝가리 인상기在麗拉浮銳德的一天──匈牙利印象記」가 발표되었다.

6일, 『문회보』에 차오빈의 글「마르크스주의 변증법의 기본 특징馬克思主義辯證法的基本特征」이 연재되어 제11호에 연재가 완료되었다.

『해방일보』에 청화펑曾華鵬의 「후펑의 ‘진실 창작’의 외투를 벗기다解開胡風"寫真實"的外套」가 발표되었다.

7일, 『베이징일보』에 슈이저修一轍의 산문「수도가 봄을 찾다首都尋春」가 발표되었다.

『허베이문예』4월호에 장톈민張天民의 시「장변야화場邊夜話」, 정양正揚, 하오란浩然의 소가극「입사 전入社之前」이 발표되었다.

하오란(1932~2008), 본명은 량진광梁金廣으로 허베이성 지현薊縣 출신이다. 1954년 이후로『허베이일보河北日報』기자, 베이징『아문우호보俄文友好報』기자, 잡지『홍기』의 편집자로 근무하였다. 1964년에 베이징시 문련으로 이동해 전문 창작을 맡았으며 중국작가협회 베이징분회 주석을 역임하였다. 1956년부터 소설 창작을 시작하여 1965년에 대표작인 장편소설 『염양천艶陽天』을, 1972년에 장편소설 『금광대도金光大道』를 출간하였다. 1974년에 중편소설 「시사의 자녀西沙兒女」와 「백화천百花川」을 발표하였다. '4인방'이 실각한 이후에 장편소설 『산정山情』(『남혼여가男婚女嫁』라고도 함), 『백성蒼生』, 자전체 장편소설 『낙원樂土』, 『활천活泉』, 『원몽圓夢』 3부작을 출간하였다.

8일, 『인민문학』 4월호에 아이칭의 장시 『검은 뱀장어』, 궁류의 소설 「가시는 길 평안하시길祝你一路平安」, 펑즈의 산문 「한 민족이 자신의 조국을 찾았다一個民族找到了自己的祖國」, 뉴한의 산문 「가장 큰 격려最大的鼓舞」, 구궁의 「금군마매―캉짱공로 공사 현장 잡기金君瑪梅――康藏公路工地散記」, 웨이양의 「사상수준의 제고를 위해 노력하자努力提高思想水平」, 천퉁의 「「자산가의 자녀」의 사상 경향<財主底兒女們>的思想傾向」이 발표되었다. 또한 성취안성盛荃生의 「불후의 시편으로써 우리의 시대를 구가해야 한다―허치팡의 시 「대답」을 읽고要以不朽的詩篇來謳歌我們的時代――讀何其芳詩<回答>」, 예가오葉高의 「이것은 우리가 기대한 대답이 아니다這不是我們期待的回答」 등 허치팡의 시 「대답」에 의문을 제기하는 글 2편이 발표되었다.

이 외에도 안데르센 탄생 150주년을 기념해 예쥔젠의 글 「안데르센과 그의 작품安徒生和他的作品」이 발표되었다. 예쥔젠은 글에서 "안데르센은 민주주의와 현실주의 경향을 충분히 갖춘 작가로, 그는 생활과 창작을 모두 매우 엄숙하게 대했다. 그가 동화를 쓰기로 결정한 그 날부터 그는 그의 펜이 신성한 사명을 지고 있다고 느꼈다. 그는 자신의 모든 정력과 감정으로써 이 사명을 완성하였다. 그의 작품은 상당히 광범위한 인민성을 지니고 있다"라고 평하였다.

『문예학습』에 천보추이의 「안데르센 동화의 창작사상安徒生童話的創作思想」, 예쥔젠의 「「성냥팔이 소녀」에 관하여關於<賣火柴的小女孩>」, 리시판의 「『수호전』의 세부 묘사 및 성격水滸的細節描寫與性格」, 마테딩의 「소품문에 관하여談小品文」 등의 글이 발표되었다.

『문회보』에 장톈張天의 글 「과학자 가오스치 이야기科學家高士其的故事」의 연재가 시작되어 11일에 연재가 완료되었다.

9일, 『광명일보』에 궈모뤄의 「아시아국가회의 7일 회의에서의 발언在亞洲國家會議七日會議上的發言」, 커디克地의 「후펑의 화살받이胡風的一個擋箭牌」가 발표되었다.

『베이징일보』에 쑹루의 글 「신화화된 '창작 과정'―뼈를 뽑고 가죽만 남기는 '현실주의' 제2편神秘化的"創作過程"――抽骨留皮的"現實主義"之二」이 발표되었다.

월간 『극본』 편집부, 극본창작실, 『희극보』 편집부가 합동으로 샤옌의 극본 「시험」에 관한 좌담회를 개최하였다. 샤옌은 좌담회에서 극본 「시험」을 창작한 과정 및 생활 체험, 공업을 묘사한 극본 창작, 긍정적 인물의 창조 등에 관한 문제를 이야기하였다.

10일, 『광명일보』에 리쩌허우李澤厚의 글 「고전문학 연구에 존재하는 몇 가지 잘못된 관점을 평하다評古典文學研究中的一些錯誤觀點」가 발표되었다.

리쩌허우(1930~), 철학자로 후난성 닝샹寧鄕 출신이다. 1954년에 베이징대학 철학과를 졸업하였다. 저서로 『비판철학의 비판批判哲學的批判』, 『중국근대사상사론中國近代思想史論』, 『미의 역정美的曆程』, 『중국미학사中國美學史』, 『중국고대사상사론中國古代思想史論』 등이 있으며 『리쩌허우 문집李澤厚文集』(10권)이 출간되었다.

『문회보』에 가오양의 평론 「전사와 시인─불가리아 영화 「사람의 노래」에 관하여戰士和詩人──談談保加利亞影片＜人之歌＞」가 발표되었다.

11일, 문화부, 전국 문련 및 극협이 합동으로 '메이란팡, 저우신팡 무대생활 50주년 기념회'를 개최하였다.

『인민일보』에 사설 「자산계급 유심주의 사상에 대한 비판을 전개하자展開對資産階級唯心主義思想的批判」가 발표되었다. 사설은 "이는 대단히 복잡하고도 첨예한 계급투쟁이 사상전쟁에 반영된 것이다. 과도기의 당의 총노선을 순조롭게 실현하기 위해서, 그리고 경제전선에서의 승리를 확보하기 위해서는 반드시 사상전선에서도 투쟁을 전개해 승리를 거두어야 한다." "현재 전개되고 있는 후스, 위핑보, 후펑 등의 자산계급 사상에 대한 비판의 목적은 바로 자산계급 유심주의 사상의 영향을 극복하고, 변증유물주의와 역사유물주의 사상을 지식분자와 인민 군중 속에 널리 전파하는 것이다." "자산계급 유심주의 사상에 대한 비판을 전개하는 것은 학술계 및 당 안팎의 지식분자들에게 유물주의를 선전하고, 학술 강좌와 과학 진보를 추진하며, 각 학술 영역에서 마르크스주의의 새로운 역량의 탄생을 촉진하고, 이론공작 대오를 양성하고 조직하는 데 있어 효과적인 방법이다" 라고 밝혔다.

『광명일보』에 아이우의 글 「헝가리의 위대한 무산계급 시인 요제프 아틸라匈牙利偉大的無産階級詩人尤諾夫·阿蒂拉」가 발표되었다.

『문회보』에 황상黃裳의 글 「그대들이 인민의 무대 위에서 영원히 젊기를─메이란팡, 저우신팡 선생 무대생활 50년을 축하하며祝你們在人民的舞台上永遠年青──祝梅蘭芳周信芳先生舞台生活五十年」가 발표되었다.

12일, 『해방군문예』에 구궁의 시 「숙영을 할 때在宿營的時候」, 천보추이의 「세계문화 명인을 기념하며-동화의 대가 안데르센紀念世界文化名人——童話大師安徒生」 및 「지상의 무지개」에 관한 평론이 발표되었다(「지상의 무지개」는 쉬화이중의 중편소설로 『해방군문예』 1954년 8, 9월호에 연재되었다. 본 소설은 발표 후에 큰 반향을 불러일으켜 『해방군문예』 1955년 1월호에 본 소설에 대한 토론이 전개되었다).

메이란팡, 저우신팡 무대생활 50년을 기념하여 어우양위첸의 글 「진정한 배우-미의 창조자真正的演員——美的創造者」와 톈한의 글 「전투의 표현예술가-저우신팡戰鬥的表演藝術家——周信芳」이 『광명일보』와 『베이징일보』에 동시에 발표되었다.

『문회보』에 아이쓰치의 글 「유물론이란 무엇이며, 유심론이란 무엇인가?什麼是唯物論, 什麼是唯心論?」가 발표되었다.

13일, 중소우호협회 총회와 중국작가협회가 합동으로 소련 시인 마야코프스키 서거 25주년 기념회를 개최하였다. 라오서가 행사를 주관하였다. 라오서는 발언에서 소련 노동인민의 위대한 혁명 투쟁과 사회주의 건설이라는 숭고한 사업에 대한 마야코프스키의 공헌을 칭송하고, 특히 중국 인민에 대한 마야코프스키의 우정을 강조하였다.

『해방일보』에 마거馬戈, 마원馬文의 글 「샤오얼헤이 결혼의 우여곡절小二黑婚禮的波折」, 탕타오의 글 「루쉰은 결코 후펑을 변호하지 않았을 것이다魯迅決不會爲胡風辯護」가 발표되었다.

『문회보』에 구스顧實의 글 「교육의 목적에서 출발해 실용주의 교육사상을 비판한다從敎育目的入手, 批判實用主義敎育思想」가 발표되었다.

14일, 베이징의 주요 신문에 마야코프스키 서거 25주년을 기념하는 글들이 게재되었다. 인민문학출판사에서 마야코프스키의 장시 『좋아!好!』의 단행본을 출간하였다.

『인민일보』에 정전둬의 글 「평화의 큰길을 향해 가다走向和平大道」가 발표되었다.

『베이징일보』에 우춘吳村의 글 「도움과 격려-체코슬로바키아 리펠러즈 인형극단을 환영하며幫助與鼓舞——歡迎捷克斯洛伐克利培勒茲木偶劇團」, 펑순封順의 글 「영화 「어떤 제안」은 빗속의 제방 보수 장면을 어떻게 촬영했는가影片<一件提案>怎樣拍雨中修堤的場面」가 발표되었다.

14일과 22일에 중국작가협회 소설산문조에서 좌담회를 개최하여 루링의 「저지대에서의 '전투'」,

「전사의 마음」 등의 작품에 대해 토론하였다. 작가 및 비평공작자 20여 명이 참석하였다(『문예보』 제8호에 게재).

15일, 『문예보』 제7호에 궈모뤄의 「반사회주의적인 후펑 강령反社會主義的胡風綱領」, 장광녠의 「후펑의 '정신 노역의 상처'를 논하다論胡風的"精神奴役的創傷"」, 왕뤄왕의 「무엇을 적대시하는가? 무엇을 부추기는가?―후펑의 소위 제재론을 반박한다仇視什麼?鼓吹什麼?――駁胡風的所謂題材論」, 루리의 「유심론의 마술사唯心論底魔術師」 등 후펑을 비판하는 여러 편의 글이 발표되었다.

이 외에도 저우웨이츠의 「민간예술의 번창民間藝術的興旺」, 후사胡沙의 「동족, 동족, 여족의 희곡과 가무侗族、僮族、黎族的戲曲和歌舞」, 본지 기자의 「메이란팡, 저우신팡 무대생활 50년을 경축하며慶賀梅蘭芳周信芳舞台生活五十年」, 장례張烈의 평론 「『압록강에 봄이 오다』를 읽고<春天來到了鴨綠江>讀後感」, 우원즈吳文治의 「『중국문학간사(상권)』을 평하다評<中國文學簡史（上卷）>」, 루푸의 「영화 비평공작에 존재하는 몇 가지 문제影評工作中的幾個問題」 및 오베치킨의 「특필에 관하여談特寫」(류빙옌 번역, 제8호에 연재 완료) 등의 글이 발표되었다.

『문예월보』에 아이칭의 시 「아시아·아프리카 회의에 바치다獻給亞非會議」, 궁류의 소설 「국경선 위國境線上」, 궈모뤄의 「반사회주의적인 후펑 강령」, 뤄쑨의 「'조류파'란 무엇인가?"潮流派"是怎麼回事?」가 발표되었다.

『문회보』에 천쉬루의 글 「'증거를 가져오다'의 진면목―후스의 역사관점 비판 제4편"拿證據來"的真面目――胡適的曆史觀點批判之四」이 발표되었다.

16일, 『베이징일보』에 왕커친王克勤의 평론 「이것은 개별적인 것이 아니고, 우연한 것은 더더욱 아니다―체코슬로바키아 영화 「납치」를 보고這不是個別的, 更不是偶然的――捷克斯洛伐克影片<綁架>觀後」, 장딩張仃의 글 「인형극 그림자극 전람회 소개木偶戲皮影戲展覽會介紹」가 발표되었다.

『문회보』에 쥐밍左明의 글 「민족유산을 대하는 후펑의 허무주의 관점胡風對待民族遺產的虛無主義觀點」이 발표되었다.

17일, 『광명일보』에 추빈제의 글 「후스 문학사관 비판胡適文學史觀批判」이 발표되었다.

『베이징일보』에 쑹루의 글 「후펑의 '정신 노역의 상처'론―뼈를 뽑고 가죽만 남기는 '현실주의' 제3편胡風的"精神奴役的創傷"論――抽骨留皮的"現實主義"之三」이 발표되었다.

『문회보』에 칭위안清遠의 글 「후펑의 가면을 벗기다打落胡風的面具」가 발표되었다.

18일, 중국작가협회 시가조에서 좌담회를 개최해 후펑과 아룽의 시와 시가 이론에 관한 연구와 비평을 시작하였다(『문예보』 제8호에 게재).

19일, 『베이징일보』 '지원군의 하루'란에 푸다밍傳大明의 통신 「편지를 보내다送信」, 류란劉藍의 평론 「샤오시와 프란츠는 뒤떨어졌는가? ― 영화 「개구쟁이」를 보고小西、佛朗茲是不是落後?――影片<小淘氣>觀後」가 발표되었다.

20일, 『랴오닝문예』 제8호에 추이더즈의 단막극 「시대의 죄인時間的罪人」이 발표되었다.

21일, 『인민일보』에 홍선의 글 「아시아와 아프리카 각국 간의 문화관계를 발전시키자發展亞非各國間的文化關系」가 발표되었다. 그는 글에서 "중화민족과 아시아 아프리카 각국 민족의 문화는 그 역사 전통과 발전 방향이 모두 일치한다. 우리나라 인민은 앞으로 각국 인민과 더욱 많은 문화 교류 활동을 진행해 서로의 문화적 요구를 만족시키고 서로 간의 이해와 우정을 증진하며, 또한 동방과 세계의 평화를 보장하기를 원한다"라고 밝혔다.

『베이징일보』에 딩밍의 글 「레닌은 문예공작자를 어떻게 지도했는가 ― 레닌 탄생 85주년을 기념하며列寧怎樣教導文藝工作者――紀念列寧誕生八十五周年」, 장궈판의 평론 「은막 위의 레닌의 모습 ― 「10월의 레닌」과 「1918년의 레닌」 소개銀幕上的列寧形象――介紹<列寧在十月>和<列寧在一九一八>」가 발표되었다.

22일, 『문회보』에 양셴전의 「과도기에 관한 레닌의 학설 ― 중국공산당 중앙위원회의 레닌 탄생 85주년 기념대회에서의 마르크스레닌학원 원장 양셴전의 연설列寧關於過渡時期的學說――馬克思列寧學院院長楊獻珍在中國共產黨中央委員會紀念列寧誕生八十五周年大會上的講話」, 린모의 글 「교육계급의 본질에 관한 레닌의 학설을 학습하자 ― 레닌 탄생 85주년을 기념하며學習列寧關於教育階級本質的學說――紀念列寧誕生八十五周年」, 왕이팅王繹亭의 글 「레닌주의를 어떻게 학습할 것인가?怎樣學習列寧主義?」가 발표되었다.

『베이징일보』에 잉런應人의 글 「귀중한 추억 ― 「레닌을 기억하며」 소개珍貴的回憶――介紹<憶列

寧>」, 샤오퉁曉桐의 글「인형극과 그림자극 예술을 중시하고 발전시키자-인형극, 그림자극 관람 공연대회를 보고重視和發展木偶戲皮影戲藝術——木偶戲、皮影戲觀摩演出會觀後」가 발표되었다.

23일,『민간문학』이 창간되었다. 중국민간문예연구회에서 편찬하였으며 중징원, 자즈, 타오 둔陶鈍이 편집위원을 맡았고, 통속독물출판사에서 출판하였다. 발간사는 이 잡지의 주된 임무가 "전국의 인민 구두창작에 대한 수집과 정리를 추진하고, 또한 이 분야의 이론 연구를 촉진하여 군 중창작과 통속문예의 발전을 돕는 것이다. 따라서 우리는 정리가 진행된 각종 인민 구두창작 작품 을 발표하는 데 많은 지면을 할애해야 한다. 우리는 마르크스주의 이론을 활용해 집필된 연구논문 과 자산계급의 잘못된 관점을 비판한 글을 발표해야 한다. 또한 각 지구와 각 민족 인민 창작의 유 포 상황과 활동 상황, 즉 수집, 정리 경험에 관한 기술에 대해서도 일정한 지위를 보장해야 한다. 이 외에도 구두문학의 형식으로 창작된 비교적 훌륭한 작품을 게재해야 한다"라고 밝혔다.

『문회보』에 위지쩌俞繼澤의 글「실용주의의 '경험론'-실용주의 비판 제2편實用主義的"經驗論"——實用主義批判之二」이 발표되었다.

24일,『광명일보』에 장하이산張海珊의 글「문학유산을 모독하는 후펑의 망론을 배척한다斥胡風誣蔑文學遺產的謬論」가 발표되었다.

『해방일보』에 쓰런斯人의 글「아름다운 문장에 가려지다-「어째서 이러한 비평이 발생했는가?」 의 몇 가지 논점을 반박한다在美麗的詞句掩蓋下——駁斥<爲什麼會有這樣的批評?>中的幾個論點」가 발표되 었다.

『문회보』에 왕융성王永生의 글「후펑의 자발적 투쟁 찬양의 진상胡風贊揚自發性鬥爭的眞相」이 발표 되었다.

25일,『인민일보』에 저우얼푸의「미얀마에서의 나날在緬甸的日子」이 발표되었다.

『문회보』에 즈이知一의 글「후스파 자산계급 유심주의 사상을 향해 진군하자向胡適派資產階級唯心主義思想進軍」가 발표되었다.

26일,『베이징일보』에 쑹루의 글「후펑의 이론이 문예창작에 끼치는 해악-뼈를 뽑고 가죽 만 남기는 '현실주의' 제4편胡風的理論對文藝創作的毒害——抽骨留皮的"現實主義"之四」, 닝이凝壹의 글「저우푸위안은 정말로 스핑을 사랑하는가?周樸園眞愛侍萍嗎?」가 발표되었다.

『문회보』에 웨이밍의 글「우수한 인형극과 그림자극優秀的木偶戲、皮影戲」이 발표되었다.

27일, 『인민일보』에 황야오몐의「문학의 내용과 형식에 대한 후평의 견해를 평하다評胡風對文學的內容和形式的看法」가 발표되었다.

『문회보』에 위지쩌의 글「실용주의의 '진리론' – 실용주의 비판 제3편實用主義的"眞理論"──實用主義批判之三」이 발표되었다.

28일, 『인민일보』에 정전둬의「아시아 아프리카 국가 간의 문화교류공작을 더욱 발전시키자進一步發展亞非國家之間的文化交流工作」가 발표되었다.

『광명일보』에 쑨리싱孫力行의 글「후스의 '정전변' 등을 비판한다批判胡適的"井田辯"及其它」가 발표되었다.

『문회보』에 뤄쑨의 글「'라프'파란 무엇인가」가 발표되었다(『문예월보』 1955년 제2호에 발표한 동명의 원고를 수정한 글).

29일, 『문회보』에 구톈穀田의 글「반드시 문예 간행물의 전투성을 강화해야 한다─『문예월보』최근 몇 호를 평하다必須加強文藝刊物的戰鬪性──評最近幾期的<文藝月報>」가 발표되었다.

30일, 『문예보』 제8호에「「인터내셔널의 노래」의 작자 알렉산더 포티에<國際歌>的作者艾·鮑狄埃」,「독일 공인합창단의 발전德國工人合唱團的發展」등 레닌의 유저 가운데 공인혁명 음악운동에 관한 단문 두 편 및 양셴전의「철학의 근본 문제를 통해 후평 소집단의 사상 본질을 보다從哲學的根本問題看胡風小集團的思想本質」, 우창의「후평의「의견서」는 후평 반당사상의 확실한 증거이다胡風的<意見書>是胡風反黨思想的明證」, 마톄딩의 시에 화쥔우가 삽화를 그린 풍자시「'자아확장' 송가"自我擴張"頌」(시의 머리말에 "이 시는 후평의 시에 등장하는 시구들을 '표절'해 엮은 '시'로, 그의 '우수'한 '자아확장이론'을 '찬송'하려 하였다"라고 밝혔다), 우허우吳厚의「쉐웨이의 문예사상을 평하다評雪葦的文藝思想」, 톈진의 어느 간부의 글「루뎬의 허위에 속아서는 안 된다不能被蘆甸的虛僞所欺騙」등의 글이 발표되었다.

이 외에도 쩌우디판의「아시아 아프리카 회의에 발언하다對亞非會議發言」, 아이우의「행복한 국가에서-체코슬로바키아공화국 국경 10주년을 경축하며在幸福的國家裏──慶祝捷克斯洛伐克共和國國慶十周年」, 비예의 「신장의 봄新疆的春天」, 우쭈광의 「메이란팡 선생의 예술 청춘은 영원하리梅蘭芳先生的藝術青春長在」, 타오슝의 「저우신팡 선생의 공연예술周信芳先生的表演藝術」, 예루퉁의 평론 「「여명의 강가」를 읽고<黎明的河邊>讀後」, 뤄더우羅鬥의 글 「사람이 황금보다 귀하다-소련 장편소설 『용감』을 읽고人比黃金寶貴──讀蘇聯長篇小說<勇敢>」 등이 발표되었다.

30일, 『인민일보』에 린모한의 「쉐웨이-후펑의 추종자雪葦──胡風的追隨者」가 발표되었다. 그는 글에서 "쉐웨이와 후펑의 문예사상은 기본적인 문제에 있어 완전히 일치한다. 그들은 마르크스주의 세계관과 문학의 당성에 반대하고, 문학의 무사상성無思想性을 부추기며, 작가의 사상개조에 반대하고 자산계급의 자유주의를 제창하며, 문예공작자에 대한 당의 지도에 반대하고, 반당적인 종파집단에 합법적인 권리를 부여할 것을 요구한다"라고 보았다.

『광명일보』에 커옌의 「우정을 위하여, 집단의 영예를 위하여爲了友誼, 爲了集體的榮譽」가 발표되었다.

『베이징일보』에 화룽化龍의 생활 스케치 「전투戰鬥」가 발표되었다.

이달에 장레이張雷의 장편소설 『변천기變天記』가 통속독물출판사에서 출간되었다.

어우양산의 중편소설 『영웅삼생英雄三生』, 리지의 시집 『옥문시초玉門詩抄』가 작가출판사에서 출간되었다.

저우얼푸의 단편소설집 『산골짜기의 봄山穀裏的春天』, 웨이웨이의 시집 『여명 풍경黎明風景』, 샤옌의 화극 『시험』, 예쥔젠의 번역서 『안데르센 동화선安徒生童話選』이 인민문학출판사에서 출간되었다.

가오위바오의 자전체 소설 『가오위바오』 제1부, 바이화의 단편소설집 『사냥꾼의 아가씨獵人的姑娘』, 리지의 시집 『생활의 노래生活之歌』가 중국청년출판사에서 출간되었다.

푸처우의 시집 『삼림의 노래森林之歌』가 쓰촨인민출판사에서 출간되었다.

진이의 산문특필집 『포즈링의 서광佛子嶺的曙光』이 신문예출판사에서 출간되었다.

커란, 자오쯔趙自의 전기문학 『죽지 않는 왕샤오허不死的王孝和』가 공인출판사에서 출간되었다.

5월

1일, 『창장문예』 5월호에 야오쉐인의 「조국의 직무로 돌아가다回到祖國的崗位上」, 어우양산의 「후펑 문예사상의 해악을 논하다論胡風文藝思想的毒害」가 발표되었다.

『작품』 제2호에 어우양산의 소설 「죽음 속에서 살길을 찾다死裏求生」가 발표되었다. 이는 어우양산의 중편소설 「영웅삼생」 제2장 「죽음 속에서 살길을 찾다」 부분으로, 단행본은 작가출판사에서 출간되었다. 「영웅삼생」은 하이난다오 인민해방 이전의 18년간의 고된 투쟁 과정을 묘사한 작품이다. 제1장의 제목은 「범의 아가리에서 목숨을 건지다虎口餘生」, 제3장은 「위기를 모면하고 다시 살아나다險處逢生」이다. 이 외에도 황구류의 산문특필 「어머니와 아들—룽서우샹 잡기母與子——龍首鄕散記」, 친무秦牧의 시 「광저우, 아름다운 도시廣州, 美麗的城」가 발표되었다.

친무(1919~1992), 본적은 광둥성 청하이澄海로 홍콩에서 출생하였으며 싱가폴에서 거주하였다. 중공 당원이며 중학교 교사로 근무하였다. 공화국 성립 후에 광둥성 문교청 과장, 중화서국 광저우편집실 주임, 『양청만보羊城晚報』 부편집장, 『작품』 책임 편집자, 지난대학 중문과 주임, 중국작가협회 광둥분회 부주석, 광둥성 문련 부주석 및 주석, 중국문련 위원, 중국작가협회 이사 등을 역임하였다. 저서로 장편소설 『황금 해안黃金海岸』, 『분노하는 바다憤怒的海』, 산문집 『패각집貝殼集』, 『성하집星下集』, 『화성花城』, 『조수와 배潮汐和船』, 『벌꿀과 벌침花蜜和蜂刺』 등이 있으며 『친무전집秦牧全集』(12권)이 출간되었다.

『시난문예』 5월호에 싱휘의 「부대문예공작에 대한 후펑의 '의견'에 반박한다駁胡風對部隊文藝工作的"意見"」, 구궁의 산문특필 「니양허 강가의 꽃향기尼洋河畔菜花香」, 위안커袁珂의 산문 「아이들의 수요를 위하여爲了孩子們的需要」 및 평론 「『시난문예』는 고전문학 작품 연구와 문예창작을 어떻게 대하는가<西南文藝>是怎樣對待古典文學作品硏究和文藝創作的」가 발표되었다.

『해방일보』에 린모한의 「쉐웨이—후펑의 추종자」가 전재되었다.

『역문』 5월호에 모옌莫岩이 번역한 크룹스카야의 「레닌을 추억하며憶列寧」, 첸춘치錢春綺가 번역한 실러의 「윌리엄 텔威廉·退爾」, 쭝바이화가 번역한 「실러와 괴테의 서신 세 통席勒和歌德的三封通信」, 먀오링주繆靈珠가 번역한 실러의 「시 3편詩三首」이 발표되었다.

2일, 베이징인민예술극원에 베이징에서 샤옌의 5막 화극 「시험」을 공연하였다. 자오쥐인이 감독을, 샤춘이 부감독을 맡았으며 정룽鄭榕, 린롄쿤林連昆 등이 주연을 맡았다. 극본은 『인민문학』 제8호에 발표되었다.

3일, 『베이징일보』에 팡바이方白의 평론 「소련 소설 「돈바스」의 주제 사상蘇聯小說<頓巴斯>的主題思想」, 우밍융吳明永의 글 「연환화 「부녀 주임」의 인물 성격 묘사에 관하여談連環畫<婦女主任>人物性格的刻畫」가 발표되었다.

『문회보』에 위지쩌의 「실용주의의 '방법론'─실용주의 비판 제4편實用主義的"方法論"──實用主義批判之四」, 장원환蔣文煥의 평론 「「개구쟁이」는 우수한 아동교육영화이다<小淘氣>是一部優秀的兒童教育影片」, 룽청의 평론 「샤오시와 프란츠小西和佛朗茲」가 발표되었다.

『극본』5월호에 자우쉰의 단막 아동극 「작은 파리는 어떻게 코끼리로 변했을까小蒼蠅是怎樣變成大象的」, 아이밍즈의 4막 5장 화극 「행복幸福」, 청신화程新華의 단막극 「긴급 집합緊急集合」이 발표되었다.

4일, 『인민일보』에 펑즈의 「'자유의 묘를 건축'한 위대한 시인─실러 서거 150주년을 기념하며"建築自由廟宇"的偉大詩人──紀念席勒逝世一百五十周年」, 쑨딩궈의 「후펑 문예사상의 반동적 세계관의 기초胡風文藝思想的反動世界觀基礎」가 발표되었다.

5일, 중국문련, 대외문협 등의 단체가 베이징에서 합동으로 세계문화 명인 실러, 미키에비치, 몽테스키외, 안데르센 기념대회를 개최하였다.

『인민일보』에 판쯔녠의 「마르크스주의를 수호하고 자산계급 유심주의 사상을 반대하기 위해 투쟁하자爲捍衛馬克思主義, 反對資產階級唯心主義思想而鬥爭」가 발표되었다.

『베이징일보』에 커라克拉의 평론 「소련 영화 「동지의 영예」 소개蘇聯影片<同志的榮譽>介紹」가 발표되었다.

『문회보』에 슝포시의 「자산계급의 유심주의 사상과 자아개조를 비판한다批判資產階級的唯心主義思想和自我改造」, 한차오룬韓超倫의 「마르크스는 우리가 학습할 영원한 모범이다─마르크스 탄생 137주년을 기념하며馬克思永遠是我們學習的典範──紀念馬克思誕生一百三十七周年」가 발표되었다.

7일, 『해방일보』에 야오원위안의 글 「후펑은 역사 발전의 객관적 법칙성을 부인한다—후펑의 유심주의 역사관 비판 제1편胡風否認歷史發展的客觀規律性——批判胡風唯心主義的歷史觀之一」이 발표되었다.

『베이징일보』에 난톈南天의 생활 스케치 「기계의 '아주머니'機器的"阿姨"」가 발표되었다.

『문회보』에 루용밍路永明의 「역사에서의 개인의 역할에 관한 후스의 망론—후스의 역사관점 비판 제5편胡適關於個人在歷史上的作用的謬論——胡適的歷史觀點批判之五」, 룽청의 평론 「우정과 집단을 묘사한 영화一部描寫友誼和集體的電影」가 발표되었다.

8일, 『인민문학』에 원제의 「보쓰텅 호숫가博斯騰湖濱」(4편), 차이치자오의 「해상의 노랫소리海上歌聲」 등의 시, 수췬의 소설 「밤중夜裏」, 쉬츠의 특필 「총명한 가설 공인들聰明的架工們」, 아이우의 산문 「헝가리의 광산도시 콤로匈牙利的礦工城市科姆洛」, 허치팡의 「후스 문학사 관점 비판胡適文學史觀點批判」, 천융의 평론 「우리는 「저지대에서의 '전투'」에서 무엇을 보았는가我們從<窪地上的"戰役">裏看到什麽」 등이 발표되었다. 이 외에도 실러 서거 150주년 및 미키에비치 서거 100주년을 기념해 두 시인의 시와 장자머우張嘉謀의 「실러의 생애와 작품席勒的生平和作品」, 뤼젠의 「미키에비치를 기념하며紀念密茨凱維支」 등의 글이 발표되었다.

『베이징일보』에 허뤄何洛의 「문예 독서를 정확하게 대하자—문예작품 독서 문제에 관하여正確地對待文藝閱讀——略談閱讀文藝作品的問題」, 양판楊凡의 소품 「사기꾼을 엄중히 방비하다嚴防騙子」가 발표되었다.

『문예학습』 제5호에 구궁의 시 「줘마의 땋은 머리에 붉은 꽃 한 송이가 꽂혀 있다卓瑪的發辮上有一朵紅花」, 펑쉐펑의 평론 「「아Q정전」<阿Q正傳>」, 짱커자의 평론 「리지의 『생활의 노래』李季的<生活之歌>」가 발표되었다. 짱커자는 글에서 "이 시는 위먼玉門 유전을 묘사한 장편서사시이다. 그러나 시인이 묘사한 대상은 기계와 전문 기술이 아니라, 이 기계와 기술을 장악한 사람이다. 청년 공인 자오밍趙明이 헌신적으로 노동하고, 선배들을 보고 배워 새로운 원유 채취 방법을 발명하는 과정에 대한 묘사를 통해 조국의 석유공업 건설의 빛나는 전망과 공인의 창조적인 노동의 가치와 의의를 반영하였다." "이 장시는 여덟 개의 절로 이루어져 있다. 각 절은 주인공의 행동을 중심 내용으로 하고 있어 느슨해지지 않는다. 언어 또한 소박하고 명쾌하다. 물론, 좀 더 엄격한 요구를 한다면 여전히 부족한 부분이 존재한다. 주인공의 성격은 몇몇 사건들을 통해 더욱 선명하게 드러날 수 있을 것이다. 전체적으로 보면 서정적인 분위기가 옅은 편이다. 이러한 한계는 아마도 시인이 위먼에서 생활한 기간이 짧아 생활 속에 충분히 깊이 침투하지 못했기 때문에 발생했을 것이다"라고 평하였다.

9일,『해방일보』에 야오원위안의 「노동인민을 모독한 후펑의 반동적 관점-후펑의 유심주의 역사관 비판 제2편胡風汚蔑勞動人民的反動觀點──批判胡風唯心主義的曆史觀之二」이 발표되었다.

「양산백과 축영대」가 제8화 프랑스 칸 국제영화제에서 상영되었으며, 27일에는 파리 극장에서 정식으로 상영되었다.

10일,『베이징일보』에 펑즈의 「괴테와 실러의 동상-실러 서거 150주년을 기념하며歌德、席勒銅像──紀念席勒逝世一百五十周年」, 순쩌셴孫澤先의 「청년을 사랑하는 교육가-영화 「동지의 영예」를 보고熱愛靑年的教育家──影片<同志的榮譽>觀後」, 쉬전徐愼의 생활 스케치 「사람이 백 살을 살면 늙은 줄 모른다人活百歲不知老」가 발표되었다.

『문회보』에 천쉬루의 「황당무계한 다원적 사관-후스의 역사 관점 비판 제6편荒謬的多元史觀──胡適的曆史觀點批判之六」이 발표되었다.

11일,『인민일보』에 펑유란의 「량수밍 선생의 문화관과 '촌치' 이론을 비판한다批判梁漱溟先生的文化觀和"村治"理論」가 발표되었다. 그는 글에서 "량수밍 선생이 선전하는 문화관과 '촌치' 이론은 전형적인 봉건 복고주의 사상이다"라고 지적하였다.

『해방일보』에 야오원위안의 「후펑은 조직적이고 지도적인 계급투쟁에 반대한다-후펑의 유심주의 역사관 비판 제3편胡風反對有組織有領導的階級鬥爭──批判胡風唯心主義的曆史觀之三」이 발표되었다.

12일,『해방군문예』에 선모쿤의 소설 「상이군인이 배반자를 제거하다榮軍鋤奸記」, 바이화의 소설 「다시 만나다重逢」, 리잉의 시 「웅장한 불꽃壯麗的火花」, 구궁의 특필 「행복으로 통하는 도로 위에서-캉짱 생활 잡기 제1편在通向幸福的道路上──康藏生活散記之一」이 발표되었다.

『문회보』에 차오빈의 「유심주의는 어디에서 왔는가?唯心主義是從哪裏來的?」, 베이징 세계문화 명인 기념대회에서의 마오둔의 연설 「평화와 민주, 그리고 인류의 진보사업을 위하여爲了和平、民主和人類的進步事業」(개요)가 발표되었다.

13일,『인민일보』에 「후펑 반당집단에 관한 몇 가지 자료關於胡風反黨集團的一些材料」가 발표되었다. 이 가운데에는 후펑의 「나의 자아비판我的自我批判」, 「'몇 가지 이론적 문제에 관한 설명 자료'에 관한 반성對"關於幾個理論性問題的說明材料"的檢查」과 후기를 비롯해 후펑이 수우에게 보낸 서신을 수우가 발췌하여 주석을 단 발췌문 34건이 포함되었다. 수우는 후기에 "후펑이 내게 보낸 서신들 중에서 이 수많은 자료들을 정리하면서 나는 몸서리치지 않을 수 없었다. 이 자료들을 지금 눈앞에 펼쳐 놓으니 반당적이고 반마르크스주의적인 숨결과 비열한 개인적 야심의 냄새가 너무나도 강렬하다. 그러나 그 당시에 나는 이 서신들을 나의 모든 인생과 공작, 그리고 사상을 지도하는 귀중한 문헌으로 여겨 옳지 못한 부분을 발견하지 못했다. 이 자료는 당시의 나의 사상적 면모가 얼마나 추악했는지를 비춰 주는 거울이다!"라고 밝혔다.

『인민일보』는 후펑의 「나의 자아비판」의 서두에 편집자의 말(마오쩌둥 집필)을 추가하여 "후펑이 올해 1월에 집필하고 2월에 수정하였으며 3월에 「후기」를 덧붙인 이 「나의 자아비판」을 지금에 와서야 수우의 「후펑 반당집단에 관한 몇 가지 자료」와 함께 발표하는 이유는 후펑이 우리의 신문을 이용해 계속해서 독자를 기만하지 못하게 하기 위해서이다. 수우가 글에서 폭로한 자료를 보고 독자들은 후펑과 그가 지도하는 반당적이고 반인민적인 문예집단이 얼마나 오래전부터 중국 공산당과 진보 작가들을 적대시하고 또한 증오하고 있었는지를 알 수 있을 것이다. 독자들은 후펑이 수우에게 보낸 서신들에서 혁명의 숨결을 단 한 줄기라도 느꼈는가? 이 서신들에서 발산되는 냄새는 우리가 일찍이 국민당 특무기관이 출판한 『사회신문社會新聞』과 『신문천지新聞天地』 등의 간행물에서 맡았던 냄새와 완전히 같지 않은가?……가면을 벗기고 진상을 폭로하여 당을 도와 후펑과 그 반당집단의 모든 정황을 철저히 밝히고, 앞으로 진정한 사람이 되는 것이 후펑과 후펑파의 모든 이들의 유일한 활로이다"라고 밝혔다.[6]

『문회보』에 장티윈蔣梯雲의 글 「역사유물주의란 무엇인가什麼是歷史唯物主義」가 연재되어 17일에 연재가 완료되었다.

14일, 『인민일보』에 위안수이파이의 「시를 어떻게 쓸 것인가—이사코프스키의 『시의 기교에 관하여』 소개怎樣寫詩──介紹伊薩柯夫斯基的<談詩的技巧>」가 발표되었다.

『광명일보』에 선리즈申立正의 「후펑의 가짜 반성은 우리를 속일 수 없다胡風的假檢討是混騙不過去的」가 발표되었다.

『문예보』에 수우의 「후펑 반당집단에 관한 몇 가지 자료」가 전재되었다.

'후펑 분자胡風分子' 뉴한이 베이징에서 체포되었다.

6)『건국 이후 마오쩌둥 문고』 제5권, 제112-113쪽, 중앙문헌출판사 1991년

15일, '후펑 분자' 자즈팡賈植芳이 상하이에서 체포되었다.

『광명일보』에 루칸루의 「후스의 『백화문학사』를 비판한다批判胡適的白<話文學史>」가 발표되었다.

『문예월보』에 우창의 소설 「말을 기르는 사람養馬的人」(제6호에 연재 완료), 왕뤄왕의 「쉐웨이는 후펑을 대신해 무엇을 부추기는가?雪葦替胡風鼓吹什麼?」, 진이의 「후펑이 쓴 '새로운 인물'胡風筆下的"新人物"」이 발표되었다.

16일, '후펑 분자' 쩡줘가 우한에서 체포되었다.

17일, 후펑이 베이징 자택에서 공안에 의해 체포되어 루링, 뤼위안 등과 함께 친청秦城 감옥에서 1965년 말까지 복역하였다.

『베이징일보』에 우창방巫昌邦의 생활 스케치 「애호愛護」, 샤춘의 평론 「평극 「진달래」의 공연을 평하다談評劇<金黛萊>的演出」가 발표되었다.

『문회보』에 융샹永祥의 소설 「기록원記錄員」이 발표되었다.

『해방일보』에 야오원위안의 「후펑의 기회주의에 열 배로 반격하자給胡風的兩面派手腕以十倍還擊」가 발표되었다.

18일, 『인민일보』에 어우양위첸의 「후펑의 반당행위를 철저히 청산해야 한다應當徹底淸算胡風的反黨行爲」, 차오위의 「누가 후펑의 '적, 친구, 나'인가誰是胡風的"敵、友、我"」, 우쭈샹의 「후펑의 진면목을 반드시 명확히 밝혀야 한다一定要弄淸胡風的眞面目」, 우쭈광의 「후펑의 낯짝胡風的嘴臉」, 저우지창의 「후펑이 속임수를 써서 빠져나가게 두어서는 안 된다不要讓胡風蒙混過關」, 왕캉王康의 「반드시 후펑의 반동적 면모를 폭로해야 한다必須揭穿胡風的反動面目」, 장웨이샹蔣維祥의 「다시는 그에게 속아서는 안 된다再也不能受他的騙了」, 왕창딩의 「후펑을 숙청하자把胡風淸洗出去」, 선카이沈凱의 「기회주의자의 가면을 벗기자剝下兩面派的假面吧」, 링첸淩茜의 「그저 단순한 작가가 아니다不僅是一個單純的作家」, 방리邦立의 「반드시 반당적 사실을 숨김없이 진술해야 한다必須把反黨的事實坦白交代」, 팡쯔싱方孜行의 「후펑은 무엇을 반성했는가胡風檢討了什麼」, 링한淩寒의 「그들은 강도보다도 무섭다他們比強盜更可怕」, 판이판潘一凡의 「독자를 우롱하는 것은 불가능하다愚弄讀者是不可能的」, 창쑤倉粟의 「후펑은 우리의 위험한 적이다胡風是我們的危險的敵人」, 추이나이잉崔乃營의 「그가 계속 독을 퍼뜨리게 두어서는 안 된다不許他繼續散布毒素」, 리렁李冷의 「그를 적으로 보아야 한다應當把他看成敵人」 등,

13일에 발표된 수우의 「후평 반당집단에 관한 몇 가지 자료」에 호응하여 후평에 관해 폭로하는 글이 여러 편 발표되었다. 이 외에도 마인추馬寅初의 글 「아시아 아프리카 지역 각국 협력의 중요성亞非區域各國合作的重要性」이 발표되었다.

19일, 『광명일보』에 왕야오의 「후평의 '실천 내용'은 무엇인가胡風的"實踐內容"是什麼」, 왕치王琦의 「우리는 후평에게 질문해야 한다我們要質問胡風」, 허웨이의 「음모는 이미 폭로되었다陰謀已經揭穿了」, 지전화이季鎮淮의 「후평의 반당적 진면목을 똑똑히 보았다看清了胡風反黨的真面目」 등 후평을 비판하는 글이 발표되었다.

『문회보』에 인민교육 사설 「유심주의 사상 비판의 중대한 의의批判唯心主義思想的重大意義」가 발표되었다.

20일, 『인민일보』에 뤼잉의 평론 「「명랑한 날」을 평하다評<明朗的天>」가 발표되었다.

『베이징문예』(베이징시 문학예술공작자연합회가 편찬하고 라오서가 편집장을 맡았다)가 창간되었다. 라오서는 창간사에서 『베이징문예』의 특징에 관하여 "문자 면에서 『베이징문예』는 통속성을 추구한다. 내용 면에서의 우리의 최우선 임무는 총노선이 비추는 아래 베이징의 경제건설과 문화건설 및 각 방면의 현실생활과 투쟁을 반영하고, 이러한 투쟁 속의 새로운 인물과 새로운 사건을 노래하며, 보수적이고 뒤떨어진 것을 비판하는 것이다. 우리의 주된 대상 독자는 공인이다. 내용 면에서 공인을 중점적으로 묘사할 것이지만 공인에 국한되지는 않는다. 문예대오의 신생 역량을 양성하기 위해 우리는 힘이 닿는 대로 책임을 다해야 한다. 우리는 활자 사이에 삽화를 많이 추가하고, 독립된 회화와 목각 등 미술작품도 게재하려 한다"라고 설명하였다. 창간호에는 친자오양의 소설 「사장 궈무산社長郭木山」, 저우리보의 산문 「마오쩌둥 동지의 고거毛澤東同志的故居」, 사어우의 시 「가품을 파는 '이론가'販賣假貨的"理論家"」, 예쥔젠의 「안데르센 동화 2편安徒生童話兩篇」 및 가곡 「청년 돌격대青年突擊隊」(라오서의 근작 화극 「청년 돌격대」의 삽입곡으로 라오서가 가사를 창작하였다)가 발표되었다.

『문회보』에 류쑹타오劉松濤의 「후스의 반동적 교육사상을 비판한다批判胡適反動的教育思想」, 황상의 「후평의 '안심하고 의탁할 곳'胡風的"安身立命之地"」, 루신장盧心章의 「후평의 '비밀장부'胡風的"暗帳"」가 발표되었다.

21일, '후평 분자' 지광이 항저우에서 체포되었다.

『인민일보』에 라오서의 「후펑의 마음을 간파했다看穿了胡風的心」, 허우와이루侯外廬의 「후펑─반혁명적인 회색 뱀胡風──反革命的灰色蛇」, 장톈이의 「이것은 혁명과 반혁명의 투쟁이다這是個革命同反革命的鬥爭」, 톈젠의 「후펑─음모자胡風──陰謀家」, 우보샤오의 「암흑의 영혼黑暗的靈魂」, 류카이취의 「후펑과 그 집단은 철저히 자백해야 한다胡風及其集團要徹底坦白」 등 후펑을 비판한 글이 발표되었다.

『광명일보』에 톈젠의 산문 「사람의 노래─불가리아 여행기 단편人之歌──保加利亞遊記斷片」 및 자오쥐인의 「개인 야심가는 우리의 영원한 적이다個人野心家永遠是我們的敵人」, 왕전즈王震之의 「후펑은 어떠한 조직 활동들을 했는가胡風幹些什麼組織活動」, 샤오첸의 「시기적절하고도 강력한 일깨움一個及時而有力的提醒」, 바이화의 「너는 또 무슨 배역을 연기하는가你還扮演什麼角色」, 리췬의 「어두운 구석의 적陰暗角落裏的敵人」 등 후펑의 죄상을 철저히 폭로하고 청산하는 글이 발표되었다.

『베이징일보』에 짱커자의 「후펑의 반동 범죄행위를 반드시 청산해야 한다胡風的反動罪行必須清算」, 쑨청페이孫承佩의 「숨길 수 없고, 가릴 수 없고, 속일 수 없다藏不起, 蓋不住, 騙不過」 및 유빙尤兵의 「영화 소품─다큐멘터리의 새로운 양식電影小品──紀錄片的新樣式」 등이 발표되었다.

『문회보』에 우뤄안吳若安의 「애초에 승냥이였다原來是一匹豺狼」, 치이잉戚逸影의 「가짜 반성은 보는 이를 더욱 분노하게 할 뿐이다假檢討只有使人更憤怒」, 장허우융張厚墉의 「후펑이 속임수를 써서 빠져나가게 해서는 안 된다不要讓胡風蒙混過關」가 발표되었다.

22일, 『인민일보』에 진중화金仲華의 「작가가 아니라 음모자이다不是作家, 是陰謀家」, 선즈위안沈志遠의 「후펑의 반당집단을 철저히 분쇄하자徹底粉碎胡風的反黨集團」, 천이의 「후펑은 도대체 무엇을 할 셈인가胡風到底算幹什麼的」, 펑즈의 「이 '뱀 소굴'을 철저히 열어 드러내야 한다要徹底揭開這個"蛇窟"」, 장샹린張湘琳의 「후펑이 계속 기만하도록 두어서는 안 된다不容許胡風繼續欺騙下去」 등 후펑을 폭로하는 글이 발표되었다.

『베이징일보』에 리원李文의 평론 「사상 면에서 자신을 무장하자─영화 「이 일을 잊어서는 안 된다」를 보고從思想上武裝自己──影片<不能忘記這件事>觀後感」, 차이구이왕才貴旺의 소품 「새 공장을 지원하다支援新廠」가 발표되었다.

『문회보』에 란원찬藍文燦의 「후펑파가 길을 선택할 때가 왔다是胡風派選擇道路的時候了」, 후한샤오胡漢霄의 「후펑의 반혁명 본질을 철저히 폭로하자徹底揭露胡風的反革命本質」 및 거망葛芒의 「가극 「샤오얼헤이의 결혼」의 공연에 관하여談歌劇<小二黑結婚>的演出」가 발표되었다.

23일, 『인민일보』 제3판의 전체 지면에 '경계심을 높이고, 후평을 폭로하자' 특집이 게재되어 딩링의 「적은 어디에 있는가敵人在哪裏」, 루위다오盧於道의 「후평은 반드시 고개를 숙이고 죄를 인정해야 한다胡風必須低頭認罪」, 웨이진즈의 「후평 집단의 범죄행위胡風集團的罪行」, 스징史靖의 「후평의 기회주의적 수법을 청산하자淸算胡風的兩面派手法」, 차이이뱌오蔡義彪의 「후평의 범죄행위를 청산하자淸算胡風的罪行」, 민수이岷水의 「후평은 장제스의 충신이다胡風是蔣介石的忠臣奸子」 등의 글이 발표되었다. 이 외에도 톈진시 문예계에서 전개한 '후평 반당집단' 아룽, 루뎬, 루리에 대한 투쟁과 관련된 보도가 게재되었다.

『민간문학』 5월호에 덩유메이의 「영웅 슈가르 이야기英雄什加爾的故事」, 중징원의 「후평의 잘못된 인민 구두창작관을 비판한다批判胡風錯誤的人民口頭創作觀」, 궁류의 「『아스마』에 관한 새로운 자료有關<阿詩瑪>的新材料」가 발표되었다. 궁류는 글에서 "나는 새롭게 발견된 이 자료들이 『아스마』의 연구공작과 앞으로 『아스마』가 다른 문예 양식으로 재창작되는 데 참고가 될 만한 자료라고 생각한다. 1. 아스마와 아헤이에 관계 문제. 2. 『아스마』에 관한 몇 가지 풍습 습관"이라고 밝혔다.

『문회보』에 자오수원趙書文의 「당에 대한 후평의 모독을 용인해서는 안 된다不能容忍胡風對黨的誣蔑」, 수신청舒新城의 「나는 분개한다! 나는 경계한다!我憤慨!我警惕!」, 자성賈升의 「후평이 망언망동을 하게 두어서는 안 된다不許胡風亂說亂動」, 뤄핑羅平의 시 「후평이여, 너는 피할 수 없다胡風, 你躱賴不掉」가 발표되었다.

중국작가협회 충칭분회와 충칭시 문련이 합동으로 좌담회를 소집하여 후평이 충칭에 있던 시기의 '반당 반혁명 음모활동'을 폭로하였다. 좌담회에는 1,800여 명이 참석하였다.

24일, 『인민일보』에 '후평 반당집단에 관한 제2차 자료'가 게재되었다. 자료에 추가된 '편집자의 말'은 전국의 인민들이 '제1차 자료'를 본 후 격노하여 이들을 비판하는 여러 통의 서신을 보내왔다고 밝히면서, "여기에 발표한 자료는 후평이 그의 반동집단 구성원에게 보낸 68통의 밀서에서 발췌한 것이다. 이 밀서는 모두 후평이 전국 해방 이후에 쓴 것이다. 후평은 이 서신들에서 악랄하게 당과 당의 문예방침 및 당의 책임자 동지들을 모독하고, 문예계의 당원 작가와 비당원 작가들을 저주하였다. 이 서신들에서 후평은 그의 반동집단 인원들을 지휘하여 반당적이고 반인민적인 범죄활동을 진행하였으며, 비밀리에 이들을 계획적으로 조직하여 당과 당이 지도하는 문예전선에 대한 난폭한 공격을 진행하였다……우리는 반드시 경계심을 배가시켜 그들의 거짓 항복이라는 계책에 넘어가서는 안 된다"라고 밝혔다.

『베이징일보』의 '경계심을 높이고, 후평을 폭로하자'란에 라오서의 「후평의 마음을 간파했다」,

빙신의 「나는 후펑의 음모를 알아보았다我看出了胡風的陰謀」, 리쉐아오李學鰲의 「후펑을 우리의 대오에서 제거하자把胡風從我們隊伍中淸除出去」, 리사오춘李少春의 「'벼슬아치 가면'을 벗어라!把"加官臉子"摘下來!」, 구챵의 「우리는 후펑의 모든 직위를 해제할 것을 요구한다我們要求撤銷胡風的一切職務」, 톈자田家의 「기회주의자를 소멸시키자消滅兩面派」 등의 글이 발표되었다.

리쉐아오(1933~1989), 허베이성 링서우靈壽 출신으로 중공 당원이다. 1947년에 혁명공작에 참가하였다. 공화국 성립 후에 베이징인민인쇄공장北京人民印刷廠 당위원회 선전부 부부장, 베이징시 문련 전문작가, 베이징시 문련 이사를 역임하였다. 1951년부터 작품을 발표하였으며 1956년에 중국작가협회에 가입하였다. 베이징시 문련 및 작가협회 전문작가, 『시간』 편집위원을 역임하였으며, 신중국 성립 후 처음으로 비교적 높은 성취를 거둔 다작 시인으로 '공인 시인'이라는 칭호를 받았다. 저서로 시집 『인쇄 공인의 노래印刷工人之歌』, 『베이징의 봄北京的春天』, 『베이징 아침 노래北京晨曲』, 『타이항의 화롯불太行爐火』, 『향음집鄕音集』, 『열차행列車行』, 『평황춘鳳凰村』, 『리쉐아오 장시선李學鰲長詩選』, 『영웅 송가英雄頌』, 『리쉐아오 시선李學鰲詩選』 등이 있다.

톈자(1917~1979), 필명은 바이자白嘉, 바이딩白丁으로 후난성 샹시湘西 출신이다. 중공 당원으로 1940년에 혁명공작에 참가하여 진수이 문련 『시베이문예』 집행위원 및 진수이 문련 문협 비서를 역임하였다. 공화국 성립 후에는 시베이예술학원 문학과 주임, 중국작가협회 문학강습소 부주임, 베이징시 문련 비서장, 『베이징문예』 편집위원 등을 역임하였다. 1940년부터 작품을 발표하였으며 1959년에 중국작가협회에 가입하였다. 저서로 문학평론집 『시의 공산주의 풍격을 논하다論詩的共產主義風格』 등이 있다.

『문회보』에 쉬중위徐中玉의 「후펑파는 일관되게 파괴를 진행한다胡風派一貫進行破壞」, 류다제劉大傑의 「후펑의 반당집단을 철저히 타도하자徹底打垮胡風的反黨集團」, 펑빙彭冰의 「가장 음험한 것과 가장 비천한 것最陰險的與最下賤的」 등이 발표되었다.

류다제(1904~1977), 후난성 웨양嶽陽 출신이다. 청년기에는 유럽 문학의 번역과 연구에 매진하였으며 중년에 고대문학 연구로 전향하였다. 공화국 성립 후에 푸단대학 중문과 교수로 근무하였다. 『사해辭海』, 『중국 역대 문론선中國曆代文論選』의 집필에 참여하였으며 『중국문학비평사中國文學批評史』를 편찬하였다. 저서로 『중국문학발전사中國文學發展史』, 『『홍루몽』의 사상과 인물紅樓夢思想與人物』, 『위진 사상론魏晉思想論』, 『동서문학평론東西文學評論』(전3권) 등이 있다.

25일, 중국문협 주석단과 작가협회 주석단이 연합확대회의를 소집해 '후펑 집단' 문제를 토론하였다. 궈모뤄가 회의를 주관했으며, 「후펑을 법에 따라 처리할 것을 요청한다請依法處理胡風」라는 제목의 개회사를 하였다. 회의에서는 후평을 작가협회에서 제명하고, 그가 맡고 있던 중국작가 협회 이사,『인민문학』편집위원 및 중국문련 위원회에서의 직무를 해제하며, 전국인민대표대회 상무위원회에 그의 인민대표 자격을 박탈할 것을 건의하고, 최고인민검찰원最高人民檢察院에 후평 의 '반혁명 범죄행위에 대해 필요한 처리를 진행'할 것을 건의하며, '후평 집단 분자'들에게 반드시 '앞으로 나서서 후평을 폭로하고, 자기 자신을 비판하여 다시 사람답게 처신'하라고 경고할 것을 결의하였다(『문예보』제11호에 게재).

『문회보』에 후평 반당집단에 관한 제2차 자료가 전재되었다.

26일,『인민일보』에 궈모뤄의「후평을 법에 따라 처리할 것을 요청한다」, 바진의「반드시 후 평 반당집단을 철저히 타도해야 한다必須徹底打垮胡風反黨集團」, 저우리보의「후평이라는 나쁜 놈을 숙청해야 한다淸洗胡風這個壞家夥」, 캉줘의「후평을 토벌하자討伐胡風」, 차오밍의「후평 반당집단을 숙청하자肅淸胡風反黨集團」, 리보자오의「투쟁을 끝까지 관철하자把鬥爭貫徹到底」, 진진의「후평은 인민의 공적이다胡風是人民的公敵」등 후평을 폭로하는 글이 발표되었다.

『광명일보』에 위안량이袁良義의「후스의 실용주의 역사유심관을 비판한다批判胡適的實用主義歷史 唯心觀」가 발표되었다.

『베이징일보』에 웨이진즈의「후평 집단의 범죄행위胡風集團的罪行」, 슝푸의「반당 음모자 후평 의 가면을 벗기자剝去反黨陰謀家胡風的假面目」, 타오멍허陶孟和의「후평의 진면목을 확실히 인식했다 認淸了胡風的眞面目」가 발표되었다.

『문회보』에 광지의「후평의 톈진 참호를 들춰내자揭掉胡風在天津的地堡」가 발표되었다.

27일,『인민일보』에「후평 반혁명집단의 범죄행위를 폭로하고 질책한다─중국문학예술계연 합회 주석단, 중국작가협회 주석단 연합확대회의에서의 일부 발언揭露和譴責胡風反革命集團的罪行—— 在中國文學藝術界聯合會主席團、中國作家協會主席團聯席擴大會議上的一部分發言」이라는 제목으로 예성타오, 샤옌, 쯔야孜亞, 펑쉐펑, 바오창 등의 발언이 게재되었다.

『광명일보』에「5월 25일 중국문련, 중국작가협회 주석단 확대회의에서의 일부 발언5月25日在中 國文聯、中國作家協會主席團擴大會議上的部分發言」이라는 제목으로 이 발표되어 어우양위첸, 우보샤오, 광지, 우쭈샹, 훙선 등의 발언이 게재되었다. 이 외에도 첸자쥐千家駒의 글「식민주의를 논하다論殖 民主義」가 발표되었다.

톈진시 문련에서 톈진의 '후평 집단 골수분자' 아룽을 톈진시 문련에서 제명하고, 문련에서의 그의 직위를 해제하기로 결의하였다(『인민일보』 29일자에 게재).

『베이징일보』에 차오위의 「후펑이여, 너의 주인은 누구인가胡風, 你的主子是誰」, 궈모뤄의 「후펑을 법에 따라 처리할 것을 요청한다」, 톈젠의 「후펑—음모자胡風──陰謀家」, 광지의 「후펑의 톈진 참호를 들춰내자」, 가오스치의 「범죄행위를 추적하자追査罪行」, 리쉐펀李雪芬의 「후펑 집단의 음모를 증오한다痛恨胡風集團的陰謀」 등 후펑을 폭로한 글이 발표되었다.

『문회보』에 왕시옌의 「경계심을 높이고, 계속해서 전투하자提高警惕, 繼續戰鬥」, 아이밍즈의 「후펑 반당집단의 난폭한 공격을 분쇄하자粉粹胡風反黨集團的猖狂進攻」가 발표되었다.

28일, 『인민일보』에 차오위의 「후펑이여, 너의 주인은 누구인가」, 정웨이청鄭偉成의 「후펑은 어떤 사람인가胡風是一個什麼樣的人」 등 후펑을 폭로하는 글이 발표되었다.

『광명일보』에 궁무의 글 「후펑을 폭로해 이리 소굴을 파괴하자揭露胡風搗毀狼窩」가 발표되었다.

『베이징일보』에 차오위喬羽의 글 「아름다운 가극─가극 「초원의 노래」 소개一部美麗的歌劇──介紹歌劇<草原之歌>」가 발표되었다.

『문회보』에 「후펑 반혁명집단의 범죄행위를 폭로하고 질책한다─중국문학예술계연합회 주석단, 중국작가협회 주석단 연합확대회의에서의 일부 발언揭露和譴責胡風反革命集團的罪行──在中國文學藝術界聯合會主席團、中國作家協會主席團聯席擴大會議上的一部分發言」이라는 제목으로 샤옌과 펑쉐펑 등의 발언이 게재되었다.

29일, 『광명일보』에 허치팡의 「마음이 통쾌해지는 일大快人心的事」, 유궈언의 「후펑 집단의 반혁명 활동을 철저히 분쇄하자徹底粉碎胡風集團的反革命活動」 등 후펑을 폭로하는 글이 발표되었다.

『베이징일보』에 루잉陸英의 「분노와 연민만으로 충분한가?─영화 「혼혈아」로부터 이야기를 시작하다光是氣憤、憐憫就夠了嗎?──從影片<混血兒>談起」가 발표되었다.

『문회보』에 야오원위안의 「적을 정확히 알고, 후펑 반당 반혁명의 독소를 철저히 파괴하자認淸敵人, 把胡風反黨反革命的毒巢徹底搗毀」가 발표되었다.

30일, 『인민일보』에 젠보짠翦伯贊의 「후펑 집단의 범죄행위에 단호히 반대한다堅決反對胡風集團的罪行」, 뤄창페이의 「후펑 집단을 철저히 제거하자徹底淸除胡風集團」, 차오징화의 「뱀을 때려잡는 것은 인민의 사랑을 위해서이다打蛇, 是爲了對人民的愛」, 바런의 「후펑, 가장 음험한 계급의 적胡風, 最陰險的階級敵人」, 허자화이의 「위장한 적을 잘 판별해야 한다要善於辨別僞裝敵人」, 왕전즈의 「숨어 있는 '지하군'을 토벌하자剿滅隱蔽的"地下軍"」, 마옌샹의 「후펑을 엄중히 처벌하자嚴懲胡風」, 리루이의 「간첩 비적의 기만 수단을 경계하자警惕特務匪徒的欺騙手段」, 레이자의 「학습을 강화하고 경계심을 높이자加強學習, 提高警惕」, 류시의 「그들은 인민에게 용서할 수 없는 죄를 범했다他們對人民犯下了不可饒恕的罪」, 펑이다이馮亦代의 「후펑은 인민의 숙적이다胡風是人民的死敵」 등 후펑 반혁명 집단의 범죄행위를 폭로하고 질책하는 글이 발표되었다.

젠보짠(1898~1968), 위구르족으로 저명한 역사학자이자 사회활동가이다. 후난성 타오위안桃源 출신이다. 공화국 성립 후에 중앙인민정부 정무원 문화교육위원회 위원, 중앙민족사무위원회 위원, 옌징대학 사회학과 교수, 베이징대학 역사학과 교수 겸 과 주임, 베이징대학 부교장, 중앙민족학원 교수, 중국과학원 철학사회과학부 위원 등을 역임하였다. 저서로 『역사철학교정歷史哲學教程』, 『중국사강中國史綱』 등이 있다.

『문예보』9, 10호 합본에 사설 「중국공산당 전국대표회의의 결의를 진지하게 학습하고, 문학예술사업의 당성 강화를 위해 투쟁하자認真學習中國共產黨全國代表會議的決議 爲增強文學藝術事業的黨性而鬥爭」가 발표되었다. 이 외에도 슝푸의 「반당 음모자 후펑의 가면을 벗기자剝去反黨陰謀家胡風的假面目」, 량난의 「반당 음모자 후펑의 가증스러운 낯을 보라請看反黨陰謀家胡風的可憎面目」, 쥔밍峻明의 「후펑 반당집단은 신문예출판사에서 무엇을 했는가?胡風反黨集團在新文藝出版社幹了些什麼?」, 본지 편집부가 정리한 「우리가 입수한 후펑 반당집단의 자료我們接觸到的胡風反黨集團的材料」 등 후펑을 비판하는 글을 비롯해 후펑의 「나의 자아비판」, 수우의 「후펑 반당집단에 관한 몇 가지 자료」, 쉬광핑의 「후펑 사상과 선을 긋자與胡風思想劃清界限」, 차오위의 「후펑은 어느 길을 가고 있는가?胡風是走的哪一條路?」, 뤄쑨의 「후펑은 이런 식으로 후스와 '투쟁'했다胡風是這樣和胡適作"鬥爭"的」, 주광첸의 「후펑의 위장을 벗기고, 그의 주관유심론의 진상을 보자剝去胡風的偽裝看他的主觀唯心論的真相」, 사어우의 「아룽의 반동적 시가 이론阿壟的反動的詩歌理論」, 팡치돤方其端의 「팡란—후펑 반동사상의 전도사方然——胡風反動思想的傳道士」가 발표되었다.

같은 호의 '경계심을 높이고, 후펑을 폭로하자'란에 예성타오의 「5월 13일자 『인민일보』의 후펑에 관한 자료를 보았다看了五月十三日<人民日報>關於胡風的材料」, 메이란팡의 「위선의 가면과 악독한 진면목偽善的假面具和惡毒的真面目」, 추투난의 「숨어 있는 이리暗藏的狼」, 첸웨이창錢偉長의 「결코 후펑이 인민을 계속 기만하도록 두어서는 안 된다絕不容許胡風繼續欺騙人民」, 바이랑의 「흉악한 적凶惡的敵人」, 차오멍쥔曹孟君의 「후펑 반당사건에 대한 나의 인식我對胡風反黨事件的認識」, 허린賀麟의 「위장을 벗겨라剝去偽裝」, 펑유란의 「후펑과 후스는 '동공이곡'이다胡風和胡適"異曲同工"」, 중징원의 「후펑을 누구를 위해 완강히 '전투'하는가?胡風是在爲誰而頑強地"戰鬥"?」, 자오쥐인의 「오만한 개인 야심가狂妄的個人野心家」, 뤄핑의 「누구를 혁명하는가?革誰的命?」, 톈화의 「경계심을 높이고, 후펑의 반혁명 음모를 폭로하자提高警惕, 揭穿胡風反革命的陰謀」, 우윈둬의 「음모 진상의 폭로陰謀真相的揭露」, 쓰투차오司徒喬의 「야심가의 낯짝野心家的嘴臉」, 천쉬쭝陳緒宗의 「종이로 불을 쌀 수 없다紙是包不住火的」, 리쉐아오의 「반드시 순순히 고개 숙여 죄를 인정해야 한다必須老老實實低頭認罪」, 리차오의 「비열한 사기꾼卑劣的騙子」, 쑨웨이스의 「후펑의 '진실'이 폭로되었다胡風的"真實"被揭穿了」, 류사오탕의 「후펑의 반당 반인민 활동의 진상을 철저히 폭로하자徹底揭露胡風反黨反人民活動的真相」, 나·싸이인차오커투納·賽音朝克圖의 「가면으로는 사람을 속일 수 없다假面具是騙不了人的」, 리훙쿠이李弘奎의 「이것은 어떤 「자아비판」인가這是什麼樣的<自我批判>」가 발표되었다. 이 외에도 허징즈의 「실러 서거 150주년을 기념하며紀念席勒逝世一百五十周年」가 발표되었다.

나·싸이인차오커투(1914~1973), 몽골족. 네이멍구 차하얼察哈爾 출신으로 중공 당원이다. 네이멍구일보사內蒙古日報社 및 네이멍구인민출판사內蒙古人民出版社 편집자, 『네이멍구문예內蒙古文藝(몽고어판)』편집장, 『시간』편집위원, 네이멍구 문련 부주석 등을 역임하였다. 다수의 산문집, 시집, 소설집을 출간하였다.

『문회보』에 커링의 「이것은 혁명사업의 방어전이다這是革命事業的保衛戰」, 스팡위의 「위험한 음모, 기회주의적 수법危險的陰謀, 兩面派手法」, 랴오스청廖世承의 「경계심을 높이고, 모든 반혁명분자를 제거하자提高警惕, 清除一切反革命分子」, 펑춘豐村의 「후펑 반혁명집단을 철저히 분쇄하자徹底粉粹胡風反革命集團」 등 후펑 반혁명집단의 범죄행위를 폭로하고 질책하는 글이 발표되었다.

펑춘(1917~1989), 허난성 칭펑淸豊 출신으로 중공 당원이다. 1938년부터 작품을 발표하였으며 중학교 교사로 근무하였다. 상하이 군관회 신문출판처 심사과장, 상하이군중예술관上海群眾藝術館 부관장 등을 역임하였다. 저서로 장편소설『대지의 성大地的城』등이 있다.

31일, 『인민일보』에 「후펑 반혁명집단을 단호하고 철저하게 분쇄하자堅決徹底粉碎胡風反革命集團」라는 제목으로 커란의 「상하이 문예계에서의 류쉐웨이의 반당활동을 폭로한다揭露劉雪葦在上海文藝界的反黨活動」, 광지의 「톈진에서의 후펑 반혁명집단의 범죄행위를 폭로한다揭露胡風反革命集團在天津的罪行」, 리니의 「후펑을 인민의 대오에서 제거하자把胡風從人民的隊伍中清除出去」, 천위안陳垣의 「우리는 결코 용인할 수 없다我們絕對不能容忍」 등 20여 편의 글과 70여 통의 서신이 발표되었다.

『문회보』에 장충張瓊의 「후펑을 제재하자制裁胡風」, 탕전창唐振常의 「끝까지 추적하자追到底」가 발표되었다.

이달에 자오수리의 장편소설 『삼리만』이 통속독물출판사에서 출간되었다. 이 책은 1958년 3월에 인민문학출판사에서 신판이 출간되었고, 1959년에 제2판이, 1962년에 제3판이 출간되었으며, 1962년 7월에 작가출판사에서 제1판이 출간되었다. 이 소설은 화극, 평극, 예극, 후난 화고희湖南花鼓戲 및 「꽃이 만개하고 달이 둥글다花好月圓」라는 제목의 영화로 각색되었으며 여러 나라의 언어로 번역 출판되었다. 이 가운데 쉬짜이민許在民이 각색한 화고희는 건국 30주년 헌정 공연에서 우수 작품 창작상을 수상하였다.

라오서의 장편소설 『무명고지에 이름이 생겼다』가 인민문학출판사에서 출간되었다.

화자華嘉의 중편소설 『겨울이 가고 봄이 오다冬去春來』가 화난인민출판사華南人民出版社에서 출간되었다.

장융메이의 시집 『해변의 시海邊的詩』, 리즈의 시집 『베이징을 향해 경례하다向北京致敬』가 후베이인민출판사에서 출간되었다.

사오옌샹의 시집 『먼 곳으로 가다到遠方去』가 신문예출판사에서 출간되었다. 본 시집은 시인의 창작 생애에서 중요한 의미를 가지는 시집 중 한 권으로, 1952년에서 1954년 사이에 창작한 「먼 곳으로 가다」, 「우리가 이 초고압 송전선을 가설했다」, 「우리는 우리의 땅을 사랑한다我們愛我們的土地」, 「베이징을 향하여向北京」, 「알바니아에 보내다寄給阿爾巴尼亞」 등의 서정시가 수록되었다. 시집에 수록된 시들은 조국의 사회주의 건설과 건설자들이 사회주의에 헌신하는 마음을 노래하였다.

푸처우가 편찬한 민가집 『금색의 태양金色的太陽』이 충칭인민출판사에서 출간되었다.

광둥방직공장 희극조에서 공동 창작하고 정다鄭達와 쓰마위상司馬玉裳이 수정한 단막극 『생활은 전진한다生活向前』가 화난인민출판사에서 출간되었다.

저우양 등의 이론비평집 『우리는 반드시 전투해야 한다(자산계급 유심주의 사상 비판)我們必須戰鬥(批判資産階級唯心主義思想)』가 산시인민출판사에서 출간되었다.

두아이杜埃의 문학이론집 『생활과 창작을 논하다論生活與創作』가 화난인민출판사에서 출간되었다.

6월

1일, 『인민일보』에 '후평 반혁명집단을 단호하고 철저하게 분쇄하자堅決徹底粉碎胡風反革命集團' 란이 개설되어 이천의 「후평의 정치적 면모를 철저히 폭로하자徹底地揭穿胡風的政治面目」, 자지의

「후펑을 엄중히 처벌하고, 후펑 반당집단을 청산하자嚴懲胡風, 淸算胡風反黨集團」, 쉬싱즈許幸之의 「후펑 반혁명집단을 단호히 분쇄하자堅決粉碎胡風反革命集團」, 야오원위안의 「후펑의 반혁명 기회주의자들은 당의 숙적이다胡風反革命兩面派是黨的死敵」가 발표되었다. 이 외에도 1955년 5월 31일에 열린 베이징 각계의 '6·1' 아동수호대회에서의 장시뤄張奚若의 연설 개요 「사회주의를 위하여, 조국의 미래를 위하여, 우리의 새로운 세대를 더 잘 교육하고 양성하자爲著社會主義, 爲著祖國的未來, 更好地敎養我們的新生一代」가 발표되었다.

『베이징일보』에 마톄딩의 「아동서적의 창작과 출판을 위해 다시 한 번 호소한다—1955년 '6·1' 국제아동절을 기념하며爲兒童讀物的創作和出版再作一次呼籲——紀念一九五五年"六一"國際兒童節」, 진진의 「트랙터의 동생拖拉機的弟弟」, 장전張楨의 생활 스케치 「어린아이가 공사현장에 가다寶寶到工地」가 발표되었다.

『창장문예』에 위린의 「반드시 후펑 반당집단을 철저히 조사해야 한다必須把胡風反黨集團徹底查淸」, 리루이의 「조요경 아래의 후펑照妖鏡下的胡風」, 야오쉐인의 「후펑 반당집단에게 엄숙하게 고한다正告胡風反黨集團」, 웨이치린韋其麟의 장시 『백조의百鳥衣』, 위안잉의 시 「입대 선언入隊宣誓」, 리준의 산문 「그는 다리를 사랑한다他愛橋」 등이 발표되었다.

웨이치린(1935~), 장족壯族으로 광시성 헝현橫縣 출신이다. 1953년에 우한대학 중문과에 입학하여 수학하는 동안 장족의 민간전설에 근거해 장시 『백조의』를 창작하였다. 1957년에 대학을 졸업한 후 지방 문예간행물 편집, 민간문학의 수집 정리 공작 및 기본적인 행정공작에 종사하였다. 주요 작품으로 장시 『백조의』, 『봉황가鳳凰歌』 등이 있다.

같은 호에 웨이양의 시 「조국이여, 내가 돌아왔다」에 관한 필담이 진행되어 위안수이파이의 「웨이양의 시未央的詩」 등의 글이 발표되었다. 위안수이파이는 글에서 "웨이양 동지의 이 시들은 그 감정이 강렬하고도 친근하고 진지하며, 시인 본인의 감상을 통해 현실의 투쟁 생활을 그리고 있다. 그러나 이 시들은 교훈으로 삼기에 부족한 소자산계급의 사소한 개인적 사건과 개인의 애상 혹은 희열을 표현하지 못했다. '나'와 '나'가 노래하는 시 속의 인물들은 전투를 벗어난 사람 혹은 전투의 방관자가 아니라 전투 속의 혁명가이다"라고 보았다. 궁류는 「웨이양 동지에게 보낸 공개 서신給未央同志的一封公開信」에서 "당신의 이 시집은 아주 얇지만 분량이 상당합니다. 나는 시집에 실린 11편의 시들의 수준이 서로 다르다고 생각합니다. 나는 「조국이여, 내가 돌아왔다」, 「총을 내게 다오槍給我吧」, 「나의 양심我的良心」, 「불탄 마을을 지나가다馳過燃燒的村莊」, 「그는 아직 영웅이 아니다他還不是英雄」 등의 시들이 더 마음에 듭니다"라고 밝혔다. 위안수이파이와 궁류의 평론 외에도 톈이天一의 「몇 가지 감상—웨이양의 시를 읽고幾點感想——未央的詩讀後」, 란양嵐洋의 「웨이양과 그의 시未央和他的詩」 등의 글이 발표되었다.

『시난문예』에 량상취안의 시 「진차오가 개통되었다金橋, 通車了」(외 2편), 시린西林의 시 「"아빠, 꼭 이기세요!"爸爸, 祝你打勝仗!」가 발표되었다.

베이징인민예술극원이 베이징에서 푸젠군구 정치부 문공단이 공동 창작하고 왕쥔王軍, 장룽張榮이 집필한 4막 화극 「해변의 격전」을 공연하였다(진리金犁 감독, 리싱李醒 부감독, 란인하이藍蔭海, 리완펀李婉芬 주연).

『작품』 제3호의 '후펑 반당집단 규탄聲討胡風反黨集團專題'란에 관련 글이 여러 편 발표되었다. 같은 호에 천찬윈陳殘雲의 소설 「타지에 있지만 한마음異地同心」이 발표되었다.

2일, 중국과학원 학부 성립대회가 베이징에서 개최되었다. 중국과학원 물리학 · 수학 · 화학부, 생물학 · 지학부, 기술과학부 및 철학 · 사회과학부가 정식으로 설립되었다. 마오둔, 저우양, 허치팡, 펑즈, 정전둬, 궈모뤄, 양한성 등이 철학 · 사회과학부 상무위원회 위원을 맡았다(『인민일보』 6월 2일자에 게재).

『베이징일보』에 '후펑 반혁명집단의 단호하고 철저한 분쇄를 위한 시 문련 이사회 확대회의에서의 발언堅決徹底粉碎胡風反革命集團, 在市文聯理事會擴大會議上的發言'이라는 제목으로 쩡커자, 어우양산, 미즈훙米志宏, 톈경田耕, 왕쑹성王松聲, 돤무훙량, 신펑샤新鳳霞 등의 발언문이 발표되었다. 이 외에도 위안수이파이의 시 「산가 3편—「두 개의 혀」, 「진정」, 「네가 잘못했다」山歌三首——<兩條舌頭>、<真情>、<你弄錯了>」가 발표되었다.

『문회보』에 팡링루方令孺의 글 「우리는 분명히 승리할 것이다我們一定會勝利」, 커란의 「상하이 문예계에서의 류쉐웨이의 반당활동을 폭로한다揭露劉雪葦在上海文藝界中的反黨活動」가 발표되었다.

3일, 『인민일보』의 '후펑 반혁명집단을 단호하고 철저하게 분쇄하자'란에 리진시黎錦熙의 「혁명적 경계심을 높이고, 반동집단을 숙청하자提高革命警惕, 肅清反動集團」, 왕광잉王光英의 「공상계 인사들은 반드시 경계해야 한다工商界人士應該警惕」, 차이추성의 「사람 가죽을 쓴 이리披著人皮的豺狼」, 장샤오메이張曉梅의 「후펑 집단의 범죄행위를 철저히 조사하자徹底查清胡風集團的罪行」, 롼장징의 「후펑 반혁명집단의 진상을 추적하자追查胡風反革命集團的底細」가 발표되었다.

『문회보』에 중국과학원 학부 성립대회에서의 궈모뤄의 발언 개요와 구중이의 「반혁명분자 후펑을 엄히 처벌해야 한다嚴肅懲治反革命分子胡風」, 타오웨이원陶蔚文의 「철저히 청산하자徹底清算」가 발표되었다.

『극본』6월호에 허추何求의 단막극「새 국장이 오기 전에新局長到來之前」가 발표되었다.

4일,『문회보』에 류푸녠劉佛年의 글「반동적 실용주의 교육사상이란 무엇인가什麼是反動的實用主義教育思想」의 연재가 시작되어 6일자에 연재가 완료되었다.

5일,『인민일보』의 '후펑 반혁명집단을 단호하고 철저하게 분쇄하자'란에 장즈허張志和의「후펑 반혁명집단의 음모 활동을 단호히 진압하자堅決鎮壓胡風反革命集團的陰謀活動」, 판야오펑範堯峰의「후펑은 인민의 적이다胡風是人民的敵人」, 왕치王旗의「기회주의자의 교활한 계책을 엄중히 방비하자嚴防兩面派的陰謀詭計」, 위링의「후펑 반혁명집단과 끝까지 투쟁하자同胡風反革命集團鬥爭到底」, 리웨이李偉의「반드시 명백히 추적해야 한다必須追查清楚」, 쉬샤오빙徐肖冰의「반드시 후펑의 반동 음모집단을 단호하고 철저하게 타도해야 한다必須堅決徹底打垮胡風反動陰謀集團」가 발표되었다.

『랴오닝문예』제11호에 윈밍雲明의 소설「또 한 번 학교에 갔다又上了一次學」가 발표되었다.

6일,『베이징일보』에 롼장징의「후펑 반혁명집단의 진상을 추적하자」가 전재되었다.

『문회보』에 뤄훙羅洪의「어떤 '사업'을, 어떤 '미래'를 위함인가爲了什麼"事業", 爲了什麼"未來"?」, 웨이자오펑魏照風의「그들이 투항하게 만들자逼使他們投降」, 왕후이王蕙의 소설「강등降級」이 발표되었다.

7일,『인민일보』의 '후펑 반혁명집단을 단호하고 철저하게 분쇄하자'란에 류칭의「반드시 뿌리를 뽑아야 한다必須刨根」, 스진모施今墨의「쥐가 거리를 활보하게 두어서는 안 된다不能讓老鼠過街」, 천보추이의「언제 어디서나 숨어 있는 위장한 적을 경계해야 한다隨時隨地警惕隱蔽的偽裝的敵人」, 뤼쥔呂俊의「후펑 반혁명집단을 철저히 분쇄하자把胡風反革命集團徹底粉碎」가 발표되었다.

『베이징일보』에 수구逑古의 평론「레나에게서 무엇을 배울 것인가?─소련 소설「우리의 절실한 사업」을 읽고向列娜學習什麼?──蘇聯小說<我們切身的事業>讀後」가 발표되었다.

『문회보』에 롼장징의「후펑 반혁명집단의 진상을 추적해야 한다」가 전재되었다.

8일,『인민문학』의 '경계심을 높이고, 후펑을 고발하자'란에 류바이위, 저우리보, 쨍커자, 아이우 등의 글이 발표되었다. 류바이위는「후펑─가장 음험한 적!胡風──最陰險的敵人!」에서 "오랫동안 청년들 앞에서 '혁명 작가'를 가장하고 있었던 이가 뒤에서는 당과 혁명을 가장 적대시하고 있었다"라고 밝혔다. 저우리보는 「후펑을 숙청하고 처벌하자清洗胡風、懲辦胡風」에서 "우리는 일관되게 인민과 혁명에 반대해 온 후펑과 같은 음모자에 대해 그를 문예계에서 숙청하고 법에 따라 처벌할 것을 주장한다"라고 말했다. 쨩커자는 「후펑의 본모습胡風的原形」에서 "후펑이 위장하고 있는 모습을 정면에서 보면, 그는 어쩔 수 없이 전략적으로 퇴각해야 하는 상황에서 여전히 공산당과 함께 가는 소자산계급 혁명 지식분자인 듯 보인다. 그러나 뒷면에서 그의 위장을 꿰뚫어 보면, 반당적이고 반인민적인 그의 죄악과 음험한 본모습이 선명하고 생생하게 드러난다"라고 밝혔다. 아이우는 「군중은 속일 수 없다群眾是欺騙不了的」에서 "나는 자산계급 반동사상을 가지고 비밀리에 당에 반대하고 당을 적대시하는 입장에 선 사람이, 아무리 혁명의 외투를 몇 겹이나 덮어쓰고 혁명가를 가장한다 해도 결국은 군중을 속일 수 없다는 것을 절실히 느꼈다"라고 밝혔다.

이 외에도 마라친푸의 「이리가 억지로 웃는 것은 사람을 잡아먹기 위해서이다豺狼裝笑是爲了吃人」, 레이자의 「더 이상 침묵할 수 없다再不能沉默」, 장딩밍薑丁名의 「우리는 결코 속지 않는다我們決不受騙」 등이 발표되었다. 또한 류전의 소설 「나는 샤오룽을 사랑한다我和小榮」, 쑨리의 소설 「장씨 집안 부녀蔣家父女」, 궁류의 시 「구이산 산가圭山散歌」, 옌천의 시 「청사진을 앞에 두고 숙고하다對著藍圖沉思」, 옌천의 시 「연속 아치 댐이 탄생한 기념일에在連拱壩誕生的節日裏」, 리잉의 시 「루마니아에 있는 조선 어린이에게給在羅馬尼亞的朝鮮小朋友」, 리준의 산문 「샤오헤이小黑」, 레이자의 산문 「리지차李季查」가 발표되었다.

같은 호의 '공업전선에서在工業戰線上'란에 천덩커의 「관제실 주임調度室主任」, 비예의 「수리 기술자水利工程師」, 왕위후王玉胡의 「카자흐족 민간 시인 쓰구마러哈薩克民間詩人司古馬勒」가 발표되었다.

『문예학습』에 스망史莽의 「중국 혁명문학의 불후의 걸작─『취추바이 문집』 소개中國革命文學的不朽豐碑──介紹<瞿秋白文集>」가 발표되었다. 이 외에도 '후펑 반혁명집단의 범죄행위를 철저히 청산하자徹底清算胡風反革命集團的罪行'란에 친자오양의 「우리는 뱀 껍질이 필요없다我們不要蛇皮」, 궁무의 「가면을 벗고 본모습을 드러내라剝去假面現原形」, 마서우이馬守儀의 「나는 후펑의 본모습을 깨달았다我認清了胡風的真面目」 및 가오스치의 글 「과학과 문학을 결합하자把科學和文學結合起來」가 발표되었다.

『문회보』에 바오창의 「톈진시에서의 후펑 반혁명집단의 범죄행위를 단호히 분쇄하자堅決粉碎胡風反革命集團在天津市的罪惡」, 자오밍이趙銘彝의 「후펑 반혁명집단 분자 팡란의 반동행위를 폭로한다揭露胡風反革命集團分子方然的反動行徑」가 발표되었다.

9일, 『인민일보』의 '후펑 반혁명집단을 단호하고 철저하게 분쇄하자'란에 윈광雲光의 「후펑 반혁명집단 골수분자 셰타오의 범죄행위를 폭로한다揭露胡風反革命集團骨幹分子謝韜的罪行」, 리커李柯의 「반당분자 쩡줘가 내게 끼친 해악을 고발한다控訴反黨分子曾卓對我的毒害」, 즈샤의 「후펑 분자 쉐웨이는 철저히 자백해야 한다胡風分子雪葦要做徹底交代」, 타오둔의 「쉐웨이는 후펑의 충실한 신도이다雪葦是胡風的忠實信徒」 및 정전둬의 「인도의 문화사절을 환영한다歡迎印度的文化使節」가 발표되었다.

10일, 『인민일보』에 사설 「반드시 후펑 사건을 통해 교훈을 취해야 한다必須從胡風事件吸取教訓」가 발표되었다(원고는 마오쩌둥의 수정을 거쳐 『건국 이후 마오쩌둥 문고』에 수록되었다. 제5권, 제165-166쪽, 중앙문헌출판사 1991년). 사설은 "우리는 반드시 후펑 집단을 철저히 분쇄하여 이들 반혁명분자를 인민의 대오에서 제거해야 한다. 또한, 우리는 후펑 집단과 유사한, 우리의 대오 속에 숨어 있는 모든 반혁명분자들을 단호하고 철저하게 제거해야 한다! 우리는 호랑이와 함께 잠을 잘 수 없고, 반혁명분자를 좋은 사람으로 여길 수 없다!" "우리는 또한 후펑 집단의 반혁명 사건을 통해, 우리 혁명 대오의 구성원들이 정치적으로 해이해지고 반혁명적인 태도에 경계심을 잃는다면 이러한 반혁명분자들이 활동할 조건을 제공하게 된다는 점을 절실히 인식해야 한다", "반드시 숨어 있는 반혁명분자를 낱낱이 조사해야 하며, 조사를 통해 적발된 이들 반혁명분자에 대해 단호하고도 분별력 있게 적절한 처리를 해야 한다. 이것은 혁명 대오 전체의 모든 구성원들의 임무이며, 모든 애국자들이 반드시 주의를 기울여야 하는 중요한 일이다"라고 밝혔다.

같은 호에 '후펑 반혁명집단에 관한 제3차 자료'가 공포되었으며, 마오쩌둥의 수정을 거친 장문의 편집자의 말이 추가되었다. 편집자의 말은 "후펑 반혁명 집단에 관한 제1차, 제2차 자료가 공포된 후 반혁명분자에 대한 전국의 수많은 인민 군중의 지대한 분노를 불러일으켰다. 인민은 후펑 집단의 정치적 배경을 추궁할 것을 요구한다. 인민들은 후펑의 주인이 도대체 누구인지 묻는다. 이 문제에 관해 인민정부는 이미 대량의 자료를 확보하였으며, 이 가운데 한 부분을 이번 '제3차 자료'에 포함하였다. 후펑과 후펑 집단 가운데 여러 골수분자는 일찍부터 장제스 국민당의 충실한 앞잡이로, 그들은 제국주의 국민당 특무기관과 밀접한 관련을 가지고 오랫동안 혁명가로 위장하여 진보 인민 내부에 잠복한 채 반혁명 행위를 해 왔다"라고 밝혔다.[7]

『베이징일보』에 사어우의 시 「반혁명 음모가 후펑의 낯짝反革命陰謀家胡風的嘴臉」, 허자화이의 「반혁명적인 후펑집단을 철저히 분쇄하자徹底粉碎反革命的胡風集團」가 발표되었다.

---

7) 『건국 이후 마오쩌둥 문고』 제5권, 제153-164쪽, 중앙문헌출판사 1991년

중국과학원 학부 성립대회가 개최되어 결의를 통해 정부에 후펑의 반혁명 범죄행위를 법에 따라 엄벌할 것을 건의하였다. 1955년 6월 12일자『인민일보』에 본 결의가 게재되었다.

11일,『인민일보』의 '후펑 반혁명집단을 단호하고 철저하게 분쇄하자' 란에 리지선李濟深의 「후펑 반혁명집단을 철저히 숙청하기 위해 투쟁하자爲徹底肅淸胡風反革命集團而鬪爭」, 선쥔루沈鈞儒의 「반혁명분자가 인민 내부에 숨어 있는 것을 결코 용인해서는 안 된다決不容許反革命分子隱藏在人民內部」, 마쉬룬馬敘倫의 「후펑 반혁명집단을 단호히 분쇄하자堅決粉碎胡風反革命集團」, 천치유陳其尤의 「행동하여 후펑 반혁명집단을 철저히 분쇄하자行動起來, 徹底粉碎胡風反革命集團」, 류바이위의 「인민의 적을 반드시 엄히 제재해야 한다人民的敵人必須嚴厲制裁」, 라이뤄위賴若愚의 「후펑 반혁명집단을 반드시 철저히 분쇄해야 한다一定要把胡風反革命集團徹底粉碎」, 쥐짠巨贊의 「후펑 반혁명집단을 폭로하는 것은 공덕이다揭露胡風反革命集團是一種功德」가 발표되었다.

『문회보』에 후펑 반혁명집단에 관한 제3차 자료가 전재되었다.

12일,『인민일보』에 중국과학원 원장 귀모뤄의 「중국과학원 학부 성립대회에서의 보고在中國科學院學部成立大會上的報告」가 발표되었다. 같은 호 '후펑 반혁명집단을 단호하고 철저하게 분쇄하자'란에 저우쩌런의 「반혁명분자를 단호히 진압하자堅決鎭壓反革命分子」, 푸중의 「전 인민은 경계심을 높여 후펑 반혁명집단을 철저히 숙청하자全民警惕起來, 徹底肅淸胡風反革命集團」, 펑쩌민彭澤民의 「인민의 공적을 단호하고 철저하게 진압하자－후펑 반혁명집단堅決徹底鎭壓人民公敵——胡風反革命集團」, 닝우寧武의 「후펑 집단은 가장 음험하고 가장 교활하며 가장 악랄한 적이다胡風集團是最陰險最狡猾最毒辣的敵人」가 발표되었다.

『베이징일보』에 라오서의 「인민이 미워하는 쓰레기를 제거하자掃除人民唾棄的垃圾」, 톈화의 「후펑 반혁명집단을 철저히 숙청하자徹底肅淸胡風反革命集團」, 천치퉁의 「후펑 반혁명집단을 단호히 진압하자堅決鎭壓胡風反革命集團」, 황추윈의 「적에게 허점을 보여서는 안 된다不要讓敵人有可乘之隙」, 사어우의 시 「내막이 폭로되었다西洋鏡拆穿了」, 궁무의 시 「반혁명 조직 후펑 집단을 진압하자鎭壓反革命黑幫胡風集團」 등 후펑을 폭로하는 글이 발표되었다.

『문회보』에 리지선의 「후펑 반혁명집단을 철저히 숙청하기 위해 투쟁하자」, 선쥔루의 「반혁명분자가 인민 내부에 숨어 있는 것을 결코 용인해서는 안 된다」가 전재되었으며, 바진의 「그들의 범죄행위는 반드시 엄정한 처분을 받아야 한다他們的罪行必須受到嚴厲的處分」, 진이의 「후펑 사건의 교훈을 엄숙히 수용해야 한다嚴肅地接受胡風事件的教訓」, 라이사오치賴少其의 「눈에는 눈, 이에는 이

以牙還牙, 以眼還眼」, 웨이진즈의 「우리는 호랑이와 함께 잠을 잘 수는 없다我們不能同老虎睡在一起」, 수신청舒新城의 「무기를 정비해 호랑이를 때려잡자整備武器打老虎」 등이 발표되었다.

13일, 『인민일보』의 '후평 반혁명집단을 단호하고 철저하게 분쇄하자'란에 쉬광핑의 「후평의 진면목을 정확히 알자認淸胡風的眞面目」, 장윈章蘊의 「경계심을 높여 숨어 있는 모든 반혁명분자를 철저히 제거하자提高警惕, 徹底淸除一切暗藏的反革命分子」, 후위즈의 「후평 집단은 가장 흉악한 반혁명 도당이다胡風集團是最凶惡的反革命匪幫」, 중후이란鍾惠瀾의 「의료 종사자는 후평 집단의 범죄행위를 청산해야 한다醫務工作者要淸算胡風集團的罪行」가 발표되었다.

14일, 『인민일보』의 '후평 집단과 숨어 있는 모든 반혁명분자를 단호히 숙청하자堅決肅淸胡風集團和一切暗藏的反革命分子'란에 장나이치章乃器의 「후평 반혁명집단의 범죄사건이 우리에게 준 교훈胡風反革命集團的罪惡事件給予我們的敎訓」, 우한吳晗의 「후평 반혁명집단을 반드시 철저히 분쇄해야 한다一定要徹底粉碎胡風反革命集團」, 왕충룬王崇倫의 「숨어 있는 반혁명분자를 단호히 소멸시키자堅決消滅暗藏的反革命分子」, 천젠전陳見眞의 「애국하는 기독교도는 경계심을 배로 높여야 한다愛國的基督徒要加倍提高警惕」, 양즈화楊之華의 「다 함께 밀정을 찾아내자大家起來搜查坐探」, 쌍지웨시桑吉悅希의 「민족 단결을 강화해 반혁명 음모를 분쇄하자加强民族團結, 粉碎反革命陰謀」, 왕자지王家楫의 「후평 반혁명집단을 법에 따라 엄벌하자依法嚴懲胡風反革命集團」, 쑤부칭蘇步靑의 「경계심을 높여 반혁명분자와 투쟁하자提高警惕, 同反革命分子作鬥爭」, 황쯔칭黃子卿의 「단 한 명의 후평 분자도 벗어나지 못하게 하자不使一個胡風分子漏網」, 위안원수의 「계속해서 전투하여 후평 분자를 철저히 숙청하자繼續戰鬥, 徹底肅淸胡風分子」, 차오위산曹玉珊의 「장제스 매국집단의 조직을 박멸하자撲滅蔣介石賣國集團的一個黑幫」 등이 발표되었다.

우한(1909~1969), 본명은 우춘한吳春晗으로 자는 천보辰伯이며 저장성 이우義烏 출신이다. 1931년에 칭화대학 역사학과에 입학하였으며 1934년에 졸업한 후 학교에 남아 교편을 잡았다. 1957년에 중국공산당에 가입하였다. 공화국 성립 후에는 베이징시 부시장, 중앙인민정부 문화교육위원회 위원, 중화전국청년연합회 부주석, 중국민주동맹 베이핑시위원회 주임, 민주동맹 중앙 부주석 등을 역임하였다. 덩퉈, 랴오모사와 함께 『싼자춘 찰기三家村劄記』를 창작한 일로 인해 문화대혁명 시기에 '싼자춘' 반당집단의 수장으로 오인되어 1968년에 투옥되었으며 1969년 10월 10일에 사망하였다. 1979년 7월에 중공중앙에서 중공 베이핑시위원회의 결정을 비준하여 완전히 복권되었다. 저서로 신편 역사 경극 『해서파관海瑞罷官』, 잡문집 『싼자춘 찰기』(덩퉈, 랴오모사와 합동 창작) 및 역사학 저서 『주원장 전기朱元璋傳』, 『사기 읽기讀史記』, 『투창집投槍集』, 『춘천집春天集』, 『등하집燈下集』, 『역사 사건과 인물史事與人物』, 『해서 이야기海瑞的故事』 등이 있다.

『베이징일보』에 우한의 「후펑 반혁명집단을 반드시 철저히 분쇄해야 한다」, 바런의 「후펑 집단과 이와 유사한 모든 반혁명분자를 숙청하자肅淸胡風集團和類似胡風集團的一切反革命分子」, 톈졘의 시 「망나니劊子手」, 황강의 「후펑 등 반혁명분자들을 반드시 엄중히 처벌하여 싸워 이기자必須對胡風等反革命分子嚴加懲處, 戰而勝之」 등 후펑을 폭로하는 글이 발표되었다.

『문회보』에 왕뤄왕의 「우리는 반드시 깨어야 한다我們應該淸醒了!」, 두선杜申의 「경계심을 높여 모든 반혁명분자를 철저히 숙청하자提高警惕, 徹底肅淸一切反革命分子」, 선러우젠沈柔堅의 「경계심을 높이고, 교훈을 취하자提高警惕, 吸取敎訓」, 황이쥔黃貽鈞의 「단결하여 후펑 반혁명집단을 분쇄하자團結起來, 粉碎胡風反革命集團」 등이 발표되었다.

15일, 『인민일보』의 '후펑 집단과 숨어 있는 모든 반혁명분자를 단호히 숙청하자'란에 마오둔의 「경계심을 높여 모든 잠재적인 적을 파헤치자提高警惕, 挖盡一切潛藏的敵人」, 천이의 「반혁명분자를 제거하는 것은 모든 애국자의 책임이다淸除反革命分子是每一個愛國者的責任」, 장난셴張難先의 「근거가 명확하다鐵證如山」, 투창왕塗長望의 「경계심을 높여 모든 특무분자를 숙청하자提高警惕, 肅淸一切特務分子」, 샤정눙의 「반혁명분자를 철저히 숙청하자徹底肅淸反革命分子」, 팡스산方石珊의 「인민의 눈은 눈처럼 밝다人民的眼睛是雪亮的」, 자오수리의 「후펑 집단은 어디로 도망치는가胡風集團哪裏逃」, 쉬제許傑의 「후펑 집단을 철저히 소멸시키자徹底把胡風集團消滅幹淨」가 발표되었다.

『문예보』11호에 『인민일보』의 사설 「반드시 후펑 사건을 통해 교훈을 취해야 한다」 및 후펑 반혁명집단에 관한 제2차, 제3차 자료, 중국문학예술계연합회 주석단과 중국작가협회 주석단 연합확대회의에서의 결의, 궈모뤄의 「후펑 반혁명집단을 엄중히 진압하자嚴厲鎭壓胡風反革命集團」가 전재되었다. 또한 '후펑 반혁명집단을 단호하고 철저하게 분쇄하자'라는 제목으로 마오둔, 차오위, 저우리보, 아이칭, 장톈이, 바이랑, 왕차오원, 창칭常靑, 장경, 짱커자, 리지, 뤄펑, 마사오보, 양숴, 선윈펀沈蘊芬, 수천, 마자, 화쥔우, 선퉁형 등의 글이 발표되었다. 이 외에도 펑쉐펑의 「취추바이 동지를 기념하고 학습하자紀念和學習瞿秋白同志」, 차오징화의 「추바이를 기억하며點滴憶秋白」 등 기념의 글과 스딩石丁의 「후펑의 범죄행위를 철저히 청산하자徹底淸算胡風的罪行」, 황강의 「「영화평론」 배후의 음모在<影評>幕後的陰謀」, 린샹베이林向北의 「토지개혁 과정에서의 후펑의 반혁명 활동胡風在土地改革中的反革命活動」, 위칭의 「후펑 반혁명집단의 비열한 수단 중 하나胡風反革命集團鬼蜮伎倆之一例」, 펑후이彭慧의 「진상을 폭로했다揭穿謎底了」, 왕뤄왕의 「후펑 도당들의 '퇴각' 음모胡風黨羽們的

"退却"陰謀」, 류이柳夷의 「후펑 반당집단이 몸을 숨길 구석을 주어서는 안 된다不讓胡風反革命集團有藏身的洞穴」 등이 발표되었다.

펑후이(1907~1968), 여성 작가이자 학자로 본명은 펑롄칭彭連清이며 후난성 창사 출신이다. 1927년에 소련으로 유학하여 모스크바중산대학에서 수학하였다. 귀국 후에는 우한, 상하이 등지에서 공인운동에 참가하였으며, 좌련에 가입하여 문학창작과 번역에 종사하였다. 1932년부터 작품을 발표하였다. 공화국 성립 후에는 둥베이사범대학 및 베이징사범대학 교수로 근무하였다. 저서로 장편소설 『끝없는 창장이 흐른다不盡長江滾滾來』, 단편소설집 『귀가還家』, 논저 『푸시킨 연구普希金研究』, 『톨스토이 연구托爾斯泰研究』 및 번역서로 톨스토이의 『코사크哥薩克』 등이 있다.

『베이징일보』에 진진의 「후펑 반혁명집단의 소굴을 철저히 파괴하자徹底搗毀胡風反革命集團的狼窩」, 허자화이의 「반혁명 세력을 단호하게, 철저하게, 깨끗이, 완전히 진압하자堅決、徹底、幹淨、全部地把反革命勢力鎮壓下去」가 발표되었다.

16일, 『인민일보』의 '후펑 집단과 숨어 있는 모든 반혁명분자를 단호히 숙청하자'란에 장시뤄의 「혁명 대오 속에 숨은 적을 제거하자清除革命隊伍中的暗藏敵人」, 멍타이의 「경계심을 높이고, 사회주의 건설사업을 수호하자提高警惕, 保衛社會主義建設事業」, 짱피화藏丕華의 「후펑 반혁명집단을 철저히 타파하자徹底摧毀胡風反革命集團」, 허우더방侯德榜의 「후펑 반혁명집단을 철저히 분쇄하자徹底粉碎胡風反革命集團」, 커중핑의 「마비를 극복하고, 모든 반혁명 음모를 분쇄하자克服麻痹, 粉碎一切反革命陰謀」가 발표되었다.

16일~9월 18일 중국월극단이 소련과 독일민주공화국의 초청에 응해 이들 나라를 방문하여 「서상기」, 「양산백과 축영대」 등의 작품을 공연하였다. 쉬광핑이 단장을 맡았으며 위안쉐펀, 판루이쥐안範瑞娟 등의 배우가 참가하였다.

17일, 『인민일보』에 메이란팡의 「중국과 인도 양국의 희극예술은 밀접하게 서로 통한다中印兩國戲劇藝術密切相通」, 마쓰충馬思聰의 「인도 예술의 탁월한 성취印度藝術的卓越成就」, 류바이위의 「진정한 기쁨衷心的喜悅」, 위안수이파이의 시 「인도 예술가들에게 바치다贈印度藝術家們」, 리사오춘李少春의 「어느 중국 배우가 본 인도 예술一個中國演員所看到的印度藝術」이 발표되었다. 같은 호의 '후펑 집단과 숨어 있는 모든 반혁명분자를 단호히 숙청하자'란에 천헝陳恒의 「숨어 있는 적과 싸우는 법을 배우자學會同隱蔽的敵人作戰」, 리다李達의 「숨어 있는 반혁명분자를 잘 구별해야 한다要善於識別暗

藏的反革命分子」, 왕퉁자오의 「반혁명 집단에게 숨을 여지를 주어서는 안 된다不讓反革命集團有藏身的餘地」, 샤오싼의 「적이 투항하지 않는다면─ 그를 없애라如果敵人不投降──消滅他」, 사팅의 「이리와 함께 20년을 살아왔다同豺狼一道共處了二十年」, 마자의 「후펑 반혁명집단과 단호히 투쟁하자向胡風反革命集團堅決鬪爭」 등이 발표되었다.

『베이징일보』에 창런샤常任俠의 「아름다운 인도 무용과 음악優美的印度舞蹈與音樂」, 우샤오링吳曉玲의 「우리는 위대한 우정을 영원히 귀중하게 여길 것이다我們永遠珍視偉大的友誼」, 거칭戈情의 시 「우정의 꽃이 곳곳에 피다─ 인도문화대표단의 베이징 첫 공연을 보고友誼之花處處開──印度文化代表團在北京首次表演會觀後」가 발표되었다.

『문회보』에 차오빈의 「변증법의 몇 가지 범주에 관하여關於辯證法的幾個範疇」의 연재가 시작되어 26일에 연재가 완료되었다.

18일, 취추바이 희생 20주년을 기념해 그의 유골이 푸젠에서 베이징으로 운구되어 베이징 바바오산혁명공동묘지에 이장되었다. 중앙선전부 부장 루딩이가 이장식에서 취추바이의 생애에 관해 보고하였다.

『인민일보』의 '후펑 집단과 숨어 있는 모든 반혁명분자를 단호히 숙청하자'란에 리순다의 「후펑의 처벌을 요구한다要求懲處胡風」, 룽이런榮毅仁의 「공상계에서는 반드시 반혁명분자의 본질을 판별하는 법을 배워야 한다工商界必須學會辨別反革命分子的本質」, 취시셴瞿希賢의 「모든 총을 든 적과 총을 들지 않은 적과 싸워 이기자戰勝一切拿槍和不拿槍的敵人」가 발표되었다.

『베이징일보』에 펑쉐펑의 「취추바이 동지를 기념하고 학습하자」, 중뎬페이의 평론 「영화 「이 일을 잊어서는 안 된다」 재상영의 정치적 의의影片<不能忘記這件事>再次上映的政治意義」, 왕진링王金陵의 평론 「「돈바스」 속의 두 청년 형상<頓巴斯>中的兩個靑年形象」이 발표되었다.

『문회보』에 바오정후鮑正鵠의 「교수의 외투를 덮어쓴 반혁명분자 자즈팡披著敎授外衣的反革命分子賈植芳」, 루신차오盧心草의 「'고름'을 배출하다排"膿"」, 장이薑薏의 평론 「양식이 바로 승리다─ 영화 「사자뎬 양식 가게」를 보고糧食就是勝利──看電影<沙家店糧店>」가 발표되었다.

20일, 인민출판사에서 『후펑 반혁명집단에 관한 자료關於胡風反革命集團的材料』를 출간하였다. 마오쩌둥이 서문을 집필하였다. 그는 서문에서 "우리가 후펑 사건을 중시하는 것은 이 사건을 통해 수많은 인민 군중에게, 특히 우선적으로 독서 능력을 갖춘 공작간부와 지식분자들에게 교육을 진행하고, 그들에게 이 '자료'를 추천해 그들의 각오 수준을 제고하기 위해서이다……수많은 혁명

인민이 이 사건과 자료를 통해 무언가를 학습하여 혁명에 대한 열정을 가지고 변별 능력을 제고하기만 한다면, 우리는 숨어 있는 각종 반혁명분자들을 하나하나 조사할 수 있을 것이다"라고 밝혔다(『문예보』 제12호에 게재).

『베이징일보』 6월호에 짱커자의 평론 「어느 청년 공인의 시에 관하여談一個青年工人的詩」가 발표되었다. 그가 말한 '청년 공인'이란 리쉐아오를 가리킨다. 짱커자는 글에서 "내가 읽어 본 리쉐아오 동지의 시는 전부 합해 봐야 고작 열 편이다. 이 시들의 주제는 크게 두 가지로 정리할 수 있는데, 바로 중대한 의의를 가진 정치적 사건에 대한 관심, 그리고 공인의 창작 노동에 대한 찬양이다……이 시편들의 주제의 적극성과 소재의 현실성은 이 청년 공인이 가진 정치에 대한 민감성과 위대한 조국에 대한 넘치는 열정을 표현하였다. 그러나 나는 한 가지를 더 보충해야 한다고 본다. 이것은 이 시들이 독자들로부터 환영받게 한 중요한 조건인데, 이는 바로 그가 자신의 사상과 열정을 표현할 때 언제나 자신의 생활과 공작의 실제 상황과 연결시켰다는 점이다. 이로 인해 비교적 친근한 느낌을 가지게 되었으며, 독자에게 일반화된 느낌을 받지 않게 하였다"라고 평했다.

21일, 『인민일보』의 '후펑 집단과 숨어 있는 모든 반혁명분자를 단호히 숙청하자'란에 후야오방胡耀邦의 「숨어 있는 모든 반혁명분자를 제거하는 위대한 투쟁에 적극적으로 참가하자積極參加清除一切暗藏反革命分子的偉大鬥爭」, 왕야난王亞南의 「경계심을 높이고, 자신을 개조하자提高警惕, 改造自己」, 멍톈루孟天祿의 「마비 사상은 사회주의 건설의 적이다麻痹思想是社會主義建設的敵人」, 펑밍馮明의 「영화 「이 일을 잊어서는 안 된다」를 통해 기회주의자의 수법을 보다從影片<不能忘記這件事>看兩面派的伎倆」가 발표되었다.

22일, 『인민일보』의 '후펑 집단과 숨어 있는 모든 반혁명분자를 단호히 숙청하자'란에 류진의 「후펑 반혁명집단의 '애증'을 보라請看胡風反革命集團的"愛愛仇仇"」, 펑쯔카이의 「후펑 집단을 철저히 소멸시키자徹底消滅胡風集團」, 리준의 「언제나 적을 주의해야 한다要時刻注意敵人」, 쥔칭의 「이제 후펑 분자는 또 무슨 할 말이 있을 것인가現在胡風分子還有什麼話可說」, 멍차오孟超의 「현재 계급투쟁의 중대한 임무當前階級鬥爭的嚴重任務」가 발표되었다. 이 외에도 왕저민王哲民의 「실제 공작에서의 주관주의는 유심주의의 표현이다實際工作中的主觀主義是唯心主義的表現」가 발표되었다.

멍차오(1902~1976), 본명은 셴치憲啓 혹은 궁타오公韜이며 자는 리우勵吾로 산둥성 주청諸城 출신이다. 『야초野草』 잡문 작가 가운데 한 사람이다. 공화국 성립 후에는 출판총서 도서관 부관장, 인민문학출판사 부편집장 등을 역임하였다. 1961년에 발표한 곤곡 「이혜낭李慧娘」이 문예계에 귀신극鬼戱 문제에 관한 논쟁과 '유귀무해有鬼無害'론에 관한 비판을 불러일으켰다. 문화대혁명 당시에 정치적 박해를 받아 사망하였다.

23일, 『민간문학』에 웨이치린의 「후펑이 계속 기만하게 두어서는 안 된다不能再讓胡風繼續欺騙」, 저우량페이 등이 수집한 「마오 주석 찬양 단가 15편歌唱毛主席短歌十五首」, 저우량페이, 리빈李斌 등이 수집한 「장족 민가藏族民歌」(11편)가 발표되었다.

24일, 『인민일보』의 '후펑 집단과 숨어 있는 모든 반혁명분자를 단호히 숙청하자'란에 허샹닝何香凝의 「후펑 사건에서 교훈을 취하자從胡風事件中吸取教訓」, 황옌페이黃炎培의 「후펑의 본질은 바로 이런 것이다胡風的本質就是這樣的」, 자오푸추趙樸初의 「후펑 반혁명집단에 대한 투쟁에 적극적으로 참가하자積極參加對胡風反革命集團的鬥爭」, 펑나이차오의 「반혁명분자를 구별하는 방법을 배우자學會識別反革命分子的本領」, 탄핑산譚平山의 「후펑 반혁명집단을 철저히 소멸시키자徹底消滅胡風反革命集團」, 슝커우熊克武의 「반드시 후펑 반혁명집단의 범죄행위를 철저히 청산하자必須徹底淸算胡風反革命集團的罪惡」, 후커의 「완전한 승리를 거두지 못하면 결코 싸움을 끝내지 않겠다不獲全勝, 決不收兵」, 후자오형胡昭衡의 「후펑 사건이 우리에게 준 교훈胡風事件給我們的教訓」이 발표되었다.

『광명일보』에 왕퉁자오의 「후펑 반혁명집단을 분쇄하고, 경계심을 강화하자粉碎胡風反革命集團並加強警惕」가 발표되었다.

『문회보』에 후야오방의 「숨어 있는 모든 반혁명분자를 제거하는 위대한 투쟁에 적극적으로 참가하자」가 전재되었으며, 장롄광張連芳의 「이 극악무도한 집단을 일망타진하자把這個萬惡的集團一網打盡」가 발표되었다.

25일, 『광명일보』에 허자화이의 「후펑은 중국 혁명문학운동 역사상 가장 흉악한 적이다胡風是中國革命文學運動史上最凶惡的敵人」, 리자싱李家興의 「중국청년예술극원에서의 루링의 반혁명 활동路翎在中國靑年藝術劇院的反革命活動」이 발표되었다.

『문회보』에 왕무췬王牧群의 「후펑 분자가 『문예서간』을 이용해 진행한 암거래 활동의 예胡風分子利用<文藝書刊>進行走私活動擧例」가 발표되었다.

26일, 『인민일보』의 '후펑 집단과 숨어 있는 모든 반혁명분자를 단호히 숙청하자'란에 정전둬의 「모두가 모든 어두운 구석을 수색해야 한다人人要搜索每一個陰暗的角落」, 리광톈의 「반혁명분자를 제거하는 투쟁에 적극적으로 참가하자積極參加淸除反革命分子的鬪爭」, 지원푸稽文甫의 「후펑 사건을 통해 모든 숨어 있는 적에 대한 투쟁을 학습하자從胡風事件中學習對一切暗藏敵人做鬪爭」, 겅창쉐耿長鎖의 「양의 탈을 쓴 늑대를 때려죽이자打殺笑面虎」, 자오중야오趙忠堯의 「후펑 사건이 우리에게 준 교훈胡風事件給我們的敎訓」이 발표되었다.

『문회보』에 루신차오의 「큰 문제는 크게 행해야 한다大題必須大做」가 발표되었다.

27일, 『인민일보』의 '후펑 집단과 숨어 있는 모든 반혁명분자를 단호히 숙청하자'란에 저우신팡의 「후펑 반혁명집단을 철저히 소멸시키자徹底消滅胡風反革命集團」, 상웨尚鉞의 「반혁명분자를 소멸시키고, 조국 건설의 승리를 보장하자消滅反革命分子, 保證祖國建設的勝利」, 뤄지난의 「후펑 반혁명집단의 무예胡風反革命集團的武藝」, 리스하이李士海의 「나에 대한 후펑 분자 어우양좡의 모욕과 해악을 고발한다控訴胡風分子歐陽莊對我的誣蔑和毒害」가 발표되었다.

28일, 『인민일보』의 '후펑 집단과 숨어 있는 모든 반혁명분자를 단호히 숙청하자'란에 젠보짠의 「정치적 경계심을 높이자提高政治警惕性」, 우쭤런吳作人, 구위안古元의 「이리 새끼는 바로 우리 곁에 있다狼崽子就在我們的身邊」가 발표되었다.

『베이징일보』에 우샤오링의 「손짓−인도 무용예술의 언어手式──印度舞蹈藝術的語言」가 발표되었다.

『문회보』에 루신차오의 「사랑과 증오는 반드시 분명해야 한다愛憎必須分明」, 팡츠方赤의 「후펑 집단 골수분자 겅융의 범죄행위胡風集團骨幹分子耿庸的罪行」가 발표되었다.

29일, 『인민일보』의 '후펑 집단과 숨어 있는 모든 반혁명분자를 단호히 숙청하자'란에 쑹즈더의 「내가 본 후펑의 면상我所看見的胡風的嘴臉」, 위펑보의 「경계심을 높이고, 마르크스주의 학습을 강화하자提高警惕, 加强馬克思主義的學習」, 천보화陳伯華의 「우리 사상의 빈틈을 메우자堵塞我們思想中的漏洞」가 발표되었다.

30일, 『인민일보』에 뤄루이칭의 「경계심을 높이고, 마비에 반대하자提高警惕, 反對麻痹」와 사오옌샹의 시 「같은 시간에就在同一個時間」가 발표되었다.

『문회보』제12호에「『후펑 반혁명집단에 관한 자료』서문<關於胡風反革命集團的材料>的序言」이 발표되었다. 또한 '후펑 집단과 숨어 있는 모든 반혁명분자를 단호히 숙청하자'라는 제목으로 천쉐자오의「반드시 반혁명분자를 철저히 소멸시켜야 한다一定要把反革命分子徹底消滅」, 스이의「뼈에 새긴 교훈刻骨銘心的教訓」, 아이칭의 시「간첩을 깨끗이 소멸시키자把奸細消滅幹淨」(선퉁형 삽화), 왕쯔예王子野의「동지여, 뱀의 이빨을 조심하시오同志, 當心蛇的牙齒」, 사어우의 시「당의를 씌운 포탄은 어째서 달콤한가爲什麼甜衣炮彈有甜味」, 천바이천의「후펑 집단 반혁명 범죄행위의 '사슬'胡風集團反革命罪行的"鏈子"」, 후커의「적에게 빠져나갈 기회를 주지 말자不給敵人可乘之機」, 황강의「당이 군중의 정치적 전투력을 제고했다黨提高了群眾的政治戰鬥力」, 위란의「후펑 집단과 모든 숨어 있는 반혁명분자를 철저히 숙청하자徹底肅清胡風集團和一切暗藏的反革命分子」, 왕쭌란王尊蘭의「교훈을 취하고, 반혁명을 단호히 진압하자吸取教訓, 堅決鎮壓反革命」, 류진의「반동조직의 반어를 뒤집자把黑幫的反話翻一個面」, 정위안푸鄭元福의「후펑 집단의 반혁명 문학을 숙청하자肅清胡風集團的反革命文學」, 웨이치메이韋啟美의 만화「후펑 집단 속의 '시인'胡風集團裏的"詩人"」, 딩충의 만화「넌 정말 천재구나, 안아줄게!"你真是天才, 我擁抱你!'」, 선퉁형의 만화「초혼招魂」 및 본지 편집부가 수집한「후펑 반혁명 활동에 관한 몇 가지 사실關於胡風反革命活動的一些事實」 등의 글이 발표되었다. 이 외에도 롼장징의「'정치적 후각을 반드시 예민하게 길러야 한다'政治嗅覺必須放靈些」, 거제葛傑의「후펑 분자 펑바이산의 음모 활동을 폭로한다揭露胡風分子彭柏山的陰謀活動」, 판위樊宇의「최근 1년간 루링이 후펑과 긴밀히 호응하여 공격 및 퇴각한 몇 가지 사실近一年來路翎緊密配合胡風進攻和退卻的幾點事實」, 제성潔聖의「후펑 분자 뉴한은 인민문학출판사에서 무엇을 했는가胡風分子牛漢在人民文學出版社搞了些什麼」, 천둬陳鐸의「이 일을 잊어서는 안 된다!不能忘記這件事!」, 캉줘의「루링의 반혁명적 소설창작路翎的反革命的小說創作」, 뤄쑨의「제국주의를 비호하는 반동 작품一篇爲帝國主義張目的反動作品」, 왕뤄왕의「『소역업』에서의 후펑 분자의 밀매 수작胡風分子在<小譯業>裏的販私勾當」이 발표되었다. 이 외에도 샤옌의「취추바이 동지를 추모하며追念瞿秋白同志」가 발표되었다.

이달에『인민일보』에는 거의 매일 절반가량의 지면에 '후펑 반혁명집단'을 비판하는 글과 서신이 게재되었다. 그 외의 간행물에도 '후펑 반혁명집단'을 폭로하고 비판하는 글들이 발표되었다. 가령『창장일보』12일자에는「후펑 집단 골수분자 셰타오의 범죄행위를 폭로한다揭露胡風集團骨幹分子謝韜的罪行」가, 22일자에는「후펑 반혁명집단 분자 팡란의 반동 행위를 폭로한다揭露胡風反革命集团分子——方然的反動行徑」 등이 발표되었으며,『문회보』18일자에는「교수의 외투를 덮어쓴 반혁명분자 자즈팡」이, 19일자에는「왕룽의 가면을 벗기고 그의 범죄행위를 폭로한다撕掉王戎的假面, 揭

露王戎的罪行」 등이 발표되었다. 『문예보』에는 궈모뤄의 「후펑 반혁명집단을 엄중히 진압하자」(제11호), 천쉐자오의 「반드시 반혁명분자를 철저히 소멸시켜야 한다」(제12호)가 발표되었으며, 『문예월보』6월호에는 뤄쑨의 「후펑 반혁명 조직을 단호히 숙청하자堅決肅淸胡風反革命黑幫」, 황쫑잉黃宗英의 「나는 펑바이산과 류쉐웨이의 반동 망론이 생각났다我想起了彭柏山、劉雪葦的反動謬論」, 푸레이의 「후펑의 잔당을 반드시 전부 박멸해야 한다胡風的餘黨必須全部撲滅」가 발표되었다. 『해방일보』 6월 9일자에는 즈샤의 「후펑 분자 류쉐웨이는 철저히 자백해야 한다胡風分子劉雪葦要作徹底的交代」, 뤼푸呂復의 「후펑 반혁명집단을 철저히 분쇄하자把胡風反革命集團徹底粉碎」가, 『베이징일보』6월 10일자에는 위성치俞聖祺의 「후펑 반혁명집단 골수분자 셰타오의 범죄행위를 철저히 조사하자徹查胡風反革命集團骨幹分子謝韜的罪行」 등이 발표되었다.

궁류-등의 단편소설집 『산중의 여명山中黎明』, 후자오의 시집 『영광의 성운光榮的星雲』, 황강의 산문집 『아시아의 신기원亞洲的新紀元』이 작가출판사에서 출간되었다.

저우리보의 단편소설집 『철문 안鐵門裏』이 공인출판사에서 출간되었다. 류바이위의 단편소설집 『전투의 행복戰鬥的幸福』이 인민문학출판사에서 출간되었다. 루원푸陸文夫의 단편소설집 『영예榮譽』가 장쑤인민출판사에서 출간되었다.

궈모뤄 등이 집필하고 중국작가협회 상하이분회에서 편찬한 『후펑 문예사상 비판胡風文藝思想批判』이 신문예출판사에서 출간되었다.

쑹전팅宋振庭의 문집 『사상 · 생활 · 투쟁思想 · 生活 · 鬥爭』이 랴오닝인민출판사에서 출간되었다.

7월

1일, 『문예월간』이 창간되었다(『문예월간』은 중국작가협회 선양분회에서 편찬한 간행물로, 『문학총간』이 개간改刊된 것이다). 창간호에는 마자의 소설 「새로 태어난 광휘新生的光輝」가 발표되었다.

『창장문예』에 리준의 중편소설 「얼음과 눈이 녹다冰化雪消」의 연재가 시작되어 제8호에 연재가 완료되었다.

『시난문예』에 사팅의 「이리와 함께 20년을 살아왔다」, 리광톈의 「경계심을 높이고, 후펑 반혁명집단을 철저히 분쇄하자提高警惕, 徹底粉碎胡風反革命集團」, 리제런李劼人의 「우리는 용인할 수 없다

我們不能容忍」, 젠센아이의 「우리는 반드시 후펑 반혁명집단과 끝까지 투쟁해야 한다我們必須與胡風反革命集團鬥爭到底」, 쩡커의 「혁명사업을 수호하고, 우리의 행복을 수호하자保衛革命事業, 保衛我們的幸福」, 펑무馮牧의 「인민에게 해를 끼치는 걸림돌을 제거하자掃淸危害人民的絆腳石」, 쑨징쉬안의 「반혁명분자 아룽의 반동 시학을 질책한다斥反革命分子阿壟的反動詩學」 등이 발표되었다. 이 외에도 구궁의 산문특필 「깊고 두터운 우애深摯的友愛」, 가오잉高纓의 시 「스즈탄 위의 시 2편獅子灘上的兩首詩」, 리캉성李康生의 「녜얼을 기념하고 학습하자紀念聶耳, 學習聶耳」가 발표되었다.

가오잉(1929~2019), 본명은 가오홍이高洪儀로 본적은 톈진이며 허난성 자오쭤焦作에서 출생하였다. 초기에는 시를 주로 창작하다가 1958년 이후에 단편소설 창작을 시작하였다. 대표작 「다지와 그녀의 아버지達吉和她的父親」가 가장 큰 주목을 받았다. 저서로 시집 『딩유쥔의 노래丁佑君之歌』, 단편소설집 『갈 길이 아득하다山高水遠』, 산문집 『서창월西昌月』 등이 있다.

『베이징일보』에 뤄루이칭의 「경계심을 높이고, 마비에 반대하자」, 정신鄭昕의 「반드시 경계심을 높여야 한다―영화 「위대한 공민」을 보고必須提高警惕――看電影<偉大的公民>的感受」, 우쉐의 「반혁명분자 루링의 기회주의적 수법反革命分子路翎的兩面手法」이 발표되었다.

2일, 『광명일보』에 창하이常海의 「류쉐웨이의 반혁명 범죄행위를 통해 후펑 집단의 '심리전'을 보다從劉雪葦的反革命罪行看胡風集團的"挖心戰"」가 발표되었다.

『베이징일보』에 장궁누張弓弩의 시 「깊이 잠든 이에게 일갈하다向酣睡者大喝一聲」, 리징인李景陰의 「후펑 집단은 그들과 한통속이다―영화 「위대한 공민」의 보로텐스키 등의 활동을 보고 생각한 것胡風集團和他們是一路貨色――從影片<偉大的公民>中的鮑羅天斯基等人的活動想到的」이 발표되었다.

3일, 『인민일보』에 차오위의 「썩은 나무에 푸른 잎이 나다―내가 본 칭허 농장朽木生出了綠芽――我所看到的淸河農場」이 발표되었다(칭허 농장은 베이징과 톈진 사이에 위치한 대형 노동개조 농장으로 1950년에 건설되었다). 차오위는 글에서 "칭허 농장의 성취를 통해 나는 공산주의의 새로운 인도주의 정신을 깊이 느꼈다. 이 성취는 위대한 공산주의의 견고하고 적극적인 역량을 설명해 준다. 이 역량은 썩은 나무에 새잎이 나게 하고, 사회에 해가 되는 사람을 사회에 유용한 사람으로 변화시킨다"라고 말했다. 같은 호에 뤄췬의 「모든 반혁명분자를 숙청하고, 사회주의 건설을 수호하자肅淸一切反革命分子, 保衛社會主義建設」가 발표되었다.

『문회보』에 구중이의 「신작 영화 「토지」 추천推薦新片<土地>」이 발표되었다(「토지」는 창춘전영제편창이 제작하고 수이화水華가 감독을 맡은 영화이다).

4일,『인민일보』에 리자젠黎家健의「후펑 분자 펑바이산이 상하이에서 저지른 범죄 활동胡風分子彭柏山在上海的一些罪惡活動」이 발표되었다.

7일,『베이징일보』에 쌍커자의「후펑 반혁명집단은 당이 지도하는 문예전선을 어떻게 공격했는가胡風反革命集團是怎樣向黨領導的文藝陣線進攻的」가 발표되었다.

『문회보』에 저우저周哲의 평론「미소와 눈물 뒤에 감춰진 음모－영화「이 일을 잊어서는 안 된다」를 보고隱藏在笑臉和眼淚後面的陰謀——看影片<不能忘記這件事>的體會」가 발표되었다.

8일,『인민일보』의 '후펑 집단과 숨어 있는 모든 반혁명분자를 단호히 숙청하자'란에 샤옌의「적에게 인자한 것은 곧 인민에게 잔혹한 것이다對敵人仁慈就是對人民殘酷」, 위안수이파이의「어쩔 줄 몰라 하는 장제스 도당의 선전원들慌了手脚的蔣匪幫宣傳員們」, 천황메이의「문학의 당성 원칙을 단호히 수호하자堅決保衛文學的黨性原則」, 허자화이의「후펑 분자가 마오쩌둥 동지의 저작을 모독하는 것을 용인할 수 없다不容許胡風分子汙蔑毛澤東同志的著作」, 뤄쑨의「장제스 도당의 흉악한 개, 후펑을 단호히 소멸시키자堅決消滅這條蔣匪幫的惡狗——胡風」, 양쉬의「영혼을 암살하는 살인자暗殺靈魂的凶手」, 광지의「바짝 추격하자跟蹤追擊」, 우보샤오의「후펑 집단을 엄중히 처벌하자嚴懲胡風黑幫」, 천치퉁의「후펑 반당집단을 분쇄하고, 조국 건설을 수호하자粉碎胡風反革命集團, 保衛祖國建設」등이 발표되었다.

이 외에도 사팅의 소설「수로 가堰溝邊」, 웨이치린(동족僮族)의 장시『백조의』(『창장문예』제6호에 최초 발표), 량상취안의 시「와자지껄한 고원喧騰的高原」, 거비저우의 시「친링산맥에게 길을 비키라고 명령하다」, 바이런의 산문「진 사부金師傅」, 저우얼푸의 산문특필「타고르 고거를 방문하다訪泰戈爾故居」가 발표되었다.

같은 호에 위린의「『삼리만』을 읽고<三裏灣>讀後」, 처신車薪의「『삼리만』감상讀<三裏灣>隨感」등 자오수리의 소설『삼리만』에 관한 평론 2편이 발표되었다. 위린은 글에서 "이 소설은 오늘날 농촌의 복잡한 투쟁을 상당히 광범위하게 표현하였다. 이는 이 소설이 어느 한 명 혹은 한 가지 유형의 농민이 어떻게 개인에서 집단으로 가는 궤도에 올랐는가 하는 것만을 서술하지 않고, 사회주의 사상과 자본주의 사상의 투쟁 속에서의 서로 다른 갖가지 유형의 농민들의 구체적인 모습을 서술하였기 때문이며, 여러 가지 다른 유형의, 또한 각오의 정도도 서로 완전히 동일하지 않은 선진적 인물을 묘사하였기 때문이다. 따라서 우리는 삼리만이라는 이 마을을 통해 농촌 사회주의 개조 과정에서의 복잡하고 어려운 성격을 엿볼 수 있으며, 또한 사회주의의 길이 필연적으로 승리한다는 점 또한 알 수 있다. 그러나 소설은 이 투쟁을 전개하면서 응당 도달해야 할 깊이에 이르지 못하고, 그다지 현실적이지 않은 대단원 식의 결말로써 투쟁을 간단히 해결해 버렸다. 바로 이것이 이 소설의 가장 큰 약점이라 하지 않을 수 없다"라고 평하였다.

처신은 글에서 "『삼리만』의 중요한 특징 중 하나는 투쟁의 첨예성뿐만 아니라 그 복잡성도 드러내었다는 것이며, 또한 사회주의 세력이 승리를 거둔다는 필연적인 결과를 지적하였을 뿐만 아니라 사회주의 세력이 승리를 거두는 고된 과정도 드러내었다는 점이다. 삼리만 당지부서기 겸 농업생산책임사 부주임 왕진성王金生은 당의 정책의 집행인이자 선진적인 사회주의 세력의 대표로, 이 작품 속의 가장 중요한 긍정적 인물에 대한 작가의 묘사는 독자를 만족시키지 못한다"라고 평하였다.

같은 호에 취추바이 동지 희생 20주년을 기념하여 원지쩌溫濟澤의「문학에 대한 취추바이 동지의 공헌瞿秋白同志在文學上的貢獻」, 양즈화의 회고문「이별離別」이 발표되었다. 원지쩌는 취추바이 동지의 문학 영역에서의 공헌은 "그는 천재적인 작가이자 문학 비평가이고 또한 문학 번역가였다. 바로 그가 최초로 비교적 체계적으로 문학예술에 관한 마르크스, 엥겔스, 레닌, 스탈린의 이론을 중국 독자들에게 소개하였으며, 러시아와 소련의 저명한 작가와 작품을 소개하였다. 취추바이 동지는 당시의 혁명작가와 혁명문학 작품을 평가하기도 했는데, 주로 루쉰을 평가하여 그의 사상과 잡문에 대해 탁월하고 심도 있는 분석을 진행하였다. 그는 국민당 반동파의 극도로 잔학한 박해하에서도 적지 않은 탁월한 잡문과 대중문예 작품을 창작하였다. 이러한 우수한 작품들은 오늘날까지도 문예보급공작의 빛나는 본보기가 되고 있다"는 점이라고 보았다.

『문예학습』제7호에 쉐보雪波의「후펑 분자는 톈진에서 어떻게 반혁명 활동을 진행하고 청년들에게 해악을 끼쳤는가?胡風分子在天津是怎樣進行反革命活動和毒害青年?」, 사어우의 시「알고 보니 그렇다原來如此」, 마펑의「「한메이메이」에 관한 회신關於<韓梅梅>的復信」이 발표되었다. 마펑은 서신에서 "1954년 봄에『중국소년보』와『중국청년보』에서 내게 대학 졸업생이 농업생산에 참여한 경험을 반영한 소설을 청탁했다." "이렇게 해서「한메이메이」를 창작하기 전에 주제와 정치적 개념이 먼저 정해지고, 그 이후에야 창작을 시작했다. 말하자면 이것은 소위 '정치 임무에 호응'한 작품이다." "「한메이메이」에서 묘사한 것은 실제 인물과 실제 사건은 아니지만, 결코 이러한 정치 개념에만 근거해 터무니없이 꾸며낸 이야기는 아니다. 내가 이 소설을 쓸 수 있었던 것은 그 속에서 묘사한 인물과 사건을 내가 이전에 접한 적이 있었기 때문이다." "당신은 내게 어째서 서신의 형식을 차용하였으며, 그런 식의 서두와 결말을 더했는지 묻는다. 나는 서신체의 1인칭 시점이 비교적 친근한 느낌이 들고, 더욱 진실하게 한메이메이의 사상과 정서를 반영할 수 있다고 생각한다. 그러한 서두와 결말을 더한 것은 독자에게 사실감을 주려는 것뿐만 아니라 뤼핑呂萍을 소개하기 위해서이기도 하다. 한메이메이가 사상과 각오를 제고할 수 있었던 것은 단의 교육, 그리고 뤼핑 본인의 모범적 행동이 준 영향과 밀접한 관련이 있기 때문이다"라고 밝혔다.

9일,『인민일보』에 장쉐신張學新, 천구陳固의 「루덴의 반혁명 행위蘆甸的反革命行徑」가 발표되었다.

10일,『문회보』에 이청亦成의 「반혁명분자 팡란의 위장을 벗기자剝掉反革命分子方然的僞裝」, 루푸의 평론 「우리는 허상에 속아서는 안 된다─영화 「당원증」을 보고我們不能爲假象所蒙蔽──影片<黨證>觀後」가 발표되었다. 루푸는 글에서 소련 영화 「당원증」이 숨어 있는 반혁명분자의 음모 활동의 전형적 사례를 묘사했다고 평하였다.

11일,『인민일보』에 우징차오吳景超의 「량수밍의 농촌건설이론을 비판한다批判梁漱溟的鄕村建設理論」가 발표되었다(『신건설』 1955년 제7호에 최초 발표).

12일,『해방군문예』에 량상취안의 시 「고원의 목적高原牧笛」이 발표되었다.
『광명일보』에 펑즈의 「농촌 시찰 소감과 의견視察農村的一些體會和意見」이 발표되었다.

15일,『문예보』의 '제1기 인민대표대회 제2차 회의를 경축하며'란에 펑즈의 「위시 감상豫西觀感」, 차오위의 「사회주의 건설의 요람社會主義建設的搖籃」, 아이우의 「수백 년간의 자연환경이 바뀌었다千百年來的自然環境改變了」 및 주쯔치의 「헬싱키 세계평화대회에서 돌아와서從赫爾辛基世界和平大會歸來」가 게재되었다. 이 외에도 황처黃策의 「『후펑 반혁명집단에 관한 자료』를 진지하게 연구하자認眞研究<關於胡風反革命集團的材料>」, 셰줴짜이謝覺哉의 「'고름이라면 결국 배출해야 한다!'"是膿, 總要排出!"」, 류바이위의 「반드시 자유주의를 제거해야 한다必須淸除自由主義」, 리루이의 「'자유주의'와 '반혁명'"自由主義"和"反革命"」, 쩡커의 「우리 곁의 적을 단호하고 철저하게 숙청해야 한다堅決徹底肅淸身旁的敵人」, 팡지의 「아룽의 낯짝阿壟的嘴臉」, 장쉐신의 「루리의 가면을 들춰내다揭破魯藜的假面具」, 쉐보의 「톈진 공인들 사이에서의 후펑 반혁명집단의 범죄 활동胡風反革命集團在天津工人中的罪惡活動」, 구판古凡의 「후펑과 매국노 장제스의 혈연관계胡風和蔣介石賣國賊的嫡親關系」, 사어우의 「어느 혁명

반역자의 자백(후평의 「진혼곡」을 다시 읽다)一個革命叛徒的自白(重讀胡風的<安魂曲>), 성청화盛澄華의 「후평 분자는 어째서 지드에 주목하는가?胡風分子爲什麼看中了紀德?」, 리쒱란李雙蘭의 「후평 분자 뤼잉이 유물주의 미학을 공격한 사실胡風分子呂熒攻擊唯物主義美學的一點事實」 등 후평 집단을 비판한 글이 발표되었다. 이 외에도 정전둬의 「아잔타 벽화를 기억하며記阿旃他的壁畵」, 아이칭의 평론 「궁류의 시公劉的詩」가 발표되었다.

셰쮀짜이(1884~1971), 본명은 웨이원維鋆, 자는 환난煥南이며 별호는 쮀짜이覺哉 혹은 쮀자이覺齋로 후난성 닝샹寧鄕 출신이다. 청 말기의 수재秀才이며 중공 당원이다. 『후난민보湖南民報』, 『홍기紅旗』, 『상하이보上海報』, 『공농일보工農日報』 등 중요 간행물의 편집을 맡았다. 저서로『셰쮀짜이 문집謝覺哉文集』, 『셰쮀짜이 일기謝覺哉日記』, 『셰쮀짜이 잡문집謝覺哉雜文集』, 『셰라오 시선謝老詩選』, 『불혹집不惑集』, 『일득집一得集』 등이 있다.

아이칭은 「궁류의 시」에서 "궁류는 새롭게 출현한 시인들 가운데 창작이 비교적 풍부한 이 중 하나다. 그는 1년이 채 안 되는 시간 동안 세 편의 연작시를 발표하였다. 「카와산 연작시佧佤山組詩」, 「시솽반나 연작시西雙版納組詩」, 「시멍의 아침西盟的早晨」 등 이 세 편의 연작시는 모두 해당 작품을 창작한 지명을 그 제목으로 삼고 있다." "저자(궁류)는 시난 변경에서 활동한 해방군 전사로, 그의 연작시는 전사의 생활 기록으로서 전사 자신의 생활, 그의 애국주의와 낙관주의 정신, 그와 일반 인민들 사이의 감정, 그가 본 소수민족 생활의 변화 등을 반영하였다." "궁류의 시는 사물을 표현 하는 예술적 역량도 갖추고 있다. 궁류의 작품에서는 연속적이고 풍부한 비유를 통해 생활의 인상 과 관념이 선명히 표현되는 구절을 종종 발견할 수 있다"라고 평하였다.

『문예월보』에 광지의 「아룽의 낯짝」, 저우루창의 「장제스 도당의 간행물은 어떻게 후평을 지 원하는가?蔣匪幫報刊怎樣聲援胡風的?」, 탕타오의 「내가 접한 후평과 그 골수분자의 반혁명 활동我所接 觸的胡風及其骨幹分子的反革命活動」, 바진의 「후평에 관한 두 가지 일關於胡風的兩件事情」 및 문예창작지 도강좌에서의 라오서의 발언 「문학의 언어 문제에 관하여關於文學的語言問題」, 웨이진즈의 동화극 「쥐의 생일잔치老鼠做壽」가 발표되었다.

16일, 『베이징일보』에 마인추馬寅初의 「후평 반혁명집단에 대한 폭로를 통해 인식을 제고하 자從揭露胡風反革命集團中提高認識」가 발표되었다.

『문회보』에 리바오헝李寶恒의 「후평 분자는 마르크스레닌주의의 숙적이다胡風分子是馬克思列寧主 義的死敵」, 천쉬루의 「기회주의자에 관하여談兩面派」가 발표되었다.

17일, 『인민일보』에 후펑을 비판한 천이의 글 「총을 든 이는 총을 들지 않은 적을 구별하고 그에 맞서는 법을 배워야 한다拿槍的人要學會識別和對付不拿槍的敵人」가 발표되었다.

18일, 『문회보』에 탕타오의 「내가 접한 후펑과 그 골수분자의 반혁명 활동」이 전재되었다.

『인민일보』에 샤옌의 「영생하는 바다제비─녜얼 동지 서거 20주년을 기념하며永生的海燕──紀念聶耳同志逝世二十周年」, 쉬쭝몐徐宗勉의 「량수밍은 제국주의에 대해 어떤 태도를 취하는가梁漱溟對帝國主義采取什麼態度」가 발표되었다.

19일, 문화부에서 「각종 공연단체의 순회공연 공작 강화에 관한 통지關於加強各類表演團體巡回演出的工作的通知」를 발포하였다.

20일, 『베이징문예』에 아이칭의 「교훈을 받아들이고, 경계심을 높여 모든 반혁명분자를 숙청하자接受教訓, 提高警惕, 肅清一切反革命分子」, 허우바오린의 상성 「후펑의 '가면'을 벗겨라撕下胡風的"畫皮"」, 비예의 산문 「어느 방목원一個牧放員」이 발표되었다. 이번 호에 라오서의 화극 「청년 돌격대青年突擊隊」의 연재가 시작되어 제9호에 연재가 완료되었다.

22일, 『인민일보』에 광지의 「아룽의 낯짝」이 전재되었으며, 「후펑 분자 주구화이가 토지개혁에 반대한 범죄활동胡風分子朱穀懷抗拒土地改革的罪惡活動」, 「후펑 분자 좡융이 사설 법정에서 농민을 핍박해 죽게 한 잔혹한 범죄행위胡風分子莊湧私設公堂逼死農民的血腥罪行」 등 후펑 분자를 비판하는 두 편의 글이 발표되었다.

『문회보』에 런화이유任懷友의 「반혁명분자 좡융이 사설 법정에서 농민을 고문하고 핍박해 사망케 한 잔인한 범죄행위反革命分子莊湧私設公堂拷打逼死農民的血腥罪行」, 사어우의 시 「사랑에 빠진 사람癡情的人」이 발표되었다.

23일, 『민간문학』에 타오양陶揚의 「장시 『백조의』를 읽고讀長詩<百鳥衣>」, 젠훙劍虹이 수집한 「'꽃' 30편<花兒>三十首」 및 젠훙의 글 「'꽃'에 관하여試談"花兒"」가 발표되었다. 젠훙은 글에서 "'꽃'은 '소년少年'이라고도 하는데, 간쑤甘肅(예전의 닝샤寧夏를 포함)성과 칭하이青海성 일대에서 유행하는 일종의 민가이다. '꽃'은 현실생활을 진실하게 반영하고 있다. 그 내용은 매우 다양한데,

현재까지 파악된 자료에 의하면 크게 생활과 사랑 두 가지 내용으로 분류할 수 있다. 1. 생활: 현실 생활이 그들에게 가져다준 고통과 희열, 그리고 객관적인 현실에 대한 그들의 감상과 태도를 소박하고도 감동적으로 묘사하였다. 2. 사랑: 그(그녀)들이 '꽃'으로써 서로에게 진지한 애정을 표현하는 내용과 및 악랄한 봉건 세력에 대한 강렬한 반항을 표현하였다.

『문회보』에 주쯔청朱子程, 판핑範平, 정즈鄭志의「후펑 분자 장위(왕쓰샹)의 반혁명 범죄행위를 폭로한다揭露胡風分子張禹(王思翔)的反革命罪行」, 상이商翼의「마귀의 '향락'魔鬼的'享受'」, 황이핑黃逸平의「따스함에 관하여談溫暖」가 발표되었다.

24일,『독서월보讀書月報』가 베이징에서 창간되었다. 창간호에는 라오서의「『무명고지에 이름이 생겼다』후기＜無名高地有了名＞後記」가 발표되었다. 그는 글에서 "나는 지원군의 어느 부대에서 5개월 동안 생활하면서 '라오투산'을 맹렬히 공격하고 굳게 수비한 여러 영웅들을 취재하였으며, 관련 문서를 적잖이 읽어 보았다. 나는 내가 보고 들은 자료들을 한데 모아 이 작품을 썼다. 이 작품은 그저 보도라 해야 할 것이다. 작품에 등장하는 인물의 성명은 모두 가명이다. '라오펑산' 일대에서 탄생한 수많은 영웅들을 전부 등장시킬 수 없고, 한 명이라도 빠져서는 곤란하기 때문이다"라고 밝혔다.

27일,『인민일보』에 사설「반동적이고 외설적이며 허황된 도서를 단호히 처리하자堅決地處理反動、淫穢、荒誕的圖書」가 발표되었다. 사설은 "현재 전국의 성회 이상급 도시에 존재하는 도서와 연환화를 대여하는 점포와 노점상은 1만 곳이 넘는다. 그들의 수중에는 구사회가 남긴 반동적이고 외설적이며 허황된 내용의 구소설과 노래책, 연환화, 그림 등이 대량으로 남아 있어, 날마다 수십만 독자에게 대여되고 있다. 그리고 제국주의자들과 장제스 도당, 그리고 자산계급의 불법분자들은 바로 이러한 해로운 도서를 계속해서 제조하여 각종 방법을 통해 전국 각지로 운송해 공인, 점원, 청년, 아동 등이 읽도록 유혹하고 있다. 이런 종류의 도서는 제국주의 침략전쟁을 부추기고, 민족 및 종족에 대한 차별과 박해를 선전하며, 특무의 간첩활동과 불량배의 도적질을 과장하여, 방탕하고 사치스러운 생활과 노동을 기피하고 태만하게 향락을 추구하는 인생철학을 제창해 인민, 특히 청년의 영혼에 해악을 끼쳐 그들이 부패와 타락의 길을 걷게 만든다. 많은 이들이 이러한 도서를 읽은 후에 심신이 손상되고 헛된 생각에 빠져, 혹자는 산에 올라 검을 수련하려 하고, 혹자는 하루 종일 천한 오락장을 출입하여, 결국 학업을 등한시하고 생산에 소극적이 되도록 한다. 이들 중 일부는 심지어 불량배 집단을 조직하여 의형제를 맺어 호형호제하며, 타인을 폭행하고 위세

를 부리며 이성을 희롱하고 어린 여성을 간음하며 공공재산을 절도하기까지 한다. 이러한 반동적
이고 외설적이며 허황된 도서는 사실상 이미 제국주의와 장제스 도당의 '스파이' 역할을 하고 있
다. 우리 전국 인민이 긴장되고도 엄숙하게 사회주의 건설사업에 종사하고 있는 이때, 이러한 서
적이 계속해서 해악을 끼치는 것을 결코 허용해서는 안 된다"라고 지적하였다.

28일, 『광명일보』에 마오둔의 「평화와 우호 합작 지속의 길을 향해 전진하자向持久和平和友好
合作的道路前進」가 발표되었다.

29일, 『문회보』에 진이의 「인도 예술의 꽃송이가 상하이 인민들에게 우정의 향기를 가져다
주었다印度的藝術花朵爲上海人民帶來了友誼和芳馨」, 탕타오의 「평화의 예술을 위하여爲和平的藝術」, 황
쭝잉黃宗英의 시 「시타르 독주錫達爾獨奏」가 발표되었다.

황쭝잉(1925~2020), 여성 배우이자 작가로 저장성 루이안瑞安 출신이다. 1946년부터 작품을 발
표하였으며 1947년부터 영화사업에 종사하였다. 「쫓다追」, 「행복 광상곡幸福狂想曲」, 「여인행麗人
行」, 「까마귀와 까치烏鴉麻雀」, 「집家」, 「네얼聶耳」, 「끝까지 두지 못한 바둑一盤沒有下完的棋」 등의
영화에서 주연을 맡았다. 저서로 보고문학 『대안정大雁情』, 『아름다운 눈美麗的眼睛』, 『특별한 아가
씨特別姑娘』, 『계집아이가 홍기를 메다小丫扛大旗』, 『하늘에 구름이 없다天空沒有雲』, 『나뭇잎 한 점
없다沒有一片樹葉』, 산문집 『별星』, 『귤桔』, 영화 극본 『평범한 사업平凡的事業』 등이 있다.

30일, 『광명일보』에 리허의 「반혁명분자 루뎬의 수작反革命分子蘆甸的花招」, 딩리의 「루뎬의 『녹
엽집』을 통해 그의 반혁명 입장을 보다由魯藜的<綠葉集>來看他的反革命立場」가 발표되었다.
『문예보』 제14호의 '제1기 전국인민대표대회 제2차 회의 경축'란에 류바이위의 「과거를 상상
하면 오늘을 더욱 깊이 인식할 수 있다想想過去，會更深刻地認識今天」, 리순다의 「공업은 농민의 행복
한 생활에 의지가 된다工業是農民幸福生活的依靠」, 왕웨이푸王維福의 「우리 해군 전사의 바람我們海軍
戰士的願望」, 바진의 「가장 아름답고 가장 영광스러운 일最美麗、最光榮的事情」, 사팅의 「불량분자에
게 관대한 것은 그들이 계속 악행을 하도록 종용하는 것이다對壞分子寬大就是縱容他們繼續作惡」가 발
표되었다. '후펑 집단과 숨어 있는 모든 반혁명분자를 단호히 숙청하자'란에는 웨이비자魏璧佳의
「후펑 반혁명 이론의 전모胡風反革命理論的前前後後」(제15호에 연재 완료), 뤄쑨의 「「이곳에는 겨울
이 없다」는 반동소설이다<這裏沒有冬天>是一本反動小說」, 「'무심채"無心菜」(위안잉 글, 리빈성李濱聲
그림), 옌전의 시 「이것은 결코 어떤 '재능'이 아니다這決不是什麼"才能"」가 발표되었다. 이 외에도

위린의 평론 「리준의 창작에 관하여談談李准的創作」, 리싱화의 「『붉은색 금고』를 통해 소련 인민의 경계성을 보다從<紅色的保險箱>看蘇聯人民的警惕性」, 마바이馬白의 「「고산대동」을 읽고讀<高山大峒>」, 왕차오원의 「예술의 기교를 논하다論藝術的技巧」, 예성타오의 「문자개혁과 언어규범화文字改革和語言規範化」 등이 발표되었다. '군중문화생활'란에 신뤄핑辛若平의 「희극을 군중의 대문 앞까지 보내야 한다應該把戲劇送到群眾的大門口去」, 장산江山의 「군중 창작을 적극적으로 양성하자積極扶植群眾創作」, 즈옌直言의 「청년 공인에 대한 황색 도서의 위해를 근절하자根絶黃色書刊對青年工人的毒害」가 발표되었다.

위린은 「리준의 창작에 관하여」에서 "「그 길을 갈 수 없다」 이후에 리준 동지는 「백양나무白楊樹」, 「멍광타이 영감」, 「비雨」, 「천차오 나루」, 「임업위원林業委員」 등의 단편 특필을 연달아 발표하였다. 비록 이 작품들의 사상적 깊이와 예술적 수준은 서로 차이가 있으나, 우리는 작가의 작품을 통해 현재 사회주의 개조 과정에서의 농민의 복잡한 투쟁과 자본주의 사상에 대한 사회주의 사상의 승리를 볼 수 있다." "리준은 농촌 생활에 익숙하여 농촌 생활에 대해 깊고 정확하게 이해하고 있다. 작가가 묘사한 생활투쟁은 우리나라 과도기 농촌의 현실이다." "작가는 진실한 긍정적 및 부정적 인물 형상을 통해 오늘날 농촌의 복잡한 투쟁을 표현하였다." "작가는 몇몇 작품들 속에서는 현재 농촌 계급투쟁의 주된 적(부농 및 모든 반혁명분자의 파괴 활동)을 폭로하지 못했지만, 우리는 작가가 앞으로의 창작에서 이러한 결점을 점차 극복할 것이라고 믿는다"라고 평하였다.

『문회보』에 황상의 「평화와 행복을 위해 노래하고 춤추다爲和平幸福而歌舞」, 차이사오쉬蔡紹序의 「인도 음악에 관하여談印度音樂」, 왕윈제王雲階의 「기억하기 힘든 성대한 연회難記的盛會」, 황쭝잉의 시 「우리의 우정은 영원히 빛나리我們的友誼萬古長明」가 발표되었다.

31일, 중공중앙에서 성, 시, 구 당위원화 서기 회의를 소집하였다. 마오쩌둥이 「농업합작화 문제에 관하여關於農業合作化問題」라는 제목의 보고를 진행하였다(10월 17일자 『인민일보』에 게재).

『문회보』에 샤옌의 「영생하는 바다제비—녜얼 동지 서거 20주년을 기념하며」, 쑨위의 「녜얼을 추억하며懷念聶耳」, 딩산더丁善德의 「녜얼의 길을 따라 전진하자沿著聶耳的道路前進」가 발표되었다.

31일~8월 14일, 마사오보 단장이 이끄는 중국청년예술단이 폴란드 바르샤바에서 열린 제5회 세계청년 및 학생 평화우호행사에 참가하였다.

이달에 『극본』에서 '반혁명분자 진압鎭壓反革命分子'란을 개설하여 싱예邢野의 단막극 「틈만 있으면 파고든다無孔不入」, 류위劉禹의 단막극 「지배인과 사기꾼經理與騙子」, 자청지賈承基의 단막극 「추석 밤中秋之夜」, 바이런의 4막 화극 「후방의 전선後方的前線」(「당의 포탄糖衣炮彈」을 각색한 작품) 등이 발표되었다.

싱예(1918~2004), 톈진 출신이다. 그가 각색을 맡은 극영화 「평원 유격대平原遊擊隊」와 「랑야산의 다섯 전사狼牙山五壯士」가 큰 주목을 받았다. 이 외에도 저서로 시집 『북소리鼓聲』, 장시 『대산전大山傳』, 아동문학 『왕얼샤오 이야기王二小的故事』, 시극 『목동 왕얼샤오王二小放牛郎』, 화극 『아동단兒童團』, 앙가극 『소탕전에 맞서 반격하다反掃蕩』 등이 있다.

추이더즈의 화극 「류렌잉」이 『극본』 7월호에 최초로 발표된 후 1955년에 작가출판사에서 출간되었다. 이 작품은 1956년에 『극본』 월간의 1954, 1955년도 단막극 공모전 1등 상을 받아 각종 지방극으로 각색되어 상연되었다.

루쉰의 원작을 톈한이 각색한 화극 『아Q정전』이 예술출판사에서 출간되었다.

저우리보의 장편소설 『쇳물이 세차게 흐른다』, 우보샤오의 산문집 『연진집煙塵集』이 작가출판사에서 출간되었다.

비예의 장편소설 『강철 동맥鋼鐵動脈』, 사어우의 시집 『난관에 부딪쳐 돌아가다碰壁而歸』가 신문예출판사에서 출간되었다.

친무의 중편소설 『황금 해안黃金海岸』이 화난인민출판사에서 출간되었다. 선모쥔의 단편소설집 『상이군인이 배반자를 제거하다』가 중국청년출판사에서 출간되었다. 수웨이束爲의 단편소설집 『첫 번째 수확第一次收獲』이 산시인민출판사에서 출간되었다.

진이의 산문집 『과거의 발자국過去的腳印』이 인민문학출판사에서 출간되었다. 천덩커의 산문집 『단단한 뼈鐵骨頭』가 안후이인민출판사에서 출간되었다.

8월

1일, 중국문련 주석단과 중국작가협회 주석단에서 연합확대회의를 소집하여 문예계에서 '후평 반혁명집단' 및 모든 숨어 있는 반혁명분자를 숙청하는 데 관한 문제를 토론하였다(『문예보』 제15호에 게재).

『창장문예』에 류전의 소설 「청명절清明節」, 장밍의 소설 「결석한 관중 세 명三個缺席的觀衆」이 발표되었다.

『작품』에 장밍의 소설 「새가 없는 곳沒有鳥的地方」이 발표되었다.

『시난문예』에 량상취안의 「돌아오다歸來」, 싱훠의 시 「산포가 푸른 연기를 내뿜는다開山炮冒著藍煙」, 본지 기자의 종합보도 「인도 예술가들의 충칭 공연을 기억하며記印度藝術家們在重慶的表演」가 발표되었다.

『문회보』에 장이의 「굳센 의지만 있으면 고산준령을 넘어갈 수 있다─「핫산과 카밀라」를 보고有堅強的意志就能越過高山峻嶺──<哈森與加米拉>觀後」가 발표되었다. 그는 글에서 이 영화가 카자흐족의 청년 남녀 한 쌍이 사랑을 위해 봉건 세력과 반동파의 박해에 승리하고, 자연이 조성한 생활상의 어려움을 극복해 마침내 행복한 삶을 얻는 아름다운 이야기를 묘사하였다고 평했다.

2일, 『문회보』에 랴오샤오판의 시 「노래 2편」(「평화전사의 노래和平戰士之歌」, 「졸업의 노래畢業歌」)가 발표되었다.

3일~9월 6일, 중국작가협회 당조에서 16차 확대회의를 소집해 '딩링, 천치샤 반당 소집단'을 비판하였다. 저우양과 류바이위 등이 회의를 주관하였으며 약 70명이 참석하였다. 회의를 통해 「딩링, 천치샤 등의 반당 소집단 활동 진행 및 그 처리 의견에 관한 중국작가협회 당조의 보고中國作家協會黨組關於丁玲、陳企霞等進行反黨小集團活動及對他們的處理意見的報告」를 정리하였다.

4일, 『베이징일보』에 펑즈의 시 「영광스럽고 위대한 사업光榮偉大的事業」, 쑨무孫穆의 「'인상주의'와 값싼 '인도주의'─영화 「당원증」을 보고"印象主義"與廉價的"人道主義"──影片<黨證>觀後感」, 샤이夏毅의 「적에 대한 투쟁을 묘사한 극본을 더 많이 창작하고 공연하자─『극본』 반혁명분자 진압 특집호 소개更多地創作和演出對敵鬥爭的劇本──介紹<劇本>鎭壓反革命分子專刊」가 발표되었다.

5일, 『인민일보』에 쩡커자의 시 「원한은 어째서 일어나지 못하는가仇恨爲什麼挺不起身」가 발표되어 시의 형식으로 후펑을 비판하였다. 이 외에도 아이쓰치의 「변증유물주의로써 자연과학을 무장하자─엥겔스의 『자연변증법』 소개以辯證唯物主義武裝自然科學──介紹恩格斯的<自然辯證法>」가 발표되었다.

6일, 『광명일보』에 커란의 「적에게 어떠한 빠져나갈 틈도 주지 말자不給敵人以任何可乘之機」가 발표되었다.

『문회보』에 황상의 「신랄한 희극—감극 「채찍을 빌리다」에 관하여辛辣的喜劇——談贛劇<借鞭>」가 발표되었다.

7일, 『베이징일보』에 쑹무의 「자유주의가 적에게 정보를 공급했다—영화 「배반자를 제거하다」를 보고自由主義供給了敵人情報——影片<鋤奸記>觀後感」가 발표되었다.

8일, 『인민문학』에 쨍커자의 「후펑 반혁명집단의 '시'의 본질胡風反革命集團的"詩"的實質」, 안치安旗, 거비저우의 「「진혼곡」—반혁명의 독화살<安魂曲>——反革命的毒箭」, 마톄딩의 「방화와 살인, 그리고 '이론상의 '심리전"縱火、殺人與"從理論上做'挖心戰'"」 등 후펑을 비판한 글이 게재되었다. 또한 바진의 「「저지대에서의 '전투'」의 반동성에 관하여談<窪地上的"戰役">的反動性」가 발표되었다. 바진은 글에서 "루링은 '진실'을 서술하지 않았을 뿐만 아니라, '진실'을 뒤로 하고 완전히 거짓된 내용만을 서술하였다. 그의 소설 속의 인물들은 결코 그가 북한에서 본 살아 있는 '새로운 인물'이 아니다. 그가 서술한 소위 '진정한 지원군'은 사실상 작가 본인이다. 지원군의 옷을 입고 있으나 그 사상 감정은 반동적인 자산계급 개인주의의 사상 감정이며, 이러한 인물을 확실히 '진실'하고도 '깊이 있게' 묘사하였다"라고 지적하였다.

이 외에도 웨이양의 시 「신병의 노래新兵的歌」, 자오수리의 소설 「류얼허와 왕지성劉二和與王繼聖」 및 '공업전선에서'란에 홍류洪流의 「여자 실습생女實習生」, 린진란林斤瀾의 산문 「쑨스孫實」가 발표되었다.

안치(1925~2019), 만주족으로 쓰촨성 청두 출신이며 중공 당원이다. 1945년에 쓰촨대학에 입학하였다. 1946년에 옌안으로 가서 중학교 교사, 야전병원 비서로 근무하였으며 시베이문련 및 선전부, 중공산시陝西성위원회 선전부 과장 및 처장, 시베이대학 중문과 교수를 역임하였다. 1945년부터 작품을 발표하였다. 저서로 논문집 『시와 민가를 논하다論詩與民歌』, 『서사시를 논하다論敘事詩』, 『탐해집探海集』 및 전기문학 『이백 전기李白傳』 등이 있다.

린진란(1923~2009), 본명은 린칭란林慶瀾으로 저장성 원저우 출신이다. 중학생 시기에 항일구국운동과 지하 혁명활동에 참가하였다. 1945년에 국립사회교육학원을 졸업한 후 영화와 희극을 전공하였다. 『베이징문학』 편집장, 중국작가협회 베이징분회 부주석 등을 역임하였다. 저서로 소설집 『춘뢰春雷』, 『산사나무山裏紅』, 『온 도시에 꽃이 흩날리다滿城飛花』, 『린진란 소설선林斤瀾小說選』, 『아이딩차오 풍경矮凳橋風情』, 신문집 『무기舞伎』 등이 있으며 『린진란 문집林斤瀾文集』(6권)이 출간되었다.

『문예학습』에 라오서의 「문예공작자여, 바빠지자文藝工作者忙起來吧」, 딩링의 「제1차 5개년 계획 초안 학습 감상學習第一個五年計劃草案的一點感想」, 사오옌샹의 「시를 쓸 준비를 하자做好寫詩的准備」, 량상취안의 시 「라싸에서 온 손님來自拉薩的客人」, 천보추이의 「「백양예찬」을 읽고讀<白楊禮贊>」가 발표되었다. 천보추이는 글에서 "「백양예찬」이라는 시의 아름다운 정서가 독자의 사랑을 받았다고 하기보다는, 그 사상 내용의 깊이가 독자를 감동시켰다고 해야 할 것이다. 따라서 해방 후에 모두 환희하는 오늘날이 1941년의 힘들고 고된 나날과 선명한 대비를 이룬다 해도, 그리고 슬프고 분하며 우울했던 당시 사람들의 심정이 오늘날의 유쾌하고 명랑한 감정과 판이하게 다르다 해도, 「백양예찬」은 그럼에도 우리가 사랑하는 문학작품이다"라고 평하였다.

9일, 『베이징일보』에 쯔강子岡의 산문특필 「카자卡佳」가 발표되었다.

『희극보』 제8호에 톈한의 「우리는 어떻게 위대한 제1차 5개년 계획을 위해 더 잘 복무할 것인가我們怎樣更好地爲第一個偉大五年計劃服務」, 어우양위첸의 「5개년 계획의 완성을 위해 투쟁의 전선에 서다爲完成五年計劃站在鬪爭的前線」, 리보자오의 「조국의 귀중한 보물祖國的無價之寶」, 차오위의 「지극히 거대한 승리極其巨大的勝利」, 자오단趙丹의 「공산당과 우리의 우월한 정치제도에 진심으로 감사한다由衷地感謝共産黨和我們優越的政治制度」 등의 글이 발표되었다.

10일, 『문회보』에 구중이의 「영화를 통해 반혁명분자 숙청 경험과 교훈을 흡수하자從電影中吸取肅淸反革命分子的經驗敎訓」, 장팡류張芳榴의 시 「내게 임무를 주시오, 당이여!給我任務吧, 黨!」가 발표되었다.

11일, 알바니아 문화대표단과 인민군 가무단이 중국을 방문해 공연을 진행하고, 중국 정부와 중국·알바니아 문화협정을 체결할 것을 상의하였다(『문예보』16호에 게재).

『문예보』에 첸자쥐千家駒의 「중국의 낙후를 고수하고 공업화를 반대하는 량수밍의 망론을 비판한다批判梁漱溟堅持中國落後反對工業化的謬論」가 발표되었다.

12일, 『해방군문예』에 어우양산의 산문 「'8 · 1' 도시"八一"城」가 발표되었다.

13일, 『광명일보』에 웨예嶽野의 「베이징전영극본창작소에서의 후펑 분자 황뤄하이의 파괴활동胡風分子黃若海在北京電影劇本創作所的破壞活動」이 발표되었다.

『문회보』에 커란의 「「죽지 않는 왕샤오허」에 관한 몇 가지關於<不死的王孝和>的幾句話」, 잉쥔應鈞의 「인민은 용감하고, 지지 않는다! - 영화 「용감한 사람」을 다시 보다人民是勇敢的, 不可戰勝的!——重看影片<勇敢的人>」가 발표되었다.

14일, 『베이징일보』에 왕윈만王雲縵의 「조국과 인민에 대한 온 몸과 마음을 다한 사랑 - 조선영화 「유격대의 아가씨」를 보고全身心的對祖國和人民的愛——看朝鮮影片<遊擊隊的姑娘>」가 발표되었다.

15일, 『문예보』 제15호에 샤옌의 「황허를 축복하다向黃河祝福」, 왕퉁자오의 「꿈이 위대한 현실로 변했다夢想變成了偉大的現實」, 훙류의 「란저우에어 고비 사막까지從蘭州到戈壁灘」가 발표되었다. '후펑 집단과 숨어 있는 모든 반혁명분자를 단호히 숙청하자'란에는 전직 『시대일보時代日報』 편집부 동인의 글 「후펑 반혁명집단은 『시대일보』를 어떻게 공격했는가胡風反革命集團是怎樣進攻<時代日報>的」, 아이칭의 「역사의 교훈 - 도적 왕스웨이와의 옌안에서의 투쟁을 기억하며一個歷史的教訓——回憶在延安和土匪王實味的鬪爭」, 인바이의 「반혁명분자에게 목숨을 부지할 '시간'을 주어서는 안 된다不讓反革命分子有苟延殘喘的"時間"」, 탕즈의 평론 「모든 숨어 있는 반혁명분자를 무자비하게 공격하자! - 「해변의 격전」을 보고給一切暗藏反革命分子以無情的打擊!——<海濱激戰>觀後」, 왕전즈王震之의 「자유를 위해 투쟁하는 시편 - 영화 「핫산과 카밀라」 소개爲自由而鬪爭的詩篇——介紹影片<哈森與加米拉>」, 왕차오원의 「예술의 기교를 논하다論藝術的技巧」(연재 완료), 화잉선華應申의 「더 많은 통속문예 작품을 창작하자創作更多的通俗文藝讀物」, 진진의 「아이들이 창조한 예술孩子們創造的藝術」, 야오칭姚清의 「희극예술의 전투 위력을 발휘하자發揮戲劇藝術的戰鬪威力」, 장톄잉章鐵英의 「「죽지 않는 왕샤오허」를 읽고讀<不死的王孝和>」, 리전의 「새 잡지의 새로운 면모一個新刊物的新面貌」가 발표되었다.

『문예월보』에 바진의 「가장 아름답고 가장 영광스러운 일最美麗、最光榮的事情」, 탕타오의 「「난위수」를 논하다論<難爲水>」, 아이우의 산문 「체코슬로바키아 국경 수비군 방문기捷克斯洛伐克邊防軍訪問記」가 발표되었다.

16일, 『문회보』에 탕하이唐海의 평론 「조선 인민의 훌륭한 딸—조선 영화 「유격대의 아가씨」 소개朝鮮人民的好女兒——介紹朝鮮影片<遊擊隊的姑娘>」, 진전의 소설 「매표원售票員」이 발표되었다.

17일, 『인민일보』에 펑즈의 「토마스 만을 추모하며悼托馬斯·曼」가 발표되었다.

18일, 『베이징일보』에 천쥔晨郡의 「정치 투쟁을 잊어서는 안 된다—몇 편의 방첩영화 속의 과학기술 공작 인원으로부터 이야기를 시작하다不要忘記政治鬥爭——從幾部防奸反特影片中的科學技術工作人員談起」, 원청쉰溫承訓의 시 「철강 공인의 마음鋼鐵工人的心」이 발표되었다.

리즈화李之華의 「반혁명적인 루링反革命的路翎」이 『해방일보』와 『문회보』에 발표되었다.

19일, 『광명일보』에 톈한의 「초원으로 가서 만 리 밖 혁명의 꽃을 받아 오다—알바니아 인민군 가무단을 환영하며到草原去接來了萬裏外的革命花朵——歡迎阿爾巴尼亞人民軍歌舞團」가 발표되었다.

20일, 『베이징문예』에 라오서의 「문예공작자여, 모두 헌신적으로 노동하자文藝工作者都忘我地勞動起來吧」, 바이런의 산문 「시골 가게 야화村店夜話」가 발표되었다.

『베이징일보』에 바딩巴丁의 「소련 인민의 높은 혁명 경계심을 학습하자—소련 소설집 『붉은색 금고』를 읽고學習蘇聯人民高度的革命警惕性——蘇聯小說集<紅色的保險箱>讀後」, 리정룬李正倫의 평론 「국경선 위에서 생활하고 투쟁하는 두 부녀—방첩 스릴러 영화 「산중 초소」의 안토노브나와 윌라에 관하여生活和鬥爭在國境線上的兩個婦女——談反特驚險影片<山中防哨>中的安頓諾夫娜和威拉」가 발표되었다.

22일, 중화인민공화국 문화부에서 영화 초대회를 개최하여 루마니아 해방 11주년을 경축하고 루마니아 영화 「태양이 떠올랐다太陽出來了」를 상영하였다(24일자 『인민일보』에 게재).

『문회보』에 룽정창容正昌의 평론 「사제지간—영화 「떨어질 수 없는 친구」를 보고師生之間——影片<不可分離的朋友>觀後」가 발표되었다.

23일, 『민간문학』에 딩이丁一가 개작한 동화 「꿀을 훔친 여우狐狸偷蜜」, 루궁이 정리한 「족제비를 잡다打黃狼」(허베이 고사鼓詞), 바이샹柏相이 번역한 포송령의 「화피畫皮」, 양싱仰星이 수집 정리한 「호접가蝴蝶歌」가 발표되었다. 「호접가」는 구어저우 칭수이장淸水江 일대에 전해지는 묘족의 고가古歌이다. 「호접가」라는 제목 아래 '열두 가락十二種調子', '북 만들기造鼓', '예복 짓기制禮服' 등의 절로 구성되어 있다. 동물의 성장에서 시작해 인류 사회까지 서술하는 내용으로, 사실상 묘족 사회의 생산 투쟁의 역사 및 묘족의 몇몇 풍속과 습관의 유래를 서술하고 있다. 줄거리가 흥미롭고 아름다우며 언어는 간결하고 힘이 있다. 모든 연은 다섯 절로 이루어져 있다. 전문은 1,200행으로, 이번 호에는 '열두 가락' 가운데 생산 투쟁에 관한 부분이 소개되었다.

24일, 『독서월보』에 바런의 「소련 공인계급 생활을 묘사한 책―「유르빈 일가」 소개―本描寫蘇聯工人階級生活的的書——介紹<茹爾賓一家>」(「유르빈 일가」는 소련 작가 코체토프의 소설이다) 및 양쉬의 「창작의 자유―어느 좌담회에서 『삼천리강산』을 말하다寫作的自由——在一次座談會上談<三千裏江山>」가 발표되었다. 양쉬는 글에서 "이 소설의 중심 주제는 조국과 인민, 그리고 평화사업에 대한 지원군의 사랑, 그리고 국제주의 정신과 애국주의 정신이다." "이 소설에서 내가 묘사한 인물은 모두 아주 평범하지만 모두들 영웅이다." "나는 사랑, 그리고 생명이라는 두 가지 측면에서 인물들의 사상과 품성을 표현하려 했다." "사랑과 생명 외에, 나는 처창제車長傑라는 인물에게 인민에 대한 나의 감정과 인식을 투영했다." "우리는 '사상은 작품의 영혼이다'라는 말을 자주 한다. 사상에 감정이 없다면 그것은 죽은 영혼이다. 작품에 감정을 싣기 위해서는 우선 작가가 인민과 인민의 사업에 열렬한 감정을 가져야 한다." "마지막으로, 나는 작품의 줄거리에 대해서도 짧게 이야기하고자 한다. 작품은 강렬한 줄거리를 가져야 한다. 그렇지 않으면 독자를 매료시키기 어렵다. 이야기란 것은 곧 모순이며, 생산과 계급투쟁 속에서 사람이 겪는 모순이다. 이러한 첨예한 모순들을 포착할 수 있다면 작품은 강렬한 줄거리를 지니게 될 것이다"라고 밝혔다.

25일, 『베이징일보』에 샤징한夏靜寒의 「티라나에서 온 지기지우―알바니아 인민군 가무단의 공연을 보고從地拉那的知心朋友——看阿爾巴尼亞人民軍歌舞團演出」가 발표되었다.
　『문회보』에 관안管安의 「후펑 조직의 범죄행위를 심도 있게, 전면적으로 폭로하자―『후펑 조직의 범죄행위 폭로 속편』 소개深入、全面地揭露胡風黑幫的罪行——介紹<揭露胡風黑幫的罪行續編>」(『속편』은 신문예출판사에서 출간되었다), 선관의 「후펑 조직의 가면을 벗기자―'후펑 반혁명집단과 모든 숨어 있는 반혁명분자를 단호히 숙청하자' 만화집」 소개」(『만화집』은 인민미술출판사에서 출간되었다)가 발표되었다.

27일, 『광명일보』에 완궁萬弓의 「더 좋은 스릴러 소설이 더 많이 필요하다需要更多更好的驚險小

說」, 쯔차오子超의 「소련 스릴러 소설에서 무엇을 배울 것인가?從蘇聯驚險小說中學習些什麽?」가 발표되었다.

29일, 홍선이 베이징에서 병으로 사망하였다. 홍선은 1916년에 미국 오하이오 주립대학에 유학하여 도자기 공정을 전공하였다. 1919년에 하버드대학에 전입하여 저명한 희극교수 베이커에게 사사하여 희극을 전공해 중국 최초로 외국에서 희극을 전공한 유학생이 되었다. 1922년에 귀국한 후 1923년에 희극협사戱劇協社에 가입해 문명희文明戱의 개혁을 진행하여 당시 유행하던 남성이 여성으로 분장하는 낡은 관습을 없애고 남성과 여성이 함께 공연할 것을 주장하였으며, 중국 화극의 무대예술에 정규적인 감독 제도를 수립하였다.

어우양위첸은 「홍선 동지를 추모하며追念洪深同志」에서 "홍선 동지는 혁명 진영의 충실하고 재능 있는 간부이자 5 · 4 이후 희극운동의 용장이며, 우수한 희극예술가이다." "그는 희극을 학문으로서 연구하였다. 그는 비교적 체계적으로 대량의 책을 읽었다. 그가 학문하고 일하는 방식은 모두 상당히 과학적이다. 그는 대단히 박학다식하다. 희극 감독으로서 이처럼 풍부한 학식을 갖춘 이는 우리 세대에 매우 드물다"라고 말했다(『문예보』 1955년 제17호).

텐한은 「홍선 형을 기억하며憶洪深兄」에서 "그는 민족 및 민주혁명의 열정적인 문화 전사이다." "홍 선생은 예술 창작에 매우 엄숙한 태도를 가지고 있었으며, 동시에 가장 가식이 없는 배우이기도 하다. 중국의 옛 희극계에 '급한 불을 끄듯이 대역을 찾는다救場如救火'라는 말이 있다. 급박하게 필요한 순간에 그는 말 그대로 아무것도 신경 쓰지 않고 급히 지원에 나서는 '소방관'이었다"라고 말했다.[8]

30일, 『문예보』 제16호에 위보웨 의 「히로시마에서 제네바까지從廣島到日內瓦」가 발표되었으며, '후평 집단과 숨어 있는 모든 반혁명분자를 단호히 숙청하자'란에 천융의 「루쉰 방향을 수호하고, 후평 집단의 반혁명 사상을 분쇄하자保衛魯迅方向, 粉碎胡風集團的反革命思想」, 장쉐신張學新의 「루리의 시─청년의 마음에 해악을 끼치는 아편魯藜的詩──毒害靑年心靈的鴉片」, 마톄딩의 시 「무더운 밤悶熱的夜」이 발표되었다. 「문예평론」 특집란에 팡자오方焰의 「사회주의 신인물의 승리─단막극 「류롄잉」을 평하다社會主義新人的勝利──評獨幕劇<劉蓮英>」(「류롄잉」은 『랴오닝문예』 1954년 제5호에 최초로 발표되었으며, 『인민문학』 1955년 3월호에 전재되었고, 『극본』 7월호에 수정본이 발표되었다), 판위樊宇의 「열정이 충만한 송가洋溢著激情的頌歌」, 란란藍藍의 「아름다운 사랑노래들

---

8) 『홍선 문집洪深文集』 서문, 제1권, 중국희극출판사 1957년

一組優美的情歌」, 황추원의 「두려움을 모르는 영웅, 불후의 서사시—「위대한 전사」를 보고無畏的英雄 不朽的史詩——<偉大的戰士>觀後」, 장페이張非의 「군중이 사랑하는 신가곡을 더 많이 창작하자多創作些群眾喜愛的新歌曲」가 발표되었다. 이 외에도 리시판, 란링의 「조설근의 세계관과 현실주의 창작에 관하여關於曹雪芹的世界觀與現實主義創作」, 친핑群平의 「무명고지에는 어떻게 이름이 생겼나無名高地怎樣有了名」, 위청於澄의 「『베이징문예』의 전투성과 그 특색<北京文藝>的戰鬥性和它的特色」이 발표되었다.

팡자오는 글에서 "극본의 중심인물인 류롄잉은 오늘날 우리 사회에서 공산당의 교육을 받고 성장한 수많은 청년 세대에 속한다. 그녀는 소년공 출신으로, 입당한 지 얼마 지나지 않은 23세 때 당의 교육을 받아, 그녀의 순박하고 침착한 성격 속에 완전히 새로운 굳센 역량이 생겨났다. 그것은 바로 공산주의 사업에 대한 확고부동한 신념이다. 이러한 신념은 이미 그녀의 생활 전체에 대한 등대이자 동력이 되어, 그녀가 사회주의 건설을 위한 헌신적인 노동 속에서 힘차게 성장할 수 있게 했다"라고 평하였다.

『베이징일보』에 리싱화李興華의 「소련 스릴러 소설 「남의 이름을 훔쳐쓰다」를 통해 반혁명분자의 기회주의 수법을 보다從蘇聯驚險小說<冒名頂替>看反革命分子的兩面手法」가 발표되었다.

『문회보』에 쑹즈더의 「알바니아 인민군 가무단을 환영하며歡迎阿爾巴尼亞人民軍歌舞團」, 진쑹자오金頌椒의 「반드시 숨어 있는 적을 철저히 숙청해야 한다—영화 「최고의 상」을 다시 보다一定能徹底肅清暗藏的敵人——重看電影<最高的獎賞>」가 발표되었다. 진쑹자오는 글에서 "소련 극영화 「최고의 상」을 다시 보고, 우리는 언제나 높은 혁명 경계심을 갖추는 것이 조국의 사회주의 사업을 수호하는 일에 대단히 중요하다는 것을 다시금 깊이 느꼈다"라고 평하였다.

이달에 차오위의 4막 화극 『집家』(수정본), 왕뤄왕의 비판문집 『후펑 조직의 멸망 및 기타胡風黑幫的滅亡及其他』, 돤무훙량의 단편소설집 『증오憎恨』, 리잉의 시집 『우정의 꽃다발友誼的花束』이 신문예출판사에서 출간되었다.

바이화의 시집 『진사장의 그리움金沙江的懷念』이 중국청년출판사에서 출간되었다.

후펑 반혁명집단 숙청 풍자시선 『간첩을 깨끗이 소멸시키자把奸細消滅幹淨』가 작가출판사에서 편찬 및 출간되었다.

추이더즈의 단막극 『시간의 죄인』이 랴오닝인민출판사에서 출간되었다.

선모쥔의 원작을 류이화劉一華가 각색한 단막극 『배반자를 제거하다鋤奸記』가 헤이룽장인민출판사黑龍江人民出版社에서 출간되었다.

9월

1일, 『베이징일보』에 천보추이의 평론 「심도 있는 교육과 계발─「유격대원의 아들」을 보고 深刻的教育和啟示──<遊擊隊員之子>觀後」가 발표되었다.

『창장문예』에 위린俞林의 소설 「허구가 아닌 이야기並非虛構的故事」, 사오옌샹의 시 「우리의 시추선이 쿵쿵 울린다我們的鑽探船轟隆轟隆的響」, 웨이양의 시 「반드시 깊은 증오를 배워야 한다必須學會深深的仇恨」가 발표되었다.

『시난문예』에 바진의 「우리 조국의 내일을 맞이하다迎接我們祖國的明天」, 리제런의 「한 폭의 그림, 한 수의 시, 한 곡의 노래다是一幅畫, 是一首詩, 是一支歌」, 쉬자루이徐嘉瑞의 「위대한 저작一部偉大的著作」 등 제1기 전국인민대표대회 제2차 회의에 참석했던 대표들의 글이 발표되었다. 이 외에도 워단渥丹의 「후펑 분자 허젠쉰의 죄악의 면모를 폭로하다揭露胡風分子何劍熏的罪惡面目」, 젠셴아이의 「구이저우에서의 류쉐웨이의 범죄활동劉雪葦在貴州的罪惡活動」, 홍중洪鍾의 「장제스 도당의 반혁명 내전을 위해 복무한 「호흡」과 「밤중에 우는 닭」爲蔣賊反革命內戰服務的<呼吸>與<荒雞>」, 쑨징쉬안의 「루리의 '시'에 나타난 반동사상과 그 근원 분석魯黎的"詩歌"中的反動思想及其根源剖析」, 정쥔우鄭均甫의 「뤼위안의 '기점'은 무엇인가什麼是綠原的"起點"」 등의 글이 발표되었다.

같은 호에 구궁의 화극 「삼림 속의 불빛森林中的火光」, 리빙뤄李冰若의 시 「중량산의 노래中樑山的歌」, 위안커袁珂의 평론 「『삼리만』을 읽고讀<三裏灣>」가 발표되었다. 위안커는 글에서 "이 소설은 농촌 생활을 소재로 하여 현재의 농촌 사회주의 개조의 어려움과 복잡함을 반영한 우수한 작품으로, 과도기에 농촌에서 전개되는 자본주의와 사회주의 두 노선의 투쟁에 대해 심도 있게, 그리고 구체적이고 풍부하게 그려내었다." "작가가 묘사한 낙후된 인물은 진보적 인물들에 비해 더욱 생동감 있고 다채로워 보인다." "내가 보기에 작품의 가장 큰 결점은 문제를 제기했지만 그 문제를 잘 해결하지 못한 것이다." "두 번째 결점은, 이처럼 현재 농촌생활을 비교적 폭넓고 전면적으로 반영한 소설 속에서 모순과 투쟁이 인민 내부에 국한되어 있어, 작품 속에서 사회주의 사업에 대한 계급의 적의 음모와 파괴 활동 및 이들을 상대로 한 인민의 무자비한 투쟁 등의 장면을 볼 수 없다는 점이다"라고 평하였다.

2일, 『해방일보』에 진이의 「우리는 하나의 거대한 마음이다－알바니아 인민군 가무단을 환영하며我們就是一顆巨大的心──歡迎阿爾巴尼亞人民軍歌舞團」가 발표되었다.

『문회보』에 딩산더丁善德의 「우수한 알바니아 예술－알바니아 인민군 가무단의 방문 공연을 환영하며優秀的阿爾巴尼亞藝術──歡迎阿爾巴尼亞人民軍歌舞團訪問演出」, 우웨의 시 「모든 승냥이와 독사를 깨끗이 없애자把一切的豺狼和毒蛇消滅淨絶」가 발표되었다.

3일, 중일전쟁 승리 10주년을 기념하여 『인민일보』에 라오서의 「승리 10년－승리 만년勝利十年──勝利萬年」이 발표되었다.

『광명일보』에 커옌柯岩의 「숨어 있는 적과 단호히 투쟁하는 소년 영웅－소련 영화 「유격대원의 아들」 소개跟暗藏敵人作堅決鬥爭的少年英雄──介紹蘇聯影片<遊擊隊員之子>」가 발표되었다.

5일, 『베이징일보』에 천룽陳隴의 평론 「영웅의 모습, 학습의 모범－「죽지 않는 왕샤오허」를 읽고英雄的形象, 學習的榜樣──<不死的王孝和>讀後」, 치전샤齊震霞의 생활 스케치 「비행 시험一次飛行考試」, 자오밍의 평론 「겉옷과 가면에 관하여－영화 「마수를 끊다」로부터 이야기를 시작하다談外衣和面具──從影片<斬斷魔爪>談起」가 발표되었다.

『랴오닝문예』 제16, 17호에 싱예의 단막극 「틈만 있으면 파고든다」가 발표되었다.

6일, 『인민일보』에 런지위任繼愈의 「량수밍 문화관점의 매국노 성격揭穿梁漱溟的文化觀點的買辦性」이 발표되어 량수밍의 저서 『중국문화요의中國文化要義』에 드러난 중국 전통문화에 대한 관점을 비판하였다.

『문회보』에 잉쥔의 「아이들의 마음속에서 애국의 열정이 불탄다－소련 영화 「유격대원의 아들」 소개愛國熱情在孩子們心裏燃燒──介紹蘇聯影片<遊擊隊員之子>」가 발표되었다.

7일, 『문회보』에 탕전창唐振常의 「자랑스러워할 만한 사람－영화 「열네 개의 목숨을 위하여」를 보고值得驕傲的人──影片<爲了十四條生命>觀後」가 발표되었다.

8일, 『인민문학』에 마오둔의 「끝까지 투쟁하고, 투쟁 속에서 단련을 얻자把鬥爭進行到底並在鬥爭中獲得鍛煉」, 바진의 「'학문'과 '재능'"學問"和"才華"」, 아이우의 「내가 후펑 반혁명 사건에서 얻은 교훈我從胡風反革命案件中取得的敎訓」 등이 발표되었다. 이 외에도 친자오양의 소설 「모르는 일不知道的事情」, 류사오탕의 소설 「배船」, 아이칭의 시 「솽젠산雙尖山」, 원제의 시 「수병의 마음水兵的心」, 량상취안의 시 「루딩차오 어귀瀘定橋頭」, 짱커자의 시 「죽지 않는 위대한 전사不死的偉大戰士」, 구궁의 극본 「삼림 속의 불빛」(『시난문예』 9월호에 최초 발표)가 발표되었다.

8일, 『문예학습』에 마톄딩의 「적의 유혹을 엄중히 방비하자嚴防敵人的誘惑」, 짱커자의 「한 편의 강력한 풍자시―반혁명 정치 건달 리완밍 사건을 쓰다一首有力的諷刺詩――寫李萬銘反革命政治流氓事件」, 저우리보의 「『삼국지연의』에 관하여談<三國志演義>」(상), 란링의 「영원히 역사의 걸음에 발맞추다―「유르빈 일가」를 읽고永遠與歷史的步伐一致――讀<茹爾濱一家>」, 후빙胡冰의 「예성타오의 소설에 관하여談葉聖陶小說」, 천보추이의 「「작은 일」을 읽고讀<一件小事>」, 충웨이시의 「창작의 길 위에서―창작 학습 과정에서 느낀 점과 교훈을 추억하며在創作的道路上――回憶學習寫作中的體會和敎訓」가 발표되었다.

『베이징일보』에 쭈톈궁祖田工의 「가장 위대한 역량―영화 「격류의 노래」 소개最偉大的力量――介紹電影<激流之歌>」, 우쉐의 「여러분, 다들 경계하라!―율리우스 푸치크 희생 12주년을 기념하며人們, 你們要警惕呀!――紀念尤利烏斯·伏契克就義十二周年」, 지예의 「공인계급 사업을 위해 전투하는 영화 대가들―다큐멘터리 「격류의 노래」의 창작爲工人階級事業而戰鬥的電影大師們――紀錄片<激流之歌>的創作」이 발표되었다.

9일, 『광명일보』에 펑유란의 「후스 사상 비판 공작에서 내가 얻은 깨달음과 수확在批判胡適思想工作中我所得到的體會和收獲」이 발표되었다.

11일, 『인민일보』에 쑨딩궈의 「량수밍의 반동적 세계관을 비판한다批判梁漱冥的反動的世界觀」가 발표되었다.

12일, 『인민일보』에 정전둬의 「인도 인민의 불후의 예술창작印度人民的不朽的藝術創作」이 발표되었다.

『해방군문예』에 '제1차 5개년 계획의 실현을 위해 분투하자爲實現第一個五年計劃而奮鬥'란이 개설되어 웨이웨이의 「중국의 황금시대를 열자開辟中國的黃金時代」, 후커胡可의 「이상이 현실로 변하는 때當理想正變爲現實的時候」, 천치퉁의 「조국의 위대한 5개년 계획의 완성을 위해 가장 큰 힘을 바치자爲完成祖國偉大的五年計劃貢獻出最大的力量」, 루주궈의 「제1차 5개년 계획을 위해, 당신은 무엇을 위하는가?爲第一個五年計劃, 你爲了什麽?」가 발표되었다. 이 외에도 량상취안의 시 「산골짜기의 하룻밤山穀的一夜」이 발표되었다.

13일, 『베이징일보』에 천쥔晨郡의 평론 「당신은 삶을 어떻게 대하는가─영화 「열네 개의 목숨을 위하여」를 보고你怎樣對待生活?──影片<爲了十四條生命>觀後感」가 발표되었다.

『중국청년보』에 사설 「아이들에게 더욱 풍부한 도서를 제공하자讓孩子們有更加豐富多彩的讀物」가 발표되었다.

14일, 『베이징일보』에 얼쓰爾泗의 평론 「형상의 매력─메이란팡 선생의 「우주봉」 공연을 보고形象的魅力──梅蘭芳先生<宇宙鋒>演出觀後」가 발표되었다.

『문회보』에 거옌葛炎의 「아름다운 민간 가무를 보다─유고슬라비아 '코로' 민간가무단의 공연을 보고看到了優美的民間歌舞──南斯拉夫"科羅"民間歌舞團演出觀後」가 발표되었다.

15일, 『문예보』 제17호에 량핀탕梁聘唐의 「뤼잉의 '아름다움은 관념이다'론의 반동적 본질을 폭로한다揭穿呂熒的"美是觀念"的反動本質」, 정보치의 「경계심을 높이고, 투쟁을 강화하자提高警惕, 加强鬥爭」, 황모黃沫의 「투쟁의 역사의 한 페이지─샤오쥔 반동사상 비판 소개一頁鬥爭歷史──批判蕭軍反動思想的介紹」 및 본지 기자의 취재 「차오위가 「명랑한 날」의 창작을 말하다曹禺談<明朗的天>的創作」, 리전李震의 「동화 「산토끼를 잡다」 논쟁에서 무엇을 보았는가?從兒童故事<捉野兎>的爭論裏看到了什麽?」, 창하이常海의 「다큐멘터리 해설의 형상화와 통속화紀錄影片解說詞的形象化和通俗化」, 어우양위첸의 「홍선 동지를 추모하며追念洪深同志」, 레이자의 「영원히 사라지지 않을 우정永不磨滅的友誼」, 위관잉의 「중국문학사 '통례'에 대한 후스의 왜곡과 그 영향胡適對中國文學史"公例"的歪曲及其影響」 등의 글이 발표되었다.

「차오위가 「명랑한 날」의 창작을 말하다」는 "차오위 동지는 기자에게 「명랑한 날」은 창작방법에 있어 그가 과거에 창작한 극본과 다소 차이가 있다고 밝혔다. 과거에는 극본을 창작할 때 어떠한 견해를 표현하거나 혹은 어떠한 사상을 선전하려 했음에도 이러한 견해 혹은 사상을 그 자신이 명확하고 깊이 있게 파악하지 못했다." "「명랑한 날」을 창작할 때의 상황은 이와는 다르다. 창작 전에 차오위 동지는 생활에 대한 감상 속에서 자신이 표현하려 하는 사상과 의도를 점차 명확히 파악하였으며, 지식분자가 반드시 당의 교육하에 사상개조를 진행해야 한다는 것을 분명히 인식하였다. 이러한 전체적인 의도 아래 그는 작품에 등장하는 모든 인물과 장면들에 대해 자세히 고찰하고 퇴고하였으며, 마르크스주의적 관점을 통해 그들을 분석해 사회주의 정신을 통해 독자를 교육한다는 목적을 달성하였다"라고 밝혔다.

『문예월보』에 바진의 「인도 인민의 고아 수복 투쟁을 지원하자支援印度人民收複果阿的鬪爭」, 커링의 「영화 극본의 창작 문제에 관하여關於電影劇本的創作問題」(문예창작 지도 강좌)가 발표되었다.

16일, 『인민일보』에 사설 「소년 아동 도서를 대량으로 창작, 출판, 발행하자大量創作、出版、發行少年兒童讀物」가 발표되었다. 사설은 "소년 아동 도서의 출판공작에는 지금도 적지 않은 문제가 존재한다. 가장 심각한 것은 소년 도서가 매우 적어, 그 종류와 수량 및 질이 소년 아동의 요구를 만족시키기에 크게 부족하다는 점이다. 이러한 상황에 근거해 우리의 방침은 소년 아동 도서를 대량으로 창작, 출판, 발행하여 소년 아동 도서의 원활한 공급을 보장하는 것이다"라고 밝혔다. 이 외에도 궈모뤄의 「소년 아동을 위해 창작하자請爲少年兒童寫作」가 발표되었다.

『광명일보』에 쑨딩궈의 「량수밍의 '직업 분도'라는 반동 이론에 반박한다駁斥梁漱冥的"職業分途"的反動理論」가 발표되었다.

17일, 『광명일보』에 예성타오의 「청년들靑年們」, 짱커자의 시 「전국 인민의 눈이 베이징을 바라보고 있다全國人民的眼睛望著北京城」가 발표되었다.

20일, 『베이징문예』에 팡즈의 소설 「샘가에서在泉邊」, 허우바오린의 글 「상성 문제에 관한 해답關於相聲問題的解答」이 발표되었다.

『베이징일보』에 샤오바이위샹筱白玉霜의 글 「「진향련」이 무대에서 은막으로 가다<秦香蓮>從舞台到銀幕」가 발표되었다.

21일, 『문회보』에 허샹루何相如의 「소련의 스릴러 소설에 관하여談談蘇聯的驚險小說」가 발표되었다.

22일, 『인민일보』에 청위추曾毓秋, 런지위의 「량수밍의 생명주의 철학을 비판한다批判梁漱冥的

生命主義哲學」가 발표되었다.

23일, 『광명일보』에 천보추이의 「아동문학의 현 상황과 발전에 관하여關於兒童文學的現狀和進展」가 발표되었다.

『민간문학』에 자즈의 「동곽 선생의 우스갯소리東郭先生的笑話」, 장위안, 둥쥔룬의 「민간고사 수집, 정리에 관한 경험搜集、整理民間故事的一點體會」이 발표되었다.

24일, 중국작가협회 창작위원회 소년아동조 간사회에서 간사 확대회의를 소집해 소년아동문학 창작의 발전에 관한 문제를 토론하고, 각종 구체적인 방법을 통해 단시간 내에 소년아동도서 결핍 현상을 해결할 방법을 모색하였다. 또한 창작에 종사하는 위원들에게 1956년 이전에 소년아동독자를 위한 작품을 인당 최소한 한 편씩 창작할 것을 호소하였다(『문예보』 제20호에 게재).

『독서월보』에 천보추이의 「메이즈의 「동화시」는 독이 든 뱀딸기다梅志的<童話詩>是有毒的蛇莓」, 즈샤의 「나는 어떻게 「철도유격대」를 썼는가我怎樣寫<鐵道遊擊隊>」가 발표되었다. 즈샤는 글에서 "「철도유격대」는 실제 인물과 사건을 기초로 하여 창작한 소설이다. 소설로서 창작하려면 그들의 투쟁 사적에 대해 예술이라는 관점에서 취사선택을 할 수밖에 없다. 지나치게 복잡한 인물과 전투 중에서 일부는 빼 버리거나 다른 것과 합쳤다. 물론 강화한 부분도 있다. 항일유격전쟁 전 과정의 실제 상황과 결합하여 몇몇 부분은 풍부하게 서술하고 발전시켰다. 그럼에도 나는 그들의 진실한 투쟁의 발전 과정을 골격으로 하고, 그들의 기본적인 성격을 기초로 하여 창작했다"라고 밝혔다.

『광명일보』에 바진의 「모든 이의 청춘이 아름다운 꽃송이를 피우게 하자讓每個人的青春都開放美麗的花朵」, 진이의 「모든 것은 사랑스러운 조국을 위해一切爲了可愛的祖國」가 발표되었다.

『문회보』에 류량헝劉良橫의 「전쟁상인의 음모가 이뤄지게 할 수는 없다―영화 「위험한 화물」을 보고不能讓戰爭販子的陰謀得逞――看影片<危險的貨物>」가 발표되었다.

25일, 『인민일보』에 정전둬의 「미얀마 문화대표단을 환영하며歡迎緬甸文化代表團」가 발표되었다.

『문회보』에 황상의 「철석같은 역사 규율―영화 「몰락한 집안」을 보고鐵一樣的歷史規律――電影<沒落之家>觀後」가 발표되었다. 그는 글에서 "「몰락한 집안」은 위대한 작가 고리키의 무대극 「바사 젤레즈노바瓦薩·熱列茲諾娃」를 각색한 것이다. 이는 훌륭한 연극을 무대에서 은막으로 옮겨온 것으로, 진정으로 완벽한 예술품이다"라고 평하였다.

27일, 빙신이 『인민일보』에 「일본 방문 감상訪日觀感」을 발표하였다.

『베이징일보』에 원청쉰의 시 「나는 이 삶을 사랑한다我愛這生活」가 발표되었다.

『문회보』에 우웨의 시 「우리의 빛나는 청춘을 조국에, 당에 바치자!把我們輝煌的青春獻給祖國, 獻給黨!」, 쥔칭의 글 「「여명의 강가」의 창작－청년 독자에게 답하는 공개 서신<黎明的河邊>的創作——答青年讀者的公開信」이 발표되었다. 쥔칭은 글에서 "전쟁은 사람들에게 수많은 귀중한 교훈을 주었다. 전쟁은 사람들이 더욱 깊고 자세하게 세계를 인식하게 했고, 더욱 순결하고 고상하게 생활을 대하게 했다. 그리고 희생한 영웅들은 인민의 마음속에 영원히 살아남아, 인민들이 새로운 생활 속에서 새로운 공훈을 세우도록 격려한다. 이러한 진리가 점차 나의 주제로 변했다"라고 밝혔다.

30일, 『문예보』 제18호에 양쉬의 「'막 떠오른 태양 속으로 걸어들어가다"走進初升的太陽裏去'」, 류빙옌의 「더 높은 봉우리를 향해 전진하다－전국 청년 사회주의 건설 적극분자 대회를 축하하며 向更高峰前進——祝賀全國青年社會主義建設積極分子大會」, 한쯔의 「청년 생산조직青年工段」, 류바이위의 「문학의 당성을 강화하자加強文學的黨性」가 발표되었다. '소년 아동 도서를 대량으로 창작, 출판 발행하자'란에는 「소년 아동 도서를 대량으로 창작, 출판 발행하자」(『인민일보』 사설), 전문 논고 「소년 아동들을 위해 더 많이 창작하자多多地爲少年兒童們寫作」, 펑쉐펑의 「공작으로써 우리의 잘못을 바로잡자用工作來改正我們的錯誤」, 정윈鄭芸의 「1억 2천만 아이들의 요구를 위해 몇 마디 하다爲一億二千萬孩子的要求說幾句話」, 리추친李楚琴의 「볼 만한 것이 없다!沒什麼好看的了!」가 발표되었다.

이 외에도 '문예평론'란에는 중뎬페이의 「'열네 개의 목숨을 위하여'의 예술 구조"爲了十四條生命"的藝術結構」, 우허우吳厚의 「「사장과 사장 부인이 말다툼하다」는 어떤 소설인가?<老板和老板娘吵架>是一篇怎樣的小說?」, 우잉吳影의 「「혼혈아」에 관하여關於<混血兒>」가 발표되었다(편집자의 말은 "「혼혈아」는 일본의 진보영화로, 우리나라에 상영된 당시에 많은 관중들의 환영을 받았다. 이 영화는 수많은 혼혈아들의 비참한 운명에 대한 사실적이고 생생한 묘사를 통해 미국 점령군의 죄악을 폭로하였다. 이 영화에는 결점도 존재하는데, 주된 결점은 흑인 아이에 관한 처리에 적절치 못한 부분이 존재한다는 점이다. 우잉 동지의 글은 이 문제를 제기하여 우리가 더욱 정확하게 이 영화를 이해할 수 있도록 도와준다"라고 밝혔다). 같은 호에 런지위의 「량수밍의 반동사상을 향해 투쟁을 전개하자向梁漱溟的反動思想展開鬥爭」, 리전화이季鎮淮의 「사마천과 그의 『사기』－사마천 탄생 2100주년을 기념하며司馬遷和他的<史記>——爲紀念司馬遷誕生二千一百周年而作」가 발표되었다.

런지위(1916~2009), 철학자, 종교학자, 역사학자. 산둥성 핑위안平原 출신이다. 1938년에 베이징대학 철학과를 졸업한 후 서남연합대학 베이징대학 문과연구소에서 석사학위를 취득하였다. 베이징대학 철학과 교수, 중국과학원 세계종교연구소 소장, 국가도서관 관장 및 명예관장, 중국철학사학회 회장을 역임하였다. 국제유럽아시아과학원國際歐亞科學院 원사院士이다. 저서로 『한당불교사상논집漢唐佛教思想論集』, 『중국철학발전사中國哲學發展史』, 『불교와 동방문화佛教與東方文化』, 『노자 전역老子全譯』, 『런지위 학술논저 자선집任繼愈學術論著自選集』, 『런지위 학술문화수필任繼愈學術文化隨筆』 및 자선집 『죽영집竹影集』 등이 있다.

『인민일보』에 저우얼푸의 「미얀마의 음악과 무용緬甸的音樂和舞蹈」이 발표되었다.

『베이징일보』에 진타오의 「우수한 미얀마 민족예술優秀的緬甸民族藝術」, 장전張楨의 생활 스케치 「샤오훙 아가씨小紅姑娘」가 발표되었다.

중국인민대외문화협회의 초청을 받은 일본 가부키 극단 일행 57인이 공연을 위해 베이징에 도착하였다. 빙신이 「일본 가부키 극단을 환영하며歡迎日本歌舞伎劇團」를 발표하였다(『베이징일보』 10월 1일자에 게재).

전국 각지의 합작사 운영에 관한 자료 121편이 『농업생산합작사를 어떻게 운영할 것인가怎樣辦農業生產合作社』라는 제목의 책으로 출간되었다.

이달에 어우양산의 중편소설 『전도양양前途似錦』, 쥔칭의 단편소설집 『늙은 물소 할아버지老水牛爺爺』, 젠셴아이의 산문집 『신아집新芽集』이 작가출판사에서 출간되었다.

쥔칭의 중편소설 『마스산 위馬石山上』와 『물이 마르자 돌이 드러나다水落石出』가 상하이문화출판사에서 출간되었다.

우창의 중편소설 『말을 기르는 사람』, 아이칭의 장시 『설리찬雪裏鑽』이 신문예출판사에서 출간되었다.

『펑즈 시문선집馮至詩文選集』, 위안수이파이의 시집 『마판퉈의 산가馬凡陀的山歌』가 인민문학출판사에서 출간되었다.

라오서의 화극 『청년 돌격대』가 대중출판사에서 출간되었다.

중국청년출판사에서 편찬한 비판문집 『후펑 조직 반혁명 문학작품의 해악을 제거하자肅清胡風黑幫反革命文學作品的毒害』가 출간되었다.

10월

1일, 『창장문예』 10월호에 야오쉐인의 산문 「황허 정복 사업을 위해 환호한다爲征服黃河的事業歡呼」, 리빙의 평론 「『백조의』에 관하여談<百鳥衣>」가 발표되었다. 리빙은 글에서 "국경 지대에 사는 우리의 형제 민족—살니족의 민간 장시 『아스마』가 출현한 데 이어, 우리는 기쁜 마음으로 또 다른 형제 민족, 동족의 민간 장시 『백조의』를 보게 되었다. 이는 동족의 젊은 시인 웨이치린이 동족에 오랫동안 전해 내려온 민간고사를 근거로 하여 창작한 장시로, 아름답고 감동적인 서사시이다. 이 작품은 읽는 이를 기쁘게 하는, 중시할 가치가 있는 성공적인 작품이다." "『백조의』의 사상 내용은 동족 인민의 역사와 생활, 그리고 계급 모순을 선명하게 반영하고 있다." "시의 사상을 담고 있으며 예술적 매력이 풍부한 아름다운 언어는 이렇게나 생동감 있고 독특하다"라고 평했다.

『시난문예』 10월호에 위안커의 전문 논고 「본분을 굳게 지키자堅守崗位」, 스차오의 소설 「일요일星期日」, 류사허의 시 「황허에 보내다寄黃河」, 허융링何永齡의 시 「스즈탄 공사현장 시초獅子灘工地詩抄」가 발표되었다. 이 외에도 천이陳易, 샹루이祥瑞의 「「새싹」에 관하여試談<新苗>」, 왕쯔뤄王自若의 「「새싹」을 읽고讀<新苗>後」, 편집자의 「「새싹」에 대한 독자 의견讀者對<新苗>的意見」 등 소설 「새싹」(『시난문예』 제4호에 발표)에 대한 평론이 발표되었다.

3일, 『인민일보』에 위안잉의 「소년아동문학 작가 대오를 확대하자擴大少年兒童文學的作家隊伍」가 발표되었다.

『해방일보』에 진이의 「위대한 명절—행복의 시작偉大的節日──幸福的開端」, 커링의 「웅장한 청사진壯麗的藍圖」이 발표되었다.

4일, 『베이징일보』에 창런샤常任俠의 「아름답고 빛나는 미얀마 무용美麗輝煌的緬甸舞蹈」이 발표되었다.

5일, 『광명일보』에 예성타오의 「룽바오자이의 공헌榮寶齋的貢獻」이 발표되었다.

6일, 문화부에서 독일민주공화국 성립 6주년을 경축하는 영화 초대회를 개최해 독일민주공화국의 극영화 「어두운 밤과 싸워 이기다戰勝黑夜」를 상영하였다.

7일, 『인민일보』에 톈한의 「깊은 인상―베이징에서 진행된 일본 가부키 공연을 보고深刻的印象——日本歌舞伎在北京的演出觀後」가 발표되었다.

8일, 『인민문학』에 정전둬의 「인민의 바람이 실현되었다人民的願望實現了」, 짱커자의 「마오 주석이 황하를 보고 웃는다毛主席向著黃河笑」, 사팅의 「조국의 위대한 명절을 맞이하다迎接祖國的偉大節日」, 한쯔의 「사회주의를 향해 진군하다向社會主義進軍」 등의 글이 발표되었으며, '공업전선에서'란에는 바이런의 「추석中秋」이 발표되었다. 이 외에도 마톄딩의 시 「열렬한 투쟁에 뛰어들다投入火熱的鬪爭」, 궁무의 시 「안산에 보내다寄鞍山」, 바이랑의 소설 「궤도 위에서 전진하다在軌道上前進」, 아이우의 소설 「여름夏天」, 쑹즈더의 평론 「『서상기』를 논하다論<西廂記>」 등이 발표되었다.
『문예학습』에 예성타오의 「전체를 고려하다就整體著想」, 진진의 「어린 독자를 잊지 말자請不要忘了小讀者」, 저우리보의 「『삼국지연의』에 관하여」(하), 추원의 「『봉신연의』는 어떤 책인가<封神演義>是一本怎樣的書」가 발표되었다.

9일, 『인민일보』에 비예의 「신장이 환호하고 있다新疆在歡呼」가 발표되었다.
『희극보』 제10호에 메이란팡의 「희극계는 제1차 5개년 계획을 어떻게 인식하고 이를 위해 어떻게 복무해야 하는가戲劇界應怎樣認識第一個五年計劃, 怎樣爲它服務」, 어우양위첸의 「경극일지담京戲一知談」(제11호에 연재 완료)이 발표되었다.

10일, 『인민일보』에 메이란팡의 「일본 가부키 극단의 공연을 보고看日本歌舞伎劇團的演出」가 발표되었다.
『베이징일보』에 리사오춘의 「귀중한 예술의 보배―일본 가부키 극단의 공연을 보고可貴的藝術珍寶——日本歌舞伎演出觀後」가 발표되었다.
『문회보』에 슝포시의 「내가 본 인도 영화我看印度電影」가 발표되었다.

11일, 중국공산당 제7기 중앙위원회 제6차 전체회의(확대)에서 「농업합작화 문제에 관한 결의關於農業合作化問題的決議」가 통과되었다. 이는 마오쩌둥이 1955년 7월 31일에 성, 시 및 구의 당위원회 서기회의에서 진행한 보고에 근거해 통과된 결의이다.

『베이징일보』에 판즈팅潘芷汀의 산문「공장으로 돌아가다回廠」가 발표되었다.

12일, 『해방군문예』에 궈모뤄의「지원군 전사에게 보내다寄志願軍戰士」, 쑹즈더의「홍군 전사의 발자국을 따라沿著紅軍戰士的脚印」(「영웅의 도시英雄的城」, 「중앙혁명근거지를 방문하다訪中央革命根據地」, 「우링의 풍운五嶺風雲」, 「인민의 그리움人民的懷念」 수록), 레이자의「체코슬로바키아 군대를 방문하다訪問捷克斯洛伐克軍隊」 및 차이치자오의「휘트먼의 삶과 창작惠其曼的生活與創作」, 예쥔젠의「세르반테스의『돈키호테』塞萬提斯的<唐·吉訶德>」 등 세계 양대 명작을 기념하는 글 두 편이 발표되었다.

15일, 『문예보』 제19호의 '루쉰 선생 서거 19주년 기념' 특집란에 탕타오의「루쉰의 전투정신을 학습하자學習魯迅的戰鬪精神」, 펑쉐펑의 평론「·들풀"野草'」(이달 제20호에 연재 완료)가 발표되었다. 이 외에도 자오수리의「『삼리만』 창작 전후<三裏灣>的寫作前後」, 천쯔쥔陳子君의「아동도서「뜨거운 마음」으로부터 이야기를 시작하다從兒童讀物<火熱的心>談起」, 소련 작가 파데예프의「문학을 말하다談文學」(빙신 번역, 『문예보』 제22호에 연재 완료), 거바오취안의「소련의 저명한 작가이자 시인 수르코프를 환영하며歡迎蘇聯名作家及詩人蘇爾科夫」, 정전둬의「인도의 다큐멘터리에 관하여談印度的紀錄影片」, 수이화水華의「인도 영화「땅 두 마지기」의 예술적 성취印度影片<兩畝地>的藝術成就」가 발표되었다. 자오수리는 글에서 『삼리만』의 창작에 관해 "1. 어째서 『삼리만』을 썼는가? 2. 어째서 그러한 인물들을 묘사했는가? 3. 창작방법 문제. 4. 몇 가지 결점: 사건을 중시하고 인물을 경시한 점, 옛것이 많고 새로운 것이 적은 점, 있는 그대로 쓴 점" 등 몇 가지 문제를 설명하였다.

『문예월보』에 바진의「즐거운 나날大歡樂的日子」, 바이양의「기쁜 기념일, 진심에서 우러나는 축복歡騰的節日, 衷心的祝福」, 탕타오의「루쉰이 작가의 사상 단련을 말하다魯迅談作家的思想鍛煉」, 뤄쑨의「아이들을 위해 창작하는 것은 예술가의 영광스러운 책임이다爲孩子們創作是藝術家的光榮責任」 및 루즈쥐안의 소설「아이의 구원자孩子的救星」가 발표되었다.

『인민일보』에 사잉沙英의「량수밍의 자산계급 투쟁 문제에 관한 반동적 관점을 비판한다批判梁漱溟資産階級鬪爭問題的反動觀點」가 발표되었다.

『베이징일보』에 후야오방의「청년의 훌륭한 가곡을 소개한다介紹這本青年的好歌曲」가 발표되었다.

15일~23일, 전국문자개혁회의가 개최되었다. 회의에서는 한자 간화 방안漢字簡化方案의 수정된 초안이 통과되어 베이징 발음을 표준 발음으로 하는 보통화普通話를 한민족의 공통 언어로서 보급하는 방침을 확정하고, 한자를 근본적으로 개혁하는 준비공작에 관한 의견을 교환하였다.

16일, 중화인민공화국 문화부에서 인도공화국 영화 상영 주간 개막식을 개최하였다. 문화부 대 부장 첸쥔루이錢俊瑞가 개막사를 하였다. 개막식 후에 인도의 다큐멘터리「석굴 사당石洞廟宇」과「인도 수리印度水利」및 극영화「땅 두 마지기」를 상영하였다. 인도 영화 상영 주간은 17일에 시작되어 전국 20개 도시에서 시행되었다.

『베이징일보』에 예린葉林의「불가리아 인민의 우수한 예술保加利亞人民的優秀藝術」, 스지史紀의「농민혁명의 영웅 형상—「『수호전』연환화집」소개農民革命的英雄形象——介紹<水滸連環畫冊>」, 관쉐청關學曾의 고사「죽 한 냄비一鍋粥」가 발표되었다.

『해방일보』에 탕타오의 산문「조야와 수라의 어머니—소련 방문 잡기卓婭和舒拉的母親——訪蘇散記」, 진이의「조국의 꽃송이를 위해 신속하고 진지하게 창작하자及時地認真地爲祖國的花朵寫作」가 발표되었다.

17일, 『인민일보』에 마오쩌둥의 연설「농업합작화 문제에 관하여」및 문화부 부부장 샤옌의「'인도공화국 영화 상영 주간'의 폐막을 축하하며祝"印度共和國電影周"閉幕」가 발표되었다.

18일, 『베이징일보』에 리정룬李正倫의「인도의 영화사업印度的電影事業」, 사단沙丹의 평론「지혜와 노동의 찬가—「인도의 예술과 건설」을 보고智慧和勞動的贊歌——看<印度的藝術與建設>」가 발표되었다.

19일, 『광명일보』에 허루비何汝璧의「계급과 계급투쟁을 부인한 량수밍의 반동적 관점을 비판한다批判梁漱冥否認階級和階級鬥爭的反動觀點」가 발표되었다.

20일, 『베이징문예』에 차오위의「반드시 창작 문제를 진지하게 고려해야 한다必須認真考慮創作問題」, 짱커자의 시「이 빛은 하늘에서 온 것이 아니다—'전국 청년 사회주의 건설 적극분자 대회'를 위해 노래하다這光亮不是來自天上——爲"全國青年社會主義建設積極分子大會"歌唱」, 광즈의 소설「차오쑹산曹松山」이 발표되었다. 차오위는 글에서 "창작과 생활 행동, 그리고 사상 감정에 대하여 당성 원칙을 통해 결코 나태해지지 않고 자신을 단련할 것을 부단히 자신에게 요구하도록 결심해야 한다. 우리는 풍부한 생활 지식이 없다면 좋은 작품을 창작할 수 없다는 것을 알고 있다. 그러나 오늘날 나는 또 다른 중대한 진리를 깨닫게 되었다. 마르크스레닌주의를 진지하게 학습하지 않고, 견고하고 굳건한 무산계급 세계관을 가지고 있지 않으며, 개인의 정신세계 속에 당성 원칙이 없다면, 분명히 좋은 작품을 창작할 수 없다는 사실이다"라고 밝혔다.

『랴오닝문예』제20호에 라오서가 작곡하고 샹양向陽이 작곡한 가곡「산이 높아도 막을 수 없다山高擋不住」가 발표되었다.

22일, 『광명일보』에 젠셴아이의 「재주를 중시하고 덕을 중시하지 않는 사상을 반드시 진지하게 비판해야 한다必須認眞地批判重才不重德的思想」가 발표되었다.

『베이징일보』에 빙신의 「동정해 마땅한 운명―인도 영화「유랑자」를 보고值得同情的遭遇――印度影片<流浪者>觀後」가 발표되었다.

23일, 『민간문학』에 중징원의 「민간문학에 관하여略談民間文學」가 발표되었다.

24일, 『인민일보』에 중뎬페이의 평론 「인도 극영화 세 편의 몇 가지 특징三部印度故事影片的某些特色」이 발표되었다.

『독서월보』제4호에 『인민일보』사설 「소년 아동 도서를 대량으로 창작, 출판 발행하자」가 전재되었으며, '아이들에게 좋은 책을 더 많이 제공하자給孩子們更多的好書'라는 제목으로 여러 작가들의 글이 발표되었다. 예성타오는 「다들 펜을 들자大家拿起筆來」에서 "소년 아동을 위해 창작하기 위해서는 호소와 격려가 필요하다. 그러나 더욱 중요한 것은 모두들 펜을 들어 호응하는 것이다." "물론, 작품의 질은 점점 더 좋아져야 한다"라고 밝혔다. 옌원징은 「중국의 미래가 우리에게 요구하고 있다中國的未來在要求我們」에서 "소년아동문학 창작에 종사하는 이들은 소년 아동들을 이해해야 할 뿐만 아니라, 각양각색의 성인들과 현실 속의 각종 중요한 문제 역시 이해해야 한다"라고 밝혔다. 가오스치는 「아이들에게는 어떠한 과학도서가 필요한가孩子們需要怎麽樣的科學讀物」에서 "우선은 높은 사상성을 갖춰야 하며, 둘째로는 높은 과학성을 갖춰야 한다. 셋째로 높은 문예성을 갖춰야 한다"라고 밝혔다. 빙신은 「서둘러 행동해야 할 때이다應該是趕緊動手的時候了」에서 "'형식은 자유롭고, 자료는 풍부하고, 기교는 이미 이루어져 있다'는 조건하에, 작가들에게 필요한 것은 단지 아동을 사랑하는 마음일 뿐이다! 우리가 아이들에게 이야기하고 있다고 상상하기만 한다면, 우리는 자연히 아동이 읽기에 적합한 글을 쓸 수 있을 것이다"라고 밝혔다. 이 외에도 친자오양의 「나는 앞으로 반드시 아이들을 위해 더 많이 창작할 것이다以後我一定要爲孩子們多寫」, 위안잉의 「더 많이 비평해야 한다多批評才好」, 진진의 「나의 바람我的希望」, 웨이쥔이의 「신생 역량을 발굴하자發掘新生力量」, 바오레이包蕾의 「각 분야의 전문가들이 아동을 위해 더 많이 창작하기를 바란다希望各方面的專家多爲兒童寫」가 발표되었다.

25일, 『인민일보』에 전국문자개혁회의에서의 궈모뤄의 연설 「중국 문자의 근본적인 개혁을 위해 길을 닦자爲中國文字的根本改革鋪平道路」가 발표되었다.

『베이징일보』에 바딩의 평론 「숨어 있는 그라나토프를 없애자─소련 장편소설 『용감』을 읽고 消滅暗藏的格拉那托夫──蘇聯長篇小說<勇敢>讀後」, 저우췬周群의 시 「내 마음은 위아래로 들끓고 있다 我的心在上下翻騰」가 발표되었다.

26일, 『광명일보』에 라오서의 「나는 민족 공통어의 강력한 보급을 옹호한다我擁護大力推行民族共同語」가 발표되었다.

27일, 중국작가협회 주석단에서 제14차 확대회의를 소집해 중국작가협회 부주석 저우양과 딩링, 라오서, 펑쉐펑을 비롯해 작가협회 소속의 각 공작부문 및 각 잡지의 책임자 31인이 참석하였다. 회의에서는 작가협회의 지도공작 강화 문제를 중점적으로 토론하였으며, 작가협회 기구 조정 방안과 11, 12월의 공작계획을 통과시켰다(『문예보』 제21호에 게재).

29일, 『광명일보』에 라오서의 「문예계는 당장 전원을 동원해야 한다文藝界要馬上全體動員起來」가 발표되었다.

『문회보』에 딩산더의 「셴싱하이 동지를 기념하며紀念洗星海同志」가 발표되었다.

30일, 『문예보』 제20호에 마오쩌둥이 1955년 7월 31일에 성, 시 및 구의 당위원회 서기회의에서 진행한 보고 「농업합작화 문제에 관하여」가 발표되었다. 같은 호에 황야오몐의 「후펑의 반동사상과 국민당의 파시즘 철학의 근원胡風反動思想和國民黨法西斯哲學的淵源」, 양얼楊耳의 「작가, 예술가, 그리고 개인숭배作家、藝術家和個人崇拜」, 캉줘의 평론「자오수리의『삼리만』을 읽고讀趙樹理的<三裏灣>」, 왕야오의「잘못에서 교훈을 취하자從錯誤中汲取教訓」, 환즈煥之의「셴싱하이의 창작노선을 논하다—셴싱하이 서거 10주년을 기념하며論冼星海的創作道路——紀念冼星海逝世十周年」(『문예보』제21호에 연재 완료), 톈한의「일본 가부키 베이징 방문공연에 관하여談日本歌舞伎的北京訪問演出」가 발표되었다.

캉줘는 글에서『삼리만』이 "우리나라 농업합작화 문제를 반영한 작품들 가운데 가장 일찍 출현한 우수한 장편소설 중 하나"라고 평하면서, "작품에서 다룬 장면과 사건들은 국부적인 성격을 띠고 있다. 그러나 작품에서 다룬 내용은 결코 단지 농업합작화 운동 과정의 일부 측면만이 아니라, 농업개조의 근본적 성격과 관련된 문제, 즉 농촌에서의 두 가지 노선의 투쟁 및 수많은 농민이 합작화의 길을 갈 것을 요구하는 적극성을 다루고 있으며, 더 나아가 우리나라 농업개조 과정에서의 몇 가지 중요한 투쟁과 변화, 즉 계급투쟁과 생활투쟁 과정에서의 인간의 변화, 사람들 사이의 관계와 변화, 생산방식 및 사회풍습 내지는 자연환경의 변화 등을 어느 정도 수준에서 설명하였다"라고 밝혔다.

『인민일보』에 마커馬可가 셴싱하이 서거 10주년을 기념해 쓴 글「셴싱하이—열정적인 인민가수冼星海——熱情的人民歌手」및 환즈가 인민음악가 녜얼 서거 20주년을 기념해 쓴 글「녜얼의 길聶耳的道路」이 발표되었다.

『베이징일보』에 친자오양의 장편소설『두 현위원회 서기兩個縣委書記』일부의 연재가 시작되어 11월 15일에 완료되었다. 연재된 내용은 소설의 제1장과 제15~19장이다.

31일,『인민일보』에 라오서의「보통화를 강력히 보급하자大力推廣普通話」가 발표되었다. 그는 글에서 "1. 방언으로 체면치레를 하지 않는다. 말하자면, 나는 일반적인 어휘를 사용하기 위해 최대한 노력할 것이며, 고의로 방언을 과시하지 않을 것이다. 2. 방언을 선택적으로 활용한다. 3. 언어를 창조한다는 것은 무절제하게 방언을 남용한다는 것이 아니다. 그것은 창조가 아니라 교활하게 게으름을 피우는 것이다"라고 밝혔다. 같은 호에 웨이쥔이의「아이들이 읽을 만한 좋은 책 소개—『뜨거운 마음』介紹一本給孩子讀的好書——<火熱的心>」이 발표되었다(『뜨거운 마음』은 셰리밍謝力鳴의 작품으로 소년아동출판사에서 출간되었다).

10월~12월, 빙신이 고향인 푸젠으로 돌아가 시찰에 임하면서 이 기간에「귀향 잡기還鄉雜記」의 창작을 시작하였다.

이달에 리제런의 장편소설『고인 물에 잔물결이 일다死水微瀾』, 저우얼푸의 장편소설『연숙애燕宿崖』, 아이칭의 장시『검은 뱀장어』, 후단페이의 화극『봄이 오니 꽃이 핀다』가 작가출판사에서 출간되었다.

류사오탕의 장편소설『운하의 노 젓는 소리運河的槳聲』, 한잉산韓映山의 단편소설집『수향 잡기水鄉散記』, 탕타오의 평론집『학습과 전투學習與戰鬥』가 신문예출판사에서 출간되었다.

루즈쥐안의 단편소설집『관씨 아주머니關大媽』가 중국청년출판사에서 출간되었다.

11월

1일,『베이징일보』에 쉐밍雪明의「불후의 인민음악가―녜얼, 셴싱하이 동지 기념실을 기억하며不朽的人民音樂家──記聶耳和冼星海兩同志紀念室」가 발표되었다.

『창장문예』에 리지의 동화시「행복의 열쇠幸福的鑰匙」가 발표되었다.

『시난문예』에 진진의 시「금색의 화원金色的花園」(외 1편), 쩡커의「불후의 10월 혁명 찬가―마야코프스키의 장시『좋아!』소개不朽的十月革命的贊歌──介紹馬雅可夫斯基的長詩<好>」, 쉬융녠徐永年의「고전문학에 대한 허젠쉰의 모독을 용인해서는 안 된다不能容忍何劍熏對古典文學的誣蔑」, 황쭝녠黃宗念, 팅쓰汀泗, 눙춘부濃存步의「후펑 분자 허젠쉰이 퍼뜨린 해악을 제거하자清除胡風分子何劍熏散布的毒害」, 젠셴아이의「어떤 인재가 차고 넘치는가?什麼樣的人才濟濟?」가 발표되었다.

젠셴아이는 글에서 "이번에 후펑 반혁명집단에 관한 세 개의 자료와 인민일보 편집자의 말 및 사설을 학습한 이라면, 누구든 후펑 집단이 반혁명적인 정치조직이며, 그들이 온갖 궁리를 다해 중화인민공화국을 전복하고 반혁명 정권의 재집권을 실현하려 한다는 것을 명확히 알게 되었을 것이다. 그들은 문예라는 간판을 내걸고 온갖 악독한 잔략과 전술을 다해 사회주의 건설과 사회주의 개조를 필사적으로 파괴하였다. 그들은 또한 다른 이들을 선동해 그들 무리와 함께 우리가 사회주의의 길을 가는 것을 반대하려는 어리석은 망상도 가지고 있었다." "바로 이 때문에 그들의 '재능'이 클수록 혁명에 대한 위협도 커지고, 인민에 대해서도 더욱 극악무도해진 것이다"라고 밝혔다.

3일,『베이징일보』에 천췬의「소련 영화: 생활 교육의 교과서―'소련 영화 상영 주간'에 관한 네 차례의 보고회를 방문하다蘇聯影片:生活教育的課本──訪有關"蘇聯電影周"的四個報告會」가 발표되었다.

5일, 『광명일보』에 충웨이시의 「노동으로써 고조를 맞이하자用勞動迎接高潮」가 발표되었다.

베이징수도극장北京首都劇場이 완공되었다. 수도극장은 1954년에 건설을 시작해 1956년에 정식으로 베이징인민예술극원 소속 전용 극장이 되었다. 본 극장은 전국 최대 규모와 최고의 설비를 갖춘 화극 공연 극장 중 하나이다.

『랴오닝문예』 제21호에 추이더즈의 「나는 「류롄잉」을 어떻게 썼는가我怎樣寫了<劉蓮英>」가 발표되었다.

6일, 『해방군문예』에 탕타오의 「'아브랄' 순양함－소련 방문 잡기"阿夫樂爾"巡洋艦——訪蘇散記」, 바오레이의 「현재 아동문학 창작에 존재하는 몇 가지 문제에 관하여略談目前兒童文學創作中的幾個問題」가 발표되었다.

7일, 『해방일보』에 커링의 「생활의 난류－「충실한 친구」를 보고 생각한 것生活的暖流——從<忠實的朋友>想起的」이 발표되었다.

8일, 『인민문학』에 롼장징의 시 「금색의 소라金色的海螺」, 사오옌샹의 시 「걸교乞巧」, 위안제의 「궈쯔거우 민요果子溝山謠」, 왕멍의 첫 단편소설 「샤오더우얼小豆兒」, 한쯔의 소설 「엄마 이야기媽媽的故事」, 하이모의 영화문학 극본 「어머니母親」(12월호에 연재 완료), 아이우의 산문특필 「제강공장의 전로 옆에서在煉鋼廠的吹爐旁邊」, 왕뤄왕의 논문 「소년아동문예에 대한 루쉰의 열정적인 관심魯迅對少年兒童文藝的熱情關懷」, 란링의 논문 「아이들을 위해 아름다운 작품을 더 많이 창작하자給孩子們寫出更多美好的作品」가 발표되었다. '공업전선에서'란에는 예성타오의 「호소에 호응하자響應號召」, 빙신의 아동문학 단론 「'1인당 한 편"一人一篇」, 천훙陳洪의 평론 「반가운 수확－팡즈의 소설에 관하여可喜的收獲——談方之的小說」가 발표되었다.

『문예학습』에 량상취안의 시 「하다와 꽃哈達與鮮花」, 허자화이의 「「너댓 말을 더 수확하다」에 관하여關於<多收了三五鬥>」, 자오수리의 「학업과 노동 여가시간의 문학창작 문제에 관하여談課餘和業餘的文學創作問題」가 발표되었다. 자오수리는 글에서 "최근 몇 년간 청년 문예애호가들로부터 수많은 서신을 받았다(대부분이 중학생이고, 일부는 각종 직업을 가진 공작자들이다). 이 서신들의 내용은 대체로 내게 생활 경험, 창작 경험, 창작방법 등 세 가지를 이야기해 달라는 요구로 정리할 수 있다." "나는 아래에 내가 최근 몇 년간 보냈던 회신의 내용을 학업 여가시간(중학생)과 노동 여가시간(공작자) 두 측면으로 정리해 서술하여 내가 받은 수많은 편지에서 제기된 세 가지 요구에 대한 전체적인 대답으로 삼으려 한다. 중학생 문예애호가에게는 이렇게 말하고 싶다. 1. 연극을 보거나 문예작품을 읽는 것은 학업 여가시간의 활동으로 삼아야만 한다. 2. 문예 애호활동은 반드시 여가시간에 해야 한다. 3. 중학교 재학 중에 작가가 되려 해서는 안 된다. 4. 함부로 투고해서는 안 된다. 5. 장래에 작가가 되려 한다 해서 문예 외의 지식을 배우지 않아도 된다고 생각해서는 안 된다. 공작자 문예애호가에게는 이렇게 말하고 싶다. 1. 여가시간의 문예창작은 반드시 '여가'의 성격을 유지해야 한다. 2. 창작의 동기. 3. 문화 수준. 4. 정치학습에 참가해 자신의 사상을 바르게 해야 한다. 5. 문예학습 문제"라고 밝혔다.

『베이징일보』에 우샤오방의 「시적 정취와 그림 같은 아름다움을 지닌 무용―소련 모스크바 '작은 자작나무' 무용단의 공연을 보고詩情畫意的舞蹈――蘇聯莫斯科"小白樺樹"舞蹈團演出觀後」가 발표되었다.

『해방일보』에 하오란의 산문특필 「두중의 근심杜忠的心事」이 발표되었다.

10일, 『인민일보』에 취쥐눙瞿菊農의 「량수밍 등의 소위 '향촌건설운동'은 누구를 위해 복무하는가梁漱溟等所謂"鄕村建設運動"是爲什麼人服務的」, 리시판의 「숭고하고 아름다운 부녀 형상―소련 영화 「마리나」의 운명에 관하여崇高而優美的婦女形象――談蘇聯電影<瑪利娜>的命運」가 발표되었다.

『베이징일보』에 원청쉰의 시 「내게는 조선인 동생이 한 명 있다我有一個朝鮮弟弟」, 리리의 「마리나처럼 생활해야 한다要象瑪利娜這樣去生活」가 발표되었다.

12일, 『해방군문예』에 장즈민의 장시 『금옥기金玉記』의 제1장 「랑야산 아래狼牙山下」, 쉬광야오徐光耀의 특필 「완성되지 못한 책―사지 불구의 청년단원 랴오이쉰 동지를 기억하며一部尚未寫完的書――記四肢殘廢的青年團員廖貽訓同志」, 아이우의 특필 「왕성한 신생 역량充沛的新生力量」이 발표되었다.

『문회보』에 진이의 「우리 함께 아이들을 위해 창작하자讓我們共同爲孩子們寫作吧」가 발표되었다.

14일, 『베이징일보』에 링화令華의 「공인들은 『삼리만』을 좋아한다工人們喜歡<三里灣>」, 하오전화郝振華의 「「그 길을 갈 수 없다」를 읽고讀<不能走那條路>」가 발표되었다.

15일, 『인민일보』에 사설 「작가와 예술가들이여, 농촌으로 가라作家、藝術家們, 到農村中去」가 발표되었다. 사설은 "마오쩌둥 동지의 보고 '농업합작화 문제에 관하여'와 중국공산당 제7기 중앙위원회 제6차 전체회의(확대)에서의 '농업합작화 문제에 관한 결의'는 사회주의 운동의 신호이자 지침으로, 작가와 예술가들에게 있어서도 위대한 격려이자 힘이 되었다. 여기에서, 작가와 예술가는 전국의 인민들과 마찬가지로 무궁한 깨달음을 얻었다." "작가와 예술가들이여, 뜨거운 투쟁 속에, 어디든 사회개혁의 고조에 이르러 있는 농촌에 깊이 뛰어들어, 다방면의 관찰과 생생하고 찬란한 표현을 통해 우리나라 문학예술 창작을 풍부하게 하기 위해 노력하자!"라고 밝혔다.

『광명일보』에 사설「작가와 예술가들은 농업합작화 운동에 적극적으로 참가해야 한다作家、藝術家要積極地參加農業合作化運動」가 발표되었다.

『문예보』제21호에 린모한의「당성은 우리 문학예술의 영혼이다—레닌의「당의 조직과 당의 문학」 발표 50년을 기념하며黨性是我們的文學藝術的靈魂——紀念列寧的<黨的組織和黨的文學>發表五十年」, 아이우의「들판이 즐겁게 웃고 있다—고향 잡기田野在歡樂地笑著——家鄉散記」, 마톄딩의「세 빈농 가족의 결심三戶貧農的決心」, 위칭의 평론「농촌사회주의의 고조가 도래한 풍경—중편소설「얼음과 눈이 녹다」를 읽고農村社會主義高潮到來的圖景——讀中篇小說<冰化雪消>」, 천훙의 평론「반가운 수확—팡즈의 소설에 관하여」, 자오쥐인의「현대한어 규범화와 무대언어現代漢語規範化與舞台語言」, 팡푸方浦의「소련 영화「용감한 정신을 배양하다」의 예술적 성취蘇聯影片<培養勇敢精神>的藝術成就」, 천진칭陳錦清의「'작은 자작나무' 무용단의 예술창조를 학습하자學習"小白樺樹"舞蹈團的藝術創造」, 구밍顧明의「민족형식 문제에서의 량쓰청의 오류梁思成在民族形式問題上的錯誤」가 발표되었다. 위칭은 글에서 "리준의 중편소설「얼음과 눈이 녹다」는 좋은 작품이다. 작가는 열정에 가득 차서 농촌사회주의의 고조가 도래한 후에 번영을 이룬 풍경을 그려내었다"라고 평하였다. 홍선은 글에서 "팡즈는 1953년부터 지금까지 4편의 단편을 발표하였다. 그 수는 많지 않으나 모두 매우 견실하여 사람들의 주목을 끌 만한 작품이다"라고 평하였다.

『문예월보』에 루즈쥐안의 소설「우리는 너를 기다린다我們等你」, 탕타오의 잡기「붉은 광장에서在紅場上」, 리시판의「안데르센 생가를 방문하다訪問安徒生故居」가 발표되었다.

16일,『톈진일보』에 쑨리의 산문「류구이란劉桂蘭」이 발표되었다.

18일,『인민일보』에 장시뤄張奚若의「베이징 발음을 표준으로 하는 보통화를 강력히 보급하자大力推廣以北京語音爲標准的普通話」가 발표되었다.

중국작가협회에서 각지의 분회에「소년아동문학 발전에 관한 지시關於發展少年兒童文學的指示」를 발포하였다. 지시는 "각지의 분회는 반드시 소년아동문학 발전 문제를 자신의 평소 공작 일정에 포함하여 적극적으로 소년아동문학 창작을 조직하고, 소년아동문학을 경시하는 여러 작가들의 잘 못된 사상을 바로잡아야 한다. 소년아동문학 대오를 조직하고 확대하여 소년아동문학의 신생 역 량을 양성하고, 소년아동문학 창작에 대한 사상 지도를 강화해야 한다"라고 지적하면서, "소년아 동문학 작품의 내용은 반드시 공산주의 정신으로써 소년아동을 교육하고 그들의 새로운 품성을 양성하는 내용이어야 한다. 그러나 소재는 다양해야 한다. 반드시 작가와 과학자의 협력을 제창하 여 소년아동을 위해 생동감 있고 흥미로운 과학예술 작품을 창작해야 한다. 작품의 형식과 양식은 풍부하고 다양해야 한다. 동화와 환상과학소설 역시 생활의 진실을 기초로 하여, 현실을 요약해 표현해야 하며, 작품에서 묘사한 인물과 이야기가 이치에 맞아야 한다"라고 강조하였다(『문예보』 제22호에 게재).

19일, 『광명일보』에 황추원의 「『쇳물이 세차게 흐른다』의 인물 형상에 관하여試談<鐵水奔流> 的人物形象」가 발표되었다.

『문회보』에 장시뤄의 「베이징 발음을 표준으로 하는 보통화를 강력히 보급하자」가 전재되었다.

20일, 『베이징일보』에 어우양위첸의 「농업합작화의 고조를 기쁘게 격려하고 맞이하자歡欣鼓 舞迎接農業合作化的高潮」, 라오서의 「보통화를 강력히 보급하자」, 허우바오린의 「상성 예술의 표현 형식에 관하여談相聲藝術的表現形式」(제12호에 연재 완료), 비예의 산문 「카자흐 목장에서在哈薩克牧 場」가 발표되었다.

22일, 『베이징일보』에 무훙牧虹의 평론 「「콩쥐와 팥쥐」를 보고<孔菊與潘菊>觀後」가 발표되었다.

23일, 『광명일보』에 류스柳湜의 「『타오펀 문집』의 출판에 관하여關於<韜奮文集>的出版」가 발 표되었다.

24일, 『작품』에 빙신의 평론 「히로시마 아가씨廣島姑娘」가 발표되었다(「히로시마 아가씨」는 진뤄만金羅曼의 작품으로 작가출판사에서 출간되었다).

『독서월보』에 위관잉의 「고전문학 작품의 독서에 어떤 의의가 있는가閱讀古典文學作品有什麽意義」, 리시판, 란링의 「『홍루몽』의 사회적 의의<紅樓夢>的社會意義」가 발표되었다. 리시판과 란링은 글에서 "『홍루몽』은 당시의 역사적 모습을 반영한 한 폭의 그림이다", "봉건 지주 계급 내부의 모순과 부패에 대한 폭로에서 어두운 사회 제도 전체에 대한 비판으로 확대되었다", "『홍루몽』의 반봉건적인 주제 사상은 빛나는 두 반항적 형상에 더욱 집중적으로 반영되어 있는데, 이는 바로 200여 년 동안 줄곧 수많은 독자의 동정을 얻어 온 가보옥과 임대옥을 말한다", "『홍루몽』은 봉건사회의 경제 제도, 정치 제도, 법률 제도, 예교 제도, 과거 제도의 불합리한 본질을 폭로하고, 그 죄악을 지적하였으며, 이를 생활 속의 아름답지 못한 요소들로 간주하여 비판하고 부정하였다"라고 평하였다.

24일~26일, 중국작가협회에서 주제 토론 좌담회를 개최하여 소년아동문학 창작 문제를 토론하였다(『문예보』 제23호에 게재).

25일, 세계 평화 평의회의 결정에 호응하여 베이징에서 세계 명저 『풀잎草葉集』 출판 100주년 및 『돈키호테』 출판 350주년 기념대회를 개최하여 휘트먼과 세르반테스의 세계 진보문화에의 공헌을 기념하였다. 저우양이 「『풀잎』과 『돈키호테』를 기념하며紀念<草葉集>和<唐・吉訶德>」라는 제목의 보고를 진행하였다(26, 27일자 『인민일보』에 게재). 그는 보고에서 "『풀잎』에 수록된 여러 편의 시에는 흑인에 대한 시인의 사랑과 동정이 넘쳐흐른다." "휘트먼의 시 속에 담긴 기본 개념은 민주와 자유, 평등이다." "휘트먼의 공헌이 독특한 점은 그가 시 속에서 '사람'의 빛나는 형상을 창조했다는 것이다. 그의 시를 읽은 이들은 휘트먼식의 새로운 사람, 신체가 건강하고 마음이 넓고 밝으며 숭고한 이상을 가지고 노동을 창조하는, 그리고 언제나 낙관적인 사람을 그려 보게 된다." "그는 인민의 언어, 노동자의 언어로 시를 창작한 자유시 형식의 창조자 가운데 한 사람이다. 문학 형식에 있어 그는 확실히 대담한 혁신자였다." "『돈키호테』는 열정이 넘치는 풍자 작품으로, 당시의 시장에 범람하던 아무런 의미 없는 기사 문학과 당시까지도 적잖이 남아 있던 기사 제도, 특히 이러한 기사들이 마음에 불평을 품는 방식으로 사회를 개조하려 했던 망상을 풍자하였다." "전형의 창조라는 면에서 세르반테스는 세계문학에 있어 가장 생생한 전형적 인물을 창조하였다. 돈키호테의 형상은 너무나 생동감 있어 책 속에서 튀어나올 것만 같을 정도이다. 돈키호테는 정신이 온전치 못하고 미쳐 있어 우스꽝스러운 인물이지만, 바로 이런 인물이 드높은 도덕 원칙과 두려움 없는 정신, 영웅적인 행위, 그리고 정의에 대한 굳은 믿음과 사랑에 대한 정결함 등의 가치를 대표하고 있다." "돈키호테는 우스꽝스러운 인물이지만, 그는 시종일관 이상주의의 화신이었다"라고 평하였다.

『인민일보』에 위안수이파이의 「늘 푸른 '풀잎'常靑的"草葉"」, 빙이冰夷의 「『돈키호테』 초판 350

주년을 기념하며紀念<唐 · 吉訶德>初版三百五十年」가 발표되었다.

『광명일보』에 쉬츠의 「휘트먼의 『풀잎』惠特曼的<草葉集>」, 예쥔젠의 「『돈키호테』의 현실주의 <堂 · 吉訶德>的現實主義」가 발표되었다.

26일, 중국작가협회에서 이론비평공작 강화를 위해 창작위원회 내에 이론비평조理論批評組를 설립할 것을 결정하고 제1차 회의를 소집하였다. 저우양, 린모한, 류바이위 등이 참석하였으며 저 우양이 발언하였다(『문예보』 제23호에 게재).

『문회보』에 차오웨이펑曹未風의 「『돈키호테』 출판 350주년을 기념하며紀念<堂 · 吉訶德>出版三 百五十周年」가 발표되었다.

30일, 『문예보』 제22호에 왕시젠의 「고조와 모순高潮和矛盾」, 저우사오화周韶華의 「본질과 주 류에 주의하자注意本質與主流」, 리룬李綸의 「희곡공작은 농업합작화 운동을 위해 더욱 잘 복무해야 한다戲曲工作要進一步爲農業合作化運動服務」, 천수량陳叔亮의 「농업합작화로부터 이야기를 시작하다從 農業合作化談起」, 리싱화李興華의 평론 「사회주의의 봄을 맞이하다－왕시젠의 「영춘곡」을 읽고迎接 社會主義的春天——讀王希堅的<迎春曲>」, 루쉬儒朔의 평론 「전투와 우정의 찬가－「단풍나무」를 읽고一 首戰鬥和友誼的贊歌——讀<楓>」가 발표되었다. 같은 호에 세계 명저 『풀잎』 출판 100주년 및 『돈키호 테』 출판 350주년 기념대회에서의 저우양의 보고가 게재되었다.

저우사오화(1925~), 저우위밍周玉銘이라고도 한다. 허난성 화현滑縣 출신이다. 1946년 봄에 둥 베이로 가서 『백산白山』 문예잡지사 편집자, 『서만보西滿報』 기자로 근무하였다. 1964년에 중국작 가협회 선양분회 부주석을 맡았다. 저서로 『파도가 용솟음치다浪濤滾滾』, 『불타는 토지燃燒的土地』, 『과도기過渡年代』, 장편소설 및 우화집 『신요재야화新聊齋夜話』, 수필집 『잡담집談天說地集』, 장편 보고문학 『거짓말의 시대說假話年代』 등이 있다.

이달에 마자의 단편소설집 『새로 태어난 광휘新生的光輝』, 마라친푸의 단편소설집 『봄의 축가春 的喜歌』, 바이런의 화극 『후방의 전선後方的前線』 및 작가출판사 편집부에서 편찬한 『후펑 집단 반 혁명 '작품' 비판胡風集團反革命"作品"批判』이 작가출판사에서 출간되었다.

즈샤의 단편소설집 『거적鋪草』이 신문예출판사에서 출간되었다.

구궁의 시집 『히말라야 산맥 아래喜馬拉雅山下』, 옌전의 시집 『강 위의 처녀河上的姑娘』가 중국청 년출판사에서 출간되었다.

12월

1일, 『창장문예』 12월호에 웨이치린의 「『백조의』 창작 감상과 소감寫<百鳥衣>的一些感受和體會」
이 발표되었다. 그는 글에서 "이러한 흥미로운 유년생활이 내가 『백조의』를 쓰는 데 도움이 되었
다", "나는 생활에 익숙한 것이 창작을 배우는 이에게 대단히 필요한 일이라고 생각한다." "나는
『백조의』 전설을 유년기에 들었다. 이후에 내가 알게 된 바에 의하면 이 전설은 아주 널리 유행하
는데, 이야기의 줄거리는 비록 다소 차이가 있지만 기본적인 내용은 같았다." "나는 주제를 더욱
밝게 하기 위해 작품에 더욱 적극적인 사회적 의의를 부여했다. 또한 인물의 성격을 더욱 뚜렷하
고 풍부하게 하기 위해 인물의 모습을 더욱 완벽하고 선명하게 바꾸었다. 이를 위해서는 본래의
이야기를 취사선택 없이 그대로 기록할 수는 없고, 반드시 정리를 거쳐 본래의 이야기를 기초로
하여 예술적인 가공을 해야 했다." "창작 과정에서 나는 이 시가 처음부터 끝까지 민가의 정서를
가지고, 소박하고 생생하며 활기찬 풍격을 유지하게 하기 위해 주의했다"라고 밝혔다.

『작품』에 친무의 소설 「다람쥐松鼠」가 발표되었다.

『시난문예』에 쑨징쉬안의 시 「농업합작사 연작시農業合作社組詩」, 위단의 「농업합작화 투쟁속
에 깊이 침투하자深入到農業合作化的鬪爭中去」가 발표되었다.

3일, 『극본』 제12호에 '농업합작화 특집'이 발간되어 싱예의 「둥좡의 밤東莊之夜」 등 농업사회
주의 개조라는 첨예한 계급투쟁을 소재로 한 6편의 극본이 발표되었다. 같은 호에 볜지위안卞濟遠
의 「농업합작화를 표현한 희극창작에 존재하는 몇 가지 문제關於表現農業合作化的戲劇創作中的幾個問
題」가 발표되었다.

4일, 『베이징일보』에 마딩麻丁의 시 「혀로 생각하는 사람用舌頭思想的人」이 발표되었다.

『인민일보』에 추안핑儲安平의 산문 「타림강 하류에서在塔裏木河的下遊」가 발표되었다.

추안핑(1909~1966), 장쑤성 이싱宜興 출신이다. 1932년에 상하이광화대학 영문과를 졸업한 후
『중앙일보中央日報』 편집자, 푸단대학 교수, 구이린 『역보力報』 주필, 상하이에서 격주로 발행된 『관
찰觀察』의 사장 겸 편집장을 역임하였다. 공화국 성립 후에는 국가출판총서 전문위원, 발행국 부국

장, 신화서점 부지배인,『광명일보』편집장, 93학사 중앙위원, 선전부 부부장, 제1기 전국인민대회 대표를 역임하였다. 1958년에 '우파'로 오인되었다. 저서로 소설집『거짓말쟁이說謊者』, 산문집『동생들에게 보내는 편지給弟弟們的信』, 및『영국과 인도英國與印度』,『영국인 프랑스인 중국인英人法人中國人』 등이 있다.

6일~13일, 문화부가 베이징에서 각 성, 시 문화국장 회의를 소집하여 1955년도 문화공작의 성적 및 결점을 결산하고 1956년도 문화공작 방침과 임무 및 계획을 확정하였다. 또한 문예창작 및 농촌문화공작 발전 문제를 집중적으로 토론하고 몇 가지 중요한 조치를 확정하였다(『문예보』 1955년 제23호에 게재).

8일,『인민일보』에 원제의 시「네거리에 뿌려진 전단撒在十字路口的傳單」, 마테딩의 시「농촌공작을 진행하는 동지들에게致做農村工作的同志們」, 커옌의 시「동시 3편兒童詩三首」, 시룽의 소설「쑹라오다가 성에 들어가다」, 천보추이의 동화「날고 싶은 고양이一支想飛的貓」, 사팅의 산문「과도過渡」, 류칭의 산문특필「1955년 가을, 황푸춘에서一九五五年秋天在皇甫村」, 아이우의 산문「행복幸福」, 짱커자의 산문「나무 위의 꽃 네 송이一棵樹上四朵花」가 발표되었다.

『문예학습』에 천쉐자오의「나의 농촌 생활 소감我在農村生活中的一些體會」, 허자화이의「'비공'에 관하여談<非攻>」, 옌전의 시「시골 인민위원회로 가는 길到鄕人民委員會去的路上」(외 1편)이 발표되었다.

『베이징일보』에 왕커친의「전투와 평화의 노랫소리-일본 다큐멘터리「일본 평화의 노랫소리」소개戰鬥的和平歌聲──介紹日本紀錄片<日本和平的歌聲>」가 발표되었다.

11일,『해방일보』에 주돤거우朱端鈞의 평론「「명랑한 날」의 공연을 평하다評<明朗的天>的演出」가 발표되었다.

주돤거우(1907~1978), 감독이자 희극교육가로 저장성 위항餘杭 출신이다. 30년대 초에 푸단대학을 졸업한 후 진보화극단체 신서극사辛西劇社, 푸단극사複旦劇社의 중요 회원으로서 활동하였다. 공화국 성립 후에 건문극사建文劇社를 조직하였다. 상하이희극학원 교수 및 교무장, 부원장, 중국극협 상하이분회 부주석을 역임하였다.「밤, 상하이夜上海」,「야간업소夜店」,「상하이의 처마 아래上海屋簷下」,「부녀 대표婦女代表」,「관한경關漢卿」,「도화선桃花扇」,「젊은 세대年青的一代」,「서광曙光」 등의 작품을 감독하였다. 저서로『감독 기교 대화導演技巧對話』,『무대창작기법舞台創作技法』,

『무대 연습 찰기排演劄記』 등이 있으며 「기생초寄生草」, 「원황기圓謊記」, 「봄날은 간다春去也」 등의 극본을 재창작하였다.

12일, 『인민일보』에 어우양위쳰의 「나는 위대한 공산주의 이상을 실현하기 위해 모든 것을 바치리라我要爲實現偉大的共産主義理想貢獻一切」가 발표되었다.

『해방군문예』에 비예의 특필 「청춘을 아름다운 사업에 바치자把靑春獻給美麗的事業」, 쉬광야오의 소설특필 「3년간의 추적─리스창이 우리에게 바친 이야기를 기억하며追蹤三年──記李士昌獻給我們的一個故事」가 발표되었다.

13일, 『베이징일보』에 마딩의 시 「조국의 지도 위에서在祖國的地圖上」, 원청쉰의 시 「나의 긍지我的自豪」, 「야간 근무夜班」 등 3편의 시와 쯔허子禾의 글 「타오톈리와 기계 인쇄공장의 화극조陶天禮和機械印刷廠的話劇組」가 발표되었다.

14일, 『인민일보』에 샤옌의 「문예공작과 한어 규범화文藝工作和漢語規範化」가 발표되었다.

15일, 『문예보』 제23호에 궈모뤄의 「백락천에 관하여關於白樂天」, 마톄딩의 「용감하게 관행을 돌파하자勇敢地突破常規」, 리준의 「생활에 대한 민감성에 관하여關於對生活的敏感」, 차오위喬羽의 「농촌생활을 표현한 극본에 관하여談談表現農村生活的劇本」, 리원위안의 「창작을 학습하는 길 위에서在學習創作的路上」, 루즈의 「리원위안의 「혼사」를 읽고讀李文元的<婚事>」, 타오핑의 「합작화 운동의 고조를 더욱 전진시키자─친자오양의 소설 『두 현위원회 서기』를 읽고把合作化運動的高潮推向前進──讀秦兆陽的小說<兩位縣委書記>」, 왕지셴王積賢의 「「전도양양」의 현실적 의의<前途似錦>的現實意義」(「전도양양」은 어우양산이 1954년 11월에 창작하고 1955년 9월에 출간한 중편소설로, 저자는 작품에서 현재 농촌에서 왕성하게 발전하는 사회주의 혁명운동을 비교적 잘 표현하였다), 수진舒謹의 「"품성이 나쁜 '작가'는 좋은 작품을 창작할 수 있는가?""品質壞的'作家'能寫出好作品嗎?"」, 위안징의 「심각한 교훈深刻的教訓」, 징쏸敬三의 「옌슈의 잡문에 관한 잡담雜談嚴秀的雜文」 등의 글이 발표되었다.

위안징은 「심각한 교훈」에서 "쿵줴가 타락의 길을 걷게 된 사건을 통해 우리는 최소한 다음의 몇 가지 측면에서 보편적이고도 심각한 교훈을 얻을 수 있다. 첫째, 쿵줴의 혁명 인생관 문제는 그가 아직 혁명 대오에 속해 있었을 때에도 진정한 해결을 얻지 못했다. 어떠한 작가 혹은 혁명가이든 자기 자신이 낙오되지 않도록 해야 하며, 혁명을 위해 공헌해야 한다. 즉, 언제나 자신의 모든 개인적인 타산 및 개인주의와의 투쟁을 게을리하지 않아야 한다. 둘째, 쿵쥐의 타락은 그의 후기 창작이 나날이 군중 생활에서 멀어지고 군중 투쟁에서 벗어난 점에도 드러난다. 셋째, 쿵쥐가 시종일관 여성을 농락해 온 파렴치한 범죄행위는 그가 타락하고 변질한 것의 뚜렷한 표현이다"라고 밝혔다.

타오펑은 「합작화 운동의 고조를 더욱 전진시키자―친자오양의 소설『두 현위원회 서기』를 읽고」에서 "농촌생활을 반영한 친자오양의 미완의 장편소설『두 현위원회 서기』(1955년 10월~11월『베이징일보』에 연재)의 부분을 미리 독자들에게 선보인 것은 독자의 요구에 부합하는 일이다. 현재 발표된 몇 개의 장은 이 장편소설의 작은 일부이기는 하나, 읽은 이들에게 한 편의 극영화 중에서 선택한 가장 좋은 부분들을 본 듯한 느낌을 준다. 인물의 모순 및 투쟁과 독자를 매료시키는 일부 장면들을 통해 전체 작품의 주된 내용을 알 수 있을 뿐 아니라, 이 몇 장 자체가 표현하는 주제 사상, 즉 합작화 운동에 대한 군중의 열정에 대한 찬양과 군중운동에서 뒤떨어진 보수적이고 소극적인 우경사상에 대한 비판 역시 매우 뚜렷하게 파악할 수 있다. 이처럼 참신하고 현실적 의의가 풍부한 내용은 독자들에게 큰 깨달음과 고무를 준다"라고 평했다.

17일, 문화부와 중화전국총공회에서 연합으로 「공장 및 광산 문화예술공작의 진일보 전개에 관한 지시關於進一步開展工礦文化藝術工作的指示」를 발포하였다.『인민일보』에 사설 「공장 및 광산 문화공작에 대한 지도를 강화하자加強對工礦文化工作的領導」가 발표되었다.

20일,『베이징문예』에 메이란팡의 「풍부하고 다양한 희극 작품을 창작하기 위해 노력하자爲創造豐富多彩的劇目而努力」, 마톄딩의 「소품문에 관한 두 가지 문제關於小品文的兩個問題」가 발표되었다. 『베이징일보』에 원위文愉의 소설 「발생하지 않은 '사고'一件沒發生的"事故"」가 발표되었다.

22일,『광명일보』에 우한의 「중국 자본주의의 맹아에 관한 몇 가지 문제關於中國資本主義萌芽的一些問題」가 발표되었다. 『베이징일보』에 얼쓰의 평론 「새로운 실험―허베이 방쯔 「화피」를 보고新的嘗試――河北梆子<畫皮>觀後」가 발표되었다.

23일, 『인민일보』에 사팅의 단편소설 「루자슈盧家秀」가 발표되었다.

『민간문학』에 쉬린徐琳, 무위장木玉璋 등이 정리한 「도혼조逃婚調」(리리족傈僳族 장가)가 발표되었다.

24일, 작가 사오쯔난이 충칭에서 병으로 사망하였다. 어우양산은 그에 대해 "혁명적 현실주의와 혁명적 낭만주의를 우수한 전통으로 하는 사회주의 문예는 장엄하고 찬란하며 왕성하게 발전할 전도를 가지고 있다. 모든 문예공작자들은 우리의 사회주의 문학예술을 풍부하게 하기 위해 각자의 작은 책임을 다해야 한다. 사오쯔난 동지는 그의 짧은 일생 동안 그의 책임을 다했다. 우리는 모두 그에게서 배워야 한다"라고 평했다.[9]

25일, 『베이징일보』에 리서우민李壽民(하이주러우주還珠樓主)의 글 「허황되고 신성한 소설 제조자의 자유一個荒誕、神怪小說製造者的自白」가 발표되었다.

하이주러우주(1902~1961), 본명은 리산지李善基 혹은 리서우민이며 공화국 성립 후에 리훙李紅으로 개명하였다. 쓰촨성 창서우長壽 출신이다. 공화국 성립 후에 베이징시 편도위원회編導委員會 위원을 맡았다. 『촉산검협전蜀山劍俠傳』, 『청성십구협靑城十九俠』 등 37편의 대표작이 있는데, 이 가운데 『촉산검협전』은 방대한 무협소설 시리즈이다. 1958년에 반우파 투쟁 확대화로 인해 중병을 얻었으며, 병중에 장편소설 『두보杜甫』를 완성하였다.

27일~30일, 중공중앙 선전부에서 '딩링, 천치샤 사건'에 관한 전달 보고회를 소집하여 중공중앙에서 12월 15일에 비준한 「딩링, 천치샤 등의 반당 소집단 활동 진행 및 이들의 처리 의견에 관한 중국작가협회 당조의 보고中國作家協會黨組關於丁玲、陳企霞等進行反黨小集團活動及對他們的處理意見的報告」를 전달하였다.

28일, 『광명일보』에 장쓰츠張思慈, 간린甘霖의 「량수밍의 소위 '중국사회 특수론'의 반동적 본질梁漱冥所謂"中國社會特殊論"的反動本質」이 발표되었다.

『베이징일보』에 양판楊凡의 소품문 「광산의 경사礦山喜事」가 발표되었다.

---

9) 『사오쯔난 선집邵子南選集』 서문, 쓰촨인민출판사 1980년

29일, 『중국청년보』에 '고추辣椒' 부간이 개설되어 감상문, 소품문, 타유시打油詩(해학시), 풍자 노래 등을 게재하였다. 본 부간에는 1956년 5월 20일 제11호부터 '고추 여행기辣椒旅行記'란을 신설하여 1957년 6월 18일 제51호로 폐간될 때까지 소품문 시리즈를 발표하였다.

30일, 『문예보』 제24호에 사설 「문학예술 창작의 고조를 불러일으키자掀起文學藝術創作的高潮」, 샤옌의 「관행을 타파하고 새로운 길로 나아가자打破常規, 走上新路」, 류칭의 「중국의 열기가 뜨겁다－소련 『문학보』를 위해 쓰다中國熱火朝天——爲蘇聯<文學報>作」, 마톄딩의 시 「어떻게 늘 등 뒤의 길을 보겠는가怎能老看背後的路」, 허즈何直의 평론 「인민과 함께－「류진다오와 그의 아내」를 평하다和人民在一起——評<柳金刀和他的妻子>」, 정빙첸鄭秉謙의 「생활 체험에 대한 나의 짧은 소감我對體驗生活的片斷體會」, 사어우의 「페이리원 소설의 몇 가지 특징費禮文小說的幾個特點」, 페이리원의 「우선 자신을 재덕을 겸비한 사람으로 단련해야 한다首先應該把自己鍛煉成德才兼備的人」 및 장쥔샹의 「영화 극본은 왜 너무 길어지는가－감독의 시각에서 영화 극본 창작의 몇 가지 문제를 말하다電影劇本爲什麼會太長——從一個導演的角度談電影劇本創作上的一些問題」, 천보陳播의 「보는 이를 감동시키는 다큐멘터리 몇 편－「강철 수송선」 등의 다큐멘터리를 평하다幾部激動人心的紀錄電影——評<鋼鐵運輸線>等紀錄影片」, 황처黃策의 「위대한 생활의 역사적 기록－네 편의 다큐멘터리 감상偉大生活的歷史紀錄——看了四部紀錄影片的感想」, 차오잉草嬰의 「'개간된 처녀지'의 새로운 장"被開墾的處女地"的新篇章」, 옌쉐晏學, 저우페이퉁周培桐의 「샤오쥔의 「5월의 광산」은 어째서 해로운가蕭軍的<五月的礦山>爲什麼是有毒的」 등의 글이 발표되었다.

페이리원(1929~), 안후이성 페이둥肥東 출신으로 중공 당원이다. 1956년에 공작에 참가하여 공장 직공, 상하이 『노동보』 기자 및 편집자, 상하이작가협회 『상하이문학』 편집자 및 편집심사자 등으로 근무하였다. 1953년부터 작품을 발표하였으며 1956년에 중국작가협회에 가입하였다. 저서로 단편소설집 『성장成長』, 『금색의 독수리金色的雄鷹』, 중단편소설집 『이른 봄早春』, 영화극본 『강인철마鋼人鐵馬』, 소설보고문학선집 『생활은 무엇을 의미하는가生活意味著什麼』 등이 있다.

『문예보』 12월호부터 편집위원회가 개편되어 캉줘, 장광녠, 허우진징, 황야오몐, 위안수이파이, 천융, 왕야오로 구성되었다. 캉줘, 장광녠, 허우진징이 상무위원을 맡았다.

『베이징일보』에 이칭艾靑의 「깊이 생각하게 하는 문제－희극 「행복」을 보고 생각한 것一個耐人深思的問題——看喜劇<幸福>後所想到的」, 구멍핑顧孟平의 「어디선가 본 듯한－영화 「멍허의 여명」을 보고似曾相識——看影片<猛河的黎明>」, 마딩의 시 「성적 위에 누운 사람躺在成績上的人」이 발표되었다.

이달에 『마오둔 단편소설선집茅盾短篇小說選集』이 인민문학출판사에서 출간되었다.

레이자의 중편소설 『선원 주바오팅海員朱寶庭』, 해방군통속문예편집부解放軍通俗文藝編輯部에서 편찬한 혁명 회고록 『징강산구의 투쟁을 회상하며回憶井岡山區的鬪爭』가 공인출판사에서 출간되었다.

쑤이핑蘇一萍의 『친형제처럼如兄如弟』, 란광의 『두 자매姐妹倆』 등의 화극이 작가출판사에서 출간되었다.

딩링, 라오서, 저우리보 등의 『작가가 창작을 말하다作家談創作』가 중국청년출판사에서 출간되었다.

짱커자의 문예이론집 『문예학습의 길 위에서在文藝學習的道路上』가 신문예출판사에서 출간되었다.

1955년 정리

후평 '반혁명집단'에 대한 비판 운동이 전국적으로 전개되었다.

후평의 문예사상에 대한 비판은 본래 '좌익' 문예계 내부의 논쟁에 속하는 오랜 문제로, 현대 시기가 시작된 이후에도 중단되지 않고 계속되어 왔다. '후평 사건' 이전에도 그는 줄곧 '자산계급 혹은 소자산계급, 반마르크스주의, 반현실주의적 문예사상'의 대표적 인물로 간주되어 왔다. 비판 운동이 전개됨에 따라 그 성격은 점차 '반당 집단'으로 심화되어, 끝내 '반혁명 집단'으로 규정되어 무산계급 독재정치의 대상이 되었다. 비판 방식 역시 처음의 사상적 교전에서 사상 비판으로, 다시 정부 당국의 질책에서 수많은 이들의 정치적인 '포위 공격'으로 변화하였으며, 최후에는 친우들의 '밀고'라는 방식의 폭로를 통해 독재정치 기관이 개입해 조사와 처벌을 진행하여, 결국 기세등등한 '문학계의 반혁명분자 소탕' 운동으로 변화하였다.

후평은 1952년 7월에 베이징에 온 이후, 문학계에서 줄곧 그의 문학사상을 비판한 일로 인해 그가 먼저 나서서 저우언라이와 저우양에게 자신의 문예사상에 대해 토론할 것을 요구하였다. 저우언라이는 중앙선전부에 이 일에 대한 처리를 지시하였다. 중앙선전부는 네 차례의 좌담회를 소집하여 후평 문예사상을 비평하고, 후평이 이 비평을 받아들여 자기반성을 할 것을 바랐다. 그러나 후평은 여전히 갖은 방법으로 자신을 변호하였다. 따라서 중앙선전부에서는 허치광과 린모한에게 글로써 그를 공개적으로 비평할 것을 지시하였다.[10] 린모한의 「후평의 반마르크스주의적 문예사상」과 허치광의 비평 「현실주의의 길인가, 아니면 반현실주의의 길인가?」 등 두 편의 장문은 후평 문예사상의 발전사를 전면적으로 '청산'하고, 이를 '반마르크스주의적인 자산계급 및 소자산계급의 반현실주의적인 문예사상'으로 규정하였다. 후평은 1954년 7월 22일에 당중앙에 「해방 이후의 문예실천 상황에 관한 보고」(전부 28만 자에 달하는 글로, 약칭 '30만 자의 의견서'라 불린다)를 제출하였다. 후평은 '보고'를 통해 자신의 문예사상과 현재 문예공작에 대한 의견을 체계적으로 진술하고, 린모한과 허치광의 관점을 반박하였으며, '서신'의 형식으로 당중앙에 상황을 보고하였다. 후평은 반년 가까이 어떠한 회신도 받지 못했다. 1954년 하반기의 『『홍루몽』 연구』 비판 운동 과정에서 후평의 발언이 저우양으로부터 공격을 당했다. 1955년 초, 『인민일보』에 후평이 회의에서

---

10) 『건국 이후 마오쩌둥 문고』 제4권, 제83-84쪽, 중앙문헌출판사 1990년

한 발언을 비판하는 여러 편의 글이 발표되었다.

1955년 1월 12일, 중국작가협회 주석단에서는 후평의 '30만 자의 의견서' 중 제2, 4부분을 합쳐 「문예 문제에 대한 후평의 의견」이라는 제목의 16만 자짜리 소책자로 인쇄하여 『문예보』 1955년 제1, 2호 합본의 부록으로 발행하였다(제1, 3부분은 인사 문제에 관한 내용과 저우양 등에 대한 다른 의견이 있어 발표하지 않았다. 편집자는 후평이 정한 본래의 제목을 수정하였다). 1955년 1월 26일, 중앙에서는 「유물주의 사상 선전 및 자산계급 유심주의 사상 비판 강연 조직공작에 관한 중앙의 통지中央關於組織宣傳唯物主義思想批判資產階級唯心主義思想的演講工作的通知」를 발포하였다. 「통지」는 "위평보의 잘못된 사상에 대한 비판이 일단락되었고, 후평파 사상에 대한 비판이 이미 시작되었으며, 후평과 그 일파의 문예사상에 대한 비판 역시 앞으로 전개될 것이다"라고 밝혔다. 「통지」는 또한 여덟 가지의 강연 내용을 규정하였는데, 이 가운데 두 가지는 후평에 관한 것이었다. 2월 5일부터 7일까지, 중국작가협회 주석단에서 회의를 소집하여 후평의 자산계급 유심주의 문예사상에 대해 비판을 전개할 것을 결정하였다. 『인민일보』 12일자에 신화사의 명의로 아래와 같은 결의가 발표되었다. "후평의 문예사상은 자산계급 유심주의로……회의에서는 후평의 이러한 잘못된 문예사상과 행동의 표현이 과거의 진보 문예사업에 소극적인 영향을 주었을 뿐만 아니라 앞으로의 사회주의 현실주의 문예발전에는 더욱 큰 해악이자 장애가 될 것으로 본다. 회의에서는 후평의 잘못된 이론에 대해 철저하고도 전면적인 비판을 전개하여, 마르크스주의 문예사상의 수준을 제고하고, 문예계의 단결을 강화하여, 국가의 총노선을 위해 더욱 잘 복무하도록 할 것을 결정하였다."

1955년 4월 1일, 궈모뤄는 『인민일보』에 「반사회주의적인 후평 강령」을 발표하여 "십만 자가 넘는 후평의 「문예 문제에 대한 의견」은 혁명문예사업과 그 지도공작을 전면적으로 공격하고, 마르크스주의에 대한 극심한 증오를 표현하였다. 이는 후평 소집단의 강령의 성격을 띤 정리라 할 수 있다……후평은 육박전에 임하는 태도로 현재의 문예정책에 대해 맹렬하게 공격하고, 그 자신의 반당적이고 반인민적인 문예 강령을 드러내었다. 이 강령은 총 여섯 항목이 있는데, 그 내용은 작가가 공산주의 세계관을 파악하는 데 반대하는 것, 작가가 공농병과 결합하는 데 반대하는 것, 작가가 사상개조를 진행하는 데 반대하는 것, 문예 영역에서 민족형식을 활용하는 데 반대하는 것, 문예가 현재의 정치 임무를 위해 복무하는 데 반대하는 것, 그리고 마지막으로 문예계의 통일조직을 해산시키도록 건의해 사실상 당의 지도를 취소하는 것이다. 후평은 공산주의 세계관을 제창하는 것, 공농병과의 결합을 제창하는 것, 사상개조를 제창하는 것, 민족형식을 제창하는 것, 정치를 위해 복무할 것을 제창하는 것이 '작가와 독자의 목에 들이대어진 다섯 개의 칼'이라고 보고 있다"라고 밝혔다. 주석단의 결의에서 후평의 '반마르크스주의적 문예사상'만을 강조한 것에 비해, 궈모뤄의 어조는 이미 더욱 격해져 있다. 이 이후로 후펑에 대한 전국적이며 대대적인 비판 운동이 전면적으로 시작되었다.

1955년 5월 11일, 저우양은 후펑이 1955년 1월에서 3월 사이에 집필한 「나의 자아비판」 및 우연히 입수하게 된 후펑이 수우에게 사적으로 보낸 서신을 「후펑 반당집단에 관한 몇 가지 자료」라는 제목으로 엮어 마오쩌둥에게 제출하여 검토를 요청하였다. 마오쩌둥은 직접 '편집자의 말'을 추가하였다. "수우가 글에서 폭로한 자료를 보고 독자들은 후펑과 그가 지도하는 반당적이고 반인민적인 문예집단이 얼마나 오래전부터 중국공산당과 진보 작가들을 적대시하고 또한 증오하고 있었는지를 알 수 있을 것이다……가짜는 결국 가짜이고, 가면은 반드시 벗겨내야 한다. 후펑 반당집단 가운데 수우처럼 후펑에게 기만당했지만 계속 후펑을 따르고 싶지 않은 이가 더 있을지도 모른다. 이런 이들은 마땅히 당에 후펑을 폭로하는 자료를 더 많이 제공해야 한다. 계속해서 감출 수는 없고, 결국 언젠가는 폭로되게 되어 있다. 공격을 퇴각(혹은 반성)으로 바꾸는 책략으로도 사람을 속일 수는 없다. 반성하려면 수우처럼 반성해야 하며, 가짜로 반성해서는 안 된다. 루링은 분명히 후펑에게서 더 많은 밀서를 받았을 것이다. 우리는 그가 그 밀서들을 제출하기를 바란다. 후펑과 함께하며 밀서를 받은 모든 이들도 반드시 제출해야 한다. 보관하거나 폐기하는 것보다 제출하는 것이 낫다. 후펑은 기만적인 반성을 하지 말고, 가면을 벗어야 한다. 가면을 벗기고 진상을 폭로하여 당을 도와 후펑과 그 반당집단의 모든 정황을 철저히 밝히고, 앞으로 진정한 사람이 되는 것이 후펑과 후펑파의 모든 이들의 유일한 활로이다."[11]

5월 초, 중앙선전부와 공안부 연합으로 '후펑 전문 안건 심사조胡風專案組'를 설립해 주로 '후펑 집단' 사이에 오간 서신을 수집 및 정리하는 작업을 하였으며, 린모한, 류바이위, 위안수이파이, 궈샤오촨, 장광녠 등이 이들 자료에 주석을 달았다. 1955년 5월 15일부터 후펑, 메이즈梅志 및 '후펑 분자'들이 연달아 체포되었다. 1955년 5월 24일에 「후펑 반당집단에 관한 제2차 자료」가 발표되어 후펑이 루링, 장중샤오張中曉, 뤼위안, 자즈팡, 메이즈, 만타오, 뤄뤄羅洛, 지팡, 팡란, 주화이구, 겅융, 세타오 등에게 보낸 서신이 공포되었다. 1955년 6월 10일에 「후펑 반혁명집단에 관한 제3차 자료」가 발표되어 역시 후펑이 친우에게 보낸 사적인 서신들이 발표되었다. 마오쩌둥은 이 자료들에 "후펑 집단은 단순한 '문예' 집단이 아니라 '문예'라는 간판을 내건 반혁명적 정치집단이다" 등 비교적 긴 분량의 평어 17건을 덧붙였다.[12]

1955년 6월 15일, 마오쩌둥은 인민출판사에서 공개적으로 출판될 예정인 『후펑 반혁명집단에

---

11) 『건국 이후 마오쩌둥 문고』 제5권, 제112−115쪽, 중앙문헌출판사 1991년
12) 『건국 이후 마오쩌둥 문고』 제5권, 제153−164쪽, 중앙문헌출판사 1991년

관한 자료』에 서문과 두 편의 평어 및 여섯 개의 주석을 집필했다. 그는 서문에서 이 자료에 대한 독서를 통해 "반혁명분자의 기회주의 수법"을 분별하는 법을 배워야 하며, "후펑 분자는 위장한 반혁명분자이다. 그들은 진상을 감춘 채 사람들에게 가상을 보여준다······수많은 혁명인민이 이 사건과 자료를 통해 무언가를 학습하여 혁명에 대한 열정을 가지고 변별 능력을 제고하기만 한다면, 우리는 숨어 있는 각종 반혁명분자들을 하나하나 조사할 수 있을 것이다"라고 밝혔다.

후펑 문제는 마침내 공안 부문이 개입한 형사사건으로 변해, 당시에 전국적으로 진행되었던 '반혁명분자 숙청' 운동과 동시에 진행되었다. "1980년의 후펑 반혁명집단 사건에 관한 재수사 보고에 의하면, 1955년의 후펑 집단에 대한 조사 당시 2,100명과 접촉하였다······후펑 등과 친척 관계, 친구 관계 혹은 동료 관계인 수많은 이들은 전부 조사의 영향을 받거나 혹은 체포당해 투옥되었고, 혹은 격리당해 취조를 받았다. 이 일로 인해 이들의 운명에 근본적인 변화가 일어나 '문혁' 이후까지 계속되었다······"13) 이 2,100명 가운데 "92명이 체포되고, 62명이 격리 취조를 받았으며, 73명은 정직당하고 반성하였다. 이들 가운데 정식으로 '후펑 분자'로 규정된 이는 78명이었으며, 그 중에서 골수분자로 규정된 이는 23명이었다. 이 78명의 후펑 분자 중에서 직무해제, 노동 교도, 하방 노동 등의 처리를 당한 이는 61명이었다."14)

1980년 9월 29일, 중공중앙에서 27호 문건「공안부, 최고인민검찰원, 최고인민법원 당조의「'후펑 반혁명집단' 사건에 관한 재조사 보고」에 대한 중공중앙의 인가 통지中共中央批轉公安部、最高人民檢察院、最高人民法院黨組 <關於"胡風反革命集團"案件的複查報告>的通知」를 발포하였다.「통지」는 "'후펑 반혁명집단' 사건은 당시의 역사적 조건하에 서로 다른 성질을 가진 두 가지 모순을 혼동하여, 언론에 오류가 있으며 종법활동을 한 일부 동지들을 반혁명분자, 반혁명집단으로 규정한 잘못된 사건이다. 중앙에서는 이를 시정할 것을 결정한다. '후펑 반혁명분자'로 규정된 모든 이들을 모두 정정하여 그 명예를 회복하며······'후펑 문제'에 연루된 모든 이들도 철저히 정정한다"라고 밝혔다.15)

『후스 사상 비판胡適思想批判』(제1~8집)이 베이징싼롄서점에서 출간되었다.

작가출판사에서 편찬한『후펑 문예사상 비판 논문집胡風文藝思想批判論文彙集』(제1~6집),『후펑 집단 '반혁명 작품' 비판胡風集團"反革命作品"批判』이 작가출판사에서 출간되었다.

궈펑郭風의 아동 산문집『배에 탄 새搭船的鳥』,『식물원에서在植物園裏』가 상하이소아출판사上海

---

13) 리후이李輝,『후펑 집단 사건 누명의 전말胡風集團冤案始末』, 제339－357쪽, 인민일보출판사人民日報出版社 1989년

14)『내가 직접 경험한 후펑 사건－법관 왕원정의 구술我所親曆的胡風案——法官王文正口述』, 제5쪽, 중공당사출판사中共黨史出版社 2007년

15)『내가 직접 경험한 후펑 사건－법관 왕원정의 구술』, 제4－5쪽, 중공당사출판사 2007년

少兒出版社에서, 『날 수 있는 씨앗會飛的種子』가 푸젠인민출판사에서 출간되었다.

귀평(1919~), 본명은 귀자구이郭嘉桂로 푸젠성 푸톈莆田 출신이다. 1957년에 중국작가협회에 가입하였다. 『싱민일보星閩日報』 편집자, 『푸젠문예福建文藝』, 『원지園地』, 『열풍熱風』 부편집장, 중국 산문시학회中國散文詩學會 회장, 중국작가협회 이사 및 명예위원을 역임하였다. 저서로 산문시집 『엽적집葉笛集』, 『너는 평범한 꽃你是普通的花』, 『등화집燈火集』, 『귀평 산문시집郭風散文詩選』, 산문집 『배에 탄 새』, 『계곡과 새山溪和鳥』 등이 있다.

올새 상영된 주요 영화는 아래와 같다.

「둥춘루이」(딩훙, 자오환, 둥샤오화 각본, 귀웨이郭維 감독)

「핫산과 카밀라」(왕위후王玉胡, 부하라布哈拉 각본, 우융강吳永剛 감독)

「평원 유격대平原遊擊隊」(싱예, 위산羽山 각본, 쑤리蘇裏, 우자오武兆 감독)

「신비한 길동무神秘的旅伴」(린눙林農 각본, 린눙, 주원순朱文順, 주원웨朱文悅 감독)

「송경시」(천바이천, 자지 각본, 정쥔리鄭君裏, 쑨위孫瑜 감독)

「천선배天仙配」(쌍후桑弧 각본, 스후이石揮 감독)

「신필神筆」(훙쉰타오洪汛濤 각본, 진시靳夕, 유레이尤磊 감독)

「둥춘루이」와 「평원 유격대」는 올해 가장 큰 환영을 받았다.

1954. 1 ~ 1959. 12

1956年

1월

1일, 『해방군보解放軍報』가 베이징에서 창간되었다.

『창장문예』 제1호에 쑨첸의 중편소설 「이상한 이혼 이야기奇異的離婚故事」가 발표되었다.

『작품』 제1호에 어우양산의 동화 「혜안慧眼」이 발표되어 동화에서의 환상과 현실의 결합 문제에 대한 광범위한 토론을 불러일으켰다.

2일, 『학습』 제1호에 마오쩌둥의 「『중국 농촌의 사회주의 고조』 서문<中國農村的社會主義高潮>序」이 발표되었다(12일자 『인민일보』와 『문예보』 제1호에 게재).

3일, 『극본』 제1호에 자오쉰의 「농업합작화 운동을 다방면에서 표현하자多方面表現農業合作化運動」가 발표되었다.

5일, 『문예월보』 제1호에 췬칭의 중편소설 「복숭아꽃과 자두꽃이 피다桃李花開」(제3호에 연재 완료), 후완춘胡萬春의 자전체 소설 「골육骨肉」이 발표되었다.

후완춘(1929~1998), 공인 작가. 본명은 후아건胡阿根으로 저장성 인현鄞縣 출신이다. 상하이 『노동보』 기자 및 편집자, 『맹아』 편집위원 등을 역임하였다. 저서로 소설집 『청춘靑春』, 『사랑의 시작愛情的開始」,『누가 기적의 창조자인가誰是奇跡的創造者』 및 영화 극본『강철세가鋼鐵世家』,『가정문제家庭問題』, 화극『격류가 용감하게 나아가다激流勇進』 등이 있다. 소설「골육」으로 1957년 세계청년우호행사에서 진행된 국제문예대회에서 수상하였다.

7일,『인민일보』에 평론「문학 고서 출판공작의 부패한 작풍을 제거하자肅清文學古籍出版工作中的腐朽作風」가 발표되었다. 글은 "국가의 출판기관과 사회주의 문화건설을 위해 복무하고자 하는 모든 출판사들은 반드시 진지한 점검을 통해 출판공작에 존재하는 자산계급의 부패한 사상과 작풍을 철저히 제거하고, 출판공작이 더욱 효과적으로 사회주의 문화사업을 위해 복무할 수 있도록 해야 한다"라고 지적하였다.

8일,『인민문학』제1호가 세로쓰기에서 가로쓰기로 바뀌어 출간되었다. 본 호에는 라오서의 5막 6장 화극「서쪽으로 장안을 바라보다西望長安」가 발표되었다. 3월에 개최된 제1회 전국화극관람공연대회에서 중국청년예술극원이 이 작품을 공연하여 1등 상을 받았다. 라오서는 본 공연을 위해 특별히「작가의 말作者的話」이라는 제목의 설명을 덧붙였다.『인민문학』제5호(5월 8일 출간)에 라오서의「「서쪽으로 장안을 바라보다」에 관한 두 통의 서신有關<西望長安>的兩封信」이 발표되었다.

9일,『중국청년보』에 빙신의 산문「소귤등小桔燈」이 발표되었다.

14일~20일, 중국공산당 중앙위원회에서 지식분자 문제에 관한 회의를 소집하였다. 저우언라이가「지식분자 문제에 관한 보고關於知識分子問題的報告」라는 제목으로 보고를 진행하였다. 그는 보고에서 "우리는 많이, 빠르게, 잘, 절약해서 사회주의 건설을 발전시켜야 한다. 공인계급과 수많은 농민들의 적극적인 노동에 의지해야 할 뿐만 아니라, 지식분자의 적극적인 노동에도 반드시 의지해야 한다. 다시 말해 체력 노동과 두뇌 노동이 밀접히 협력해야 하며, 공인, 농민, 지식분자의 연맹에 의지해야 한다. 우리가 현재 진행하고 있는 각종 건설은 점점 더 많은 지식분자의 참여를 필요로 하고 있다"라고 밝혔다.[1] 그는 또한 개조를 거친 지식분자들은 "절대 다수가 이미 국가의 공작인원이 되었으며, 사회주의의 노동자이자 공인계급의 일부분이 되었다"라고 보았다.[2]

---

1) 중공중앙문헌연구실中共中央文獻研究室 엮음,『건국 이후 중요 문헌 선집建國以來重要文獻選編』제8권, 제13쪽, 중앙문헌출판사 1994년

2월 24일, 중앙정치국中央政治局 회의에서 「지식분자 문제에 관한 중앙의 지시中央關於知識分子問題的指示」가 통과되었다. 지시는 "지식분자의 기본 대오는 이미 노동인민의 일부분이 되어, 사회주의 건설 사업 과정에서 이미 공인, 농민, 지식분자의 연맹을 형성하였다"라고 밝혔다.3)

본 회의는 지식분자들의 공감을 불러일으켜 여러 지식분자들이 분분히 신문에 글을 발표하였다. 지셴린季羨林은 「지식분자 문제에 대한 나의 몇 가지 견해我對知識分子問題的一些看法」(『인민일보』 1월 13일자)를, 펑유란은 「지식분자의 잠재력을 발휘하자發揮知識分子的潛在力」(『인민일보』1월 15일자)를 발표하였으며, 천위안陳垣은 「지식분자 문제에 대한 나의 의견我對知識分子問題的意見」(『인민일보』1월 20일자)를 발표하였다.

지셴린(1911~2009), 산둥성 린칭臨淸 출신이다. 1935년에 칭화대학 서양문학과를 졸업한 후 1935년부터 1945년까지 독일에서 유학하여 괴팅겐대학교에서 철학박사학위를 취득하였다. 1946년부터 베이징대학 교수를 맡아 종신교수직에 올랐다. 저서로 『당사糖史』, 『중국 인도 문화관계사 논총中印文化關系史論叢』, 『「대당서역기」 교주<大唐西域記>校注』 등이 있으며 인도의 고대 서사시 『라마야나羅摩衍那』를 번역하였다. 『지셴린 문집季羨林文集』(24권)이 출간되었다.

15일, 『변강문예邊疆文藝』월간이 윈난 쿤밍에서 창간되었다.

『문예보』제1호에 사어우의 「청년의 뜨거운 목소리(사오옌샹의 시를 말하다)青年人火熱的聲音(談邵燕祥的詩)」가 발표되었다.

16일, 『중국청년』제2호에 궈샤오촨(필명 마톄딩)의 정치서정시 「고난을 향해 진군하다向困難進軍」가 발표되었다.

20일, 『베이징문예』제1호에 린진란의 단막극 「가불을 받다借支」, 바이런의 단편소설 「진해석鎭海石」이 발표되었다.

21일, 중국작가협회 창작위원회 소설조에서 소련 작가 니콜라예바의 중편소설 「트랙터 스테이션 소장과 농업 기술자拖拉機站長和總農藝師」, 오베치킨의 특필집 「시골의 일상생활區裏的日常生活」, 숄로호프의 「개간된 처녀지被開墾的處女地」의 제2부분에 관해 토론을 진행하였다. 『문예보』제3호

2) 위의 책, 제16쪽
3) 위의 책, 제133-134쪽

(2월 15일)에「생활 속의 모순과 투쟁을 용감히 폭로하자勇敢地揭露生活中的矛盾與鬥爭」라는 제목으로 마펑, 캉줘, 궈샤오촨, 류바이위 둥이 회의에서 진행한 발언문이 발표되었다.

편집자는 특집란의 머리말에 이들 발언의 의의에 대하여 "본 토론은 우리나라 독자들이 소련 작가들의 우수한 작품을 정확하게 이해하고, 작가들이 소련 작가를 학습하도록 격려하고, 우리의 창작 수준을 제고하는 데 모두 도움이 된다"라고 설명하였다. 마펑은 발언에서「트랙터 스테이션 소장과 농업 기술자」가 중국 작품에 비해 "이 작품이 다루고 있는 모순과 투쟁이 훨씬 더 깊으며, 첨예한 사상투쟁 속에서 나스카라는 인물을 그려내고 있다"라고 보았다. 캉줘는 "우리의 창작에 존재하는 중대한 문제 중 하나가 바로 생활을 꾸며내고 투쟁을 회피하는 것이다"라고 밝혔다. 궈샤오촨은 "나는 모순과 충돌을 너무 가볍게 해결하거나, 혹은 생활 속의 모순과 충돌을 회피하는 태도가 우리의 문학현상에 존재하는 가장 중요한 문제라고 본다", "인물의 묘사는 첨예한 모순과 충돌 속에서 전개해야만 한다"라고 밝혔다.

22일,『광명일보』에 베이징대학 중문과 문학사 교연실에서 진행한 두 차례의 토론회의 종합 기록「남당南唐의 후주 이욱李煜(역자 주)와 그 작품의 평가 문제에 관하여關於李後主及其作品的評價問題」가 발표되었다. 29일,『광명일보』에 유궈언遊國恩의「이 후주 사의 인민성에 관하여略談李後主詞的人民性」와 덩쿠이잉鄧魁英, 녜스차오聶石樵의「문학사에서의 이욱의 평가 문제에 관하여關於李煜在文學史上的評價問題」가 발표되었다. 2월 23일,『인민일보』에 마오싱의 총론「이욱의 사에 관한 연구를 평하다評關於李煜的詞的研究」가 발표되었다(『광명일보』3월 11일자에 전재). 마오싱은 글에서 1955년 8월 이후로『광명일보』부간『문학유산』에 발표된 이 후주와 그 작품의 평가 문제에 관한 토론을 종합하고 개괄적으로 평가하였다.

23일, 문화부에서「농민 통속도서 출판 발행 공작 강화에 관한 중앙의 지시 요청 보고關於加強農民通俗讀物出版發行工作向中央的請示報告」가 발표되었다. 보고는 농민 통속도서에 대해 전면적으로 계획하고, 체계적으로 출판하며, 농촌의 수요를 고려하고, 질을 점차 제고하는 방침을 취해야 한다고 밝혔다.

25일, 중국 농업합작화 운동을 반영하기 위해『극본』월간의 농촌판을 창간하여, 통속적이며 공연하기 쉬운 중소형 희곡 및 화극 극본을 농촌의 아마추어 극단에 수시로 공급할 것을 결정하였다. 농촌판은 매월 6일에 발행하기로 잠정 결정하였다.

베이징인민예술극원이 베이징에서 후단페이의 3막 7장 화극「봄이 오니 꽃이 핀다」를 공연하였다. 메이첸이 감독을, 바이썬柏森이 부감독을 맡았으며 양바오충楊寶琮, 둥차오 등이 주연을 맡았다.

28일, 국무원 전체회의 제23차 회의에서「한자 간화 방안 공포에 관한 결의關於公布漢字簡化方案的決議」가 통과되었다.『인민일보』31일자에 본 결의가 게재되었다.

30일,『문예보』제2호에 전문 논고「'책 한 권' 주의를 질책하다斥"一本書"主義」가 발표되었다. 글은 딩링이 평소에 한 말에 근거해 정리한 소위 '책 한 권' 주의에 대하여 "이것은 사실상 계급이 우리의 대오에 침투하는 것을 적대시하는 일종의 유해한 부식제이다. 만약 우리가 이러한 논조의 유해한 영향을 서둘러 제거하지 않는다면, 이러한 논조가 계속해서 범람하도록 내버려둔다면, 우리의 대오는 개인적인 야심가의 집단으로 바뀔 것이다"라고 지적하였다.

『문예보』제2호에 루다의「애정이 결핍된 애정 묘사―『삼리만』속의 세 쌍의 청년의 혼인 문제에 관하여缺乏愛情的愛情描寫――談<三裏灣>中三對青年的婚姻問題」가 발표되었다. 루다는 글에서 "세 쌍의 청년의 사랑에 대한 자오수리 동지의 처리는 감정적인 면에서 모두 냉담하여, 마치 정교한 하늘색 셔츠에 거친 황토색 천으로 주머니를 달아 놓은 것 같은 느낌이 들어 읽는 이를 불편하게 한다"라고 평했다.

4월 18일,『인민일보』에 린단추의「『삼리만』을 평하다評<三裏灣>」가 발표되었다. 린단추는 글에서 "작품의 생활 색채와 생활의 숨결은 작품의 예술적인 매력을 구성하는 중요한 요소"라고 지적하면서,『삼리만』의 주된 결점은 "작가가 중요한 생활의 장면을 포착하여 생활의 모순과 성격의 모순을 충분히 드러내지 못하고, 삼리만 투쟁의 주류를 생활의 화면에서 부각시키지 못한 것"이라고 보았다.

7월 5일,『문예월보』제7호에 푸레이의「『삼리만』을 평하다評<三裏灣>」가 발표되었다. 푸레이는 이 소설이 "농민의 일상생활과 가정의 사소한 일들을 생생하고 진실하게 표현하였으며, 그들의 노동에 대한 열정을 소박하고도 시적으로 묘사하였다. 선진적 인물의 활기찬 모습과 돈후한 성격이 매우 사랑스러울 뿐만 아니라, 낙후분자의 모습 또한 그들의 희극성으로 인해 현실감을 더해 준다"라고 평하였다. 그러나 그는 이 작품에는 결점도 존재한다고 보았는데, 바로 "비판과 찬양의 대상인 주된 등장인물들이 완전히 발전하지 못해 강렬하게 묘사되지 못했기 때문에, 선진 인물과 낙후분자의 대비가 충분히 뚜렷하지 못하고, 모순이 충분히 첨예하지 못했으며, 너무 쉽게 해결되었다"는 점이라고 보았다. 또한 "그는 농민 독자의 취향을 과도하게 고려하여 줄거리의 구성과 교차 및 배치에 과도하게 집중한 나머지 '충돌'이라는 주제를 중요한 순간에 충분히 발휘하지 못하여, 중요 인물과 부차적 인물들이 적절한 비중을 유지하지 못하고, 작가의 사상성이 예술성과 완전한 균형을 이루지 못하게 되었다"라고 평하였다.

문화부와 공소합작총사供銷合作總社에서 「농촌 도서 발행 공작 강화에 관한 연합 지시關於加強農村圖書發行工作的聯合指示」를 발포하여 모든 기층 공소사의 도서 발행업무를 증가시키고, 신화서점 지사는 공소사에서 도서 발행 공작을 담당하는 인원의 훈련에 적극적으로 협조할 것을 요구하였다.

31일, 중국인민정치협상회의 제2기 전국위원회 제2차 전체회의에서 궈모뤄가 「사회주의 혁명의 고조 속에서의 지식분자의 사명在社會主義革命高潮中知識分子的使命」이라는 제목으로 보고를 진행하여 2월 1일자 『인민일보』에 전문이 게재되었다. 보고는 역량의 공헌, 대오의 확대, 수준의 제고, 자아 교육 및 단결 강화 등 총 다섯 가지 관점에서 지식분자의 사명 문제를 논술하였다.

이달에 두펑청의 『옌안을 보위하라』의 수정판이 인민문학출판사에서 출간되었다. 이 책은 1954년 4월에 인민문학출판사에서 초판이 출판되어 '해방군문예총서'에 포함되었다. 1958년 12월에 3판이 출간되고 「후기」가 추가되었으며 인쇄 부수는 1~2,000부이다. 1979년 4월에 4판이 출간되어 서두에 펑쉐펑의 서문「『옌안을 보위하라』를 논하다論<保衛延安>」가, 말미에 저자의 「재판 후기重版後記」가 수록되었으며 인쇄 부수는 1~300,000부이다. 1984년 12월에 건국 35주년 기념본이 출간되었다.

커란의 첫 산문집『상하이 잡기上海散記』가 작가출판사에서 출간되었다.

문예 영역에서 사회주의 개조가 시작되었다. 수많은 민간 직업극단이 국영 극단 혹은 민판공조民辦公助 극단으로 개편되었다.

윈난성 문학예술공작자연합회와 중국작가협회 쿤밍분회 민족문학공작위원회가 연합으로 편찬한『윈난 민간문학 자료雲南民間文學資料』(총 3집)가 윈난인민출판사에서 출간되었다. 본 자료집에는『아스마』의 원시 자료 4편 등 윈난성의 문화역사학자와 민간문학가 및 작가와 시인들이 수집해 온 민간문학 작품과 자료가 수록되었다.

1월~3월, 문화부에서 「반동적이고 외설적이며 허황된 도서 처리공작 과정의 몇 가지 문제에 관하여關於處理反動、淫穢、荒誕圖書工作中的一些問題」, 「일부 반동적이고 외설적이며 허황된 도서 처리의 한계 문제에 관하여關於一些反動、淫穢、荒誕圖書的處理界限問題」, 「각 성시의 반동적이고 외설적이며 허황된 도서 처리공작에 존재하는 몇 가지 문제에 관하여關於各省市處理反動、淫穢、荒誕書刊工作中的一些問題」 등의 문건을 잇달아 발포하여 반동적이고 외설적이며 허황된 도서 처리공작을 지도하였다.

2월

1일~5일, 문화부 예술사업관리국에서 각 성, 시 극단 기업화 좌담회를 개최하여 26개 성시 문화국의 대표 48인이 참석하였다.

『시난문예』 제2호에 사오쯔난의 유작 「리원슈李文秀」가 발표되었다(이 소설은 장편소설 『저우진바오周金寶』의 첫부분이다).

『문학월간』 제2호에 추이쉬안의 보고문학 「구위원회에서在區委會裏」가 발표되었다.

2일~8일, 소년아동을 위한 공연을 제창하고 소년아동을 위한 공연 경험을 정리하기 위해 문화부 예술국과 베이징시 문화국, 베이징시 교육국, 청년단 베이징시위원회 등의 기관이 베이징에서 '소년아동희극음악주간少年兒童戲劇音樂周'을 진행하였다. 행사 기간에 중국청년예술극원 부속 소년아동극단에서 동화극 「마란화馬蘭花」를 공연하였다. 이와 동시에 상하이, 톈진, 선양, 광저우, 우한, 청두 등 대도시에서도 소년아동을 위한 각종 공연을 진행하였다.

3일, 『극본』 제2호에 라오서가 기자의 취재에 답한 글 「풍자화극 「서쪽으로 장안을 바라보다」의 창작에 관하여談諷刺話劇<西望長安>的創作」, 추이더즈의 「「류롄잉」의 창작 과정<劉蓮英>寫作過程」이 발표되었다.

월간 『극본』에서 아동극본 창작 문제에 관한 좌담회를 개최하여 천보추이, 우쉐, 허징즈, 런훙任虹, 류허우밍劉厚明, 런더야오 등 20인이 참석하였다.

류허우밍(1933~1989), 베이징 출신으로 중공 당원이다. 1953년에 베이징사범학교를 졸업한 후 소학교와 소년원에서 교편을 잡았다. 이후에 베이징인민예술극원 각본가, 『동방소년東方少年』 부편집장, 문화부 소아사少兒司 사장, 중국작가협회 아동문학위원회 부주임을 역임하였다. 1954년 부터 아동문학 창작에 종사하여 다수의 극본과 소설로 여러 상을 받았다.

4일, 중국작가협회 창작위원회 시가조에서 시가 창작 등의 문제에 관한 좌담회를 개최하였다. 짱커자, 궁무, 아이칭, 사오옌샹, 궈샤오촨 등이 중요 발언을 진행하였다. 『문예보』 제3호에 「끓어오르는 생활과 시沸騰的生活和詩」라는 제목으로 참석자들의 발언이 게재되었다.

5일, 『문예월보』 제2호에 위완宇萬의 「문예창작에 존재하는 몇 가지 계율에 관하여談文藝創作中的若干戒律」가 발표되었다. 그는 글에서 현재 농업합작화 및 사영 공상업 개조를 반영한 특필과 소설 작품 속에서 '부농'과 '자본가'에 대해 묘사하는 것을 기피하는 '계율'에 대해 비평하면서, 작가들에게 "영문을 알 수 없는 수많은 계율에서 용감히 벗어나야만 현실을 진정으로 반영한 우수한 작품을 대담하게 창작할 수 있다"라고 호소하였다.

베이징에서 도스토옙스키 서거 75주년 기념회가 개최되었다. 중소우호협회 총회 부비서장이자 중국작가협회 이사인 거바오취안이 도스토옙스키의 생애와 사상을 발표하였으며, 베이징인민예술극원 배우가 도스토옙스키의 소설 『가난한 사람들』의 일부를 낭송하였다. 9일자 『인민일보』에 거바오취안의 「위대한 러시아 작가 도스토옙스키偉大的俄國作家陀思妥耶夫斯基」가 발표되었다.

비예의 산문 「톈산 기슭天山脚下」이 『인민일보』에 발표되었다.

8일, 『문예학습』 제2호에 리싱화李興華의 「장헌수이의 『제소인연』을 평하다評張恨水的<啼笑因緣>」가 발표되었다. 그는 글에서 이 소설이 비록 당시 봉건 군벌의 추악함과 부패를 폭로했다는 점에서 현실적인 의의를 가지고 있기는 하나, "우리는 이 소설이 당시 사회생활의 본질을 진실하게 반영하지 못했으며, 반半봉건 및 반半식민지 통치를 동요시킬 수 없었다는 점 역시 인식해야 한다. 이 작품의 반反봉건 사상은 매우 나약하며 철저하지 못하다"라고 평하였다. 같은 호에 충웨이시의 소설 「춘쯔가 태어났을 때春子落生的時候」가 발표되었다.

『인민문학』 제2호에 류바이위의 소설 「끝까지 부를 수 없는 노래永遠唱不完的歌」, 왕안유의 소설 「사과나무 열 그루十棵蘋果樹」, 친무의 보고문학 「타이양허 강가의 처녀지太陽河畔的處女地」, 거추이린葛翠琳의 동화 「머루野葡萄」가 발표되었다. 이 외에도 중뎬페이의 「끊임없이 부르다―밖으로 나오다千呼萬喚――出來了」가 발표되어 영화 「둥춘루이」가 주인공 묘사에 있어 인물의 '행동'과 '마음'의 구체성과 역사성에 주목하였다고 지적하면서, 「둥춘루이」의 출현이 "중국 영화예술 창작의 새로운 시대를 알리"기를 바란다고 밝혔다.

15일, 『문예보』 제3호에 중뎬페이의 「진정한 전사― 영화 「둥춘루이」에 관하여一個真正的戰士―

一初談影片<董存瑞>」가 발표되었다. 그는 글에서 "둥춘루이−은막을 통해 이와 같은 실존인물의 인생을 보여주는 데는 예술 방법의 문제가 존재한다……영웅의 일생 가운데 가장 극적인 삶에 대한 묘사에 치중하여 인물의 성격을 관중들에게 드러내기 위해서는 재능과 용기가 필요하다. 그리고 가장 중요한 것은 예술적으로 개괄하는 능력이다. 그러나 이를 통해 우리는 살아 있는 인물의 모습−더욱 고귀하고 더욱 보편적인 의의를 가진 진실을 볼 수 있다. 이 영화의 특징 중 하나는 작가가 천재 희극가의 관점에서 둥춘루이의 일생을 묘사했다는 점이다"라고 보았다.

3월 15일, 『중국청년보』 제3판에 천황메이의 「불후의 영웅의 모습不朽的英雄形象」이 발표되었다. 그는 글에서 "우리는 영화 「둥춘루이」의 가장 큰 성취가 바로 우리가 완전히 신뢰할 수 있는 평범한 전사들 속의 영웅의 모습을 창조한 점이라고 생각한다. 그는 우리의 몇몇 영화들에 등장하는 영웅들처럼 너무나 고결하고, 사랑스럽지 못하고, 융통성이 없고 가식적이며 이해하기 힘든 등 '영웅'다운 모습을 가지고 있지 않다. 그는 우선 평범하고 진실된 사람이다"라고 평했다. 3월 16일, 『중국청년』 제6호에 중덴페이의 「진실과 완벽의 전형−다시 「둥춘루이」에 관하여真實與完滿的典型——再談<董存瑞>」가 발표되었다.

9일, 『희극보』 제2호에 어우양위첸의 「중국 희극운동에 대한 소련 희극전문가 레슬리 동지의 거대한 공헌蘇聯戲劇專家普·烏·列斯裏同志對中國戲劇運動的巨大貢獻」이 발표되었다. 이 외에도 자오펑趙渢의 글 「중국 고전희극의 유럽 순회공연中國古典戲劇在歐洲的旅行演出」이 발표되어 중국 민족희곡이 제2회 파리 국제희극제에 참가해 큰 성취를 거둔 일을 소개하였다. 이번 순회공연은 1955년 5월부터 1956년 1월까지 약 8개월간 벨기에, 네덜란드, 체코, 스위스, 이탈리아, 영국, 유고슬라비아, 헝가리 등의 국가에서 진행되었으며, 각국의 신문에는 중국민족희곡예술의 빛나는 전통과 예술적 성취를 크게 찬양하는 기사가 게재되었다.

10일, 『광명일보』에 사설 「청년문학창작회의를 맞이하며迎接青年文學創作會議」 및 본지 기자의 취재기사 「궈모뤄가 청년 문학창작자의 임무를 말하다郭沫若談青年文學創作者的任務」가 발표되었다. 궈모뤄는 "문예공작자의 유일한 길은 바로 사회주의 현실주의의 길이다. 공작을 잘 진행하기 위해서는 우선 공농병과 가까워지고, 인민 군중의 생활을 이해하고, 마르크스레닌주의를 학습해야 한다……이는 모두 과학적인 과정이다. 문학 역시 과학을 향해 진군해야 하기 때문이다. 구시대의 작가들처럼 집안에 틀어박혀 벽만 바라보고 터무니없는 생각을 해서는 절대로 안 된다"라고 밝혔다.

12일, 『해방군문예』제2호에 푸둬의 단막극 「이런 사람이 있다有這樣一個人」가 발표되었다.

15일, 『문예보』제3호에 「문학예술 속의 전형 문제에 관하여關於文學藝術中的典型問題」가 번역 소개되었다(저우뤄위周若予 번역. 원문은 소련 잡지 『공산당인共産黨人』1955년 제18호에 게재). 글은 우선 전형 문제에 대한 당시 소련 문예계의 관점, 즉 "전형은 일정한 사회 역사현상의 본질에 의해 귀결되고, 현실주의 예술 속에서 당성이 표현되는 기본 범위에 의해 확정된다. 따라서 전형성 문제는 언제나 정치 문제이며, 감성적인 형상을 의식적으로 과장해야만 그 전형성을 더욱 충분히 드러내고 강조할 수 있다고 단정한다"는 관점을 비평하면서, 당성과 전형성의 관계 문제에 대해 "사회주의 현실주의 방법은 예술창작 과정에서 주관적인 상상과 바람이 아니라 생생한 현실 속의 사실과 현상에서 출발할 것을 요구한다. 진정한 공산주의 당성은 주관주의의 모든 표현에 전혀 어울리지 않는다. 인물을 사상의 단순한 전달자로 간주하고, 인물의 성격에 어울리지 않는 사상과 감정을 인물에 억지로 더하는 이러한 방법과는 전혀 어울리지 않는다"라고 분석하였다.

전형화의 수단이 곧 과장이라는 관점에 대해 저자는 "사회주의 현실주의는 예술창작의 풍격과 형식의 다양화, 전형화 방법의 다양화를 그 전제로 한다……전형화라는 예술 방법의 모든 다양성을 과장이라고만 귀결해서는 결코 안 된다", "사실상, 만약 반드시 의식적으로 현실 속의 긍정적 현상을 과장해야 한다는 점에서 출발해 이렇게 해야만 일정한 사회적 역량의 본질을 충분히 표현할 수 있다고 생각한다면, 결과적으로 실제 현실을 말살해 우리의 건설의 어려움을 뛰어넘고, 심지어 우리의 건설이 반드시 거쳐야 할 단계를 뛰어넘어 버릴 것이다. 이런 식으로 생활을 표현하는 것은 독자를 잘못된 방향으로 이끌고, 그들에게 잘못된 교육을 진행하는 것이다"라고 분석하였다. 저자는 마지막으로 "전형 문제는 반드시 그 외의 여러 문제들 및 예술의 생생한 실천과 관련지어 심도 있게 고찰해야 한다……"라고 정리하였다.

이 글이 발표된 후 중국 문학계에서 전형 문제에 대한 광범위한 토론이 전개되었다. 『문예보』제8호에 「전형 문제에 관한 토론關於典型問題的討論」특집이 개설되어 이후 몇 호에 걸쳐 여러 편의 토론문이 연이어 발표되었다.

장광녠은 「예술 전형과 사회 본질藝術典型和社會本質」(『문예보』제8호, 4월 15일)에서 "문학작품은 전형적 성격의 창조를 통해 일정한 사회 역사현상의 규율성을 표현해야 한다. 사회현상의 본질에 대한 묘사를 강조하고, 작가가 전형을 창조할 때 전형적 인물의 활동을 통해 어떠한 사회현상의 발전 규율을 표현할 것을 요구하는 것은 의심할 여지 없이 정확한 일이다. 그러나 사회현상의 공통적인 규율성에 대한 묘사만을 강조하고, 생활에서 출발해 정신적 선택의 개별적 현상을 통해 여러 측면과 관점을 통해 생활의 진리를 표현할 것을 강조하지 않는다면 이 또한 공식화된 묘사를 부추기게 된다"라고 보았다.

중덴페이는「영화 속의 예술 내용影片中的藝術內容」(『문예보』제8호, 4월 15일)에서 "'논고'의 논점과 '논고'가 비판하는 논점 사이의 가장 큰 차이점은, '논고'가 문학예술의 특성과 문학예술이 인민을 교육하는 역할을 충분히 고려하여 이를 단순화해 인식의 역할만으로 규정하지 않고, 문학예술을 통해 감정에서 출발해 관중을 자극하고 관중들에게 아름다운 감각을 느끼게 하여 사람들이 문학예술을 사랑하고, 모방하고, 학습하고, 유기적으로 연결되게 한다는 데 있다"라고 지적하였다.

천융은「문학예술의 특징에 관한 몇 가지 문제關於文學藝術特徵的一些問題」(『문예보』제9호, 5월 1일)에서 "통속사회학의 뚜렷한 특징은 바로 문학예술의 특수한 성격과 임무를 부인하고, 문학예술이 여타의 이데올로기와는 다른 특수한 규율을 가지고 있다는 점을 부인하며, 일반사회학의 공식으로써 문학예술의 구체적이고 생생한 실천에 대한 연구를 기계적으로 대체하려 한다는 점이다"라고 지적하면서, 문학예술의 역할 문제에 관해서는 "문학예술은 우리의 생활에 일반적으로 제공되는 지식이 아니라, 구체적인 감성을 가지고 미감을 환기하는 전형적인 형상을 통해 우리의 생활을 지도하는 지식이다", "정치를 위한 문학예술의 복무는 주로 국가의 근본 정책을 위한 복무로 표현된다. 국가에는 수많은 구체적인 공작 항목이 존재하므로 작가와 예술가들은 자연히 이들을 표현할 수 있지만, 이 작품들이 반드시 직접적으로 이들 공작 항목을 위해 복무하는 것은 아니다"라고 보았다.

바런은「전형 문제 수감典型問題隨感」(『문예보』제9호, 5월 1일)에서 "전형이란 무엇인가? 바로 대표성이다. 전형적 형상이란 무엇인가? 바로 대표적 인물이다. 인물은 대표이므로 그가 대표하는 사회적 역량이 존재한다. 또한 대표는 곧 인물이므로 그 인물 개인에 속한 것, 바로 개인의 운명과 개성을 말한다"라고 보았다. 전형성과 당성의 관계 문제에 대해서는 "무산계급의 당성이란 예술 전형을 직접적으로 표현하는 도구가 아니라 작가의 공산주의적 세계관이자 현실을 대하는 관점이며, 현실을 연구하는 방법으로서 사용되는 무기이다. 당성은 현실을 담아내는 '렌즈'로, 예술가는 이 렌즈를 빌려 현실을 정확히 반영하고, 전형을 진실하게 창조할 수 있다. 그러나 당성은 현실과 동일하지 않으며, 직접적으로 전형으로 표현될 수도 없다. 이는 카메라의 렌즈를 예술 촬영의 필름으로서 표현할 수 없는 것과 마찬가지다"라고 보았다.

왕위王愚는「예술형상의 개성화藝術形象的個性化」(『문예보』제10호, 5월 15일)에서 현재 문예비평계에서 예술형상의 '개성'을 소홀히 하는 보편적인 경향이 존재하는 현실을 지적하면서, "일부 비평가와 이론가들은 개성을 언급하기는 하나, 그들에게 있어 개성은 복잡한 생활 내용을 완전히 상실한 채 전형화와 무관한 일종의 덧씌워진 수법으로 간주되거나, 혹은 각 계급 구성원의 공통적인 세부사항과 특징의 기계적인 조합으로 간주된다. 그 결과 개성은 그저 전형의 외재적인 꼬리표로 해석될 뿐이다. 이는 전형화의 원칙을 직접적으로 위배한 것이다"라고 보았다. 전형과 개성의 관계 문제에 대해서는 "예술 속의 전형은 항상 구체적이고 감성적이며 특정한 내용에 부합하는 완전한 개성이다……", "예술형상은 결코 유형의 요약일 수 없으며, 동일 유형 속에서 어떠한 공통적 특징을 표현하는 독특하고 완전한 개성이어야만 한다"라고 보았다.

이 외에도 린모한의 「전형 문제에 관한 초보적인 이해關於典型問題的初步理解」(『문예보』 제8호), 황야오몐의 「전형 문제에 대한 몇 가지 감상對典型問題的一些感想」(『문예보』 제8호), 리유쑤李幼蘇의 「예술 속의 개별과 일반藝術中的個別和一般」(『문예보』 제10호), 타마르첸코의 「개성과 전형個性和典型」(『문예보』 제10호, 소련 잡지 『별星』의 1956년 제3호에서 발췌 번역), 뤄쑨의 「전형 공식으로부터 이야기를 시작하다從典型公式談起」(『문예보』 제16호) 등의 글이 발표되었다. 이 외에도 『문학월간』, 『창장문예』, 『옌허延河』 등의 문학잡지에서도 전형 문제에 관한 토론이 전개되었다.

『문예보』 같은 호에 바진의 산문 「베를린에서의 1주일柏林一星期」이 발표되었다.

15일, 『문예보』 제3호에 장경의 「전통 희곡 작품의 사상적 의의를 정확히 이해하자正確地理解傳統戲曲劇目的思想意義」가 발표되었다. 그는 글에서 전통 희곡 작품의 사상성과 교육성 및 인민성을 충분히 긍정하였다.

16일, 문화부 출판사업관리국에서 「1956년 4월 1일부터 출판된 도서에 일률적으로 일련번호를 추가1956年4月1日起出版的圖書一律加印統一編號」라는 통지를 발포하였다.

17일, 하이네 서거 100주년을 기념하여 『인민일보』 제3판에 우보샤오의 글 「혁명의 시인이자 전사―하인리히 하이네 서거 100주년을 기념하며革命的詩人、戰士――紀念亨利希·海涅逝世一百周年」가 발표되었다. 26일, 중국작가협회와 베이징도서관이 합동으로 강연회를 개최하여 하이네 서거 100주년을 기념하였다. 우보샤오가 하이네의 생애를 소개하고 그의 「독일, 어느 겨울동화德意志――一個冬天的童話」, 「슐레지아의 방직공들과 독일西西裏亞紡織工人」 등의 작품들의 의의를 중점적으로 분석하였다. 베이징전영연원극단北京電影演員劇團이 하이네의 시를 낭송하였다.

문화부와 중국신민주주의청년단中國新民主主義青年團 중앙위원회에서 합동으로 진행한 '소년아동영화주간'이 베이징 수도전영원首都電影院에서 개막식을 가졌다. 개막식에 관한 기사는 19일자

『인민일보』에 게재되었다. 개막식에서 문화부 부부장 딩시린이 연설하였다. 그는 이번 영화주간 행사를 통해 반드시 사람들이 소년아동 영화의 교육공작을 중시하도록 하여 더욱 많은 사회적 역량의 지지를 얻고, 소년아동의 영화교육공작과 문화공작의 번영을 더욱 촉진해야 한다고 밝혔다. 개막식이 종료된 후 국산 아동 극영화「뤄샤오린의 결심羅小林的決心」과 소련의 아동 극영화「강위의 등불河上燈火」이 상영되었다. 이번 영화주간은 베이징, 상하이, 톈진, 선양, 우한, 우루무치 등 28개 도시에서 18일부터 24일까지 진행되었다.

18일, 문화부에서「전국 잡지 및 서적 정가 기준에 관한 통지全國雜志、書籍定價標准的通知」를 발포하여 1956년부터 시행하였다.

문화부와 신민주주의청년단 중앙위원회가 합동으로「농촌합작화 운동의 고조에 호응하여 농촌문화공작을 전개하는 것에 관한 지시關於配合農村合作化運動高潮開展農村文化工作的指示」를 발포하였다. 본 지시는 농업합작화 운동의 고조에 호응하기 위하여 "각급 문화행정기관 및 각급 청년단 조직은 반드시 수많은 인민군중, 특히 농촌 청년군중의 역량에 기대어 대대적으로 농촌문화공작을 전개해야 한다"라고 요구하였다. 20일, 중앙선전부에서「농민 도서의 출판발행공작 강화에 관한 보고關於加強農民讀物的出版發行工作的報告」를 발포하였다. 본 보고에서는 구체적인 시행 조치를 제시하였다.

19일, 『중국청년보』에 광수민의 단편소설「천 선생님陳老師」이 발표되었다.

광수민(1935~), 베이징 퉁현通縣 출신으로 중공 당원이다. 1956년에 베이징퉁현사범학교를 졸업하였다. 『중국청년보』 문예부 편집자, 부주임, 주임 및 작가출판사 부편집장, 편집심사위원을 역임하였다. 1952년부터 작품을 발표하였다. 저서로 단편소설집『탄생誕生』,『눈이 등에 쌓이다雪打燈』및 장편 보고문학『샹슈리向秀麗』(합동 창작),『61개 계급 형제를 위하여爲了六十一個階級弟兄』(합동 창작) 등이 있다.

20일, 베이징인민예술극원이 베이징에서 라오서의 화극「청년 돌격대」를 공연하였다. 진리金犁, 팡관더方琯德가 감독을 맡았다.

『헤이룽장문예黑龍江文藝』 제4호에 중뎬페이의「영화를 어떻게 볼 것인가─헤이룽장의 영화 애호가에게怎樣看電影──致黑龍江的電影愛好者」가 발표되었다. 그는 글에서 '영화 양식'이라는 관점에서 1956년 전후의 중국 영화 창작과 영화 비평의 실제 상황에 관한 견해를 발표하였다.

22일,『여행가旅行家』제2호에 차오위의 산문「한나절의 '여행'—용수구와 베이징체육관, 백화점을 기억하며半日的"旅行"——記龍須溝、北京體育館和百貨大樓」가 발표되었다.

23일, 중국민간문예연구회에서「중국민간문예연구회 장기 계획 초안中國民間文藝研究會遠景規劃草案」을 제정하였으며,『민간문학』에 편집부의 글「영광스러운 역사, 그리고 농촌 클럽에 대한 우리의 희망光榮的歷史和我們對於農村俱樂部的希望」이 발표되었다.

27일~3월 6일, 중국작가협회 제2차 이사회의(확대)가 베이징에서 개최되었다.『문예보』제5, 6호 합본(3월 25일)에 '사회주의 문학창작 번영 회의繁榮社會主義文學創作的會議'라는 제목으로 본 회의에 관한 상세한 기사가 게재되었다. 회의에는 총 200여 명의 이사 및 대표들이 참석하여 마오둔, 저우양, 바진, 라오서, 펑쉐펑, 사오취안린, 류바이위, 장진이章靳以, 사팅, 류칭 등 15인을 주석단으로 선출하였다. 마오둔이 개회사와 폐회사를 하고「신생 역량을 양성하고 문학 대오를 확대하자培養新生力量、擴大文學隊伍」라는 제목으로 보고를 진행하였다. 라오서는「형제 민족문학 공작에 관한 보고關於兄弟民族文學工作的報告」, 류바이위는「문학창작의 번영을 위해 분투하자爲繁榮文學創作而奮鬥」라는 제목의 보고를 하였으며, 천황메이는「영화극본 창작의 번영을 위해 분투하자爲繁榮電影劇本創作而奮鬥」, 캉줘는「2년간 발표된 현재 농촌생활을 반영한 소설에 관하여關於兩年來反映當前農村生活的小說」라는 제목의 '보충 보고'를 진행하였다. 소련『문학보』의 특파기자이자 작가인 바바예프스키가 회의에 참석하여 발언하였다.

저우양은「사회주의 문학 건설의 임무建設社會主義文學的任務」라는 제목의 보고에서 현재 문예창작에 나타나는 공식화, 개념화 경향을 지적하면서 "공식주의의 주된 특징은 풍부하고 다채로운 생활과 인물의 성격을 단순화하는 것이다. 현재 우리의 수많은 작가들은 생활을 접촉하는 면적이 너무나 좁고, 생활에 대한 이해도 깊지 못하다. 이것이 바로 공식주의가 발생한 근본적인 원인이다", "문학창작의 사상 및 예술적 수준을 제고하기 위해서는 우리가 다방면으로 노력해야 한다. 작가들의 경우에는 반드시 창작의 공식주의, 자연주의를 비롯해 현실주의에서 벗어난 그 외 모든 경향을 극복하기 위해 지속적으로 노력해야 한다"라고 밝혔다. 이 외에도 바진, 짱커자, 구위, 우보샤오, 차오위, 리쥔, 우쭈샹, 췬칭, 류칭, 웨이웨이, 아이칭, 팡지, 천보추이 등 40여 명의 작가들이 발언하였다(이상의 보고 및 발언문은 모두『문예보』제5, 6호 합본에 게재).

3월 2일, 마오쩌둥, 류사오치, 저우언라이, 펑전, 캉성康生 등이 회의에 참석한 이사와 대표들을 접견하였다. 회의의 마지막 날에는 「중국작가협회 1956년~1957년 공작 개요中國作家協會一九五六年——一九五七年的工作綱要」가 통과되었으며 중국작가협회 서기처의 결의에 따라 마오둔, 저우양, 라오서, 류바이위 등의 보고에 전원 찬성하였다. 또한 장광녠, 천치퉁, 귀샤오촨, 쑨야孫亞, 나·싸이인차오커투를 추가로 중국작가협회 이사로 선출하였다.

회의 기간에 주석단은 형제민족문학 좌담회, 문예간행물 편집공작 좌담회, 문예번역공작 좌담회 등 여러 전문적인 좌담회를 소집하였다. 중국작가협회와 『인민일보』사에서 작가들을 초청해 특필 창작에 관한 좌담회를 개최하여, 회의 종료 후에 일부 작가들을 조직해 공장, 기본 건설 현장, 농촌, 부대 등으로 가서 특필의 형식으로 중국의 전진하는 모습을 신속히 반영할 것을 결정하였다. 회의가 종료된 후 『광명일보』에 사설 「문학창작의 번영을 위하여爲了文學創作的繁榮」(3월 11일자), 『인민일보』에 사설 「작가들이여, 인민의 기대를 만족시키기 위해 노력하자作家們, 努力滿足人民的期望」(3월 25일자)가 발표되었다.

28일, 중국작가협회에서 농민 시인 왕라오주, 가오위바오, 페이리원, 탕커신, 원제, 추이더즈 및 몽고족 시인 나·싸이인차오커투, 동족 청년시인 웨이치린 등을 새롭게 작가협회 회원으로 영입하였다.

29일, 『인민일보』에 리시판, 란링의 「문학연구에 존재하는 통속사회학 경향에 관하여－『홍루몽』 등장인물 유 노파에 관한 토론으로부터 이야기를 시작하다關於文學研究中的庸俗社會學傾向——從<紅樓夢>人物劉姥姥的討論談起」가 발표되었다. 이들은 글에서 "특정 계급 혹은 계층이 공유하는 경제적 지위의 특징과 문학작품에 표현된 해당 계층 혹은 계급에 속한 서로 다른 개성을 가진 각종 인물 형상 사이에 직접적으로 등호를 그리려 시도하는 것은 잘못된 일이다. 이는 현실생활을 위배한 도식화된 해부일 뿐, 문예비평이 아니며 마르크스주의가 아니다"라고 지적하였다.

『문예보』 제4호에 린모한의 「2년간의 단편소설－단편소설선 서문兩年來的短篇小說——短篇小說選序言」이 발표되었다. 그는 글에서 1953년에서 1955년 사이의 단편소설 창작 상황과 그 성취를 정리하고, 창작에 존재하는 부족한 점, 가령 문학이 반영하는 내용이 여전히 너무나 협소하고, 특히 인물 창조에 있어 "이 인물들은 마치 이러저러한 문제들을 위해 복무하기 위해서만 태어난 듯하다……이는 인물이 풍부한 생명을 상실하고 그저 작가를 위해 고된 노동을 하는 피와 살을 가지지 못한 꼭두각시가 되게 한다"는 점 등을 지적하였다.

이달에 마오쩌둥의 거주지인 이녠탕頤年堂에서 루딩이가 중앙에 학술계에 존재하는 여러 상황에 관해 보고하였다. 바로 이 회의에서 과학공작 분야에서 '백가쟁명' 방침을 취하기로 결정하였다.[4]

중공중앙에서 「신문 및 잡지의 창간, 폐간 혹은 개간 수속에 관한 몇 가지 규정關於報紙和期刊的創辦、停辦或改刊的辦理手續的幾項規定」을 발포하였다.

웨이웨이가 서문을 쓰고 중국작가협회에서 편찬한 제2차 문대회 이후 시기(1953.9~1955.12)의 『산문특필선散文特寫選』이 인민문학출판사에서 출간되었다. 본 선집에는 양쉬의 「뎬츠 위의 앵초滇池上的報春花」, 천창의 「하이난다오 잡기海南島散記」 등 55편의 작품이 수록되었다. 이 책은 중국 최초의 산문특필선집이다.

중국작가협회에서 편찬한 청년문학창작 산문보고선집 『단풍나무楓』가 중국청년출판사에서 출간되었다.

쑹즈더의 산문집 『홍군 전사의 발자국을 따라』가 중국청년출판사에서 출간되었다. 책에는 「영웅의 도시英雄的城市」, 「징강산 스케치井岡山速寫」, 「중앙혁명근거지를 방문하다訪中央革命根據地」, 「인민의 그리움人民的懷念」, 「초원 송가草地頌歌」 등이 수록되었다.

펑쉐펑의 문집 『우화寓言』가 작가출판사에서 출간되었다.

정빙첸의 단편소설집 『류진다오와 그의 아내』가 신문예출판사에서 출간되었다.

롼장징의 장시 『금색의 소라』가 소년아동출판사에서 출간되었다.

3월

1일, 『창장문예』 제3호에 차오뎬윈喬典運의 단편소설 「송지送地」, 장융메이의 단편소설 「밤에 류퉁링을 가다夜走柳洞嶺」, 웨이양의 장편서사시 『양슈전楊秀珍』이 발표되었다.

차오뎬윈(1929~1997), 산시陝西성 시샤西峽 출신이다. 허난성 작가협회 부주석, 난양南陽시 문련 부주석, 난양시 작가협회 주석 등을 역임하였다. 1955년부터 문학창작을 시작하였다. 저서로 소설집 『모판산磨盤山』, 『작은 뜰의 원한小院恩仇』, 『미인의 눈물美人淚』, 『하늘에 묻다問天』, 『인두 이야기金鬥紀事』, 『차오뎬윈 소설 자선집喬典運小說自選集』 등이 있다.

---

4) 루딩이: 『루딩이 문집陸定一文集』 제843쪽, 인민출판사 1992년

1일~4월 5일, 중앙문화부에서 주관한 제1회 전국화극관람공연대회가 베이징에서 개최되었다. 전국 각지의 41개 극단, 2,000여 명의 화극공작자들이 참가하여 30편의 장막극과 19편의 단막극을 공연하였다. 3월 1일에 진행된 개막식에서 문화부 부장 마오둔이 개회사를 하고 국무원 부총리 천이陳毅가 연설하였으며 댜오광탄이 41개 화극단체의 배우들을 대표해 연설하였다. 3월 1일부터 4월 2일까지, 대회에 참가한 41개의 화극단체는 수도극장, 톈차오극장, 실험극장, 총정배연장總政排演場 등 4개 극장에서 공연을 진행하였다. 3월 12일, 중국극협에서 국내외 희극가 회견을 진행하여 국내의 희극공작자 60여 명과 소련, 독일, 폴란드, 체코슬로바키아 등 국가의 희극전문가들이 만남을 가졌다. 3월 31일 오후, 저우언라이 총리가 대회에 출석한 전 대표들과 전국청년문학창작자회의全國青年文學創作者會議에 참석한 대표들에게 정치와 문예 문제에 관한 중요 보고를 진행하였다. 4월 2일, 류즈밍 동지가 대회의 결산 보고를 진행하였다. 4월 5일, 제1회 전국화극관람공연대회가 성황리에 폐막하였다.

본 대회의 공연 부문에서는 「마란화」, 「처음 핀 꽃송이初開的花朵」, 「만수천산」, 「가둬둘 수 없다關不住」, 「전투 속에서 성장하다」, 「그 길을 갈 수 없다」, 「캉부얼 초원 위에서在康布爾草原上」, 「이역시 적이다同樣是敵人」, 「우리는 모두 보초병이다我們都是哨兵」, 「격류 속에서在激流中」, 「우정友情」, 「양쯔장 강가揚子江邊」, 「황화링黃花嶺」, 「돌아오다歸來」, 「경사喜事」, 「어느 목공一個木工」, 「서쪽으로 장안을 바라보다」, 「40년의 바람四十年的願望」, 「전진 또 전진하자前進再前進」, 「집안일家務事」, 「평화를 수호하다保衛和平」, 「여명 전의 어둠을 돌파하다」, 「파도浪潮」, 「명랑한 날」, 「양건쓰楊根思」, 「춘향전」 등 26편의 작품이 1등 상을, 「아침早晨」, 「친형제처럼」, 「기차가 올 때火車開來的時候」 등 24개 작품이 2등 상을 받았다. 41개 작품의 감독이 각각 1, 2, 3등 감독상을, 댜오광탄, 리모란李默然 등 259명의 배우가 1, 2, 3등 배우상을 수상하였으며, 47개 작품의 무대미술공작자들이 무대설계상, 제작관리상, 기술혁신상을 수상하였다. 극본의 장막극 부문에서는 「만수천산」, 「전투 속에서 성장하다」, 「명랑한 날」이 1등 상을, 「평화를 수호하다」, 「여명 전의 어둠을 돌파하다」, 「서쪽으로 장안을 바라보다」, 「캉부얼 초원 위에서」, 「마란화」, 「양건쓰」, 「40년의 바람」이 2등 상을, 「가스 문제瓦斯問題」(이후에 「쌍혼기雙婚記」로 제목을 변경), 「이 역시 적이다」(「돌파突破」라고도 함), 「우정」, 「경사」, 「해변의 격전海濱激戰」, 「평탄하지 않은 길不平坦的道路」, 「팡즈민方志敏」, 「친형제처럼」, 「어느 목공」, 「파도」, 「양쯔장 강가」, 「격류 속에서」, 「전야前夜」, 「도처에 봄이다處處是春天」, 「처음 핀 꽃송이」가 3등 상을 받았다. 단막극 부문에서는 「황화링」, 「돌아오다」가 1등 상을, 「집안일」, 「서로 다른 마음兩個心眼」, 「백년대계」가 2등 상을, 「그 길을 갈 수 없다」, 「기차가 올 때」, 「가둬둘 수 없다」, 「동, 서 두 터널 입구東西兩峒口」, 「말馬」, 「간사를 지키다保衛幹事」, 「분쟁糾紛」이 3등 상을 받았다.

3일,『극본』제3호에 전문 논고「화극공연대회를 맞이하고, 화극창작을 번영시키자迎接話劇會演、繁榮話劇創作」가 발표되었다. 이 외에도 톈한의「화극창작의 더 큰 번영을 쟁취하자爭取話劇創作進一步的繁榮」가 발표되었다. 그는 글에서 희극공작자들이 "반드시 현실생활에 투신하여 인민과 노동군중, 아름다운 생활을 창조하는 위대한 이들과 함께 호흡하고 사고하며 함께 투쟁해야 한다"라고 지적하면서, 또한 "수준 높은 예술 기교를 파악하여 새로운 희극이 군중에게 더욱 잘 수용되도록 해야 한다"라고 주장하였다. 이 외에도 차오커투나런超克圖納仁의 3막 화극「바인아오라의 노래巴音敖拉之歌」가 발표되었다.

8일, 문화부 당 조직 회보공작회의文化部黨組織彙報工作會議에서 류사오치가「문예공작에 대한 몇 가지 의견對於文藝工作的幾點意見」이라는 제목으로 연설하였다. 그는 연설에서 민간 전문극단을 국영극단으로 개편해야 하는가 하는 문제에 대해 "결정되기 전까지는 일단 개편하지 않는다……그 내부적 관계의 개선에 주의하고, 내부적 역량을 통해 개조해야 한다. 첫째로 물질적 이익을 이용해 그들의 노동을 촉진하고, 노동자들이 자신의 물질적 생활을 통해 자신의 노동에 관심을 가지도록 해야 한다. 국영 방식으로 운영하고 싶다 해서 노동 성과에 관심을 가지지 않아서는 안 된다……둘째로 배우를 대함에 있어 좋은 배우는 월급이 높아야 하고, 능력이 약간 부족한 배우는 월급이 조금 낮아도 된다"라고 보았다.[5]

희곡개혁문제에 관해서는 "희곡개혁은 크게 고칠 필요는 없다. 해로운 부분이 있다면 고치고, 없다면 고치지 않는다. 신문예공작자들은 희곡 극단에 대해 희곡개혁을 함에 있어 조급하게 해서는 안 된다. 반드시 '오이가 익어 꼭지가 저절로 떨어지고', '물이 흐르는 곳에 자연히 도랑이 생기'도록 해야 한다……지지하고, 돕고, 발전하는 방침을 취하지 않고 경멸하고, 소홀히 하고, 억압하는 방침을 취하는 것은 잘못된 일이다"라고 지적하면서, "우리의 훌륭한 부분은 유지하고 발양해야 하며, 외국의 훌륭한 점도 흡수해야 한다. 미국을 포함해 세계 각국의 영화를 수입해야 한다. 진보적인 영화와 무해한 영화를 모두 수용해야 한다. 무해한 영화는 상황을 이해하는 데 도움이 되므로 이 역시 수입할 수 있다. 해로운 영화는 수입해서는 안 된다"라고 보았다.[6]

『인민문학』제3호에 왕원스의 단편소설「눈보라 치는 밤風雪之夜」, 리준의 특필「환호하는 시골

---

5) 중공중앙문헌연구실 엮음,『건국 이후 중요 문헌 선집』제8권, 제175쪽, 중앙문헌출판사 1994년
6) 위의 책, 제177-178쪽

歡騰的鄕村」, 하이모의 보고문학 「도시에서 온 아가씨從城裏來的姑娘」가 발표되었다. 이 가운데 「눈보라 치는 밤」은 『문예월간』 제2호에 최초 발표되었다.

『문예학습』 제3호에 왕멍의 단편소설 「춘절春節」이 발표되었다.

9일, 『희극보』 제3호에 톈한이 제1회 중국화극관람공연대회를 기념하며 쓴 글 「화극 예술의 건강한 발전 만세話劇藝術健康發展萬歲」가 발표되었다.

10일, 『해방일보』에 류진의 「급속히 전진하고 있는 농촌생활의 모습─중편소설 「운하의 노 젓는 소리」를 읽고急速前進著的農村生活的畵面──讀中篇小說<運河的槳聲>」가 발표되었다. 류진은 글에서 "이 소설은 기세가 드높은 우리나라의 농업합작화 운동을 배경으로 하여 운하 가의 어느 농업합작사의 발전과 그 발전 과정에서의 복잡한 투쟁을 묘사하였다", "「운하의 노 젓는 소리」가 독자들의 심금을 울릴 수 있었던 것은 이 소설이 생활 속에서 신속히 성장하고, 또한 생활의 전진을 추진하는 청년들의 형상을 성공적으로 창조해냈기 때문이다"라고 평하였다.

12일, 『해방군문예』 제3호에 차오밍의 단편소설 「조국의 토지 위에서在祖國的土地上」, 쑹즈더의 극본 「평화를 수호하다保衛和平」가 발표되었다. 4월 7일자 『인민일보』 제3판에 천치퉁의 「화극 「평화를 수호하다」를 평하다評話劇<保衛和平>」가 발표되었다.

14일, 『광명일보』에 사설 「영화문학 극본의 창작을 강화하자加强電影文學劇本的創作」가 발표되었다. 또한 '영화문학 극본 창작 강화에 관한 중국작가협회 주석단의 결의中國作協主席團關於加强電影文學劇本創作的決議'라는 제목으로 중국작가협회 주석단에서 통과시킨 '영화문학 극본 창작 강화에 관하여關於加强電影文學劇本創作'의 결의 및 문화부와 중국작가협회에서 연합으로 발표한 영화문학 극본 모집의 글이 게재되었다.

15일~30일, 중국작가협회와 청년단 중앙위원회 연합으로 베이징에서 전국청년문학창작 자회의를 소집하였다. 『문예학습』 제4호(4월 8일)에 '문학계 신생 역량의 대검열文學界新生力量的大檢閱'이라는 제목으로 특집기사가 게재되었다. 본 회의에는 480여 명의 청년문학창작자가 참석하였으며, 류바이위가 개회사를 하였다. 『인민일보』에 사설 「전진하라! 문학전선의 새로운 군대여

前進!文學戰線上的新軍」(3월 31일),『광명일보』에 사설「전국청년문학창작자회의 개막을 축하하며祝全國靑年文學創作者會議開幕」(3월 16일),『중국청년보』에 사설「문학 대오를 신속히 확대하자迅速擴大文學隊伍」(3월 16일),『문예보』(제5, 6호 합본, 3월 25일)에 사설「문학의 청춘 역량이 더 빠르게, 더 많이 성장하게 하자讓文學的靑春力量更快更多地成長起來」,『인민문학』제3호(3월 8일)에 허즈何直의「문학전선의 신예 부대를 환영한다歡迎文學戰線新的生力軍」가 발표되었다.『문예학습』제3호(3월 8일)에 사설「전국청년문학창작자회의의 개막을 경축하며慶祝全國靑年文學創作者會議開幕」가 발표되었다. 같은 호에 궈모뤄의「청년 작가들에게 경의를 표한다向靑年作家致敬」, 차오위의「부단히 노력하고, 더 좋은 작품을 창작하자不斷努力, 寫更好的作品」, 리지의「생활을 사랑하고, 대담하게 창조하자熱愛生活, 大膽創造」, 천황메이의「청년 작가들은 적극적으로 영화극본 창작에 참여해야 한다靑年作家要踴躍地參加電影劇本創作」, 가오스치의「소년아동과학도서의 창작 역량을 강화하자加強少年兒童科學讀物的創作力量」등 본 대회의 순조로운 개최를 축하하는 글이 발표되었다.

회의에서 라오서가「청년 작가가 갖춰야 할 수양靑年作家應有的修養」, 마오둔이「예술의 기교에 관하여關於藝術的技巧」, 저우양의「어떻게 신시대의 작가가 될 것인가怎樣做一個新時代的作家」라는 제목으로 보고를 진행하였다. 마오둔은 보고(『문예학습』제4호)에서 현재 존재하는 예술 기교에 관한 잘못된 견해의 원인이 "모두 기교 문제를 기술과 동일시하고, 문학창작 과정에서의 기교 파악 문제를 공업 창작 과정에서의 기술 파악 문제와 동일시하며, 기교가 작가의 구상이 성숙한 이후에 외부에서 더해진 수단이 아니라 사실상 형상 사유의 구성부분이라는 것을 이해하지 못하는" 데 있다고 지적하면서, "생활 경험에서 온 소재는 반드시 정리와 개조, 발전을 거쳐야 하며, 인물 형상의 성숙은 반드시 자신의 생활 경험 속에서 얻어야 한다. 이것이 예술 창작의 중요한 원칙이다"라고 보았다.

이후에 회의는 1주일 동안 조를 나누어 청년 창작 및 청년작가 양성 문제에 관해 토론을 진행하였다. 회의에서는 청년 작가들뿐만 아니라 수많은 원로 작가들도 주제발언을 진행하였다. 자오수리는 생활과 창작에 관한 몇 가지 문제를 설명했으며, 첸치퉁은「만수천산」의 창작과 연관지어 자신의 문학공작 경험을 이야기하였다. 위안수이파이는 시가의 형상과 충돌 문제에 관해 연설했으며, 천황메이는 영화극본 창작 문제에 관해, 펑쉐펑은 루쉰의 문학수양에 관해 연설하였다. 장광녠은 문학예술의 전형 문제에 관해, 라오서는 언어 규범화 문제에 관해 연설하였으며 샤옌은 '지식이 곧 힘이다'라는 제목으로 발언하였다.

이 외에도 위안잉이 아동문학 창작 문제에 관한 정리 발언을 하였다. 그는 전국 제1차 아동문학 창작 표창 이후의 아동문학의 현재 상황을 결산하고, 선명한 아동 전형 형상 창작 및 아동문학의 주제 범위와 양식 확대 등의 임무를 제시하였다.

16일, 『광명일보』에 한상이韓尚義의 「다큐멘터리 「메이란팡 무대예술」의 미술 설계<梅蘭芳舞臺藝術>紀錄片的美術設計」가 발표되었다.

20일, 『베이징문예』 제3호에 류샤오탕의 단편소설 「수확收獲」, 충웨이시의 단편소설 「시골 들판의 폭풍村野的風暴」 및 라오서의 「유머란 무엇인가什麼是幽默」가 발표되었다. 라오서는 글에서 "유머의 문장은 진지한 문장이 아니다. 유머는 지혜와 총명함, 웃음을 유발하는 각종 기교를 활용해 읽는 이가 웃음을 터뜨리거나, 깜짝 놀라거나, 혹은 울지도 웃지도 못하게 해 이를 통해 교육의 효과를 얻게 한다", "유머 작가는 반드시 언어 문학을 장악한 작가여야 한다. 반드시 익살스럽고, 심술궂고, 철저해야 한다. 유머 작가는 또한 반드시 아주 강한 관찰력과 상상력을 가지고 있어야 한다. 관찰력이 강해야만 생활 속의 모든 우스운 일과 모순적인 일들을 전부 관찰해 구체적으로 묘사하고 비평할 수 있으며, 상상력이 강해야만 관찰한 일들을 과장해 독자가 이를 읽고 웃음을 터뜨려 절대로 잊지 못하게 할 수 있기 때문이다"라고 말했다.

23일, 『민간문학』 제3호에 렌수성, 추이리빈이 번역한 소련 작가 크루스카야 등의 「30년대의 소련 인민 구두창작三十年代的蘇聯人民口頭創作」이 발표되었다.

25일, 『문예보』 제5, 6호 합본에 중국작가협회 제2차 이사회 확대회의에서의 마오둔의 개회사 및 저우양의 「사회주의 문학 건설의 임무」, 마오둔의 「신생 역량과 대규모의 문학 대오를 양성하자」, 라오서의 「형제 민족문학 공작에 관한 보고」, 류바이위의 「문학창작의 번영을 위해 분투하자」, 천황메이의 「영화극본 창작의 번영을 위해 분투하자」, 캉쥐의 「2년간 발표된 현재 농촌생활을 반영한 소설에 관하여」 등 참석자들의 보고문이 발표되었다. 이 외에도 바진, 쨩커자, 구위, 천보추이, 차오위, 위안수이파이, 쑨야, 쑨췬칭, 자오쉰, 류칭, 아이칭, 광지, 뤄쑨의 발언문이 발표되었다.

같은 호의 '사회주의 문학의 신병들의 가는 길이 순조롭기를社會主義文學的新兵們一路順風' 란에 사설 「문학의 청춘 역량이 더 빠르게, 더 많이 성장하게 하자」, 탕즈의 「용감하게 생활에 관여하는 격정(예잉과 류롄잉을 보고 생각한 것)勇敢地干預生活的激情(從葉英和劉蓮英所想到的)」, 위혜이딩, 왕수원의 「청년작가를 양성하는 것이 우리의 임무다培養靑年作家是我們的任務」, 류사오탕의 「생명의 봄生命的春天」, 사오옌샹의 「동년배의 전우에게給同輩的戰友」가 발표되었다. 같은 호의 '화극예술이 백화제방하게 하자讓話劇藝術百花齊放'란에 팡자오方照의 「새로운 도덕 역량의 불길(단막극 '돌아오다'에 관하여)新的道德力量的烈火(談獨幕話劇"歸來")」, 류창랑의 「서로 다른 극작이 어째서 같은 예술적 구상을 가지고 있는가爲什麼不同的劇作會有相同的藝術構思」, 펑즈의 「형제 민족의 예술의 꽃송이兄弟民族的藝術花朶」, 자오쥐인의 「감독 수기導演手記」(1)가 발표되었다.

28일, 『광명일보』에 사설 「군중문예창작을 적극적으로 발전시키자積極發展群衆文藝創作」가 발표되었다.

30일, 『극본』 월간이 주최한 1954, 1955년 단막극 모집 원고 심사 결과가 발표되어 시상식을 진행하였다. 「류롄잉」(추이더즈), 「새 국장이 오기 전에」(허추)가 1등 상을, 「황화링」(수후이舒慧), 「바다 위의 뱃노래」(저우싱周行), 「두 자매」(란광), 「잉계석扔界石」(허우시왕侯喜旺)이 2등 상을, 「사진을 찍던 날照相那天」(둥춘東春, 창칭長靑), 「여름이 왔다夏天來了」(류허우밍劉厚明), 「우리는 모두 보초병이다」(차오커투나런), 「서로 다른 마음」(자오위샹趙羽翔), 「전사가 고향에 있다戰士在故鄕」(빙푸冰夫), 「열쇠鑰匙」(장한江汗), 「보초 망루 위에서在哨崗上」(류쓰쿠이劉斯奎), 「포도가 썼었다」(왕사오옌), 「기차가 올 때」(왕줘청王拙成), 「초원 민병草原民兵」(아오더쓰얼敖德斯爾, 창제常捷), 「어느 밤一個晚上」(춘루村路), 「변경지대의 밤邊寨之夜」(장즈이張之一), 「좋은 대원이 되다作一個好隊員」(왕밍푸王命夫, 천정陳正), 「동, 서 두 터널 입구」(철도부 제1공정국 문공단 합동 창작, 징핀井頻 집필) 등이 3등 상을 받았다.

이달에 리뭐빙의 보고문학집 『탐사하는 길 위에서在勘探的道路上』가 작가출판사에서 출간되었다. 「산베이 찰기陝北劄記」, 「탐사자의 발자취勘探者足跡」, 「차이다무 분지에서在柴達木盆地」 등의 작품이 수록되었다.

웨이웨이의 『행복의 꽃은 용사를 위해 핀다幸福的花爲勇士而開』, 위안잉의 『첫 번째 불꽃第一個火花』 등의 산문집과 리루이의 보고문학집 『잊을 수 없는 회견難忘的會見』이 중국청년출판사에서 출간되었다.

펑쉐펑의 『'들풀'을 논하다論"野草"』가 신문예출판사에서 출간되었다.

4월

1일, 『창장문예』 제4호에 하이모의 영화문학 극본 「퉁소를 가로로 불다洞簫橫吹曲」가 발표되어 제5호까지 연재되었다.

5일, 『인민일보』 제1판에 마오쩌둥의 교열을 거친 「무산계급 독재 정치의 역사 경험關於無產階級專政的歷史經驗」이 발표되었다. 본 글은 중공중앙 정치국 확대회의의 토론을 근거로 인민일보 편집부에서 집필한 것으로, 소련공산당 제20차 대표대회 이후에 중국공산당에 국내외의 몇 가지 중대한 문제에 대해 반성한 내용을 정리한 것이다.

『문예월보』 제4호에 바이웨이의 소설 「청년 트랙터 기사青年拖拉機手」의 연재가 시작되어 제5호에 완료되었다.

『옌허』 제4호에 류칭의 특필 「왕씨 부자王家父子」가 발표되었다.

8일, 『인민문학』 제4호에 류빈옌劉賓雁의 특필 「교량 공사현장에서在橋梁工地上」가 발표되었다. '편집자 안編者按'은 "우리는 이처럼 날카롭게 문제를 제기하고, 비평적이며 풍자적인 특필을 오랫동안 기다려 왔다. 이 「교량 공사현장에서」가 발표된 후에 이와 같은 작품이 더욱 많이 출현하기를 바란다"라고 밝혔다. 또한 '편집자의 말編者的話'은 이 작품에 대해 "현실생활 속에서 선진과 낙후, 신과 구의 투쟁은 언제나 복잡하고도 첨예한 것이다. 따라서 우리에게는 '정찰병'의 성격을 가진 특필이 반드시 필요하다. 우리는 정찰병처럼 용감하게 현실생활 속의 문제를 탐색하고, 이 문제들을 드러내어 낙후한 사물에 치명적인 타격을 가하고, 이로써 새로운 사물의 승리를 도와야 한다. 이번 호에 게재된 「교량 공사현장에서」가 바로 이러한 특필이다"라고 평하였다('편집자 안'과 '편집자의 말'은 모두 당시의 『인민문학』 부편집장인 친자오양이 집필하였다).

4월 30일, 『문예보』 제8호에 류빈옌의 산문 「오베치킨과 함께한 나날和奧維奇金在一起的日子」이 발표되었다. 그는 글에서 오베치킨과 두 차례 만나 대화한 일을 추억하면서 오베치킨의 작품과 사상에 대한 자신의 이해를 서술하였다. 그는 "관찰하고, 연구하고, 요약하고, 생활 속의 모순과 충돌을 단 한 순간도 놓지 않는 것이 오베치킨의 특징이다", "생활의 소용돌이에 깊이 침투하고, 용감하게 생활의 모순을 직시하기 때문에, 그는 매우 예민하며 그의 작품은 당에 있어 정찰병의 역할을 한다"라고 평하였다. 『문예보』 같은 호에는 이 외에도 쑤핑의 「교량 공사현장에서」는 훌륭한 특필이다＜在橋梁工地上＞是一篇出色的特寫」가 발표되었다. 쑤핑은 글에서 "작가는 각고의 노력을 통해 용감하게 생활의 내부에 깊이 침투해 날카로운 관찰력으로 생활의 복잡한 겉모습을 꿰뚫어보고 생활의 진실한 모순을 드러내었다"라고 평했다.

5월 5일, 『광명일보』 제3판에 차오쯔시曹子西의 「우리는 이러한 특필을 환영한다─류빈옌의 특필 「교량 공사현장에서」에 관하여我們歡迎這樣的特寫──談劉賓雁的特寫＜在橋梁工地上＞」가 발표되었다. 차오쯔시는 글에서 "작가는 생활 속의 모순을 대담하게 폭로하고, 현실 속의 문제를 날카롭게 제시하였다. 우리는 이러한 작품을 읽고 흥분을 느낀다", "본 특필에서 주의를 기울인 부분은 인물 형상을 묘사하는 것, 그리고 현실 모순의 성격을 발굴해 드러내는 것이다"라고 평하였다.

『문예보』 제9호(5월 15일)에 「특필 「교량 공사현장에서」 필담特寫＜在橋梁工地上＞筆談」, 뤄런洛人의 「중요한 것은 생활에 관여하는 것이다重要的是幹預生活」, 리양李颺의 「탐색하고 사고해야 한다要探索和思考」, 린위안林元의 「「교량 공사현장에서」 속의 당위원회 서기＜在橋梁工地上＞裏的黨委書記」 등의 글이 발표되어 생활에 적극적으로 관여하는 작가의 용기를 긍정하고 찬양하였다.

『인민문학』 제4호에 커옌柯岩의 연작 동시 「'졸병' 이야기"小兵"的故事」가 발표되었다.

『문예학습』 제4호에 천황메이의 「영화문학 극본 창작의 특징에 관하여關於電影文學劇本創作的特征」가 발표되었다.

9일~15일, 문화부에서 지방 출판사 공작 좌담회를 소집하여 앞으로 12년 내의 성 출판사의 공작방향 및 계획 문제에 관해 집중적으로 토론하였다.

9일~17일, 화극 극본 창작 과정에 존재하는 문제를 더욱 잘 연구하기 위해 화극공연대회에서 공연극본창작좌담회會演劇本創作座談會를 개최하였다. 좌담회는 대회 발언 및 조별 토론의 형식으로 진행되어 현재 극본 창작에 발생한 공식화, 개념화 현상 및 이들 현상이 나타난 객관적인 원인에 대해 충분히 토론하고, 사상 충돌과 희극적 충돌, 생활의 진실과 예술의 진실 사이의 관계 및 예술 전형 등의 문제에 관해 집중적으로 연구하였다.

10일, 저장쿤쑤극단浙江昆蘇劇團이 베이징을 방문해 곤곡 「십오관十五貫」을 공연하였다. 본 작품은 저장성의 「십오관」 정리조가 정리 및 각색 작품으로, 정리조는 황위안, 정보융鄭伯永, 저우촨잉周傳瑛, 왕촨쑹王傳淞, 주궈량朱國梁, 천징陳靜으로 구성되었으며 천징이 집필하였다. 마오쩌둥, 저우언라이 등 국가 지도자들이 본 공연을 관람하였다. 마오쩌둥은 관람 후에 "좋은 극이므로, 널리 알리고, 장려해야 한다"는 의견을 제시하였다. 저우언라이는 "저장에서 좋은 일을 했다. 이 작품 하나가 한 가지 극종劇種을 살렸다. 「십오관」은 풍부한 인민성과 상당히 높은 예술성을 가지고 있다"라고 칭찬하였다.[7] 이 외에도 톈한의 「쿤쑤극단의 「십오관」을 보고看昆蘇劇團的<十五貫>」(『광명일보』 4월 14일), 어우양위첸의 「곤곡 「십오관」과 「장생전」의 공연에 관하여談昆劇<十五貫>和<長生殿>的演出」(『인민일보』 4월 16일), 이빙伊兵의 「곤곡 「십오관」의 새로운 모습昆曲十五貫的新面目」(『문예보』 제9호, 5월 15일), 샤옌의 「「십오관」의 각색을 논하다論<十五貫>的改編」(『인민일보』 5월 17일), 아자의 「「십오관」의 공연예술에서 무엇을 배울 것인가向<十五貫>的表演藝術學習什麼」(『인민일보』 5월 18일), 천이의 「현실에 중대한 교육적 영향을 가진 역사극－곤곡 「십오관」을 통해 우리의 민족유산을 보다一部對現實具有重大教育作用的歷史劇——從昆曲<十五貫>看我們的民族遺產」(『광명일보』 5월 19일) 등이 발표되었다.

21일, 문화부에서 저장쿤쑤극단에 5천 위안의 상금을 수여하여 본 극단이 「십오관」의 정리에 참여하고 이를 공연한 성취를 표창하고, 통지를 발포하여 각지 희곡 극단이 모두 깊은 교육적 의의를 가진 작품 「십오관」을 공연하기를 바란다고 밝혔다.

5월 17일, 문화부와 중국희극가협회에서 베이징의 문화계 저명인사 200여 명을 초빙해 곤곡 「십오관」 좌담회를 개최하였다. 좌담회는 저우양, 첸쥔루이, 톈한, 저우촨잉 등이 주관하였다. 저우언라이가 좌담회에 참석해 "「십오관」은 '각종 문예를 발전시키고, 옛것을 취사선택하여 새롭게 발전시키는' 방침을 더욱 잘 관철하고 집행하는 데 있어 훌륭한 모범을 수립하였다. 본 극본은 고전 극본을 각색한 성공적인 전형으로, 쿤쑤극단뿐만 아니라 조건이 맞는다면 여타 극종에서도 이러한 방법을 취할 수 있다. 그러나 억지로 할 필요는 없다……고금동서를 막론하고 좋은 것이 있다면 배척하지 않고 전부 학습해야 한다. 오래된 것은 공연할 만하지 않다고 여겨서는 안 된다. 곤곡은 수많은 작품이 있으므로 정리하고 개혁해야 한다. 여러 민족 자원을 잘 발굴하고 계승해야 하며, 매몰되게 해서는 안 된다. 대체로 훌륭하다면 약간의 결점이 있어도 무방하다"라고 밝혔다.[8]

5월 18일, 『인민일보』에 사설 "'이 작품 하나가 한 가지 극종을 살렸다'라는 말로부터 이야기를

---

7) 저우언라이: 「곤곡 「십오관」에 관한 두 차례의 연설關於昆曲<十五貫>的兩次講話」, 『문예연구文藝硏究』 1980년 제1호

8) 저우언라이: 「곤곡 「십오관」에 관한 두 차례의 발언」, 『문예연구』 1980년 제1호

시작하다從"一出戲救活了一個劇種"談起」가 발표되었다.

10일, 산시陝西성 문련에서 편찬한 월간『옌허延河』가 시안에서 창간되었다. 창간호에는 왕원스의 단편소설 「소년 돌격대원少年突擊手」, 원제의 시 「바옌 부락 3편巴顏部落三首」, 류칭의 특필 「왕씨 부자」, 두펑청의 특필 「시대가 부르고 있다時代在召喚」가 발표되었다.

10일~17일, 문화부가 베이징에서 제1기 화극공작회의를 소집하였다. 회의에서는 6년간의 화극공작의 성취와 결점을 정리하고, 현재 화극공작의 방침을 확정하였으며, 화극사업 발전을 위한 12년 계획, 화극창작 번영 및 화극공작자의 정치, 업무, 문화 수준 제고를 위한 조치 등의 문제에 관해 토론하였다. 또한 화극단은 반드시 기업화 방침을 관철해야 한다고 지적하였다. 이 외에도 화극의 이론 수립, 희극비평의 더욱 적극적인 전개, 화극공작에 대한 지도 강화 및 화극공작자의 업무조건 개선 등의 문제에 관해서도 토론하였다.

12일, 『해방군문예』 제4호에 루주궈의 장편소설 『두이샤다오對蝦島』가 발표되어 제5호에 연재가 완료되었다.
『인민일보』에 쉬츠의 산문 「진적眞跡」이 발표되었다.

14일, 『광명일보』에 한상이의 「희곡 다큐멘터리의 몇 가지 문제에 관하여談戲曲紀錄片中的一些問題」가 발표되었다.

15일, 『문예보』 제7호에 류허우밍이 아동극 창작에 관해 논한 글 「불합리한 규율이 심각하다清規戒律要不得」가 발표되었다.

17일, 극작가 쏭즈더가 사망하였다. 『문예보』 제8호(4월 30일)에 류바이위의 추모의 글 「쏭즈더 동지를 추모하며悼念宋之的同志」가, 『해방군문예』 제5호(5월 12일)에 마오둔의 「당신은 우리의 기억 속에 영원히 살 것입니다您永遠活在我們的記憶中」와 웨이웨이의 「쏭즈더 동지를 추모하며悼宋之的同志」 등의 추모의 글이 발표되었다. 웨이웨이는 글에서 "즈더 동지는 일생 동안 수많은 작품을 창작했다. 이 작품들은 한결같은 전투에의 열정을 가지고 있다……그의 작품은 소극적이거나 퇴폐적인, 그리고 예술지상적인 등등의 특징과는 인연이 없다. 현재의 형세를 표현하고 정치 임무에 호응하는 것이 그의 작품의 가장 큰 특징이다. 그의 작품의 풍격은 건강하고, 낙관적이며, 열정적이고 호탕하다"라고 밝혔다.

18일, 중국극협이 베이징에서 제4차 상무이사회 확대회의를 소집하였다. 회의에서는 조직 개편, 지도 강화, 공작 개선을 통해 희극계의 역량을 더욱 잘 단결하여 조국 사회주의 건설을 위해 복무하는 방법에 관해 토론하였다. 회의를 통해 베이징, 상하이, 톈진, 선양, 우한, 충칭, 시안 등 8개 도시 및 네이멍구 자치구, 신장위구르자치구에 극협 분회를 설립하고 새로운 회원을 흡수할 것을 결정하였다. 또한 톈한을 주석으로, 어우양위첸, 메이란팡을 부주석으로 하며 저우신팡, 양한성, 청옌추, 슝포시, 자오쥐인, 장겅, 리보자오, 마옌샹, 천바이천, 천치퉁 등 13인으로 중국희극가협회 이사회 주석단을 구성할 것을 결의하였고, 희극창작위원회와 연극예술위원회演劇藝術委員會를 설립하였다. 본 회의에서 루링은 중국희극가협회 회원 자격을 박탈당했다. 톈한이 회의에서 「수많은 배우들을 향하여, 창작과 연기 수준을 제고하고, 조국 건설의 완성을 위해 복무하자面向廣大演員, 提高創作和演劇水平, 爲完成祖國建設服務」라는 제목의 보고를 진행하였다(『희극보』 제5호에 게재).

19일, 쑹즈더 추모회가 베이징 셴량쓰賢良寺에서 거행되었다. 천이, 저우양, 어우양위첸, 톈한, 류바이위 등이 참석하였다.

21일, 『광명일보』에 두리쥔杜黎均의 「장편소설 『들판 위에서, 전진하라!』를 평하다評長篇小說 <在田野上, 前進!>」가 발표되었다. 두리쥔은 글에서 "작가는 날카로운 마르크스주의적 분석방법을 통해 현실보다 더 높은 곳에 서서 현실 속의 근본적 문제를 파헤쳤다"라고 평하면서, 소설의 결점에 대해서는 "모순과 충돌의 발전이 다소 느리다", "긍정적 인물에 대한 묘사에 독자들을 만족시키지 못하는 부분이 있다……가령 긍정적 인물의 언어가 충분히 정련되지 않았다……그들의 몇몇 대사는 너무 무미건조하다"라고 보았다. 6월 15일, 『문예보』 제11호에 쑤위허蘇雨河의 비평 「들판 위에서, 전진하라!在田野上, 前進!」가 발표되었다. 그는 글에서 소설의 두 중요 인물인 장쥔張駿과 왕쩌쿤王則昆 형상의 창조에 대해 "왕쩌쿤은 예술적 구상에 있어서는 중요 인물이지만 작품의 실제 구조 속에서는 마땅히 가져야 할 지위가 주어지지 않았다. 이 인물에 관한 묘사는 매우 적으며, 대부분은 의론을 통해 그의 성격을 표현하였다"라고 보았으며, 장쥔에 대해서는 "그는 개념 속의 우수한 지도자이지만, 우리는 그의 선명한 특징과 개성을 찾아낼 수 없다"라고 평하였다.

23일~27일, 전국문화선진공작자회의全國文化先進工作者會議가 베이징에서 개최되었다. 궈모뤄가 축사를 하였다. 마오둔은 개회사에서 본 회의의 개최 목적은 경험을 정리하고 교류하여 선진적인 것을 더욱 나아가게 하고, 낙후된 것도 함께 나아갈 수 있도록 하는 것이라고 밝혔다. 그는 본 회의를 통해 문화부문에서 분명히 수많은 선진공작자가 나타나 제1차 5개년 계획을 더 짧은 시간에 더 많이 완성하여 국가의 사회주의 건설과 사회주의 개조사업에 더욱 잘 복무할 수 있게 될 것을 믿는다고 밝혔다. 24일자 『광명일보』에 사설 「전국문화선진공작자회의를 경축하며祝全國文化先進工作者會議」가 발표되었다.

『민간문학』 제4호에 마오싱의 「환상과 현실을 혼동해서는 안 된다不要把幻想與現實混淆起來」가 발표되었다.

25일, 마오쩌둥은 중공중앙 정치국 확대회의에서 「10대 관계를 논하다論十大關系」라는 제목으로 연설을 하였다. 그는 연설에서 "이러한 열 가지 문제는 모두 하나의 기본적인 방침, 즉 국내외의 모든 적극적인 요소를 동원하여 사회주의 사업을 위해 복무하는 일에 관련된 것이다", "국내외의 적극적 요소란 무엇인가? 국내에서는 공인과 농민이 기본 역량이며, 중간세력은 쟁취할 수 있는 역량이다. 반동세력은 비록 소극적 역량이지만, 우리는 그럼에도 공작을 더욱 잘 진행하여 소극적 요소를 적극적 요소로 최대한 변화시켜야 한다. 국제적으로는, 단결할 수 있는 모든 역량을 단결해야 한다. 중립이 아닌 세력은 중립이 되게 해야 하고, 반동 세력 역시 분화시켜 이용할 수 있다. 요컨대, 우리는 모든 직접 및 간접적인 역량을 동원하여 우리나라를 강대한 사회주의 국가로 건설하기 위해 분투해야 한다"라고 밝혔다.9)

27일, 루딩이는 중공중앙 정치국 확대회의에서의 발언에서 "한 가지 문제, 즉 학술적 성격, 예술적 성격, 기술적 성격의 문제에는 자유를 부여해야 한다. 정치사상 문제는 학술적 성격, 예술적 성격, 기술적 성격의 문제와 분리해야 한다"라고 지적하면서, 문예 문제에 대해서는 "새로운 인물을 묘사해야 한다. 새로운 인물을 묘사하려면 당연히 이치가 있어야 한다. 과거에 묘사한 옛 인물은 생동감이 있지만, 지금 묘사한 새로운 인물은 생동감이 없기 때문이다. 그러나 어째서 반드시 새로운 인물만을 묘사해야 하는가? 옛 인물을 묘사해도 된다. 나는 구사회를 묘사하는 것도 아주 좋다고 본다. 만약 지금 누군가가 30년대의 상하이 사회의 변화에 대해 쓸 수 있다면 나는 그 소설

---

9) 중공중앙문헌연구실 엮음, 『건국 이후 중요 문헌 선집』 제8권, 제243-244쪽, 중앙문헌출판사 1994년

이 세계 최고로 훌륭한 소설이라고 말할 것이다"라고 밝혔다. 사회주의 현실주의 창작방법 문제에 관해서는 "사회주의 현실주의는 가장 진보적인 문예방향이다. 그러나 자연주의 작품을 좀 쓴다고 해서 무슨 상관이 있는가? 작가가 사회주의에 찬성하기만 한다면 자연주의 작품을 몇 편 창작하는 것이 어떻단 말인가?……우리는 사회주의 현실주의를 위주로 하므로, 다른 주의는 대국에 영향을 전혀 끼치지 못한다"라고 보았다.10)

28일, 천보다는 중공중앙 정치국 확대회의에서의 발언에서 문화와 과학 문제에 관해 각각 '백화제방'과 '백가쟁명'이라는 두 가지 구호를 관철할 만하다고 보았다. 예술 면에서는 '백화제방'해야 하며, 과학 면에서는 '백가쟁명'해야 한다고 밝혔다.11) 같은 날, 마오쩌둥은 중공중앙 정치국 확대회의에서의 결산 발언에서 '백화제방, 백가쟁명' 방침을 정식으로 제시하였다. "나는 '백화제방, 백가쟁명'을 우리의 방침으로 삼아야 한다고 본다. 예술 문제에 있어서는 백화제방해야 하며, 학술 문제에 있어서는 백가쟁명해야 한다……'백가쟁명'은 2천 년 전의 사실이다. 춘추전국시대에 백가쟁명이 있었다. 학술을 말하는 데 있어서는 이런 학술이든 저런 학술이든 말할 수 있다. 한 가지 학술로 모든 것을 억압해서는 안 된다. 그 학술이 진리라면 신봉하는 세력도 늘어날 것이다"라고 밝혔다.12)

30일, 『문예보』 제8호에 샤오인肖殷의 「생활을 더 많이, 더 깊이 이해해야 한다─류사오탕의 소설을 평하다要更多地和更深地理解生活──評劉紹棠的小說」가 발표되었다. 샤오인은 류사오탕의 소설이 "생활의 진실에 대한 묘사를 통해 생활의 진리를 반영할 수 있다─즉 생생하고 개성 있는 인물에 대한 묘사를 통해 생활의 본질적 측면의 특징을 표현할 수 있다", "그러나 생활에 대한 보다 깊이 있는 반영, 특히 생활의 모순 가운데 비교적 복잡한 부분 혹은 내재적인 부분에 대한 반영에 있어서는 상당히 부족하다"라고 보았다.

이달에 "1956년 4월 하순에 베이징의 당, 정, 군, 기관의 행정 13급 이상의 중고급 당원 간부들에게 흐루쇼프가 소련공산당 제20차 대표대회에서 진행한 비밀 보고의 전문이 구두로 전달되었

10) 루딩이:『루딩이 문집』제843쪽, 인민출판사 1992년
11) 샤싱전夏杏珍:「'백화제방, 백가쟁명' 방침 형성 과정의 역사적 회고"百花齊放, 百家爭鳴"方針的形成過程的歷史回顧」,『문예보』1996년 5월 3일
12) 『공화국이 걸어온 길─건국 이후 중요 문헌 주제 선집共和國走過的路──建國以來重要文獻專題選集(1953년~1956년)』제248─249쪽, 중앙문헌출판사 1991년

다(전달시에 기록, 녹음, 외부 전달을 정중하게 금지하였으나, 본 비밀 보고는 얼마 지나지 않아 미국과 일본의 신문에 그 전문이 공개적으로 발표되어 영어와 일본어를 이해하는 지식분자들은 모두 읽을 수 있었고, 그 중요 내용은 곧 퍼져나가 공공연한 '비밀'이 되었다)."13)

『문예보』 제7호(4월 15일)의 기사에 따르면, 중화전국총공회와 중국작가협회가 공동으로 106명의 작가와 청년문학창작자를 조직해 4월 30일에 진행된 전국선진생산자대표회의全國先進生產者代表會議의 선전공작에 참가하여, 이들에게 특필, 통신 등의 문예형식을 활용해 선진생산자의 선진적 사적을 소개할 것을 요구하였다. 본 활동에는 궈모뤄, 예성타오, 류바이위, 아이우, 궈샤오촨, 허징즈, 짱커자, 리지, 친자오양 등의 작가가 참여하였는데, 이는 1949년 이후 최대 규모로 조직된 창작활동이었다. 이후에 바이랑의 「이상理想」(『인민일보』 4월 28일), 차오밍의 「전투의 요람 속에서 성장하다在戰鬥的搖籃裏成長」(『인민일보』 4월 29일), 리준의 「청년 압연 작업반장 리위안후이青年軋鋼工長李元輝」(『인민일보』 4월 30일), 원제의 「부사러, 나는 너를 위해 노래하려 한다布沙熱, 我要爲你唱一只歌」(『인민일보』 5월 14일), 다췬大群의 「싼먼샤에서 온 사람從三門峽來的人」(『인민일보』 5월 25일), 웨이쥔이의 「허우위펑의 고민侯玉鳳的煩惱」(『인민일보』 5월 30일), 빙신의 「한 명의 전문가, 수만 명의 아동一位專家, 幾萬兒童」(『광명일보』 6월 7일), 바진의 「기술사 저우치장工程師周啟章」(『광명일보』 6월 12일) 등 작가들의 취재문이 『인민일보』와 『광명일보』에 연이어 발표되었다.

궈샤오촨의 시집 『뜨거운 투쟁에 투신하다投入火熱的鬥爭』가 작가출판사에서 출간되었다. 시집에는 18편의 시가 수록되었다.

웨이치린의 시집 『백조의』가 중국청년출판사에서 출간되었다. 시집에는 샤퉁광夏同光의 창작 삽화가 추가되었다. 본 작품은 동족 민간전설에 근거해 창작된 이야기시로, '푸른 산비탈 아래綠綠山坡下', '아름다운 수탉美麗的公雞', '시냇물이 소리 없이 흐른다溪水呀流得不響了', '별 두 개가 함께 빛난다兩顆星星一起閃' 등 네 부분으로 구성되었다. 이 시는 용감한 구카古卡와 아름다운 이리依婭의 노동과 사랑을 노래하였으며, 이 한 쌍의 청년남녀의 굳센 성격을 그려냄으로써 동족 인민 생활 속의 고통과 투쟁 및 기대를 반영하였다.

『신화일보』에서 '고슴도치刺蝟' 부간을 창간해 '잡담', '소품문', '풍자시' 등의 란을 개설하였다.

중화전국총공회 공인문공단 화극단中華全國總工會工人文工團話劇團이 설립되었다. 이는 중국에서 유일하게 전국의 직공을 대상으로 하는 전문 화극단이다.

---

13) 황추원: 「심상치 않은 여름不尋常的夏天」, 『비바람 부는 세월－황추원 문집風雨年華──黃秋耘文集』에서 발췌, 제155쪽, 화청출판사花城出版社 1999년

4월~10월, 차이추성, 쓰투후이민司徒慧敏 등 5인으로 구성된 중국전영공작자대표단이 프랑스, 이탈리아, 영국, 유고슬라비아, 스위스, 체코 등 유럽 국가들을 방문해 영화사업에 대해 고찰하였다.

판본도서관版本圖書館에서 편찬한 신중국 성립 후 최초의 전국적인 도서 목록『전국총서목全國總書目(1949~1954년)』이 출간되었다. 이 책에는 1949년부터 1954년까지 전국의 국영, 공사합영, 사영 출판사 및 기관, 학교, 단체, 개인 출판사에서 발행한 초판과 재판 및 신화서점에서 발행 혹은 판매한 도서 총 21,809종을 수록하였다. 이후로 판본도서관에서는 매년 『전국총서목』을 편찬하여 출간하였다.

5월

1일,『창장문예』제5호에 저우리보의 보고문학 「등燈」이 발표되었다.

2일, 마오쩌둥이 최고국무회의 제7차 회의에서의 결산 연설에서 재차 '백화제방, 백가쟁명' 방침을 제시하였다. "예술 방면의 백화제방 방침과 학술 방면의 백가쟁명 방침은 필요한 것이다", "중화인민공화국 헌법의 범위 내에서 각종 학술 사상은 정확한 것이든 잘못된 것이든 말할 수 있도록 해야 하며, 이들에게 간섭해서는 안 된다. 우리는 리센코와 비非리센코를 구분할 수 없다. 너무나 많은 학설과 자연과학 학과가 있기 때문이다. 사회과학의 모든 학파도 자유롭게 말하도록 해야 한다. 잡지와 신문에 각종 의견을 발표할 수 있다", "다만 반혁명적인 의론만은 발표해서는 안 된다. 이것이 인민 민주 독재정치이다"라고 밝혔다.[14]

3일, 전국인민대표대회 상무위원회 제35차 회의를 거쳐 마오쩌둥이 중화인민공화국 주석 명령의 방식으로 「문화오락세 조례文化娛樂稅條例」를 발포하였다. 4일, 재정부에서 「문화오락세 조례 시행세칙文化娛樂稅條例施行細則」을 발포하여 전국적으로 시행되었다. 본 조례는 전국 극단의 경제적 부담을 크게 경감하여 문화공작의 전개를 더욱 효과적으로 추진하였다.

---

14)『공화국이 걸어온 길─건국 이후 중요 문헌 주제 선집(1953년~1956년)』제249─250쪽, 중앙문헌출판사 1991년

4일, 『인민일보』에 쉬츠의 특필 「창장 다리 어귀長江橋頭」가 발표되었으며, 5일자에 하편이 발표되었다.

5일, 문화오락세 감세 및 면세에 관한 문화부의 지시에 따라 상하이의 희곡, 화극, 가극, 무용, 음악, 곡예, 잡기 등 7개 항목에 2년간 문화세가 면제되었다.

6일, 『인민일보』에 바런의 잡문 「황종의 붓況鍾的筆」이 발표되었다(본 글은 1997년 8월에 싼롄서점에서 출간된 『바런 잡문집巴人雜文集』에 수록되었다). 그는 글에서 "곤극 「십오관」을 본 후 내가 잊을 수 없었던 것은 세 번 들었다가 세 번 내려놓은 황종의 붓이었다"라고 밝혔다. 바런은 황종의 붓이 현실을 연상시킨다고 말하며, "우리의 여러 기관의 수장들과 부문의 책임자들, 그리고 평범한 공작 인원들에 이르기까지 모두 펜을 사용한다. 혹자는 계획서나 원고 등을 집필하고, 혹자는 붓을 들어 계획서나 원고 등에 의견을 표시한다. 동의하거나, 별도로 작성하거나, 혹은 이름을 적어 넣는다. 그러나 우리는 펜을 사용할 때 황종처럼 신중하고 엄숙하게 사용하였는가? 정말로 깊이 생각해 볼 만한 일이다. 우리 중에는 붓 아래에 '사람'이 있음을 알고, 또한 행동으로써 붓의 쓰임을 돕는 황종과 같은 사람이 적지 않다. 그러나 우리 중에는 일필휘지할 줄만 알고 붓 아래에 '사람'이 있음을 알지 못하는 과우집過於執과 같은 사람도 적지 않다……" 바런은 글의 말미에 "사람에 대해 책임을 지는 정신이 없다면 공작에 책임을 지는 일을 할 수 없다. 황종의 붓 아래에 '사람'이 있다는 것이 바로 황종이 붓을 사용하는 귀중한 정신이다"라고 정리하였다.

8일, 『인민문학』 제5호에 '창작담創作談'란이 개설되었다. '편집자의 말'은 본란을 개설한 의도에 관해 "'창잡담'은 모두들 이 자리에서 창작 과정에서의 각양각색의 문제를 이야기하도록 하기 위해 개설된 것이다. 창작 문제에 대해 이야기해야 한다. 이야기하지 않는다면 문제가 제기되지 않고, 그러면 경험과 의견을 서로 교환할 수 없고, 이론과 사적을 연결할 수 없으며, 우리의 사상이 활동하게 할 수 없다. 따라서 우리는 자유롭게 이야기할 것을 주장한다. 문제가 작든 크든 상관없고, 글은 길든 짧든 상관없으며 형식에 구애되지 않는다. 잡지의 모든 호에서 '이야기'할 필요는 없지만, 반드시 가능한 한 '이야기'해 나가야 한다"라고 설명하였다.

이번 호의 '창작담'란에는 리허李訶의 「틀 속에서 나오자從套子裏走來吧」, 바런의 「생활은 그 자체가 공식화된 것인가?生活本身是公式化的嗎?」가 발표되었다. 이상 두 편의 글은 모두 현재 창작에 존재하는 심각한 공식화, 개념화 경향을 지적하였다. 리허는 글에서 "만약 어떤 극본이 틀에 박힌 규율 혹은 모종의 개념화된 사회 본질을 직접적으로 표현한다면, 이 작품은 그저 생활을 단순하게 도해할 뿐, 예술의 개성적인 특징을 취소하여 '천 사람이 똑같은 얼굴을 하고, 만 사람이 똑같은 말을' 하게 될 수밖에 없을 것이다"라고 지적하였다. 바런은 글에서 공식화, 개념화 경향이 발생한 원인을 집중적으로 분석하여 "생활 자체가 공식화되어 있다고 말한다면, 그것은 생활 전체의 복잡성 속에서 자신이 접한 생활을 발견하지 못하고, 자신이 접한 생활 속에서 그 깊이 있는 내용과 그 생활이 각 방면에 발생시키는 영향을 이해하지 못했으며, 반대로 자신이 접한 생활을 국소화, 고립화, 추상화시켰기 때문이다"라고 지적하였다.

『인민문학』 같은 호에 경젠耿簡의 특필 「깃대를 기어오르는 사람爬在旗杆上的人」이 발표되었다.

9일, 『희극보』 제5호에 톈한의 「수많은 배우들을 향하여, 창작과 연기 수준을 제고하고, 조국 건설의 완성을 위해 복무하자」, 쑨웨이스의 「선명하고 풍부하며 다채로운 무대예술형상 창조를 위해 노력하자爲創造鮮明的、豐富多彩的舞台藝術形象而努力」가 발표되었다. 쑨웨이스는 글에서 제1차 전국화극관람공연대회를 통해 얻은 성취 및 이를 통해 폭로된 문제를 정리하였다. 또한 수많은 희극공작자들에게 예술의 창조에서 형식주의적 경향을 피해야 할 뿐만 아니라 자연주의의 수렁에 빠지는 것 또한 경계해야 하며, 자신의 예술 수양과 단련을 부단히 강화하여 더욱 훌륭한 무대예술형상을 더욱 많이 창조해야 한다는 점을 일깨웠다.

10일, 월간 『전초前哨』(본 잡지의 전신은 1953년에 폐간된 『산둥문예』이다)가 지난에서 창간되었다. 왕퉁자오가 편집장을 맡았다.

12일, 『해방군문예』 제5호에 쉬광야오의 단편소설 「수밍과 잉화樹明和鶯花」가 발표되었다.

13일, 소련 작가 파데예프가 사망하였다. 16일, 『인민일보』 제4판에 파데예프가 사망한 원인에 대해 언급한 공고가 게재되었다. "파데예프는 최근 몇 년 동안 알코올중독이 나날이 심각하게 악화되어 고통을 받았다. 그는 최근에 각종 의료 조치를 받았으나 유익한 결과를 보지 못하였다. 병증의 악화가 야기한 심각한 우울 상태 속에서 파데예프는 자살로 생을 마감했다." 16일, 궈모뤄와 마오둔이 조전을 보내고, 궈모뤄는 「파데예프를 추모하며—문예전사이자 평화전사悼亞·法捷

耶夫——文藝戰士與和平戰士」(『문예보』제10호, 5월 30일)를, 마오둔은 「파데예프 동지를 추모하며悼念法捷耶夫同志」(『인민문학』제6호, 6월 8일)를 발표하였다. 중국사화과학원에서 편찬한 총 34권의 『소련 역사 문서 총집蘇聯歷史檔案彙編』에 파데예프가 임종 전인 1956년 5월 13일에 소련공산당 중앙위원회에 보낸 서신이 수록되어 자살의 원인을 설명하였다.15)

15일, 『문예보』제9호에 왕얼이王爾宜의 「현재의 문예비평을 논하다且論當前的文藝批評」가 발표되었다. 그는 글에서 "현재 문예비평의 주된 결점 중 하나는 예술적 내용을 경시하는 경향이 존재한다는 점이다. 어떤 작품에 대해 높은 사상성과 예술성의 유기적 통일이라는 관점에서 평론하지 않고, 이 두 가지를 분리하여 주제 사상, 인물 분석 등 단편적인 면으로써 심도 있는 미학적 분석을 대체하고 있다"라고 지적하면서, "현재의 문예비평공작에는 논쟁하는 분위기와 독창적인 견해가 유독 부족하다", "둘째로, 어떤 방법으로 작가의 예술 풍격과 독특한 성격을 깊이 있게 연구하여 드러내고, 이를 통해 형식과 풍격 및 양식의 전면적인 발전을 촉진할 것인가 하는 것 역시 현재 문예비평공작의 중요한 과제 중 하나이다"라고 보았다.

문화부 당조에서 중앙선전부에 「우리나라 고적 출판공작계획에 관한 지시 요청 보고關於我國古籍出版工作規劃的請示報告」를 제출하여 앞으로 12년(1956~1967년) 내에 각종 가공 및 정리 방법을 이용해 비교적 중요한 고적 1,500여 종을 단계별로 출판할 계획이라고 밝혔다.

16일, 중국경극대표단 일행 86명이 공연을 위해 일본을 방문하였다. 메이란팡이 단장을, 어우양위첸이 제1부단장 겸 총감독을 맡았으며 마사오보가 비서장을, 류자劉佳, 쑨핑화孫平化가 부단장을 맡았다. 대표단은 「장상화將相和」, 「인면도화人面桃花」, 「삼차구三岔口」 등의 작품들을 준비하였으며 메이란팡은 「취주醉酒」, 「패왕별희霸王別姬」, 「유원경몽遊園驚夢」, 「단교斷橋」 등 작품의 공연을 준비하였다.

16일~20일, 중국작가협회 상하이분회에서 제2차 회원대회를 소집하였다. 『문예월보』제6호(6월 5일)에 사설 「문예창작의 번영을 촉진하는 길推動文藝創作繁榮的途徑」이 발표되었다. 대회에서 바진이 「사회주의 문학 건설의 기치 아래 성공적으로 전진하자在建設社會主義文學的旗幟下勝利前進」라는 제목으로 보고를 진행해 상하이분회 성립 후 2년여 간의 사상공작, 창작공작 및 청년작가 양

---

15) 중국사회과학원 엮음, 『소련 역사 문서 총집』제28권, 제108-109쪽, 사회과학문헌출판사社會科學文獻出版社 2002년

성 등의 상황을 정리하였다. 대회에서는 이 외에도 제2기 이사회 이사 7인을 선출하였으며, 이사회에서는 결의를 통해 바진을 주석으로, 저우얼푸, 위링, 장진이章靳以, 쉬제를 부주석으로 선출하였다.

닝샤寧夏문련에서 편찬한 잡지 월간 『북방朔方』이 인촨銀川에서 창간되었다.

18일, 구삼학사에서 좌담회를 개최해 30여 명의 과학자와 교수들이 '자유토론, 백가쟁명'의 학술 방침을 관철할 방법에 관해 토론하였다. 『광명일보』21일자에 본 좌담회에 관해 '자유토론을 대담하게 전개하고, '백가쟁명'을 이룩하자大膽開展自由討論, 做到'百家爭鳴''라는 제목의 기사가 게재되었다.

칭하이성 문련에서 편찬한 문예잡지 월간 『칭하이문예青海文藝』가 시닝西寧에서 창간되었다.

19일, 중국극협에서 광둥월극단廣東粵劇團 베이징 공연 좌담회를 개최하였다. 좌담회는 톈한이 주관하였다. 이달에 광둥월극단이 베이징을 방문해 공연을 진행해 류사오치, 저우언라이 등 국가 지도자들이 공연을 관람하고 호평하였다.

20일, 문화부에서 「문화오락세 감세 및 면세 2년에 관한 몇 가지 지시關於文化娛樂稅減稅與免稅兩年的幾點指示」를 발포하였다.

22일, 『해방일보』에 사설 「아마추어 문학창작을 강력히 지지하자大力支持業餘文學創作」가 발표되었다.

23일, 『광명일보』에 사설 「'백가쟁명'을 이루기 위하여要做到"百家爭鳴"」가 발표되었다. 사설은 "현재 학술상의 논쟁을 전개하는 과정에 있어 분명히 약간의 유심주의 사상이 출현하는 것을 면할 수 없다. 이러한 사상은 응당 비판받아야 하지만, 이러한 사상을 가진 이들은 결코 타격을 받지 않는다. 우리는 비판을 두려워할 필요가 없다. 논쟁은 진리를 얻기 위한 것이다"라고 밝혔다.

24일, 베이징인민예술극원에서 「시간의 죄인時間的罪人」(추이더즈 각본, 메이첸 감독), 「가정사家裏的事」(린롄쿤林連昆, 진야친金雅琴, 리춘위李春毓, 주쉬朱旭, 뉴싱리牛星麗 등 각본, 진리金犁 감독), 「돌아오다歸來」(루옌저우魯彥周 극본, 댜오광탄 감독) 등 세 편의 단막극을 공연하였다.

24일, 문화부 전영사업관리국電影事業管理局 산하에 중국전영출판사中國電影出版社가 설립되어 천황메이가 사장 겸 편집장을 맡았다. 중국전영출판사의 임무는 영화예술, 영화기술 및 영화사업 관리 등의 분야의 서적, 잡지, 화집 등을 편역 출판하는 것이다. 본 출판사에서는 영화예술 총서, 영화기술 총서, 영화 화집 및 『대중전영大衆電影』, 『전영예술역총電影藝術譯叢』, 『영화상영자료電影放映資料』 등의 잡지를 출간하였다.

26일, 루딩이가 중공중앙의 의뢰를 받아 중난하이 화이런탕에서 「백화제방, 백가쟁명」이라는 제목의 연설을 하였다. 그는 연설에서 우선 '백화제방, 백가쟁명'의 의미에 대해 "우리가 주장하는 백화제방, 백가쟁명이란 문학예술공작과 과학연구공작 분야에서 독립적인 사고의 자유, 변론의 자유, 창작과 비평의 자유, 자신의 의견을 발표하고 그 의견을 견지하며 보존할 자유를 제창하는 것이다"라고 천명하였다. 연설의 제2부분에서 루딩이는 '백화제방, 백가쟁명' 방침을 제창한 목적에 관해 "백화제방, 백가쟁명이란 모든 적극적 요소를 동원하기 위한 것으로, 이 역시 단결을 강화하는 정책이다. 무엇을 기초로 하여 단결해야 하는가? 애국주의를 기초로 단결해야 한다. 단결해서 무엇을 하는가? 사회주의 신중국을 건설해 국내외의 적과 투쟁해야 한다"라고 설명하였다. 문예 영역의 문제에 관해서는 "우리는 사회주의 현실주의가 가장 훌륭한 창작방법이라고 생각하지만, 유일한 창작방법이라고 보지는 않는다. 공농병을 위해 복무한다는 전제하에 모든 작가들은 자신이 가장 훌륭한 창작방법이라고 생각하는 어떤 방법이든 사용해서 서로 경쟁할 수 있다. 소재 문제에 관해 당에서는 제한을 가한 적이 전혀 없다. 공농병에 관한 소재만 창작해야 한다든가, 신사회에 관해서만 써야 한다든가, 새로운 인물만을 창작해야 한다든가 하는 제한들은 옳지 않다……문예작품에는 세상에 존재하는 것과 역사상 존재했던 것 모두 등장할 수 있고, 하늘 위의 선인이나 말을 하는 짐승 등등 세상에 존재하지 않는 것들도 등장할 수 있다. 문예작품은 긍정적 인물과 신사회뿐만 아니라 부정적 인물과 구사회에 관해서도 창작할 수 있다. 구사회가 없다면 신사회를 돋보이게 할 수 없고, 부정적 인물이 없다면 긍정적 인물을 돋보이게 할 수 없다"라고 지적하였다.

연설의 마지막 부분에서 루딩이는 '백화제방, 백가쟁명'이 다루는 두 가지 중요한 문제, 즉 "비평 문제와 학습 문제"에 관해 "비평에는 두 가지가 있다. 하나는 적에 대한 비평, 소위 '일격필살' 혹은 타격 형식의 비평이다. 다른 하나는 타인에 대한 비평이다. 이것은 동지에 대한 선의의 비평으로, 단결에서 출발해 투쟁을 통해 단결의 목적을 이루기 위한 것이다", "학술 비평과 토론은 반드시 이치에 맞고 실사구시적이어야 한다. 다시 말해, 과학적인 기초를 가진 첨예한 학술논쟁을 제창해야 하며, 비평과 토론은 연구공작을 그 기초로 해야 한다. 단순하고 거친 태도를 취하는 것에 반대하고 자유토론의 방식을 취해야 하며, 행정명령의 방법을 취하는 것에 반대해야 한다", "학습 면에서는 지속적으로 자원 방식을 기본으로 하여 마르크스레닌주의에 대한 학습을 조직해야 하며, 또한 광범위한 지식을 쌓아 고금동서에 대해서, 우방과 적에 대해서도 비판하고 또한 학습해야 한다"라고 보았다. 본 연설문은 마오쩌둥의 관련 논술에 근거하여 집필한 후 사전에 중앙선전부에서 두 차례의 토론을 거쳐 저우언라이의 의견에 따라 수정하였으며, 연설 후에 다시 마오쩌둥이 교열 및 수정하여『인민일보』 6월 13일자에 전문을 게재할 것을 비준하였다.16)

9월 15일, 류사오치는 중국공산당 제8차 전국대표대회에서의 정치 보고에서 '쌍백방침'을 거듭 천명하였다. 그는 보고에서 "과학의 진리는 논쟁할수록 더욱 분명해지고, 예술의 풍격은 반드시 모든 것을 포용해야 한다. 당은 학술적 성격과 예술적 성격을 가진 문제에 대해 행정명령을 통해 그 지도를 실현해서는 안 되며, 자유토론과 자유경쟁을 통해 과학과 예술의 발전을 촉진할 것을 제창해야 한다"라고 지적하였다.17)

9월 27일, 중국공산당 제8차 전국대표대회에서「정치 보고에 관한 중국공산당 제8차 전국대표대회의 결의中國共産黨第八次全國代表大會關於政治報告的決議」가 통과되었다. 결의는 "과학과 예술의 번영을 보장하기 위해 반드시 '백화제방, 백가쟁명'의 방침을 견지해야 한다. 행정적인 방법을 통해 과학과 예술에 강제적인 결정을 실행하는 것은 잘못된 일이다. 봉건주의와 자본주의 사상에 대해서는 반드시 계속해서 비판을 진행해야 한다. 그러나 우리나라의 과거 문화 및 외국의 모든 의미 있는 문화지식에 대해서는 반드시 계승하고 흡수해야 하며, 현대의 과학문화를 이용해 우리나라의 우수한 문화유산을 정리해야 한다. 사회주의적 민족 신문화 창조를 위해 노력해야 한다"라고 밝혔다.18)

26일, 베이징 각계 인사들이 수도극장에서 세계 문화 명인 칼리다사, 하이네, 도스토예프스키 기념대회를 거행하였다. 대회에서 마오둔이 '불후의 예술은 모두 평화와 인류의 행복을 위한 것이다不朽的藝術都是爲了和平與人類的幸福的'라는 제목의 보고를 진행하여 세 문화 명인의 생애와 창작을 소개하였다.

---

16) 리젠李捷,「'백화제방, 백가쟁명' 방침의 유래와 발전"百花齊放, 百家爭鳴"方針的由來與發展」,『문예이론 비평과 연구文藝理論批評與硏究』1997년 제6호
17)『중국공산당 제8차 전국대표대회 문헌中國共産黨第八次全國代表大會文獻』, 제42쪽, 인민출판사 1957년
18) 위의 책, 제815쪽

30일, 『문예보』 제10호에 사설 「백화제방 백가쟁명」이 발표되었다. 사설은 "공농병과 노동지식분자를 위해 복무한다는 공통의 목표 아래, 작가와 예술가들은 소재와 주제 및 예술형식의 선택에 대해 충분한 개인적 자유를 가진다"라고 밝혔다. 또한 현재의 "이론비평공작에 존재하는 일부 통속화, 단순화 경향 및 문예창작에 존재하는 공식화 현상, 문예조직공작에 존재하는 거친 태도는 파란을 조장하는 역할을 하고 있다", "문예창작과 문예이론비평공작 자체에 여전히 시급히 해결되어야 하는 문제가 여럿 존재한다. 이러한 문제들은 반드시 동지同志 방식의 충분한 자유토론을 거쳐야만 시비를 분명히 가려 유익한 경험을 정리할 수 있다"라고 밝혔다.

『문예보』 제10호에 '풍자라는 무기를 어떻게 사용할 것인가怎樣使用諷刺的武器'란이 개설되어 허츠의 상성 「원숭이를 사다買猴兒」에 관해 토론하였다. 이후에 『문예보』 제12, 13, 14호에 총 13편의 토론문이 발표되었다. 이 중 일부는 「원숭이를 사다」가 진실하지 못하고 근거 없이 과장된 작품으로 중국의 정부기관과 국영 상업부분, 농촌공작의 간부 및 농촌의 진실한 모습을 왜곡해 사회주의 제도를 모독한 작품이라고 보았다. 가령 비거匕戈의 「상성 「원숭이를 사다」에는 심각한 오류가 있다相聲<買猴兒>有嚴重的錯誤」(『문예보』 제10호)는 "작품의 기본적 경향으로 보아 이 작품은 진실하지 못하며, 현실을 비방한 작품이다"라고 보았다. 반면에 일부는 작품 속에서 과장과 풍자 등의 예술적 수법을 활용하는 것이 상성 자체의 예술 법칙에 부합하는 것이라고 보았다. 또한 이야기에 과장이 있기는 하나 현실적인 근거와 풍부한 교육적 의의를 가지고 있으며, 현실생활 속의 관료주의적 작풍과 덜렁거리는 인물을 강력히 비평하였다고 보았다. 풍자 예술은 일종의 선의의 비평으로, '병을 치료해 사람을 구하는' 것이라고 주장하였다. 가령 라오서의 「풍자에 관하여談諷刺」(『문예보』 제14호)는 "우리의 사회제도를 옹호하는 것과 일부 인물 혹은 사건의 악하고 불합리한 부분을 숨기는 것은 다른 일이다. 문예는 진실을 드러내야 하며, 어물쩍 넘기거나 덮어 가려서는 안 된다……풍자란 반드시 날카로워야 하기 때문에 과장을 하지 않을 수 없다. 이것은 마땅히 사용해야 할 예술 수단이다"라고 보았다.

이달에 량상취안의 시집 『와자지껄한 고원喧騰的高原』이 중국청년출판사에서 출간되었다. 이 시집은 저자의 첫 시집으로 27편의 시가 수록되었다.

중국청년예술극원이 제이징에서 자커의 6막 화극 「여공女工」을 공연하였다. 장이성張逸生이 감독을 맡았다.

『극본』 화극 특집호 제3집이 출간되었다. 스링허의 5막 11장 화극 「팡즈민方志敏」(장시성화극단江西省話劇團의 공연 작품), 자커의 6막 화극 「여공」, 산시인민화극단山西人民話劇團이 공동 창작하고 궈젠郭健, 쑨웨이孫偉가 집필한 3막 6장 화극 「돌파突破」(산시인민화극단의 공연 작품) 등 세 편의 대형 화극 극본을 수록하였다.

6월

1일~15일, 문화부가 베이징에서 제1차 전국희곡극목공작회의全國戲曲劇目工作會議를 소집해 '불합리한 제도 청산, 전통 희곡 상연 작품 확대 및 풍부화破除清規戒律, 擴大和豐富傳統戲曲上演劇目'라는 문제를 제기하였다. 12일, 저우양이 회의에서 연설을 통해 "희곡사업에 대해서는 반드시 그 자체적인 특징에 따라 지도하여 공작을 전개해야 하며, 자유롭게 예술을 창조하는 분위기를 적극적으로 수립하고, 희곡예술을 대하는 주관주의 및 관료주의적 작풍에 단호하게 반대해야 한다"라고 지적하였다. 17일자 『인민일보』에 「희곡예술을 새로운 번영으로 이끌자－전통 작품을 강력히 발굴 및 정리하고, 상연 작품을 확대하고 풍부화하자把戲曲藝術推向新的繁榮——大力發掘整理傳統劇目, 擴大和豐富上演劇目」라는 제목으로 본 회의의 정신을 보도하는 기사가 게재되었다. 25일, 『광명일보』에 사설 「불합리한 제도를 청산하고, 희곡 상연 작품을 풍부하게 하자破除清規戒律, 使戲曲上演劇目豐富起來」가 발표되었다. 27일, 문화부 책임자가 신화사 기자에게 담화를 발표하여 희곡 상연 작품 풍부화 문제에 관해 "희곡 상연 작품을 풍부하게 해 작품 결핍 상황을 개선하는 것이 이미 현재 희곡예술사업의 선결 문제가 되었다"라고 지적하면서, "예인들에게 적극적으로 의지해 불합리한 제도를 청산하고, 모든 작품을 정확하고 구체적으로 분석해 성실하게 정리하고 각색해야만 풍부하고 다채로운 각종 극종의 본래 작품들을 발굴해낼 수 있다"라고 보았다. 또한 "반드시 정확한 기준으로써 작품을 판단해야 한다. 수많은 인민과 국가건설에 유익하고 해가 없는 작품이라면 모두 공연할 수 있다", "희곡 작품에 대해서는 직접적인 '교육적 역할'과 '호응 역할'을 단편적이고 기계적으로 요구해서는 안 된다"라고 강조하였다.

「한자 간화 방안漢字簡化文案」의 제2차 간화자 95자가 정식으로 보급되었다.

『신관찰』제11호에 위린의 단편소설 「나와 내 어머니我和我的母親」가 발표되었다.

중국아동예술극원이 베이징에서 정식으로 설립되어 런훙이 원장을 맡았다. 중국아동예술극원의 전신은 중국청년예술극원 부속 중국소년아동극단中國少年兒童劇團이다. 설립 기념으로 중국아동예술극원은 저명한 동화극 「마란화」를 공연하였다. 10일, 중국아동예술극원 설립대회가 개최되어 문화부 부장 마오둔이 연설을 통해 본 극원에 수많은 아동 희극 인재를 양성하고, 기준에 맞는 아동극원의 임무를 완성해 관중들을 만족하게 할 수 있는 예술형상을 창조해 줄 것을 요청하였다. 원장 런훙이 극원의 성장과 앞으로의 임무에 관해 보고하고, 앞으로 아동을 위해 더 좋은 공연을 더 많이 진행하겠다고 밝혔다. 대회 이후에 동화극 「마란화」를 공연하였다.

중국소년아동출판사中國少年兒童出版社가 설립되었다. 본 출판사는 공산주의청년단 중앙위원회 직속으로, 중국 유일의 국가급 소년아동도서 전문 출판사이다.

2일, 『인민일보』에 빙신의 산문 「어느 어머니의 건의一個母親的建議」가 발표되었다.

3일, 『극본』 제6호에 주소신朱素臣의 원작을 저장성 「십오관」 정리소조에서 정리하고 천쓰陳思가 집필한 곤곡 극본 「십오관」과 런더야오의 4막 7장 아동극 「우정友情」이 발표되었다. 같은 호에 장광녠의 「무대 위에서 사회주의 신인물의 전형적 성격을 창조하기 위해 분투하자爲了在舞台上創造社會主義新人的典型性格而奮鬪」와 장경의 「「십오관」의 성공 경험으로부터 배우자向<十五貫>的成功經驗學習」가 발표되었다.

5일, 『문예월보』 제6호에 천보추이의 「아동문학 창작에 존재하는 몇 가지 문제에 관하여談兒童文學創作上的幾個問題」가 발표되었다. 그는 글에서 아동문학은 자체적인 특징, 혹은 아동문학의 특수성을 가져야 한다고 지적하면서, "성취를 이룬 작가가 아동과 한 자리에 서서 아동의 시각에서 출발해 아동의 귀로 듣고 아동의 눈으로 보고, 특히 아동의 마음으로 사물을 느끼고자 한다면, 반드시 아동이 이해할 수 있고 즐겨 읽는 작품을 창작할 수 있을 것이다"라고 보았다. 이러한 논리는 60년대에 '동심론童心論'이라고 여겨져 비판받았다.

7일, 문화부에서 「회극 및 설창예인들에 대한 문맹 퇴치 공작의 대대적인 전개에 관한 지시關於大力開展戲劇、說唱藝人中間掃盲工作的指示」를 발포하였다.

8일, 『인민문학』 제6호에 류옌빈劉雁賓의 특필 「본지 내부 소식本報內部消息」이 발표되었으며 제10호에 속편이 발표되었다. 본 호의 '편집자의 말'은 "문학작품 속의 우경 보수 반대 사상에 모두들 이미 익숙해져 있는 때에, 본 특필은 새로운 문제를 제기하였다. 바로 생활 속에는 여전히 다른 방식으로 사람들의 적극성과 창조성 및 노동 열정을 속박하고, 생활의 발전을 방해하는 상황이 존재한다는 것이다"라고 밝혔다. 7월 15일, 『문예보』 제13호에 황추원의 「영혼을 녹슬게 한 비극鏽損了靈魂的悲劇」이 발표되었다. 그는 글에서 본 작품에 대해 "대단히 깊이 있고 대담하게 우리 일상 생활 속의 모순과 충돌을 폭로하였고, 대단히 날카롭게 우리의 이 시대 속의 비극적인 문제를 제기하였다—그렇다, 이것은 비극이다. 내가 말한 비극은 사랑의 비극이 아니라, 지식분자들에게 시정주의市儈主義와 냉소주의를 주입해 영혼을 녹슬게 한 비극이다"라고 보면서, "오랫동안 우리의 예술작품은 너무나 많은 공허한 외침과 값싼 송가로 가득 차 있어, 듣는 이들이 다소 질리게 만들었다. 그러나 이 특필에서 우리는 생활의 진실(유쾌하지 못한 진실)을 보고, 저자의 진심에서 우러난 목소리를 들을 수 있다"라고 말했다.

『인민문학』 '창작담'란에 허즈何直(친자오양)의 「특필의 진실성으로부터 이야기를 시작하다從特寫的真實性談起」가 발표되었다. 그는 글에서 현재 특필 기자와 작가들의 불량한 습관에 관해 "사실 자료를 수집해 정리하여 글을 썼으면 임무를 완성했다고 생각한다. 각양각색의 일들에는 흥미가 있지만, 각양각색의 사람들에게는 무관심한 듯하다……이들은 생활 속 사건의 보도자일 뿐, 생활의 관여자는 아닌 듯하다"라고 지적하면서, "현재 우리는 날카롭게 문제를 제기하는 비판적이거나 혹은 풍자적인 특필 작품을 특히 더욱 제창해야 한다"라고 지적하였다. 같은 호의 '아동문학 특집'에 바진의 단편소설 「활명초活命草」, 허징즈의 「아동시兒童詩」 3편, 빙신의 산문 「환향잡기還鄉雜記」가 발표되었다.

9일, 『희극보』 제6호에 사설 「희곡공작에 존재하는 과우집에 반대한다反對戲曲工作中的過於執」를 비롯해 곤곡 「십오관」을 평하는 글이 여러 편 발표되었다.

10일, 『옌허』 제6호에 원제의 「톈산 목가天山牧歌」, 허징즈의 「옌안으로 돌아가다回延安」가 발표되었다.

11일~13일, 국무원 과학계획위원회科學規劃委員會에서 철학사회과학 계획 좌담회를 소집하여 철학, 경제학, 법학, 역사학, 교육학, 언어학, 문학예술 등 15개 학과의 전문가 및 학자 700여 명이 참석하였다. 참석자들은 '1956-1957년 철학 사회과학 계획 초안1956—1957年哲學社會科學規劃草案'에 관해 의견을 발표하였다. 12일, '백가쟁명' 방침 관철 문제에 관한 조별 토론이 진행되었다. 문학조 제2조(현대문학 및 문예이론조)는 토론을 통해 과거 연구에 존재하는 불량한 풍조를 비평하고, 문학연구 영역에서 반드시 자유토론을 전개할 것을 강조하였다. 펑쉐펑은 "과거의 문학예술은 소련을 학습하는 문제에 있어 비교적 기계적이고 교조주의적인 태도로 임했다. 소련을 학습하는 것은 옳지만, 더욱 중요한 것은 자기 민족의 문학전통을 학습하는 것이다"라고 지적하였다. 차이이는 "학술연구에 대한 경솔한 태도를 반대하고, 자유롭게 토론할 자유와 유물주의를 선전할 자유, 그리고 유심주의를 선전할 자유가 반드시 보장되어야 한다"라고 지적하였다.『광명일보』14일자에 '학술연구 영역에서의 좋지 못한 풍조를 날카롭게 비평하자尖銳地批評學術研究中的壞風氣'라는 제목으로 문학조의 토론에 관한 기사가 게재되었다.

12일, 문화부와 공산주의청년단 중앙위원회 및 중국희극가협회에서 아동극 창작과 공연 문제에 관한 좌담회를 개최하였다. 중국극협 주석 톈한이 연설을 통해 극작가는 현대 생활을 반영한 아동극을 창작해야 할 뿐만 아니라 반드시 역사 이야기를 아동극으로 각색해야 하며, 희극공작자는 화극과 신가극을 소년아동에게 소개해야 할 뿐만 아니라 민족 전통의 희곡예술 역시 소개해야 한다고 지적하였다.

베이징인민예술극원이 고리키 서거 20주년을 기념해 화극「예고르 불리초프와 그 밖의 사람들耶戈爾·布雷喬夫和其他的人們」을 공연하였다. 자오쥐인이 총감독을, 샤춘과 메이첸이 감독을 맡았으며 위스즈, 정룽, 잉뤄청 등이 주연을 맡았다.

13일, 가오윈란高雲覽이 장암으로 인해 톈진에서 향년 46세로 사망하였다.

가오윈란(1910~1956), 푸젠성 샤먼의 화교 가정에서 출생하였다. 1926년에 상하이로 가서 공산주의청년단에 가입하였다. 1930년에 공산당이 이끈 샤먼 대겁옥廈門大劫獄 사건을 소재로 삼아 중편소설「전야前夜」를 창작하였다. 1932년에 좌련에 가입하였으며 한동안 샤먼에 은거하였다. 1937년 이후에 말레이시아와 싱가포르에서 화교 항일구국운동에 참가하였다. 1950년에 홍콩을 거쳐 톈진으로 와서 전문 창작에 종사하였다. 1952년에서 1956년 사이에 장편소설『소성춘추小城春秋』를 창작해 1956년 12월에 작가출판사에서 출간되었다. 그는 책의 말미에 덧붙인「『소성춘추』의 창작 과정<小城春秋>的寫作經過」에서 "나는 매일 아홉 시간의 노동을 통해 이 일을 지속해 나갔다. 내가 이런 자신과 용기를 가질 수 있도록 한 것은 첫째로는 당의 진리가 나를 불렀기 때문이며, 둘째로는 이미 혁명 열사가 된 예전의 동지와 벗들의 그림자가 내 추억 속에서 줄곧 떠나지 않고 있었기 때문이다……내가 이 작품을 구상할 때, 그 불후의 영혼들은 자연스럽게 나의 머릿속으로 들어와 내게 목소리를 낼 것을 요구했다"라고 밝혔다.19) 펑무馮牧와 황자오옌黃昭彦은「신시대 생활의 장면−건국 후 10년간 장편소설의 풍작을 논하다新時代生活的畫卷──略論建國十年來長篇小說的豐收」(『문예보』1959년 제19호, 10월 1일)에서 "양모楊沫의 『청춘의 노래靑春之歌』와 가오윈란의 『소성춘추』 두 편 모두 도시의 지하공작을 다룬 작품으로, 북쪽과 남쪽에서 각기 눈부시게 빛났다. 이 두 편의 작품은 명쾌한 필치와 넘치는 열정으로 30년의 일부 지식분자의 정신적 면모를 진지하고, 정확하고, 교묘하게 표현해냈다"라고 평했다.

15일, 『문예보』 제11호에 '곤곡「십오관」 필담筆談昆劇<十五貫>'이라는 제목으로 왕페이란王斐然의 「「십오관」이 우리에게 준 깨달음<十五貫>給我們的啟發」, 장전張真의 「「십오관」의 세 인물에 관하여談<十五貫>的三個人物」, 쑨웨이스의 「쿤쑤극단 배우들의 공연예술을 학습하자學習蘇昆劇團演員們的表演藝術」가 발표되었다.

17일, 베이징 문예계 및 그 외 각계 인사 1,000여 명이 모여 고리키 서거 20주년 기념대회를 개최하였다. 펑쉐펑이 대회를 주관하고 축사를 하였다. 대회에서는 「바다제비海燕」와 「동지同志」를 낭송하고 영화 「어머니母親」를 상영하였다. 같은 날, 인민문학출판사에서 고리키 서거 20주년을 기념해 『고리키 선집高爾基選集』을 출판하였다. 선집에는 「유년시대童年」, 「사람들 속에서在人間」, 「나의 대학我的大學」, 「어머니」 및 「러시아 동화, 이탈리아 동화俄羅斯的童話意大利童話」가 수록되었다. 전국의 신문 및 잡지에 거바오취안의 「위대한 고리키를 기념하며紀念偉大的高爾基」(『해방군문예』 제6호, 6월 12일), 바진의 「불타는 마음−내가 고리키의 단편소설에서 얻은 것燃燒的心──我從高爾基的短篇中所得到的」(『문예보』 제11호, 6월 15일), 소련 작가 유리코프의 「위대한 횃불−Ａ·Ｍ·고리키 서거 20주년을 기념하며偉大的火炬──爲Ａ·Ｍ·高爾基逝世二十周年而作」(『문예보』 제11호, 6월 15일), 두리쥔杜黎均의 「용감하게 생활에 관여하다−고리키 서거 20주년을 기념하며勇敢地幹預生活──紀念高爾基逝世二十周年」(『광명일보』 6월 16일), 차오징화의 「고리키가 우리를 지도하고 있다−고리키 서거 20주년을 기념하며高爾基在教導著我們──紀念高爾基逝世二十周年」(『인민일보』 6월 18일), 소련 작가 니꿀린의 「고리키에 관한 몇 가지 일을 추억하다回憶關於高爾基的一些事情」(『인민일보』 6월 18일), 소련 작가 프레오브라젠스키의 「위대한 작가이자 인도주의자偉大的作家和人道主義者」(『광명일보』 6월 18일) 등 기념의 글이 발표되었다.

---

19) 가오윈란, 『소성춘추』, 제316쪽, 작가출판사 1956년

18일~9월 28일, 문화부 제2기 희곡배우강습회가 베이징에서 진행되었다.

중국극협에서 고리키 서거 20주년 기념회를 개최하였다. 톈한이 「사회주의 현실주의 희극문학의 창시자 고리키社會主義現實主義戲劇文學的奠基者高爾基」라는 제목으로 보고를 진행하였다. 기념회 종료 후에 중앙희극학원에서 고리키의 희극 작품 「소시민들小市民」을, 베이징인민예술극원에서 「예고르 불리초프와 그 밖의 사람들」을 공연하였다.

19일, 『인민일보』에 제1기 전국인민대표대회 제3차 회의에서의 궈모뤄의 발언이 게재되었다. 그는 발언에서 "우리의 '백가쟁명'은 울어야(鳴) 하되 잘 울어야 하며, 다투어야(爭) 하되 잘 다투어야 한다……우리는 자유토론의 방식을 취해 사상으로써 사상을 극복하고, 이론으로써 이론을 극복해야 한다. 우리는 유해한 사상을 없애되, 유해한 사상을 가진 이를 없애서는 안 된다"라고 밝혔다. 20일, 『인민일보』에 본 회의에서의 마오둔의 발언 「문학예술공작에서의 결정적인 문제文學藝術工作中的關鍵性問題」가 발표되었다. 그는 글에서 "문학예술공작에 있어서의 중요한 문제는 질의 문제"라고 지적하며, 질의 문제의 관건은 창작 과정에서의 "개념화"와 "공식화" 폐단에 있으며, 그 근원은 "백화제방"을 관철하지 못하고 "백가쟁명"이 부족한 점에 있다고 보면서, "수많은 인민을 향해 '백화제방, 백가쟁명'의 정신을 가능한 한 알리고", "'백화제방, 백가쟁명'을 위반하는 모든 방면의 언행을 엄격히 감독"할 것을 호소하였다. 또한 "우리는 사회주의 현실주의 창작방법을 선전할 것을 제창하며, 동시에 작가들이 창작방법을 선택하는 문제에 있어 완전한 자유를 가지며, 이는 응당 자원自願의 원칙에 근거할 것을 단호히 주장한다"라고 밝혔다.

20일, 라오서가 '십오관' 전기에 근거해 각색한 경극 「십오관」이 『베이징문예』 제6호에 발표되어 제7호에 연재가 완료되었다.

27일, 허징즈의 산문 「다시 옌안에 돌아가다―어머니의 품重回延安——母親的懷抱」이 『중국청년보』에 발표되었다.

28일, 29일, 7월 5일, 중국극협에서 고전 극본 「비파기琵琶記」에 관한 토론회를 세 차례 개최하였다.

30일, 『문회보』제12호에 주광첸의 「나의 문예사상의 반동성我的文藝思想的反動性」이 발표되었다. 그는 글에서 "아름다움이란 무엇인가"라는 문제에 관해 "'아름다움은 사물에만 있지 않고, 마음에만 있지도 않다. 아름다움은 마음과 사물의 관계에 있다.' 말이 여기서 끝났다면, 나는 지금까지 아름다움에 대해 이렇게 생각하고, 아름다움에 대한 문제를 해결하기 위해서는 반드시 주관과 객관의 통일을 이루어야 한다고 생각하고 있었을 것이다"라고 밝혔다. 7월 30일, 『문예보』제14호에 황야오몐의 「금리생활자의 미학을 논하다―주광첸 미학사상 비판論食利者的美學——朱光潛美學思想批判」이 발표되어 주광첸의 대표 저서 『문예심리학文藝心理學』의 유심주의 미학관에 대해 비판하였다. 12월 1일, 『인민일보』에 차이이의 「「금리생활자의 미학을 논하다」를 평하다評<論食利者的美學>」가 발표되었다. 12월 25일, 『인민일보』에 주광첸의 「미학은 어떻게 해야 유물적인 동시에 변증적일 수 있는가―차이이 동지의 미학관점을 평하다美學怎樣才能旣是唯物的又是辯證的——評蔡儀同志的美學觀點」가 발표되어 차이이의 관점을 비평하였다. 그는 글에서 "발전이라는 관점은 아름다움에 영원히 변하지 않고, 누구에게나 옳은 기준이 존재하는 것을 용인하지 않는다. 물론, 우리는 현실주의의 기본 원칙, 즉 예술은 반드시 현실을 반영해야 한다는 원칙을 인정해야 한다. 그러나 여기서 말한 '현실'이란 자연물의 객관적 상황과 심미인審美人의 주관적 상황의 두 측면을 모두 포함해야 한다. 이 두 가지 상황은 사회가 발전함에 따라 함께 발전한다. 따라서, '예술은 현실을 반영한다'는 기본 원칙의 현실적인 내용은 사회 발전에 따라 함께 발전하는 것이다"라고 밝혔다. 1957년 1월 9일자 『인민일보』에 리쩌허우의 「아름다움의 객관성과 사회성美的客觀性和社會性」이 발표되었다. 그는 글에서 차이이와 주광첸의 관점을 모두 비평하면서, "아름다움은 인류의 사회생활이며, 현실생활 속에서 사회 발전의 본질과 규율 및 이상을 포함하면서도 감각기관을 이용해 직접 감지할 수 있는 구체적인 사회 형상과 자연 형상이다……광범위한 객관적 사회성과 생생한 구체적 형상성은 아름다움의 두 가지 기본 속성의 조건이다"라고 보았다. 이후에 『신건설』, 『철학연구』 등의 간행물에서도 본 미학 문제에 관한 토론이 전개되었다. 이 외에도 고리키, 쭝바이화, 장쿵양, 홍이란洪毅然 등의 글이 발표되었다.

『문예보』제12호에 샤오첸의 문예수필 「소품문은 어디로 갔는가?小品文哪裏去了?」가 발표되었다. 샤오첸은 소품문에 대해 "이러한 짧은 문장은 분량은 비록 적지만 질이 부족하지는 않다. 오히려 이런 글은 분량이 많은 글에 비해 의미심장하고 충만하며 감화력이 풍부하다"라고 보았다. 따라서 그는 작가들이 "주제가 중대하고 구조가 완전한 긴 글"만을 쓰지 말고, "측면에서 생활을 반영하고", "생활 속의 단편적인 인상을 묘사하는" 소품문 창작을 중시해야 한다고 호소하였다.

이달에 궈샤오촨의 시집 『뜨거운 투쟁에 투신하다』가 작가출판사에서 출간되었다. 본 시집에는 시인이 1939년에서 1955년 사이에 창작한 18편의 시가 수록되었다. 수록작의 대부분은 서사시인데, 시인의 대표작인 「어려움을 향해 진군하다向困難進軍」, 「뜨거운 투쟁에 투신하다」 등이 수록되었다. 시집의 말미에는 저자의 후기가 수록되어 시를 무기로 삼는 그의 관점에 대해 설명하였다. "'뜨거운 투쟁에 투신'하는 것은 우리의 이 시대 사람들의 장엄한 직책이며, 시는 투쟁에 복무하는 하나의 무기일 뿐이다", "인민 군중의 강대한 역량과, 새로운 생활에 대한 그들의 불꽃같은 열정은 저자에게 무한한 믿음을 주었다."

전기 이야기집 『지원군 영웅전志願軍英雄傳』이 인민문학출판사에서 출간되었다.

쉬츠의 『우리 시대의 사람我們這時代的人』이 작가출판사에서 출간되었다. 시집에는 「어느 지질 탐사대 이야기某地質勘探隊紀事」, 「용광로 위에서在高爐上」, 「라오통老佟」, 「자동차 공장 스케치汽車廠速寫」 등의 시가 수록되었다.

원이둬의 이론집 『신화와 시神話與詩』가 중화서국에서 출간되었다.

7월

1일, 『인민일보』가 편집장 덩퉈의 주도하에 개정되어 본래의 4판 형식을 8판으로 확대하였다. 제7판은 예술문화판으로, 제8판은 문학적 성격을 가진 부간으로 지정되어 현실에 대해 다루고 시대의 병폐를 지적하는 잡문을 전문적으로 게재하기로 하였다. 이번 호에는 선잔沈展의 「작가들이 잡문을 많이 쓰기를 바란다希望作家多寫雜文」 및 허치팡의 「비평과 방해批評和障礙」, 창루長路의 「재상의 뱃가죽宰相肚皮」, 마오둔의 「독립사고에 관하여談獨立思考」 등 3편의 잡문이 발표되었다. 『인민일보』의 이러한 개편은 전국에 선도적 역할을 하여, 뒤이어 『신관찰』, 『문회보』, 『신민만보』 등의 지방 간행물에서도 잡문을 게재하는 지면을 개설하였다.

사설 「독자에게致讀者」는 이번 개정을 통해 세 가지 측면에서 개선될 것임을 설명하였다. 첫째는 보도 범위의 확대로, "생활 속의 중요하고 새로운 사물—사회주의 진영과 자본주의 국가의 것, 대도시의 것과 산간벽지의 것, 건설에 직접적으로 관련된 것과 직접적인 관련이 없는 것, 유쾌한 것과 유쾌하지 못한 것을 막론하고, 인민이 신문에서 더 많은 것을 보기를 바란다면 우리는 더 많이 수집하여 더 많이 게재해야 한다". 둘째는 자유토론의 전개로, "신문은 사회의 언론기관이다.

어느 사회에서든, 사회의 구성원들은 어떠한 구체적인 문제에 대해 전부 동일한 견해를 가질 수는 없다. 당과 인민의 신문은 사회의 견해를 정확한 길로 인도할 책임을 가지고 있다. 그러나 이러한 목적을 달성하기 위해서 단순하고 강압적인 방법을 취해서는 안 된다". 셋째는 문학풍조의 개선으로, "우리는 작가들이 우리에게 원고를 보낼 때 반드시 수많은 독자들의 목소리에 주의를 기울여 글을 최대한 조리 있고, 흥미롭고, 허심탄회하면서도 훌륭한 내용으로 써서 독자들이 읽고 하품이 나오지 않도록 해 주기를 바란다".

『인민일보』에 궈모뤄의 「장엄한 교향악을 연주하자演奏出雄壯的交響樂」가 발표되었다. 그는 글에서 "오늘날의 '백가쟁명'은 사회주의를 건설하고, 더 나아가 공산주의를 건설하는 것을 우리의 주제로 삼는다. 우리는 이 주제를 둘러싸고 우리의 관현악단을 조직하여 역사상 전례 없이 웅장한 교향곡을 연주해야 한다. 만 가지 악기가 함께 혹은 겹쳐져 연주하지만 반드시 하나의 악보를 따라 연주해야 한다. 우리는 '마구 울지(亂鳴)' 않고 '함께 울어(爭鳴)'야 한다"라고 밝혔다.

『베이징일보』제3판에 허징즈의 장편 정시 서정시『목 놓아 노래하다放聲歌唱』의 제1, 2절이 발표되었다. 제3절은 7월 22일자『베이징일보』제3판에, 제4절은 9월 2일자『베이징일보』제3판에 발표되었다. 1957년 1월에 중국청년출판사에서 단행본이 출간되었다. 1959년 4월, 인민문학출판사에서 재판이 출간되어 '문학소총서文學小叢書'에 포함되었다.

『맹아』(격주간)가 상하이에서 창간되어 하화哈華가 편집장을 맡았다. 창간호에는 바진의 「청년문학 창작의 발전과 번영을 축하하며祝靑年文學創作的發展和繁榮」, 진이의 「'맹아'의 탄생을 축하하며祝"萌芽"的誕生」, 탕타오의 「새로운 '맹아'新的"萌芽"」등 세 편의 축사가 발표되었다. 본 잡지는 1960년 7월에 월간으로 변경되었으나 단 2회 출간된 후 종이 공급이 원활하지 못해 통권 98호로 폐간되었다. 1964년에 복간되어 총 31호를 출간한 후 1966년 7월, 문화대혁명이 시작된 후 다시 폐간되었다. 1981년에 다시 복간되어 하화가 편집장을 맡았다.

하화(1918~1992), 본명은 중즈젠鍾志堅으로 쓰촨성 피현郫縣 출신이다. 1938년에 옌안항일군정대학을 졸업한 후 1942년에 중국공산당에 가입하였다. 『맹아』잡지 편집장, 작가협회 상하이분회 부주석을 역임하였다. 저서로 장편소설『아사노 사부로淺野三郎』, 『밤꾀꼬리 부대夜鶯部隊』, 『고아와 고녀孤兒苦女』, 산문특필집『생명의 역정生命的歷程』, 『우정友情』, 장편 아동문학『귀신 반장과 그녀의 동료鬼班長和她的夥伴』, 『신안 여행단新安旅行團』, 『세 명의 어린 잡기 배우의 운명三個雜技小演員的遭遇』등이 있다.

『안후이문예』가 폐간되고, 월간『장화이문학江淮文學』이 허페이에서 창간되었다.

2일~5일, 전국 31개 과학 및 가회과학 학술 간행물의 편집 책임자들이 베이징에서 좌담회를 개최해 학술 간행물에서 '백가쟁명' 방침을 관철할 방법에 관해 토론하였다. 참석자들은 이 문제에 관해 첫째로 이론 영역에서 학술공작자의 용기와 창조성을 북돋우고, 학술 비평에 대해서는 이치에 맞고 실사구시적이며 서로 상의하는 태도를 제창해야 한다고 보았다. 둘째로, 학술 간행물에서 학술 토론에 대한 충분한 자유를 보장해야 하고, 논쟁 과정에서 정치 문제와 학술 문제의 경계를 명확히 해야 한다고 보았다. 학술 간행물에 유심주의에 관한 글을 게재할 수 있으며, 토론의 방식으로 유심주의에 대한 유물주의의 비평을 전개해 비평과 반비평의 자유를 보장해야 한다고 보았다. 마지막으로, 참석자들은 학술 간행물에서 학술 공작자들이 이론적으로 국가 정책을 논술한 글을 게재해, 국가가 정책을 시행하는 과정에서의 구체적인 조치 혹은 공작에 드러나는 결점에 대해 의견과 비평을 제시할 수 있어야 한다고 건의하였다.

3일, 『광명일보』에 "문학연구와 창작은 '백화제방, 백가쟁명'해야 한다文學研究和創作要'百花齊放, 百家爭鳴'"라는 제목으로 '백화제방, 백가쟁명' 문제에 관한 우쭈샹, 유궈언, 중징원, 무무톈의 견해가 발표되었다. 문학창작의 소재 문제에 관해 우쭈샹은 "소재 문제에 있어서는 주된 것과 부차적인 것의 차이가 존재한다. 공농병과 생산에 관한 소재가 주된 것이다. 그러나 공인에 대해 창작할 때 공장만을 쓸 필요는 없고, 생산에 한정되어서도 안 되며, 여러 가지 관점에서 창작해야 한다. 또한, 사회에는 여전히 지식분자와 자본가 등 계급이 존재한다"라고 보았다.

무무톈은 "사회주의 현실주의 창작 노선은 정확한 것이다. 그러나 이 노선은 내부적으로 큰 탄성을 가지고 있어 변화가 매우 크다. 누구나 자신의 선명한 특색과 개성을 가지고 있어야 한다. 과거에 시가 창작에 있어 혹자는 가요체를, 혹자는 격률시를 주장하였다. 이 형식들은 모두 훌륭하지만, 시인들은 각자 자신의 형식에 따라 시를 썼다. 각자 장점과 단점이 있는데 어째서 모두 같을 것을 요구하는가?"라고 보았다. 번역 문제에 관해 무무톈은 "번역 작품은 중국의 문학창작과 마찬가지로 그 나름의 풍격을 가져야 한다. 그러나 일부 교정 공작자들은 자신의 격식을 사용하기를 좋아한다. 때문에 교정된 작품은 같은 틀에서 찍혀 나온 것처럼 오류는 적으나 생동감을 잃는다"라고 보았다. 전문가들은 또한 신문과 출판사들이 활기를 가져야 하며, 편집공작을 할 때 자신의 선호에 따라 글을 고쳐서는 안 된다고 호소하였다.

문화부 출판사업관리국에서 「장정 설계 공작에 대한 지도 강화 및 공작조건 등의 대우 개선에 관한 통지關於加强對裝幀設計工作的領導和注意改善工作條件等待遇的通知」를 발포하여 앞으로 출판국과 출판사에서 서적의 장정공작을 중시해야 하며, 해당 공작에 대한 지도를 강화해야 한다고 지시하였다.

4일, 『인민일보』에 쉬츠의 산문 「돌아오다歸來」가 발표되었다.

5일~15일, 고등교육부가 베이징에서 고등교육기관의 문학 및 사학과 교육 개요 심의 수정 회의를 소집하였다. 『광명일보』(7월 18일)의 보도에 따르면, 본 회의에 고등교육기관에서 중국문학을 강의하는 교수들 및 고전문학을 연구하는 전문가들이 모여 '중국문학사'의 교육 개요를 심의 및 수정하고, 중국문학사의 집필, 강의, 작가연구, 작품분석 등의 문제에 대해 토론을 진행하였다. 토론 과정에서 참석자들은 열정적으로 의견을 제시하고 토론을 전개하였다.

5일, 충칭작가협회에서 편찬한 『시난문예』가 명칭을 『홍암紅岩』으로 변경하고 발간 주기를 격월간으로 바꾸었다. 창간호에 궈모뤄의 시 「홍암 예찬贊紅岩」가 발표되었다.

7일, 『해방일보』 편집부와 상하이작가협회가 합동으로 좌담회를 소집하여 '백화제방, 백가쟁명' 방침에 관해 토론하였다. 쿵링징孔另境, 푸레이, 류진, 야오원위안, 쉬제, 왕뤄왕, 탕타오 등 30인이 참석하였다. 『해방일보』에서는 11일, 12일, 15일자에 참석자들의 발언을 게재하였다.

쿵링징(1904~1972), 본명은 쿵링쥔孔令俊, 자는 뤄쥔若君이며 필명은 둥팡놘東方暖, 쥔위君玉 등이다. 저장성 퉁샹桐鄕 출신이다. 1922년에 상하이대학 중문과에 입학해 스저춘, 다이왕수와 함께 수학하였다. 1925년에 졸업한 후 같은 해에 중국공산당에 가입하였으며 북벌혁명에 참가하였다. 1929년에 체포되었다가 루쉰 등에 의해 보석으로 석방되었다. 이후에 상하이에서 전문 창작에 종사하였으며 희극운동에 참여하였다. 1945년에 일본 헌병에 의해 체포되었다가 종전 후에 석방되었다. 공화국 성립 후에는 산둥 치루대학齊魯大學 중문과 교수, 춘밍출판사春明出版社 편집장, 상하이문화출판사上海文化出版社 편집자 등을 역임하였다. 문화대혁명 기간에 박해를 받아 사망하였다. 저서로 수필집 『부성집斧聲集』, 잡문집 『추창집秋窗集』, 『횡미집橫眉集』(합동 창작), 산문집 『용원집庸園集』, 『쿵링징 산문선孔另境散文選』, 극본 『이태백李太白』, 『침상기沉箱記』, 『춘추원春秋怨』, 『풍환소風還巢』, 『고혹蠱惑』 및 『청년 창작 강화靑年寫作講話』 등이 있다.

8일, 『문예학습』 제7호에 류사허의 소설 「고추와 벌꿀辣椒和蜜糖」, 짱커자의 「원이둬의 애국주의 시편聞一多的愛國主義詩篇」이 발표되었다.

『인민문학』 제7호 '창작담'란에 샤오예무의 「'백화제방, 백가쟁명' 소감"百花齊放，百家爭鳴"有感」

이 발표되었다. 샤오예무는 글에서 1951년에 그의 소설과 그 본인에게 가해졌던 비판이 "완전히 타당하지 못한 부분이 있다"면서, "나는 적을 대하는 '일격필살'의 느낌이 다소 있었다고 생각한다"라고 밝혔다. 샤오예무는 "문예비평을 경솔하게 작가에 대한 인신공격적이며 정치적인 비평으로 바꾸지 말" 것을 제창하였다. 같은 호의 '창작담'란에는 이 외에도 추원의 「애정에 관하여談愛情」가 발표되었다. 그는 글에서 현재 작품에 나타나는 상투적이고 '냉랭한' 애정 묘사를 비평하였다. 그는 "사람의 생활이란 결국 다방면적인 것이며, 사람의 감정 세계란 결국 다양한 것이다. 사람은 아침부터 밤까지, 심지어 밤부터 아침까지 내내 노동과 투쟁에 종사할 수는 없다"라고 지적하면서, "모든 문학작품 속의 애정 묘사가 반드시 사회의 주된 모순 및 투쟁과 직접적으로 연관되어야 한다고 말할 수는 없다. 짧은 목가나 서정시라 할지라도, 이 작품에서 묘사하는 애정이 건강하고, 진지하고, 아름다운 것이라면, 이 작품이 사회생활의 다른 측면을 거의 언급하지 않는다 하더라도 마찬가지로 독자에게 아름다운 느낌을 줄 수 있으며, 그 가치를 반드시 긍정해야 한다"라고 보았다.

『인민문학』 같은 호에 왕위안젠의 단편소설 「양식 이야기糧食的故事」와 리이李易의 특필 「판공청 주임辦公廳主任」이 발표되었다.

9일, 『인민일보』에 선충원의 산문 「톈안먼 앞에서在天安門前」가 발표되었다.

『희극보』 제7호에 본지 사설 「유산을 발굴 및 정리하고, 상연 작품을 풍부하게 하자發掘整理遺産, 豐富上演劇目」가 발표되었다. 사설은 "희곡은 복잡한 예술 현상이다. 희곡 유산의 큰 부분은 구두문학의 형식으로 보존되어 왔다. 때문에 손상되기가 매우 쉬우므로 반드시 보호해야 한다"라고 밝혔다. 같은 호에 톈한의 「반드시 예인의 생활에 진지하게 관심을 가지고 개선해야 한다必須切實關心並改善藝人的生活」가 발표되었다. 그는 글에서 "예인 생활의 개선 문제는 희곡예술 개선, 우수한 작품 발굴, 극본의 창작 및 각색의 번영 문제와 밀접한 관련이 있다"라고 지적하면서, 예인의 어려운 생활에 관심을 가지지 않는 것은 "전통을 존중하지 않고, 이러한 '살아 있는 유산'을 경시"하는 태도라고 보았다.

10일, 『쓰촨문예』가 월간 『초지草地』로 명칭을 변경하였다.

10일~20일, 신화서점 본점에서 농촌도서 발행 공작 회의農村圖書發行工作會議를 소집해 농촌도서 발행 공작 상황을 반성하였다.

14일, 『인민일보』에 마오둔의 잡문 「'명'과 '쟁'에 대한 작은 의견對於"鳴"和"爭"的一點小意見」이 발표되었다. 그는 글에서 "'백가쟁명'의 방침 아래 우리는 이미 '가家'가 된, 그리고 아직 '가'가 되지 않은 이들이 모두 나서서 쟁명하는 모습을 보기를 희망한다. 우리는 쟁명이 가능한 모든 분야를 무조건적으로 개방하기를 바란다", "다른 한편으로, 우리는 또한 무릇 '명'하는 이들이 반드시 그 말에 이치가 있고 주장에 근거가 있기를 바란다", "'명'하는 자는 엄숙한 책임감과 실사구시의 태도를 가져야 한다. 무릇 '명'하는 모든 이들은 또한 오늘날의 과학이 이미 이룩한 공인된 성과에 위배되지 않아야 한다"라고 밝혔다. 24일, 바진은 『인민일보』에 「'명'하자"鳴"起來吧」와 「독립사고'獨立思考」 등 두 편의 잡문을 발표하여 마오둔의 글에 호응하였다.

『인민일보』에 「유산을 비판적으로 수용하자批判地接受遺産」가 발표되어 베이징시 희곡편도위원회戲曲編導委員會에서 발굴하여 정리 및 공연한 경극 「낙마호落馬湖」와 「일봉설一捧雪」을 소개하였다.

15일, 『문예보』 제13호에 문화부 제1차 전국희곡극목회의全國戲曲劇目會議에서의 장경의 연설 「전통 희곡 작품의 사상적 의의를 정확히 이해하자正確理解傳統戲曲劇目的思想意義」가 발표되었다.

『변강문예』 제7호에 사설 「각 민족의 적극적 요소를 동원하여 백화제방, 백가쟁명을 실현하자調動各民族積極因素, 實現百花齊放, 百家爭鳴」 및 쉬화이중의 단편소설 「해바라기 열다섯 송이十五棵向日葵」가 발표되었다.

15일, 월간 『신항新港』이 톈진에서 창간되었다. 창간호에는 왕위안젠의 단편소설 「쪽지 세 장三張紙條」, 류사오탕의 단편소설 「개인적 방문기私訪記」, 아이칭의 시 「색지 위에 쓴 시寫在彩色紙條上的詩」, 린진란의 극본 「토마토西紅柿」가 발표되었다.

중국민주동맹 중앙위원회에서 리궁푸李公樸, 원이둬 순국 10주년 기념회를 개최하였다. 『인민일보』, 『광명일보』, 『인민문학』과 『문예학습』 제7호 등 여러 대형 신문에 원산聞山의 「내게 걷는 법을 가르쳐 준 사람─원이둬 선생 서거 10주년을 추모하며教我學步的人──聞一多先生逝世十周年祭」(『인민일보』 7월 14일), 천멍자陳夢家의 「원이둬 선생을 추모하며悼聞一多先生」(『광명일보』 7월 14일), 원리허聞立鶴의 「나의 아버지를 추억하며─원이둬 선생懷念我的父親──聞一多先生」(『광명일보』 7월 14일), 짱커자의 「원이둬의 시─이둬 선생 서거 10주년을 기념하며, 삼가 이 글을 올립니다聞一多的詩──謹以此文, 紀念一多先生逝世十周年」(『인민문학』 제7호, 7월 8일) 등 기념의 글이 여러 편 발표되었다.

천명자(1911~1966), 저장성 상위 출신이다. 1931년에 난징중앙대학南京中央大學 법학부를 졸업하였다. 청년기에 원이둬와 쉬즈모의 시가 이론에 큰 영향을 받아 신월파의 중요 시인으로 활동하였다. 이후에 대학 교수로 근무하였다. 공화국 성립 후에 칭화대학 문물진열실文物陳列室 주임, 중국과학원 고고연구소 연구원, 『고고통신考古通訊』 부편집장을 역임하였다. 1957년에 우파로 오인되었으며 1966년에 박해를 받아 사망하였다. 저서로 시집 『멍자 시집夢家詩集』, 『철마집鐵馬集』, 전문 저서 『은허 복사 총론殷墟葡辭綜述』 등이 있다.

중화전국총공회와 중국작가협회에서 제1차 작가 참관단을 조직해 쿵뤄쑨孔羅蓀, 뤄지난, 천보추이, 천찬원, 왕징즈, 저우제푸 등 24인이 베이징을 출발해 둥베이의 중요 공업 및 광산 지역인 선양, 창춘, 하얼빈, 푸순撫順, 안산鞍山, 뤼다旅大 등지를 참관하였다. 제2차 참관단 20여 명은 8월에 출발해 다퉁, 타이위안, 뤄양 우한, 상하이, 항저우 등지를 참관하였다. 작가 참관단의 조직 목적은 더욱 많은 작가들을 모집해 공업건설을 소재로 한 작품을 창작하게 하는 것이다.

20일, 『베이징문예』 제7호에 장즈민의 단편소설 「라오주와 집주인老朱和房東」이 발표되었다.

21일, 『인민일보』 제7판에 평론가의 글 「'백가쟁명' 약론略論"百家爭鳴"」이 발표되었다. 그는 글에서 "우리는 '잘 울어야 한다'는 것은 합리적인 바람이기는 하지만, 이를 규제로 삼을 필요는 없다고 본다. 백가쟁명의 전체적인 효과로써 학술의 번영을 촉진하고, 문화의 진보를 추진할 수만 있다면 '잘' 운 것이다", "우리가 '쟁명'하는 이들에게 요구하는 것이 단 한 가지이다. 바로 엥겔스가 비평한 것처럼 과학의 자유를 '사람들은 그들이 연구한 적 없는 모든 것에 대해 쓸 수 있다'는 말로 이해하지 않고, 진정한 학술 연구를 하는 것이다"라고 지적하였다. 백가쟁명에서의 마르크스주의의 지위 문제에 대해서는 "우리는 변론 유물주의를 주장하며, 사람들이 변증유물주의의 관점과 방법을 학습하고 운용할 것을 제창한다. 그러나 우리는 다른 이들이 변증유물주의를 의심하고 비평할 자유 역시 주장한다"라고 밝혔다.

23일, 『인민일보』에 구위의 보고문학 「방화기를 건 후掛起了防火旗以後」가 발표되었다.

『민간문학』 제7호에 위성쑨餘繩孫이 번역하고 류랴오이劉遼逸가 교정한 소련 작가 코르스니츠카야科列斯尼茲卡婭의 「베린스키가 민간문학을 논하다別林斯基論民間文學」가 발표되었다.

25일~8월 16일, 중국광파사업국中央廣播事業局 제4차 전국광파공작회의全國廣播工作會議가 베이징에서 진행되었다.

『버나드 쇼 희극선蕭伯納戲劇選』과 『입센 희극선易蔔生戲劇選』 양장본이 인민문학출판사에서 출간되었다. 신판 『버나드 쇼 희극선』에는 「워렌 부인의 직업華倫夫人的職業」, 「참령 바바라巴巴拉少校」 등이 수록되었으며 신판 『입센 희극선』에는 『사회의 지주社會支柱』, 『인형의 집玩偶之家』, 『민중의 적人民公敵』 등이 수록되었다. 27일, 국내외 희극계 및 각계 인사 1,000여 명이 베이징에 모여 버나드 쇼 탄생 100주년 및 입센 서거 50주년 기념행사를 거행하였다. 마오둔이 개회사를 하고, 톈한이 「위대한 현실주의 희극의 대가들로부터 배우자向偉大的現實主義戲劇大師們學習」라는 제목의 보고를 진행하였다. 『인민일보』, 『광명일보』, 『해방일보』, 『역문』 등에 양셴이의 「버나드 쇼─자산계급 사회의 해부가蕭伯納──資産階級社會的解剖家」(『인민일보』 7월 26일), 정전둬의 「버나드 쇼 탄생 100주년을 기념하며紀念蕭伯納誕生一百周年」(『광명일보』 7월 27일 제2판), 차오웨이펑曹未風의 「버나드 쇼의 창작노선蕭伯納的創作道路」(『해방일보』 7월 26일), 숭포시의 「입센의 생애와 그 예술易蔔生的生平及其藝術」(『해방일보』 8월 2일) 등 기념의 글이 여러 편 발표되었다.

26일, 차오위와 양쉬가 인도에서 열린 아시아작가회의 준비회의에 참석하였다. 31일, 아시아작가회의 준비회의에 참석한 미얀마, 중국, 인도, 한국, 네팔, 베트남 대표들이 기념 연회에 참석하였다. 연회에서 아시아 각국 작가들에게 보내는 호소문이 발표되어 아시아 지식분자 사이의 연계를 강화할 것을 호소하였다.

28일, 중국청년예술극원에서 입센의 「노라娜拉」를 공연하였다. 우쉐가 감독을 맡았으며, 특별히 노르웨이의 희극가 캐더린蓋達琳 부인을 예술고문으로 초빙하였다.
『인민일보』에 덩퉈의 보고문학 「'포도상'을 방문하다訪"葡萄常"」가 발표되었다.

30일, 중국경극원, 메이란팡 극단, 중국가무단으로 구성된 중국예술단이 단장 추투난의 인도하에 출발하여 칠레, 우루과이, 브라질, 아르헨티나 4개국을 방문해 공연을 진행하였다.

이달에 『문예보』 제14호(7월 30일)의 보도에 따르면, 최근 2개월간 중국작가협회에서 여러 차례의 회의를 소집하여 문학 영역에서 '백화제방, 백가쟁명' 방침을 관철할 방법에 대해 연구하였다. 두 차례의 주석단 확대회의를 통해 본 방침의 시행 방법에 관해 중점적으로 토론해 마오둔, 저우양, 라오서, 펑쉐펑, 사오취안린, 우쭈샹, 짱커자, 옌원징 등이 발언하였다. 이들은 최근 수년간

문예작품의 소재 범위가 좁고 빈약하고, 창작 풍격이 충분히 다양화되지 않았으며, 문예 토론 방면에도 자유 토론의 분위기가 부족하다고 보았다. 이러한 현상은 일부 객관적인 원인 외에도 더 크게는 과거에 '문예는 공농병을 위해 복무한다'는 방침 및 사회주의 현실주의 창작방법에 대한 이해에 교조주의적인 단편성이 존재했기 때문에 발생한 것이라고 보았다.

중국작가협회 창작위원회의 소설산문조, 시가조, 아동문학조, 이론비평조에서 각기 회의를 진행하였다. 친자오양은 창작방법은 작가의 창작 실천 속에서 창조되는 것으로, 다른 누구도 이를 한 가지로 규정할 수 없다고 지적하였다. 작가 장헌수이는 문예작품의 소재 범위는 한없이 넓어야 하며, 신사회를 찬양할 수도 있고 구사회를 비판할 수도 있다고 보았다. 아동문학 작가들은 불합리한 규율이야말로 아동문학 창작이 번영하지 못하는 주된 원인 중 하나라고 지적하면서, 아동문학 작품은 물론 교육가의 관점과 방법을 통해 창작해야 하지만, 아동에 대한 문학작품의 교육적 역할과 학교의 교육을 동일시해서는 안 된다고 보았다. 문예이론 비평가들과 작가들은 최근 수년간의 문예비평공작에 대해서도 날카롭게 비평하였는데, 문제는 문예이론비평의 무기를 적절하게 장악하고 운용하지 못한 데 있다고 보면서, 흔히 보이는 문예이론 비평의 글에서는 작품의 정치적 내용에 대한 평가에 치중하고 예술적인 측면에서의 구체적인 분석은 부족하다고 지적하였다.

공산주의청년단 상하이시위원회, 중국작가협회 상하이분회, 소년아동출판사에서 소학교 및 중학교의 교사와 지도원을 중심으로 하는 아마추어 아동문학 연구소조를 조직하여 반년간 연구를 진행하였다. 예이췬葉以群이 「고리키가 아동 도서와 아동문학을 논하다高爾基論兒童讀物和兒童文學」, 웨이진즈가 「아동에 대한 루쉰의 견해魯迅對兒童的看法」라는 제목으로 강의하였고, 리량민李俍民이 판텔레예프의 「시계表」를 분석하였으며, 리추청李楚城이 「현재 아동문학 창작에 존재하는 몇 가지 문제當前兒童文學創作中的幾個問題」, 바오레이包蕾가 「동화, 민간고사, 그리고 우화童話、民間故事和寓言」라는 제목으로 강연하였고, 런더야오가 극본 「마셴카馬申卡」를 분석하였다. 강의와 토론 외에도 창작활동을 진행하였다.

왕위안젠의 단편소설집 『당비』가 공인출판사에서 출간되었다. 1958년 12월에 인민문학출판사에서, 1980년 해방군문예출판사解放軍文藝出版社에서 출간되었다.

사오옌샹의 시집 『먼 곳으로 가다到遠方去』의 재판이 작가출판사에서 출간되었다. 본 시집은 『베이징성을 노래하다歌唱北京城』와 『먼 곳으로 가다』 등 시집 두 권의 합본으로, 재편집 과정에서 시 7편을 빼고 3편을 추가해 총 30편을 수록하였다. 이 시들은 시인이 1949년에서 1954년 사이에 창작한 것으로, 창작 시기순으로 보면 「베이징성을 노래하다」, 「변경에서 베이징까지從邊疆到北京」, 「먼 곳으로 가다」, 「알바니아에 보내다寄給阿爾巴尼亞」 등의 시를 수록하여 건국 초기 인민의 정신적 면모를 표현하였다.

중국청년출판사에서 편찬한『청년작품평론집青年作品評論集』(제1집)이 출간되었으며 8월에 제2집이 출간되었다. 본 평론집에는 공화국 성립 후에 출현한 청년작가에 대한 평론 40여 편을 수록하였는데, 리준, 페이리원, 후완춘, 류사오탕 등에 대한 평론이 수록되었다.

베이징공인출판사에서 편찬한『공인문예창작선집工人文藝創作選集(1955년)』이 출간되었다.

'쌍백' 방침의 격려하에 희극이론과 희극작품에 관한 토론이 활발히 전개되었다. 베이징시 희곡편도위원회는 전통 희곡 작품을 발굴 및 정리하기 위해「사랑탐모四郎探母」,「악호촌惡虎村」등 18개 구(舊)경극 작품을 선정해 저명한 배우들이 시연하게 한 후 좌담회를 소집하였다. 좌담회 참석자들은 베이징시의 상연 작품이 부족한 상황은 과거에 전통 작품의 발굴 및 정리 공작을 충분히 중시하지 않았던 것과 관련이 있다고 보았으며, 더 중요한 것은 이 분야에 '불합리한 규율'이 존재하는 것이라고 보았다. 일부 작품에는 비록 결점이 존재하지만 수정을 거친다면 공연할 수 있다고 보았다. 참석자들은 앞으로 매달 두 차례의 전통 작품 시연 만찬회를 가지기로 잠정 결정하였다.

각지에서 '귀신극鬼戲'에 관한 토론이 전개되었다. 올해 하반기부터 상하이『신민만보』에서 '귀신극' 문제에 관한 토론이 전개되어 30여 편의 글이 발표되었다. 이 가운데 '귀신극'에 반대하는 의견은 소수로 학술계의 주목을 받지 못했다. 대다수는 '귀신극'을 상연해도 무방하다고 보았다. 그 주된 이유는 네 가지이다. 첫째, 귀신이라는 관념은 객관적으로 존재하며, 대부분의 귀신극은 적극적인 의의를 가지고 있다. 둘째, 귀신극은 문학 영역 속의 특수한 소재로, 귀신극과 신화극을 차별하지 않아야 한다. 셋째, 귀신극 속에는 훌륭한 예술적 표현이 포함되어 있어, 사소한 부분 때문에 그 예술적 가치를 손상해서는 안 된다. 넷째, 신중국 성립 후에 무신론이 널리 퍼져 인민의 사상적 인식이 대대적으로 제고되었으므로 귀신극을 공연해도 해가 없다.

베이징전영학교北京電影學校가 베이징전영학원北京電影學院으로 개편되었다.

8월

1일, 중국작가협회 상하이분회 창작위원회 시가조에서 좌담회를 소집하여 '백화제방, 백가쟁명' 방침하에서 중국시의 민족 전통을 어떻게 대할 것인가 하는 문제에 관해 토론하였다. 5일,『광명일보』에 주치朱契의 「시사가부의 전통 계승 문제를 논한다略論繼承詩詞歌賦的傳統問題」가 발표되었다. 그는 글에서 "민족형식인 시사가부詩詞歌賦를 이용해 사회주의 문화를 노래하는 일은 완전히 가능하다"라고 보았다. 이 글은 발표된 후 광범위한 토론을 야기하였다. 9월 23일, 『광명일보』에 청원빈曾文斌의 「「시사가부의 전통 계승 문제를 논한다」에 대한 의견對<略論繼承詩詞歌賦的傳統問題>一文的意見」이 발표되어 주치의 관점에 대한 반대 의견을 제시하였다.

11월 24일, 『광명일보』에 주광첸의 「신시는 구시에서 무엇을 배울 수 있는가?新詩從舊詩能學習得些什麼?」가 발표되었다. 그는 글에서 "만약 신시가 역사를 단절시키지 못하고, 신시에도 음률이 필요하며, 이 음률 역시 인민들 속에 '뿌리'를 내릴 수 있는 공통의 기초가 되어야 한다면, 우리는 반드시 수천 년을 이어져 온 중국 구시의 음률 기초로부터 배워야 한다"라고 보았다. 주광첸의 글이 발표된 후 토론이 전개되었다. 12월 8일, 『광명일보』에 청원빈의 「시의 새로운 형식 창조를 논한다論詩的新形式的創造」가 발표되었다. 그는 글에서 "새로운 형식의 창조는 복잡한 문제로, 마찬가지로 시인이 창작 실천 속에서 해결해야 할 문제이다. 그러나 한 가지 긍정할 수 있는 점은, 새로운 형식은 반드시 시가의 발전 추세를 따라 현대 구어의 기초 위에서 탄생해야 하며, 과거의 5언, 7언 시에서 활로를 찾을 수 없고, 찾아서도 안 된다는 것이다"라고 지적하였다.

12월 15일, 『광명일보』에 본지 기자의 취재 기사 「궈모뤄가 시가 문제를 말하다郭沫若談詩歌問題」가 발표되었다. 궈모뤄는 "신시는 바깥으로부터 영향을 받는 동시에, 이로 인해 중국 시가의 전통을 버리지는 않았다", "우리의 견해는 작가들이 반드시 겸허한 태도로 고전의 우수한 시가와 외국의 작가들을 모두 보고 배워 우리 신시의 성과를 충실하게 해야 한다는 것이다. 비평가들 역시 보다 겸허한 태도로, 비판 없이 전면적으로 긍정하지도 말고, 비판 없이 일률적으로 말살하지도 않기를 바란다"라고 밝혔다. 이후에 『광명일보』 기자는 시가 창작 및 시가 전통 문제에 관해 더 많은 시인과 작가, 학자들을 취재하였다. 12월 22일, 『광명일보』에 「시가 문제에 대한 의견對詩歌問題地意見」이라는 제목으로 이들의 발언 기록이 게재되었다.

『창장문예』 제8호에 야오쉐인의 「불합리한 규율 타파에 관하여談打破淸規與戒律」가 발표되었다. 그는 글에서 "불합리한 규율이란 모두 주관적이고 단편적인 것들이다. 따라서 이 규율들은 언제 어디서든 속박하고 억압하고 공격할 수 있으며, 또한 사람, 사건, 지역으로 인해 다른 방식으로 출현하기도 한다", "교조주의와 보수 사상이 존재하는 곳에는 반드시 불합리한 규율이 존재한다. 따라서 불합리한 규율은 우리 모두의 마음속에 정도의 차이는 있으나 전부 존재한다. 그러나 일반적으로 보아, 편집자와 비평가, 그리고 문학창작 조직 및 지도에 종사하는 동지들은 일반인들보다 더욱 쉽게 불합리한 규율의 지배를 받게 된다"라고 지적하였다.

『인민일보』에 바이화의 보고문학 「뤄양의 등불洛陽燈火」이 발표되었다.

5일, 『해방일보』에 류진의 「감정과 이치에 관하여談情理」가 발표되었다. 그는 글에서 "문학작품은 물론 이치에 맞아야 하지만, 또한 반드시 감정에도 맞아야 한다. 정과 이 두 글자는 떼려야 뗄 수 없다", "우리의 일부 젊은 친구들은 사람의 감정을 소홀히 한다. 그들이 묘사하는 긍정적 인물은 감정이 없는, 심지어 지각이 없는 괴인이 된다", "분명한 것은, 정상적인 감정과 인정을 위반한 작품은 사람을 감동시키는 힘이 없으며, 독자를 교육할 수도 없다는 것이다"라고 지적하였다.

6일, 『인민일보』에 루하오陸灝의 보고문학 「남극 해안─남극에서 돌아온 '어비호'를 취재하다 南極岸邊──訪問從南極歸來的"鄂畢號"」가 발표되었다.

8일, 『문예학습』 제8호에 허즈의 단론 「'첨예' 풍조에 관하여談"尖銳"之風」가 발표되었다. 그는 글에서 "입만 열면 남을 '개인주의'라고 비판하고, 펜만 들면 남을 '소자산계급'이라고 비판하고, 이치를 따지는 대신 상대를 경멸하고, 누명을 씌우는 것을 투쟁이라 착각하고, 선의의 비평 대신 정치적인 평가를 하는 이러한 풍조를 나는 '첨예'의 '풍조'라 칭한다"라고 밝혔다. 당시의 여러 출판사에서 『수당연의隋唐演義』, 『평요전平妖傳』, 『사유기四遊記』 등 각종 고대소설의 재판을 출간한 일에 대해 『문예학습』 같은 호에 상하이고적출판사의 양후陽湖의 「어째서 이 고대소설들을 다시 출간해야 하는가?爲什麼要重新出版這些古代小說?」를 게재하여 재판 출간의 원인과 목적을 설명하였다. 양후는 글에서 "이 책들은 비록 그 가치가 『삼국연의』, 『서유기』, 『수호전』 등의 유명 소설들에 비해 덜하기는 하나, 그럼에도 중국 고대소설 가운데 비교적 우수한 작품으로, 기본적으로 인정할 만하며 읽을 만한 책이라 할 수 있다"라고 설명하면서, 또한 "오늘날에 말하자면, 조국의 문학유산의 일부이면서 어느 정도의 교육적 의의를 가진 작품이라면 모두 보존할 수 있다. 이 소설들은 모두 루쉰의 『중국소설사략』에 서술된 소설들이기도 하다"라고 밝혔다. 이 외에도 자오수리의 단편소설 「태도를 밝히다表明態度」가 발표되었으며 캉쥐의 장문 『창작 만담創作漫談』의 연재가 시작되어 제11호에 완료되었다. 캉쥐의 단행본은 1957년 4월에 중국청년출판사에서 출간되었다.

8일, 『인민문학』 제8호 '창작담'란에 왕뤄왕의 「문학창작에 나타난 당의 지도 간부 형상에 관하여關於文學創作中黨的領導幹部形象」가 발표되었다. 그는 글에서 "그들을 공기가 없는 밀실 속에 집어넣지 말고, 진실한 생활 속에서 표현해야 한다. 생명이 '당의 지도 역할을 정확히 표현해야 한다'는 등의 공허한 교조주의에 따라 당의 지도 간부를 묘사할 것이 아니라, 예술 창작의 규율을 준수해 그들을 표현해야 한다"라고 보았다.

이 외에도 리펑李鳳의 「'결혼'으로부터 이야기를 시작하다從"結婚"說起」가 발표되었다. 리펑은 글에서 작가들이 인물의 사랑과 혼인을 묘사할 때 나타나는 문제에 관해 지적하면서, "우리의 문학은 사람과 사회의 관계를 묘사해야 한다……이 주제를 둘러싼 소재는 대단히 풍부하다. 새로운 인물과 사건을 묘사할 수도 있고, 역사 소재에 관해 쓸 수도 있으며, 생기 넘치는 혁명 청년에 관해서도, 궁지에 몰린 사회의 쓰레기에 대해서도 묘사할 수 있다. 비극으로 창작할 수도, 희극으로 창작할 수도 있다. 결코 이처럼 중대한 사회적 의의를 가진 주제를 '결혼은 생산에 영향을 끼쳐서는 안 된다' 혹은 '결혼을 해도 생산을 잊어서는 안 된다'는 등의 협소하고 단조로운 범위에만 국한해서는 안 된다"라고 호소하였다.

9일, 딩링이 중앙선전부 당위원회에 「변정서辯正書」, 「중대한 사실의 변정重大事實的辯正」, 「변정 자료의 보충辯正材料的補充」 등 세 가지 자료를 제출하여 자신을 변호하였다.[20] 17일, 딩링은 중앙선전부 기관 당위원회 서기인 리즈롄李之璉에게 보낸 서신에 두 가지 자료를 첨부하였다. "하나는 저우양 동지에 대한 저의 의견과 외부에 전해지는 『태양은 쌍간강에서 빛난다』의 출판 문제에 대한 저의 의견을 설명한 것입니다. 다른 하나는 중앙선전부 당위원회에 보내는 서신입니다. 주된 내용은 작년에 열린 작가협회 당조 확대회의가 제게 준 인상과 영향에 관한 것입니다."[21]

『희극보』 제8호에 장전의 「상연 작품 확대에 관하여關於擴大上演劇目」가 발표되었으며, 『남방일보南方日報』에 평론가의 글 「희곡예인을 존중하고, 극단과 예인의 합법적인 권익을 보장하자尊重戲曲藝人, 保障劇團和藝人的合法權益」가 전재되었다.

중국작가협회 쿤밍분회에서 세 개의 조사조를 조직하여 각각 윈난 홍장紅河, 다리大理, 쓰마오思茅, 리장麗江 등으로 가서 태족傣族, 백족白族, 이족彝族, 납서족納西族, 하니족哈尼族 등에 대한 문학 상황을 조사하였다.

10일, 저우양이 중국작가협회 문학강습소에서 「현재 문예창작에 존재하는 몇 가지 문제에 관하여關於當前文藝創作上的幾個問題」라는 제목으로 연설하였다. 그는 연설에서 '쌍백' 방침의 실행을

20) 저우량페이, 『딩링 전기丁玲傳』, 제44~68쪽, 베이징시월문예출판사北京十月文藝出版社 1993년
21) 위의 책, 제22쪽

방해하는 주된 장애물에 관해 "……몇 가지가 훼방을 놓고 있다. 교조주의, 종법주의, 그리고 마지막으로 지도 측면에서 문학예술에 대해 취하고 있는 행정적 방식이다"라고 보았다.[22] 사회주의 현실주의라는 구호를 철회해야 하는가 하는 문제에 대해서는 "사회주의 현실주의라는 구호는 철회해서는 안 된다. 사회주의 현실주의는 인민예술 발전의 새로운 방향이다……우리의 문학이 사회주의적이며 현실주의적이라는 것을 긍정하는 문제에 있어 우리는 전혀 주저하지 않는다"라고 밝혔다.[23]

저우양은 또한 전형 문제에 관해서도 언급하였다. "개인주의에 반대한다는 이유로 개성마저 반대하고, 집단주의를 강조한다는 이유로 개인의 일을 전부 소홀히 하고, 당성만을 인정하고 개성을 인정하지 않는 것, 어쩌면 이것이 최근 몇 년간의 우리의 실제 경향이라 할 수 있다. 이러한 경향은 많든 적든 문학작품에 반영되어 공식화 현상을 야기하였다……개인의 이익은 집단의 이익에 복종해야 하지만, 개인의 이익을 완전히 제거할 수는 없다."[24] 행정 지도 방식 문제에 관해서는 "종합하면, 지도 측면에서 교조주의와 종법주의를 제거하고, 행정적 방식을 제거해야 한다. 전형 문제나 전통 문제와 같은 여러 문제는 다 같이 자유롭게 토론하도록 해야 한다. 단시간에 결론을 내지 못한다 해도 상관없다"라고 밝혔다.[25]

『인민일보』에 런후이任晦(샤옌)의 잡문 「'페이밍론' 존의"廢名論"存疑」가 발표되었다.

10일~20일, 신화서점 본점에서 농촌도서 발행 공작 회의를 소집해 농촌도서 발행 공작 상황을 반성하였다.

14일, 『중국청년보』에 저우쭤런(필명 저우치밍周啟明)의 회고문 「루쉰의 청년시절魯迅的青年時代」 제1편 「이름과 별호名字與別號」를 시작으로 8월 21자에 「피난避難」, 9월 4일자에 「새 책을 사다買新書」, 10월 12일자에 「화첩을 옮겨 그리다影寫畫譜」, 10월 25일자에 「약방과 전당포藥店與當鋪」가 연재되었다. 1957년 3월, 『루쉰의 청년시절』이라는 제목으로 중국청년출판사에서 단행본이 출간되었다.

15일~16일, 지린성 옌볜조선족자치주延邊朝鮮族自治州 문예계에서 중국작가협회 제2차 이

---

22) 저우양, 『저우양 문집』 제407쪽, 인민문학출판사 1985년
23) 위의 책, 제408－409쪽
24) 위의 책, 제417쪽
25) 위의 책, 제431쪽

사회 회의의 결의에 따라 옌지延吉시에서 회의를 소집해 중국작가협회 옌볜분회를 정식으로 설립하였다. 이는 중국 형제민족지구에서 최초로 설립된 작가협회 분회이다.

17일~19일, 중국극협 상하이분회에서 성립대회를 거행하였다. 중국극협 주석 톈한이 참석해 축사를 하였다. 대회에서는 분회의 장정과 공작 개요를 통과시키고, 분회 이사 및 후보 이사 99인을 선출하였다. 25일, 분회의 제1차 이사회의에서 저우신팡이 주석으로, 위안쉐펀, 딩스어丁是娥가 부주석으로 선출되었다.

20일, 『베이징일보』에 장헌수이의 산문 「도연정陶然亭」이 발표되었다.

23일, 재정부와 문화부가 연합으로 통지를 발포하여 "각지에서는 반드시 2년간 문화오락세 면제 규정 및 면세 이후에 다른 방법으로 극단과 예인의 부담의 가중을 금지하는 일에 관한 중앙의 정책을 단호히 시행할 것"을 지시하였다.

『민간문학』 제8호에 중국민간문예연구회中國民間文藝研究會의 「민간문학은 백화제방, 백가쟁명해야 한다民間文學需要百花齊放, 百家爭鳴」가 발표되었다. 이 외에도 마쉐량, 타이창허우邰昌厚, 진단今旦의 「묘족 고가에 관하여關於苗族古歌」가 발표되었다.

24일, 마오쩌둥이 중국음악가협회 책임자와 회견을 가지고 외래문화와 민족 전통을 어떻게 대해야 할 것인가 하는 문제에 관해 견해를 제시하였다. 담화 내용은 당시에는 공개되지 않았다. 마오쩌둥은 담화에서 "예술에 있어 '완전한 서양화'가 받아들여질 가능성은 매우 작다. 중국예술을 기초로 하여 외국의 것을 일부 받아들여 자신이 창조하는 것이 좋다. 지금은 어떤 것이든 할 수 있다. 인민의 자유에 맡겨야 한다. 외국의 많은 것들을 잘 배워서 다들 세계를 겪어 볼 수 있게 해야 한다"[26], "근대 문화와 근대 기술 등의 방면에 있어 자산계급은 여타 계급들보다 앞서 있다. 따라서 반드시 그들을 단결하고 개조해야 한다……그들을 단결하는 일은 공인계급의 혁명사업에 도움이 된다"[27], "서양의 것을 배운 이들이 일을 처리하지 못하게 하는 것은 옳지 않다. 그들이 배운 것이 진보적이라는 것을 인정하고, 근대의 서양이 앞서 있다는 것을 인정해야 한다. 이 점을 인정하지 않고 그들이 교조주의적이라는 점만 강조한다면 인민을 설복할 수 없다. 교조주의는 바로잡

26) 마오쩌둥, 『마오쩌둥이 문예를 논하다毛澤東論文藝(증보판)』 제91쪽, 인민문학출판사 1992년

27) 위의 책, 제94쪽

아야 하되, 온건한 태도로 바로잡아야 한다. 그들을 중시하되, 그들이 완전히 서양화되지 않고 민족의 것을 중시하도록 설복해야 한다. 외국의 장점들을 배우고, 중국의 것들을 정리해서 중국 자체의, 독특한 민족 풍격을 가진 것을 창조해야 한다. 이러한 도리여야 납득이 가능하고, 민족의 자신감을 잃지 않을 수 있다"[28]라고 밝혔다.

25일, 『베이징일보』에 하이주러우주의 산문 「시베이 여정 기록西北紀程」이 발표되었다.

27일, 『인민일보』 제7판에 류치柳杞의 보고문학 「부부선夫妻船」이 발표되었다.

30일, 『인민일보』에 위다푸의 미발표 일기 원고가 게재되었다. 이 일기는 위다푸가 고향인 저장성 푸양富陽에서 발견한 것으로, 그가 1929년 9월 8일부터 1930년 6월 17일까지 쓴 것이다.

『문예보』 제16호에 류다제의 「중국문학사의 현실주의 문제中國文學史中的現實主義問題」가 발표되었다. 그는 글에서 "최근 몇 년간 고전문학 연구 영역에서 대단히 보편적인 견해, 즉 중국문학사란 곧 현실주의와 반현실주의의 투쟁의 역사라는 견해가 유행하고 있다", "우리의 문학유산은 매우 풍부하며, 우리 문학유산의 우수한 전통 역시 다양하다. 만약 우리가 문학사를 현실주의와 반현실주의 두 노선의 투쟁으로만 이해한다면, 문학사의 각종 창작 유파의 복잡하고도 모순적인 발전 과정을 너무 단순하게 보게 된다……실사구시의 태도로 연구와 분석을 진행하고, 과거에 한때 유행했던 통속적인 관점과 단순화된 공식에 반대해야 한다"라고 밝혔다. 11월 15일, 『문예보』 제21호에 야오쉐인의 「현실주의 문제 토론 과정에서의 몇 가지 질의現實主義問題討論中的一點質疑」가 발표되었다. 그는 글에서 "현실주의는 작가 개인의 경험의 산물이 아니라 역사 발전의 결과이다. 현실주의의 탄생은 자본주의의 출현과 불가분의 관계에 있다. 현실주의의 사회 기초는 자본주의이다. 중국의 자본주의가 중국에서 충분히 발전하지 못했기 때문에 중국의 현실주의 발전 노선에는 독자적인 특징이 있다"라고 밝혔다. 이후에 류다제는 「중국고전문학사 현실주의의 형성 문제中國古典文學史現實主義的形成問題」(『문예보』 제22호, 11월 30일)를 발표하여 "유럽의 사회는 자본주의 사회이다. 그들의 현실주의 작가는 그러한 사회에서 탄생했다. 그들의 작품은 자연히 자본주의 사회와 뗄 수 없는 관계이다. 그들의 작품은 그들 사회 속의 정치사상과 과학 수준, 경제 상황, 사회생활의 모습들을 반영한다. 그들이 예술은 그들 자신의 독특한 색채를 가지고 있다. 중국의 현실주

---

28) 위의 책, 제98쪽

의는 봉건사회에서 탄생했으므로 우리 자신의 진보된 사상과 우리 자신의 독특한 색채를 가지고 있다"라고 밝혔다.

12월 30일, 『문예보』 제24호에 '중국 고전문학 속의 현실주의 문제에 관한 토론中國古典文學中現實主義問題的討論'이라는 제목으로 중국 고전 현실주의라는 문제에 대한 중국문학사 교과서 편집위원회 확대회의 및 베이징사범대학 문학교연조의 토론이 보도되어 이로써 이 문제에 대한 의견 대립과 논쟁을 정리하였다. 리창즈는 『문예보』 1957년 제3호(4월 24일)에 발표한 「현실주의와 중국 현실주의의 형성現實主義和中國現實主義的形成」에서 자신의 관점을 상세히 논술하였다. 그는 글에서 현실주의를 협의의 현실주의와 광의의 현실주의로 구분하고, 광의의 현실주의란 "충실하고도 감동적으로 현실을 반영한 작품으로, 이 요구는 비교적 광범위하다. 현실을 왜곡했음에도 예술로 분류되는 작품을 제외한 모든 작품은 현실주의 작품이다. 계급사회 내부의 통치계급의 어용 문인이 고의로 현실을 보기 좋게 꾸미거나 혹은 공덕을 찬양한 작품이 아닌, 일반 인민의 작품 혹은 정의감을 가진 작가의 작품이라면 모두 이러한 현실주의의 수준에 도달할 수 있다"라고 설명하였다. 이러한 관점에 근거해 리창즈는 중국 최초의 현실주의 작품이 바로 『시경』이라고 보았다. 협의의 현실주의란 "작품 속에 드러난 현실에 대한 일반적인 관계를 말하는 것도, 현실주의 작품의 공통점을 말하는 것도 아니고, 특정한 역사 단계의 산물을 가리키는 것이다. 구체적으로 말하면 선명하고 근대적이며, 자본주의 사회에서만 탄생할 수 있는 관찰 방법과 묘사 방법을 갖춘 산물을 말한다. 또한 이를 유파로 지칭한다면 낭만주의 유파와는 선명히 구분되는 작품을 가리킨다"라고 설명하며, 이러한 관점에 근거해 중국에서의 협의의 현실주의는 명나라 중엽에 탄생하였으며, 그 대표작은 『금병매』라고 보았다.

이달에 스팡위의 시집 『평화의 최강음』이 중국청년출판사에서 출간되었다. 시집에는 「평화의 최강음」, 「청년들이 발언하게 하라讓年青人發言」, 「위대한 사업을 위하여爲了偉大的事業」 등 세 편의 장시와 여러 편의 단시가 수록되었다. 이 시집은 저자의 첫 시집이다.

푸취안蒲泉, 취밍群明이 엮은 『명청 민가선(을집)明淸民歌選(乙集)』이 상하이고전문학출판사上海古典文學出版社에서 출간되었다.

9월

　1일,『문학월간』제9호에 덩유메이의 단편소설「벼랑 위에서在懸崖上」가 발표되었다(이 소설은 1979년 5월에 상하이문예출판사에서 출간된 당대문학 작품집『다시 핀 꽃重放的鮮花』에 수록되었다). 이후에『문학월간』제11호에 이딩一丁의「사랑을 묘사한 참신하고 감동적인 시편一個新穎而動人的描寫愛情的詩篇」, 양위楊羽, 루핑蘆萍의「'아내'와 '갈리아'에 관하여談"妻"和"加麗亞"」, 단웨이丹爲의「갈리아라는 인물을 탐구하다試探加麗亞這個人物」, 멍둥孟冬의「갈리아를 위한 항의爲加麗亞鳴不平」가 발표되었다. 이딩은「사랑을 묘사한 참신하고 감동적인 시편」에서 "이 소설에 등장하는 세 명의 주요 인물은 모두 각기 다른 개성과 지향, 취미, 그리고 각기 다른 정신적 면모를 가지고 있다. 그들은 모두 자기만의 희로애락을 가지고 있어, 피와 살을 가진 생생한 인물로 표현된다⋯⋯작가는 생활 자체를 따라 대담하게 사랑을 표현할 수 있었으며, 따라서 현재 상당히 보편적인 무미건조한 애정 묘사를 돌파하였다"라고 보았다.

　특히 소설 속의 '갈리아'라는 인물이 논쟁을 야기하였다. 양위와 루핑은「'아내'와 '갈리아'에 관하여」에서 "우리는 갈리아가 자산계급 사상의 영향을 대단히 깊게 받은 사람임을 알고 있다", "그녀의 영혼은 옹졸하고, 수법은 비열하며, 마음씨는 악랄하다. 그녀는 철저한 이기주의자이다"라고 평했다. 반면에 멍둥은「갈리아를 위한 항의」에서 "작가는 갈리아에 대해 불공평한 태도를 취하고 있다. 무의식적으로 그녀를 '다소' 자산계급적으로 묘사하였다", "앞에서 말한 갈리아의 모습은 자산계급의 개인주의적이고 남에게 손해를 끼쳐 자신의 이익만을 도모하는 추악한 모습과는 완전히 다르다. 그녀는 성장하고 있는 신청년의 전형이다. 그녀는 비록 결점을 가지고 있지만, 부정이나 비판, 혹은 공격을 당해서는 안 된다. 갈리아와 회계원은 서로 대립하는 형상이 아니라 자매의 관계에 있는 형상이다. 그 두 여성의 차이는 계급의식의 차이가 아니라 그저 성격과 취향상의 차이일 뿐이다"라고 보았다.

　이후에 덩유메이는「독자와 비평가에게致讀者和批評家」(『처녀지處女地』1957년 제2호, 2월 1일)에서 '갈리아'라는 인물을 창조한 과정과 최초의 구상에 관해 설명하였다. "나는 생활 속에서 사랑스럽고, 마치 물처럼 순결한 처녀들을 여럿 보아 왔다. 그들은 사람을 솔직하게 대하지만, 무심결에 문제를 일으키곤 한다⋯⋯그러나 내가 이 작품에서 묘사하고자 한 것은 다른 종류의 인물이다", "이런 인물은 적지 않다. 그녀들은 총명하고, 아름답고, 능력 있고, 사람에게 쉽게 호감을 산다. 그녀들 자신도 이런 점을 분명히 의식하고 있으며 이런 점을 자랑스러워한다. 그러나 그들이 가진 것은 이것뿐이다. 이들은 자신에게 구애한 남자들의 수와 구애를 받은 횟수를 자신의 자랑으로 삼는 종류의 사람들이다……이런 이들은 앞서 말한 순결한 처녀들과 어떤 부분에서는 비슷할지 모르지만, 근본적인 차이가 있다", "나는 소설을 쓸 때 다만 갈리아의 결점을 비판하려 했다. 그녀가 객관적으로 불러온 영향이 나쁜 것이라고 생각했기 때문이다".

장톈이는「'벼랑 위에서'의 사랑—덩유메이의「벼랑 위에서」를 평하다"在懸崖上"的愛情——評鄧友梅的<在懸崖上>」(『문예학습』1957년 제1호, 1월 8일)에서 서신의 방식과 의논의 어조로 작품 줄거리의 배치와 인물 성격의 묘사에 대해 생활 본연의 규율에 따른 것이 아니라 수많은 우연성으로 가득 차 있다고 지적하였다. "나는 문제는 바로 여기, 이 생활 자체 속에 있다고 생각합니다", "주인공에 대해 말하자면, 내가 그에 대해 안심할 수 없는 이유는 그가 전향한 것이 외재적이고 우연한 제지에 의한 것이며, 그의 사상 감정 측면의 모순, 그의 흥미, 심미관, 생활 태도와 공작 태도 등등의 측면의 모순들이—이것들이야말로 이 이야기가 발전하는 데 있어 결정적인 역할을 하는 요소지만—해결되지 않았기 때문입니다".

『신관찰』제17호에 야오쉐인의 잡문「후이취안에서 차를 마시다惠泉吃茶記」가 발표되었다.

베이징전영학원에서 개원 기념식을 거행하였다. 본 학원의 전신은 베이징전영학교로, 감독과, 배우과, 촬영과 등 3개 학과를 설립하였다. 왕란시王闌西가 겸임 원장을 맡았으며 장민章泯, 중징즈鍾敬之, 우인한吳印鹹, 루멍盧夢이 부원장을 맡았다.

민간문학 수집 경험을 모색하기 위해 중국사회과학원 문학연구소와 중국민간문예연구회에서 윈난 민간문학 조사조를 조직하여 윈난성 다리와 리장을 방문해 3개월간 백족과 납서족의 민간문학을 수집하였다. 수집의 성과는 리싱화李星華가 기록 및 정리한『백족 민간고사 전설집白族民間故事傳說集』, 양량차이楊亮才, 타오양陶陽이 기록 정리한『백족 민가집白族民歌集』및 류차오劉超가 기록 정리한『납서족의 노래納西族的歌』로 출간되었다. 이상의 책 세 권은 중국사회과학원 문학연구소 민간문학조가 편찬하여 인민문학출판사에서 1959년에 출간되었다.

3일,『베이징일보』에 리류루李六如의 장편소설『60년의 변천六十年的變遷』(제1권)의 연재가 시작되어 1957년 2월 28일에 연재가 완료되었다. 본 소설의 제1장「친저우로 망명하다亡命走欽州」는 『인민문학』제9호에 발표되었다. 본 소설은 1955년에 창작이 시작되었으며 총 3권으로, 제1권은 1957년에, 제2권은 1961년에 작가출판사에서 출간되었다. 저자가 문화대혁명 시기에 박해를 받아 사망하여 제3권은 불과 10만 자 가량만 집필되었다. 제3권은 1982년에 인민문학출판사에서 출간되었다.

1956년에 소설이 발표된 후 『인민문학』에서 창작좌담회를 개최하였다. 좌담회는 리류루의 자택에서 진행되었으며 친자오양이 주관하였고, 옌원징, 류바이위, 양쉬, 탕치唐祈 등이 참석하였다. 옌원징은 "……작품은 민족 전통의 형식을 취하여 이해하기 쉬울 뿐만 아니라 명쾌하다. 이러한 특징은 매우 뚜렷하다"라고 평했다. 류바이위는 "……작품은 내용뿐만 아니라 서술 방식에 있어서도 문학창작에 새로운 것을 더해 주었다……가령 언어, 인물 묘사, 배경 묘사 등이 모두 합당하다. 환경에 대한 여러 묘사는 매우 훌륭하다. 민족적 풍격과 중국의 기개를 가지고 있다"라고 평했다. 11월 15일, 『문예보』 제21호에 탕치가 정리한 본 좌담회 기록이 발표되었다.

리류루(1887~1973), 후난성 핑장平江 출신이다. 1908년에 우창으로 가서 쑨중산이 발의한 홍중회興中會에 참가해 신해혁명에 투신하였다. 1913년에 일본으로 유학하였으며, 1918년에 귀국한 후 핑장치밍여자사범학교平江啟明女子師範學校에서 교편을 잡았다. 북벌전쟁 시기에 광저우 제2군교 정치부 주임을 맡았다. 1927년에 추수 폭동에 참가한 일로 인해 지명수배를 당해 홍콩과 싱가포르 등지를 전전하다가 1937년에 옌안으로 갔다. 공화국 성립 후에는 중앙인민정부 최고검찰원 부검찰장副檢察長, 전국정협 위원을 역임하였다. 1973년에 사인방에게 박해를 받아 사망하였다. 중요 저서로 본인의 경험에 근거해 창작한 장편소설 『60년의 변천』이 있다.

3일~9일, 신화서점 본점과 국제서점이 합동으로 베이징에서 전국 도서발행 선진공작자 대표회의全國圖書發行先進工作者代表會議를 소집하여 도서 발행 공작에서 '백화제방, 백가쟁명' 방침에 호응할 방법에 대해 중점적으로 토론하였다.

5일, 『문예월보』 제9호에 이천의 「생활에 직접 관여하는 특필에 관하여談直接幹預生活的特寫」가 발표되었다. 그는 글에서 "특필 작가는 반드시 생활 전장의 참여자여야 하고, 현재 현실생활 속의 투쟁에 열렬한 관심을 가져야 하며, 심지어 이 투쟁의 행렬 속에 직접 참여하여 선진 역량을 지지하고 부패한 암흑세력을 규탄해야 한다. 특필 작가는 결코 생활 투쟁의 냉담한 방관자 혹은 동요 없는 관찰자여서는 안 된다. 작가가 현실생활의 투쟁과 발전에 관심을 가지는 사상 감정을 갖춰야만 생활 속의 가장 신선하고 가장 중요한 문제를 발견할 수 있으며, 그의 작품은 현실생활에 직접 관여하는 강력한 전투 무기가 될 수 있다"라고 밝혔다.

『옌허』 제9호에 비예의 단편소설 「수거사舒格莎」, 펑즈의 시 「대안탑을 기다리다等大雁塔」가 발표되었다.

8일, 『인민문학』 제9호에 왕멍의 단편소설 「조직부에 새로 온 젊은이組織部新來的青年人」(이 소설은 1979년 5월에 상하이문예출판사에서 출간된 당대문학 작품집 『다시 핀 꽃』에 수록되었다), 리웨이룬李威侖의 단편소설 「사랑愛情」이 발표되었다. 왕멍의 소설이 발표된 후 광범위한 토론이 시작되었다. 12월 8일, 『문예학습』 제12호에 '「조직부에 새로 온 젊은이」에 관한 토론關於<組織部新來的青年人>的討論' 특집란이 개설되어 1957년 제3호까지 지속되었다. '편집자의 말'은 "이 작품은 강렬한 반응을 불러일으켰다. 몇몇 기관과 학교에서, 사람들이 둘러앉은 밥상에서, 침실에서, 이 소설에 관한 서로 다른 갖가지 의견을 분분히 교환하고 있다"라고 밝혔다. 이 소설은 특히 청년들 사이에서 강렬한 반향을 불러일으켰다. 어느 대학생은 「린전은 우리의 본보기이다林震是我們的榜樣」(『문예학습』 제12호)라는 제목의 글에서 "젊은 대학생으로서 나는 작가인 왕멍 동지에게 경의를 표하고 싶다. 그가 우리를 위해 생활 속의 모순과 투쟁을 충실히 묘사했기 때문이다……나와 내 주위의 학우들에게 린전은 대단히 친근하다. 그렇다. 그는 우리 가운데 한 사람이다. 그의 기쁨과 고통은 바로 우리 자신의 것과 같다"라고 밝혔다.

토론에 참여한 이들은 '작품이 과연 우리나라의 현실생활을 진실하게 반영했는가'와 '린전의 성격을 어떻게 이해할 것인가' 하는 문제에 관해 토론을 전개하였다. 『문예학습』 1957년 제3호의 '편집자의 말'은 이 소설에 관한 토론을 돌아보며 "이번 토론에 관련해 편집부에 투고된 원고는 1,300건이 넘는다. 편집부는 토론이 진행되는 동안 '백가쟁명'의 정신에 따라 대표성을 가진 모든 의견들에 대해 발표할 기회를 가능한 한 부여하였다. 이 의견들은 서로 상당히 다르다. 특히 토론 초기에 몇몇 의견들은 아주 극단적으로 첨예하게 대립했다. 가령, 일부 동지들은 이 작품이 현실을 완전히 왜곡하고, 우리의 옛 당원과 옛 간부들의 모습을 왜곡했으며, 우리의 당과 당중앙 전체를 모독했다고 보았다. 반면에 일부 동지들은 이 작품을 무조건적으로 찬양하며, '린전을 나의 본보기로 삼는다', '빛나는 미래를 향해 돌진한다' 등의 구호를 제시하였다"라고 밝혔다.

전자의 의견을 제시한 글 가운데 이건一畎의 「건강하지 못한 경향不健康的傾向」(『문예학습』 1957년 제1호)은 "구위원회의 조직부를 산만하고, 적을 겁내며, 먼지가 잔뜩 쌓인 사무주의적인 기관으로 표현했다. 게다가 작가는 중앙과 전국이 전부 이렇다는 것을 암시하고 있다"라고 보았다. 마한빙馬寒冰의 「우리 시대의 인물을 정확히 표현하자准確地去表現我們時代的人物」(『문예학습』 1957년 제2호)에서는 "왕멍이 소설에서 표현한 베이징시 어느 구위원회의 상황처럼, 수많은 관료주의자 혹은 쇠퇴한 사람들이 공교롭게도 한 기관에 모여 있는 그런 상황은 지금껏 본 적이 없거나, 혹은 거의 볼 수 없다"라고 지적하면서, "어쩌면 이처럼 관료주의자가 가득하고 간부들이 쇠퇴한 현상이 만연한 당의 구위원회는 중앙에서 멀리 떨어진 지역 혹은 직접적인 상급 지도기관에서 비교적 멀리 떨어진 지역이라면 존재할 가능성이 약간 있을지도 모르지만, 중공중앙의 소재지인 베이징시에서는……이러한 일은 믿을 수 없고, 이해하기도 힘들다"라고 보았다.

이상의 글의 관점에 대해 다른 이들은 완전히 상반된 의견을 제시하였다. 가령 류사오탕, 충웨이시의 「진실 창작─사회주의 현실주의의 생명과 핵심寫真實──社會主義現實主義的生命核心」(『문예학습』 1957년 제1호)은 "왕멍 동지는 전형적인 환경으로서의 당 조직을 전혀 왜곡하지 않았다. 그는 핍진하고도 정확하게 이곳에서 발생한 모든 일을 표현하였다. 우리는 그에게 우리 당에 대한 전체적인 개념에 근거해 이 당 조직에 관해 표현하도록 요구할 수 없다. 그렇게 하면 공식화로 치우칠 수밖에 없기 때문이다"라고 지적하면서, 린전이라는 인물에 대해서는 "린전은 젊은이 특유의 아름답고 낭만적인 동경, 그리고 당에 대한 순진한 믿음과 충성심을 품고서 당의 공작기관인 이 구위원회의 문턱을 넘었다……그가 주위에서 발생한 모든 일들과 자기 주위에서 생활하는 사람들에 대해 깊이 분석할 능력이 없을 리가 없다"라고 보았다. 『문예학습』 외에도 『인민일보』, 『광명일보』, 『중국청년보』 등의 매체에서도 이 소설에 관한 토론의 글이 발표되었다.

토론이 심도 있게 진행됨에 따라 토론자들의 의견은 점차 서로 유사해졌다. 『문예학습』 1957년 제3호의 '편집자의 말'은 "토론자들은 대체로 이 작품이 현실생활에 존재하는 부정적 현상과 관료주의를 폭로하고, 정치적 열정이 쇠퇴해 모든 일을 '별 일 아니다'라고 치부하는 류스우劉世吾와 같은 인물을 폭로한 것에 대해서는 모두 긍정적으로 보고, 적극적인 의의를 가지고 있다고 보았다. 그러나 작품 속에서 부정적인 상황에 투쟁하는 린전과 자오후이원趙慧文 등 두 인물에게는 자산계급의 암울한 분위기가 짙게 깔려 있다. 작품은 이러한 정서에 대해 더 높은 시각에서 고찰하고 비판하지 못했기 때문에 단편성을 가지게 되었다"라고 밝혔다.

이러한 관점을 표현한 린모한의 「논쟁을 불러일으킨 소설─篇引起爭論的小說」(『인민일보』 1957년 3월 12일자)은 "류스우와 같은 인물이야말로 우리 이 시대의 현실 환경 속에서 생겨날 수 있는 인물이다. 장기간의 고된 투쟁을 거쳐, 우리의 당은 이미 정권을 잡고 지도하는 위치에 올랐다. 이는 당연히 좋은 일이다. 그러나 다른 한편에서 보면, 이러한 지위 탓에 일부 당원과 간부들은 교만해져 현 상황에 안주하며 전투에 대한 열정을 잃어, 보수적인 관료주의자로 변해 그날그날 살아가는 속물이 될 수도 있다. 류스우라는 인물은 바로 우리 이 시대의 현실 환경 속에 존재하는 소극적 요소를 반영하고 있다. 그는 전형성을 가지고 있다. 비록 불충분한 부분도 있지만, 그럼에도 이러한 인물은 베이징에도, 다른 지역에도 출현할 수 있다"라고 보았다. 린전이라는 인물에 대해 린모한은 "작가는 큰 열정을 가지고 린전이라는 인물을 묘사하였다. 린전은 확실히 우리 시대 청년들의 일부 특징들, 가령 단순하고, 적극적이고, 사물에 대해 예민하고, 결점을 용인하지 못하는 등등의 특징을 가지고 있다. 이런 특징들은 모두 귀중한 것이다. 그러나 린전의 이러한 품성은 실제 공작과 투쟁 속에서 단련되고 발전되지 못했다……반대로, 실제 투쟁에 부딪치자 그의 유약함과 무력함, 그리고 낙담하는 태도만이 표현되었다"라고 보았다. 린모한은 이 소설의 진정한 결점은 "작가는 생활 속의 소극적 사물들을 증오하지만, 이러한 소극적 사물과 싸워 이길 수 있는 진정한 적극적 역량을 찾아내지 못하였다"는 데 있다고 보았다. 같은 호에 발표된 캉쥐의 「모순으로 가득 찬 소설一篇充滿矛盾的小說」은 "「조직부에 새로 온 젊은이」는 모순과 편견으로 가득 찬 소설이다. 관료주의를 폭로하고 지식청년의 열정과 용감한 성격을 찬양하는 측면뿐만 아니라, 소자산계급을 애틋하게 노래해 독자들이 동의할 수 없게 하는 중요한 측면도 가지고 있다"라고 보았다(『문예학습』 1957년 제3호).

「조직부에 새로 온 젊은이」에 관한 토론에 대해 『문예학습』 이번 호의 편집자는 '편집자의 말'에서 "우리는 예술의 형식으로 우리나라가 새 시대로 나아가는 과정에서 필연적으로 발생하는 인민 내부의 모순을 폭로하고, 우리 자신이 전진하는 과정에서의 결점을 비평했다는 면에서 이 소설은 우리에게 있어 새로운 실험이었다고 생각한다. 이러한 면을 반영한 작품은 아직 매우 적다. 왕멍 동지는 엄숙하고도 진지하게 이러한 새로운 탐색을 진행하였다. 그의 작품은 절박한 현실 의의를 가진 새로운 생활의 과제를 제시하였으며, 작품 속에서 그의 예술적 재능을 드러내었다. 그의 시도는 많은 이들의 격려를 받아 마땅하다. 시도와 탐색 과정에서 결점과 오류가 발생하는 일은 피할 수 없으며, 결점과 오류가 발생한 원인 또한 여러 방면에 걸쳐 있다. 우리는 신중하게 이를 구별하여 대해야 하며, 결코 난폭하게 대해서는 안 된다"라고 정리하였다.

이 소설에 대한 여러 사람들의 토론은 마오쩌둥의 주의를 불러일으켰다. 1957년 2월 27일, 마오쩌둥은 최고국무회의 제11차 확대회의에서의 연설에서 "왕멍이라는 사람, 아니, 왕멍이라는 사람이 「조직부에 새로 온 젊은이」라는 단편소설을 썼는데, 우리 공작에 존재하는 결점을 비판했습니다. 자세히 보니 이 사람도 공산당입니다. 공산당이 공산당을 비판하다니, 좋습니다. 혹자는 베이징에 관료주의가 없다고 하는데, 베이징에 관료주의가 없을 리가 있습니까. 베이징의 성벽이 이렇게 높은데, 관료주의도 적지 않지요. 지금 몇몇 사람들이, 그것도 부대의 몇몇 동지들이 왕멍을 포위하고 공격하고 있습니다. 나는 왕멍의 포위를 뚫어 줘야겠습니다!"라고 말했다.[29]

왕멍은 1957년 5월 8일자 『인민일보』에 「「조직부에 새로 온 젊은이」에 관하여關於<組織部新來

---

29) 리즈黎之, 「회상과 사고-1957년 기록回憶與思考——1957年紀事」, 『신문학사료新文學史料』, 1999년 제3호

的青年人>」를 발표해 소설 창작의 초기 구상에 대해 설명하였다. "'조직부에 새로 온 젊은이'를 쓰기 시작할 당시 나는 두 가지 목적을 생각했다. 하나는 결점을 가진 몇몇 인물을 묘사해 우리의 공작과 생활 속에 존재하는 소극적 현상을 폭로하는 것이고, 다른 하나는 린전처럼 관료주의에 적극적으로 반대하지만 '투쟁' 속에서 종종 곤경에 빠지는 청년이 어디로 가야 하는가 하는 문제를 제기하는 것이었다."

1957년 4월 30일과 5월 6일에 중국작가협회 서기처에서 베이징 문학 간행물 편집공작 좌담회를 두 차례 개최해 문학 간행물 편집부와 작가 사이의 관계 개선 문제 및 왕멍의 소설 「조직부에 새로 온 젊은이」의 원고에 대한 『인민문학』 편집부의 수정에 대해 토론하였다. 1957년 5월 7일자 『인민일보』에 「작가의 창작노동을 엄숙하게 대하자─소설 「조직부에 새로 온 젊은이」에 대한 『인민문학』 편집부의 수정에 존재하는 오류嚴肅對待作家的創作勞動<人民文學>編輯修改小說<組織部新來的青年人>有錯誤」가 발표되었다. 글은 "최근에 왕멍의 소설 「조직부에 새로 온 젊은이」가 발표되기 전에 『인민문학』 편집부의 수정을 거친 것이 발견되었다. 문장에 대한 윤문 외에도 작품의 사상 내용과 인물 형상에 관한 부분도 수정되었다. 소설의 결말 부분은 전부 편집자에 의해 고쳐 쓰였다. 어떤 부분은 더 낫게 수정되었지만 어떤 부분은 원작의 결점이 더욱 드러나 보이도록 수정되었다. 편집부는 수정 전에 저자와 상의하지 않았으며, 소설이 발표되어 토론이 시작된 후에도 편집부는 적시에 태도를 표명하지 않았다. 좌담회의 발언자들은 모두 이 일이 『인민문학』 편집부 공작의 오류라고 보았으며, 각 편집부의 공작 개선을 위한 교훈으로 삼을 만하다고 보았다"라고 밝혔다.

5월 8일부터, 『인민일보』에 연속으로 3일간 '편집부와 작가의 단결을 강화하자加強編輯部同作家的團結'라는 제목으로 이번 좌담회의 회의 기록이 게재되었으며, 왕멍의 「조직부에 새로 온 젊은이」와 『인민문학』 편집부가 소설의 원고를 수정한 정황이 발표되었다. 5월 8일자에 발표된 「편집부와 작가의 단결을 강화하자」에서 친자오양은 그가 「조직부에 새로 온 젊은이」를 수정한 과정을 검토하고 반성하였다. "시간이 부족했고, 특히 나 자신의 사상 수준이 낮았기 때문에 소설의 결점에 대한 인식이 부족했고, 저자의 일부 묘사의 의도를 파악하지 못해(심지어 첫 원고에서 파악한 문제도 이번에는 소홀히 넘겨 버렸다), 타당하지 못한 수정을 가했다─주로 결말 부분에 대한 수정이다. 첫째로 원작의 결말 부분에서 린전은 어느 정도의 깨달음을 얻어 이처럼 모순과 투쟁으로 가득 찬 환경에서 개인의 힘에 의지하는 것은 불가능하다고 생각하는데, 이 부분을 삭제했다. 둘째로, 원작에서는 구위원회가 좋은지 나쁜지를 명확히 드러내지 않았으며, 결말 부분에서는 구위원회에서 통신원을 세 차례 파견해 린전을 찾았다는 부분을 지적했다(앞부분에서 자오후이원은 구위원회 서기가 '존경할 만한 동지'라고 말한 바 있다). 이 몇 문장을 삭제했기 때문에 구위원회 서기에 대해 읽는 이에게 관료주의자라는 인상을 주게 되었다. 이는 분명히 린전과 구위원회 서기라는 인물, 그리고 작가의 본래 의도를 손상시켜 작품의 결점이 더욱 심해지게 만들었다. 또한 당시에는 린전이 자오후이원에게 어렴풋한 감정을 표현했다가 거절당한 후에도 작가가 이 일에 관해 린전의 감정에 아무런 표현도 하지 않고, 린전의 심리에 아무런 동요가 없는 점이 아무래도 불합리하다고 보아(심지어 그가 다소 경박하게 보였기 때문에) 짧은 단락을 더했다. 당시의 이러한 생각이 옳든 그르든, 작가를 대신해 이러한 수정을 가한 것은 아무튼 타당치 못한 일이다. 더불어 앞부분의 비교적 중요한 내용 두 부분을 삭제했기 때문에 결말 부분의 정신과 정서에 변화가 생겨 원작을 손상시키게 되었다……이는 내가 오랫동안 원고 수정 공작을 하면서 나도 모르는 사이에 작가의 작풍을 존중하지 않고 자만하는 감정을 길러 왔음을 보여준다. 이는 중대한 오류이다. 이 오류는 한편으로 원고에 대해 경솔하고 해로운 수정을 가했다는 점에서, 한편으로는 수정 후에 왕멍 동지에게 알리지 않았다는 점에서, 다른 한편으로는 소설로 인해 토론이 벌어진 이후에 적시에 이 문제를 직면하지 않았으며, 이 문제를 발견한 후 공개적인 성명을 발표해 왕멍 동지의 부담을 분담하지 않았다는 점에서 드러난다." 1957년 5월 8일자 『인민일보』에 『인민문학』 편집부에서 원고의 29개 부분에 대해 "작품의 사상 내용, 인물 형상, 인물들 간의 관계 등에 대한 비교적 중요한 수정"을 가했다는 사실이 게재되었다.

왕멍은 5월 8일자 『인민일보』에 발표한 「「조직부에 새로 온 젊은이」에 관하여」에서 자기반성을 진행하였다. 그는 "작가의 마음속 깊은 곳에는 여전히 린전과 '통하는' 무언가가 존재한다―그것은 생활에 대한 '단순하고 투명'한 환상이고, 소자산계급 지식분자의 자아도취와 열광적인 심리에 대한 음미이며, '비애'를 싫어하면서도 비애로써 자신의 '정신세계'를 점철하는 태도 등이다. 또한 작가는 자신이 창조한 인물을 자각을 가지고 평가하려는 노력을 포기했다―때문에 작가의 초기 구상을 위배하고 린전과 자오후이원의 심리에 빠져들어, 그들의 희로애락을 체험하고 그들의 정서를 과장되게 표현하며 그들을 대신해 하소연했다……그들을 장악하지 못하고 오히려 그들의 사상 감정의 포로가 되었다. 작가는 자신의 인물들보다 더 높은 곳에 서지 못하고, 자신의 인물과 같은 위치로 내려갔다(내려갔다고 표현한 것은, 공작과 생활에 있어 작가와 린전, 자오후이인과 같은 인물 사이에는 경계가 존재하기 때문이다). 이 때문에 좋지 못한 영향이 발생했다"라고 밝혔다.

『인민문학』 제9호에 추윈의 단론 「인민의 고통 앞에서 눈을 감아서는 안 된다不要在人民的疾苦面前閉上眼睛」가 발표되었다. 추윈은 작가가 작품 속에서 현실을 미화하는 현상을 비평하면서 "예술가에게 있어 악화되어가는 비관주의는 두려운 것이고, 값싼 낙관주의도 마찬가지로 해로운 것이다. 현재 우리의 문학 영역에서는 후자의 사상에 더욱 주의해야 할 듯하다", "자주 생활 속으로 깊이 침투하는 이라면 누구든 사람들의 이러저러한 고통을 발견할 수 있다. 많은 이들이 눈물을 흘리는 것은 너무 많이 웃어서가 아니라 곤란하고 불쾌한 경험이 그를 괴롭게 하기 때문이다. 현재 우리의 이 땅에 여전히 흉작과 기근과 실업이 존재하며, 전염병이 유행하고, 관료주의가 사람들을 박해하며, 각양각색의 불쾌한 일들과 불합리한 현상이 존재함을 누구도 부정할 수 없다"라고 지적하였다. 그는 또한 "정직한 양심과 밝은 이지를 가진 예술가라면 현실생활 앞에서, 인민의 고통 앞에서 마음 편히 눈을 감고 침묵해서는 안 된다. 만약 예술가에게 드러나지 않은 사회의 병증을 폭로하고, 인민 생활 속의 중요한 문제의 해결에 적극적으로 참여하고, 기형적이고 악화되어가는 모든 어두운 것들을 공격할 용기가 없다면, 그를 어찌 예술가라 할 수 있겠는가?"라고 말했다.

『인민문학』 같은 호에 허즈의 「현실주의─넓은 길現實主義──廣闊的道路」이 발표되었다. 그는 글의 제1, 2부분에서 우선 '사회주의 현실주의'라는 정의가 제기된 데 역사적인 의의가 있음을 긍정하면서, "이는 현실주의 문학이 새로운 역사적 시기, 즉 더욱 큰 자각을 가지고 깨어 있는 시기로 발전했음을 상징한다"라고 보았다. 그러나 '사회주의 현실주의'의 표현 방법에 대해서는 질의를 제기했는데, 사회주의 현실주의가 "본래는 현실주의를 따르는 방법을 더욱 구체적이고 명확하게 하기 위해 제기된 것이지만, 실제로는 현실주의의 대전제에서 벗어나 오히려 현실주의를 속박하고 오해하게 되어 문학에 수많은 교조주의와 불합리한 규율을 형성"하게 되었기 때문이다. 허즈는 시모노프의 관점을 인용해 세 가지 측면에서 '사회주의 현실' 관점에 의문을 제기하면서 "나는 만약 시대가 다르고, 마르크스주의와 혁명운동이 인류의 생활에 거대한 영향을 끼쳤으며, 현실주의 문학이 이미 객관적 현실의 공간에 대한 자각의 단계까지 발전해 이를 통해 현실주의 문학이 모종의 필연적인 발전을 이루게 된다면 우리는 어쩌면 현재의 현실주의를 사회주의 시대의 현실주의라고 부를 수 있을지도 모른다고 본다"라고 지적하였다.

그는 글의 뒷부분에서 사회주의 현실주의의 정의로 인해 야기된 일부 통속적인 문예사상에 대해 집중적으로 탐구하여 "이러한 통속적인 사상은 「옌안문예좌담회에서의 강화」에 대한 통속적인 이해와 해석으로, 주로 문예와 정치의 관계에 대한 이해라는 측면에 표현된다"라고 밝혔다. 문예와 정치의 관계를 정확하게 이해하는 방법에 관해 그는 "우선, 문학예술이 정치와 인민을 위해 복무한다는 것은 장기적이며 총체적인 요구라는 점을 반드시 고려해야 한다. 짧은 안목으로 눈앞의 정치 선전이라는 임무만을 고려하면 당시에 어느 정도의 선전 역할만을 만족시키는 작품을 창작하게 된다. 둘째로, 반드시 문학예술의 특징을 충분히 발휘할 수 있는 방법을 고려하고, 문학예술을 단순히 어떠한 개념을 선전하는 확성기로 보지 않아야 한다. 문학예술이 첫째로 예술적이며 진실해야 하고, 그 다음에 문학예술이 되어야만 문학이라는 무기의 역할을 더욱 잘 수행할 수 있다는 사실을 고려해야 한다……또한, 각종 문학형식의 성능을 고려하고 각각의 작가 본인의 조건을 고려해야 하며, 모든 작가와 모든 문학형식에 동일한 요구를 해서는 안 된다. 각각의 작가들이 독특한 창조성을 최대한으로 발휘할 수 있도록 해야 하며, 이를 방해해서는 안 된다. 행정명령의 방식으로 문학창작에 간섭하는 방식은 최소한으로 사용해야 한다"라고 밝혔다. 허즈는 마지막으로 "현실주의와 그 외 유파들의 차이점은 현실주의가 적극적인 태도로 현실을 대면하고, 생활의 진리와 예술의 진실성 및 창조성을 추구하여 이를 통해 최대한으로 현실을 반영하고 또한 현실에 영향을 끼친다는 데 있다. 때문에 현실주의의 길은 다른 어떤 예술 유파의 길보다 훨씬 더 넓다. 생활의 진실로 통하는 길은 그 큰 방향은 일치한다고 말할 수밖에 없다. 방법은 다르지만 그 결과는 같으며, 또한 그래야만 한다"라고 정리하였다.

허즈의 관점과 유사하게 저우보周勃는 「현실주의 및 사회주의 시대에서의 현실주의의 발전을 논하다論現實主義及其在社會主義時代的發展」(『창장문예』 제12호, 12월 1일)에서 "현실주의 창작방법은 예술창작의 풍부한 경험이 축적된 결실이므로, 현실주의 창작방법이 얼마나 높은 수준으로 발전하든, 그 창작 조건이 어떻게 변화하든, 창작방법 자체로 보면 별다른 변화가 없을 것이다. 이런 의미에서 보면, 전前사회주의 시대의 현실주의와 사회주의 시대의 현실주의는 창작방법에 있어 차이가 없으며 없을 수밖에 없다. 따라서 사회주의 시대의 현실주의는 시대가 어떻게 변화하든, 예술창작의 일부 조건이 어떻게 바뀌든 간에 창작방법으로서는 현실주의 창작의 특수한 규율을 충분히 총괄할 수 있는 과거의 원칙을 버리고 다른 원칙을 제정할 필요가 없다"라고 보았다.

허즈와 저우보의 글이 발표된 후 문예계에서 '사회주의 현실주의' 문제에 대한 광범위한 토론이 전개되었다. 우선 『문예보』 제24호(12월 30일)에 발표된 장광녠의 「사회주의 현실주의는 존재하고, 발전하고 있다社會主義現實主義存在著、發展著」에서 허즈가 글에서 제기한 '사회주의 현실주의'를 취소하는 방식에 반대하며, 이것이 "당대 진보 인류의 가장 선진적인 문예사상을 취소하고, 공인계급의 중요한 사상 무기를 취소하는 것이다", "어떻게 '사회주의 시대의 현실주의'라는 개념으로써 사회주의 현실주의의 원칙을 대체할 수 있는가? 현실주의는 고정되어 변하지 않는 기차가 아니다. 지난날 이 기차는 자본주의 시대를 달려왔으며 오늘날은 사회주의 시대에 달리고 있지만, 기차는 여전히 같은 기차이다"라고 지적하였다.

그는 또한 허즈가 글에서 제시한 작가의 세계관과 창작방법의 관계 문제에 대한 견해에 반대하면서 "공인계급의 선홍색 세계관의 붉은 피만이 현실주의 미학 원칙 혹은 창작방법에 침투해 옛것을 취사선택하여 새롭게 발전시키는 변화를 일으키지 못한다니, 정말로 이상한 일이다!"라고 지적하였다. 신·구 현실주의에 차이가 있는가, 혹은 현실주의에 계급성이 있는가 하는 문제에 관해서는 "사회주의 현실주의를 사회주의 정신과 공산주의의 당성에 침투한 현실주의로 정확히 보고, 현실주의의 전형화를 공예품을 만드는 기술이나 기법 같은 것으로 취급하지 않는다면, 이러한 문제는 애초에 문제가 되지 않는다. 20세기의 지평선 위에서 사회주의 혁명운동의 성공적인 발전에 따라 사회주의 현실주의라는 예술사조가 출현했다. 이 사조는 현재 이미 전세계적인 규모의 생생하고도 강대한 운동이 되었다"라고 보았다.

사회주의 현실주의 문제에 관한 토론에서 중요한 글로는 『문예보』 1957년 제2호(4월 21일)에 발표된 천융의 「사회주의 현실주의에 관하여關於社會主義的現實主義」가 있다. 천융은 글에서 우선 "이론상의 단순화와 창작상의 공식주의가 광범위하게 존재하는 상황이 사람들의 혐오 정서를 불러일으켜 진정한 마르크스주의 문예사상의 동요를 일으켰을 가능성이 있다. 허즈는 그의 글에서 교조주의를 공격하는 과정에서 사회주의 현실주의까지도 내몰았는데, 이는 저우보의 호응을 얻었을 뿐만 아니라 적지 않은 이들도 이에 동의하였다. 바로 이러한 동요 상황의 표현으로 보인다"라고 지적하면서, 예술의 진실성과 사상성 문제에 관해서는 "예술의 진실만을 제시하고, 진실하고도 구체적으로 현실을 반영할 것만을 제시한다면, 사회주의 현실주의의 가장 기본적인 요구이면서 과거의 모든 위대한 현실주의 문학예술의 공통적인 요구를 제시한 것이라 할 수 있을 뿐, 사회주의 현실주의의 모든 특징과 모든 요구를 포함하지는 못한다", "사회주의가 반드시 자각을 가지고 사회주의 사상을 표현해야 한다고 생각하는 것은 작가가 작품 속에서 추상적인 의론을 선전하기를 요구하는 것이 아니라……작품 사상의 선명성을 요구하고, 작가가 생활을 진실하게 반영할 뿐만 아니라 사회의 진보 역량의 입장과 공인계급 및 공산당의 편에 단호히 서서 사회주의 사업을 위해 적극적으로 분투할 것을 요구하는 것이다"라고 보았다. 그는 글의 마지막에서 "'사회주의 시대의 현실주의'라는 용어로 '사회주의 현실주의'를 대체하자는 의견은……이러한 방식은 문학예술의 사상적 요구를 하락시키고, 문학예술의 사상투쟁을 모호하게 만들 뿐이다……이는 사실상 우리 문학운동이 퇴보하는 것으로, 사람들이 더 이상 각기 다른 사상 관점을 가진 문학예술의 사상적 경계를 주시하지 못하게 한다"라고 정리하였다.

왕뤄왕은 「사회주의 시대의 현실주의를 평하다評社會主義時代的現實主義」(『문예보』 1957년 제6호, 5월 12일)에서 천융과 유사한 관점을 제시하였다. "저우보와 허즈의 논리를 따라 추론해 나간다면, 중국이 사회주의 건설에 진입하는 시기에 모든 작가가 사회주의 시대의 현실주의를 운용할 수 있다는 말이 된다. 표면적으로 보면 이 길은 매우 넓어 보이지만, 실제로는 아무런 원칙의 구별이 없는 망망대해 속에서 사회주의 현실주의가 소실되어 문학에 대한 요구를 하락시키는 것이다", "사회주의 현실주의야말로 인민에게 자각을 가지고 마르크스주의 세계관의 주도적 역할을 인식하고, 자신의 문예창작 속에서 진보적 세계관과 예술의 구체적 묘사의 수준 높은 융합을 추구할 것을 호소하는 사상이다".

9일, 『희극보』 제9호에 '예인의 생활에 관심을 가지고, 예인의 노동을 존중하자關心藝人的生活, 尊重藝人的勞動'라는 제목으로 여러 편의 글이 발표되어 예인의 생활에 관심을 가질 것을 호소하였다.

12일, 『해방군문예』 제9호에 마오둔의 「『지원군의 하루』를 위해 환호하다爲<志願軍一日>而歡呼」, 바진의 「세상에서 가장 아름다운 감정人間最好的感情」, 천이의 「성공적인 군중적 창작운동一個成功的群眾性的創作運動」 등 『지원군의 하루』의 출판을 축하하는 글들이 발표되었다. 이달에 대형 군사 기록문학 공모 작품집 『지원군의 하루』가 인민문학출판사에서 출간되었다. 책에는 총 426편의 작품이 수록되었으며 4부로 구성되었다. 궈모뤄는 「서문」에서 이 책이 "진정으로 항미원조운동의 생생한 전쟁사에 부끄럽지 않은, 만고불후의 전사들이 자신의 손으로 세운 비석이다"라고 밝혔다.

13일, 『인민일보』에 쉬카이레이徐開壘의 보고문학 「경쟁競賽」이 발표되었다.

쉬카이레이(1922~2012), 저장성 닝보寧波 출신이다. 저명한 현대 산문가로 필명은 쉬이徐翊, 위이餘羽 등이다. 공화국 성립 후에 상하이 『문회보』 편집부 기자 및 편집자, 부간 『필회筆會』 편집장, 문예부 부주임 및 고급 편집자를 역임하였다. 40년대에 작품 발표를 시작하였으며 1956년에 중국작가협회에 가입하였다. 저서로 작품집 『창작 취미寫作趣味』, 『문지집文知集』, 『새장 속籠裏』, 『아름다운 상하이美麗的上海』, 『즈샹춘 사람들芝巷村的人們』, 『조각가 전기雕塑家傳奇』, 『성자의 발자국聖者的腳印』, 『꽃과 미주鮮花與美酒』, 『쉬카이레이 산문선徐開壘散文選』, 『바진 전기巴金傳』, 『바진과 그의 동시대 사람들巴金和他的同時代人』, 『내 집은 원위안춘―쉬카이레이 산문 자선집家在文緣村――徐開壘散文自選集』 등이 있다.

15일, 중공 제8차 전국대표대회가 베이징에서 개최되었다. 마오쩌둥은 개회사에서 "이번 전국대표대회의 임무는 제7차 대회 이후의 경험을 정리하고, 당 전체와 국내외의 모든 단결 가능한 역량을 단결하여 위대한 사회주의 중국의 건설을 위해 분투하는 것이다"라고 밝혔다.[30] 류사오치가 중앙을 대표해 공작보고를 진행하였다. 그는 보고에서 "우리 당의 현안 임무는 바로 이미 해방을 획득해 조직된 수억의 노동인민들에게 의지해 국내외의 모든 단결 가능한 역량을 단결하고, 우리에게 유리한 모든 조건을 충분히 이용해 가능한 한 빨리 우리나라를 위대한 사회주의 국가로 건설하는 것이다"라고 밝혔다.[31]

9월 27일, 「정치보고에 관한 중국공산당 제8차 전국대표대회의 결의中國共產黨第八次全國代表大會關於政治報告的決議」가 통과되었다. 결의는 "현재 이러한 사회주의 개조는 이미 결정적인 성공을 거두었다. 이는 우리나라 무산계급과 자산계급 사이의 모순이 이미 기본적으로 해결되었고, 수천 년간 이어져 온 계급 착취 제도의 역사가 이미 기본적으로 종결되었으며, 사회주의 사회제도가 우리나라에서 이미 기본적으로 수립되었음을 보여준다", "우리 국내의 주된 모순은 선진 공업국 건설에 대한 인민의 요구와 낙후된 농업국의 현실 사이의 모순이며, 경제 문화의 신속한 발전에 대한 인민의 요구와 현재의 경제 문화가 인민의 요구를 만족시킬 수 없는 상황 사이의 모순이다. 이 모순의 본질은 우리나라 사회주의 제도가 이미 수립된 상황하에서의 선진적인 사회주의 제도와 낙후된 사회 생산력 사이의 모순이다. 당과 전국 인민의 중요한 현안 임무는 바로 역량을 집중하여 이 모순을 해결해, 우리나라를 가능한 한 빨리 낙후된 농업국에서 선진 공업국으로 바꾸는 것이다"라고 밝혔다.[32]

『문예보』 제17호에 바런의 「소재 잡담題材雜談」이 발표되었다. 그는 글에서 각 방면의 생활 경험을 동원해 사회주의 문학창작의 소재를 부단히 충실하게 해야 한다고 지적하면서, "우리 작가와 비평가들은 소재를 생산투쟁 혹은 공농병에만 국한하고, 이들을 묘사할 때 각양각색의 '세상사'를 표현하지 않는다. 범위가 무한한 인생은 적극적인 배경으로서는 생산투쟁의 최종적인 의의와 공농병의 뚜렷한 형상을 드러내지 못한다"라고 보았다.

『신항』 제9호에 장즈민의 단편소설 「롤러-농촌 기록小滾子——農村紀事」, 충웨이시의 단편소설 「가을의 들판秋天的田野」, 추이더즈의 극본 「미완의 이야기未完的故事」가 발표되었다.

16일, 『신관찰』 제18호에 랴오모사廖沫沙의 잡문 「난탄 잡기亂彈雜記」가 발표되었다.

랴오모사(1907~1990), 본명은 랴오자취안廖家權이며 필명은 예룽野容, 다우達伍, 슝페이熊飛, 원

30) 중공중앙판공청中共中央辦公廳 엮음, 『중국공산당 제8차 전국대표대회 문헌中國共產黨第八次全國代表大會文獻』 제7쪽, 인민출판사 1957년
31) 위의 책, 제12쪽
32) 위의 책, 제809-810쪽

비聞璧, 판싱繁星 등이다. 후난성 창사에서 출생하였다. 1930년에 중국공산당에 가입했으며 1933년에는 좌련에 가입하였다. 『항일일보抗日日報』, 『구망일보』, 『신화일보』 편집주임, 홍콩 『화상보』 편집주임 및 주필, 중공 홍콩·마카오 공작위원회港澳工作委員會 위원을 역임하였다. '싼자춘 집단三家村集團'의 일원으로 규정되어 1966년 5, 6월경부터 공개적인 비판을 받았다. 1968년 초부터 1975년까지 8년간 수감된 후 장시의 어느 삼림 농장으로 보내져 3년간 노동한 끝에 1979년에 복권되었다. 저서로 잡문집 『녹마전鹿馬傳』, 『분음집分陰集』, 『지상담병록紙上談兵錄』, 『랴오모사 잡문집廖沫沙雜文集』이 있으며, 덩퉈, 우한과 합동으로 『싼자춘 찰기三家村劄記』를 창작하였다.

『인민일보』에 캉줘의 보고문학 「과거와 미래過去和未來」가 발표되었다.

18일, 상하이시 전통극목정리위원회傳統劇目整理委員會가 설립되어 저우신팡이 주임위원을, 위안쉐펀, 류허우성이 부주임위원을 맡았다. 위원회는 '예인에게 의지하고, 널리 발굴하고, 전면적으로 기록하고, 조를 나누어 정리하고, 함께 연출하고, 중점적으로 가공'한다는 공작방침을 확립하였다.

19일, 중국극협에서 베이징 소재 회원 대회를 소집해 톈한, 어우양위첸, 샤옌, 저우신팡, 뤄허루, 천치퉁 등 500여 명의 희극가가 참석하였다. 톈한은 축사에서 각지의 희극공작 상황과 앞으로의 극협의 공작에 관해 언급하면서 현재 적지 않은 희곡 예인들의 생활이 대단히 어려운 문제를 반드시 해결해야 한다고 지적하였다. 대회는 '희극공작의 새로운 상황', '현재 상연 작품에 존재하는 문제', '스타니슬랍스키 체계의 각 방면에 대한 학습', '희곡음악이 중국적이지도 서양적이지도 않은 현상', '무대미술이 '무대'미술일 수밖에 없는 점', '차세대 양성에 대한 결정적 문제', '이론비평의 공과와 시비' 등 여덟 가지 문제에 대해 조별로 토론을 진행하였다.

26일, 『인민일보』에 제8차 전국대표대회에서의 저우양의 발언 「문학예술이 사회주의 건설이라는 위대한 사업 속에서 거대한 역할을 발휘하게 하자讓文學藝術在建設社會主義偉大事業中發揮巨大的作用」가 발표되었다. 그는 글에서 "사회주의 혁명은 이미 모든 창조적인 노동을 위해 길을 개척해 주었다. 그러나 우리 중국에서는 문예 영역에서의 교조주의와 종법주의, 그리고 문예공작자를 단순하고 난폭하게 대하는 태도가 종종 발생해 작가와 예술가의 창작의 자유를 심각하게 속박해, '백화제방, 백가쟁명' 방침의 실현을 방해하는 주된 요인이 된다", "문예가 정치에 복종할 것을 요구하는 것은 작가의 창작 대상과 창작방법을 기계적으로 규정하는 것이 아니다. 작가는 작품의 소재와 형식에 있어 응당 폭넓은 자유를 가져야 한다. 내용을 떠나 형식만을 추구하는 것은 물론 잘못된 일이지만, 예술 풍격의 아름다움과 다양성을 경시한다면 이 역시 작품의 내용을 단조롭게 만든다. 작품의 정치성은 예술성과 똑같이 추구되어야 한다", "사회주의 현실주의는 진보적인 창작 방식으로, 우리는 이 방법을 제창한다. 우리는 세계의 각종 예술 유파로부터 우리에게 유용한 부분을 충분히 흡수할 수 있다. 우리는 다른 이가 새로운 표현방식에서 얻은 성취를 존중하고, 그의 성공 혹은 실패의 경험을 연구해야 하며, 형식에 대한 추구를 전부 형식주의로 간주해 배척해서는 안 된다"라고 밝혔다.

중국극협 이사회 주석단에서 제2차 회의를 개최하였다. 톈한이 희극공작에 관한 문제 및 배우의 생활 복지 등 절실히 해결해야 할 여러 가지 문제에 대해 언급하였다. 회의를 통해 1957년에 중국희극출판사中國戲劇出版社를 설립할 것을 결정하고, 모든 회원에게 민족전통의 각 방면의 계승 및 발양 문제에 관해 자유토론을 전개할 것을 호소하였다.

30일, 『문예보』 제18호에 사설 「모든 적극적인 요소를 발휘하자把一切積極因素發揮出來」가 발표되었다. 사설은 문예공작에서 반드시 교조주의와 종법주의의 오류를 극복해야 한다고 주장하면서, 문학예술이 "인민을 위해 복무한다는 공통의 목표 아래 예술의 소재와 표현 양식 및 유파의 측면에서 다양하게 발전해야 한다", "정치성과 예술성의 긴밀한 결합 및 예술 작풍의 민족화와 군중화에 주의하고, 이 모든 것을 문예계의 자유토론과 자유경쟁을 통해 발전시켜야만 타당한 해결을 얻을 수 있다"라고 강조하였다. 당시 문예계에 나타난 교조주의 경향과 독단적이고 난폭한 비평 풍조에 관해 『문예보』 같은 호에 허우진징의 「「오지」의 주된 결점 및 이에 대한 치샤의 비평에 관하여試談<腹地>的主要缺點以及企霞對它的批評」가 발표되었다. 허우진징은 당시 문학비평계의 교조주의 경향을 비평하며, 이러한 경향이 "단순화와 통속화의 극단을 향해 발전하고, 제멋대로이며 난폭한 비평 방법이 결합되어 독단적인 비평 풍조를 형성해, 문단에서 활보하면서 사방을 공격하고 있다. 이러한 비평 풍조는 창작에 종사하던 몇몇 작가들의 불안을 조성하였으며, 동시에 많은 이들의 분노를 불러일으켰다"라고 보았다.

『문예보』 제18호에 장경의 「교조주의적 태도로 희곡을 '개혁'하는 데 반대한다反對用教條主義的態度來"改革"戲曲」가 발표되었다. 그는 글에서 "희극도 다른 모든 예술과 마찬가지로 결코 각 세대의 개개인의 손으로 처음부터 새로 쌓아올릴 수 있는 것이 아니라, 반드시 선조의 창조 성과를 계승하여 그 기초 위에서 새로운 것을 더해 풍부하게 해야 하는 것이다"라고 보았다. 장경은 또한 사회주의 현실주의를 '불합리한 규율'로 보는 견해에 관해 "희곡 창작에 있어서 심각한 방해일 뿐만 아니라, 모든 예술의 창작에서도 마찬가지로 심각한 방해가 된다. 이러한 견해는 모든 작가와 예술가들이 위축되게 만들어 열정적으로 창작을 진행하지 못하게 한다"라고 지적하였다. 장경의 이러한 관점과 주장은 이후에 문예계의 표적이 되어 비판받게 된다.

이달에, 『문예보』 제23호(12월 15일)의 보도에 따르면 『문예보』 미학소조美學小組가 9월에 성립되었다. 미학소조는 황야오몐, 쭝바이화, 주광첸, 장광녠, 왕차오원, 류카이취, 왕쑨王遜, 천융, 리창즈 등으로 구성되었다. 미학소조는 성립 이후에 올해 12월까지 두 차례의 토론회를 가졌다. 첫 토론회에서는 미학소조의 앞으로의 활동방식과 활동내용에 대해 몇 가지 의견을 교환하였고, 또한 가무, 조소, 회화, 시가의 민족형식 및 민족유산의 수용 방법 문제에 관해 토론을 진행하였으며, 두 번째 토론회는 소형 만담회의 형식으로 진행되었다.

옌이雁翼의 시집 『구름 위에서在雲彩上面』가 중국청년출판사에서 출간되었다. 시집에는 시인이 1954년에서 1956년 사이에 쓴 시가 수록되었다.

옌이(1927~2009), 본명은 옌홍린顏洪林으로 허난성 관타오館陶 출신이다. 1956년에 중국작가협회에 가입하였다. 『별星星』 시간, 『쓰촨문학』 책임 편집자를 역임하였다. 저서로 『다바 산맥의 아침大巴山的早晨』, 『구름 위에서』, 『강해행江海行』, 『남국의 마을南國的樹』 등 다수의 시집이 있다.

원제의 시집 『톈산 목가』가 작가출판사에서 출간되었다. 시집에는 '보쓰텅 호숫가博斯騰湖濱', '투루판 연가吐魯番情歌', '궈쯔거우 산요果子溝山謠', '톈산 목가' 등 4편의 연작시가 수록되었다. 1958년에 인민문학출판사에서 재판이 출간되었다.

쨩커자가 편찬하고 서문을 쓴 『중국신시선 1919~1949中國新詩選1919—1949』가 중국청년출판사에서 출간되었다. 시집에는 궈모뤄, 캉바이칭康白情, 빙신, 원이둬, 쉬즈모, 류다바이, 주쯔칭, 장광츠, 류푸, 펑즈, 왕퉁자오, 커중핑, 다이왕수, 인푸, 볜즈린, 쨩커자, 푸펑, 샤오싼, 톈젠, 허치팡, 아이칭, 리양, 옌천, 리지, 롼장징, 장즈민 등 시인 20여 명의 시 80여 편이 수록되었다. '내용 개요'에서 엮은이는 선정 기준에 대해 "이 선집은 청년 독자를 대상으로 한 시선이다. 선집에는 1919년에서 1949년 사이에 발표된 시인 26인의 시 82편을 수록하였다. 이 책에 수록된 작품들을 통해 신시 발전의 윤곽을 볼 수 있다"라고 밝혔다.

저우서우쥐안周瘦鵑의 산문집 『화화초초花花草草』가 상하이문화출판사에서 출간되었다.

저우서우쥐안(1895~1968), 본명은 저우궈셴周國賢으로 장쑤성 쑤저우 출신이다. 공화국 성립 전에 『신보』 부간, 『토요일禮拜六』 주간, 『자라난紫羅蘭』, 『반달半月』, 『낙관월간樂觀月刊』 등의 책임 편집자를 맡았다. 공화국 성립 후에는 전국정협 제3, 4기 위원, 장쑤성 인민대표, 장쑤성 쑤저우 시박물관 명예관장을 역임하였다. 단편소설 「망국민 일기亡國奴日記」, 「조국의 휘장祖國之徽」, 「난징 주변南京之圍」, 「매국노 일기賣國奴日記」, 「망국민 집 안의 제비亡國奴家裏的燕子」 등을 창작하였으며, 저서로 산문집『행운집行雲集』, 『화화초초』, 『화전쇄기花前瑣記』, 『화전속기花前續記』 등이 있다.

주추펑朱秋楓이 편찬한 『저장 민간가요 산집浙江民間歌謠散輯』이 상하이문화출판사에서 출간되었다.

레이자의 보고문학집『집단의 영예集體的榮譽』(『청년 돌격대』라고도 함)가 공인출판사에서 출간되었다.

문화부에서 「민간 직업 예술공연단체 및 민간 직업예인에 대한 구제 및 안배 진행에 관한 지시關於對民間職業藝術表演團體和民間職業藝人進行救濟和安排的指示」를 발포해 500만 위안의 비용을 할애해 예인을 구제하는 것에 대해 국무원에 비준을 요청하였다.

중앙희극학원 실험화극원實驗話劇院이 성립되었다. 본 화극원은 이후에 중앙실험화극원中央實驗話劇院으로 독립되어 1962년에 중화인민공화국 문화부 직속이 되었다. 어우양위첸이 초대 원장을 맡았으며 쑨웨이스(총감독 겸임), 수창이 부원장을 맡았다.

중국청년예술극원이 베이징에서 바진의 원작을 차오위가 각색한 화극 「집」을 공연하였다. 후신안胡辛安이 감독을 맡았다.

10월

1일, 『인민일보』에 사설 「민간 예인을 중시하자重視民間藝人」가 발표되었다.

『산시문예』가 월간 『불꽃火花』으로 명칭을 변경하였다. 창간호에는 마펑의 단편소설 「특필 한 편一篇特寫」이 발표되었다.

『문학월간』 제10호에 베이차오北橋의 보고문학 「내가 어찌 노래하지 않을 수 있으랴我怎能不歌唱」가 발표되었다.

『창장문예』 제10호에 광지의 보고문학 「피리소리와 노랫소리笛音和歌聲」가 발표되었다.

3일, 『극본』 제10호에 웨예의 5막 7장 화극 「동고동락同甘共苦」이 발표되었다. 본 화극은 1957년 1월에 중앙실험화극원에서 초연하였으며 쑨웨이스가 감독을 맡았다. 본 화극은 공연 이후에 사회적으로 강렬한 반향을 불러일으켜 각지의 간행물에서 분분히 토론을 전개하였다. 자오쉰은 「동고동락」을 높이 평가하며 이 화극이 "우리에게 여러 가지 새로운 깨달음을 주었다. 제1회 전국화극공연관람대회 이후에, 모두들 '공식화, 개념화' 경향 탓에 고민하는 상황에서 이 작품은 이러한 국면을 타파하였다"라고 평했다(「화극 「동고동락」에 관한 토론關於話劇<同甘共苦>的討論」, 『극본』1957년 제1호). 그러나 몇몇 구체적인 문제에 대해서는 의견 차이가 보편적으로 존재하였다. 우선 창작의 사상 경향에 대해, 리허는 "어떠한 시각에서 보든, 이 작품이 확실히 희극창작의 새로운 국면을 개척했음을 인정하게 된다. 작품을 통해 우리는 사회주의 도덕관념이 자산계급의 갖가지 진부한 관념과 어떻게 싸워 이기는지를 볼 수 있다. 작품은 깊은 현실적 의의를 가진 주제를 표현하였다"라고 보았다(「극본 창작의 새로운 국면劇本創作的新生面」, 『극본』1956년 제10호). 반면에 천치퉁은 작품의 사상 경향이 명확하지 않다고 보면서 "「동고동락」에는 새로운 도덕과 옛 도덕이 모두 존재한다. 관중들에게 옛 도덕을 따르라는 것인가, 아니면 새로운 도덕을 따르라는 것인가? 화윈華雲을 동정해야 하는가, 아니면 멍스징孟蒔荊을 동정해야 하는가? 아니면 류팡원劉芳紋을 동정해야 하는가?"라고 질문하였다(「「동고동락」 필담<同甘共苦>筆談」, 『극본』1957년 제5호).

또한 작품의 중요 인물인 멍스징, 류팡원에 대해서도 의견 차이가 존재했다. 두리쥔은 "멍스징은 유쾌한 공작자이지만 가정에서는 유쾌하지 못한 남편이다. 작가는 이 인물을 이치에 맞게 묘사해 인물 성격의 복잡성을 선명하게 표현하였다"라고 보았다(「「동고동락」을 논하다論<同甘共苦>」, 『극본』1957년 제2호). 반면에 장잉은 "이 인물(멍스징)은 사상과 성격이 지극히 통일되지 못한, 다시 말해 인격이 분열된 인물이다"라고 보았다(「「동고동락」의 사상성을 논하다論<同甘共苦>的思想性」, 『희극보』1957년 제4호). 루메이는 더욱 직접적으로 "그는 어떤 여성에 대해서도 아무런 책임도 지지 않고, 아무런 대가도 치르지 않는다. 그 자신이 표방하는 것과는 반대로, 그는 사랑에 있어 이기주의자이다"라고 지적하였다(「「동고동락」에 대한 초보적 이해對<同甘共苦>的初步理解」, 『희극보』1957년 제1호).

1957년 상반기에 『극본』에는 본 화극에 대한 평론이 지속적으로 발표되었는데, 이 가운데 『극본』1957년 제4호에 「「동고동락」 투고 원고에 관한 약술關於<同甘共苦>的來稿簡述」이 발표되었다.

5일, 문화부에서 「경극 「오분기」의 적절한 수정 후 공연 복귀京劇<烏盆記>經過適當修改後可恢複上演」 통지를 발포하였다.

7일, 9일, 11일자 『해방일보』에 쥔칭의 산문 「지하의 수정궁－유럽행 서신 제6편地下水晶宮——歐行書簡之六」이 발표되었다.

8일, 『인민문학』 제10호에 딩링의 장편소설 『혹한의 나날 속에서在嚴寒的日子裏』의 제8장과 뤄빈지의 단편소설 「두 부녀父女倆」가 발표되었다.

『인민일보』에 샤오첸의 수필 「식당차 안의 미학餐車裏的美學」이 발표되었다.

『인민문학』 제10호에 타오얼푸陶爾夫의 보고문학 「벌목자의 여행伐木者的旅行」이 발표되었다.

9일, 『희극보』 제10호에 본지 사설 「예인의 생활과 공작조건을 개선하자改善藝人生活和工作條件」가 발표되었으며, 가이자오톈蓋叫天의 자술自述 「분묵춘추粉墨春秋」의 연재가 시작되었다.

10일, 『중국전영中國電影』이 베이징에서 창간되었다. 본 잡지는 1959년 7월에 『전영예술電影藝術』로 명칭이 변경되었다. 창간호에 중뎬페이의 「함께 노력해 영화문화의 수준을 제고하자—어느 영화평론 습작가의 몇 가지 견해共同努力, 提高電影文化水平——一個影評習作者的某些想法」이 발표되었다.

14일, 상하이에서 루쉰의 유해 이장 의식을 거행해 만국공동묘지萬國公墓에서 훙커우 공원虹口公園으로 이장하였다. 15일, 『해방일보』 제1판에 '루쉰 선생의 유해를 훙커우 공원으로 이장'이라는 제목의 기사가 게재되었다. 이장 의식 당시 쑹칭링, 마오둔, 저우양, 바진, 진이, 탕타오 등이 루쉰의 유해를 새로운 묘지에서 맞이하였으며, 바진이 축사를, 마오둔이 연설을 하였다.

16일, 『인민일보』에 허치광의 「아Q를 논하다論阿Q」가 발표되었다. 그는 글에서 인물 창조의 최고의 지표에 대해 "허구의 인물이 책 속에 살아 있을 뿐만 아니라 삶 속에서도 유행해 사람들이 어떤 이들을 지칭하는 공명共名이 되고, 사람들이 모방하려 하거나 혹은 모방하기를 원하지 않는 모습이 되는 것이 바로 작품 속의 인물이 도달할 수 있는 가장 큰 성공의 지표이다"라는 '공명설共名說'을 제기하였다. 그는 또한 "아Q는 중국인의 정신적인 면에 존재하는 각종 결점의 종합이 아니다. 정신의 성격화와 전형화도 아니고, 어떠한 집합체도 아니다. 아Q는 구체적이며 생생한 인물이고, 독특한 존재이며, 개성이 매우 선명한 전형이다", "아Q는 농민이지만, 아Q의 정신은 소극적이고 수치스러운 형상일 뿐, 농민 계급 고유의 형상이 아니다"라고 보았다.

리시판은 「전형신론 질의典型新論質疑」(『신항』 제12호, 12월 15일)에서 허치광의 관점에 반대 의견을 제시하며 "아Q 정신의 개괄적인 특징과 사상의 의의는 우선 구중국에서 근 백 년간 압박받던 민족의 역사가 사람의 정신에 형성한 시대와 사회의 낙인이다. 이는 인민이 혁명의 길로 나아 가는 것을 정신적으로 방해하는 가장 큰 걸림돌이다. 만약 이러한 전형적 성격―가장 뚜렷이 드러 나는 성격 특징까지 포함해―의 시대적, 사회적 의의를 경시하고 이를 인류의 정신에 존재하는 모 종의 보편적인 약점으로 추상적으로만 여긴다면, 이는 아Q의 전형적 성격에 대한 사람들의 정확 한 인식을 모호하게 할 뿐만 아니라, 현실주의의 전형을 추상적인 인성론의 함정에 빠지게 하는 일이며, 또한 위대한 루쉰의 창작 전투의 현실 의의를 모호하게 하는 일이다"라고 보았다.

17일, 루쉰 서거 20주년을 기념해 신판 『루쉰 전집魯迅全集』의 제1, 2권이 인민문학출판사에 서 출판되어 베이징에서 발행되었다. 신판 『루쉰 전집』은 총 10권, 약 300만 자로, 1958년 10월에 출간이 완료되었다. 신판 『루쉰 전집』과 1938년에 루쉰 선생 기념위원회에서 편찬하고 루쉰전집 출판사에서 출간한 전집의 가장 큰 차이점은 신판에는 루쉰의 창작, 평론, 문학사 저작뿐만 아니 라 현재까지 수집된 모든 서신을 수록했다는 점이다. 신판 『루쉰 전집』의 또 다른 특징은 엮은이 가 간략한 주석을 추가해 각 권의 말미에 수록하였다는 점이다. 주석의 주된 내용은 비교적 광범 위한 원시 자료에 근거해 루쉰이 해당 작품을 창작한 당시의 역사적, 사회적 배경 및 관련 인물과 사건에 대해 설명한 것이다. 뿐만 아니라 루쉰이 저작에서 인용한 동서고금의 전고에 대해서도 간 략한 설명을 추가하였다.

19일, 루쉰 서거 20주년을 기념해 '루쉰 선생 서거 20주년 기념대회魯迅先生逝世十周年紀念大會' 가 베이징 중국인민정치협상회의 강당에서 거행되었다. 저우언라이를 비롯해 초청에 응해 베이징 을 방문한 각국 작가들 및 베이징의 각계 인사, 베이징에 거주하는 외국인 인사들 총 1,500여 명이 대회에 참가하였다. 궈모뤄가 대회를 주관하고 개회사를 하였으며, 마오둔이 '루쉰―혁명 민주주 의에서 공산주의로魯迅――從革命民主主義到共產主義'라는 제목으로 보고를 진행하였다. 선전부 부장 루딩이와 외국 작가 대표가 연설하였다. 같은 날, 『인민일보』에 사설 「위대한 작가, 위대한 전사偉 大的作家, 偉大的戰士」가 발표되었으며 『광명일보』에도 사설 「루쉰을 학습하고 연구하자學習魯迅 研 究魯迅」가 발표되었다. 『문예보』 제19호(10월 15일), 『문예월보』 제10호(10월 15일) 및 『맹아』 제 8호(10월 16일)는 모두 「루쉰 기념 특집호魯迅紀念專號」로 발행되었다. 20일 저녁에 탕타오가 각색 하고, 황쭤린이 감독을 맡았으며 상하이전영제편창에서 제작한 문헌 다큐멘터리 「루쉰의 생애魯 迅生平」 및 샤옌이 루쉰의 동명의 소설을 각색하고 쌍후가 감독을 맡았으며 베이징전영제편창에서 제작한 컬러 극영화 「축복祝福」이 방영되었다.

20일, 월간 『동해東海』가 저장성 항저우에서 창간되었다. 창간호에는 펑쯔카이의 산문 「시후의 추억西湖憶舊」이 발표되었다. 본 잡지는 1964년 6월에 폐간되었다가 1972년에 『공모征文』라는 명칭으로 비공식적으로 총 3호를 발간하였다. 1975년 5월에 복간되어 월간 『저장문예浙江文藝』로 명칭을 변경하였다가, 1978년 10월에 다시 『동해』로 명칭을 변경하였다.

20일과 22일에 루쉰 서거 20주년 기념 학술보고회가 개최되었다. 마오둔, 저우양, 라오서, 정전둬가 회의를 주관하였으며 바런이 「루쉰 소설의 예술적 특징魯迅小說的藝術特點」, 리창즈가 「문학사가로서의 루쉰文學史家的魯迅」, 런지위가 「루쉰과 고대 중국의 위대한 사상가들과의 관계魯迅同中國古代偉大思想家們的關系」, 천융이 「문학예술의 현실주의를 위해 투쟁한 루쉰爲文學藝術的現實主義而鬥爭的魯迅」, 쨩커자가 「시가에 대한 루쉰의 공헌魯迅對詩歌的貢獻」, 왕야오가 「루쉰 작품과 중국 고전문학의 역사적 관계를 논하다論魯迅作品與中國古典文學的曆史聯系」라는 제목의 보고를 진행하고, 탕타오의 보고 「루쉰 잡문의 예술적 특징魯迅雜文的藝術特征」을 낭독하였다.

21일, 『베이징일보』에 류바이위의 산문 「산성일별山城一瞥」, 양숴의 산문 「샹산의 단풍香山紅葉」이 발표되었다.

22-23일, 중국과학원 철학연구소와 『철학연구』 편집부가 합동으로 중공중앙 당교, 중국인민대학, 베이징대학 등 대학의 철학과학공작자 및 공상련工商聯(공상업연합회工商業聯合會의 약칭 - 역자 주) 등 기관의 관련 인사들을 초청해 중국 과도기의 민족 자산계급과 공인계급의 모순본질 문제에 대해 좌담회를 진행하였다. 좌담회는 판쯔녠이 주관하였다.

25일, 신장위구르자치구 문련에서 편찬한 월간 『톈산天山』이 우루무치에서 창간되었다.

26일~11월 24일, 전영국에서 제편창 창장 회의, 즉 서판쓰舍飯寺 회의를 소집하였다. 회의에서는 '쌍백방침' 및 중공 제8차 전국대표대회의 정신을 실행할 방법을 토론하고, 차이추성 등의 유럽 방문 고찰 보고를 청취하였다. 회의를 통해 소련을 본보기로 수립한 극영화 제편창의 조직 형식과 지도 방식에 대해 중대한 개선을 진행하고, 또한 '3자 1중심三自一中心'(스스로 소재를 선택하고自選題材, 자유롭게 결합하고自由組合, 손익을 스스로 책임지고自負盈虧, 감독을 중심으로 삼는以導演爲中心 것)을 주된 내용을 하는 개혁방안을 제시하였다.

28일, 단장 저우신팡이 이끄는 상하이경극단上海京劇團이 공연을 위해 소련으로 출발하였다. 극단은 모스크바, 레닌그라드 등의 도시에서 「십오관」, 「사진사」 등 22개 작품을 공연하였다.

29일~11월 2일, 장경과 우쉐가 대표를 맡은 중국극협 대표단이 인도 뭄바이에서 열린 제1회 국제희극협회 연구회에 참석하였다.

이달에 장톈이의 동화 『다린과 샤오린大林和小林』(화쥔우 삽화)이 중국소년아동출판사에서 출간되었다.

천보추이의 『아동문학 약론兒童文學簡論』이 창장문예출판사에서 출간되었다. 이와 동시에 『아동문학 논문선兒童文學論文選』도 출간되었는데, 본 선집에는 당시 아동문학계의 수많은 작가, 평론가, 연구자들의 중요한 논문이 수록되었다.

캉줘의 보고문학집 『더 높은 노정 위에서在更高的路程上』가 작가출판사에서 출간되었다.

친무의 보고문학집 『퇴역 군인 두메이쫑複員軍人杜美宗』이 광둥인민출판사에서 출간되었다.

10월~11월, 『중국전영』 제1, 2호에 장쥔샹의 「영화의 특수한 표현수단에 관하여-상하이 전영극본창작소 좌담회에서의 발언 정리關於電影的特殊表現手段——根據在上海電影劇本創作所座談會上的發言整理」가 발표되었다.

11월

1일, 베이징인민예술극원에서 차오위의 유명 화극 「일출日出」을 공연하였다. 어우양산쥔이 감독을, 바이썬이 부감독을 맡았으며 양웨이楊薇, 위스즈, 저우정周正, 둥차오 등이 주연을 맡았다.

3일, 『극본』 제11호에 하이모의 4막 7장 화극 「퉁소를 가로로 불다」가 발표되었다. 1957년 7월에 중국희극출판사에서 단행본으로 출간되었다. 본 화극은 1957년 3월에 랴오닝인민예술극원에서 초연하였으며, 우젠吳堅, 양친楊勤이 감독을 맡았다. 루예, 궈펑은 "「퉁소를 가로로 불다」는 하나의 예술품이다(완벽한가 아닌가는 정도의 문제일 뿐이다). 이 작품은 작가의 예술적 창의를 통해 농촌 합작화 고조의 전야를 역사적으로 반영하였다. 수많은 농촌에 존재하는 모순과 투쟁 속에서 작가는 류제劉傑로 대표되는 몇몇 긍정적 인물을 창조해 사회주의의 길로 나아가고자 하는 농민의 강렬한 바람을 설명하였을 뿐만 아니라, 동시에 역사의 수레바퀴를 붙잡고 있는 주관주의 자들을 대담하게 채찍질해 주관주의 사상과 관료주의적 작풍이 혁명공작에 끼치는 위해를 드러내었다", "작가는 이 주제를 도식적으로 반영하지 않고, 역사 속의 복잡다단한 투쟁을 예술적으로 묘사하였다", "비록 이 극본에 부족한 부분이 있기는 하나, 그럼에도 이 작품이 예술적 가공을 전혀 가하지 않은 사진일 뿐이라고 할 수는 없으며, 작품에 반영된 현실이 진실하지 못하다고는 더더욱 말할 수 없다"라고 보았다(「「퉁소를 가로로 불다를 보고」를 읽고讀<洞簫橫吹觀後感>有感」, 『망종芒種』 1957년 제3호).

반면에 천강陳剛은 "작가는 방문 과정에서 적지 않은 '고철'을 수집해 이를 과장하였다. 그가 서술한 '등대燈塔'사社이든 '등잔 밑이 어두운燈下黑'사이든 전부 엉망진창이다. 이는 우리나라 농업합작화 운동의 진실한 면모를 근본적으로 왜곡한 것이다"라고 보았다(「하이모의 「퉁소를 가로로 불다」를 평하다評海默的<洞簫橫吹>」, 『희극보』 1960년 제2호). 또한 옌정嚴正은 "「퉁소를 가로로 불다」는 두 부분에서 시비를 혼동하여 작품 속에서 빈농 및 고농雇農과 당의 대립을 조성하였다. 첫째는 농민의 자발성을 혁명성으로 간주해 이를 칭송한 것이고, 둘째는 당이 빈농과 고농의 사회주의적 적극성을 배척하는 것처럼 묘사한 것이다"라고 평하면서, 이 작품을 "선명한 반당적, 반사회주의적 성격을 가진 극본"으로 규정하였다(「「퉁소를 가로로 불다」를 평하다評<洞簫橫吹>」, 『극본』 1960년 제1호).

같은 호에 자오쉰의 단막 희극 「해 진 후를 약속하다人約黃昏後」와 이빙의 「희곡유산을 신중하게 계승하자謹慎地繼承戲曲遺産」가 발표되었다.

3일~18일, 상하이시 문화국과 중국극협 상하이분회가 합동으로 '곤곡 관람 공연'을 거행하였다. 본 대회에서는 80여 편의 작품이 공연되었다. 대회 기간 중에 희극가와 음악가 및 곤곡 배우들이 곤곡 예술 발전 방법에 대해 토론하였다.

5일, 중국문학예술계연합회가 베이징에서 주석단 확대회의를 소집하였다. 회의에서는 문예단체가 '백화제방, 백가쟁명' 방침을 관철하고 시행할 방법, 앞으로의 공작에 대한 개선, 문예창작의 번역 촉진 등의 문제에 대해 의견을 교환하였다. 참석자들은 문련을 비롯한 여타 문예단체의 지도기구가 적절히 확대되어 각 방면의 대표적인 인물을 망라할 수 있어야 하고, 민주성을 충분히 발양하고, 창작경쟁과 자유토론을 격려해야 하며, 문예공작자의 복지 문제에 관심을 가지고 이를 해결해야 하고, 문예공작에 존재하는 종법주의와 폐쇄주의 등 불량한 작풍을 극복해야 한다고 의견을 모았다. 회의에서는 또한 조만간 문련 제2기 전국위원회 제3차 확대회의를 소집할 것을 결정하였으며, 문련 전국위원회 확대 및 각 성시 문련 공작 개선 등의 문제에 대해서도 논의하였다.

『문예월보』 제11호에 팡즈의 단편소설 「파도와 돌浪頭與石頭」, 한쯔의 단편소설 「어느 상당히 젊은 청년一個相當年輕的小夥子」이 발표되었다.

『옌허』 형제민족문학 특집호가 발간되어 위구르족, 티베트족, 카자흐족 문학창작자의 시, 소설, 극본 작품 및 정리를 거친 민가가 발표되었다.

8일, 『인민문학』 제11호에 장셴張弦의 단편소설 「갑측 대표甲方代表」, 리루이의 보고문학 「옛 뤄양의 청춘古老洛陽的青春」(발표 당시의 제목은 「낙양고금기洛陽古今記」였으나 저자가 제목을 변경하였다)이 발표되었으며, 린신林欣의 소설 「누가 목소리를 훔쳐갔나誰偷去了聲音」의 연재가 시작되어 제12호에 완료되었다.

장셴(1934~1997), 본명은 장신화張新華로 저장성 항저우 출신이다. 1951년에 화공대학 공학원에 입학했으며 이후에 칭화대학 야금기계연수반冶金機械專修科으로 편입하였다. 졸업 후에 안산강철공사鞍山鋼鐵公司 설계원에서 기술원으로 근무하면서 첫 영화문학 극본 「금수중화錦繡中華」를 창작하였다. 1956년에 베이징 흑색야금설계총원黑色冶金設計總院으로 이동한 후 「갑측 대표」 등의 단편소설을 창작하였다. 문화대혁명 이후에 창작의 황금기를 맞아 「고난의 마음苦難的心」, 「사랑에게 잊힌 구석被愛情遺忘的角落」, 「우물井」, 「가을 속의 봄秋天裏的春天」 등의 영화극본을 창작하였다. 「사랑에게 잊힌 구석」으로 '중국전영금계상中國電影金雞獎' 최고 각본상을 받았다.

린신(1921~), 허난성 상청商城 출신이다. 1937년부터 작품을 발표하였으며 1959년에 중국작가협회에 가입하였다. 저서로 극본 『전화는 꺼지지 않는다戰火未熄』, 소설 『햇빛이 안개를 비추어 깨뜨리다陽光照破迷霧』 등이 있다.

『인민문학』 같은 호의 '창작담'란에 두리쥔의 「부정적 인물의 성격 묘사에 관하여談反面人物的性格描寫」가 발표되었다. 그는 글에서 작가들이 작품 속에서 부정적 인물을 창조할 때 보이는 결점에 관해 "많은 작품 속의 부정적 인물은 종종 내면생활이 전혀 없는 인물처럼 보인다. 몇몇은 뒤떨어진 말밖에 할 줄 모르고, 몇몇은 사람을 때리거나 욕하거나 혹은 죽일 줄밖에 모른다. 그들에게는 마음속에서 생겨나는 진정한 희로애락도 없고, 어떠한 희망이나 기대도 없다. 그들은 그저 긍정적 인물을 반대하기 위해 존재하는, 부정적인 외투를 덮어쓴 그림자일 뿐으로, '부정적'만 있고 '인물'은 없다고 말할 수밖에 없다"라고 지적하면서, "부정적 인물도 사람이다. 작가는 반드시 부정적 인물의 영혼의 추악함을 그려내고, 구체적인 환경 속에서의 성격의 복잡성을 묘사하기 위해 노력해야 한다. 이러한 복잡성은 부정적 인물에 대한 채찍질을 약화하지 않을 뿐 아니라, 오히려 이를 강화할 것이다"라고 보았다.

9일, 『희극보』 제11호에 사설 「희곡예술의 혁신은 전통에서 벗어날 수 없다戲曲藝術革新不能脫離傳統」와 톈한의 「배우의 청춘을 위해 청원하자爲演員的靑春請命」가 발표되었다. 톈한은 글에서 모든 예술기구 및 단체의 지도자들에게 수많은 배우들의 청춘을 소중히 여길 것을 요구하였다.

10일~14일, 문화부와 중국극협이 상하이에서 가이자오톈 선생 무대생활 60주년 기념행사를 거행하였다. 10일, '가이자오톈 무대생활 60주년 기념회'가 개최되어 톈한, 어우양위첸, 진중화金仲華, 장춘차오 등 수백 명이 참석하였다. 톈한이 「탁월한 공연예술가 가이자오톈 선생을 보고 배우자向卓越的表演藝術家蓋叫天先生學習」라는 제목의 연설을 진행하였다. 이 외에도 축하 연회, 공연, 전람회, 좌담회 등의 기념행사가 진행되었다.

11일, 『광명일보』에 사설 「민간예인에게 관심을 가지고 그들을 돕자關心民間藝人 幫助民間藝人」가 발표되었다.

12일, 쑨중산 선생 탄생 90주년을 기념해 『쑨중산 선집孫中山選集』이 출간되었다.

14일, 『베이징일보』에 중징원의 산문 「비윈쓰의 가을碧雲寺的秋色」이 발표되었다.

15일, 『신항』 제5호에 쑨리의 장편소설 『풍운초기』의 일부인 「이별離別」과 리지예의 산문 「이탈리아 여행기意大利遊記」가 발표되었다.
『해방일보』에 후완춘의 단편소설 「계란 일곱 개七個雞蛋」가 발표되었다.

16일, 『맹아』 제10호에 루원푸의 단편소설 「골목 깊은 곳小巷深處」이 발표되었다(이 소설은 1979년 5월에 상하이문예출판사에서 출간된 당대문학 작품집 『다시 핀 꽃』에 수록되었으며, 1980년 1월에는 상하이문예출판사에서 출간된 루원푸의 당대 단편소설집 『골목 깊은 곳』에 수록되었다). '편집자의 말'은 이 소설에 대해 "루원푸 동지는 아름다운 필치로 모욕당하고 해코지를 당한 여성의 복잡한 심리상태를 묘사했으며, 인간미가 충만한 무고한 여성의 모습을 그려내었다"라고 평했다.

이후에 『맹아』 제12호에 쉬제의 「「골목 깊은 곳」에 관하여關於<小巷深處>」가 발표되었다. 쉬제는 글에서 "이 작품의 저자는 경시당하고 잊힌 작은 인물에게서 발전하고자 하는 마음을 발견해 우리의 이 위대한 시대를 노래하였다. 이는 우리가 중시할 만한 점이다"라고 평하였다. 허우진징은 「격정과 예술적 특색－1956년 단편소설 서문激情和藝術特色——1956年短篇小說序」(『문예보』 1957년 제1호, 4월 14일)에서 "루원푸의 「골목 깊은 곳」을 보면, 무거운 심리 묘사와 줄거리에 변화에 힘을 들인 것은 작가에게 있어서는 그저 인물의 복잡한 심리활동을 탐색하는 일종의 촉매제였을 뿐이다. 과거에 기녀였던 여공이 사랑을 추구하는 의의에 대해 작가는 그것이 그녀가 행복을 지향하기 때문임을 설명했으며, 동시에 신사회의 인도주의의 역량임을 분명히 표현하였다. 이러한 역량은 그녀의 마음속 깊은 곳의 굴욕감을 없애 버렸을 뿐만 아니라 그녀가 일어나 사람의 존엄을 위해 투쟁하도록 일깨워 주었다"라고 보았다.

16일, 『신관찰』 제22호에 한베이핑의 보고문학 「이리 강변伊犁河畔」이 발표되었다.

한베이핑(1914~1970), 본명은 한리韓立로 장쑤성 양저우揚州에서 출생하였다. 중공 당원이다. 1932년에 『장두일보江都日報』 편집주임을 맡았으며 1934년에서 1937년 사이에 상하이에서 『채화菜花』, 『시지詩志』 등의 월간지를 창간하고 편집을 맡았다. 중일전쟁 발발 후에는 고향에서 『항적일보抗敵日報』, 『항적주간抗敵周刊』을 창간하였다. 이후에 광시, 윈난 등지에서 『전민항적全民抗戰』 주간 통신기자, 『시월간詩月刊』 편집위원, 『광시일보廣西日報』 편집주임, 『소탕보』 편집주임을 역임하였다. 종전 후에 광저우에서 『국민주간國民周刊』을 편집하다가 당국에 의해 적발되어 금지당했다. 얼마 후 홍콩으로 가서 『신생일보新生日報』 편집주임, 젠화建華 등 전영공사의 편도위원, 신문학원 교수로 근무하였다. 1950년에 광저우로 돌아와 화난문학예술학원華南文學藝術學院에서 교편을 잡았다. 1955년 이후에 월간 『작품』의 편집자, 작가협회 광저우분회 부주석 겸 비서장, 중국작가협회 대외연락위원회 부주임 등을 역임하였다. 1964년에 산문집 『아프리카 야회非洲夜會』를 출간하였다. 저서로 시집 『강남초江南草』, 『인민의 노래人民之歌』, 장편소설 『고산대동』, 단편소설집 『가시나무 문턱荊棘的門檻』, 『끝나지 않은 비극沒有演完的悲劇』 등이 있다.

『중국청년』 제22호에 화산華山의 보고문학 「고비 사막의 밤大戈壁之夜」이 발표되었다.

17, 18, 19일자 『인민일보』에 캉줘의 산문 「옌볜에 도착하니 두 눈 가득 꽃이다到得延邊兩目花」가 발표되었다.

20일, 『베이징문예』 제11호에 하오란의 첫 단편소설 「까치가 가지에 오르다喜鵲登枝」가 발표되었다. 본 소설은 1958년 5월에 작가출판사에서 출간된 작가의 동명의 단편소설집에 수록되었다.

21, 22일자 『인민일보』에 샤오첸의 보고문학 「만 리에 양을 몰다萬裏趕羊」가 발표되었다.

21일~12월 1일, 문학 간행물 편집공작회의文學期刊編輯工作會議가 베이징에서 개최되었다. 『문예보』 제23호(12월 15일)에 「문학 간행물을 잘 발행해 '백화제방, 백가쟁명'을 촉진하자辦好文學期刊, 促進'百花齊放, 百家爭鳴'」라는 제목의 특집기사가 게재되었다. 본 회의는 '백화제방, 백가쟁명' 방침이 제시된 후 최초로 소집된 전국 문학 간행물 공작회의로, 전국 64개 주요 문학 간행물 출판사의 편집 책임자 90여 명이 참석하였다. 저우양, 라오서, 펑쉐펑 등도 회의에 참석하였다. 회의에서 간행물의 특징 문제가 참석자들의 열띤 토론을 불러일으켰다. 저우양은 간행물의 특징에 대해 우선 자신만의 선명한 주장과 경향성, 민족적 풍격, 그리고 지방 색채를 구비해야 한다고 보았다. 또한 그는 간행물의 질이 낮다면 애초에 풍격에 대해 말할 수도 없다고 지적하면서, 숙련되어야 기교가 생기고, 성숙해진 후에야 자신만의 독특한 풍격을 가지게 된다고 보았다. 라오서는 "문학 간행물의 '백화제방'이란 모든 간행물이 자신만의 독특한 편집방법과 풍격을 가지고 서로 경쟁하는 것이다"라고 보았다. 대회에서의 일부 조별 토론회에서 참석자들은 모두 각각의 문학 간행물이 반드시 대담하게 이 방침을 실행해야 하며, 다른 의견과 관점을 가진 글을 발표할 수 있어야 하고, 다른 풍격과 소재, 형식을 가진 작품을 발표할 수 있어야 하며, 진정으로 '대담하게' 임해야 한다고 의견을 모았다. 참석자들은 '기관 간행물'이라는 표현이 이미 '백화제방, 백가쟁명' 방침을 관철하는 데 있어 일종의 속박이 되었다고 지적하면서, 1957년 1월부터 이러한 '호칭'을 취소하고, 각 간행물 사이에 존재하는 불성문의 지도 관계를 없애고, 모두가 평등하게 서로 간의 비평과 경쟁을 전개하는 데 동의하였다.

회의에서는 또한 간행물의 기업화 관리 등의 새로운 문제에 대해서도 언급하였는데, 1957년 1월 1일부터 작가협회 및 각 분회에서 발행하는 각종 간행물에 일률적으로 기업화 관리 방법을 실행할 것을 규정하였으며, 간행물이 자급할 수 없는 부분은 국가가 보충하기로 결정하였다. 작가협회가 간행하는 간행물 가운데 이미 비교적 큰 영향력을 가진 간행물들은 정기적 자급을 실행하고,

완전한 자급이 불가능한 경우에는 계획 적자의 방법을 실행하기로 하였다.

23일, 『민간문학』 제11호에서 '수집 정리 문제에 관한 토론關於搜集整理問題的討論'이 전개되어 「민간고사의 정리 편찬 공작을 신중하게 대하자慎重地對待民間故事的整理編寫工作」가 발표되었다.

25일, 『인민일보』에 황우荒蕪의 산문 「카이로를 회상하며憶開羅」가 발표되었다.

28일, 『중국전영』 제2호에 한상이의 「희곡 영화의 조형 풍격戲曲影片的造型風格」이 발표되었다. 『인민일보』에 완취안萬全의 잡문 「법랑 차 항아리搪瓷茶缸」가 발표되었다.

30일, 『문예보』 제22호에 '전기문학 필담'이라는 제목으로 장위張羽의 「전기문학의 진실성傳記文學的真實性」, 쑤중蘇中의 「전기문학 속의 '진실'傳記文學中的"真實"」, 셰윈謝雲의 「'엄숙한 문지기'에 부쳐致"嚴肅的把關者"」 등 3편의 글이 발표되어 전기문학의 '진실성' 문제를 어떻게 보아야 할 것인가 하는 문제에 대해 토론하였다. 장위는 글에서 "전기문학 작품을 창작하는 과정에서 인물과 사건의 진실성을 강조하는 것과 작가의 상상과 창조를 강조하는 것은, 서로 모순된 양극단이 아니라 서로 보완하고 의지하는 혈육과 같은 관계여야 한다. 만약 어느 한쪽을 제거한다면 전기문학의 생명력을 손상시키게 된다"라고 보았다. 셰윈은 글에서 "나는 전기문학 작가에게 예술적인 가공과 상상을 더할 자유를 주는 데 동의한다. 그러나 내가 보기에 이 자유는 반드시 진실을 손상시키지 않는다는 원칙 아래 두어야 한다"라고 보았다.

『문예보』 같은 호에 「「친형제처럼」에 관한 토론關於<如兄如弟>的討論」이 발표되었다. 본 화극이 전국화극공연관람대회에서 공연된 이후에 중국작가협회와 중국극협은 7월 13일, 20일, 8월 2일, 31일에 네 차례의 좌담회를 소집해 극본의 장점과 단점에 대해 중점적으로 토론하고, 또한 본 화극의 모순과 진실성 문제 및 현재 화극창작과 비평에 존재하는 문제에 대해 열띤 토론을 전개하였다.

『극본』 편집부에서 화극 「동고동락」에 관한 좌담회를 개최해 작가 웨이를 비롯해『문예보』,『희극보』, 베이징전영제편창, 전국부녀연합회, 문화부 예술국, 실험화극원, 중앙희극학원, 장쑤성 화극단, 극협 창작위원회 등 기관의 편집자, 비평가, 극작가, 배우 등 50여 명이 참석하였다. 자오쉰, 허우진징, 슝싸이성熊塞聲, 류자린劉加林, 류옌진劉燕瑾 등이 발언하였다. 『극본』 1957년 1월호에 본 좌담회에 관한 자세한 기사가 게재되었다.

이달에 상하이 『문회보』 편집부에서 '어째서 훌륭한 국산영화가 이렇게 적은가爲什麼好的國産片 這樣少' 하는 문제에 관한 토론을 조직해 근 3개월 동안 약 50편의 글이 발표되었다. 라오서, 쑨위, 우융강吳永剛 등 저명한 작가와 예술가들이 토론에 참가하였다.

중국문학사 교과서 편집위원회에서 확대회의를 소집하였다. 이후에 11월 25일자 『광명일보』 에 루칸루, 펑위안쥔의 「중국문학사 편찬에 관한 몇 가지 문제關於編寫中國文學史的一些問題」가 발표 되어 문학사의 시대 구분 및 작가와 작품 평가 등의 문제에 관한 견해와 의견을 제기하였다. 작가 와 작품의 평가 문제에 관해 글은 "마르크스레닌주의 문예이론을 충분히 학습하지 못한 탓에 단순 화, 기계화, 개념화 등의 문제가 발생하였다. 학교에서 사용하는 문학사 교재와 간행물에 발표된 고전문학 논문을 막론하고 정도의 차이는 있으나 이러한 문제를 가지고 있다. 혹자는 이 후주의 사 작품이 깊은 인민성을 가지고 있다고 평하고, 혹자는 「비파기」에 대해 완전히 비판하며, 혹자 는 「장한가」와 「장생전」을 평할 때 현종과 양귀비의 사랑에 대한 언급을 회피하는 현상 등등은 그 근원이 이 문제에 있다"라고 보았다. 12월 16일자 『광명일보』에 리창즈의 「중국문학사의 시기 구분과 편찬 규칙關於中國文學史的分期和編寫體例」이 발표되었다.

류칭의 산문특필집 『황푸춘에서의 3년皇甫村的三年』, 허치팡의 시론집 『시 쓰기와 시 읽기에 관 하여關於寫詩和讀詩』가 작가출판사에서 출간되었다.

훙쉰타오洪汛濤의 동화 『신필 마량神筆馬良』이 소년아동출판사에서 출간되었다.

12월

1일, 『불꽃』 제12호에 시룽의 단편소설 「마구간을 짓다蓋馬棚」가 발표되었다.

『창장문예』 제12호에 저우리보의 단편소설 「동화는 피지 않았다桐花沒有開」, 리준의 단편소설 「 아내妻子」가 발표되었다.

『역문』 제12호에 헤밍웨이의 단편소설 「노인과 바다」의 번역본이 발표되었다.

『문회보』에 라오서의 「영화를 구하자救救電影」가 발표되었다.

3일, 『극본』 제12호에 「극작가와 극원의 협력 강화加強劇作家與劇院的合作」 문제에 관한 자커, 뤼펑呂朋, 우쉐 및 극작가들의 발언 및 「차오위 동지가 「집」의 각색을 말하다曹禺同志談<家>的改編」

가 발표되었다.

5일, 『문예월보』 제12호에 펑춘豐村의 단편소설 「깊은 밤에在深夜裏」가 발표되었다.

문화부에서 「제1차 희곡 작품 목록 장려 및 상금 수여에 관한 통지關於獎勵第一批戲曲劇目和頒發獎金的通知」가 발포되어 총 18개 작품에 상금을 수여하였다.

6일, 『문회보』에 사설 「불량한 희곡 공연에 반대한다反對上演壞戲」가 발표되었다.

7일, 『문회보』에 사설 「전통 희곡 작품을 어떻게 볼 것인가如何看待傳統劇目」가 발표되었다.

8일, 『인민문학』 제12호에 구위의 산문 「뤄베이에서의 보름蘿北半月」, 비예의 산문 「톈산 풍물기天山景物記」, 쑨리의 중편소설 「철목전전鐵木前傳」이 발표되었다. 1957년 1월에 『철목전전』의 단행본이 톈진인민출판사에서 출간되었다.

9일, 『희극보』 제12호에 '가이자오톈 무대생활 60주년 기념'이라는 주제로 톈한의 「탁월한 공연예술가 가이자오톈 선생을 보고 배우자」, 가이자오톈의 「나를 낳은 이는 부모요, 나를 알아 준 이는 공산당이다生我者父母, 知我者共產黨」, 어우양위첸의 「희곡예술의 투사 가이자오톈戲曲藝術的鬥士蓋叫天」 등의 글이 발표되었다. 이 외에도 장퉈張拓의 「스타니슬랍스키 체계 학습에 관한 몇 가지 문제有關學習斯坦尼斯拉夫斯基體系的幾個問題」, 린모위林默予의 「감독과 배우 사이導演與演員之間」가 발표되었다.

10일, 『옌허』 제12호에 원제의 단편소설 「재회重逢」, 톄이푸장鐵依甫江의 시 「꽃 한 다발一束花」, 리지의 「인촨곡銀川曲」이 발표되었다.

선충원이 전국정협의 파견을 받아 창사를 시찰하였다. 그는 장자오허에게 보낸 서신에서 "사람이란 정말 이상합니다. 요즘에는 교통수단이 여행 시간을 이렇게나 단축해 줬지만, 대다수의 사람들은 예전처럼 편리하게 여행하지 못하고, 풍경 감상은 더더욱 꿈도 꾸지 못합니다. 사람들은 다들 일에 사로잡혀 과거에는 응당 지니고 있었을 여유를 잃어버렸습니다……바진은 당연히 일이 훨씬 더 많겠지요. 정말 이상하지요. 이렇게나 여유가 없는데, 어떻게 장편소설을 쓸 수 있을까요?

내 생각에, 내가 만약 다시 소설을 쓴다면 완전한 행동의 자유가 있어야만 그나마 희망이 있을 것입니다. 예전처럼 시골로 간다 해도 교사로서 갈 텐데, 학생들이 평소에 즐거워하는 모습을 어떻게 제대로 볼 수 있겠습니까? 기관에서 보는 것들도 책에 쓸 수는 없습니다. 전부 사무, 임무, 회의, 보고, 공작 배치 같은 일들이기 때문입니다. 게다가 공작에 직접 접촉한다 해도 평상시의 생활과는 지극히 소원할 테니, 열흘이나 보름쯤 지내면서 무슨 글을 쓸 수 있겠습니까?" "나는 매일 밤에 『삼리만』 외에도 「상행산기湘行散記」를 읽는데, 「상행산기」의 작가는 확실히 글을 쓸 줄 아는 작가라는 생각이 듭니다. 이렇게나 문장이 좋은데, 듣자 하니 이름을 감추고 있다니, 정말이지 좋은 방법은 아닙니다. 하지만 무슨 방법을 써야 그가 다시 펜을 들어 글을 쓰게 할 수 있을까요? 정말이지 답을 찾을 수 없는 수수께끼이니, 아쉬울 뿐입니다!"라고 말했다.[33]

12일, 『인민일보』에 사설 「서적은 어째서 부족하면서도 넘치는가爲什麽書籍又缺又濫」가 발표되었다. 글은 현재 서적 출판공작에 있어 한편으로는 공급이 수요를 따라가지 못하는 현상이 존재하고, 반면에 다른 한편으로는 대량의 재고 누적과 낭비 현상이 존재한다고 지적하면서 "서적 출판의 질을 제고하는 것은 어느 시기에든 출판사의 중요한 공작이다", "현재 서적 출판공작의 절실한 임무는 군중이 절실히 필요로 하는 서적을 만족시키기 위해 노력하고, 출판하든 하지 않든 그만인 일부 서적을 통제해 감소시켜 유사한 원고의 내용이 중복되는 현상을 최대한 피하고, 내용이 공허하고, 문장이 장황해 분량이 많고, 질이 낮고, 군중의 실제 수요에서 벗어난 서적을 단호히 출판하지 않는 것이다"라고 보았다.

『해방군문예』 제12호에 쉬화이중의 단편소설 「우리는 사랑을 파종한다」가 발표되었다.

13일, 『인민일보』 제8판에 사오옌샹의 시 「자구이샹賈桂香」이 발표되었다. 시 말미에 추가된 후기는 "자무쓰 원예시범농장佳木斯園藝示範農場의 청년 여공 자구이샹은 주관주의자와 관료주의자의 괴롭힘을 견디다 못해 7월 27일에 자살하였다. 헤이룽장일보 기자 왕거王戈 동지가 조사 기록을 작성해 10월 11일자 헤이룽장일보에 게재하였다. 기사를 읽고 가슴이 뛰어 이 시를 써서 호소한다. 제2의 자구이샹이 있어서는 안 된다!"라고 밝혔다.

14일, 문화부에서 「극작가에 대한 국영극단의 극본 상연 보수 지급 시행에 관한 통지關於國營

---

33) 선충원, 장자오허, 『충원 가서』, 제254-255쪽, 상하이위안둥출판사 1996년

劇團試行付給劇作者劇本上演報酬的通知」가 발포되어 "전문극단에서 창작 혹은 각색된 극본을 상연할 경우, 의무적인 위문공연 및 극단 내부에서의 심사의 성격을 띤 공연을 제외한 모든 경제적 수입이 발생하는 공연을 상연할 때 극작가에게 극본 상연 보수를 지급해야 한다"라고 규정하였다. 본 규정은 1957년부터 시행되며, 보수의 비율은 가극 6%, 화극과 희곡 3%이며 번역 극본은 반액으로 책정되었다.

15일, 『문예보』 제23호에 본지 평론가의 글 「영화의 징과 북電影的鑼鼓」이 발표되었다(저자는 중뎬페이). 글은 우선 현재의 국산 영화 불경기 현상에 대해 "문예가 공농병을 위해 복무한다는 방침이 명확해지고, 공농병과 일반 농민의 생활수준도 눈에 띄게 제고되었다. 그러나 국산 영화의 관중 상황은 이처럼 불경기를 맞고 있다……이러한 사태의 발전은 우리에게 문예가 공농병을 위해 복무한다는 방침과 영화의 관중이 결코 대립하게 해서는 안 되고, 영화의 사회적 가치와 예술적 가치가 영화가 표방하는 가치와 대립하게 해서는 안 되며, 영화가 공농병을 위해 복무한다는 말을 '공농병 영화'로 이해해서는 안 된다는 사실을 기억하지 않을 수 없게 한다"라고 지적하면서, "그러나 그 실천 효과는 그 교조주의와 종법주의 형식이 명확함을 증명하고 있다. 교조주의적이 된 이유는 당이 제시한 '문예는 공농병을 위해 복무한다'는 정확한 지시를 경직시켜 잘못 해석했기 때문이며, 종법주의적인 이유는 그것이 이를 통해 중국의 과거 영화를 구분하려고 시도하면서 이 영화들을 '소자산계급 영화', '소극적 영화'로 통칭했기 때문이다"라고 분석하였다.

글은 또한 영화의 조직 및 지도 공작에 대해 "국가는 영화사업에 대해 전반적인 기획과 관리를 행해야 하지만, 너무 구체적이고 엄격하게 관리해 통일된 규격과 배치를 지나치게 강조한다면 영화 제작에 도움이 되지 않는다", "예술창작은 반드시 최대한의 자유를 보장받아야 하고, 예술가의 풍격을 충분히 존중해야 하며, 이를 '마모'시켜서는 안 된다"라고 비평하였다. 중국 영화의 전통 문제에 관해서는 "한 발 물러나서 보면, 중국 영화에는 확실히 전통이 없다. 그렇다면 중국의 영화공작자들은, '밍싱明星'에서 '롄화聯華'까지, '뎬퉁電通'에서 '쿤룬'과 '창청'까지 오면서 좋은 경험을 가지고 있지 않을까? 제작과 조직 및 창작, 편집, 감독, 배우, 촬영, 발행 등의 측면에 배울 만한 수많은 것들이 있지는 않을까? 우리의 대답은 긍정이다. 종법주의적인 정서를 가진 일부 사람들만이 마치 이러한 것들이 무언가를 방해하기라도 한다는 듯이, 아주 멀리 걷어차 버리기에 급급할 뿐이다!"라고 보았다.

같은 호에 궈한청郭漢城의 「전통 희곡 작품 교육의 의의에 관한 몇 가지 문제有關傳統劇目教育意義的幾個問題」가 발표되었다. 그는 글에서 "우리가 전통 희곡 작품을 평가하는 의의는 실사구시를 제창하고 구체적인 작품에 대해 구체적인 분석을 진행하는 데 있다", "소위 '긍정적' 인물과 '부정적' 인물은 결코 단순한 분류가 아니며, 인물에 붙어 있는 꼬리표도 아니다", "희극은 생활을 진실하게 반영할 것을 요구한다. 따라서 어떤 인물을 묘사할 때는 반드시 다방면에서 그의 정신 상태와 사상적 품성을 그려내어야 한다"라고 지적하였다.

16일, 『인민일보』에 샤오첸의 산문 「초겨울에 싼샤를 지나다初冬過三峽」가 발표되어 17일자에 연재가 완료되었다.

19일, 『문회보』에 마옌샹의 「전통 희곡 작품 발굴 및 정리에 관한 몇 가지 문제關於發掘和整理傳統劇目的幾個問題」가 발표되었다.

20일, 『베이징문예』 제12호에 하오란의 단편소설 「봄누에가 고치를 틀다春蠶結繭」, 린진란의 단편소설 「춘뢰春雷」가 발표되었다.
　　『동해東海』 제3호에 펑춘豐村의 단편소설 「저우리쥐안의 행복周麗鵑的幸福」이 발표되었다.

22일, 『광명일보』에 아이칭의 「해변시초海邊詩抄」가 발표되었다. 「암초礁石」, 「진주조개珠貝」, 「미역海帶」 등 3편의 시가 수록되었다. 이 시들은 아이칭이 1954년 7월에 칠레를 방문했던 당시에 창작한 것으로, 발표된 후에 「암석」이 비교적 주목받았다. 사어우는 「알갱이처럼 반짝이는 진주璀璨如粒的珍珠」에서 이 시가 "숭고하고 굳세며 굴복하지 않는 이념"을 표현했다고 평하였다(『문예월보』 1957년 제6호). 그러나 9월이 되자 사어우는 태도를 바꿔 "이러한 해석은 정확하지 못하다. 「암초」에서 진정으로 표현된 것은 거만하고, 수많은 타격을 받았음에도 전혀 개의치 않는 형상이기 때문이다. 표면적으로 보면 이는 집단에서 벗어나고도 잘못을 깨닫지 못하는 완강한 형상이다. 오늘날의 우리 사회에서 이러한 형상은 무엇을 의미하는가? 이는 결코 당이 아니며, 인민도 아니다……이 시는 아이칭이 당내의 투쟁에 대해 대단히 잘못된 견해를 가지고 있음을 설명해 준다. 이러한 견해는 개인의 득실에서 출발해 개인주의를 그 기초로 하고 있다. 그리고 '암초'라는 형상은 말 그대로 타격을 입으면서도 계속해서 완강한 태도를 보이는 상황이다"라고 평하였다(사어우, 「아이칭 근작 비판艾青近作批判」, 『시간』 1957년 제9호).

23일~29일, 아시아작가회의가 인도의 뉴델리 과학궁新德裏科學宮에서 개최되었다. 중국에서는 마오둔을 단장으로 하는 중국작가대표단을 파견하였다. 대회 개최를 기념하여 『인민일보』에 사설 「아시아 문인들의 꽃이 만발하기를願亞洲文苑百花盛開」(12월 30일), 『광명일보』에 사설 「아시아작가회의를 축하하며祝賀亞洲作家會議」(12월 23일)가 발표되었다. 23일 오후, 중국작가대표단 단장 마오둔의 주관하에 아시아작가회의 전체회의가 개최되었다. 마오둔이 「오늘날의 중국문학今天的中國文學」이라는 제목으로 보고를 진행하였다. 25, 26일에 개최된 4개 위원회의 회의에서 각국 작가들은 '작가의 자유', '아시아의 전통', '작가와 직업', '문화교류' 등 네 가지 중요한 문제에 관해 의견을 교류하였다. 라오서는 '작가의 자유'라는 문제에 관한 발언에서 작가가 쓰고 싶은 것을 쓰고 싶은 대로 쓸 수 있도록 해야 한다고 주장하면서, "인민의 사상에 해를 끼치는 작품을 제외한 모든 작품은 가치가 있으며, 출판되어야 한다. 이렇게 해야만 우리는 진정한 백화제방을 이룰 수 있다"라고 보았다. 27일 오후에 진행된 전체회의에서는 4개 위원회에서 제시한 문화교류, 아시아의 전통, 작가와 작가의 직업, 작가와 자유 등의 문제가 만장일치로 통과되었다. 회의는 29일 오후에 폐회하였으며, "참석자들은 모두 머지않아 세계작가대표회의를 개최해 전세계 각국 작가들 사이의 우정과 상호 간의 이해 및 문화교류를 증진할 수 있게 되기를 바란다"는 성명을 발표하였다.

24일, 『인민일보』에 중국작가협회 주석단이 최근에 소집한 회의를 통해 서기처에 대한 재선거를 실시했다는 기사가 게재되었다. 새로운 서기처는 마오둔이 제1서기를 맡았으며, 라오서, 사오취안린, 류바이위, 차오위, 쩡커자, 우쭈샹, 장진이, 장광녠, 천바이천, 옌원징이 서기를 맡았다.

26일, 『해방일보』에 왕융성王永生의 「인물의 계급성분에 관하여談人物的階級成分」가 발표되었다. 그는 글에서 "성공적인 예술 전형이라면 그 개괄적 성격과 개성은 시종일관 물과 우유처럼 잘 섞여 있다……그러나 사람들은 종종 개괄적 성격을 특정한 계급 혹은 사회 집단에 대한 개괄이라고 이해하고, 작가가 전형화를 진행할 때 마주한 것이 계급사회 속에서 생활하는 수천만의 사람들이라는 것을 생각하지 못한다. 이들은 각자 특정한 계급 혹은 사회집단에 속해 있기는 하지만 서로 교류하면서 하나의 사회 속에서 함께 생활하는 사람들이다", "작가가 전형화를 진행해 선명한 개성을 가진 인물 형상을 선택해 개괄했다면, 특정한 계급 혹은 사회집단에 속할 가능성이 없지 않다 해도 어찌되었든 그를 단순히 특정한 계급 혹은 사회집단에 편입시킬 수는 없다"라고 보았다.

『인민일보』에 허웨이何爲의 산문 「두 번째 시험第二次考試」이 발표되었다.

28일, 장쥔추張君秋가 이끄는 베이징시 경극3단京劇三團과 마롄량馬連良, 탄푸잉譚富英 등의 유명 배우를 보유한 베이징시 경극단이 합병되었다. 극단은 베이징시 경극단이라는 명칭을 그대로 사용하였다.

30일,『문예보』제24호에 스톈허石天河의「작가의 세계관과 작품의 사상성作家的世界觀與作品的思想性」이 발표되었다. 스톈허는 작가의 세계관과 작품의 사상성을 동일시해서는 안 된다고 지적하면서 "작가의 세계관과 작품의 사상성을 동일시하거나 혼동해서는 안 된다. 작품 속에는 작가의 주관적인 사상 의도뿐만 아니라 객관적인 사회생활도 반영되어 있기 때문이다", "작품 속에는 두 가지 사상 성분이 포함되어 있는데, 하나는 작품 속에서 묘사된 사회생활 자체가 드러내는 객관적 의의이고, 다른 하나는 작가가 묘사한 사회생활에 대한 작가 자신의 주관적 해석이다. 이 두 가지 성분은 일부 작품 속에서는 일치하지만, 일부 작품에서는 일치하지 않고 심지어 완전히 상반된다……작품을 비평하고 판단할 때는 다만 객관적인 사회생활과 객관적인 진실을 그 기준으로 삼아야 한다. 작가의 세계관과 그가 묘사한 사회생활은 평가의 대상일 뿐, 평가의 기준이 되어서는 안 된다"라고 보았다.

이달에 중앙편역국中央編譯局에서 번역한 중국어판『마르크스 엥겔스 전집馬克思恩格斯全集』제1권이 인민출판사에서 출간되었다. 본 전집은 총 50권으로 1985년에 출간이 완료되었다.

류바이위의 산문집『횃불과 태양火炬與太陽』이 작가출판사에서 출간되었다.

쥔칭의『유럽행 서신歐行書簡』이 신문예출판사에서 출간되었다. 책에는「타트리산 위에서在塔特裏山上」,「지하의 수정궁」,「온천여행溫泉之遊」등이 수록되었다.

중앙실험가극원에서 이탈리아 오페라「라 트라비아타」를 공연하였다. 이는 중국 무대에서 최초로 공연된 유럽 고전 오페라이다.

전영국에서「예술영화 생산 관리 개선에 관한 임시 시행 규정關於改進藝術片生產管理的暫行規定」을 발포하여 극본 등의 심사권을 제편창에 한하도록 이관할 것을 결정하였다.

1956년 정리

1956년, '후펑 분자' 장중샤오張中曉가 '보석 치료'를 허가받아 고향인 저장성 사오싱으로 이송되어 그곳에서 수필 「무몽루 문사잡초無夢樓文史雜抄」의 창작을 시작하였다. 장중샤오는 서문에서 "이 책은 병신년(1956년) 가을에 은거를 시작한 날에 집필을 시작해 신축년(1961년) 여름과 가을 사이에 집필이 끝났다. 다섯 해 동안 세 차례의 수정을 거쳤다. 여러 책을 두루 읽은 끝에 이 책을 쓰게 되었다"라고 밝혔다.[34]

장중샤오(1932~1966/1967), 저장성 사오싱 출신으로 필명은 쿵화孔樺, 간허甘河이다. 16세 때 신문에 시를 발표하기 시작하였다. 1952년에 상하이로 가서 신문예출판사에서 편집자를 맡았다. 1955년 5월에 후펑 사건에 연루되어 투옥되었으며 '가장 반동적인 숨어 있는 반혁명분자'로 간주되었다. 수감생활 중에 지병이 재발하여 1956년에 보석 치료를 받아 저장성 사오싱의 고향집으로 돌아가 요양하였는데, 생활이 매우 빈곤했다. 병중에도 독서를 계속해 30만 자에 달하는 독서 기록을 남겼다. 문화대혁명 직전에 상하이 신화서점의 저장 및 운송 부서에서 근무하며 생계를 유지했다. 중국공산당 제11기 중앙위원회 제3차 전체회의 이후에 후펑이 복권되면서 함께 복권되었다. 그의 생애와 문학적 재능이 문예계와 출판계의 공정한 평가를 받아, 1996년에 유작 『무몽루 수필無夢樓隨筆』이 상하이위안둥출판사에서 출간되었다.

금융출판사, 재정출판사, 중국전영출판사, 과학보급출판사, 문자개혁출판사, 문물출판사, 군중출판사, 인민일보출판사 등 여러 전문 출판사가 설립되었다.

1954년부터 1956년까지, 국가의 자본주의 공상업에 대한 개조 정책에 의해 전국의 사영 출판, 인쇄, 발행 기업이 점차 사회주의 개조를 진행해 1956년에 기본적으로 완료되었다.

올해 말까지 중국 대륙에 설립된 출판사는 모두 101곳으로, 그 가운데 중앙급 출판사는 54곳, 지방 출판사는 47곳이다. 출판한 서적은 28,773종으로 그 가운데 신판 도서는 18,804종이며, 총 인쇄 부수는 17억 8,400만 부이다. 잡지는 484종이 출판되었다.

올해 겨울에 저우언라이의 배려하에 판광단潘光旦, 우원짜오吳文藻, 양청즈楊成志가 함께 「중국 민속학 12년 장기 계획中國民俗學十二年遠景規劃」의 시행을 건의하였다.

---

34) 장중샤오 저, 루신路莘 정리, 『무몽루 전집無夢樓全集』, 우한출판사武漢出版社 2006년

올해 새로 상영된 주요 국산 영화는 아래와 같다.

「집」(천시허陳西禾 각본, 천시허, 예밍葉明 감독, 상하이전영제편창 제작)

「이시진李時珍」(장후이젠張慧劍 각본, 선푸沈浮 감독, 상하이전영제편창 제작)

「어머니母親」(하이모 각본, 링쯔펑淩子風 감독, 상하이전영제편창 제작)

「추옹우선기秋翁遇仙記」(우융강 각본, 상하이전영제편창 제작)

「상간링上甘嶺」(린산林杉, 사멍沙蒙, 차오신曹欣, 샤오위肖予 각본, 사멍, 린산 감독, 창춘전영제편창 제작)

「철도유격대」(류즈샤 각본, 자오밍 감독, 상하이전영제편창 제작)

「축복」(샤옌 각본, 쌍후 감독, 베이징전영제편창 제작, 1957년 제10회 카를로비바리 국제영화제 심사위원회 특별상, 1958년 멕시코 국제영화주간 은모상銀帽獎 수상)

「사소한 일에 신경 쓰지 않는 사람不拘小節的人」(허츠 각본, 뤼반呂班 감독, 창춘전영제편창 제작)

「새 국장이 오기 전에」(위옌푸於彦夫 각색, 뤼반 감독, 창춘전영제편창 제작)

1954. 1 ~ 1959. 12

1957年

1월

1일, 쓰촨성 작가협회에서 편찬한 시 월간지 『별星星』이 청두에서 창간되었다. 창간호에는 류사허의 산문시 「초목편草木篇」, 웨바이日白의 애정시 「입맞춤吻」이 발표되었다. 3월에 『쓰촨일보四川日報』, 『초지草地』, 『홍암』 등의 간행물에서 계획적으로 『별』 창간호에 발표된 두 편의 시에 대한 비평 여러 편을 게재하였다. 홍중洪鍾은 「『별』의 시와 그 경향<星星>的詩及其傾向」에서 「초목편」과 그 저자에 대해 "그는 자신이 있는 곳은 화원이고, 그 주인은 냉랭하며, 군중은 알랑거리는 온갖 꽃과 밉살스럽게 아첨하는 등나무, 그리고 아름다운 옷을 입은 독버섯이라고 느낀다. 좀 더 정확히 말하면, 이 화원은 관료주의자, 아첨쟁이, 독을 파는 사람들의 대잡원이다. 시인은 이 화원을 증오하고, 경멸하고, 멸시한다. 시인은 그의 이상을 무엇에 기탁하는가? 평원 위에 외로이 서서 죽을 때까지 누구에게도 허리를 굽히지 않는 백양나무, 온몸이 가시에 찔린 채 주인에 의해 화원에서 내쫓겨 사막에서 자녀를 낳아 번식하는 선인장, 그리고 요염한 웃음으로 나비를 유혹할 필요 없이, 자신을 겨울의 흰 눈에 살며시 허락하고서 마지막으로 웃는 매화이다", "저자가 이 시에서 표현한 입장과 관점이 인민대중의 집단주의와 유사한 점이 전혀 없다는 것은 명확하다. 「초목편」은 오히려 저자 자신의 소자산계급적인, 과격하고 열광적이며 단편적이고 오만한 관점을 전부 폭로했다. 이러한 개인주의 사상이 사회주의 건설에 끼치는 위해성과 반동성에 대해 의심할 여지가 있는가?"라고 비평하였다(『홍암』 1957년 3월호).

반면에 멍판孟凡은 「「초목편」과 「입맞춤」의 비평을 보고 생각한 것由對<草木篇>和<吻>的批評想

到的」에서 이러한 비평 방식은 불합리하고 난폭하다고 보면서 "불과 한 달 안에 「초목편」과 「입맞춤」에 대해 어느 신문(쓰촨일보)에 수십 편의 글이 집중적으로 발표되었다. 모든 글이 이 시들을 엄한 어조로 질책해 마치 하나의 '운동'처럼 느껴진다"라고 지적하고, "비평을 받는 이에게 적절치 못한 꼬리표를 붙여 욕설을 퍼부으며 인신공격을 하고, 심지어 문예비평 과정에서 문예비평의 범위 밖의 일을 언급하며 견강부회해 고의로 죄를 뒤집어씌워, '포위 공격'하면서 세력을 형성해 억압하고 있다"라고 하였다(『문예학습』 1957년 4월호).

『인민일보』 1957년 6월 21일자에 류사허의 「초목편」이 전재되었다. 말미에 장문의 '편집자의 말'이 게재되어 「초목편」 및 그 저자에 대한 '포위 공격'식의 비평을 긍정하고, 류사허의 자기변호의 정당성을 부정하였다.

『장화이문학江淮文學』 1월호에 천덩커의 단편소설 「·사랑"愛」이 발표되었다.

『창장문예』 1월호에 바이화의 장편서사시 『공작孔雀』이 발표되었다.

장쑤성 작가협회에서 편찬한 문학 월간지 『우화雨花』가 난징에서 창간되었다. 창간호에 천덩커의 단편소설 「첫 번째 연애第一次戀愛」, 루원푸의 단편소설 「평원의 송가平原的頌歌」가 발표되었다.

『허난문예』가 『분류奔流』로 명칭을 변경하였다. 『분류』 1월호에 리준의 단편소설 「갈대꽃이 희게 필 때蘆花放白的時候」, 난딩南丁의 단편소설 「바다 위에서在海上」가 발표되었다.

난딩(1931~2016), 본명은 허난딩何南丁으로 안후이성 벙부蚌埠 출신이며 중공 당원이다. 『허난일보』 편집자, 허난성 문련 편집자, 주석, 당조서기 등을 역임하였다. 저서로 단편소설집 『검사공 예잉檢驗工葉英』, 『바다 위에서』, 『피고被告』 및 중단편소설집 『꼬리尾巴』 등이 있다.

『신관찰』 제1호에 옌전의 시 「아름다운 때를 기다리다等待美好的時辰」가 발표되었다.

『문학월간』이 명칭을 『처녀지處女地』로 변경하였다.

문예월간 『성화星火』가 장시에서 창간되었다.

중국희극출판사가 정식으로 설립되었다. 본 출판사는 희극을 전문적으로 출판하는 출판사로, 희극에 관한 간행물과 도서를 출판하였다. 1957년부터 『희극보』와 『극본』이 모두 이 출판사에서 출간되었다.

3일, 『극본』 1월호에 양뤼팡楊履方의 4막 화극 「뻐꾸기가 또 울었다布穀鳥又叫了」가 발표되었다. 천궁민陳恭敏은 "이 극본은 상당히 독창적이며 진실한 감정을 표현하고 있다. 뚜렷한 장점도 있지만 뚜렷한 단점도 있다. 저자는 여러 가지 희극喜劇적 기법을 이용해 복잡한 내부적 모순을 대담하게 표현하였다. 이 작품은 개별적인 결점은 존재하지만 전체적으로 보아 보기 드물게 우수한 극본이다", "이 작품의 기본적 사상은 정확하다. 비록 주제는 충분히 집중되어 있지 않지만 적극적 의의를 가지고 있다. 저자는 잔존하는 옛 의식에 대해 강력하게 공격했고, 공작의 결점에 대해서는 선의를 가지고 비평했다. 각종 희극적 요소의 결합에 대한 탐색과 파악, 그리고 여러 낙후된 현상에 대한 풍자와 조소의 정도는 매우 적합하다"라고 평했다(천궁민, 「「뻐꾸기가 또 울었다」 및 그 비평에 대한 탐구對<布穀鳥又叫了>及其批評的探討」, 『극본』 1958년 제3호).

그러나 야오원위안은 "「뻐꾸기가 또 울었다」는 민주혁명에 속하는 요구를 고립적으로 그려내면서 개인의 연애의 절대적 중요성만을 강조하였으며, 극 전체에서 두 가지 노선의 투쟁의 그림자조차 찾아볼 수 없다. 따라서, 일단 근본적 사상 측면에서 시대의 본질을 반영하지 못했다", "퉁야난童亞男은 봉건주의의 잔당과 투쟁하지만, 자산계급 사상으로써 봉건주의의 잔당에 반대하고 있다. 자산계급의 계급성을 바꾸지 못하고, 개인의 애정을 지상으로 삼아 봉건관념에 반대하고 연애의 자유를 방해하는 인물. 이는 반동적인 자산계급 개인주의 사상의 표현이다"라고 보았다(야오원위안, 「어떠한 기준으로 작품의 사상성을 평가할 것인가以什麼標准來評價作品的思想性」, 『극본』 1958년 12월호).

1957년 4월, 상하이인민예술극원에서 본 화극을 공연하였다. 황쮀린이 감독을 맡았다. 1957년 11월, 본 화극의 단행본이 중국희극출판사에서 출간되었다.

천궁민(1927~), 화극 각본가, 평론가, 희극교육가. 후난성 창사 출신이다. 1948년에 상하이희극전문학교上海戲劇專科學校 연구반에서 각색을 공부한 후 화둥대학華東大學 문학부에서 수학하였다. 화둥국 선전부 문공단 각본가, 화둥인민혁명대학華東人民革命大學 문공단 각본가, 상하이인민예술극원 각본가, 상하이희극학원 교사, 부연구원, 원장, 중국극협 이사를 역임하였다. 1952년부터 작품을 발표하였으며 1980년에 중국공산당에 가입하였다. 저서로 화극 극본 『황푸장 위의 여명黃浦江上的黎明』(합동 창작), 『공산주의 개선가共産主義凱歌』(합동 창작), 『민항춘추閔行春秋』, 『마술사의 기이한 만남魔術師的奇遇』(합동 창작), 『한 집안 식구一家人』(합동 창작) 등이 있으며 『천궁민 희극 논문집陳恭敏戲劇論文集』이 출간되었다.

4일, 『문회보』에 아이칭의 시 「창청長城」이 발표되었다.

5일, 『문예월보』 1월호에 쿼칭의 단편소설 「산간의 황혼山間黃昏」, 아이칭의 시 「눈 오는 아침下雪的早晨」, 커란의 시 「눈빛眼光」, 쉬츠의 산문 「차이다무 분지柴達木盆地」, 위안잉의 산문 「남딘에서 상봉하다南定相逢」, 푸레이의 평론 「「봄에 심어 가을에 거두다」를 평하다評<春種秋收>」, 저우페이퉁周培同, 장바오신張葆莘의 평론 「『삼리만』 속의 사랑에 관하여談<三裏灣>中的愛情」, 장췬샹의 평론 「한 편의 만화로부터 이야기를 시작하다從一幅漫畫談起」가 발표되었다.

『옌허』 1월호에 류칭의 단편소설 「이웃의 사소한 일鄰居瑣事」, 왕원스王汶石의 단편소설 「춘절 전후春節前後」, 장셴량張賢亮의 시 「밤夜」, 화산의 보고문학 「산중의 항로山中海路」, 원제의 보고문학 「바다제비海燕」가 발표되었다.

장셴량(1936~2014), 본적은 장쑤성 쉬이盱眙이며 난징에서 출생하였다. 중공 당원으로 50년대 초에 문학창작을 시작하였다. 1957년 7월에 『옌허』에 발표한 「대풍가大風歌」로 인해 우파로 오인 되어 1958년부터 1976년까지 노동개조, 통제, 감시, 감금을 당했다. 1979년에 복권된 후 다시 작 품 발표를 시작하였다. 1980년에 닝샤 자치구 문련으로 이동해 『닝샤문예寧夏文藝』 편집자를 맡았 으며 전문 창작에 종사하였다. 이후에 닝샤 자치구 문련 주석, 작가협회 닝샤분회 주석을 역임하 였다. 저서로 중단편소설집 『영혼과 육체靈與肉』, 『감정의 역정感情的曆程』, 장편소설 『남자의 풍격 男人的風格』, 『사망에 익숙해지다習慣死亡』, 『나의 보리수我的菩提樹』 등이 있다. 이 가운데 다수의 작품이 영화와 드라마로 제작되었다.

문학월간 『망종芒種』이 선양에서 창간되었다.

7일, 『인민일보』에 천치퉁, 천야딩陳亞丁, 마한빙馬寒冰, 루러魯勒가 함께 집필한 글 「현재 문예 공작에 대한 우리의 몇 가지 의견我們對目前文藝工作的幾點意見」이 발표되었다. 이들은 "과거 1년간, 공농병을 위해 복무한다는 문예방향과 사회주의 현실주의 창작방법을 제창하는 이는 점점 줄어들 었다. 혹자는 공농병을 묘사하는 소재는 너무 협소하다고 생각해 '소재 확장론'으로써 공농병을 위 해 복무하는 문예방향을 대신하려 하고, 혹자는 공농병을 위해 복무한다는 방향을 강조할 필요 없 이 '백화제방, 백가쟁명'만을 강조하면 된다고 생각하며, 혹자는 사회주의 현실주의 창작방법을 견 지할 필요가 없고, 심지어 사회주의 현실주의 방법이 반드시 정확한 것은 아니라고까지 생각한다" 라고 비평하면서, "일부는 '공식화, 개념화'에 반대하는 투쟁을 오해하거나, 혹은 이를 이용해 '예 술은 정치를 위해 복무한다', '예술은 고도의 사상성을 가져야 한다', '예술은 수많은 인민을 교육하 기 위한 무기가 되어야 한다'는 견해에 반대하기 위한 평계로 삼는다"라고 지적하였다.

『허베이문예』가 『꿀벌蜜蜂』로 명칭을 변경하였다. 『꿀벌』 1월호에 량빈梁斌의 장편소설 『홍기 보』 제1부 제4권의 일부가 연재되기 시작해 제3호에 연재가 완료되었다.

량빈(1914~1996), 허베이성 리현蠡縣 출신으로 중공 당원이다. 1930년에 바오딩제2사범학교保 定第二師範學校에 입학한 후 유명한 '2사범학교 학생운동二師學潮'에 참가하였다. 1942년부터 지방공작에 종사하였다. 중공 후베이 샹양襄陽 지방위원회 선전부장 겸 『샹양보襄陽報』 사장, 『우한일보』 사장, 중앙문학강습소 지부서기, 허베이성 문련 부주석, 중국작가협회 이사 등을 역임하였다. 이후에 톈진에 거주하면서 전문 창작에 종사하였다. 1953년에 장편소설 『훙기보』의 창작을 시작해 1957년 말에 제1부를 출판한 후 큰 반향을 불러일으켰다. 1963년에 『훙기보』 제2부 「파화기播火記」를, 1983년에 제3부 「봉화도烽火圖」를 출간하였다. 『량빈 문집梁斌文集』(7권)이 출간되었다.

8일, 『인민문학』 1월호에 린진란의 단편소설 「타이완 처녀台灣姑娘」, 왕명의 단편소설 「겨울비冬雨」, 겅룽샹耿龍祥의 단편소설 「명경태明鏡台」, 허유화何又化(친자오양)의 단편소설 「침묵沉默」, 리준의 단편소설 「회색의 돛灰色的帆篷」, 캉줘의 단편소설 「생일을 보내다過生日」, 궁류의 연작시 「연통 위에 쓴 시寫在煙囪上的詩」, 리잉의 시 「선물禮物」이 발표되었다. 이 외에도 장톈이의 동화 「호리병의 비밀寶葫蘆的秘密」의 연재가 시작되어 4월호에 종료되었으며, 1958년 3월에 중국소년아동출판사에서 단행본이 출간되었다.

『문예학습』 1월호에 '「조직부에 새로 온 젊은이」에 관한 토론關於<組織部新來的青年人>的討論'이라는 주제로 류샤오탕, 충웨이시의 「진실 창작 — 사회주의 현실주의의 생명과 핵심寫真實 — 社會主義現實主義的生命核心」, 창즈長之의 「만족스럽지만, 동시에 심각한 결점을 가진 작품可喜的作品, 同時也是有嚴重缺點的作品」, 사오옌샹의 「병 치료와 입에 쓴 약去病和苦口」 등의 비평이 발표되었다. 이 외에도 쑨징쉬안의 시 「길가에서의 노래路邊上的歌」, 「홍군의 아들이 왔다紅軍的兒子來了」가 발표되었다.

8일부터 상하이시 문화국과 중국극협 상하이분회가 연합으로 통속화극 및 해학극 관람공연을 거행하였다. 공연의 목적은 이 두 가지 희극의 특징과 발전 과정을 연구하고, 예술 전통을 정리하고 계승 및 발양한 성과를 전시하며, 두 가지 희극의 창작 공연을 활발히 하고 그 예술 수준을 제고하는 것이다. 공연은 12일간 이어졌으며 「진주탑珍珠塔」, 「장문상이 말을 찌르다張文祥刺馬」 등 6편의 통속 화극과 「판판육십사板板六十四」 등 15편의 해학극을 공연하였다.

9일, 『중국소년보』에 빙신의 산문 「소귤등小桔燈」이 발표되었다.

10일, 『전초』 1월호에 쿵칭의 산문 「결코 제2의 아우슈비츠가 있어서는 안 된다 — 유럽행 서신絕不許奧斯維辛重演 — 歐行書簡」, 왕퉁자오의 「난롯가 문담爐邊文談」의 1, 2, 3편이 발표되었다.

11일, 『문회보』에 왕명의 장편소설 『청춘만세靑春萬歲』의 연재가 시작되어 총 29회로 2월 18일자에 연재가 완료되었다. 『문회보』 2월 23일자에 샤오인의 평론 「『청춘만세』를 읽고讀<靑春萬歲>」가 발표되었다. 샤오인은 글에서 "우리는 이 소설에서 중학생의 생활과 투쟁 및 그들의 단순하고도 풍부한 정신세계를 볼 수 있다. 또한 그들은 모두 서로 다른 환경과 서로 다른 출신성분을 가지고 있기에, 작가는 우리를 음침한 성당, 몰락했으며 슬픔으로 가득 찬 유산자의 가정, 민족적인 분위기가 충만한 교사의 가정, 평범한 농민의 가정 등, 수많은 가정으로 이끌어 각양각색의 생활과 인물을 볼 수 있게 해 준다. 요컨대, 이 작품은 우리에게 다양한 생활과 접촉하게 해 줄 뿐만 아니라, 때로는 우리가 그들의 영혼 깊은 곳까지 들어갈 수 있도록 인도해 준다"라고 평했다. 1979년 5월에 소설의 단행본이 인민문학출판사에서 출간되었다.

『해방군문예』 1월호에 톈젠의 시 「나는 초원 위를 거닌다我在草原上漫遊」, 「청춘 송가靑春頌」 및 커란의 보고문학 「기차 위의 소령火車上的少校」이 발표되었다.

12일, 『광명일보』에 아이우의 잡문 「기념에 관한 한담閑話紀念」이 발표되었다. 그는 글에서 "기념회가 끝나고 나면 기념의 대상이 된 사람은 곧장 저 먼 곳으로 내던져진다", "우리에게 있어 대작가들과 훌륭한 작품들의 모든 존재 의의는 그저 기념회를 한 번 열기 위함일 뿐인 듯하다"라고 말했다.

15일, 문화부 당조에서 중공중앙에 「영화 제작 개선에 관한 몇 가지 문제에 대한 보고關於改進電影制片若幹問題的報告」를 제출하여 영화 제작 사업의 조직 형식과 지도 방식에 대한 개선 방안을 제시하였다.

『신항』 1월호에 바런의 「인정을 논하다論人情」가 발표되었다. 그는 글에서 "현재 우리의 문예작품에는 안정미가 부족하다, 다시 말해, 누구나 공감할 수 있는 무언가가 부족하고, 인류의 본성에서 나온 인도주의가 부족하다"라고 지적하며, "문예는 반드시 계급투쟁을 위해 복무해야 하지만, 그 최종 목표는 모든 인류를 해방시키고, 인류의 본성을 해방시키는 것이다", "계급투쟁을 묘사하는 것은 계급이 존재하는 상황이 끔찍하다는 것을 알리기 위해서이다. 같은 계급의 사람들을 깨우쳐 투쟁하도록 해야 할 뿐만 아니라, 적대 계급의 사람들로 하여금 수치심과 공포를 느끼게 해 그들의 정신을 와해시켜야 한다. 이를 위해서는 누구나 공감할 수 있는 무언가를 기초로 해야 한다. 이 기초가 바로 인정이고, 인류의 본성에서 나온 인도주의이다"라고 밝혔다. 그는 글의 마지막에서 "혼이여, 돌아오라! 우리 문예작품 속의 인정이여!"라고 호소하였다.

리칭李慶은 「인정을 논하다也論人情」에서 "바런 동지는 비록……자신의 주장이 '문예에 넘쳐흐르는 '인성론''이 아니라고 힘껏 변명했지만, 우리는 여전히 그의 주장에 인성론의 냄새가 너무 짙게 배어 있다고 느낀다. 그가 '인성', '인도주의', '인류의 본성' 등등을 문예의 기초라고 강조하면서, 마르크스주의의 대가들이 거듭 논증해 온 진리, 즉 인성 등등의 개념은 신이 인류를 위해 규정한 만고불변의 생활 규범이 아니라 인류의 삶과 역사의 발전의 산물이라는 진리를 경시하였기 때문이다. ……계급 사회 속의 인성은 계급성을 가지고 있다"라고 보았다(『문예학습』 1957년 4월호).

왕수밍은 「인정과 인성을 논하다論人情和人性」(『신항』 제7호)에서 바런이 현재의 문예작품에 대해 '인정미가 너무 적다'고 평한 것이 정확하다고 보았으나, '정치의 냄새가 너무 짙다'는 견해에 대해서는 동의하지 않았다.

『인민일보』에 저우리보의 단편소설 「탈곡장에서在禾場上」가 발표되었다.

16일, 『신관찰』 제2호에 야오쉐인의 산문 「후이취안에서 차를 마시다」가 발표되었다.

『인민중국人民中國』(영문판) 제1호에 라오서의 잡문 「자유와 작가自由與作家」가 발표되었다.

『인민일보』에 친무의 산문 「나비 같은 사람蝴蝶式的人」이 발표되었다.

문학월간 『산화山花』가 구이양貴陽에서 창간되었다.

19일, 상하이인민예술극원이 슝포시의 4막 화극 「상하이탄의 봄上海灘的春天」을 공연하였다. 슝포시가 직접 감독을 맡았다.

20일, 『베이징문예』 1월호에 아이칭의 시 「징산의 오래된 회화나무景山古槐」, 「위취안산玉泉山」, 「어화원禦花園」, 「비둘기 피리鴿哨」, 둔무훙량의 산문 「샹산 비윈쓰 만담香山碧雲寺漫談」, 비예의 보고문학 「초원에서 온 처녀來自草原上的姑娘」가 발표되었다.

22일, 『여행가』 1월호에 팡지의 장편여행기 『진사장으로 가다到金沙江去』의 연재가 시작되어 4월호에 완료되었다.

『해방일보』 부간 『조화朝花』 제67호에 옌전의 시 「봄, 봄이여, 파종할 때春啊, 春啊, 播種的時候」와 「봄물春汛」이 발표되었다.

『문회보』에 마톄딩의 잡문「시필하다試筆」, 주주주朱煮竹(중뎬페이)의「리수퉁에 관하여關於李叔同」, 리젠우의「어느 영화 관중의 말一個電影觀眾的話」이 발표되었다.

24일, 『문회보』에 친무의「작은 일과 큰 비극小事情與大悲劇」이 발표되었다.

25일, 시 월간지 『시간詩刊』이 베이징에서 창간되었다. 짱커자가 편집장을 맡았으며 톈젠, 아이칭, 뤼젠, 사어우, 위안수이파이, 쉬츠, 짱커자, 옌천 등 8명으로 편집위원회를 구성하였다. 창간호에는「심원춘·창사沁園春·長沙」,「보살만·황허루菩薩蠻·黃鶴樓」,「서강월·징강산西江月·井岡山」,「여몽령·원단如夢令·元旦」,「청평악·후이창清平樂·會昌」,「보살만·대백지菩薩蠻·大柏地」등 마오쩌둥의 구체舊體 시사 18편 및 마오쩌둥이 짱커자와 『시간』 편집부에 보낸 서신이 발표되었다. 마오쩌둥은 서신에서 "나는 이 시들을 정식으로 발표할 생각이 없었습니다. 구체시이기 때문에 괜히 유전되어 청년들에게 나쁜 영향을 끼칠까 걱정되었기 때문이고, 또한 시의 정취가 부족하고 특색이 없기 때문입니다"라고 밝히면서, "시간의 창간은 훌륭합니다. 성장하며 발전하기를 기원합니다. 시는 당연히 신시가 주가 되어야 합니다. 구체시도 약간은 실을 수 있겠지만, 청년들에게 제창하기에는 좋지 않습니다. 이러한 제재는 사상을 속박하며, 배우기도 어렵기 때문입니다"라고 밝혔다. 이 외에도 아이칭의「칠레의 곶에서在智利的海岬上」, 펑즈의「시베이 시초西北詩鈔」(5편), 쑨징쉬안의「삼림 서정시森林抒情詩」(6편), 원제의「귤원 송가橘園頌歌」, 샤오싼의「시 3편詩三首」, 쉬츠의「망애芒崖」등이 발표되었다. 본 잡지는 1964년 말에 폐간되었다가 1976년 1월에 복간되었다. 2002년에 격주간으로 변경되었다.

26일, 『인민일보』에 왕징즈의 시「레닌 송가列寧頌」가 발표되었다.

29일, 『인민일보』에 류성야의 산문「바이올린을 켜는 사람拉提琴的人」이 발표되었다.

30일, 상하이시 문화국이 전통 희곡 작품의 발굴과 정리에 뛰어난 공헌을 한 원로 예인 156인에게 상을 수여하였다.

31일, 베이징인민예술극원이 궈모뤄의 유명 역사극「호부虎符」를 공연하였다. 메이첸이 감독을 맡았으며 위스즈, 다이야戴涯, 정룽, 주린 등이 주연을 맡았다.

『문회보』에 캉쥐의 산문「춘절에 옛날을 생각하다春節想當年」가 발표되었다.

이달에 사옌, 톈한, 어우양위첸, 양한성이「화극운동 50주년 기념행사 개최, 화극운동 자료 수집 정리, 화극 사료집 출판에 관한 건의擧辦話劇運動五十周年紀念及搜集整理話劇運動資料、出版話劇史料集的建議」를 제출하였다. 본 건의는『희극보』제7호에 게재되었다. 이후에『중국화극운동 50년 사료집 제1집中國話劇運動五十年史料集·第一輯』이 1958년 2월에 출간되었으며 제2집은 1959년 4월에, 제3집은 1963년 4월에 출간되었다. 본 사료집은 모두 중국희극출판사에서 출간되었다.

중국청년예술극원이 베이징에서 샤옌의 유명 화극「상하이의 처마 아래」를 공연하였다. 진산金山, 샤오치肖琦가 감독을 맡았다.

중국희곡연구원에서 편찬한 대형 희극 이론 간행물『희곡연구戲曲研究』가 창간되었다.

소년아동출판사에서 내부 발행하는 이론 잡지『아동문학연구兒童文學研究』를 창간해 아동문학 이론 문제에 관한 토론을 조직하고, 아동문학 작품 평론을 발표해 아동문학 발전의 추진에 적극적인 역할을 하였다. 본 잡지는 1959년 11월부터 전국에 공개적으로 발행되기 시작하였다. 이는 중국 최고의 아동문학 전문 학술 간행물이다.

류시의 단편소설집『깃대를 기어오르는 사람爬在旗杆上的人』이 중국청년출판사에서 출간되었다. 책에는 단편소설 8편이 수록되었다. 이 작품들은 1979년 5월에 상하이문예출판사에서 출간된 당대문학 작품집『다시 핀 꽃』에 수록되었다.

허징즈의 정치서정시『목 놓아 노래하다』의 단행본이 중국청년출판사에서 출간되었다. 이 시는 1956년 7월 1일자, 22일자, 9월 2일자『베이징일보』에 세 부분으로 나뉘어 발표되었다. 1959년 4월에 인민문학출판사에서 재판이 출간되어 '문학소총서'에 수록되었다.

쑨리의 중편소설『철목전전』이 톈진인민출판사에서 출간되었다. 이 소설은 1956년 12월 8일『인민문학』제12호에 발표되었다.

추안핑의 산문집『신장의 새로운 모습新疆新面貌』이 작가출판사에서 출간되었다.

리웨즈李悅之의 10장 가극『가다메이린嘎達梅林』이 중국희극출판사에서 출간되었다.

2월

1일, 『장화이문학』 2월호에 우웨이無爲의 단편소설 「가뭄의 나날 속에서在幹旱的日子裏」, 우천자吳晨笳의 단편소설 「추해당秋海棠」이 발표되었다.

『맹아』 제3호에 허장의 단편소설 「추운 밤의 이별寒夜的別離」이 발표되었다.

『분류』 2월호에 펑춘의 단편소설 「어느 이혼 안건一個離婚案件」이 발표되었다.

2일, 『인민일보』에 우쭈광의 산문 「봄이 오다春來」가 발표되었다.

3일, 『극본』 2월호에 두쉬안杜宣의 4막 6장 화극 「무명 영웅無名英雄」이 발표되었다.

두쉬안(1914~2004), 극작가, 산문가. 본명은 두창링杜蒼淩으로 장시성 주장九江 출신이다. 1932년에 중국공산당에 가입하였으며 1933년에는 중국좌익희극가연맹에, 1959년에는 중국작가협회에 가입하였다. 잡지 『희극춘추戲劇春秋』 편집위원, 신중국극사新中國劇社 사장, 『군보群報』 편집장, 중국작가협회 상하이분회 서기처 서기, 상하이인민예술극원 각본가, 『문학보』 편집장, 중국극협 상하이분회 부주석 및 주석, 상하이시 작가협회 부주석, 상하이시 문련 당조 부서기 및 부주석 등을 역임하였다. 저서로 화극 『무명 영웅』, 『상하이 군가上海戰歌』, 산문집 『서아프리카 일기西非日記』, 『5월의 두견새五月鵑』 등이 있다.

4일, 『인민일보』에 커란의 산문시 「아침노을 피리早霞短笛」(7편) 및 궈모뤄의 시 「마오 주석과 운율을 맞추다試和毛主席韻」(3편)이 발표되었다.

『문회보』에 바이화의 산문시 「삼림 속의 이야기森林裏的故事」가 발표되었다.

5일, 『문예월보』 2월호에 아이칭의 우화 산문시 「꽃 기르는 이의 꿈養花人的夢」, 「매미의 노래蟬的歌」 및 아이밍즈의 단편소설 「아내妻子」, 우천자의 단편소설 「연뿌리藕」, 커란의 단편소설 「금방울金響鈴」, 스퉈의 특필 「후진차이 이야기胡進財的故事」, 옌전의 시 「바이이라의 노래白依拉之歌」, 쉬제의 「시비를 분명히 가리는 비평과 반비평明辨是非的批評和反批評」, 탕타오의 「'완전무결을 강요하다"求全責備', 야오원위안의 「'지음'을 논하다論"知音"」, 왕다오첸王道乾의 「창작의 원천 및 기타創作的源泉及其他」가 발표되었다.

『문회보』에 희곡 교육에 관한 우쭈광의 글 「장군이 권총을 잃어버렸다將軍失掉了手槍」가 발표되었다.

6일, 『해방일보』에 야오원위안의 「풍격, 지도, 규격 잡담雜談風格, 領導和規格」이 발표되었다.

7일, 『꿀벌』제2호에 캉줘의 단편소설 「어두운 밤하늘에 별이 가득하다黑夜繁星滿天」가 발표되었다.

『문회보』에 마한빙의 『소품문에 관하여談小品文』가 발표되었다.

8일, 취보曲波의 장편소설 『임해설원林海雪原』의 제3, 4, 5, 6, 7, 8장이 「범과 이리의 소굴을 기습하다奇襲虎狼窩」라는 제목으로 『인민문학』 2월호에 발표되었다. 허우진징은 이 소설에 대해 "작가는 임해설원의 대자연 환경을 공들여서, 그리고 상당한 분량을 할애해서 창조했다", "이는 소부대 영웅들의 혁명적 기개를 측면에서 부각시켰을 뿐만 아니라, 적지 않은 환상적인 색채를 더해주었다", "또한 작가는 인민의 옛 전설을 이용해 임해설원에 낭만주의적인 옷을 한 겹 입혀, 독자의 마음을 끌고 독자들의 상상력을 자극했다"라고 평하였다. 또한 "작가는 종종 사소한 생활을 생략하고, 인물을 거대한 충돌과 아슬아슬한 행동 속에 위치하게 했다", "몇몇 결정적인 부분에서는 우연한 상황을 더해, 인물을 부각시켰을 뿐만 아니라 읽는 이를 황홀하게 했으며, 이야기가 정체되지 않고 변화무쌍하게 하면서도 현실성과 환상성이라는 두 가지 분위기를 교묘하게 융합하였다. 바로 이런 점이 『임해설원』의 이야기에 큰 매력을 가져다주었다"라고 보았다.

소설의 부족한 면에 대해서는 "첫 번째로 지적하고 싶은 것은 바이루白茹라는 인물이 실패한 인물이라는 점이다. 바이루는 작품 속에서 상당한 분량을 가지고 있다. 도대체 그 필요성이 얼마나 되는지는 일단 차치하도록 하자. 적어도, 이 인물을 소부대의 여타 영웅 전사들과 함께 두고 보면 대단히 조화롭지 못하다. 애초에 이처럼 긴장으로 가득 찬 전투 환경 속에서 바이루라는 소녀의 첫사랑의 감정에 대해 그처럼 섬세하게 묘사하는 것 자체가 이미 소설의 구조상 불필요한 일이다. 바이루의 정신세계와 사랑에 대한 표현이 그처럼 편협하고 저속한 것은 더 말할 필요도 없다"라고 평했다(허우진징, 「읽는 이를 황홀하게 하는 소설―『임해설원』을 읽고―部引人入勝的小說――讀<林海雪原>」, 『문예보』 1958년 제3호). 본 소설의 초판 단행본은 1957년 9월에 작가출판사에서 출간되었다.

취보(1923~2002), 산둥성 황현(지금의 룽커우龍口시) 출신으로 중공 당원이다. 1938년에 팔로 군에 참가하였다. 1943년에 자오둥항일군정대학에 입학한 후 문학창작을 시작하였다. 1950년에 지방공작에 임하여 치치하얼齊齊哈爾 기관차 차량제조공장 당위원회 서기, 제1기계설계원 부원장, 해방군 총정치부 전문작가, 철도부 공업총국工業總局 부총국장, 중국작가협회 이사, 철로문련鐵路文 聯 부주석 등을 역임하였다. 1957년에 발표한 첫 장편소설 『임해설원』이 큰 반향을 불러일으켰다. 이후에 장편소설 『산과 바다가 울부짖다山呼海嘯』 등의 장편소설을 창작하였다.

『인민문학』 같은 호에 리칭荔青의 특필 「마돤의 타락馬端的墮落」, 량샹취안의 시 「남방의 변경南 方的邊境」(4편), 펑즈의 「시베이 잡시西北雜詩」(2편), 라오제바쌍饒階巴桑의 「로맨스 3편戀曲三首」, 류 허우밍의 3막 6장 아동희극 「손목시계表」, 천바이천의 보고문학 「소리 없는 여행無聲的旅行」이 발 표되었다.

라오제바쌍(1935~), 티베트족 작가로 윈난성 더친德欽 출신이다. 1951년에 해방군에 참가하였 다. 번역, 문화교육 등의 공작에 종사하였으며 중국작가협회 윈난분회 부주석을 역임하였다. 저서 로 시집 『초원집草原集』, 『석촉石燭』, 『사랑의 꽃판愛的花瓣』 등이 있으며, 연작시 「극엽집棘葉集」으 로 제1회 전국 소수민족 문학창작상을 받았다.

『문예학습』 2월호에 ‘「조직부에 새로 온 젊은이」에 관한 토론’이라는 제목으로 두리췬의 「작품 속의 진실 문제作品中的真實問題」, 아이커언艾克恩의 「린전과 나스티아는 무엇을 배웠는가?林震向娜 斯佳學到了什麼?」, 마한빙의 「우리 시대의 인물을 정확히 표현하자」가 발표되었다. 이 외에도 추원 (황추원)의 「생명으로 써낸 책 — 「소성춘추」를 읽고一部用生命寫出來的書——讀<小城春秋>」가 발표되 었다.

9일, 『인민일보』에 왕차오원의 문예수필 「다만 인정에 맞지 않을 것을 걱정하다只怕不合人情」 가 발표되었다.

『해방군보』에 거바오취안이 번역한 푸시킨의 시 「시베리아의 죄수들에게給西伯利亞的囚徒們」가 발표되었다.

10일, 『인민일보』에 충웨이시의 시 「베이다황 단곡北大荒短曲」이 발표되었다.

『전초』 2월호에 왕시젠의 단편소설 「걱정거리心事」가 발표되었다.

12일, 『해방군문예』 2월호에 비예의 보고문학 「조국 변경의 깊은 산 속에서在祖國邊遠的深山裏」, 리잉의 시 「해변 서정시海邊抒情詩」(4편)가 발표되었다.

『문회보』에 펑쯔카이의 산문 「잠꼬대 — 연연당 수필囈語——緣緣堂隨筆」이 발표되었다.

『해방일보』에 뤄쑨의 산문 「베오그라드를 처음으로 방문하다初訪貝爾格來德」의 연재가 시작되어 13, 16, 17일자에 연재되었다.

14일, 『인민일보』에 친무의 산문 「남국의 꽃시장南國花市」이 발표되었다.

15일, 『신항』 2월호에 난딩의 단편소설 「과장科長」, 웨이쥔이의 단편소설 「여인女人」이 발표되었다.

『문회보』에 진이의 보고문학 「어느 중국 처녀一個中國姑娘」가 발표되었다.

15일~3월 14일, 중국극협과 중국음협이 연합으로 신가극 토론회를 소집하였다. 참석자들은 신가극의 기초와 방향, 중국 고전가극 전통의 계승 방법 및 해외 우수 가극에 대한 학습 등의 문제를 집중 토론하였다. 『인민음악人民音樂』에 토론 특별란이 개설되었으며 『희극보』 제4, 5호에 토론회 단신과 종합기사가 게재되었다. 이를 시작으로 공화국 성립 후 최초로 신가극에 대한 대규모의 토론이 전국적으로 전개되었다.

16일, 『맹아』 제4호에 난딩의 단편소설 「양심良心」이 발표되었다.

20일, 『베이징문예』 2월호에 우천자의 단편소설 「개척자拓荒者」, 아이우의 산문 「시찰 일기 제2편視察日記二則」이 발표되었다.

22일, 『여행가』 2월호에 궁무의 연작시 「여행길 잡영旅途雜詠」(4편)이 발표되었다.

23일, 『중국청년보』에 저우언라이, 예팅葉挺, 천이陳毅, 예젠잉葉劍英 등의 시가 각각 1편씩 발표되었다.

24일, 『인민일보』에 리젠우의 글 「이탈리아 희극의 아버지 골도니意大利喜劇之父哥爾多尼」가 발표되었다.

25일, 『시간』 2월호에 궈샤오촨의 「대해에게致大海」, 톈젠의 「바우와 카친 주 사람巴烏和克欽邦的人」, 원제의 「푸르른 샤오타오허 강가青青的小陶河濱」, 궁무의 「늦게 핀 장미遲開的薔薇」, 짱커자의 「마오 주석의 손님이 되다在毛主席那裏作客」, 펑즈의 「외국어 인쇄공장에서在外文印刷廠」 등의 시와 아이칭의 「왕수의 시望舒的詩」, 천멍자의 「쉬즈모의 시에 관하여談談徐志摩的詩」 등의 글이 발표되었다. 아이칭과 천멍자의 글은 다이왕수와 쉬즈모의 시 창작 역정과 예술적 특색에 관해 상세히 논술하였다.

26일, 『해방군보』에 소련 작가 안드레이 이바노프의 단편소설 「귀로에서在歸途中」가 발표되었다.

27일, 마오쩌둥은 최고국무회의 제11차 확대회의에서 「인민 내부의 모순을 정확히 처리하는 문제에 관하여關於正確處理人民內部矛盾的問題」라는 제목의 연설을 하였다(6월 19일자 『인민일보』에 게재). 그는 연설에서 "백화제방, 백가쟁명 방침은 예술의 발전과 과학의 진보를 촉진하는 방침이며, 우리나라 사회주의 문화 번영을 촉진하는 방침이다. 서로 다른 예술 형식과 풍격은 자유롭게 발전할 수 있으며, 서로 다른 과학의 학파는 자유롭게 토론할 수 있다. 우리는 행정적 역량을 이용해 강제로 한 가지 풍격 혹은 학파만을 시행하고 다른 풍격과 학파를 금지하는 일이 예술과 과학의 발전에 해가 된다고 본다. 예술과 과학 영역에서의 시비 문제는 단순한 방법을 취해 해결할 것이 아니라, 예술계와 과학계의 자유토론 및 실천을 통해 해결되어야 한다", "비非마르크스주의 사상에 대해서는 어떠한 방침을 취해야 할 것인가? 확실한 반혁명분자와 사회주의 사업을 파괴하는 분자에 대해서는 간단하다. 그들의 언론의 자유를 박탈하면 된다. 인민 내부의 잘못된 사상은 이와는 상황이 다르다. 이러한 사상을 금지하고, 이를 발표할 기회를 전혀 허락하지 않아도 될 것인가? 당연히 안 된다. 인민 내부의 사상 문제와 정신세계의 문제에 대해 단순한 방법으로 처리한다면 효과가 없을 뿐만 아니라 대단히 해롭다. 잘못된 의견을 발표하지 못하게 한다 해도 그러한 의견은 여전히 존재한다. 그리고, 만약 정확한 의견을 온실 속에서 길러내 비바람을 맞은 적이 없다면 면역력을 기르지 못해, 잘못된 의견을 마주하면 싸워 이길 수가 없다. 따라서 토론과 비평, 설득이라는 방법을 취해야만 정확한 의견을 진정으로 발전시켜 잘못된 의견을 극복하고, 진정으로 문제를 해결할 수 있다"라고 지적하였다.

『희극논총戲劇論叢』이 베이징에서 창간되었다. 본 잡지는 희극 이론과 연구에 관한 잡지로, 편집위원회는 톈한, 리허, 거이훙, 다이부판, 이빙, 자오쉰, 쉬즈차오許之喬 등으로 구성되었다. 창간호에는 저우이바이의 「중국 희극의 기원과 발전中國戲劇的起源和發展」, 런얼베이任二北(런반탕任半塘)의 「희곡, 희롱, 그리고 희상戲曲、戲弄與戲象」 등 중국 희극의 발전 역사에 관해 토론한 글 두 편이 발표되었다. 이 외에도 어우양산쥔의 감독 수기의 일부인 「「일출」의 감독 분석＜日出＞的導演分析」, 자오밍이趙銘彝가 중국 초기의 화극운동을 회고한 글 「좌익희극가연맹에 관하여關於左翼戲劇家聯盟」 및 소련 작가 체르니셰프스키의 미학 논문 「숭고와 해학을 논하다論崇高與滑稽」가 발표되었다.

런반탕(1897~1991), 본명은 런중민任中敏이며 런얼베이라고도 한다. 장쑤성 양저우 출신이다. 1920년에 베이징대학 국문과를 졸업한 후 푸단대학, 중산대학, 쓰촨대학, 양저우사범학원揚州師範學院에서 교편을 잡았다. 청년기에 5 · 4운동에 참가하였다. 공화국 성립 후에는 주로 희곡 및 희극 연구, 둔황학 연구에 종사하였다.

28일, 격월간 잡지 『곡예曲藝』가 베이징에서 창간되었다. 자오수리가 편집장을, 타오둔이 부편집장을 맡았다. 창간호에 라오서가 축사를 발표하였으며, 아잉의 「왕샤오위에서 이화대고까지從王小玉說到梨花大鼓」가 발표되었다.

『인민일보』에 자오뤄루이趙蘿蕤의 「미국 시인 롱펠로우를 기념하며紀念美國詩人朗弗羅」가 발표되었다.

이달에 바이웨이의 중편소설 『관문을 지나다過關』, 황위안黃遠의 중편소설 『언젠가總有一天』, 시홍의 단편소설집 『영웅의 아버지英雄的父親』가 작가출판사에서 출간되었다.

즈팅芷汀의 소설산문집 『'범'을 길들인 영웅馴"虎"英雄』이 신문예출판사에서 출간되었다.

쑹양頌揚의 3막 5장 화극 『지하의 봄地下的春天』이 중국희극출판사에서 출간되었다.

3월

1일, 『작품』 3월호에 천찬원의 영화문학 극본 「양청의 잠복 초소羊城暗哨」의 연재가 시작되어 제6호에 완료되었다. 이 외에도 어우양산의 소설 「시합比賽」, 황구류의 산문 「길동무—광시행 잡기旅伴——粵西行散記」, 옌전의 시 「바라가얼허 강가의 황혼巴拉嘎爾河邊的黃昏」, 「길을 알려주는 이指路人」, 「영웅의 무덤英雄墳」이 발표되었다.

『우화』 3월호에 황칭장黃清江의 단편소설 「죽음死亡」이 발표되었다.

『중국청년』 제5호에 화산의 단편소설 「먼 항해遠航」 및 중뎬페이의 「감정의 표현과 주시感情的流露與審視」가 발표되었다.

『신관찰』 제5호에 량상취안의 시 「초연이 흩어진 곳硝煙逝去的地方」이 발표되었다.

『인민일보』에 천랴오陳遼가 천치퉁 등의 「현재 문예공작에 대한 우리의 몇 가지 의견」을 비평한 글 「천치퉁 등 동지의 '의견'에 대한 의견對陳其通等同志的"意見"的意見」이 발표되었다.

천랴오(1931~), 필명은 청야曾亞, 청양曾陽이며 장쑤성 하이먼海門 출신이다. 1945년에 신사군에 참가하였으며 장쑤성 사회과학원 연구원을 역임하였다. 저서로 『마르크스주의 문예사상 사고馬克思主義文藝思想史稿』, 『노화집露華集』, 『천랴오 문학평론선陳遼文學評論選』, 『신시기의 문학사조新時期的文學思潮』, 『문예정보학文藝信息學』, 『중국혁명군사문학사고中國革命軍事文學史略』, 『마오쩌둥 문예사상과 문학毛澤東文藝思想與文學』, 『예성타오 평전葉聖陶評傳』 등이 있으며 『천랴오 문존陳遼文存』(7권)이 출간되었다.

2일, 『문회보』에 류시의 글 「대담하게 생활에 관여하자!大膽地幹預生活吧!」가 발표되었다.

3일, 『극본』 3월호에 소련 작가 시모노프의 글 「사회주의 현실주의 원칙을 견지하자堅持社會主義現實主義原則」가 발표되었다.

5일, 『문예월보』 3월호에 탕커신의 단편소설 「상하이의 아들上海的兒子」, 아장阿章의 단편소설 「종달새가 목욕하는 모래百靈鳥的洗澡砂」, 진이가 톨스토이와 마야코프스키를 기념해 쓴 글 「위대한 작가와 전투하는 시인偉大的作家和戰鬥的詩人」, 탕타오의 문예잡담「소재에 대한 감상對題材的一點感想」, 예즈추葉知秋의 「‘사랑’에 관하여關於“愛情”」가 발표되었다.

『옌허』 3월호에 우창의 장편소설『붉은 해紅日』의 제6, 7, 8, 9장의 연재가 시작되어 4월호에 완료되었다. 단행본은 1957년 7월에 중국청년출판사에서 초판이 출간되었으며 1958년 8월에 제8쇄가 출간되어 누적 인쇄 부수는 579,000부이다. 1958년 12월에 인민문학출판사에서 재판이 출간되었다. 1959년에 영문판이 출간되었으며, 1962년에는 영화로 제작되었다.

『인민일보』에 왕차오원의 문예수필「가장 중요한 것은 사람이다最重要的是人」가 발표되었다.

8일, 『인민문학』 3월호에 리준의 단편소설「리쓰 선생李四先生」, 차이치자오의 시「해협의 긴 제방海峽長堤」, 량상취안의 연작시「파촉의 산수에 보내다寄在巴山蜀水間」(13편), 옌천의 연작시「우즈벡 시초烏茲別克詩草」(4편), 리잉의 연작시「우즈산행五指山行」(4편), 사어우의 연작시「풍엽집楓葉集」(4편), 롼장징의 시「화려한 진산富麗的金山」, 쑤진싼의 시「기차 위에서在火車上」, 왕청치의 산문「겨울의 나무冬天的樹」, 비예의 산문「신장 사물기南疆寫物記」, 팡지의 특필「싼샤의 가을三峽之秋」, 허즈(친자오양)의 단문「‘진실 창작’에 관하여關於“寫眞實”」가 발표되었다.

『문예학습』 3월호의 ‘「조직부에 새로 온 젊은이」에 관한 토론’란에 친자오양의 「이룬 것과 이루지 못한 것達到的和沒有達到的」, 탕즈(탕다청)의 「류스우의 성격 등에 관하여談劉世吾性格及其它」, 캉쥐의 「모순으로 가득 찬 소설」, 아이우의 「「조직부에 새로 온 젊은이」에 대한 감상讀＜組織部新來的青年人＞的感想」이 발표되었다.

10일, 『전초』 3월호에 리창즈의 「루쉰 미학사상 탐구魯迅美學思想初探」, 왕퉁자오의 「난롯가 문담」 제4, 5, 6편이 발표되었다.

『동해』 3월호에 천쉐자오의 장편소설『춘룽春榮』의 제5~15절의 연재가 시작되어 4월호에 완료되었다.

12일, 마오쩌둥은 중국공산당 전국선전공작회의에서의 연설에서 “‘풀어 놓을’ 것인가, ‘억누를’ 것인가? 이것은 방침의 문제이다. 백화제방, 백가쟁명은 일시적인 방침이 아니라 기본적이고도 장기적인 방침이다. 동지들은 토론 중에 억누르는 것에 찬성하지 않았는데, 나는 이 의견이 매우 옳다고 본다. 당중앙의 의견은 억누를 수 없고, 풀어 놓을 수밖에 없다는 것이다”, “우리는 이러한 풀어 주는 방침을 통해 수백만의 지식분자들을 단결해 그들의 현재의 면모를 바꿀 준비를 하고 있다. 내가 앞서 말했듯이, 우리나라의 절대다수의 지식분자들은 진보와 개조를 원하고 있으며, 개조가 가능하다. 여기에서 우리가 취하는 방침이 큰 역할을 한다. 지식분자 문제는 우선 사상의 문제이다. 사상 문제에 난폭한 방법과 억압이라는 방법을 취하면 백해무익하다. 지식분자의 개조, 특히 그들의 세계관을 바꾸는 데는 장기적인 과정이 필요하다. 우리 동지들은 반드시 사상개조 공작은 장기적이고, 인내심이 필요한 치밀한 공작임을 이해해야 하며, 수업을 몇 번 듣고 회의를 몇 번 하면 곧바로 그들이 수십 년을 살아오면서 형성한 사상과 의식을 바꿀 수 있기를 기대해서는 안 된다. 그들이 따르기를 바란다면 억눌러 굴복시켜서는 안 되고, 설복시킬 수밖에 없다. 억눌러 굴복시키면 항상 억눌리기만 할 뿐, 굴복하지는 않는다. 힘으로 사람을 굴복시켜서는 안 된다"라고 밝혔다. 또한 "백화제방, 백가쟁명이라는 방침은 과학과 예술의 발전에만 유익한 방법이 아니다. 이를 확대하여 우리의 모든 공작을 진행하는 데에도 유익한 방법으로 삼을 수 있다. 이 방법은 우리가 실수를 적게 저지르도록 해 줄 수 있다. 수많은 일들을 우리는 모르기 때문에 해결할 수 없다. 변론과 투쟁을 통해 우리는 이 일들을 명확히 알 수 있고, 문제를 해결할 방법도 알아낼 수 있다. 서로 다른 각종 의견이 토론한다면 진리를 발전시킬 수 있다"라고 밝혔다.[1]

문학이론 및 문학비평에 관한 대형 계간지 『문학연구文學硏究』가 베이징에서 창간되었다. 본 잡지는 1959년에 『문학평론文學評論』으로 명칭이 변경되었으며, 격월간으로 발행되었다. 창간호에 차이이의 「현실주의를 논하다論現實主義」, 루칸루, 펑위안췬의 「중국문학사 시기 구분 문제에 관한 논의關於中國文學史分期問題的商権」, 허치팡의 「「비파기」의 평가 문제〈琵琶記〉的評價問題」, 샤청다오夏承燾의 「강기의 사를 논하다論薑夔詞」, 청첸판의 「육유와 그의 창작陸遊及其創作」, 쑨카이디의 「청상곡 소사淸商曲小史」, 위핑보의 「현재 전해지는 이태백 사의 진위 문제今傳李太白詞的眞僞問題」, 궈사오위의 「중국 문학비평 이론 속의 '도' 문제中國文學批評理論個中的"道"的問題」, 뤄건쩌羅根澤의 「『장자』의 사상성을 논하다論〈莊子〉的思想性」, 뤄다강의 「몽테스키외의 『페르시아인의 편지』孟德斯鳩的〈波斯人信劄〉」, 첸중수의 근작 『송시 선주宋詩選注』에서 발췌한 「송대 시인 단론宋代詩人短論」이 발표되었다.

『인민일보』에 왕멍의 「조직부에 새로 온 젊은이」에 대한 린모한의 평론 「논쟁을 불러일으킨 소설」이 발표되었다.

『문회보』에 쉬스녠徐士年의 잡문 「실사구시에 관하여關於實事求是」가 발표되었다.

1) 마오쩌둥, 「중국공산당 전국선전공작회의에서의 연설在中國共産黨全國宣傳工作會議上的講話」, 『마오쩌둥 선집』 제5권, 제414-416쪽, 인민출판사 1977년

15일, 『신항』 3월호에 류사오탕의 단편소설 「들판에 노을이 지다田野落霞」가 발표되었다. 이 외에도 왕시옌의 「『새로 쓴 옛날이야기』를 논하다論<故事新編>」, 장쉐신張學新의 「'인정론'인가 인 성론인가—바런의 「인정을 논하다」를 평하다"人情論"還是人性論——評巴人的<論人情>」가 발표되었다.

16일, 『신관찰』 제6호에 옌전의 연작시 「국경 밖의 노래塞外曲」(7편), 궁무의 시 「타이위안太 原」이 발표되었다.

17일, 『학습역총學習譯叢』 제3호에 시모노프의 「문학에 관하여談談文學」의 번역본이 게재되었다.

18일, 『인민일보』에 마오둔의 「'백화제방, 백가쟁명'을 관철하고, 교조주의와 소자산계급 사 상에 반대하자貫徹"百花齊放, 百家爭鳴", 反對教條主義和小資產階級思想」, 라오서의 「비극을 논하다論悲劇」 가 발표되었다.

19일, 『문회보』에 우쭈광의 「경극에서의 입체 기계 배경 사용 불가와 현대생활 표현을 논하 다論京劇不能使用立體機關布景和表現現代生活」가 발표되었다.

20일, 중국문련에서 문련 주석단 확대회의를 소집해 올해 10월 하순에 중국문련 제3차 대표 대회를 개최할 것을 결정하고, 대표대회의 임무가 '백화제방, 백가쟁명' 방침을 더욱 잘 관철하는 것임을 지적하였으며, 또한 창작문제와 민족전통 문제에 관해 중점적으로 토론하였다. 이번 주석 단 확대회의에서는 이 외에도 문련 전국위원의 재선거를 실시하고, 문련 규정을 수정하였으며, 촬 영학회攝影學會가 문련 조직에 가입하는 것을 만장일치로 통과시켰다.

『베이징문예』 3월호에 류시의 단편소설 「오리 사육사 루원쿼鴨倌陸文駿」, 창즈의 「사회주의 현 실주의에 의심을 품을 수 있는가社會主義現實主義可以懷疑嗎」, 바런의 「'색을 드러내다"拿出顏色來'」, 둰무훙량의 「공식화와 개념화에 관하여略談公式化概念化」 등의 글이 발표되었다.

21일, 『희극보』 편집부에서 화극 「호부」에 관한 좌담회를 개최하였다. 참석자들은 화극 「호 부」가 전통 희곡의 공연 기법을 대담하게 흡수해 활용하였으며, 그 노선이 정확하고 공연이 완벽 했다고 의견을 모았다. 톈한은 "현대 형식의 화극은 의심할 여지없이 외래의 영향을 받았으며, 비교적 생활의 진실에 근접해 있다. 간혹 단편적으로 생활의 진실을 추구하게 되면 자연주의에 빠져 수준 높은 예술 형식을 찾지 못하게 된다"라고 말하며, 따라서 "우리의 화극 표현형식은 현대적인 것만으로 만족하지 말고, 반드시 더욱 발전하고 더 높은 수준을 모색해야 하며, 민족적 풍격이 더욱 풍부한 예술형식을 탐색해야 한다"라고 보았다. 그는 "중국의 전통 희곡은 그 자체에 화극의 요소를 가지고 있다. 전통 희곡은 현대 화극의 공연에 비판적으로 흡수할 수 있는 여러 가지 표현방식을 가지고 있다"라고 보았다. 본 좌담회의 일부 발언은 「모두 모여 「호부」에 관해 이야기하다大家談＜虎符＞」라는 제목으로 『희극보』 제8호에 게재되었는데, 톈한의 「화극은 선명한 민족 풍격을 갖춰야 한다話劇要有鮮明的民族風格」, 천치퉁의 「민족 희곡 전통을 대담하게 학습하자大膽學習民族戲曲傳統」, 아자의 「희곡 양식은 만능이 아니다戲曲程式不是萬能的」, 옌융晏甬의 「화극 배우의 무예 연마에는 장점이 있다話劇演員練功有好處」, 루야눙魯亞農의 「전통을 학습하되, 자신의 창작도 있어야 한다學傳統也應有自己的創造」 등이 수록되었다.

22일, 『여행가』 3월호에 우쭈광의 산문 「안개 속의 어메이산霧裏峨眉」, 원제의 시 「뱃노래漁歌」가 발표되었다.

23일, 『해방일보』에 천융건陳永根의 산문 「아파 영감─노점상 생활 잡기阿發老頭──攤販生活散記」가 발표되었다.

『신민보 석간新民報晚刊』에 「교조주의적 비평에 반대한다反對教條主義批評」라는 제목으로 문예계의 교조주의 반대 상황을 세 호에 걸쳐 종합적으로 보도하였다. 23일자에 '제1편, 천치퉁 등 동지의 의견에 대한 토론'이, 25일자에 '제2편, 천이 동지의 「문예잡담」에 관한 토론', 26일자에 '제3편, '「조직부에 새로 온 젊은이」에 관한 토론'이 발표되었다.

24일, 『인민일보』에 페이샤오퉁費孝通의 「지식분자의 이른 봄날씨知識分子的早春天氣」가 발표되었다. 그는 글에서 "'백가쟁명'의 방침은 어떻게 관철되고 있는가? '과학을 위해 진군한다'는 방침과 비교하면 다소 떨어지는 듯하다. 지식분자의 입장을 보면, 이들은 백가쟁명에 대해 상당히 열심이다. 마음은 뜨겁지만 입은 열지 않고, 다른 사람들이 논쟁하는 것을 듣고만 있다. 본인이 나서려면 상황을 좀 보고 더 기다리려고 하며, 앞장서려 하지 않는다", "도대체 무엇을 고려하는 것인가? 백가쟁명 방침을 제대로 이해하지 못한 이들도 물론 있다. 이것이 사상 상황을 수집해 나중에 '운동'을 하게 되면 또 정리하려고 하는 함정일까 봐 걱정하는 것이다"라고 밝혔다.

톈한이 항적연극대抗敵演劇隊에 참가했던 동지들을 초청해 좌담회를 열어 연극대의 역사를 정확히 평가할 방법과 연극대의 투쟁 경험과 예술 경험을 정리할 방법 등의 문제에 대해 토론하였다.

25일, 『시간』 3월호에 롼장징의 연작시 「풍사 3장風砂三章」, 차이치자오의 시 「산수山水」, 원제의 시 「시간의 말時間的話」, 왕청치의 산문시 「하수도와 아이下水道和孩子」가 발표되었다.

28일, 문화부에서 「민간직업극단의 국영 전환 및 아마추어극단의 직업극단 전환에 대한 엄격한 통제에 관한 통지關於嚴格控制將民間職業劇團轉爲國營和將業餘劇團轉爲職業劇團的通知」를 발포하였다.

31일, 『신민보 석간』에 린팡林放의 잡문 「'페어플레이'를 실행할 수 있게 되다"費厄潑賴"可以施行了」가 발표되었다.

이달 중순에 중국작가협회가 베이징에서 '창작계획 좌담회'를 소집하였다. 마오둔이 「창작계획 등에 관하여關於創作規劃及其它」라는 제목으로 결산 발언을 진행하였다. 차오위가 조별 회의에서 '어떻게 써야 하는가', '실제로는 어떠한가', '나는 어떻게 느끼는가' 등 세 가지 개념 사이에 거리가 존재한다는 문제를 제기하였다.

중국청년예술극원이 베이징에서 두쉬안의 4막 6장 화극 「무명 영웅」을 공연하였다. 후신안胡辛安이 감독을 맡았다.

이달에 『루쉰의 청년시절魯迅的青年時代』이 중국청년출판사에서 출간되었다. 저자는 저우치밍周啟明이라고 되어 있으나 실제로는 저우쭤런이 집필하였다.

『모뤄 문집沫若文集』 전17권이 인민문학출판사에서 출간되었다.

황구류의 중편소설 『후임接班人』이 공인출판사에서 출간되었다.

젠센아이의 『고집 센 여인倔強的女人』, 인즈양殷志揚의 『영웅의 나날英雄的日子』 등의 단편소설집이 신문예출판사에서 출간되었다.

궁푸公蒲, 지캉季康의 단편소설집 『국경 위邊界上』, 바진의 산문집 『아주 즐거운 나날大歡樂的日子』이 작가출판사에서 출간되었다.

허치광의 『산문 선집散文選集』이 인민문학출판사에서 출간되었다.

4월

1일, 『작품』 4월호에 어우양산의 소설 「신임信任」이 발표되었다.

『역문』 4월호에 차오잉草嬰이 번역한 숄로호프의 중편소설 「인간의 운명一個人的遭遇」이 발표되었다.

『신관찰』 제7호에 마라친푸의 장편소설 『아득한 초원 위에서在茫茫的草原上』 제2부의 제2, 3, 4절의 연재가 시작되어 제9호에 완료되었다.

『처녀지』 4월호에 사어우의 글 「애정시 창작에 존재하는 문제에 관하여談寫愛情的詩中存在的問題」가 발표되었다.

『중국청년』 제7호에 화산의 단편소설 「톈산의 목자天山牧人」가 발표되었다.

『전초』 4월호에 쑨첸이 자신의 동명의 단편소설을 각색한 영화문학 극본 「이상한 이혼 이야기」의 연재가 시작되어 5월호에 완료되었다.

『문회보』에 왕청치의 산문시 「전쟁戰爭」, 「마롄馬蓮」이 발표되었다.

상하이전영공사上海電影公司(이후에 상하이시 전영국上海市電影局으로 개편)가 설립되었으며, 본래의 상하이전영제편창은 하이옌海燕, 톈마天馬, 장난江南 등 3개 극영화 제편창으로 분리되었다. 또한 본래의 상하이전영제편창 번역영화조翻譯片組가 정식으로 상하이전영번역제편창上海電影譯制片廠으로 개편되었으며, 기술처는 상하이전영기술공급창上海電影技術供應廠(1959년에 상하이전영기술창上海電影技術廠으로 개편)으로 개편되었다. 이 외에도 상하이미술전영창上海美術電影廠이 정식으로 설립되었다. 문화부에서는 1949-1955년 우수 영화 시상식을 거행하여 대륙과 홍콩에서 제작된 69편의 영화 및 396명의 창작인원에게 상을 수여하였다.

3일, 『극본』 4월호에 샤옌의 「「상하이의 처마 아래」의 창작에 관하여談<上海屋簷下>的創作」, 우쭈광이 샤옌을 소개한 글 「작가이자 전사作家和戰士」, 위안수이파이의 「「상하이의 처마 아래」를 보고看<上海屋簷下>的一點體會」가 발표되었다.

4일, '유명 원로 배우의 공연예술 경험 정리 준비위원회整理名老藝人表演藝術經驗籌備委員會'가 베이징에서 제1차 공작회의를 소집하였다. 본 위원회는 문화부 예술사업관리국, 중국극협, 중국희곡연구원, 베이징시 문화국 등의 기관이 합동으로 발기한 것으로, 그 목적은 중국 회곡공연예술의 유산을 더 잘 계승하고 발양하는 것이다. 톈한, 어우양위첸, 메이란팡, 청옌추, 장경 등 25인이 준비위원을 맡았으며, 톈한이 주임위원을, 어우양위첸, 메이란팡이 부주임위원을 맡았다.

5일, 『문예월보』 4월호에 장쿵양의 「사회주의 현실주의에 관하여關於社會主義現實主義」가 발표되었다. 그는 글에서 "추상적이며 고정불변하는 현실주의란 존재하지 않는다. 특정한 구체적 역사 조건하에서 구체적인 시대와 구체적인 작가가 결합하여 구체적인 예술 내용과 예술 형식으로써 표현되는 현실주의만이 존재할 뿐이다", "사회주의는 사회주의 현실주의라는 개념에서 주도적 역할을 하는 사상이다……사회주의 현실주의는……사회주의 사상을 주도적인 것으로 하여 사회주의 정신이 침투한 현실주의이다"라고 밝혔다.

같은 호에 천샹허의 단편소설 「팡 교수의 새 집方教授的新居」, 딩링의 산문 「충칭 일별重慶一瞥」, 팡지의 산문 「뜻밖의 만남奇遇」, 스팡위의 시 「상하이 수필上海隨筆」(2편), 옌전의 연작시 「호박집琥珀集」(3편) 및 뤼왕의 글 「잡문의 운명에 관하여談雜文的遭遇」가 발표되었다.

문학월간 『초원草原』이 후허하오터에서 창간되었다. 창간호에는 나·싸이인차오커투의 시 「흰색의 자오진후白色的焦金湖」, 마라친푸의 소설 「늙은 목자와 그의 나무 의자老牧人和他的一把木椅」가 발표되었다.

7일, 『꿀벌』 제4호에 허츠의 영화문학 극본 「마다하가 베이징에 들어가다馬大哈進北京」의 연재가 시작되어 제7호에 완료되었다.

『해방일보』 부간 『조화』 제116호에 친웨이秦渭의 「소품문의 '위기'小品文的"危機"」가 발표되었다.

8일, 『인민문학』 4월호에 아이우의 단편소설 「비雨」, 린진란의 단편소설 「집에서 온 편지家信」, 바이웨이의 특필 「포위된 농장 주석被圍困的農莊主席」, 궁류의 영화 극본 「아스마阿詩瑪」, 아이칭의 시 「남아메리카 여행(두 번째 연작시)南美洲的旅行(第二組詩)」가 발표되었다.

『문예학습』 4월호에 치궁의 글 「산문과 변문의 차이散文與駢文的區別」가 발표되었다.

9일, 『문회보』에 「저우양 동지가 본지 기자의 질문에 답하다周揚同志答本報記者問」가 발표되었다. 저우양은 "'백화제방, 백가쟁명' 방침을 제창해……작년에 전국 각지에서 대량의 전통 희곡 작품을 발굴해냈다. 이들 중 적지 않은 작품은 정리와 가공을 거쳐 무대 위에서 다시 생명을 얻었다. 문예창작의 소재 범위는 예전보다 훨씬 넓어졌고, 체재와 풍격도 더욱 다양해졌다. 생활 속의 소극적인 현상을 날카롭게 폭로하고 비평하는 작품이 점점 더 많은 이들에게 주목받고 있다. 이 모든 일들은 기본적으로 정상적이고 건강한, 좋은 현상이다. 이는 활발하고 왕성한 기상이다"라고 말하면서, '백화제방, 백가쟁명' 방침이 실시된 이후로 "사람들은 독립적인 사고와 객관적인 분석을 중시하게 되어 미신과 맹목이 사라졌다. 용기 있게 자신의 정확한 의견을 견지하고, 남의 부정확한 의견을 반박하게 되었으며, 생활 속의 불합리한 현상을 비평하고 폭로하게 되었다"라고 보았다. 그는 또한 "과학과 예술은 고도의 창작성을 가진 공작이므로, 이론과 창작 면에서 용기가 필요하다. 현재 사람들의 용기는 예전보다 훨씬 커졌다"라고 말하며, "'백화제방, 백가쟁명'은 당의 장기적인 정책으로, 충분히 '방'하고 '명'했는가 하는 문제는 근본적으로 발생할 수 없다. '충분하다'라고 말할 수 있는 날은 없을 것이기 때문이다"라고 말했다.『인민일보』4월 11일자에「저우양 동지가 '백화제방, 백가쟁명' 문제에 관한『문회보』기자의 질문에 답하다就"百花齊放, 百家爭鳴"問題周揚同志答<文滙報>記者問」라는 제목으로 전재되었다.

『학습』제4호에 바런의「'긍정'과 '부정'"肯定"與"否定"」이 발표되었다.

10일,『인민일보』에 사설「계속해서 대담하게 '백화제방, 백가쟁명' 방침을 관철하자繼續放手, 貫徹"百花齊放, 百家爭鳴"的方針」가 발표되었다.

『동해』4월호에 류사오탕의 단편소설「서원초西苑草」가 발표되었다.

10일~24일, 문화부가 베이징에서 제2차 전국희곡극목공작회의를 소집하여 극목 개방 문제를 토론하였다. 장경이「희곡 작품의 정리, 각색 및 창작 문제에 관하여關於戲曲劇目的整理改編和創作問題」라는 제목으로 주제발언을 진행하였다. 문화부 부부장 류즈밍이「대담하게 착수해 극목을 개방하자大膽放手, 開放劇目」라는 제목으로 결산 보고를 진행하였다. 그는 보고에서 "작년 6월의 극목공작회의 이후로 총 51,867편의 작품을 발굴하여 14,632개 작품을 기록하고, 4,223개 작품을 정리하였으며 10,520개 작품을 공연하였다"라고 밝혔다. 그는 또한 반드시 '백화제방, 백가쟁명' 방침을 철저히 관철해 대담하게 군중을 동원해 극목을 개방해야 한다고 지적하였다. 부부장 저우양은 연설에서 만약 "군중과 예인의 판단을 믿지 않고 행정적인 수단만을 믿는다면, 겉보기에는 정치적 원칙이 있는 듯 보이지만 실제로는 정치가 없다"라고 지적하면서, "지도자는 방침과 정책을 제시하고 계획을 안배하는 것까지만 해야 하고, 희곡과 예술 측면의 지도는 반드시 예술가가 스스로 맡아야 한다"라고 보았다. 『문예보』, 『인민일보』, 『희극보』 등에 관련 사설과 종합기사가 게재되었다.

중국복리기금회 아동극단中國福利基金會兒童劇團의 명칭이 중국복리회 아동예술극원中國福利會兒童藝術劇院으로 정식 변경되었다. 중국복리기금회 아동극단은 1947년 4월 10일에 상하이에서 설립되었다. 본 극단은 쑹칭링이 직접 창설해 그녀의 관심과 도움 아래 발전해 온, 전문적으로 아동을 위해 복무하는 전문 희극단체이다.

10일, 14일, 18일에 톈한이 전영공작자연의회 성립대회에 참석했던 일부 동지들과 옛 해방구에서 화극사업에 종사했던 이들, 그리고 예전 신중국극사의 구성원들을 소집해 세 차례의 좌담회를 개최해 인원을 동원해 각종 형식의 기념행사에 적극적으로 참가하도록 하였다.

11일, 『인민일보』에 후이춘回春(쉬마오융)의 「소품문의 새로운 위기小品文的新危機」가 발표되었다. 이 글은 소품문(혹은 잡문)이 당대에 처한 상황과 소품문이 응당 발휘해야 할 기능, 그리고 새로운 역사적 배경하에서 풍자라는 수단을 활용할 방법 등의 문제에 관한 토론을 불러일으켰다. 이후에 『인민일보』에 자오융푸焦勇夫의 「「소품문의 새로운 위기」를 읽고讀<小品文的新危機>」(4월 17일자), 가오즈高植의 「신체 단련과 질병 치료―「소품문의 새로운 위기」를 읽고強身和治病――讀<小品文的新危機>」(4월 18일자), 후쭈닝胡祖寧의 「내가 본 소품문我看小品文」(4월 19일자), 옌슈嚴秀(청옌슈曾彦修)의 「'위기' 문제를 논하다"危機"問題試論」(4월 24일자), 마첸쭈馬前卒의 「소멸 속의 '비명'消亡中的"哀鳴"」(4월 25일자), 톄항鐵航의 「부작용에 관하여談副作用」, 옌쉬雁序의 「예리함이야말로 병을 치료해 사람을 구하기 위한 것이다鋒利, 正是爲了治病救人」(4월 26일), 푸셴弗先의 「비민주적인 것을 두려워해서는 안 된다不要怕不民主」, 펑보퉁彭伯通의 「잡문은 부정할 수 없다雜文是否定不了的」(4월 27일자), 판저우範舟의 「나는 소품문이 사라져야 한다고 말한다我說小品文要消亡」(4월 29일자), 리웨李躍의 「'풍자'의 위기"諷刺"的危機」(5월 3일자) 등 이 문제에 관한 일련의 토론문이 발표되었다. 야오원위안은 『문회보』에 발표한 「쉬마오융이 제창하는 것은 어떠한 '소품문'인가徐懋庸提倡的是什麼"小品文"」(12월 27일)에서 "쉬마오융은 자신의 잡문을 당과 공인계급을 공격하는 도구로 삼고 있을 뿐만 아니라, 이론을 통해 자신이 이러한 글을 창작한 '경험'을 정리해 다른 이들에게 보급하려 하고 있다. 「소품문의 새로운 위기」, 「잡문에 관한 통신關於雜文的通信」, 「나의 잡문의 과거와 현재我的雜文的過去和現在」 등의 글은 모두 그가 반마르크스주의적인 잡문 이론을 수립하려는 시도의 표현이다"라고 보았다.

문화부에서 제1차 우수영화상 시상식을 거행하여 1949~1955년 사이에 발표된 우수한 영화 69편 및 396명의 창작 인원에게 상을 수여하였다. 전국(홍콩 포함)의 영화공작자 약 1,400명이 시상식에 참가하였다.

11일~16일, 제2기 중국전영공작자 대표대회가 베이징에서 개최되었다. 샤멍夏夢 등 4인의 홍콩 대표를 포함해 총 350명의 대표가 참석하였다. 대회에서는 중국전영공작자연의회의 설립을 선포하고 175인의 이사를 선출하였다. 또한 차이추성을 주석으로, 쓰투후이민司徒慧敏, 바이양, 사멍沙蒙을 부주석으로 선출하였으며, 왕런메이王人美, 수이화水華 등 23인을 주석단 위원으로, 왕양汪洋을 주석단 비서장으로 선출하였다. 14일, 마오쩌둥, 주더, 저우언라이, 덩샤오핑 등 당 및 국가 지도자들이 대회의 모든 대표들을 접견하였다.

12일, 문화부에서 「지방 출판사 공작 문제에 관한 의견關於地方出版社工作問題的意見」을 발포해 각지에 앞으로 출판물의 질 제고에 주의하는 동시에 통속공작을 소홀히 하는 경향을 방지하고, 서적의 특징에 주의하면서 간행물과 분업할 것을 요구하였다. 또한 지방 출판사에서는 통속서적 외에도 각자의 구체적인 상황에 맞게 중급 도서 혹은 현지 작가의 학술 저작을 출판할 수 있으며, 각 출판사 사이에 중복 현상이 발생하지 않도록 주의할 것을 요구하였다.

『해방군문예』 4월호에 왕위안젠王願堅의 단편소설 「엄마媽媽」가 발표되었다.

『문회보』에 야오원위안의 잡문 「망양집望洋集」이 발표되었다.

13일, 『인민일보』에 사설 「인민 내부의 모순을 어떻게 대할 것인가怎樣對待人民內部矛盾」가 발표되었다.

14일, 개정된 『문회보』의 제1호가 출간되었다. 『문회보』는 격주간에서 주간으로 변경되었다. 개정 후의 편집위원회는 왕야오, 바런, 화산, 천샤오위陳笑雨, 천융, 허우진징, 캉줘, 황야오몐, 장광녠, 중뎬페이, 샤오첸 등 11인으로 구성되었다. 이 가운데 장광녠이 편집장을, 허우진징, 샤오첸, 천샤오위가 부편집장을 맡았다. 『인민일보』에 '「문예보' 개정 후의 새로운 모습"文藝報"改版後的新面貌」이라는 장문의 글이 발표되어 개정에 대해 긍정적으로 평가하였다.

『문예보』 제1호에 사설 「사회주의 문학예술의 고도의 번영을 쟁취하자爭取社會主義文學藝術的高

度繁榮」 및 사오옌샹의 시 「타이항산을 보다謁太行山」, 팡지의 「꽃이 온 정원에 만발하게 하자讓鮮花開放滿園」, 위핑보의 「백가쟁명 만담漫談百家爭鳴」, 주광첸의 「직접 겪은 경험을 통해 백가쟁명을 말하다從切身經驗談百家爭鳴」, 웨이쥔이의 「우리의 계급 감정을 소중히 하자珍惜我們的階級感情」 등의 글이 발표되었다.

『인민일보』에 「사회주의 현실주의란 무엇인가? 베이징 문예계에서 열띤 토론을 벌이다社會主義現實主義是什麼?北京文藝界展開熱烈討論」라는 제목으로 베이징시 문예계에서 벌어진 사회주의 현실주의 문제에 관한 토론에 대한 종합기사가 게재되었다. 이 기사는 허즈의 「현실주의－넓은 길」 등에 호응하는 글이다.

15일, 『문예보』에서 잡문 발전 문제에 관한 소형 좌담회를 개최하여 왕징산王景山, 예슈푸葉秀夫, 린단추, 위안수이파이, 가오즈高植, 쉬마오용, 양판, 수우, 장광녠, 천샤오위 등 10명이 참석하였다. 『문예보』 제4호에 본 좌담회에 관한 기사 「우리는 잡문이 필요하며, 잡문을 발전시켜야 한다－본지에서 개최한 잡문 문제 좌담회 기록我們需要雜文, 應當發展雜文——本報召開的雜文問題座談會紀錄」이 게재되었다. 기사는 "좌담회의 참석자들은 '잡문'이라는 명사가 담고 있는 내용과 잡문을 통해 인민 내부의 모순을 반영하는 방법, 잡문의 기능, 잡문의 소재 범위 및 작가 대오의 확대 방법, 잡문의 내용과 형식의 다양화 방법 등의 문제에 관해 열성적으로 의견을 교환하였다"라고 밝혔다. 쉬마오용은 발언에서 "잡문 그 자체가 민주성을 대표한다", "잡문 자체가 민주적인 입장에서 발전해야 한다. 민주의 뜻 중 하나는 인민이 요구하는 다양성이므로, 잡문 역시 다양화되어야 한다. 광명을 노래할 수도, 암흑을 폭로할 수도 있어야 한다. 사회주의 사회에도 어두운 면이, 적어도 검은 점 하나라도 존재한다", "오늘날, 문제는 폭로가 너무 많은 데 있는 것이 아니라, 이러한 비평을 어떻게 발전시킬까 하는 데 있다"라고 보았다. 예슈푸는 발언에서 '찬양과 폭로' 문제에 관해 "잡문 작가들은 사람들이 이미 잘 알고 있는 훌륭한 사람과 훌륭한 일을 찬양하는 데 힘을 들일 것이 아니라, 넓은 앞길이 있음에도 아직 공인되지 못해 경시 혹은 차별을 당하고, 심지어 이단으로 여겨지는 새로운 사물을 노래해야 한다"라고 보았다.

『신항』 4월호에 루원푸의 단편소설 「늙은 스승과 그의 여제자老師傅和他的女徒弟」가 발표되었다.

16일, 『신관찰』 제8호에 푸레이의 산문 「푸충의 성장傳聰的成長」, 장융메이의 시 「용사와 폭풍勇士與風暴」이 발표되었다.

『해방일보』 부간 『조화』 제123호에 쉬중위徐中玉의 「꼬리표 붙이기에 관하여關於扣帽子」가 발표되었다.

20일, 『베이징일보』 4월호에 류사오탕의 「사회주의 시대에서의 현실주의의 발전現實主義在社會主義時代的發展」이 발표되었다. 그는 글에서 "스탈린이 중대한 오류를 범하지 않고, 주관주의와 교조주의가 문학창작을 좌우하지 않았던 때에는 『고요한 돈 강』, 『열려진 처녀지』 등 잔혹하고도 광범위하게 인민의 생활과 운명의 변화를 반영한 명작 서사시가 탄생했다. 그러나 이후에 사회주의의 우월성을 반영하고 추상적인 정치 선전에 복무하는 목적만을 허락하고, 생활의 진실을 충실히 반영하지 않고 인민 내부의 모순을 직시하지 않게 되자, 문학작품은 평화를 꾸며내고, 무충돌론無沖突論이 성행해, 이후 20년간의 문학은 그 이전의 20년간의 문학에 비해 크게 뒤떨어지게 되었음을 소련의 경험이 증명하고 있다"라고 지적하면서, "작품의 교육적 의의와 '임무'라는 의의에만 중점을 두는 경향 탓에 작가들은 창작의 소재를 소극적으로 선택하고, 생활의 세세한 모습에 관한 묘사를 전전긍긍하며 고려하게 되었다", "그러나 생활 속의 수많은 세세한 모습들은 생활의 내용을 형성하는 요소일 뿐, 그 자체가 어떠한 교육적 의의가 있지는 않다. 그러나 '교육적 의의'라는 기준으로 취사선택을 거치고 나면 결국 무미건조한 '교육적 의의'밖에 남지 않게 된다. 이렇게 되면 이것은 예술작품이라고 할 수 없다. 생활에 대한 생생한 묘사를 통해 얻을 수 있는 예술적인 매력이 결핍되어 있기 때문이다"라고 보았다.

같은 호에 샤오예무의 단편소설 「끊이지 않는 가을비連綿的秋雨」, 충웨이시의 「사회주의 현실주의에 대한 몇 가지 질의對社會主義現實主義的幾點質疑」, 라오서의 「창작과 계획創作與規劃」, 왕멍의 문예잡기 「인물 묘사에 관하여關於寫人物」, 덩유메이의 「단순한 견해簡單想法」 및 옌전의 시 「바다는 백사장에서 조개껍질을 잃어버렸다······海把貝殼失落在沙灘上······」, 「나는 알지 못하고, 부정하지도 않는다我不知道, 也不否認」, 「세레나데小夜曲」, 「한데 모이다團圓」 등이 발표되었다.

중국작가협회 서기처에서 『인민일보』, 『문예보』, 『문예학습』, 『시간』, 『역문』, 『신관찰』, 『중국문학』 등 작가협회 소속의 문예 간행물 편집인원들을 소집해 좌담회를 개최하였다. 작가협회 제1서기 마오둔이 좌담회를 주관하였다. 마오둔, 저우양, 라오서, 사오취안린이 간행물 편집부가 최고국무회의 및 전국선전공작회의에서의 마오쩌둥의 연설을 학습하면서 제기한 질문에 답변하였다. 『문예보』 제4호에 「편집공작은 반드시 현재의 새로운 형세에 적합해야 한다—베이징 문예 간행물 편집좌담회 보도編輯工作一定要適合當前新形勢——北京文藝報刊編輯座談會報導」라는 제목으로 기자 황모黃沫가 기록한 본 좌담회에 관한 기사가 발표되었다. 『인민일보』 4월 22일자에 「문예간행물은 어떻게 '풀어 주는' 방침을 관철할 것인가文藝刊物如何貫徹"放"的方針」라는 제목으로 본 좌담회에 관한 종합기사가 게재되었다.

『인민일보』에 젠보짠의 글「어째서 '이른 봄'이라는 느낌이 있는가?爲什麽會有"早春"之感?」가 발표되었다.

21일, 『문예보』 제2호에 기자 장바오신張葆莘의 취재기사「차오위 동지가 희극창작을 말하다曹禺同志談劇作」가 발표되었다. 차오위는 "한 사람이 생활 속에서 본 것은 수많은 공통점을 포괄하는 사람이 아니라 개개의 진실한 사람일 수밖에 없다. 창작할 때 구체적인 개인에서 출발하지 않고 어떠한 유형의 사람에서 출발하고, 공통점을 포괄하는 무언가를 먼저 고려해 이러한 추상적인 개념에 근거해 어떠한 전형을 창조하려 한다면, '단순화'의 길로 들어서기 쉽다. 이렇게 하면 종종 전형을 창조할 수 없고, 심지어 살아 있는 인물을 창조할 수 없게 된다. 작가는 자신이 창조한 인물이 전형인지 아닌지, 혹은 어떠한 전형인지 알 수 없다. 이 점은 비평가와 독자가 서서히 판단하는 것이다"라고 말했다. 그는 또한 "누구든 창작을 할 때는 자각적으로든 아니든 자신이 항상 접하는 친지나 친구와 같은 인물을 창조하게 된다. 그들이 자신에게 너무나 익숙하기 때문이다. 창작을 시작하기 전에는 그들을 생각하지 않았을 수도 있지만, 펜을 들면 그들은 저절로 등장하게 된다", "생활 속의 사실이 어떠한가, 작가의 느낌이 어떠한가, 그리고 어떠해야 하는가. 이 세 가지는 창작 속에서 일반적으로 일치한다", "그러나 몇몇 작가들은 종종 생활 속에서 무언가를 느껴 강렬한 창작에의 욕구가 생기지만, 일부 독자들이 '어떠해야 하는가'라는 의견을 제기할 것을 고려하는 순간 잘 쓸 수 없게 된다"라고 말했다.

같은 호에 천융의 논문「사회주의 현실주의에 관하여關於社會主義的現實主義」, 왕뭐왕의「도끼로 전열을 억누를 수는 없다板斧壓不住陣脚」, 구궁의 3분 풍자 단막극「어느 길로 갈 것인가?何去何從?」, 중징원의「우리 문학예술의 미래의 만춘我們文學藝術未來的濃春」, 샤오인의 잡문「꼬불꼬불 전진하다彎彎曲曲地前進」이 발표되었다.

22일, 『해방일보』의 보도에 따르면 최근에 해방군 문예사文藝社에서 베이징의 부대 작가 및 문예공작자들을 초청해 두 차례의 좌담회를 가지고, 부대 내에서 '백화제방, 백가쟁명' 방침을 관철할 방법에 관해 토론하였다. 참석자들은 우선 천치퉁 등의「현재 문예공작에 대한 우리의 몇 가지 의견」과 천이의「문예잡담」을 비평하고, 이들의 관점이 '백화제방, 백가쟁명' 방침에 위배된다고 보았으며, 앞으로 이 방침을 부대 내에서 철저히 관철되도록 해야 한다고 보았다.

『문회보』에 궈모뤄가 레닌 탄생 87주년을 기념해 집필한 글 「레닌을 기념하고, 학습하자紀念列寧, 學習列寧」가 발표되었다.

『여행가』 4월호에 양숴의 산문 「아라비아 사막의 장미阿拉伯沙漠的玫瑰」가 발표되었다.

중국극협에서 스타니슬랍스키 희극이론 체계 학습 강좌를 시작해, 소련의 희극가를 초청해 스타니슬랍스키의 이론을 체계적으로 소개하였다.

24일, 『문예보』 제3호에 궈모뤄의 「청년의 내일青年的明天」, 「「문화 1957」의 질문에 답하다答<文化1957>問」, 리창즈의 논문 「현실주의와 중국 현실주의의 형성現實主義和中國現實主義的形成」, 장경의 「희곡평론을 강화해야 한다應該加強戲曲評論」가 발표되었다.

25일, 『시간』 4월호에 궈샤오촨의 장편서사시 『깊은 산골짜기深深的山殼』, 톈젠의 「망시견문芒市見聞」, 쩌우디판의 「봄 도시는 어디서나 꽃잎이 날리네春城無處不飛花」, 사어우의 평론 「최근 몇 년간의 아이칭 시 몇 편艾青近年來的幾首詩」이 발표되었다.

26일, 톈한이 시안에서 저명한 진강秦腔 배우이자 원로 예인인 류위중劉毓中 등을 만나 진강 개혁 공작 과정에서의 성·시의 문화 지도부문의 난폭한 태도 및 극단의 중앙 단원이 원로 예인을 존중하지 않고 단결하지 않는 현상에 대한 이들의 의견을 청취하였다. 그는 예인들의 의견을 지지할 것을 약속하고, 예인들이 마음속에 쌓인 말을 모두 털어놓고 문제의 근원을 찾아내 진강 예술이 충분히 발전하게 되기를 바란다고 밝혔다.

『인민일보』에 샤옌의 「단결을 강화해 영화공작을 개선하자加強團結, 改進電影工作」가 발표되었다.

『문회보』에 왕뤄왕의 잡문 「한 걸음 한 걸음 경계하자步步設防」가 발표되었다.

27일, 중공중앙에서 「정풍운동에 관한 지시關於整風運動的指示」를 발포해 "'단결에 대한 바람에서 출발해 비평과 자아비평을 거쳐 새로운 기초 위에서 새로운 단결을 이룩하자'라는 방침에 따라, 당 전체에 보편적이고 심도 있는 반관료주의, 반종법주의, 반주관주의 정풍운동을 진행하여, 당 전체의 마르크스주의 사상 수준을 제고하고 작풍을 개선해 사회주의 개조와 사회주의 건설의 요구에 호응"할 것을 결정하였다. 본 지시는 5월 1일자 『인민일보』에 게재되었다.

『인민일보』에 사설 「대담하게 착수해 극목을 개방하자大膽放手, 開放劇目」가 발표되었다.

『문회보』에 「선열 리다자오 유작시先烈李大釗遺詩」가 발표되었다.

텐한이 시안에서 성·시 문화계 인사 900여 명을 대상으로 희극공작에 관한 보고를 진행하였다. 보고의 전문은 『시안 희극西安戲劇』 제10호에 게재되었다.

베이징인민예술극원이 베이징에서 우쭈광의 유명 화극 「풍설야귀인」을 공연하였다. 사춘이 감독을 맡았으며 장퉁張瞳, 란인하이藍蔭海, 수슈원舒繡文 등이 주연을 맡았다.

28일, 『해방일보』의 보도에 따르면 중공 상하이시위원회에서 20여 명의 작가를 초청해 첫 좌담회를 개최하였다. 참석자들은 자신의 의견을 자유롭게 발언하며 문예공작자에 대한 당의 지도, '백화제방, 백가쟁명' 방침, 출판공작에서의 관료주의 등 여러 가지 문제에 대해 날카롭게 비평하였다. 같은 호에 진이, 바진, 푸레이, 천산陳山 등의 발언문의 개요 및 쉬제의 발언문 전문 「나는 기탄없이 말하겠다我毫無保留地說了」가 발표되었다.

『문예보』 4월호에 짱커자의 시 「'5·1'을 맞이하다迎接"五一"」, 장헌수이의 「장회소설은 어째서 경시당하는가?章回小說爲何遭遇輕視?」, 위칭(탕인唐因)이 장리원의 교조주의 이론을 비평한 글 「문예비평의 기로文藝批評的歧路」, 장펑의 「화가 둥시원의 예술畫家董希文的藝術」이 발표되었다.

『문회보』에 바진의 담화록 「상하이의 유관 부문이 화극을 중시하지 않는다上海有關部門不重視話劇」가 발표되었다. 그는 글에서 상하이 화극계에 '극장이 적고, 극본이 적고, 배우가 적고, 실천이 적은' 등의 문제가 존재한다고 지적하였다.

29일, 『문회보』에 기자 야오팡짜오姚芳藻의 취재 기사 「작가 차오위, 라오서, 짱커자가 '제방'과 '쟁명'에 관해 만담하다作家曹禺老舍臧克家漫談"齊放"與"爭鳴"」가 발표되었다. 라오서는 "풀어 놓으려면 멀리 보아야 한다. 20년 동안 창작을 하지 않았던 원로 작가가 간신히 작품을 한 편 쓰면 사상이 부정확하기 쉽지만, 이 일로 그를 '공격'하지 않아야 한다. 많은 이들이 마음속에 섭섭한 일이 있지만 말할 용기가 없다. 그들이 말을 하게 해도 전혀 나쁠 것이 없다. 우리는 우리 사회에 독초가 그리 많지 않을 것이라고 본다. 내가 보기에 작가가 되어서도 반동사상을 가지고 있는 이는 소수일 것이다. 독초 문제는 크지 않으므로 너무 겁낼 필요가 없다. 만약 작가가 잘못된 글을 한 편 썼다 해도 괜찮다. 글을 잘 쓰는 사람이니 앞으로 나아질 것이다"라고 말했다. 최근에 그가 제기한 비극 문제에 관해 라오서는 "내가 비극을 쓰려는 것이 아니라, 이것이 몇 년간 문학예술의 각 방면에 공통적으로 존재하는 문제라고 생각했기 때문이다", "생활 속의 비극을 쓰는 것은 사회주의 제도 자체가 나쁘다는 뜻이 아니라, 우리의 생활에 여전이 결점이 존재한다는 것을 설명할 뿐이다. 쓰지 못할 이유가 어디에 있는가? 나는 비극을 창작하지 않는 것이 교조주의와 관련이 있다고 본다"라고 밝혔다. 차오위는 "나는 항상 인민에게 판별하는 능력이 있다고 생각해 왔다. 독초는 일시적으로 튀어나오더라도 머지않아 도태될 것이다. 해방 전의 그 열악한 환경 속에서도 진보적인 것은 언제나 가장 큰 환영을 받았다. 진보 문예계에 독초가 출현한다 해도 조만간 제거될 것이다"라고 보았다.

『해방일보』에 「백화 중의 하나인 화극이 더욱 번영하기를 바란다希望百花之一的話劇更加繁榮」라는 제목으로 황쭤린의 「충분히 '풀어놓'지 못했고, '풀어놓'을 용기가 없다"放"得不夠, 不敢"放"」, 차오위의 「꽃을 심으려면 옥토와 햇빛이 필요하다花種需要沃土陽光」, 리젠우의 「화극에 대한 지도자의 지지는 영화에 대한 지지보다 훨씬 모자란다領導對話劇的支持遠不及對電影的支持」, 슝포시의 「'꽃'은 피려 하지만 극장이 없다"花"要放而無劇場」, 스퉈의 「경쟁을 해야 진보할 수 있다. 문제는 인재이다競賽才能進步 人才是個問題」, 둥톈민董天民의 「통속화극을 육성하자扶植通俗話劇」, 우웨이즈吳偽之의 「어째서 극본 창작이 적은가?劇本創作爲什麼少?」, 차오치喬奇의 「영화관의 기관화는 잠재력을 발휘할 수 없다. 신문은 반드시 화극 평가 공작을 대대적으로 강화해야 한다影院機關化不能發揮潛力 報紙應該大大加強話劇評介工作」, 장파張伐의 「공연해야 한다, 고금동서의 극본을 모두 공연할 수 있다要演, 古今中外劇本都可演」, 쑨징루孫景璐의 「뛰어난 청년 배우는 어째서 적은가?出色青年演員爲何少?」, 우융강의 「영화배우도 화극 공연을 할 수 있다電影演員也可以演話劇」 등 상하이 화극사업에 대한 상하이 화극계와 영화계 인사의 의견이 발표되었다.

중국극협에서 베이징의 일부 희극계 인사들을 초청해 현재 희극계에서 인민 내부의 모순을 정확하게 처리할 방법과 희극계에서 '백화제방, 백가쟁명' 방침을 더욱 잘 관철할 방법에 관한 좌담회를 진행하였다. 『문예보』 제6호는 「베이징 화극계가 말하다北京話劇界講話了」라는 제목으로, 『희극보』 제9호는 「수도의 희극가들이 '인민 내부의 모순'을 말하다首都戲劇家談"人民內部矛盾"」라는 제목으로 본 좌담회에 관해 보도하였다.

30일과 5월 6일에 중국작가협회 서기처에서 제2차 문학간행물 편집공작 좌담회를 소집해 문학간행물 편집부와 작가 사이의 관계 개선 방법에 관해 토론하고, 왕멍의 소설 「조직부에 새로 온 젊은이」 원고에 대한 『인민문학』 편집부의 수정 문제에 관해서 중점적으로 토론하였다. 마오둔이 좌담회를 주관했으며 『인민문학』, 『문예보』, 『시간』, 『해방군문예』, 『신관찰』 등 간행물의 책임자가 참석하였다. 참석자들은 작가의 창작 노동을 엄숙히 대하고, 더 많은 작가들을 폭넓게 단결하는 것이 문학 영역 내에서 '백화제방, 백가쟁명' 방침을 관철하는 결정적인 문제라고 의견을 모았다. 『광명일보』 5월 7일자에 본 좌담회에 관한 종합기사가 게재되었다. 『인민일보』 5월 8일자와 10일자에「편집부와 작가의 단결을 강화하자加强編輯部同作家的團結」라는 제목으로 마오둔, 짱커자, 천페이친 등의 발언과 친자오양의 자기반성이 게재되었다.『인민일보』9일자에「「조직부에 새로 온 젊은이」원고에 대한『인민문학』편집부의 수정 상황<人民文學>編輯部對<組織部新來的青年人>原稿的修改情況」이 발표되었다.

30일,『문회보』에 장경의「희곡에서의 꽃과 독초의 싸움戲曲上的香花毒草之爭」이 발표되었다. 그는 글에서 "상당수의 동지들이 자신의 미학 관점으로 모든 희극을 판단해 부합하는 것만 남기고, 부합하지 않는 것은 없애려 한다. 개인의 취향과 당의 정책은 애초에 별개의 것이다. 양자를 억지로 동일시하려 하는 것은 매우 위험한 일이다"라고 지적하였다.

이달에 중국청년예술극원에 베이징에서 하이모의 4막 9장 화극「퉁소를 가로로 불다」를 공연하였다. 정톈젠鄭天健이 감독을 맡았다.

리류루의 장편소설『60년의 변천』(제1권)이 작가출판사에서 출간되었다.

빙신의 산문집『귀향 잡기』가 소년아동출판사에서 출간되었다.

황추윈의 산문집『태화집苔花集』이 신문예출판사에서 출간되었다.

류빈옌의 특필집『내부 소식內部消息』이 공인출판사에서 출간되었다.

진진金近의『동화 창작 및 기타童話創作及其他』가 소년아동출판사에서 출간되었다.

5월

1일, 중공중앙에서 정풍운동에 관한 지시를 발포하였다.

『창장문예』5월호에 리준의 단편소설「전부 당겨지지 않은 활沒有拉滿的弓」이 발표되었다.

『장화이문학』5월호에 우천자의 단편소설「과수원 이야기果園裏的故事」가 발표되었다.

『인민일보』에「중앙 국가기관이 정풍을 시작하다中央國家機關開始整風」, 「'풀어 놓'지 않은 원인은 어디에 있는가? 상하이 문예계의 바진 등이 비평하다沒有"放"的原因何在?上海文藝界巴金等人提出批評」가 발표되었다. 상하이 문예계 인사들은 '풀어 놓'지 못하는 원인이 관료주의와 '풀어 놓'을 공간이 부족한 데 있다고 보았다.

2일, 『인민일보』에 사설 「어째서 정풍이 필요한가爲什麼要整風」가 발표되었다.

올해의 세계 문화 명인 가운데 두 명의 시인, 즉 영국 시인 블레이크와 미국 시인 롱펠로우를 기념하여 중국문련, 중국작가회의 등의 단체가 베이징 정협 문화클럽에서 국제 시가 낭송 만찬회를 개최해 국내외 시인과 작가 400여 명이 참석하였다. 샤오싼이 만찬회를 주관하였으며 축사를 하였다.

3일, 『극본』 5월호에 톈한의 21장 화극 「여인행麗人行」과 리옌黎彦의 기사 「톈한 동지가 「여인행」의 창작을 말하다田漢同志談<麗人行>創作」가 발표되었다.

4일, 『해방군보』에 라오서의 「'5·4'는 나에게 무엇을 주었나"五四"給了我什麼」가 발표되었다.

5일, 『문예월보』 5월호에 첸구룽錢穀融의 「'문학은 인학이다'를 논하다論"文學是人學"」가 발표되었다. 그는 글에서 "고리키는 일찍이 문학을 '인학'이라고 부르자는 건의를 한 바 있다", "이 말의 함의는 대단히 깊고 넓다. 이 말을 모든 문학 문제를 이해하는 단 하나의 열쇠로 삼아도 될 정도이다. 문학의 핵심으로 들어가고자 하는 이라면 그가 창작자이든 이론가이든 간에, 이 열쇠를 손에 넣지 않으면 안 된다"라고 지적하면서, "나는 현실 반영을 문학의 직접적이고 최우선적인 임무로 삼는 데 반대한다. 특히 사람을 묘사하는 것을 현실 반영의 도구 혹은 수단으로만 삼는 것에 반대한다. 나는 이런 식으로 문학의 임무를 이해하는 것이 문학을 일반 사회과학과 동일시해 문학의 성질과 특징을 위배하는 일이라고 생각한다", "문학의 목적과 임무가 생활의 본질을 표현하고 생활 발전의 규칙을 반영하는 데 있다는 견해는 문학의 핵심을 다른 곳으로 돌리고 문학과 여타 사회과학의 차이를 없애, 필연적으로 문학의 생명을 파괴한다", "고리키가 문학을 '인학'이라고 한 것은 사람을 문학적 묘사의 중심으로 삼는 것뿐만 아니라, 사람을 묘사하는 방식과 사람을 대하는 방식을 작가와 그의 작품을 평가하는 기준으로 삼는다는 뜻이다", "문예창작에서는 모든 것이 구체적인 감성의 형식으로 나타나고, 모든 것이 사람으로서 사람을 대하고, 마음으로써 마음에 접촉한다. 이곳에는 추상적이고 공허한 관념과 일반적이고 모호한 원칙이 활약할 곳이 없다", "우리가 귀중한 유산으로서 계승해 온 과거의 모든 문학작품이 오늘날에도 여전히 사랑받고 소중히 여겨지는 이유는 아주 많겠지만, 가장 기본적인 것은 그 속에 농후한 인도주의 정신이 스며들어 있기 때문이며, 이 작품들이 모두 사람을 존중하고 동정하는 태도로 사람을 묘사하고, 또한 대하고 있기 때문이다. 만약 인민성, 애국주의, 현실주의 등등의 관념이 모든 고전문학 작품을 평가할 때 활용되는 개념이 아니라고 한다면, 인도주의라는 개념은 모든 고전문학 작품에 적용할 수 있을 것이다"라고 보았다.

『문예보』제5호에 '단편소설 필담'이라는 제목으로 마오둔의 「단편소설 잡담雜談短篇小說」, 둰무훙량의 '짧은 것'과 '깊은 것'"短"和"深"」, 린진란의 「소설 한담閑話小說」, 위린의 「단편소설의 특징短篇小說的特點」 등 4편의 글이 발표되었다. 같은 호에 덩유메이의 단편소설 「이저우의 길 위沂州道上」가 발표되었다.

『옌허』5월호에 쑨징쉬안의 시 「홍엽집紅葉集」(7편)이 발표되었다.

『인민일보』에 「곡예 예인들이 백화제방 방침에 관해 좌담하다曲藝藝人座談百花齊放方針」라는 기사가 발표되어 곡예 발전의 관건이 '차세대 양성', '전통 작품 발굴', '곡예 창작 장려'임을 지적하였다.

7일, 중공 상하이시위원회에서 제2차 작가 좌담회를 개최해 20여 명의 작가가 참석하였다. 상하이시위원회 서기 웨이원보魏文伯가 주관하였으며 캉성康生이 참석하였다. 작가들은 '백화제방, 백가쟁명' 방침 관철 과정에서 발생하는 여러 가지 현상을 폭로하였다. 8일자 『해방일보』에 「당내에는 '벽'이, 당 밖에는 '골'이 있다. 상하이시 작가들이 이러한 비정상적인 현상을 대담하게 폭로하다黨內有"牆", 黨外有"溝", 本市作家大膽揭露這種不正常現象」라는 제목으로 왕시옌, 옌두허嚴獨鶴, 구중이, 궈사오위, 장진이, 구쓰판, 뤼지난, 왕뤄왕, 스퉈, 커링, 차오잉, 사오취안린 등의 일부 발언의 요약문이 게재되었다. 이 외에도 본 좌담회에서의 바진의 발언 요약문 「문예와 출판공작에 대한 의견對文藝和出版工作的意見」이 발표되었다.

『인민일보』에 무단의 시 「99가 쟁명기九十九家爭鳴記」가 발표되었다. 시는 101명이 회의를 열었으나 의장이 '쟁명'하지 않고, 또 한 사람은 참석을 원치 않아 나머지 99명의 사람들이 '99가 쟁명'을 했다는 내용을 묘사하였다. 이 시는 이후에 격렬한 비판을 받았다.

8일, 중공중앙 통일전선공작부統一戰線工作部에서 각 민주 당파 책임자와 무소속 인사를 초청해 좌담회를 개최하여 공산당과 당의 통일전선공작에 대한 의견을 청취하고, 공산당의 정풍운동에 협력해 달라고 요청하였다. 6월 3일까지 총 13회의 좌담회가 개최되었으며 70여 명이 발언하였다.

『문예학습』5월호에 류사오탕의 「현재 문예 문제에 대한 나의 몇 가지 얕은 식견我對目前文藝問題的一些淺見」이 발표되었다. 그는 글에서 "마오 주석의 「옌안문예좌담회에서의 강화」는 두 부분으로 구성되어 있다. 하나는 당시의 문예운동을 지도하는 전술적인 이론이고, 다른 하나는 장기적인 문학예술사업을 지도하는 강령의 성격을 띤 이론이다"라고 지적하면서, "오늘날, 제고와 보급 가운데 어느 쪽을 위주로 할 것인가 하는 문제가 매우 첨예하게 제기되었다고 볼 수 있다……나는 제고를 위주로 해야 한다고 본다. 이는 누군가가 주관적으로 제고를 주장한 것이 아니라, 인민이 제고를 요구하기 때문이다……이러한 제고는 기초가 없는 제고도, 폐쇄적인 제고도 아니라, 보급을 기초로 한 제고이며, 보급이 요구하고 결정한 제고이다", "오늘날 가장 날카롭게 대두된 문제는 작가들에게 최대한 완벽한 예술 형식, 즉 예술성과 예술적 감화력, 예술적 매력을 탐색하고 추구할 것을 요구하는 문제이다"라고 밝혔다. 같은 호에 두팡밍杜方明(황추원)의 「견유의 가시犬儒的刺」가 발표되었다.

『문회보』에 푸레이의 글 「대가가 쌓은 담을 대가가 허물다大家砌的牆大家拆」가 발표되었다.

『인민일보』에 천명자의 글 「인정을 논하다論人情」가 발표되었다.

중국청년예술극원이 인도 희극 「샤쿤탈라」를 공연하였다. 칼리다사의 원작을 지셴린이 번역하였으며, 우쉐가 감독을 맡았다. 저우언라이, 허룽, 궈모뤄 등 국가 지도자들이 본 공연을 관람하였다.

9일, 『문회보』에 쉬제의 「벽은 어떻게 형성되는가牆是怎樣形成的」가 발표되었다.

10일, 문화부에서 경극 「탐음산」의 공연 금지를 해금한다는 통지를 발포하였다.

11일, 『희극보』 제9호에 사설 「극목을 개방하고, 경쟁을 제창하자開放劇目, 提倡競賽」가 발표되었다. 이 외에도 제2차 전국희곡극목공작회의에서의 류즈밍의 결산 발언 「희곡 극목을 대담하게 개방하자大膽開放戲曲劇目」와 장경의 「'백화제방'을 방해하는 논조에 반대한다反對阻礙"百花齊放"的論調」가 발표되었다.

12일, 『문예보』 제6호의 '단편소설 필담'란에 빙신의 「단편소설에 관하여試談短篇小說」, 샤오첸의 「단단편 예찬禮贊短篇」, 천보추이의 「나는 단편소설을 이렇게 본다我這樣地看短篇小說」, 비예의 「단편소설의 '장', '단' 약론略談短篇小說的"長""短"」 등 4편의 글이 발표되었다. 이 외에도 황야오몐의 「'백화제방'으로부터 생각한 것由"百花齊放"所想到的」, 린겅의 「애정시로부터 이야기를 시작하다從愛情詩談起」가 발표되었다.

『해방군문예』5월호에 리잉의 시「우리는 같은 행렬 속에 있다我們在同一個行列裏」, 차이치자오의「바람 없는 정오無風的中午」, 「진지와 화원陣地與花園」, 「야자나무椰子樹」및 구궁의 시「전화 속의 가수戰火中的歌手」가 발표되었다.

13일, 저우양이 중국작가협회에서 소집한 편집공작정풍회의에서 발언하였다. 그는 "간행물은 일가一家인가, 아니면 백가百家인가? 나는 간행물이 일가이면서 또한 백가라고 생각한다. 간행물은 '백화제방, 백가쟁명'의 '쟁명' 속에서는 일가이면서, 동시에 간행물 내에서는 '백가쟁명' 정신을 관철해 간행물이 활기를 띠게 해야 한다. 범위가 비교적 작은 동인 간행물을 발간하는 것도 물론 가능하다. 현재의『시간』과 상하이에서 발행될 예정인『수확收穫』은 모두 동인 간행물이다. 동인 간행물이 종법주의와 일가독명一家獨鳴을 형성할지 말지는 별개의 문제이다"라고 보았다. 그는 또한 "사회주의 현실주의 문학이 지도의 역할을 할 수 있는가 하는 것은 우선 그 문학의 질과 내용, 그리고 시대적 특징을 가지고 있는가의 여부에 달려 있다. 창작 유파 사이의 관계는 평등하다. 이들 사이에는 지도하고 지도받는 관계가 없다. 물론 어떠한 작품이 큰 영향을 끼쳐 실제로 지도의 역할을 하게 되는 상황은 발생할 수 있다", "과거에는 소책자가 우리를 지도할 수 있었지만, 서서히 지도의 역할을 잃게 된다. 그때가 되면 예술적 수준이 더욱 높은 작품이 우리를 지도해야 한다", "인민의 정신적 요구가 달라졌다 인민이 혁명에 대한 묘사를 요구한다면 더욱 깊이 있게 묘사해야 한다. 동시에 인민은 혁명 외에도 다른 것들을 요구한다. 인민은 작품을 더욱 잘 창작해 아름다운 매력을 줄 수 있기를 요구한다"라고 보았다.[2]

『중국청년』에 류빈옌, 천보홍의「상하이는 숙고 중이다上海在沉思中」가 발표되었다.

14일, 문화부에서 각 성, 자치구, 직할시 문화국에「'금지 희곡' 해금 문제에 관한 통지關於開放"禁戲"問題的通知」를 발포하여 1950년에서 1952년 사이에 금지 명령을 내렸던 26편의 희곡을 전부 해금할 것을 결정하였다.

『해방군보』의 보도에 따르면, 최근에 총정치국 선전부에서 베이징 소재 부대 작가 및 문예공작자 좌담회를 소집하였다. 참석자들은 부대에서 당의 '백화제방, 백가쟁명' 방침을 관철하지 못하는 원인, 과거에 문예사상과 문화공작 지도에 존재하던 문제, 문예비평과 문공단 건설 등의 문제에 대해 대담하게 비평하고 여러 유익한 의견을 제시하였다. 참석자들은 지도공작에 '문이 아직 열리

2) 저우양,「'백화제방, 백가쟁명' 방침에 관한 몇 가지 문제에 답하다解答關於"百花齊放, 百家爭鳴"方針的幾個問題」, 『저우양 문집』제2권, 제493, 510, 512쪽, 인민문학출판사 1985년

지 않았고門戶未開', '경계심이 높고戒心十足', '태도가 난폭하고態度粗暴', '자각이 부족하고不夠自覺', '문예지도사상에 존재하는 절대화와 단편성' 등의 문제가 존재한다고 지적하였으며, 또한 '교조주의의 나쁜 결과'와 관료주의, 종법주의의 위해에 대해서도 지적하였다.

15일, 마오쩌둥이 「일에 변화가 일어나고 있다事情正在起變化」라는 글을 집필해 당내의 간부들에게 배포하였다. 그는 글에서 교조주의는 사상 차원의 일이지만 큰 충성심을 가지고 있고, 반면에 수정주의와 우경 기회주의의 오류는 비교적 위험하다고 보면서, 우파의 활로는 '잘못을 바로잡아 바른길로 돌아오는' 것 혹은 '멸망을 자초하는' 것이라고 보았다. 또한 "이 글은 신문에 게재하지 않고, 신문기자에게 알리지 않으며, 당내의 신뢰할 수 없는 이에게 전하지 않는다. 대략 반년 혹은 1년이 지난 후에야 중국 신문에 발표하는 것을 고려할 수 있다"라고 지시하였다.[3]

『신항』 5월호에 왕수밍의 「사회주의 현실주의 토론 과정에서의 몇 가지 문제에 관하여關於社會主義現實主義討論中的幾個問題」가 발표되었다.

16일, 『문예보』 편집부에서 베이징의 일부 문학교수와 고전문학 전문 연구자를 초청해 문예계 내부의 모순, 고전문학 연구공작에 존재하는 어려움과 장애 등에 관한 좌담회를 진행하였다. 왕야오, 류서우쑹, 위관잉, 리창즈, 린겅, 무무톈 등이 참석하였다. 『문예보』 제9호에 「교조주의와 종법주의가 문학연구공작의 발전을 방해하고 있다－고전문학 연구공작자들이 문예계 내부의 모순에 관해 좌담하다敎條主義和宗派主義阻礙著文學研究工作的開展——古典文學研究工作者座談文藝界的內部矛盾」라는 제목으로 간수썬甘樹森이 정리한 본 좌담회의 발언 요약문이 게재되었다.

17일, 중국작가협회 당조에서 정풍동원대회를 소집하였다. 사오취안린이 정풍을 통해 문학지도공작에 존재하는 교조주의, 종법주의 및 당내의 단결 문제를 해결해야 한다고 지적하였다. 『인민일보』 5월 19일자에 「문학계에서 정풍을 시작하다文學界開始整風」라는 제목의 기사가 게재되었다.

『학습역총』 제5호에 소련의 잡지 『공산당인共産黨人』 1957년 2월 제3호에 게재된 논고 「당과 소련 문학예술 발전 문제黨和蘇聯文學藝術發展問題」의 번역문이 발표되었다.

『인민일보』에 메이첸의 「봄밤春夜」이 발표되었다.

---

3) 『건국 이후 마오쩌둥 문고』 제6권, 제469－476쪽 참고. 중앙문헌출판사 1992년

19일, 『문예보』 제7호에 야오쉐인의 「툭 털어놓고 말하자打開窗戶說亮話」가 발표되었다. 그는 글에서 "어째서 다들 뒤에서는 여러 가지 문제를 논의하면서 공개적인 상황에서는 거의 이야기하지 않거나 혹은 아예 입을 열지 않는가? 내 생각에, 그 이유는 여러 가지이지만 그 중에서 가장 주의해야 할 이유는 수많은 문예기관 혹은 단체에 오랫동안 민주적인 생활이 결핍되어 있거나, 혹은 민주적인 공기가 대단히 희박하기 때문이라고 본다. 과거 몇 년 동안, 분명히 몇몇 동지들이 의견을 제시하기 좋아하고 '쟁명'하기를 즐긴다는 이유로 공격당하고, 운동 과정에서 '주된 대상'이 되어 '일관되게 반당을 함' 혹은 '반당 정서가 심각함'이라는 꼬리표가 붙었다. 물론, 이렇게 교정된 동지들에게는 그 외의 크거나 작은 결점들이 있었을 것이다. 그러나 교정을 진행할 때 사람들은 실사구시적으로 시비를 가려 그들의 진정한 문제를 교정하려 하지 않고, 억지로 누명을 씌워 이를 구실로 마음대로 비판하곤 했다", "그들이 평소에 '쟁명'한 문제는 문예이론 문제였을 뿐이며, 실제로 일부 지도자 동지의 문예사상과 이론의 약점에 명중하기도 했다. 그러나 운동이 시작되면 본래 정확했던 비평도 한순간에 '지도자에 반대'했다는 죄목으로 변했다"라고 지적하였다. 그는 교조주의에 관해 "교조주의는 무한히 풍부하고 다채로운 현실생활을 단순화하고 도식화한다. 이들은 종종 '현실에 이러한 상황이 존재하는가?' '어째서 중농의 성격을 불안정하게 묘사하는가?' '당원은 특수한 재료로 만들어진 인간인데, 그들이 눈물을 흘린단 말인가?' '당신은 이 인물의 성품을 아주 나쁘게 표현했는데, 공인계급에 정말 이런 인물이 있단 말인가?'라는 등 수많은 질책을 한다. 신사회에서 창작의 길은 본래 대단히 넓고 자유로워야 한다. 그러나 각종 교조주의가 장애물을 설치해 누군가가 단 한 번 방심하기를 기다린다. 이 때문에 작가들은 창작을 할 때 위축되어 공을 세우기를 바라지 않고 다만 잘못이 없기만을 바랄 수밖에 없다. 옛말에 '전전긍긍하다', '살얼음을 밟는 듯하다'는 말이 바로 이런 상황을 두고 한 말일 것이다"라고 비평하였다.

『문예보』 같은 호에 정풍운동에 관한 사설 「새로운 혁명의 세례新的革命的洗禮」가 발표되었다. '마오 주석의 「옌안문예좌담회에서의 강화」 발표 15주년 특집'란에 슝포시의 「몇 가지 이해一點體會」, 저우리보의 「기념, 회고, 그리고 전망紀念, 回顧和展望」, 류바이위의 「문학의 환상과 현실文學的幻想和現實」, 천멍자의 「나의 감상我的感想」, 주광첸의 「「옌안문예좌담회에서의 강화」에 대한 소감讀<在延安文藝座談會上的講話>的一些體會」, 수우의 「루쉰은 인민 내부의 비평을 어떻게 진행했는가魯迅怎樣進行人民內部批評」, 일본의 공산당 작가 쿠라하타 고레히토藏原惟人의 「「옌안문예좌담회에서의 강화」를 학습하다學習<在延安文藝座談會上的講話>」 및 기자 천충陳聰의 보도 「딩링 동지가 생활에의 침투를 말하다丁玲同志談深入生活」가 발표되었다.

『문예보』 제7호의 보도에 따르면, 1950년에서 1956년 사이에 전국에서 출간된 문학 및 예술 서적 출판 수량에 대한 불완전한 통계에 의하면 총 28,370종의 책이 출판되었으며, 이 가운데 초판 서적은 18,347종으로 총 536,711,000권이 발행되었다(이 통계에는 1950, 1951년에 초판이 출판된 통속 문학예술 서적은 포함되지 않았다). 이 가운데『옌안을 보위하라』가 831,070권,『삼천리 강산』이 401,985권,『여자 공산당원』이 479,207권,『사랑스러운 중국』이 1,788,020권,『모든 것을 당에 바치다』가 4,080,795권,『마오쩌둥 이야기와 전설毛澤東的故事和傳說』이 1,127,294권,『가오위바오』가 720,000권,『류후란』이 760,000권,『청년 영웅 이야기』가 600,000권,『요술 호리병』이 979,000권,『홍루몽』이 235,495부,『수호전』이 432,110부,『삼국연의』가 388,530부,『강철은 어떻게 단련되었는가』가 1,003,825권,『교수대 밑에서의 보고』가 602,850권,『조야와 수라 이야기』가 1,340,000권,『트랙터 스테이션 소장과 농업 기술자』가 1,240,000권,『바다제비』가 830,000권,『등에』가 700,000권,『우리의 절실한 사업』이 540,200권을 차지하였다.

『문회보』에 쉬주청徐鑄成의「'벽'은 허물 수 있다"牆"是能夠拆掉的」가 발표되었으며,『해방일보』 5월 20일자에 전재되었다.

20일,『인민문학』5, 6월호 합본에 사팅의 단편소설「라오우老鄔」, 린진란의 단편소설「자매姐妹」,「물 한 바가지一瓢水」, 가오샹전杲向真의 소설「회색의 나날 속에서在灰色日子裏」, 우창의 소설「승리의 서곡勝利的序曲」, 차이치자오의 시「시사 군도의 노래西沙群島之歌」, 펑즈의 시「건설 중在建設中」,「퉁촨 별루銅川別淚」, 젠셴아이의 산문「고무·감격·추억鼓舞·感激·追憶」, 양쒀의 산문「아시아의 일출亞洲日出」, 친무의 동화「사랑하는 엄마親愛的媽媽」가 발표되었다. 이 외에도 '「옌안문예좌담회에서의 강화」발표 15주년 기념'란에 마오둔의「현재의 기초 위에서 계속 노력하자在已有的基礎上繼續努力」, 왕야오의「마오 주석의「강화」가 현대문학사에서 가지는 중대한 의의毛主席<講話>在現代文學史上的重大意義」가 발표되었다.

『베이징문예』5월호에 웨이쥔이의 단편소설「고인故人」, 덩유메이의 단편소설「'경험'"經驗"」, 황야오몐의 글「사회주의 시대의 현실주의인가, 아니면 사회주의 현실주의인가是社會主義時代的現實主義還是社會主義現實主義」가 발표되었다.

『문회보』에 샤오첸의「'인민'의 출판사가 어째서 아문이 되었는가—개인적 경험을 통해 출판계의 어제와 오늘을 말하다"人民"的出版社爲什麼成了衙門——從個人經歷談談出版界的今昔」가 발표되었다.

21일,『인민일보』에 쨍커자의「우리에게는 풍자시가 필요하다我們需要諷刺詩」가 발표되었다.

22일, 『문회보』에 왕밍이 「옌안문예좌담회에서의 강화」 발표 15주년을 기념해 쓴 글 「위대한 기점偉大的起點」이 발표되었다.

『여행가』 5월호에 류바이위의 산문 「알프스 산맥의 종소리阿爾卑斯山的鍾聲」가 발표되었다.

24일, 화극운동 50주년을 기념해 톈한에 베이징에 거주하는 전 중국여행극단中國旅行劇團 동인을 초청해 좌담회를 진행하였다. 톈한은 발언에서 "화극 공연의 직업화 촉진" 및 "화극의 사회적 영향 확대, 화극 씨앗의 광범위한 파종"에 대한 중국여행극단의 공헌을 긍정하였다.

25일, 『시간』 5월호에 무단의 「장가葬歌」, 두윈셰의 「해동解凍」, 차이치자오의 「대해大海」, 장융메이의 「소라 나팔螺號」 등의 시가 발표되었으며, 톈젠의 장시 『카와족 사람佧佤族人』의 연재가 시작되어 6월호에 완료되었다. 「장가」는 총 3장 100행으로 이루어져 있으며, 시인의 초기 풍격을 가지고 있다.

26일, 『문예보』 제8호에 차이톈蔡田의 「현실주의인가, 아니면 공식주의인가?現實主義, 還是公式主義?」의 연재가 시작되어 제9호에 완료되었다. 같은 호에 '문예계 내부의 모순을 정확히 대하자正確地對待文藝界內部矛盾'라는 제목으로 우쭈샹의 「나의 견해我的一個看法」, 쨍커자의 「개인의 감상個人的感受」, 바이런의 「문예계의 주된 모순은 어디에 있는가?文藝界的主要矛盾在哪裏?」, 수우의 「문학간행물의 현 상황 개선에 관한 건의關於改進文學刊物現狀的一個建議」, 리시판, 란링의 「문학비평의 대오는 어디에 있는가?文藝批評的隊伍在哪裏?」, 야오쉐인의 「누구나 말할 수 있는 길을 열어 주어야 한다要廣開言路」 등 『문예보』에서 일부 문예계 인사들을 초청해 진행한 문예계 내부의 모순 문제에 관한 좌담회에서의 발언이 발표되었다. 이 외에도 라오서의 「번역에 관하여談翻譯」, 쉬중위徐中玉의 「영원히 옳은 듯 보이는 사람有種好像永遠都是正確的人」이 발표되었다.

27일, 『희극논총』 제2집에 톈한의 「중국 화극예술 발전의 첩경과 전망中國話劇藝術發展的徑路和展望」이 발표되었다. 그는 글에서 1907년에 춘류사春柳社가 성립된 이후 중국 화극운동이 50년간 걸어온 길을 상세히 서술하면서, "우리의 화극운동은 자연히 중국 혁명의 현실과 밀접한 관련이 있다. 화극운동은 반세기에 걸친 잔혹한 민족 민주 투쟁의 직접적인 영향을 받았다. 화극운동의 일반적인 특징은 사상성을 추구하는 경향이 비교적 강하다는 것이다. 그 정서는 건강하고 전투적이며, 부패하고 낙후된 사물의 영향을 거의 받지 않았다. 화극운동의 일반적인 결점 또한 예술성이 충분히 성숙하지 못했고, 전통을 충분히 학습하지 못했으며, 공식적인 개념으로서 '사상성'을 이해했다는 데 있다", "우리의 화극은 사상을 중시한 탓에 관중에게 직접 말하는 부분이 많고 동작이 적다. 반드시 우수한 희극전통을 계승하고 발양하고, 유럽의 진보적인 공연 체계를 깊이 연구해, 우리의 공연과 감독의 예술 수준을 마땅한 수준으로 제고해야 한다"라고 지적하였다.

중국작가협회 상하이분회에서 주석단 회의를 개최해 서기처를 개편하였다. 개편된 서기처는 바진, 진이, 쉬제, 탕타오, 웨이진즈, 푸레이, 류다제, 이첸, 뤼쑨, 쿼칭 등 10인으로 구성되었다.

28일, 『해방일보』에 쉬중녠徐仲年의 「지식분자를 논하다淺論知識分子」가 발표되었다.

『광명일보』에 장유롼張友鸞의 「파리가 아니라 꿀벌이다是蜜蜂, 不是蒼蠅」가 발표되었다.

31일, 『광명일보』에 페이샤오퉁의 「'이른 봄' 전후"早春"前後」가 발표되었다.

『희극보』 제10호에 「중국경극원에는 어떤 모순들이 있는가?中國京劇院有哪些矛盾?」, 「민간 평극예인의 진술民間評劇藝人的申述」, 「곤곡에는 햇빛과 비가 필요하다曲劇需要陽光雨露」, 「베이징 화극계에서 여러 가지 문제를 제기하다北京話劇界提出了許多問題」, 「베이징 영화배우의 호소北京電影演員的呼籲」, 「총정치부 화극단에서 모순을 폭로하다總政話劇團揭露矛盾」 등 베이징 희극계의 모순 폭로에 관한 종합 기사가 게재되었다. 이 외에도 천바이천의 「화극운동은 지도를 요구한다話劇運動要求領導」가 발표되었다.

이달에 시룽의 중편소설 『마구간을 짓다』가 산시인민출판사에서 출간되었다.

량쉐정梁學政의 단편소설집 『타이베이의 황혼台北的黃昏』이 통속문예출판사에서 출간되었다.

리궁구이李拱貴의 소설특필집 『물소 바퀴水牛軛』가 신문예출판사에서 출간되었다.

한시량韓希梁의 장편 보고문학 『황지광黃繼光』이 중국청년출판사에서 출간되었다.

톈예의 소품집 『타이완 검보台灣臉譜』가 창장문예출판사에서 출간되었다.

샤옌의 3막 화극 『상하이의 처마 아래』가 중국희극출판사에서 출간되었다.

5월 하순~6월 초순, 중국작가협회 당조에서 네 차례의 당 외부 작가, 번역가 좌담회 및 한 차례의 이론비평가 좌담회를 개최하였으며, 동시에 작가협회 소속의 각 간행물 편집부 및 기관에서 정풍회의를 소집하였다. 좌담회 및 정풍회의에 참석한 작가, 번역가, 이론비평가, 편집 및 공작인원들은 최근 몇 년간의 문예공작의 지도에 대해 비평하였다.『문예보』제11호에 「작가협회가 정풍 속에서 누구나 말할 수 있는 길을 열다作協在整風中廣開言路」라는 제목으로 마오둔 등 27인의 발언의 요약문이 발표되었다.

<h2>6월</h2>

1일,『인민일보』에 「수도 문예계 인사들과 부대 작가들이 좌담회를 가지고, 부대문예공작 지도자의 결점을 비평하다首都文藝界人士和部隊作家擧行座談, 批評部隊文藝工作領導者的缺點」라는 기사가 게재되었다. 기사는 참석자들이 속박을 타파하고 문예발전을 촉진해야 한다는 데 의견을 모았다고 보도하였다.

『인민일보』에 샤오첸의 「안심 · 용인 · 인사공작放心 · 容忍 · 人事工作」이 발표되었다. 그는 글에서 "우리의 이 혁명 사회(최근에 동향이 변하기 전까지)에는 이미 점차 무시무시한 '혁명 처세'가 형성되었다. 사람들 사이에 경계 상태가 존재하고 있다. 가령, 비평을 받아 마음속으로는 분명히 설복당하지 않았음에도 반박하지 않고 오히려 앞다퉈 반성을 하는 것 등이다. 이러한 '혁명 처세'는 이 외에도 누군가와 가까워지지도 멀리하지도 않고, 발언은 피상적이고 두루뭉술하고, 글을 쓸 때는 우선 시세를 고려하고, 어떠한 호소를 하든 남의 말을 그대로 따라 태도를 표명하지만 어떤 일에 대해서도 자신의 견해가 없는 모습으로 표현되기도 한다", "이러한 현상이 발생한 데에는 모든 이에게 책임이 있지만(가령 작가들의 용기가 부족한 점 등), 교조주의자들의 책임도 작지 않다. 이들의 대다수는 지도자의 위치에 올라 있으며, 팔을 들어 수레바퀴를 막을 용기를 가진 사마귀는 결국 소수이다. 우리나라에는 대단히 형상화된 성어가 두 가지 있는데, 바로 '닭을 죽여 원숭이를 놀라게 하다殺鷄嚇猴'와 '토끼가 죽으면 여우가 슬퍼한다兔死狐悲'이다. 교조주의자가 몽둥이를 휘두르면 한 사람만을 죽이는 것이 아니라 수많은 이들을 죽인다"라고 지적하면서, "제국주의 단계로 들어서기 전에, 자본주의 국가에는 '나는 당신의 견해에 전혀 동의하지 않는다. 하지만 나는 기꺼이 내 생명을 희생해 당신이 그 견해를 말할 권리를 지키겠다'라는 대단히 호탕한 말이 있었다"라고 말했다.

『해방일보』에 '백화 가운데 하나인 화극이 더욱 번영하기를 바란다希望百花之一的話劇更加繁榮'라는 주제 아래 스튀의 「문예 지도에 존재하는 교조주의가 창작의 번영을 방해한다文藝領導上的敎條主

義阻礙了創作的繁榮」, 아이밍즈의 「사양하는 척하면서 받아들여 성실한 지도가 없으며, 간섭이 과도해 작가들에게 고민을 더한다半推半就, 沒有切實領導; 幹涉過多, 作者平添苦惱」 등 본지에서 진행한 극작가 좌담회의 발언 기록이 게재되었다.

『신관찰』 제11호에 페이샤오퉁의 「강촌을 다시 방문하다重訪江村」의 연재가 시작되어 제13호에 완료되었다.

『우화』 6월호에 가오샤오성高曉聲의 단편소설 「불행不幸」이 발표되었다.

『장화이문학』 6월호에 경룽샹耿龍祥의 단편소설 「입당入黨」이 발표되었다.

『변강문예』 5, 6월호 합본에 톈젠의 장시 『여인행麗人行』 및 라오제바쌍의 시 「매鷹」, 「총탄子彈」, 「전장戰場」, 「군인軍人」 등이 발표되었다.

2일, 『문예보』 제9호에 황야오몐의 「문예비평의 각종 근심을 없애자解除文藝批評的百般顧慮」 및 기자 장바오신의 기사 「병사를 통솔하는 방식으로 극단을 통솔할 수 있는가?—총정치부 문공단 화극단을 방문하다能用帶兵的方式帶劇團嗎?——訪總政文工團話劇團」, 기자 저우원보周文博의 기사 「푸레이 동지를 방문하다訪傅雷同志」, 장유쑹張友松의 글 「나는 고개를 들고, 가슴을 펴고, 전투에 뛰어든다!—인민문학출판사 및 그 상급 지도자에 대한 비평我昂起頭, 挺起胸來, 投入戰鬥!——對人民文學出版社及其上級領導的批評」이 발표되었다.

3일, 『문회보』에 '본지 평론가'라는 이름으로 「문예 문제에 대한 마오 주석의 강화를 곡해하는 데 반대한다反對曲解毛主席對文藝問題的講話」라는 글이 발표되었다. 글은 "최근 몇 년 동안 문예 지도사상 및 문예이론비평 공작에서 마오 주석의 「강화」의 여러 논점에 대한 이해에 교조주의적인 관점이 존재해 왔다는 점을 지적해야 한다. 마오 주석의 강화는 본래 예술은 어째서 인민을 위해 복무해야 하는가 하는 문제와 작가와 예술가의 입장 관점에 관한 문제를 해결하기 위한 것이다. 비록 이 문제들이 문학예술 발전에 있어 결정적인 문제이고, 작가의 입장과 관점 또한 언제 어디서든 작가의 창작방법과 밀접한 관련이 있지만, 결국 중요한 것은 창작방법에 관한 문제를 구체적으로 해결하는 것이 아니다"라고 밝혔다. 그는 이러한 이유에 근거해 글에서 "예술과 정치의 관계", "소재에 관한 문제", "영웅 인물의 창조", "풍자와 인민 내부의 모순" 등 네 가지 측면에서 마오쩌둥의 「옌안문예좌담회에서의 강화」에 대한 교조주의 문예이론의 곡해에 대해 "엄격한 검열을 진행하였다".

『극본』 6월호에 라오서가 『극본』 기자의 취재에 답한 글 「극본의 백화제방에 관하여談劇本的百

花齊放」가 발표되었다.

4일,『해방군보』에 장광녠의「부대문예 지도에 대해 의견을 제시하다對部隊文藝領導提意見」, 후커의「작가 스스로 창작방법을 찾게 하고, 독자와 관중이 작품을 감별하게 하자讓作家自己尋找創作方法 讓讀者和觀衆來鑒別作品」, 궁류의「백화제방의 새로운 국면을 열자開辟一個百花齊放的新局面」등 본지에서 진행한 부대문예 문제 좌담회에서의 일부 작가들의 발언이 발표되었다.

5일,『문예월보』6월호에 사팅의 단편소설「손으로 물고기를 잡다摸魚」, 캉줘의 단편소설「봄날의 그리움春天的懷念」이 발표되었다.
『문회보』에 스저춘의 잡문「재와 덕才與德」이 발표되었다.

6일~8일, 중국작가협회 당조에서 정풍운동 전개를 위한 확대회의를 소집해 딩링과 천치샤의 처리 문제에 관해 토론하였다. 당시 회의에 참석했던 리즈롄李之璉의 회고에 따르면, 회의 첫날에 저우양, 류바이위 등이 "모두 주동적으로 1955년에 행해졌던 딩링에 대한 비판이 잘못된 것이었고, '반당 소집단'이라는 결론이 틀린 것이었다고 밝혔으며 딩링 등에게 사과하였다". 7일과 8일, 회의가 계속되었다. 딩링과 천치샤 등의 발언은 매우 "첨예했다", "지도자들은 질문에 대답할 수 없었으나, 참석자들의 비평을 수용하려 하지도 않았다. 때문에 회의는 교착 상태에 접어들었다".[4] 9일, 교착 상태에 빠진 탓에 회의는 휴회하였다. 본 확대회의는 올해 7월 25일, 반'우파' 운동 중에 재개되었다.

7일,『문회보』에 두리췬의「저우양 동지 문학이론의 몇 가지 문제에 관하여關於周揚同志文學理論的幾個問題」가 발표되었다. 그는 글에서 저우양의 문학이론에 존재하는 "영웅 인물 창조 이론 문제"와 "우리나라 현대문학 창작에 자연주의가 있는가 하는 문제"에 대해 다른 견해를 제시하고, 저우양의 이러한 이론들에 "비교적 선명한 교조주의적 색채가 드러나 있다"라고 보았다. 이 외에도 쉬마오융의「뒤늦은 기념-「옌안문예좌담회에서의 강화」를 다시 읽다過了時的紀念——重讀<在延安文藝座談會上的講話>」의 연재가 시작되어 8일에 완료되었다.

---

4) 리즈롄,「일어나지 말았어야 할 이야기不該發生的故事」,『신문학사료』1989년 제3호

8일, 마오쩌둥이 초고를 작성한 중공중앙의 「역량을 조직해 우파 분자의 난폭한 공격에 반격하자組織力量反擊右派分子的猖狂進攻」라는 당내 지시가 각 성, 시, 자치구 및 상하이국 당위원회에 배포되었다.

『문예학습』 6월호에 추원(황추원)의 「가시는 어디에 있는가刺在哪裏」가 발표되었다.

『인민일보』에 사설 「이것은 어째서인가?這是爲什麼?」가 발표되었다. 사설은 '민혁民革'(중국 국민당 혁명위원회中國國民黨革命委員會의 약칭 — 역자 주) 중앙위원 루위원盧鬱文이 '명'과 '방'을 반대하는 발언을 했다는 이유로 위협을 당한 일에 대해, 이는 우파 분자의 난폭한 행동으로, 계급투쟁의 표현이라고 논술하였다.

9일, 『인민일보』에 사설 「적극적인 비평뿐만 아니라, 정확한 반비평도 있어야 한다要有積極的批評, 也要有正確的反批評」가 발표되었다.

『문예보』 제10호에 '부대 작가를 불합리한 규율에서 해방시키자讓部隊作家從淸規戒律裏解放出來'라는 주제로 궁류의 「한 가지 근본적인 문제一個根本問題」가 발표되었다. 이 글은 천이의 「인민해방군의 문예를 더욱 제고하자把人民解放軍的文藝提高一步」에 대해 "만약 어느 작가가 어리석은 나머지 다른 이가 그의 주제 사상을 명확히 하고, '공격 방향을 명확히' 해 주어야 할 정도라면, 이 작가는 도대체 어떤 작가일 것인가? 만약 작가의 일이 '어떠한 자료'들을 '수집'해 '묘사'하는 것뿐이라면, 너무나 비참한 일이 아니겠는가? 불행한 일은, 우리 부대의 일부 지도자들이 보기에 작가들은 바로 이런 비참한 직업에 종사하는 사람들이라는 것이다"라고 비평하였다. 같은 호에 탕즈(탕다청)의 「장황한 공식이 창작을 지도할 수 있는가? — 저우양 동지와 영웅 인물 창조에 관한 몇 가지 논점을 논의하다煩瑣公式可以指導創作嗎?——與周揚同志商権幾個關於創造英雄人物的論點」 및 푸레이의 「약간의 번역 경험翻譯經驗點滴」이 발표되었다.

10일, 『인민일보』에 사설 「공인이 말하다工人說話了」가 발표되었다.

『문회보』에 야오원위안의 「시험 기록에 대비하다 — 신문에 대한 감상備以錄考——讀報偶感」이 발표되었다. 그는 글에서 『문회보』, 『광명일보』, 『해방일보』 등 세 가지 신문의 배열상의 차이를 비교해 이를 통해 '신문의 배열에는 정치성이 없다'는 관점을 반박하였다. 그는 글의 마지막에서 "배열에도 정치성이 있다. '각자 필요한 만큼 가지는' 것이다"라고 밝혔다. 『인민일보』 6월 14일자에 '본지 편집부'라는 이름을 썼지만 실제로는 마오쩌둥이 집필한 「『문회보』의 일시적인 자산계급 방향〈文滙報〉在一個時間內的資産階級方向」이 발표되어 야오원위안의 관점을 지지하였으며, 야오원위안의 글을 전재하였다. 또한 『문회보』와 『광명일보』의 '자산계급 방향'에 대해 비평하였다. 같은 날, 『문회보』에 『인민일보』의 이 글이 전재되었다.

『동해』 6월호에 루원푸의 단편소설 「입담 좋은 손님健談客」이 발표되었다.

11일, 『인민일보』에 사설 「전국 인민이여, 사회주의의 기초 위에서 단결하자全國人民在社會主義基礎上團結起來」가 발표되었다.

『희극보』제11호에 우쭈광의 「희극공작의 지도 문제에 관하여談戱劇工作的領導問題」가 발표되었다. 그는 글에서 "우리는 누구든 소위 '사회주의 제도의 우월성'에 대해 말할 수 있다. 그러나 이러한 우월성이 예술 인재 양성이라는 면에서는 어떻게 표현되었는가? 해방 이래 공, 농, 병의 모든 전선에서는 인재가 배출되어 활발히 전진하고 있지만, 유독 문예전선에만 새로운 인재가 드문 이 구체적인 현상을 우리는 어떻게 설명해야 하는가?" "이러한 결과를 만들어낸 원인은 매우 복잡하다. 그러나 내 생각에, 결국 이것은 지도 문제이다"라고 지적하였다. 그는 "지도의 권한을 무한히 확대한다면 필연적으로 날이 갈수록 안하무인이 되어 독선적으로 변한다", "오늘날 무수한 문예단체의 지도자들은 인민 군중의 수요를 전혀 고려하지 않고, 군중이 무지하고 멍청하다고 생각한다. 군중이 좋아하는 것은 무수한 불합리한 규율로 말살해 버리고, 군중이 좋아하지 않는 것으로 군중을 교육하려 한다"라고 보면서, "과거 수년간의 문예공작 과정에서, 나는 항상 소위 지도자라는 이들이 그저 행정적이고, 사무적이고, 물질적이고, 단결과 통일만을 신경 쓰는 지도자라는 생각이 들었다. 만약 그렇다면, 문예공작자에 대한 '지도'에 무슨 필요가 있는가? 누군가 내게 알려주기 바란다. 과거에 누군가가 굴원을 지도했는가? 누군가 이백, 두보, 관한경, 조설근, 루쉰을 지도했는가? 누군가 셰익스피어, 톨스토이, 베토벤, 몰리에르를 지도했는가?"라고 말했다.

『난징일보』에 양뤼팡의 화극 「뻐꾸기가 또 울었다」에 대한 리훙黎弘(즉 류촨劉川)의 평론 「제4종 극본第四種劇本」이 발표되었다. '제4종 극본'이라는 용어가 이 글에서 유래하였다.

류촨(1929~), 극작가. 필명은 리훙, 두뤄杜若로 쓰촨성 청두 출신이다. 1948년에 군에 입대하였다. 난징군구 전선화극단 각본가, 난징군구 정치부 문예창작실 창작원, 중국문련 위원, 중국극협 이사, 장쑤성 극협 부주석을 역임하였다. 1945년부터 작품을 발표하였다. 화극 「결혼식 날喜期」, 「해안선海岸線」, 「청춘의 노래靑春之歌」, 「두 번째 봄第二個春天」, 「영혼의 대가靈魂的代價」, 「산 자와 죽은 자生者與死者」, 「홍기가 바람에 펄럭인다紅旗飄飄」 등을 창작하였으며 평론 「제4종 극본第四種劇本」 등을 집필하였다.

12일, 『인민일보』에 사설 「선의의 비평을 정확히 대하자正確地對待善意的批評」가 발표되었다.

『해방군문예』 6월호에 루예의 단편소설 「'지도하기 힘든 사람"不好領導的人'」, 차이치자오의 시 「위린강의 노래榆林港之歌」가 발표되었다.

『문학연구』 제2호에 차이이의 「다시 현실주의를 논하다再論現實主義」, 둥슈즈董修智의 「현실주의는 부단히 발전하면서 완벽해지고 있다現實主義不斷的發展著和完善著」가 발표되었다.

14일, 『인민일보』에 사설 「이것은 입장의 문제인가是不是立場問題」가 발표되었다.

15일, 베이징인민예술극원이 차오위의 유명 화극 「베이징인北京人」을 공연하였다. 톈충田沖이 감독을 맡았으며 예쯔, 란톈예藍天野, 수슈원 등이 주연을 맡았다.

15일~8월 12일, 문화부에서 제3회 희곡배우강습회 상하이반을 진행해 화둥 지역 각지의 지방극 중요 배우 200여 명이 참가하였다. 저우신팡, 가이자오톈, 청옌추, 위전페이俞振飛, 위안쉐편, 장경 등이 강의하였다.

20일, 『인민일보』에 아수阿術라는 이름으로 「「재와 덕」에 반박하다辟<才與德>」가 발표되었다.

『베이징문예』 6월호에 우쭈광의 산문 「옹화궁의 청춘雍和宮的靑春」, 류시의 잡문 「몸을 흔들어 모습을 바꾸다─교조주의는 어디로 갔는가?搖身一變──敎條主義哪兒去了?」가 발표되었다.

22일, 『인민일보』에 사설 「심상치 않은 봄不平常的春天」이 발표되었다.

『여행가』 6월호에 선충원의 산문 「신상행기新湘行記」, 진서우선金受申의 산문 「베이징의 리자오─첸먼 성루北京的麗礁──前門箭樓」가 발표되었다.

북방곤곡극원北方昆曲劇院이 베이징에서 창립되었다. 한스창韓世昌이 원장을, 바이윈성白雲生 등이 부원장을 맡았다.

23일, 『문예보』 제12호에 젠센아이의 「작가 백성의 고통에 더욱 관심을 기울이자多關心作家老百姓的疾苦」, 쑤진싼의 「문학의 종법주의를 숙청하자肅淸文學上的宗派主義」가 발표되었다.

중국극협에서 우쭈광의 「희극공작의 지도 문제에 관하여」를 비판하는 첫 번째 좌담회를 소집해 톈한이 주관하였다. 『희극보』 제12호에 우쭈광이 『희극보』 편집부에 보낸 자아비평 서신이 발표되었다.

24일, 『해방일보』에 야오원위안의 「'과거에 공을 세웠다'過去是有功勞的」가 발표되었다. 그는 글에서 "우파의 야심가들에게 반격하는 격렬한 전투 도중에 어느 선량한 이가 말했다. '몇몇 사람은 과거에 공을 세웠으니, 지금 너무 비판하지 말고 적당한 정도에서 그만합시다.'", "'과거에 공을 세웠다'는 말로 우파 분자에 대한 투쟁을 약화하는 것은 근거도 없고, 장점도 없다. 이런 말을 한 이들은 이 말을 취소하고 투쟁에 참가하는 것이 좋을 것이다"라고 지적하면서, "격렬한 계급투쟁 속에서 측은지심을 가지자고 하는 것은, 이미 독니를 드러내고 자신을 물어 죽이려 하는 독사 앞에서 눈을 감는 것이나 마찬가지다. 선량한 마음 때문에 뱀에게 물리는 것 외에 다른 결과가 있겠는가?"라고 말했다.

25일, 『시간』 6월호에 빙신의 「시자오 단찰西郊短簡」, 왕청치의 연작시 「이른 봄早春」(5편) 및 마야코프스키의 시 「바지를 입은 구름穿褲子的雲」 제2장의 번역문이 발표되었다.
『해방일보』에 쉬제를 비판한 종합기사 「쉬제는 당의 정풍을 돕는 것인가, 아니면 당을 공격하는 것인가?許傑究竟是幫助黨整風還是向黨進攻?」가 발표되었다.

30일, 『문예보』 제13호에 사설 「문예 대오 내부의 우경사상에 반대한다反對文藝隊伍中的右傾思想」가 발표되었다.
『문회보』에 본지 기자의 글 「'제3의 사람' 스저춘"第三種人"施蟄存」이 발표되었다.

이달에 통속문예출판사에서 통속문예 작가들을 초청해 좌담회를 개최해 천선옌陳愼言, 장헌수이, 리훙李紅, 왕야핑, 먀오페이스, 진서우선, 진지수이金寄水 등 20여 명이 참석하였다. 『문예보』 제10호에 기자 무가오木杲가 본 좌담회를 취재한 기사 「통속문예작가의 외침通俗文藝作家的呼聲」이 게재되었다. 그는 기사에서 "좌담회에 참석한 작가들은 통속문예와 통속문예작가가 사회에서 무시당하고, 문학영역 내에서 설 자리가 없으며, 장회소설, 단현單弦, 고사 등을 수준 미달의 작품으로 취급하고, 이런 작품을 창작하는 작가들을 격이 낮은 작가로 취급하는 현상에 대해 이야기하였다", "참석자들은 또한 문예계에서 장회소설을 중시하지 않고, 장회소설 작가 역시 중시하지 않는다고 보았다. 장유롼 선생은 '장회소설은 인민에게 사랑받고 있지만, 장회소설 작가는 주목받지 못하고 종종 옛 문인으로 간주된다. 현대문학사에서도 장회소설을 언급하지 않는다. 「제소인연」이 그렇게나 많이 인쇄되었는데, 그 작가인 장헌수이는 좋은 작가인가 아닌가? 문학사에서 전혀 언급하지 않는 것은 허무주의요 제거론이 아닌가?'라고 발언하였다"라고 밝혔다.

잡지『전영기술電影技術』이 베이징에서 창간되었다.

리지의 장편서사시『국화석』이 창장문예출판사에서 출간되었다. 이 시는 1953년 8월 7일에『인민문학』7, 8월호 합본에 발표되었다. 1978년 10월에 후베이인민출판사에서 재판이 발행되었다. 재판은 수정을 거쳤으며 재판 후기가 수록되었다.

샤오쥔의 장편소설『과거의 시대過去的年代』가 작가출판사에서 출간되었다.

궁류의 단편소설집『국경의 어느 거리國境一條街』가 중국청년출판사에서 출간되었다.

빙신 등의 아동문학 작품집『소귤등小橘燈』이 베이징인민출판사에서 출간되었다.

야오원위안의 첫 잡문집『세류집細流集』이 신문예출판사에서 출간되었다.

중국작가협회에서 편찬하고 허우진징이 서문을 집필한『단편소설선短篇小說選(1956)』, 린단추가 서문을 집필한『산문소품선散文小品選(1956)』, 쉬츠가 서문을 집필한『특필선特寫選(1956)』이 인민문학출판사에서 출간되었다.

7월

1일,『인민일보』에 사설「『문회보』의 자산계급 방향을 응당 비판해야 한다<文滙報>的資産階級方向應當批判」(『광명일보』에 전재)가 발표되었다. 사설은 "본지 편집부에서 6월 14일자에「『문회보』의 일시적인 자산계급 방향」을 발표한 후로『문회보』,『광명일보』에서 이 문제에 관해 반성을 진행하였다.『광명일보』의 공작인원은 몇 차례의 회의를 통해 사장 장보쥔章伯鈞과 편집장 추안핑의 방향이 잘못되었음을 엄숙히 비판하였다. 이 비판은 태도가 명확해 입장이 근본적으로 바뀌어, 장보쥔, 추안핑의 반공 반인민 반사회주의적인 자산계급 노선이 혁명적인 사회주의 노선으로 전환되었다"라고 밝혔다.

『우화』7월호에 광즈의 단편소설「양푸다오楊婦道」와 사팅의 시「밤은, 얼마나 고요한가夜, 多麼靜」가 발표되었다.「양푸다오」의 등장인물 '양푸다오'(양다파楊大發)는 이기적인 낙후 농민으로, 그는 농업합작사의 옥수수 수십 근(장물)을 숨긴 일로 인해 농업합작사 구성원들의 조롱과 비난을 받는다.

작품이 발표된 후, 팡즈가 『탐구자』 반당 소집단'의 일원으로 규정된 일로 인해 이 소설도 비판을 받았다. 춘푸邨夫는 「창작 실천을 통해 '탐구자' 동인의 반당적 면모를 보다從創作實踐看"探求者"同人的反黨面貌」에서 "이 몇 편의 소설을 자세히 읽기만 해도 뭔가 잘못된 냄새를 맡을 수 있다. 이것은 반당, 반사회주의의 냄새이다"라고 보면서, 사실 "가장 나쁜 작품은 「양푸다오」이다. 양푸다오처럼 이기적이고 뒤떨어진 인물도 존재할 수는 있다. 그러나 문제는 작가가 농업합작사 전체가 엉망인 것처럼 묘사했다는 데 있다. 옥수수 수십 근을 잃어버려 사람들이 굶어죽게 생긴 상황에, 양푸다오가 이기적으로 장물을 숨긴 사실을 알게 되었음에도 합작사 사장은 그를 교육하지 않고, 사원들도 구체적으로 돕지 않는다. 작가는 그저 양푸다오와 그의 아내, 심지어 그의 아이들까지 조롱하고 비웃는 장면을 묘사했을 뿐이다. 이것이 우리 농업합작사의 실제 상황이란 말인가? 사실상, 이것이 바로 작가가 합작사를 묘사한 상황이고, 또한 소위 전형적 성격의 전형적 환경이다. 이것은 명백하게 허구이며, 크나큰 왜곡과 모독이다"라고 평했다(『우화』 1957년 11월호).

장빙원은 「팡즈의 「양푸다오」는 농민을 추악하게 묘사한 독초이다方之的<楊婦道>是一株醜化農民的毒草」에서 "작가 팡즈는 잘못된 입장에 서서 우리 농촌의 농민과 적극적 분자, 그리고 간부를 추악하게 묘사하였다. 팡즈는 양다파가 옥수수를 숨겨 놓고도 가난을 가장하며 고통을 호소하는 대목의 내용에 대해 그가 밤중에 밥을 하고 계란까지 쪄서 밥을 먹다가, 반 그릇쯤 먹다 말고 갑자기 밖으로 뛰쳐나가 변소에 가고, 그들 부부가 합작사 주임을 찾아가 구제를 요청하고, 끝내 죽은 척하는 장면들을 묘사하였다. 이것은 가난한 농민을 마치 지주 부농이 통제 구입 및 판매 정책에 반항해 가난한 척하며 괴로움을 호소하는 모습처럼 추악하게 묘사한 것이다……다른 한편으로, 작가는 우리 농촌의 적극적 분자를 아주 음험하고 악랄하게 묘사해, 「십오관」의 누아서婁阿鼠처럼 묘사하였다. 이 적극 분자는 적극적인 척하면서 온갖 방법으로 양다파를 조롱하는데, 마치 사장에게 그를 바로잡으라고 고의로 부추기는 듯하다. 또한, 작가는 우리의 간부와 공안 인원을 농민을 징벌하는 통치자처럼 묘사하였다"라고 비판하면서, "이것은 독초이다. 우리의 농민들이 이 소설을 읽으면 매우 분노할 것이다. 우리는 이 작품을 제거해야 한다"라고 정리하였다(『우화』 1957년 12월호).

『장화이문학』 7월호에 옌펑彥楓의 시 「밤중의 채찍 소리深夜鞭聲」, 옌전雁陣의 시 「격류편激流篇」, 루옌저우의 3막 화극 「파란波瀾」이 발표되었다.

『창장문예』 7월호에 쉬츠의 단편소설 「공사현장이 나의 집이다工地那是我家」, 난딩南丁의 중편소설 「피고被告」, 원펑聞風의 시 「산바람이 불어 창문 앞을 지나다山風吹過窗前」, 한샤오韓笑의 시 「

신병新兵」, 위안수이파이의 풍자시「'인민 자본주의"人民資本主義」, 쉬마오융의 잡문「잡문에 관한 통신關於雜文的通信」, 바이화의 평론「장시 '공작'에 관하여關於長詩"孔雀"」가 발표되었다.

『분류』7월의 시 특집호에 저우량페이의「여정征途」, 리잉의「남방南方」(4편), 궁무의「뤄양洛陽」, 사어우의「풍경시 독서 찰기讀風景詩劄記」등의 시가 발표되었다.

『창춘長春』7월호에 충웨이시의 단편소설「유쾌하지 못한 이야기並不愉快的故事」, 한루청韓汝城의 소설「목숨을 빼앗다奪命記」가 발표되었다.

『처녀지』에 저우량페이의 시「토지土地」(외 1편)가 발표되었다.

『중국청년』제13호에 팡핑放平의 시「산촌의 소녀에게給山村裏的少女」, 주광첸의「어째서 풀어 놓아야 하는가? 어떻게 풀어 놓아야 하는가?爲什麼要放?怎樣放?」, 위궈於果의「아름다움을 어디에서 찾아야 하는가?美, 到哪兒去找?」, 양신민楊新民의「바지 한 벌一條褲子」이 발표되었다.

중국극협에서 우쭈광의「희극공작의 지도 문제에 관하여」를 비판하는 두 번째 좌담회를 소집해 톈한이 주관하였다.

『동문보僮文報』제1호가 광시성 난닝南寧에서 창간되었다. 발간사는 공산당이 동족의 언어僮文의 창조를 도와준 데 감사를 표하고, 당의 민족정책에 환호하면서, 600만 동족 인민이 이 신문을 오랫동안 기다려 왔다고 밝혔다. 또한 현재 광시성의 30만 동족 인민이 교양을 배우고 있으므로 보충 서적이 절실히 필요하다고 밝혔다.

3일, 『문회보』에 사설「자신을 통절하게 개조하자痛切改造自己」가 발표되었다. 사설은 "우리는 반드시 이번 반우파 투쟁을 통해 사회주의 신문 발행 방향을 공고히 해야 한다. 이번 투쟁은 지식 분자가 자신을 개조할 기회인 동시에, 우리 신문의 전체 공작자 동지들이 자신을 개조하고, 자산 계급 신문 관점을 바꿀 절호의 기회이다. 우리는 이번 반우파 투쟁을 통해 잘못을 바로잡고, 자신을 개조하고, 입장을 확고히 하고, 방향을 명확히 하여, 사회주의 건설을 위해 복무하는 신문을 잘 발행할 것을 결심한다"라고 밝혔다.

이 외에도「류사허의 반동적 면모가 완전히 폭로되었다流沙河反動面貌完全暴露」가 발표되었다. '편집자의 말'은 "본지 5월 16일자에 기자 판옌範琰의 기사 '류사허가「초목편」을 말하다流沙河談<草木篇>'가 발표되었다. 이 글은 사실의 진상을 왜곡하고, 자산계급의 입장에 서서 반사회주의 언론을 선전한 심각한 오류를 가진 기사이다. 이 기사는 대단히 나쁜 영향을 끼쳤다. 우리는 침통한 심정으로 쓰촨성 문련의 좌담회 기록 및 관련 문서를 발표하여, 본지의 잘못된 기사의 나쁜 영향을 받은 독자들이 이 기록을 읽고 류사허의 반동적 본질을 명확히 확인하기를 바란다. 우리는 본지에 대한 쓰촨성 문예계의 비평을 겸허히 받아들인다"라고 밝혔다.

『극본』7월호에 라오서의 원작을 메이첸이 각색한 5막 6장 화극「낙타샹즈」의 연재가 시작되어 8월호에 완료되었다. 같은 호에 옌전펀顔振奮의「차오위 창작생활 단편曹禺創作生活片斷」과 샤춘의「극작가와 극원의 모순에 관하여也談劇作家和劇院的矛盾」가 발표되었다.

『인민일보』에 리잉의 시「네가 있어서有了你」(외 1편), 쑨웨이스의 글「외조부外祖父」가 발표되었다.

4일, 『문회보』에 사설「'초목편'의 잘못된 기사를 통해 교훈을 얻자從"草木篇"的錯誤報道吸取教訓」가 발표되었으며, 『해방군일보』의 사설「문회보의 오류를 통해 교훈을 얻자從文滙報的錯誤中吸取教訓」가 전재되었다.

5일, 『옌허』제7호에 장셴량의 시「대풍가大風歌」가 발표되었다.『옌허』편집부에서 개최한 좌담회에서 커중핑, 정보치, 후차이, 왕원스, 안치安旗 등 10여 명이「대풍가」에 대해 "이 시의 정치적 경향은 반인민적이고 반사회주의적이다. 시에 표현된 사상 감정과 오늘날 우리 시대의 감정은 서로 적대적이다. 저자는 그의 지극히 진부하고 반동적인 사상 감정으로써 오늘날 우리 시대의 목소리를 덮어 버리려 한다……우리는 이것이 우리의 백화제방의 화원 속에 돋아난 독초라고 생각한다. 토론 과정에서 일부 동지들은 이 시가 표현한 것이 소자산계급 지식분자의 광기와 과대망상이라고 보았다. 저자는 극단적인 정서를 통해 우리 사회생활 속의 결점을 과장하고 절대화하여 맹목적으로 모든 것을 반대하고, 모든 것을 전복시키는 정서로 발전시켰다"라고 비판하였다(『옌허』1957년 제8호).

『인민일보』에 위안수이파이의 시「오뇌가懊惱歌」, 리겅李耕의 산문시「풍차·노래風車·歌」가 발표되었다.

6일, 『인민일보』에 야오원위안의「문예보의 어느 번안 문장을 읽고讀文藝報上的一篇翻案文章」가 발표되었다. 이 외에도 베이징대학 '666 벽보666牆報'의「가두시街頭詩」3편이 발표되었는데, 이 가운데 한 편은 탄톈룽譚天榮을 비판하는 시이다.

『문회보』에「루쉰 선생이 본 스저춘魯迅先生筆下的施蟄存」및 푸겅福庚의 시「마안산에서 노래하다馬鞍山放歌」가 발표되었다.

『광명일보』에 전국인민대표대회 제4차 회의에서의 궈모뤄의 발언「어느 반사회주의적 과학 강령을 반박하다駁斥一個反社會主義的科學綱領」가 발표되었다.

7일, 『문예보』제14호에「자산계급 우파분자의 음모를 철저히 분쇄하자－인민대표 커중핑, 팡링루, 펑위안쥔, 셰빙신 동지를 방문하다徹底粉碎資産階級右派分子的陰謀——訪人民代表柯仲平、方令孺、馮沅君、謝冰心同志」, 리시화李曦華의「'국영 극단' 문제 탐색"國營劇團"問題探索」, 정보치의「반영과 의견反映和意見」, 위안수이파이의 시「'자유의 예술"自由的藝術'」, 탕스의「공연의 심도 문제에 관하여談表演的深度問題」, 마톄딩의「괴테파를 논하다論歌德派」, 장광녠의「우쭈광 동지와 토론하다和吳祖光同志辯論」가 발표되었다.

『꿀벌』7월호에 장즈민의 시「도금이 벗겨지면 청동이 드러난다鍍金褪了青銅現」(외 1편), 관화管樺의 소설「어린 미장이小瓦匠」, 천충의 산문「어느 여자 보일러 반장에게給一個女司爐班長」, 허츠의 영화문학 극본「마다하가 베이징에 들어가다」가 발표되었다.

관화(1922~2002), 본명은 바오화푸鮑化普로 허베이성 펑룬豐潤 출신이다. 공화국 성립 후에 가사 창작에 종사하였다. 중국작가협회 베이징분회 주석을 역임하였다. 저서로 중편소설『작은 영웅 위라이小英雄雨來』, 장편소설『장쥔허將軍河』(총 3권), 『심연深淵』, 시화 산문집『생명의 외침과 사랑生命的吶喊與愛』등이 있다. 1994년에 중국청년출판사에서『관화 문집』(6권이 출간되었다.

『문회보』에 전국인민대표대회에서의 우한의 발언「나는 분노한다! 나는 고발한다!我憤恨!我控訴!」가 발표되었다.

『인민일보』에 궈모뤄의 시「'7·7'을 기념하며－루쉰의 운율을 차용하여紀念"七七"——用魯迅韻」, 톈한의 시「루거우차오를 노래하다歌盧溝橋」, 리샤오李效의 산문「루거우차오 산필盧溝橋散筆」이 발표되었다.

『광명일보』에 전국인민대표대회에서의 우한의 발언「장보쥔, 뤄룽지의 죄악 행위를 고발한다控訴章伯鈞、羅隆基的罪惡活動」가 발표되었다.

8일, 『인민문학』7월호(혁명 특대호)에 리귀원李國文의 단편소설「개선改選」, 쭝푸宗璞의 단편소설「붉은 팥紅豆」, 펑춘의 단편소설「아름다움美麗」, 아이우의 단편소설「봄날의 바람春天的風」, 왕퉁자오의 단편소설「바다 위의 굉음海上宏音」, 무단의「시 7편詩七首」(「묻다問」, 「나의 숙부가 죽었다我的叔父死了」, 「학습회에 가다去學習會」, 「싼먼샤 수리공정三門峽水利工程」, 「'만약'과 '반드시'"也許"和"一定"」, 「미국은 다음 세대를 어떻게 교육하는가美國怎樣教育下一代」, 「추수감사절－수치스러운 빚感恩節——可恥的債」 수록), 왕징즈의 시「첫 번째 천당第一個天堂」(외 3편), 라오서의 산문「신장에서의 보름新疆半月記」, 선충원의 산문 「자질구레한 일을 하다跑龍套」, 왕청치의 산문 「일요일星期天」, 돤무훙량의 산문 「전설傳說」(외 2편), 치밍(저우쭤런)의 산문 「매난국죽梅蘭竹菊」이 발표되었다.

리궈원(1930~), 장쑤성 옌청鹽城 출신이다. 톈진철로문공단天津鐵路文工團 및 중국인민지원군 문공단 창작원, 전국철로문공단 각본가, 『소설선간小說選刊』 책임 편집자, 중국작가협회 이사 등을 역임하였다. 저서로 단편소설집 『리궈원 단편소설선李國文短篇小說選』, 『위루 이야기危樓紀事』, 장편소설 『겨울 속의 봄冬天裏的春天』, 『화위안제 5호花園街五號』, 산문집 『당조천공唐朝天空』 등이 있다.

쭝푸(1928~), 여성 작가로 본명은 평중푸馮鍾璞이며 필명은 뤼판綠繁, 런샤오저任小哲, 평페이豐非 등이다. 저명한 철학자 평유란의 딸로 베이징에서 출생하였다. 1948년부터 작품을 발표하였으며 1951년에 칭화대학 외국문학과를 졸업하였다. 『문예보』, 『세계문학』 등 잡지의 편집자를 역임하였다. 1981년에 외국문학연구소 영미문학연구실로 이동하였다. 대표작으로 「붉은 팥」, 「현 위의 꿈弦上的夢」, 「나는 누구인가我是誰」, 중편소설 「삼생석三生石」 등이 있다. 저서로 『쭝푸 소설산문선宗璞小說散文選』, 산문집 『정향결丁香結』 및 동화와 번역 작품이 있다.

같은 호에 후이춘回春(쉬마오융)의 잡문 「'선조거' 만필"蟬噪居"漫筆」이 발표되었다. 이 글은 반우파 투쟁이 확대되면서 비판을 받게 되었다. 「철학 사회과학 학계와 문예계에서 우파분자 쉬마오융을 폭로하고 비판한다哲學社會科學界和文藝界揭露和批判右派分子徐懋庸」라는 글은 "쉬마오융은 작년 11월부터 올해 8월까지 베이징, 톈진, 상하이, 우한 등지의 신문에 100편에 가까운 반당적이고 반사회주의적인 글을 발표하였다. 이 글들에서 쉬마오융은 종법주의, 관료주의, 교조주의에 반대한다는 명목으로 거리낌 없이 공산당의 지도를 공격하고, 마르크스레닌주의를 비방했다"라고 밝혔다(『인민일보』 1957년 12월 2일자). 마톄딩은 「쉬마오융을 비판한다批判徐懋庸」라는 글에서 "쉬마오융은 「'선조거' 만필」이라는 글에서 자신을 사마귀에게 붙잡힌 매미에 비유하고, 당과 당의 공작 간부를 매미를 쫓는 사마귀에 비유하였다"라고 보았다(『문예보』 1957년 제34호).

같은 호에 리바이펑李白鳳의 글 「시인들에게 보내는 공개 서신寫給詩人們底公開信」이 발표되었다. 그는 글에서 시가 창작에 '백화제방'의 국면이 출현해야 한다고 호소하면서, 건국 이래로 "시가 창작은 너무나 좁은 영역 속에 제한되어 있다. 시인들은 자신들에게 창작 범위를 규정해 이처럼 작은 세상 속에서만 활동하고 있다"라고 지적하였다. 그는 이처럼 단조롭고 협소한 상황이 발생한 원인 중 하나가 시가계에 존재하는 "모종의 종법 정서"라고 보았다.

리바이펑(1914~1978), 학자, 서예 전각가, 작가, 시인. 본명은 리아이셴李愛賢이며 리펑李逢이라고도 한다. 본적은 베이징이며 쓰촨에서 출생하였다. 공화국 성립 후에 하얼빈공업대학, 산시사범학원, 카이펑사범학원에서 교수로 근무하였다. 1957년 이후에는 고문자학, 고대사 및 『주역』등의 연구에 종사하였다. 저서로 극본『루거우차오의 봉화盧溝橋的烽火』, 소설『한국 소년韓國少年』, 시집『북풍사北風辭』,『채기요彩旗謠』,『봄, 꽃송이의 봄春天、花朵的春天』 등이 있으며『리바이펑 인보李白風印譜』,『동이잡고東夷雜考』 등이 출간되었다.

같은 호에 발표된 평춘의 소설 「아름다움」도 비판을 받았다. 당시에 반우파 투쟁이 고조에 달해 있던 시기였기 때문에, 이러한 '탐색'은 비판받을 수밖에 없었으며, 혹자는 심지어『인민문학』7월호를 '독초 특집호'라고 칭하기도 했다. 왕즈량王智量은 「「아름다움」은 독소로 가득 찬 소설이다<美麗>是一篇充滿毒素的小說」에서 작가가 노래한 것이 "비열한 자산계급 개인주의자"라고 보면서, "이 소설은 사실상 대단히 추악하고, 자산계급 사상의 독소로 가득 찬 작품이다"라고 비판하였다 (『문예월보』1957년 10월호). 장사오캉張少康은 「'붉은 팥'의 문제는 어디에 있는가?"紅豆"的問題在哪裏?」에서 "장메이江玫는 한편으로는 혁명을 향해 한 발 한 발 나아가고 있으면서, 다른 한편으로는 치훙齊虹에 대한 사랑을 여전히 가지고 있다. 심지어 해방 직전에 치훙이 비행기를 타고 떠나야 할 때가 되자, 그녀는 그와 '마지막 만남'을 가질 수 없을까 봐 걱정하면서 '마음속에서 목놓아 울'고, '심장이 내려앉고 다리에 힘이 풀'린다. 이는 장메이가 전혀 변하지 않았으며, 여전히 자산계급의 사상 감정을 가지고 있음을 보여준다"라고 보았다(『인민문학』1958년 9월호).

『문예학습』7월호에 차량정의 「'예브게니 오네긴' 만담漫談"歐根·奧涅金"」 및 이천의 「문예의 정치성과 예술성에 관하여談文藝的政治性和藝術性」가 발표되었다.

『인민일보』에 황융위黃永玉의 「삼림의 황혼森林的黃昏」과 왕젠王儉의 글 「해진 신을 신어 본 사람穿過破鞋的人」이 발표되었다.

황융위(1924~), 토가족土家族 작가로 필명은 황싱빈黃杏檳, 황뉴黃牛, 뉴푸쯔牛夫子 등이다. 후난성 평황鳳凰 출신이다. 14세 때 작품 발표를 시작하였으며 그 이후에 한동안 판화를 전공하였다. 교원, 극단의 견습 미술대원, 신문사 편집자, 영화 각본가 등으로 근무하였으며, 중앙미술학원 교수, 중국미술가협회 부주석 등을 역임하였다. 저서로 시집『그런 때가 있었다曾經有過那種時候』, 산문집『태양 아래의 풍경太陽下的風景』, 시문집『이 우울한 부스러기들這些憂鬱的碎屑』,『센 강을 따라 피렌체로 가다沿著塞納河到翡冷翠』 등이 있다. 신작『나보다 더 늙은 늙은이比我還老的老頭』가 2003년 베스트셀러에 올랐다.

9일, 마오쩌둥이 상하이간부회의에서 「자산계급 우파의 공격을 격퇴하자打退資産階級右派進攻」라는 제목의 보고를 진행하였다.

『문회보』에『인민일보』의 사설 「투쟁이 심화되기 시작했다鬥爭開始深入」가 전재되었으며, 야오 원위안의 「'서신을 그대로 게재'하는 것에서 이야기를 시작하다―『문예보』에 발표된 몇 편의 글에 대한 의견從"來函照登"說起――對<文藝報>上幾篇文章的一些意見」 및 이췬의 「'굉도'와 '굉문'"宏道"與 "宏文"」이 발표되었다.

『인민일보』에 「『문회보』가 「초목편」의 저자에 대한 비평을 이용해 불을 붙였다<文滙報>利用對 <草木篇>作者的批評點了一把火」라는 제목으로 제1기 전국인민대표대회 제4차 회의에서의 리제런과 사팅의 연합 발언이 게재되었다.

중국극협에서 우쭈광의 「희극공작의 지도 문제에 관하여」를 비판하는 세 번째 좌담회를 소집해 톈한이 주관하였다.

10일, 『문회보』에 커란의 산문시 「기적 및 기타汽笛及其他」, 왕다오첸王道乾의 「쉬제의 '사도' 許傑的"師道"」가 발표되었다.

11일, 『인민일보』에 류바이위의 「우리 함께 먹구름을 몰아내자讓我們一道來掃盡烏雲」, 양무칭 楊牧青의 「북소리鼓聲」가 발표되었다.

12일, 『인민일보』에 「『문예보』의 자산계급 경향을 전환하자扭轉<文藝報>的資産階級傾向」 및 『문예보』 편집부의 「우리의 자아비평我們的自我批評」이 발표되었다. 이 외에도 제1기 전국인민대 표대회 제4차 회의에서의 루딩이, 황옌페이, 허샹닝何香凝 등의 발언 및 팡인方殷의 시 「반우파 가 두시反右街頭詩」가 발표되었다.

『문회보』에 제1기 전국인민대표대회 제4차 회의에서의 루딩이의 발언 「우리와 자산계급 우파 와의 근본적 차이我們同資産階級右派的根本分歧」 및 커란의 산문시 「나의 찬미我的贊美」(외 3편), 우리 伍黎의 평론 「희극 「공연히 트집을 잡다」를 보고看喜劇<無事生非>」가 발표되었다.

『해방군문예』 7월호에 저우량페이의 단편소설 「사랑愛情」, 바이런의 단편소설 「5월의 꽃五月的 鮮花」, 커란의 시 「아침노을 피리」(산문시 6편), 위안수이파이의 시 「르노 살인 무죄雷諾殺人無罪」 가 발표되었다.

13일, 『인민일보』에 팡청方成의 단막극 「황탄을 면회하다黃譚探監」가 발표되었다.

『문회보』에 소식「인민해방군 건군 30주년을 기념해 상하이인민예술극원에서「만수천산」헌정 공연을 하다紀念人民解放軍建軍三十周年 上海人藝獻演<萬水千山>」가 게재되었다. 소식은 "황쭤린 원장은 어제 기자 초대회에서 이 소식을 발표하였다. 황쭤린은「만수천산」을 공연하는 의의와 이 극을 감독한 소감을 특별히 언급하였다. 그는……「만수천산」이 장정을 재현하였다고 밝혔다. 오늘날 다시 돌아보면, 장정은 우파분자들의 음모가 파괴되었음을 선언하는 선언서이자, 홍군의 길이 모든 인민의 도로임을 선포하는 선전대이며, 중국 전체, 특히 혁명의 과실을 향유했지만 혁명의 대가를 치르지 않은 청년 세대를 양성하는 파종기이다"라고 전했다. 같은 호에 상하이인민예술극원의 일부 공작인원이 좌담회를 가지고 본지의 잘못된 기사를 비평한 기록「우파분자가 인민의 화극사업을 파괴하는 것을 용인해서는 안 된다不能容忍右派分子破壞人民話劇事業」및 저우서우쥐안의 산문「새로 태어난 매미의 첫 울음新蟬第一聲」이 발표되었다.

베이징인민예술극원이 베이징에서 양뤼팡의 4막 6장 화극「뻐꾸기가 또 울었다」를 공연하였다. 진리金犁가 감독을 맡았으며 후쭝원胡宗溫, 마췬馬群, 위즈콴於志寬 등이 주연을 맡았다.

14일, 중앙선전부, 문화부, 중국문련에서 소집한 문예계 인사 좌담회가 베이징에서 개최되었다. 저우언라이는 연설에서 "문예계 동지들이 입장을 공고히 하고 시비를 분명히 가리기를 바란다"라고 밝혔다. 그는 연설에서 개혁과 '명'과 '방', 전문가와 문외한, 집단과 개인, 신생 역량과 창작, 정풍과 자아비평 등의 문제를 언급하였다. 궈모뤄가 회의를 주관하였으며 라오서, 바진, 양한성, 정전둬, 예성타오, 사옌, 톈한, 리제런, 차이추성, 마쓰충, 량쓰청, 화쥔우 등 문예계 인사 약 200여 명이 참석하였다.

『문예보』제15호에「우파에게 철저히 반격하자―궈모뤄 동지가 본지 기자의 질문에 답하다徹底反擊右派——郭沫若同志答本報記者問」가 발표되었다. 이 외에도 '반우파분자 투쟁을 용감하고 단호히 전개하자'라는 주제하에 장헌수이의「우리는 방향을 잘못 들어서는 안 된다我們不能走偏了」, 샤오예무의「더 이상 침묵하지 말라!不要再沉默了!」, 위안수이파이의「계급교육의 생생한 수업階級教育的生動的一課」등이 발표되었으며, 사어우의 시「우파는 엄중한 포위망 속에 있다右派在重圍中」가 발표되었다.

15일,『신항』제7호에 린진란의 단편소설「의식意識」, 쉬마오융의 평론「'천자가 바뀌면 신하도 바뀐다'를 논하다論"一朝天子一朝臣"」, 천보추이의 동화「발바리는 어떻게 붉은 백조로 변했을까哈巴狗怎麼樣變成紅天鵝」가 발표되었다.

『희극보』 제13호에 '우쭈광의 우파 관점을 비판한다'라는 제목으로 우쭈광에 대한 베이징 희극계의 비평 상황이 보도되었으며, 우쭈광에 대한 희극계 인사의 비평 및 우쭈광의 자아반성「문예공작 지도에 있어서의 당의 성취를 정확히 평가하자正確估計黨在領導文藝工作上的成就」가 발표되었다.

16일, 『산화』에 천신성陳新生의 소설「결석자 이야기缺席者的故事」, 젠셴아이의 일기「내 마음이 가장 흥분한 날我心情最激動的一天」이 발표되었다.

『중국청년』 제14호에 구궁의 시「꽃, 악기, 그리고 술잔鮮花、樂器和酒杯」, 린웨이林韋의 산문「여름날 만필夏日漫筆」, 마루룽馬如龍의 소설론「'그'의 입장"他"的立場」, 천옌핑陳雁平의 「그녀는 이제 대학생이 되었다她如今是大學生了」가 발표되었다.

『인민일보』에 아잉의 글「추근 순국 50주년을 기념하며紀念秋瑾殉國五十周年」가 발표되었다.

17일, 『인민일보』에 장즈민의 시「그에게 물어보다問問他」, 린진林今의 글「『신관찰』에 질문하다質問<新觀察>」, 추양丘揚의 글「청춘이 노래하고 있다—「뻐꾸기가 또 울었다」를 보고青春在歌唱──看<布穀鳥又叫了>」가 발표되었다.

『문회보』에 왕다오첸의 글「'사람이 개만 못하다'를 논하다論"人不如狗"」가 발표되었다.

『광명일보』에 「우파에게 철저히 반격하자—궈모뤄 동지가 『문예보』 기자의 질문에 답하다徹底反擊右派──郭沫若答<文藝報>記者問」가 발표되었다.

19일, 『인민일보』에 탕타오의 「'발전' 종횡담"發展"縱橫談」, 제1기 전국인민대표대회 제4차 회의에서의 차이추성의 발언「영화전선에서在電影戰線上」 및 바이양의 발언「우파분자가 중국 영화를 자본주의의 옛길로 끌어들이는 것을 허락해서는 안 된다不能容許右派分子把中國電影拉回資本主義的老路」가 발표되었다.

20일, 『베이징문예』 7월호에 사설「베이징시 문예계가 반우파 투쟁에 적극적으로 뛰어들다北京市文藝界要積極投入反右派的鬥爭」 및 하이모의 소설「새 모자와 반장의 비파新帽子和班長的琵琶」, 가오옌창高延昌의 소설「나의 두 친구我的兩個朋友」, 쩌우디판의 풍자시「그의 '비평'他的"批評"」, 사어우의 풍자시「이리 소굴狼窟」, 팡인의 풍자시「우파를 때려 부수자粉碎右派」, 옌천의 시「길은 먼 곳으로 통한다道路通向遠方」(외 1편), 바무巴牧의 시「차가 황허를 지나다車過黃河」(외 2편), 위안수아파이의 시 「창춘 2편長春二首」, 궈황郭煌의 산문시 「톈안먼 위의 홍등天安門上的紅燈」이 발표되었다.

『인민일보』에 리경李耕의 산문 「둑 · 저수지堤 · 水庫」, 푸스俯拾의 시 「16자 잠언十六字箴言」, 쩌우디판의 시 「'모래에서 금을 일어 내는' 사람"沙裏淘金"者」, 짱커자의 글 「뜨거운 시구로 발언하자讓我們用熱辣的詩句來發言吧」가 발표되었다. 짱커자는 글에서 몇몇 문예관 및 당시 주류 시단과 어긋나는 '우파' 시인에 대해 계급을 규정하였다. 그는 "이것은 공인 동지들의 목소리요, 농민 동지들의 목소리이다. 이것은 화력이 왕성한 청년 동지들의 목소리이다……이 목소리는 생활의 실감 속에서, 그리고 당과 사회주의를 사랑하는 진지한 열정 속에서 터져 나온 것이다. 이 목소리는 강편과도 같이 가차 없이 우파분자와 야심가를 꾸짖고 때리는, 마음을 울리는 웅장하고 아름다운 시와도 같다. 시인들이여, '반우파' 투쟁 속에서 뜨거운 시구로 열렬히 발언하자"라고 밝혔다. 이 글은 『시간』 7월호에 「권두언」을 대신해 전재되었다.

『문회보』에 저우서우쥐안의 산문 「왕잠자리蜻蜓」가 발표되었다.

21일, 『문예보』에 사설 「더욱 단호하고 심도 있게 반우파 투쟁을 전개하자!更堅決、更深入地展開反右派鬥爭!」 및 바런의 「'영원히 옳은 듯 보이는 사람'을 반박하다駁"有種好像永遠都是正確的人"」가 발표되었다. 이 외에도 「문예계 우파의 반동적 언행文藝界右派的反動言行」이라는 제목으로 쉬중녠, 스저춘, 류빈옌, 샤오첸, 쑹윈빈 등의 '명', '방' 시기의 언행이 소개되었다.

『인민일보』에 캉쥐의 「'안심'하고 '용인'할 수 있는가?能夠"放心"和"容忍"麽?」, 샤오창화蕭長華의 「우파를 배척하자斥右派」가 발표되었다.

희곡계 전국인민대표 메이란팡, 저우신팡, 청옌추, 위안쉐펀, 창샹위常香玉, 천수팡陳書舫, 랑셴펀郎咸芬 등 7인이 공동으로 희곡계에 '나쁜 극을 공연하지 말자'고 건의하였다.

22일, 『문회보』에 라오서의 잡문 「창작과 자유創作與自由」, 예성타오의 「반우파 투쟁과 사상 개조反右派鬥爭和思想改造」가 발표되었다.

『여행가』 7월호에 선충원의 문학 산론 「'기행문 창작'에 관하여談"寫遊記"」가 발표되었다.

24일, 『문회보』, 『광명일보』에 『인민일보』 사설 「사람을 쓰면서 정치를 묻지 않을 수 있는가用人可以不問政治嗎」가 발표되었다. 『문회보』 같은 호에 바이디白堤의 시 「가두시街頭詩」와 커란의 산문 「만화경萬花筒」(외 2편)이 발표되었다.

바진과 진이가 책임 편집을 맡은 대형 문학잡지 『수확收穫』이 상하이에서 창간되었다. 편집위원회는 바진, 빙신, 류바이위, 아이칭, 천바이천, 저우얼푸, 뤄쑨, 커링, 정전둬, 줜칭, 차오위, 한쯔, 진이로 구성되었다. 창간호에는 사팅의 단편소설 「회의를 열다開會」, 캉줘의 중편소설 「낙숫물이 돌을 뚫다水滴石穿」, 아이우의 장편소설 『백 번 담금질해 강철을 만들다百煉成鋼』(2부로 나누어 연재), 빙신의 시 「나의 비밀我的秘密」, 라오서의 화극 「찻집茶館」, 커링의 극본 「불야성不夜城」, 바진의 「독자와 함께 「집」을 말하다和讀者談談<家>」 및 루쉰의 「중국소설의 역사적 변천中國小說的歷史的變遷」이 발표되었다.

25일, 중국작가협회 당조 확대회의가 재개되었다. 저우양은 회의에서 딩링과 천치샤 문제가 전국의 투쟁 형세와 관련이 있다고 특별히 강조하였다. 그는 "재작년의 회의는 반혁명분자 숙청 과정에서 시작되었으며, 올해의 회의는 반우파 투쟁 시기와 맞물렸다. 이것은 우리의 당내 투쟁과 사회 전체의 계급투쟁 사이에 뗄 수 없는 관계가 있음을 설명한다"라고 밝혔다. 리즈렌은 당시 회의 상황을 회상하며 "우선 천치샤가 '허심탄회하게 고백'하게 한 후에 딩링을 고발하였다. 회의 과정에서 혹자는 분노하며 질책했고, 혹자는 '반당분자 딩링을 타도하자'라는 구호를 소리 높여 외쳤다. 분위기는 긴장으로 가득 찼으며 기세가 사나웠다. 이런 상황에서 딩링을 강단 앞으로 떠밀어 답변하게 했다. 딩링은 강단 앞에 서서, 사람들의 질문과 추궁, 질책과 구호에 대답하지 못했다. 그녀는 고개를 숙이고서, 울지도 뭐라 말하지도 못하다가, 나중에는 아예 책상에 엎드려 오열하기 시작했다", "회의장은 난장판이 되었다. 혹자는 계속해서 딩링을 질책했고, 혹자는 크게 소리쳤고, 혹자는 작은 목소리로 논쟁했고, 혹자는 말이 없었다. 회의의 주관자는 이런 상황을 보고는 딩링에게 퇴장하라고 했다"라고 말했다.[5]

『인민일보』에 희곡계 인민대표 7인의 '나쁜 극을 공연하지 말자'는 건의에 대한 사설 「독초가 있으면 투쟁해야 한다有毒草就得進行鬥爭」가 발표되었다. 이 외에도 구궁의 시 「거대한 유화一幅巨大的油畫」(외 1편)가 발표되었다.

『시간』 7월호가 '반우파 투쟁 특집호'로 간행되었다.

26일, 『인민일보』에 쉬광핑의 글 「우파분자의 음모를 반드시 분쇄해야 한다右派分子的陰謀一定粉碎」가 발표되었다.

---

5) 리즈렌, 「일어나지 말았어야 할 이야기」, 『신문학사료』 1989년 제3호

28일,『인민일보』에 정전둬의「아침노을 같은 무용에 찬가를 보내다―인도 무용단의 공연을 보고贊歌朝霞般的舞蹈――觀印度烏黛 · 香卡舞蹈團的演出後」가 발표되었다.

『문예보』제17호에 톈젠의 시「가두시 4편街頭詩四首」, 마오둔의「문예공작에서의 공산당의 지도를 반드시 강화해야 한다!必須加强文藝工作中的共産黨的領導!」, 진이의「우리와 문학계 우파분자 사이의 근본적인 차이我們與文學界右派分子的根本分歧」, 쌍커자의「글 한 편을 통해 샤오첸의 반동적 사상 입장을 보다―'안심 · 용인 · 인사공작' 비판從一篇文章看蕭乾的反動思想立場――"放心 · 容忍 · 人事工作"批判」, 사어우의「장밍취안의 반당적이고 반마르크스주의적인 독화살을 꺾자―철리시 '사람을 더욱 믿자!'를 평하다折斷張明權反黨反馬克思主義的毒箭――評哲理詩: "更相信人吧!"」가 발표되었다.

29일,『문회보』특집호에「희곡 극목 개방을 어떻게 정확히 대할 것인가怎樣正確對待戲曲劇目開放」라는 제목으로 톈한의「우리는 왜 극을 공연해야 하는가?我們爲什麼要演戲?」, 메이란팡의「시비를 분명히 가리고, 향기로운 꽃을 피우자明辨是非 開放香花」, 저우신팡의「우리의 책임이 더욱 커졌다我們的責任更大了」, 샤오창화의「예인은 군중의 앞에서 걸어가야 한다藝人應該走在群衆的前面」가 발표되었다.

30일,『문회보』에 사설「상하이 작가들이 더욱 심도 있게 반우파 투쟁을 전개하다上海作家們, 進一步深入開展反右派鬥爭」가 발표되었다.

31일,『문회보』에 저우량페이의 시「바다海」가 발표되었다.

『희극보』제14호에「전국인민대표 메이란팡 등이 희곡계에서 나쁜 극을 공연하지 않을 것을 건의하다全國人大代表梅蘭芳等建議戲曲界不演壞戲」및 본지 기자가 저우신팡 등 희곡 배우의 발언을 정리한 글「독초는 반드시 제거해야 한다毒草必須鏟除」가 발표되었다. 같은 호에 베이징 희극계에서 소집한 우쭈광의 우파 관점을 비판한 세 번째 좌담회의 발언 요약문이 게재되었다.

이달에 중국극협 상하이분회,『문회보』,『해방일보』에서 각각 희곡계 인사와 관중들을 초빙해 좌담회를 개최하여 희곡계 인민대표 7인의 주장에 대해 토론하였다.

아이슬란드어판『루쉰 소설선집魯迅小說選集』이 아이슬란드의 수도 레이캬비크에서 출간되었다. 선집에는「아Q정전」,「약」,「광인일기」,「축복」,「고독자」등 5편의 소설이 수록되었다. 이 책은 최초로 아이슬란드어로 번역 출판된 루쉰의 작품집으로, 초판 2,000부가 발행되었다.

우창의 장편소설 『붉은 해』가 중국청년출판사에서 출간되었다. 이 책은 1958년 8월에 제8쇄가 출간되었으며 누적 인쇄 부수는 57,900부에 달했다. 1958년 12월에 인민문학출판사에서 재판이 발행되었다. 1959년에는 영문판이 출간되었으며, 1962년에는 영화로 제작되었다.

쉬츠의 보고문학집 『축하연慶功宴』, 샤오쉐晓雪의 시론집 『생활의 목가―아이칭의 시를 논하다生活的牧歌——論艾青的詩』가 작가출판사에서 출간되었다. 『축하연』에는 「호숫가에서 마주친 사람湖濱碰到的人」, 「창장 다리 어귀」, 「스 대장石隊長」, 「교각 위에서在橋墩上」, 「돌아오다歸來」, 「첫 번째 크리스마스트리第一棵聖誕樹」, 「낙원으로 쫓겨나다被放逐到樂園裏」 등의 작품이 수록되었다.

차오샤오롄曹孝廉, 정보鄭波 등의 부대 산문특필집 『걸어서 다링허를 건너다徒涉大凌河』가 광시인민출판사에서 출간되었다.

하이모의 화극 『퉁소를 가로로 불다』가 중국희극출판사에서 출간되었다.

8월

1일, 『창장문예』 8월호에 사설 「우리의 장엄한 전투 임무我們莊嚴的戰鬥任務」 및 왕이핑王以平의 단편소설 「벌목자의 야외 연회伐木者的野宴」, 왕정구이王正桂의 단편소설 「배표船票」, 쑤췬蘇群의 단편소설 「단구이의 고향丹桂的家鄉」, 사오옌샹의 시 「볼가강 위伏爾加河上」, 후옌바오呼延豹의 「제고할 것인가, 아니면 저하시킬 것인가?提高些, 還是降低些?」, 후이춘(쉬마오융)의 단론 「횡설수설하는 원인呑呑吐吐的原因」이 발표되었다.

『분류』 8월호에 리준, 난딩, 커시克西의 글 「우파분자 롼싱의 외투를 벗기자剝去右派分子欒星的外衣」가 발표되었다.

『창춘長春』 8월호에 사설 「문예대오 내부의 우경 사상을 비판하자批判文藝隊伍中的右傾思想」 및 리잉의 시 「해변 서정시海邊抒情詩」(3편), 차이치자오의 시 「장쉰화 동지에게 바치다贈張順華同志」가 발표되었다.

『중국청년』 제15호에 마루룽의 「독립 사고의 전제獨立思考的前提」가 발표되었다.

『인민일보』에 주더의 구체시 5편(「8·1을 기념하며紀念八一」, 「징강산 집결井岡山會師」, 「타이항 산맥을 나서다出太行」, 「쓰촨의 여러 어르신께 바치다贈蜀中諸父老」, 「남정에 임하는 여러 장군들에계寄南征諸將」수록), 천이陳毅의 「간난 유격사贛南遊擊詞」가 발표되었다.

인민해방군 건군 30주년을 기념해 상하이인민예술극원이 상하이에서 천치퉁의 화극 「만수천산」을 공연하였다. 황쭤린이 감독을 맡았다.

2일, 『문회보』에 천이陳毅의 「인민해방군은 나를 어떻게 교육했는가人民解放軍如何教育了我」가 발표되었다. 이 외에도 황쭤린의 「감독의 말導演的話」, 천치퉁의 「상하이 '인민예술극원' 동지들에게 보내는 서신給上海"人藝"同志們的一封信」 등 화극 「만수천산」 공연 특집이 게재되었다.

『광명일보』에 비예의 「영웅 송가英雄頌」가 발표되었다.

중국극협과 중국영협이 합동으로 좌담회를 개최하여 우쭈광의 '명, 방' 시기의 언행을 "폭로하고 비판"하였다.

3일, 『극본』 8월호에 본지의 1956년도 단막극 모집 원고 수상작 명단이 발표되었다. 「동서 사이娌婭之間」, 「돌아오다」가 1등 상을, 「눈바람 속에 나룻배로 강을 건너다風雪擺渡」, 「경계수 아래界樹下」, 「다시 모이다重圓」가 2등 상을 받았으며, 「세 명의 전우三個戰友」, 「강가에서在河邊上」, 「잊힌 일被遺忘的事情」, 「잃어버린 지혈감자一把遺失的止血鉗」 등이 3등 상을 받았다. 같은 호에 톈한과 안어가 합동 창작한 14장 희곡 극본 「금린기金鱗記」 및 숭포시의 단막극 「왕싼王三」이 발표되었다. 이달부터 10월호까지, 『극본』에는 톈한, 샤옌, 라오서, 천바이천, 자오쉰 등이 우쭈광을 비판한 글이 발표되었다.

『인민일보』에 저우량페이의 산문 「집家」이 발표되었다.

『문회보』에 구궁의 시 「나팔수가 나팔을 들어올렸다號兵擧起了軍號」가 발표되었다.

4일, 『문예보』 제18호에 류바이위의 「문학에서의 우파 한류를 논하다論文學上的右派寒流」, 야오원위안의 「다시 교조와 원칙을 말하다―류사오탕 동지와의 토론再談教條和原則――同劉紹棠等同志討論」이 발표되었다. 야오원위안의 글은 문예계 내부의 모순 문제, 우리나라 문학의 역사적 평가, '진실 창작', 오늘날의 "가장 첨예하고 가장 뚜렷한 문제"란 무엇인가 및 변증법과 당의 지도 등에 관한 문제를 토론하였다. 같은 호에 차이치자오의 시 「우리의 봄我們的春天」, 옌전펀의 「톈한과 차오위가 우쭈광의 우파 주장을 반박하다―『극본』 월간 8월호의 세 편의 글 소개田漢、曹禺駁斥吳祖光右派言論――介紹＜劇本＞月刊8月號三篇文章」, 마톄딩의 「보수주의를 논하다論保守主義」가 발표되었다.

『문회보』에 커란의 글 「공농병이 필요하지 않다면 무엇이 필요한가?―영화 상영에 대한 문회보의 공격에 관하여不要工農兵, 又要什麼?——談文滙報向電影放射的毒箭」이 발표되었다.

『시안일보』에 두펑청의 보고문학 「전투생활은 나의 영혼을 어떻게 검증하였는가戰鬥生活怎樣檢驗我的心靈」가 발표되었다.

5일, 『옌허』에 두펑청의 중편소설 「평화로운 나날 속에서在和平的日子裏」, 주더의 구체시 「난니완을 유람하다遊南泥灣」, 류칭의 수필 「인민에게 더욱 가까이 다가가자!請靠人民近些吧!」, 린위, 궁류의 영화문학 극본 「망부운望夫雲」이 발표되었다.

『문회보』에 바이런의 시 「섬의 목소리海島的聲音」가 발표되었다.

6일, 팡즈민 열사 순국 22주년을 기념해 『문회보』에 팡즈민의 부인 먀오민繆敏의 글 「학창시절의 팡즈민學生時代的方志敏」 및 팡즈민의 유작시 「울음소리哭聲」와 「토혈嘔血」이 발표되었다. 유작시 두 편은 팡즈민이 22세 때인 1922년 6월에 창작한 것이다. 같은 호에 타고르 서거 16주년을 기념해 「산탈족의 여인山塔爾族的一個婦女」 등 타고르의 산문시 2편이 발표되었다.

7일, 『인민일보』에 통신 「문예계 반우파 투쟁이 중대한 진전을 거두어, 딩링 천치샤 반당집단을 공격하다文藝界反右派鬥爭的重大進展, 攻破丁玲陳企霞反黨集團」가 발표되었다.

『문회보』에 탕타오의 「미는 것의 역할─왕뤄왕의 "'낙후분자' 해석"을 질책하다推的作用──斥王若望"釋'落後分子'"」, 취안이마오全一毛의 「동물 3편動物三則」이 발표되었다.

8일, 『문예학습』에 러다이윈의 「5·4 이후의 소설에 관하여談談五四以後的小說」의 연재가 시작되어 총 5회로 연재가 완료되었다. 이 글은 총 3만여 자로, 5·4 이후의 중국소설에 대해 간략한 논평을 하였다. 『문예학습』 8월호의 편집자의 말은 "이번 호의 원고를 모집하던 시기는 반우파 투쟁이 고조에 달해 있던 때였다. 이 투쟁에 호응하기 위해 우리는 다른 분야의 원고가 차지하는 지면을 줄이고, '초목편 사건은 생생한 정치 수업이다草木篇事件是一堂生動的政治課', '린시링 우사 연의林希翎右史演義' 등 우파에 반대하는 글과 풍자시를 더 많이 게재하였다"라고 밝혔다. 같은 호에 쑹레이宋磊의 「문예대오 내부의 수정주의에 반대한다反對文藝隊伍中的修正主義」, 펑지창彭繼昌의 「마오주석의 「옌안문예좌담회에서의 강화」의 의의를 정확하게 이해하자正確地理解毛主席的"在延安文藝座談會上的講話"的意義」 및 아이우의 「문예에서의 우경사상을 제거하자去掉文藝上的右傾思想」가 발표되었다"라고 밝혔다.

『인민문학』에 왕시옌의 중편소설「고된 나날艱辛的日子」, 장셴張弦의 단편소설「최후의 잡지最後的雜志」, 아이칭의 시「뎬츠허滇池呵」, 차이치자오의 시「고향집故鄕集」(4편), 리잉의 시「투쟁鬥爭」, 쉬마오융의 산문「차갑게 식은 슬픔冷卻了的悲痛」, 예성타오의「우파분자는 인민을 적대한다右派分子與人民爲敵」, 선충원의「약간의 추억, 약간의 감상一點回憶, 一點感想」, 쨩커자의「번안翻案」, 아이우의「'단테'와 '괴테'"但丁"與"歌德"」, 양쉬의「일어나라! 우리의 당을 보위하라!起來!保衛我們的黨!」가 발표되었다.

9일, 『인민일보』에 사어우의 풍자시「갖가지 검보臉譜種種」 및 비예의 수필「만세 삼창을 하자讓我們三呼萬歲」가 발표되었다.

『문회보』에 푸겅福庚의「암초暗礁」, 천산陳山의「만능 과학자萬能科學家」, 리루칭黎汝淸의「사랑과 증오愛與憎」 등의 반우파 투쟁 단시 및 두평청의「전투생활은 나의 영혼을 어떻게 검증하였는가戰鬥生活怎樣檢驗我的心靈」(상), 후완춘胡萬春의「왕뤄왕은 문예청년들에게 금제품을 판매했다王若望在文藝靑年中販運私貨」가 발표되었다.

리루칭(1928~2015), 산둥성 보싱博興 출신이다. 화이하이 전투와 두장 전투에 참가하였다. 1979년에 중국작가협회에 가입하였다. 저서로 장편소설『섬의 여자 민병海島女民兵』(영화「바다 노을海霞」로 제작됨),『만산홍편萬山紅遍』,『엽추홍葉秋紅』,『눈비가 부슬부슬 내리다雨雪霏霏』,『푸른 피와 누런 모래碧血黃沙』 등이 있다.

10일, 『신화 격주간新華半月刊』 제17호에 빙신의 글「한편으로 단호히 투쟁하면서, 한편으로 철저히 개조하자一面堅決地鬥爭, 一面徹底地改造」가 발표되었다.

『문회보』에 두평청의「전투생활은 나의 영혼을 어떻게 검증하였는가」(하)가 발표되었다.

『인민일보』에 지쉐페이의 소설「주민 조장居民組長」 및 푸스의 시「죽은 영혼死魂靈」이 발표되었다.

『베이징일보』에 톈한의「「명배우의 죽음」에 관하여─베이징인민예술극원에 답하다關於<名優之死>──答北京人民藝術劇院」가 발표되었다.

화극운동 50주년을 기념해 베이징인민예술극원이 10일부터 톈한의 작품「명배우의 죽음名優之死」(샤춘 감독, 퉁차오童超, 진자오金昭 등 주연)과 어우양위첸의 5막 화극「판금련潘金蓮」(광관더 감독, 디신狄辛, 탄짠야오覃贊耀 등 주연)을 공연하였다. 어우양위첸의 작품은 새로운 역사관을 통해 판금련에 대한 인식을 전환한 최초의 작품이다.

11일, 『문예보』제19호에「문예계 반우파 투쟁이 심화되어 딩링, 천치샤 집단의 음모가 폭로되다文藝界反右派鬥爭深入開展, 丁玲、陳企霞集團陰謀暴露」가 발표되었다. 이 글의 제4절의 제목은「펑쉐펑, 아이칭의 반당적 언행을 비판한다批判馮雪峰、艾青的反黨言行」이다. 같은 호에 어우양위첸의「우쭈광이 태양 아래 본모습을 드러내게 하자—중국극협, 중국영협의 우쭈광 우파 언행 비판 좌담회에서의 발언讓吳祖光在太陽照耀下現出原型──在中國劇協、中國影聯批判吳祖光右派言行座談會上的發言」, 차이추성의「우쭈광의 우파 언행은 우연한 것인가?—중국극협, 중국영협의 우쭈광 우파 언행 비판 좌담회에서의 발언吳祖光的右派言行是偶然的嗎?──在中國劇協、中國影聯批判吳祖光右派言行座談會上的發言」이 발표되었다.

『인민일보』에 구궁의 시「이보게! 괴상망측한 인물이여……喂!奇形怪狀的人物……」가 발표되었다.

12일, 『해방군문예』에 왕위안젠王願堅의 단론「대답回答」이 발표되었다.

13일, 중국작가협회 당조 확대회의 제16차 회의에서 투쟁의 화살이 펑쉐펑을 향하기 시작했다. 14일에 진행된 제17차 회의에서 샤옌이 펑쉐펑의 발언을 '폭로'한 일이 회의를 '뒤흔들었다'. 펑쉐펑은 1966년 8월에 집필한 자료에서 "제17차 회의에서, 샤옌의 발언이 전 회의장을 가장 동요시켰다. 발언의 주된 내용은 내가 1936년에 상하이에서 후펑과 결탁해 상하이의 지하당을 공격해 무너뜨렸으며, 그와 저우양이 국민당 파시스트 세력이라고 모독했다는 점, 그리고 후펑과 결탁해 루쉰을 기만하고, 루쉰의 이름을 빌려 '민족혁명전쟁의 대중문학'이라는 구호를 제창해 좌익 문예계를 분열시켰다는 것 등이다"라고 회상하였다. 펑쉐펑은 또한 회의장에서 그에게 가장 충격을 준 두 가지 일에 대해 "첫째는 샤옌의 발언이 회의장을 뒤흔들었을 때 쉬광핑마저 격분해 나를 의심하면서 정중히 자리에서 일어나 내게 '루쉰을 기만하고 해친 사기꾼!'이라고 질책했던 점이다. 둘째는 샤옌이 발언하는 도중에 저우양이 몇 번이나 자리에서 일어나 노발대발하면서, 루쉰이 쉬마오융의 서신에 답하기 전에 쓴 저우양 등을 질책하는 몇 마디 글의 필적은 내 것으로, 이미 원고를 대조해 보았으며 이는 그에 대한 '정치적 박해'인 동시에 적에게 비밀을 밀고해 상하이에서의 그의 활동을 적에게 알린 것이라고 질책한 일이다"라고 밝혔다.6)

---

6) 펑쉐펑,「저우양의 '국방문학' 번안 및 『루쉰 전집』의 어느 주석에 관한 자료有關周揚爲"國防文學"翻案和＜魯迅全集＞中一條注釋的材料」, 홍쯔청의 『백화 시대百花時代』 제244−245쪽에서 재인용. 산둥교육출판사山東教育

『인민일보』에 사오옌샹의 시「퉁소簫」가 발표되었다.

14일, 『인민일보』에 쉬광핑의 글「오류를 바로잡고, 당의 주위에 단결하자糾正錯誤、團結在黨的周圍」가 발표되었다.

『문회보』에 사설「문예계의 두 노선의 대토론文藝界兩條道路的大辯論」, 바이런의 시「진지 위의 황혼陣地上的黃昏」, 왕시옌의 글「기조와 주류─문학 문제에 대한 왕뤄왕의 우파 언론을 비판한다基調和主流──批判王若望在文學問題上的右派言論」가 발표되었다.

15일, 23일, 문화부와 중국극협이 합동으로 베이징 화극계의 '다이야, 원옌文燕을 필두로 한 우파 소집단' 비판 좌담회를 소집하였다.

15일, 『신항』에 위안수이파이의 시「우파 선생의 건망증右派先生的健忘症」, 리잉의 연작시「나의 당에 바치다給我的黨」, 왕창딩의 보고문학「자동차 운전사 멍잔위안汽車司機孟占元」이 발표되었다.

『인민일보』에 차오위의 글「영혼을 좀먹는 벌레靈魂的蛀蟲」가 발표되었다.

16일, 『인민일보』에 탕타오의 글「일에는 경중이 있고, 사물에는 본말이 있다事有主次, 物有本末」가 발표되었다.

『산화』에 젠셴아이의 글「장루저우는 어째서 짱커자 동지를 공격하는가?張汝舟爲什麼攻擊臧克家同志?」가 발표되었다.

『중국청년』제16호에 양숴의 소설「만량천晩涼天」과 사어우의 글「우파의 전고에 반격하자反擊右派的戰鼓」(베이징대학, 칭화대학의 반우파 가두시에 관하여)가 발표되었다.

『희극보』제15호에 톈한의「우쭈광은 사회주의의 관문을 통과할 수 있는가吳祖光能不能過社會主義關」, 차오위의「우쭈광은 우리를 향해 칼을 빼들었다吳祖光向我們摸出刀來了」, 장경의「희곡공작에 대한 두 가지 평가와 두 가지 입장對於戲曲工作的兩種估價和兩種立場」등 우쭈광을 비판한 여러 편의 글이 발표되었다.

17일, 『인민일보』에 라오서의 글「개인과 집단個人與集體」이 발표되었다.

18일, 『문예보』 제20호에 「문예계는 현재 대토론을 진행하는 중이다文藝界正在進行一場大辯論」라는 제목으로 저우양, 사오취안린, 류바이위, 린모한 등의 중국작가협회 당조 확대회의에서의 발언 요약문이 발표되었다. 같은 호에 중국작가협회 당조 확대회의 제8차 회의에서 장톈이, 아이우, 사팅이 딩링을 비판한 발언 「당신은 새사람이 될 것인가?你要不要重新做人?」, 마오둔의 「개과천선해 사회주의의 관문을 통과하라洗心革面過社會主義關」, 쉬광핑의 「오류를 바로잡고, 당의 주위에 단결하자」, 차오위의 「우리는 분노한다我們憤怒」, 허치팡의 「당의 원칙과 사회주의 문예사업을 수호하자保衛黨的原則, 保衛社會主義的文藝事業」, 라오서의 「단결을 위하여爲了團結」 및 궁무의 시 「영혼의 쓰레기를 청소하자―딩링 천치샤 반당연맹을 격파하자掃除靈魂底垃圾――擊破丁陳反黨聯盟」, 사어우의 시 「딩링의 철학 및 기타丁玲的哲學及其它」가 발표되었다.

『인민일보』에 웨이양의 시 「나는 손을 들어 올려, 큰 소리로 외친다我擧起手, 大聲高喊」가 발표되었다.

『광명일보』에 짱커자의 「영혼 기술자의 추악한 영혼―딩링, 천치샤 반당집단을 질책한다靈魂工程師的醜惡靈魂――斥責丁玲、陳企霞反黨集團」, 궈사오위의 「마오런추의 '유협의 문학비평이론과 실천에 관하여'에 답하다答毛任秋"關於劉勰的文學批評理論與實踐"」가 발표되었다.

20일, 『베이징문예』 8월호에 사설 「문예공작에 대한 당의 지도를 반드시 고수해야 한다必須堅持黨對文藝工作的領導」 및 가오옌창의 소설 「기차를 붙잡다扒火車」, 바무巴牧의 시 「우파의 어느 '시인'右派一"詩人"」(외 1편), 위안수이파이의 시 「여인의 눈물 전쟁脂粉眼淚之戰」, 라오서의 「방관, 온정, 투쟁旁觀、溫情、鬥爭」, 돤무훙량의 평론 「충웨이시의 논조는 틀렸다從維熙的論調是錯誤的」가 발표되었다.

『문회보』에 「'창작 모임'에 대한 작가들의 비평과 기대作家對"筆會"的批評和期望」라는 제목으로 '창작 모임'에 관한 좌담회에서의 췬칭, 진이, 탕타오, 예이췬, 저우얼푸, 웨이진즈, 뤄쑨 등의 발언 요약문이 발표되었다. 이 외에도 야오원위안의 글 「공농지식분자를 중시하자―어느 독자의 건의를 지지한다重視工農知識分子――支持一個讀者的建議」가 발표되었다.

『인민일보』에 장류江流의 소설 「세탁소조 조장洗衣小組長」, 푸스의 시 「다소 향상되었다"有所提高'」, 리경李耕의 산문 「매鷹」(외 1편), 라오서의 글 「우쭈광은 어째서 원망하는가吳祖光爲什麼怨氣沖天」가 발표되었다.

22일, 『인민일보』에 궁류의 시 「장쉐완 동지, 우리는 당신께 경의를 표합니다!張學萬同志, 我們

向你致敬!」, 아이우의 글 「영혼 깊은 곳의 종양靈魂深處的毒瘤」이 발표되었다.

23일, 『인민일보』에 차오위의 글 「외국의 주구 정객 샤오첸을 질책하다斥洋奴政客蕭乾」, 딩링의 글 「3 · 8절 감상三八節有感」이 발표되었다.

24일, 『인민일보』에 사어우의 시 「검은 장막을 찢자撕破黑色的帷幕」, 장즈민의 시 「늙은 사장老社長」(외 1편), 정전둬의 글 「미얀마 영화 「그녀의 사랑」에 관하여談緬甸電影<她的愛>」가 발표되었다.

25일, 『시간』 제8호에 쉬츠의 글 「아이칭은 사회주의를 위해 노래할 수 있는가?艾青能不能爲社會主義歌唱?」가 발표되었다. 그는 글에서 시가 관념, 창작 풍격 내지 인격 등의 측면에서 아이칭을 비판하였다. 이 글은 당시에 아이칭을 비판한 명문으로 인식되었다. 같은 호에 아서우의 「'초목편' 비판"草木篇"批判」, 쩌우디판의 「리바이펑의 공개 서신李白鳳的公開信」이 발표되었다.

26일, 『광명일보』에 사설 「문예계의 반우파 투쟁을 더욱 심화하자把文藝界反右派鬥爭深入下去」가 발표되었다.

『인민일보』에 비예의 글 「집단에 뛰어들자投向集體」가 발표되었다.

『문회보』에 중국작가협회 당조 확대회의에서의 저우양, 사오취안린, 류바이위, 린모한의 발언 요약문 「문예계는 현재 대토론을 진행하는 중이다」가 게재되었다.

27일, 『인민일보』에 펑쉐펑을 비판하는 장편 기사가 게재되었다. 기사는 펑쉐펑의 '주된 죄상'에 대해 첫째, "딩링, 천치샤 반당집단"의 지지자이자 참여자인 점, 둘째, 인민문학출판사 우파 분자의 "청렴한 관리"인 점, 셋째, "30년간 줄곧 당의 지도에 반대"한 점, 넷째, "반마르크스주의적인 문예사상이 후펑과 일치"하는 점, 다섯째, "반동적인 사회사상"을 가지고 있는 점 등으로 정리하였다.

『희극논총』 제3집에 톈한의 「반우파 투쟁과 학문을 하는 일反右派鬥爭與做學問」, 장경의 「반세기 동안의 전투 경력半個世紀的戰鬥經曆」, 자오밍이趙銘彝의 「화극 30년(1907~1937) 개관話劇三十年(1907－1937)槪觀」, 어우양위첸의 「춘류를 회상하며回憶春柳」, 자오쥐인의 「호부」 감독 체험담 「화극의 희곡 공연수법 흡수 문제에 관하여關於話劇吸取戲曲表演手法的問題」, 천서우주의 「딩시린의 희극丁西林的喜劇」이 발표되었다.

28일, 『인민일보』에 위안수이파이의 시 「영혼 부식사靈魂腐蝕師」, 8월 16일 작가회의 당조 확대회의에서의 허치팡의 발언 「펑쉐펑의 반당적, 반마르크스주의적인 문예사상과 사회사상馮雪峰的反黨反馬克思主義的文藝思想和社會思想」, 류바이위의 「딩링은 당을 여러 차례 공격했다丁玲不止一次向黨進攻」가 발표되었다.

30일, 『인민일보』에 리경의 산문 「열차는 전진하고 있다列車在前進」가 발표되었다.

『문회보』에 지펑紀鵬의 시 「그는 섬의 최고봉에 서 있다他站在島上的最高峰」, 바이화의 글 「누가 우리를 길러냈는가誰培養了我們」, 지푸濟夫의 글 「논리邏輯」가 발표되었다.

31일, 『인민일보』에 바진의 글 「반당적이고 반인민적인 개인 야심가의 길은 절대로 통하지 않는다反黨反人民的個人野心家的路是絕對走不通的」가 발표되었다.

『문회보』에 어우양추이歐陽翠의 소설 「진추이金翠」와 저우쑨周遜의 시 「수병의 초상화水兵的畫像」(3편)가 발표되었다.

31일~9월 25일, 중국인민대외우호협회와 중국영협이 합동으로 개최하고 16개 국가 및 지역에서 참가한 '아시아 영화주간'이 베이징, 톈진, 상하이 등 10개 대도시에서 개최되었다. 저우언라이, 천이陳毅, 궈모뤄 등 국가 지도자들이 개막식에 참석해 각국 영화대표단을 접견하였다.

이달에 야오쉐인이 중난작가협회의 전화를 받고 우한으로 소환되었다. 소환 당시 그는 베이징에서 장편소설 『호랑이를 잡다捕虎記』를 수정하고 있었다. 이 이후 그는 '우파분자'로 몰려 여러 차례의 호된 비판을 받았다. 10월, 야오쉐인은 지극히 '고립'된 상황 속에서 비밀리에 장편소설 『이자성』의 창작을 시작하였다.

상하이문화출판사에서 편찬한 『민간문학집간民間文學集刊』의 제1권으로서 자오징선의 『민간문학운동을 전개하다開展民間文學運動』가 출간되었다.

저우샤서우周遐壽(저우쭤런)의 『루쉰 소설 속의 인물魯迅小說中的人物』이 인민문학출판사에서 출간되었다.

천보추이의 『작가와 아동문학作家與兒童文學』이 톈진인민출판사에서 출간되었다.

궁무의 시론집 『시가 창작에 관하여談詩歌創作』가 신문예출판사에서 출간되었다.

8월~9월, 영화계의 반우파 투쟁이 최고조에 달했다. 중국영협은 베이징에서 중뎬페이를 비판하는 대회를 열다섯 차례 소집하였다. 상하이, 창춘, 베이징 등 제편창에서도 각 제편창의 '우파 언론'을 비판하는 대회를 여러 차례 소집하였다.

9월

1일, 『인민일보』에 사설 「사회주의 문예노선을 수호하기 위해 투쟁하자爲保衛社會主義文藝路線而鬥爭」가 발표되었다. 이 외에도 장즈민의 시 「어지러움亂」과 「감정感情」, 톈젠의 글 「무슨 이론가인가?—펑쉐펑의 「우화」를 읽고是什麼理論家?——讀馮雪峰的＜寓言＞有感」, 궁류의 글 「'대풍가'를 질책하다斥"大風歌"」가 발표되었다.

『문예보』 제21호에 바진의 「반당적이고 반인민적인 개인 야심가의 길은 절대 통하지 않는다」가 전재되었다. 같은 호에 「당을 수호하고, 사회주의 문학을 수호하자! 딩링, 천치샤 반당집단을 분쇄하자保衛黨, 保衛社會主義文學!粉碎丁玲, 陳企霞反黨集團」라는 주제로 정전둬의 「교만하게 남을 얕보는 자는 반드시 패한다驕者必敗」, 천바이천의 「'양보하고 순종'하는 부류에 관하여談"逆來順受"之類」, 톈젠의 「딩링의 위장을 폭로하다揭穿丁玲的僞裝」, 우보샤오의 「'책 한 권 주의"一本書主義'」 및 「딩링 천치샤 반당집단 반대 투쟁을 단호히 옹호한다—각지 작가협회 분회 및 문련의 서신과 전보堅決擁護反對丁陳反黨集團的鬥爭——各地作協分會和文聯的信電」가 발표되었다.

『창장문예』 9월호에 사설 「딩링 천치샤 반당집단 반대 투쟁을 단호히 옹호한다」 및 루디의 시 「하이난 색채海南色彩」가 발표되었다.

『처녀지』에 사어우의 시 「미망인未亡人」이 발표되었다.

『중국청년』 제17호에 캉줘의 「'영혼 부식사' 딩링의 해악을 제거하자肅淸"靈魂腐蝕師"丁玲的毒害」, 마톄딩의 「'변'과 '불변'을 논하다論"變"與"不變"」, 비예의 「이것은 지극히 평범한 사적이다這是極平凡的事跡」가 발표되었다.

2일, 『인민일보』에 탕타오의 「'선비는 자신을 알아주는 사람을 위해 죽는다"士爲知己者死'」가 발표되었다.

『문회보』에 『인민일보』의 사설 「사회주의 문예노선을 수호하기 위해 투쟁하자」가 전재되었으며, 바진이 독자 서신에 답한 글 「'굳센 전사'에 관하여關於"堅強戰士"」가 발표되었다.

『광명일보』에 천보추이의 글 「나는 사회주의의 길을 간다我走社會主義道路」 및 바이화, 천모쥔의 글 「연꽃과 전병－인도 컬러영화 「잔시 여제」를 보고荷花與薄餅——看印度彩色影片＜章西女皇＞」가 발표되었다.

3일, 『문회보』에 궈펑의 시 「태양을 향해向太陽」, 펑쯔카이의 글 「가증스럽고도 우스꽝스럽다可惡又可笑」, 위전페이餘振飛의 글 「온정주의를 단호히 극복하자堅決克服溫情主義」, 진이의 글 「파키스탄 영화 '반역'巴基斯坦的影片"叛逆"」이 발표되었다.

『광명일보』에 한쯔의 글 「딩링 천치샤 반당집단의 내막을 폭로하자－작가협회 당조 확대회의 제15차 회의에서의 발언揭丁陳反黨集團的底——在作協黨組擴大第十五次會議上的發言」이 발표되었다.

『극본』에 「희극계 우파분자 우쭈광에 대해 이론 투쟁을 진행하다向戲劇界右派分子吳祖光進行說理鬥爭」라는 제목으로 천쿤루이, 샤옌, 라오서, 천바이천 등의 글이 발표되었다. 같은 호에 딩시린의 단막극 「압박壓迫」이 발표되었다.

4일, 『베이징문예』9월호에 라오서의 「재자를 논하다論才子」가 발표되었다.

『희극보』제16호에 8월 9일에 진행된 베이징 희극 및 영화계의 우파분자 우쭈광 비판 대회에서의 쳰쿤루이의 연설 「우쭈광에 대한 비판으로부터 교훈을 취하자從批判吳祖光中吸取教訓」가 발표되었다. 같은 호에 중국극협의 「중국 화극운동 50년 기념 전시 기획 초안中國話劇運動五十年紀念展暨計劃草案」이 발표되었다.

『인민일보』에 쩌우디판의 시 「그가 말하는 '종법주의'他嘴裏的"宗派主義"」가 발표되었다.

5일, 『옌허』에 커중핑이 시안 문학계에서 딩링, 천치샤 반당집단을 규탄한 발언 「당과 당의 지도를 수호하자保衛黨和黨的領導」 및 구궁의 단시 「먼 산이, 겹쳐 있다遠山, 重疊著」가 발표되었다.

6일, 『인민일보』에 바이화의 시 「이런 시인이 있다有這樣的詩人」 및 사오취안린의 글 「문예의 두 노선의 대투쟁文藝上兩條路線的大鬥爭」이 발표되었다.

7일, 『인민일보』에 리잉의 시 「나는 첫 번째 대륙간 로켓을 환호한다我歡呼第一顆洲際火箭」가 발표되었다.

『문회보』에 팡한치方漢奇의 글 「'엉터리 수작'을 하는 '이론가'"亂彈琴"的"理論家"」가 발표되었다.

8일, 『문회보』 제22호에 「딩링, 천치샤 반당집단에 대한 문예계의 투쟁이 심화되어 리유란, 아이칭, 뤄펑, 바이랑의 반당적 면모가 폭로되다文藝界對丁、陳反黨集團的鬥爭深入開展、李又然、艾青、羅烽、白朗反黨面目暴露」라는 제목의 기사가 게재되었다. 기사는 아이칭이 "여러 반당집단의 앞에서 달리고 있다"라고 비판하였는데, 이 반당 집단들은 "딩링, 천치샤 반당집단", "우쭈광 반당집단"(희극계), "장펑 반당집단"(미술계)을 가리킨다.

같은 호에 궁무의 시 「당력을 편취한 사람騙取黨齡的人」, 정보치의 「반당분자들은 어서 뉘우치라!反黨分子們趕快回頭!」, 마라친푸의 「영혼의 쓰레기를 제거하자清除靈魂的垃圾」, 한쯔의 「'3·8절 감상'을 질책한다斥"三八節有感"」, 젠셴아이의 「자신의 잘못을 비판한다批判自己的錯誤」, 천바이천의 「외국의 주구 정객 샤오첸의 낯짝洋奴政客蕭乾的嘴臉」이 발표되었다.

『인민문학』에 사설 「딩링, 천치샤, 펑쉐펑 반당집단을 분쇄하고, 문학사업에 대한 당의 지도를 수호하자粉碎丁玲、陳企霞、馮雪峰反黨集團、保衛黨對文學事業的領導」가 발표되었다. 같은 호에 사팅의 소설 「외양간 안에서在牛棚裏」, 귀샤오촨의 시 「내 총의 첫발을 쏘다射出我的第一槍」, 장춘차오의 「큰 풍파 속에서在大風浪中」, 바런의 「잡문 몇 편에 대한 감상幾篇雜文的雜感」, 탕타오의 「'노복의 얼굴'을 논하다論"皂隸面孔"」 등의 글과 야오원위안의 논문 「사회주의 현실주의 문학은 무산계급 혁명 시대의 신문학이다社會主義現實主義文學是無產階級革命時代的新文學」가 발표되었다.

『문예학습』에 '딩링, 천치샤 반당집단을 분쇄하자粉碎丁陳反革命集團'라는 주제 아래 차오밍의 「길을 선택할 순간抉擇道路的時刻」 등의 글이 발표되었다. 같은 호에 마오둔의 「공식화와 개념화를 어떻게 피해야 하는가公式化、概念化如何避免」, 사오옌샹의 「류빈옌이 '본지'에 방향을 제시하다劉賓雁給"本報"指出方向」가 발표되었다.

『문회보』에 사오취안린의 글 「문예의 두 노선의 대투쟁文藝上兩條路線的大鬥爭」이 발표되었다.

10일, 『문회보』에 구궁의 시 「그들 두 사람이 초 한 쌍에 불을 밝혔다他倆點亮了一對花燭」가 발표되었다.

11일, 『인민일보』에 라오서의 「익명의 편지에 답하다答匿名信」가 발표되었다.

　『문회보』에 리안李岸의 소설 「차표車票」, 커란의 산문 「암석岩石」(외 2편), 야오원위안의 글 「촬영도 계급투쟁의 무기이다攝影也是階級鬪爭的武器」가 발표되었다.

12일, 『해방군문예』에 주더의 「시 2편詩兩首」, 둥비우의 시 「해방군 건군 30주년을 경축하며慶祝解放軍建軍三十周年」, 천이陳毅의 시 「간난 유격사」, 예젠잉葉劍英의 시 「서유잡영西遊雜詠」(7편), 쉬츠의 시 「나의 노래我的歌」(5편), 톈젠의 시 「망시견문亡市見聞」(2편), 궁류의 시 「하서행河西行」(5편), 사어우의 시 「4월 연작시四月組詩」(제1조), 리잉의 시 「시대 기록時代紀事」(4편)이 발표되었다.

　『인민일보』에 야오원위안의 글 「평범한 신문, 위대한 도덕平凡的新聞, 偉大的道德」이 발표되었다.

13일, 『문회보』에 짱커자의 시 「사진照片」, 벤즈린의 글 「샤오첸의 '출판계가 예전만 못하다'는 망언을 질책하다斥蕭乾"出版界今不如昔"的讕言」, 아장阿章의 글 「기억의 창문記憶的窗扉」이 발표되었다.

14일, 『인민일보』에 사어우의 시 「갖가지 검보 속편臉譜種種續集」, 리경의 산문 「구름·종달새雲·雲雀」 및 「딩링, 천치샤 반당집단의 활동에 관하여─전국부녀대표대회에서의 중화전국민주부녀연합회 부주석 쉬광핑의 발언關於丁玲、陳企霞反黨集團的活動── 中華全國民主婦女聯合會副主席許廣平在全國婦代會上的發言」이 발표되었다.

　『해방군보』에 지펑의 시 「우파의 '감정右派的"感情"」이 발표되었다.

　『희극보』 제17호에 평론가의 글 「온정주의를 극복하자克服溫情主義」가 발표되었다.

　상하이희극학원 연기 교사 진수반이 상하이에서 소련 작가 라브레뇨프의 4막 화극 「결렬決裂」을 공연하였다.

16일, 『문회보』에 소식 「'시인' 뤄위의 영혼은 더없이 추악하다"詩人"洛雨的靈魂骯髒不堪」가 게재되었다. 소식은 "중국작가협회 상하이분회는 제9차 반우파 좌담회에서 우파분자 뤄위를 고발하고, 그의 반당 반사회주의적 언행을 질책하였다. 회의는 바진이 주관하였다. 뤄위는 작가협회 상하이분회 창작위원회의 간부로……문예보, 문회보, 신민보(석간)에 네 편의 글을 발표해……이 글들을 통해 그는 상하이뿐만 아니라 저장, 산둥, 베이징을 공격하였으며, 작가협회뿐만 아니라 극협, 전영국, 교통부문, 인민대표대회 및 사회주의 제도 전체를 공격하였다"라고 밝혔다.

『중국청년』제18호에 아이황艾煌의「반우파 투쟁 과정에서 인식해야 할 몇 가지 중요한 문제反右派鬥爭中應該認識的幾個重要問題」, 마오둔의「류사오탕의 경험이 우리에게 준 교육적 의의劉紹棠的經歷給我們的教育意義」, 천이의「지식분자는 따스한 햇빛 속에서 생활하고 있다—페이샤오퉁의 '지식분자의 이른 봄날씨'를 질책하다知識分子生活在暖和的陽光裏——斥費孝通"知識分子的早春天氣"」가 발표되었다.

『인민일보』에 샤옌의「중국영화의 역사와 당의 지도中國電影的歷史和黨的領導」가 발표되었다.

16~17일, 중국작가협회 당조 확대회의 결산회의가 진행되었다. 회의는 수도극장에서 진행되었으며 총 1,350여 명이 참석하였다. 중국작가협회 당조서기 사오취안린이 결산 발언을 진행하였다. 그는 딩링, 천치샤, 펑쉐펑 '반당집단'의 '음모'와 '범죄 행위'를 "1. 당의 지도에 반대한 것, 2. 문예계의 단결을 분열시킨 것, 3. 반당적인 문예사상 진지를 수립한 것" 등 세 가지로 정리하였다. 사오취안린은 발언에서 딩링이 10월에 개최될 제4차 문대회에서 중국작가협회 탈퇴를 선언할 준비를 하고 있었던 것과 천치샤가 이미 '문예계 고별 서신'을 작성한 일 등을 언급하였다. 그는 또한 이들이 "자신들만의 반당적인 문예진지를 수립할 준비를 하고 있었다. 이는 바로 펑쉐펑을 필두로 해 비밀리에 준비하고 있던 동인잡지이다"라고 지적하면서, 그 목적은 "당이 지도하는『문예보』를 파괴하고, 새롭게 반마르크스주의적 문예진지를 수립하는 것"이라고 밝혔다(「문예의 두 노선의 대투쟁」,『인민일보』1957년 9월 7일자).

루딩이, 저우양, 궈모뤄, 마오둔, 바진 역시 결산회의에서 발언하였다. 궈모뤄는 "우리는 당이 문예전선 전체와 지식분자 대군에 대한 지도를 강화하고 엄격히 감독해, 당내 및 당외의 작가들에게 지나친 관용을 베풀지 않고, 작가들이 고도의 규율성을 기르고 굳건한 통일된 의지를 갖추게 해, 진정으로 사회주의 건설의 문화공인이 될 수 있게 해 주기를 간청한다"라고 밝혔다(「자신을 무산계급 문화공인으로 개조하기 위해 노력하자努力把自己改造成爲無產階級的文化工人」,『인민일보』1957년 9월 28일자).『문예보』1957년 9월 29일자에「딩링, 천치샤 반당집단에 대한 문예계의 투쟁이 성대한 승리를 거두다. 작가협회 당조 확대회의에서의 루딩이, 저우양의 중요 발언文藝界對丁陳反黨集團的鬥爭獲得重大勝利. 陸定一、周揚在作協黨組擴大會議上作重要講話」이라는 제목으로 본 결산회의에 관한 기사가 게재되었다.

17일,『인민일보』에 천이陳毅의 시「먀오펑산에 오르다上妙峰山」가 발표되었다.

『중국청년보』에 리시판의「'본지 내부 소식'에서 시작된 창작의 역류從"本報內部消息"開始的一股創

作上的逆流」가 발표되었다. 그는 글에서 "'본지 내부 소식'의 출현을 문예창작에 나타난 고립적인 현상으로 볼 수는 없다", "이 작품이 일부 간행물의 상찬을 받은 이후로, 소위 '생활의 어두운 면을 폭로'하는 작품과 황구이잉黃佳英과 유사한 '청년 용사'를 노래하는 작품이 대량으로 출현하였다. 「조직부에 새로 온 젊은이」에 등장하는(인민문학 편집자의 수정을 거친 원고에 등장하는) 린전은 사실상 황구이잉의 남성 버전이다. 또 한 명의 우파분자 류사오탕의 「들판에 노을이 지다」와 「서원초」는 우리 사회를 공격하는 더욱 악랄한 작품이다. 반우파 투쟁이 시작된 지 이미 긴 시간이 흘렀음을 인식하고 발간된 인민문학 7월호에도 이처럼 악독하게 사회주의 사회의 어두운 면을 특별히 공격하는 작품 「개선」 및 자산계급 연애관을 공개적으로 선전하는 「붉은 팥」이 발표되었다. 인민문학 편집자는 이들 작품을 수많은 독자들에게 추천하기까지 했으며, 전국의 여타 간행물에도 이러한 작품이 적지 않다"라고 지적하였다.

19일, 『인민일보』, 『문회보』에 1957년 9월 18일에 진행된 중국과학원 좌담회에서의 궈모뤄의 발언 「사회과학 반우파 투쟁은 반드시 더 심화되어야 한다社會科學反右派鬥爭必須進一步深入」 및 탕타오의 글 「타이스의 이야기가 떠오르다想起了泰綺思的故事」가 발표되었다.

20일, 『베이징일보』에 라오서의 「재자를 논하다」, 차오위의 「어느 흉악한 파리로부터 이야기를 시작하다從一只凶惡的蒼蠅談起」, 톈자의 「어느 우파 '시인'의 '시'에 관하여談一個右派"詩人"的"詩"」 등 반우파 문장이 발표되었다. 이 외에도 가오옌창의 소설 「당이 그에게 행복을 주었다黨給了他幸福」, 장즈민의 산문 「밍허 아주머니明河嫂」 및 저우옌루周雁如의 산문 「마칭산의 식량 소동馬青山的閙糧」, 리웨난의 산문 「행복은 어디에서 왔는가?幸福打哪兒來的?」 등 농촌 사회주의 대토론에 관한 글이 발표되었다.

『문회보』에 커란의 산문시 「우호적인 상선友好的商船」(외 2편), 황상의 글 「잡감 3제雜感三題」가 발표되었다.

22일, 『문예보』 제24호에 원제의 시 「타타무린 초상화塔塔木林畫像」가 발표되었다.

24일, 『인민일보』에 쉬츠의 글 「아이칭은 사회주의를 위해 노래할 수 있는가?艾青能不能爲社會主義歌唱?」가 발표되었다.

『수확』제2호에 리제런이 해방 전에 창작한 장편소설 『큰 파도大波』의 제1부가 수정을 거쳐 발표되었다.

25일, 『장화이문학』제8, 9호 합본에 옌전의 시「열두 개十二個」및 루옌저우의 단막극「꿈夢」이 발표되었다.

『시간』제9호에 천이陳毅의 시「궈모뤄 동지에게 드림贈郭沫若同志」등이 발표되었다. 같은 호에 리즈黎之의 글「시가 창작의 불량한 경향 및 당에 반하는 역류에 반대한다反對詩歌創作的不良傾向及反黨逆流」등의 글이 발표되었다. 리즈는 글에서 1957년 전후에 "시가 창작에 몇몇 불량한 경향 내지는 독초가 출현"했다고 보면서, 무단을 그 가운데 중요한 '예'로 들어 비판하였다. 리즈는 무단의 시가 "비교적 심각한 어두운 정서를 드러냈으며, 이러한 정서가 매우 난해하게 표현되었다"라고 평했다.

『인민일보』에 궈모뤄의 시「창장 대교長江大橋」가 발표되었다.

『문회보』에 젠보짠의 글「학술 자유로부터 이야기를 시작하다從學術自由談起」가 발표되었다.

26일, 『인민일보』에 천이陳毅의 시「이화위안에서 배를 젓다頤和園劃船」가 발표되었다.

27일, 『인민일보』에 뤼쑨의 글「배금 예술拜金藝術」이 발표되었다.

『문회보』에 펑쯔카이의 글「소감小感」이 발표되었다.

28일, 베이징인민예술극원에 베이징에서 메이첸이 라오서의 동명의 소설을 각색한 화극「낙타샹즈」를 공연하였다. 메이첸이 감독을 맡았으며 수슈원, 리샹, 잉뤄칭, 위스즈 등이 주연을 맡았다. 이후에 상하이, 홍콩 및 일본 도쿄에서도 본 화극이 공연되었다. 극본은 『극본』7월호에 연재를 시작해 8월호에 완료되었다.

중국인민세계평화수호위원회, 중국인민대외문화협회, 중국문학예술계연합회, 중국희극가협회, 중국작가협회가 연합으로 베이징에서 세계 문화 명인 카를로 골도니 탄생 250주년 기념회를 개최하였다. 대회에서 중앙희극학원 연기 감독 교사반이 골도니의 유명 화극「주막집의 안주인女店主」을 공연하였다.

『인민일보』에 1957년 9월 17일에 진행된 중공중앙 작가협회 당조 확대회의에서의 궈모뤄의 연설「자신을 무산계급 문화공인으로 개조하기 위해 노력하자」가 발표되었다.

『희극보』제18호에 톈한의「사회주의 민족희극의 더욱 호쾌한 성취를 쟁취하자―1957년 국경절을 경축하며爭取社會主義民族戱劇更豪邁的成就——祝一九五七年國慶」, 어우양위첸의「사회주의 희곡사업에 대한 우파분자의 공격을 분쇄하자粉碎右派分子對社會主義戱曲事業的進攻」, 장광녠의「조심하라, 청년들이여當心啊, 靑年人」, 어우양산쭌의「중국 화극의 전통은 혁명의 전통이다中國話劇的傳統是革命的傳統」가 발표되었다.

29일, 『문예보』제25호에 1957년 9월 17일에 진행된 중국작가협회 당조 확대회의에서의 사오취안린, 궈모뤄, 마오둔, 바진, 진이, 라오서 등의 발언이 게재되었다.

30일, 『인민일보』에 1957년 9월 16일에 개최된 문물계 반우파 분자 좌담회에서의 궈모뤄의 발언 기록「우리는 문물사업의 정확한 방향을 고수한다我們堅持文物事業的正確方向」가 발표되었다.
『문회보』에 커란의 산문시「바다 위의 도시海上的城市」가 발표되었다.

이달에 『희극학습戱劇學習』제2호에 리수쓰李束絲의「샤옌의 극작夏衍的劇作」이 발표되었다.
모스크바 진리출판사莫斯科眞理出版社에서 『시간』1월호에 발표된 마오쩌둥의 시와 사 작품을 번역해 『마오쩌둥 시사 18수毛澤東詩詞十八首』를 출간하였다. 초판 15만 부가 발간되었다.
취보의 소설『임해설원』이 작가출판사에서 출간되었다.
톈젠의 시집『망시견문』이 윈난인민출판사에서 출간되었다.
궁류의 시집『북방에서在北方』, 류전의 단편소설집『숲속의 길林中路』이 작가출판사에서 출간되었다.
비예의 『카자흐 목장에서在哈薩克牧場』가 작가출판사에서 출간되었다. 책에는 비예가 신장을 여행하면서 창작한 작품 35편이 수록되었다.

10월

1일, 월간 『해연海燕』이 다롄에서 창간되었다. 발간사는 "우리의 임무는 공농병을 비롯한 모든 노동자의 생활을 진실하고 정확하게 반영한 작품을 대량으로 발표해 사회주의 사상으로써 인민을 교육하는 것이다.……우리 잡지는 산문을 위주로 하는 문학잡지이다"라고 밝혔다. 창간호에는 고리키의 「바다제비의 노래海燕之歌」 및 왕유방王有邦의 소설 「살구杏子」, 탄톈譚天의 소설 「'여우 신선'을 붙잡다捉"狐仙"」, 바이샤오白曉의 소설 「꿀벌 이야기蜜蜂的故事」, 바이궈白果의 장편掌篇소설 「주말周末」, 창쑹蒼松의 장편소설 「그녀의 '고뇌'她的"苦惱"」, 위신宇心의 시 「북치는 사람鼓手」, 류칭보柳淸波의 시 「나는 사랑한다我愛」, 바이샤오柏蕭의 잡문 「낭과 패에 관하여談狼與狽」, 자캉賈亢의 잡문 「후세에 명성을 남길 것인가, 악명을 남길 것인가?流芳百世?遺臭萬年?」, 화신華欣의 잡문 「고민 · 신임苦悶 · 信任」이 발표되었다.

『창장문예』 10월호에 저우량페이의 시 「광산 기록礦山記事」, 루디의 시 「하이난 즉흥시海南即事」, 홍허紅河의 시 「노랫소리歌聲」, 리준의 잡문 「이 마수를 끊자斬斷這只魔手」가 발표되었다.

『창춘』 10월호에 충웨이시의 단편소설 「작은 자작나무小白樺樹」, 하오란의 단편소설 「눈이 분분히 내리다雪紛紛」, 한샤오의 시 「톈안먼 앞에서 만나다相逢在天安門前」, 장톈민張天民의 시 「산수집山水集」이 발표되었다.

장톈민(1933~2002), 영화 각본가이자 소설가로 허베이성 줘현涿縣 출신이다. 중앙전영국 전영극본창작소, 창춘전영제편창, 베이징전영제편창 각본가를 역임하였다. 「개국대전開國大典」, 「무측천武則天」, 「진시황秦始皇」, 「판한녠潘漢年」, 「중국의 운명의 결전中國命運的決戰」, 「청년 마오쩌둥青年毛澤東」 등의 극본을 창작하였다.

『인민일보』에 사어우의 시 「불꽃같은 열정은 당을 위한 것이다火焰的熱情爲了黨」, 바이위의 글 「여명이든 한밤중이든 상관없이……無論黎明或夜晚……」가 발표되었다.

『문회보』에 궈야중郭亞中의 시 「우리는 쉬지 않고 박수를 쳐야 한다!我們要不停地鼓掌!」, 라오서의 산문 「국경을 축하하며祝賀國慶」, 커란의 산문시 「당에 바치다獻給黨」, 예성타오의 글 「올해의 국경절今年的國慶節」, 탕타오의 글 「'금' · '석'에 관하여"今""昔"談」가 발표되었다.

장쑤의 『우화』 잡지 10월호에 「'탐구자' 문학월간사의 규정과 공고"探求者"文學月刊社的章程和啟事」가 발표되었다. 편집자의 말은 "우리 성의 문예공작자 천춘녠陳椿年, 가오샤오성高曉聲, 예즈청葉至誠, 팡즈, 루원푸, 메이루카이梅汝愷, 쩡화曾華 등은 올해 6월에 '탐구자' 문학월간사를 조직해 '규정'과 '공고'를 정하였다. 이 '규정'과 '공고'는 정치와 예술에 관한 그들의 강령을 드러내고 있다. 이번 호에 그들의 '규정'과 '공고'를 발표한다. 독자들이 이 '규정'과 '강령'에 대해 토론하고 비판해 어떤 성질을 가지고 있는지 명확히 판단하기 바란다"라고 밝혔다. '탐구자'의 '규정'은 "본 월간지는 동인들이 함께 편찬하는 문학잡지로, 이를 통해 우리의 정치적 견해와 예술적 주장을 선양한다", "잡지에는 공허한 이론과 현실을 꾸며낸 작품을 발표하지 않는다. 생활에 대담하게 관여해 현재 문예 현상에 대해 자신의 견해를 발표한다. 권위를 숭배하지 않고, 또한 고의로 권의에 반대하지 않는다. 조류에 편승하지 않고, 매도하는 방식의 비평을 하지 않는다. 표지에서부터 배치까지 우리의 독특한 풍격을 표현한다", "본 잡지는 홀로 꽃피고 홀로 목소리를 내는 잡지로, 본 잡지의 취지에 부합하지 않는 작품은 발표하지 않는다"라고 밝혔다. '탐구자'의 '공고'는 "우리는 문학이라는 전투 무기를 최대한 활용해 교조주의의 속박을 타파하고, 대담하게 생활에 관여하며, 엄숙하게 인생을 탐구하고, 사회주의를 촉진할 것이다", "또한 우리는 자발적으로 모여 잡지를 편찬하는 것이 행정적 방식을 통해 잡지를 편찬하는 것에 비해 장점이 많다고 생각한다", "우리는 우리의 예술적 경향을 세상에 드러내 동지들을 매료시켜 점차 문학의 유파를 형성하기를 기대한다", "우리의 방법은 유파를 먼저 형성한 후에 잡지를 편찬하는 것이 아니라, 잡지를 편찬하면서 점차 유파를 형성하는 것이다. 우리는 이렇게 해야만 문학 유파를 형성할 수 있다고 본다"라고 밝혔다.

2일, 『해방군보』에 구궁의 시 「예포 소리 속에서在禮炮聲中」(4편)이 발표되었다.

3일, 『문회보』에 먀오민繆敏의 글 「주장에서 처음으로 상하이에 가다從九江第一次到上海」가 발표되었다.

『극본』 10월호에 홍선의 단막극 「오규교五奎橋」와 톈한이 천위陳瑜라는 필명으로 집필한 글 「「풍설야귀인」을 통해 우쭈광을 보다從＜風雪夜歸人＞看吳祖光」가 발표되었다. 홍선 동지 서거 2주년을 기념해 그의 단막극 「오규교」(1930년에 발표, 1933년에 초판 출간)가 『극본』 이번 호에 다시 발표되었다.

4일, 『인민일보』에 탕타오의 글 「'지상', '지외' 및 기타"之上"、"之外"及其它」가 발표되었다.

『문회보』에 지푸濟夫의 글 「'한바탕 바람 잡감'을 반박하다駁"一陣風雜感"」가 발표되었다.

5일, 『옌허』에 왕윈스의 소설 「올가미套繩」가 발표되었다.

6일, 『인민일보』에 궈모뤄의 「시 5편詩五首」이 발표되었다.

『문예보』 제26호에 사설 「사회주의 문예건설을 위한 백년대계爲了社會主義文藝建設的百年大計」 및 원제의 시 「조국! 빛나는 세월祖國!光輝的歲月」, 아이우의 「소위 진실에 관하여談所謂眞實」, 아잉의 「만청 문학간행물 약론晚淸文學期刊略述」(본 호에 연재 시작), 웨이진즈의 「큰 매듭과 작은 매듭－단편소설 만담 제1편大紐結和小紐結——短篇小說漫談之一」이 발표되었다.

7일, 『꿀벌』 10월호에 사설 「방향을 확고히 하고, 우파에 반대해 독소를 제거하자堅定方向, 反右淸毒」 및 리겅의 산문시 2장 「부름召喚」, 장칭톈張慶田의 평론 「'자유시론'의 배후"自由討論"背後」가 발표되었다.

8일, 『문예학습』 제10호에 류바이위의 「문학에서의 개인창조와 개인주의에 관하여－문학강습회에서의 발언談文學上的個人創造與個人主義——在文學講習會上的發言」, 자오수리의 「청년과 창작－샤커웨이를 위해 항의하는 이들에게 답하다靑年與創作——答爲夏可爲鳴不平者」, 주무광朱幕光의 「소위 '진실 창작'과 '어두운 면 묘사'를 반박하다駁所謂"寫眞實"和"寫陰暗面"」, 저우허周和의 「진실·진실 인식·진실 창작眞實·認識眞實·寫眞實」, 쨍커자의 「아이칭의 근작은 무엇을 표현했는가?艾靑的近作表現了些什麼?」가 발표되었다.

1957년 봄, 아이칭은 「꽃 기르는 이의 꿈」, 「매미의 노래」, 「카나리아黃鳥」, 「새를 그리는 사냥꾼畵鳥的獵人」 등 일련의 우화체 산문시를 발표하였다. 이 작품들은 얼마 후의 '반우파' 투쟁 때 비판을 받았다. 쨍커자는 글에서 "수량이라는 면에서만 보면 아이칭의 창작열은 대단히 왕성하다. 그러나 사실상 그의 이 작품들 가운데 사회주의의 위대한 건설을 표현하고, 풍부한 현실적 의의를 가진 시대정신을 표현한 작품은 매우 적다. 반대로, 그가 최근에 창작한 작품은 대다수가 신사회를 풍자하고 개인의 불만 정서를 반영한 작품, 혹은 전혀 의미 없는 풍경을 묘사한 작품들이다", "아이칭은 당과 사회주의의 입장에 서서 모든 비공인非工人 계급 사상과 투쟁하고 이들을 설복시키는 것이 아니라, 오히려 극도의 열정을 가지고 자산계급 사상의 화신을 부추겨 사회주의 제도를 공격하고 있다", "이 얼마나 유해한 사상인가. '꽃 기르는 이의 꿈'은 얼마나 두렵고, 또 얼마나 터무니없는 꿈인가"라고 지적하였다.

『인민문학』에 리시판의 「'본지 내부 소식'에서 시작된 창작의 역류」가 전재되었다(1957년 9월 17일자 『중국청년보』에 최초 발표). 이 외에도 린진란의 단편소설 「초원草原」, 사어우의 시 「갖가지 검보」(제3집), 돤무훙량의 산문 「나이테年輪」(외 2편), 주커위竹可羽의 논문 「『태양은 쌍간강에서 빛난다』를 논하다論＜太陽照在桑幹河上＞」가 발표되었다.

『인민일보』에 쨍커자의 시 「신성一顆新星」, 차오위의 글 「파두, 비상, 학정홍－민맹 우파분자 쑨자슈를 질책한다巴豆砒霜鶴頂紅——斥民盟右派分子孫家琇」가 발표되었다.

9일, 『신화일보』에 사설 「'탐구자'는 무엇을 탐구하는가?"探求者"探求什麼?」가 발표되어 장쑤성 작가 팡즈, 루원푸, 가오샤오성 등이 창간한 동인잡지 『탐구자』를 비판하였다.

10일, 『인민일보』에 톈젠의 시 「평화의 새−최초의 인공위성을 위하여和平之鳥——爲第一顆人造衛星而作」가 발표되었다.

『문회보』에 짱커자의 「편리와 불편方便與不方便」이 발표되었다.

9일, 10일, 베이징 화극계에서 우파분자 비판 확대 토론회를 진행하였다. 샤옌이 「중국 화극운동의 역사와 당의 지도中國話劇運動的歷史與黨的領導」라는 제목으로 발언하였다. 발언문은 『희극보』 제20호에 게재되었다.

11일, 『인민일보』에 톈한의 시 「중·소의 포옹을 노래하다歌中蘇擁抱」가 발표되었다.

12일, 『인민일보』에 쩌우디판의 시 「소비에트인에게 바치다獻給蘇維埃人」, 선충원의 글 「후난의 민간예술湖南的民間藝術」이 발표되었다.

13일, 『문예보』 제27호에 전국 제3차 문대회가 내년으로 연기되었다는 기사가 게재되었다. 같은 호에 판위의 「그들은 무엇을 '탐구'하는가?−'탐구자' 공고를 반박하다他們"探求"些什麼?——駁"探求者"啓事」, 톈한의 「우리는 건강하고 전투적인 웃음이 필요하다! 우리에게는 골도니가 필요하다!−세계 문화 명인 카를로 골도니 탄생 250주년 기념회에서의 발언我們要健康的、戰鬥的笑!我們要哥爾多尼!——在世界文化名人卡爾羅·哥爾多尼誕辰250周年紀念會上的發言」, 저우리보의 「반당 노장 뤄펑의 언행들反黨老手羅烽的一些言行」, 웨이진즈의 「소재의 선택과 묘사−단편소설 만담 제2편剪裁和描寫——短篇小說漫談之二」이 발표되었다.

『인민일보』에 가오스치의 시 「태양계의 작은 손님太陽系的小客人」이 발표되었다.

14일, 『인민일보』에 마오쩌둥이 최고국무회의를 소집하였으며, 참석자들이 정풍운동을 계속해서 심화해 전개하는 데 동의하였다는 기사가 게재되었다. 이 외에도 쉬광핑의 글 「소련의 간고 분투, 근검건국 정신을 학습하자學習蘇聯艱苦奮鬥勤儉建國的精神」가 발표되었다.

15일, 『신항』 10월호가 시가 특집호로 간행되어 사어우의 장시 『우리의 조국은 지금 봄이다我的祖國正是春天』, 커위안의 장시 『10월에 바치다獻給十月』, 쉬츠의 「장난 3편江南三首」, 리잉의 「저 우산군도에게致舟山群島」(외 1편), 사오옌샹의 「우랄 탱크烏拉爾坦克」가 발표되었다.

『분류』에 리준의 글 「'창작이야말로 자신의 것이다'를 반박하다斥"寫東西才是自己的"」가 발표되어 딩링의 언행을 비평하였다.

『인민일보』에 쉬츠의 시 「큰 명절에 창장에서大節日長江上」, 장톈이의 글 「소피 여사에 관하여關於沙菲女士」가 발표되었다.

『창장일보』에 쉬츠의 보고문학 「창장대교의 아름다움은 사회주의의 아름다움이다長江大橋的美是社會主義的美」가 발표되었다.

16일, 『인민일보』에 짱커자의 시 「단가로 소련을 노래하다─10월 혁명 40주년을 기념하며短歌頌蘇聯──紀念十月革命四十周年」, 가오스치의 지식소품 「공기 중의 '주민'空氣中的"居民"」이 발표되었다.

17일, 『인민일보』에 10월 11일에 진행된 류사오탕 비판 대회에서의 마오둔과 라오서의 발언이 게재되었다.

『문회보』에 푸겅福庚의 시 「사회주의가 우주에 승리의 신호를 보낸다社會主義向宇宙發出勝利信號」, 돤무훙량의 글 「'지하'에 관하여說"之下"」가 발표되었다.

18일, 『인민일보』에 루딩이의 「시 2편詩二首」, 바런의 시 「위성과 장정衛星與長征」이 발표되었다.

『문회보』에 왕시옌의 「루쉰을 기념하고, 우파에게 반격하자紀念魯迅, 反擊右派」, 짱커자의 「'책 한 권 주의'와 '인'의 창작정신"一本書主義"與"韌"的創作精神」 및 「루쉰의 미발표 서신未發表的魯迅書簡」이 발표되었다. 이 외에도 「상하이 희극계에서 대토론을 진행하다上海戲劇界進行大辯論」라는 소식이 게재되었다. 소식은 "상하이 희극계 우파분자 왕페이汪培, 허스何適, 궁이페이龔一飛, 사오무수이邵慕水는 당의 정풍을 돕는다는 명목으로 '명, 방' 시기에 당과 인민을 악독하게 공격하였으며 반동적인 망언을 남발하였다. 상하이 희극계는 시비를 명확히 구분하기 위해 어제 대토론회를 소집하였다. 상하이 희극계 각 극종 및 극단의 배우, 각본가 및 희극 간부 2천여 명이 참석하였다"라고 밝혔다.

19일, 『인민일보』, 『문회보』, 『광명일보』에 1957년 9월 23일에 진행된 중국공산당 제8기 중앙위원회 제3차 확대회의 전체 회의에서의 덩샤오핑의 발언 「정풍운동에 관한 보고關於整風運動的報告」가 게재되었다. 『문회보』 같은 호에 사설 「루쉰의 혁명정신을 발양하자-루쉰 서거 21주년을 기념하며發揚魯迅的革命精神──紀念魯迅逝世二十一周年」, 쉬리췬許立群(양얼楊耳)의 「공산당의 지도는 사회주의 승리의 선결 조건이다-10월 사회주의 혁명 40주년을 기념하며共產黨的領導是社會主義勝利的先決條件──紀念十月社會主義革命四十周年」, 황쮀린의 「희극공작자는 반드시 개조해야 한다戲劇工作者必須改造」가 발표되었다. 『인민일보』 같은 호에 쨩커자의 글 「'존명문학'과 '봉명' 문학"遵命文學"與"奉命"文學」이 발표되었다.

『광명일보』에 쨩커자의 글 「만약 루쉰이 살아 있었다면-루쉰 선생 서거 21주년을 기념하며假如魯迅還活著──紀念魯迅先生逝世二十一周年」가 발표되었다.

20일, 『베이징문예』 10월호에 친무의 「장의사의 연지殯儀館的胭脂」, 톈젠의 시 「가두시 모음街頭詩一束」, 장헌수이의 「장회소설의 변천章回小說的變遷」이 발표되었다.

『인민일보』에 예성타오의 시 「국제주의國際主義」, 구궁의 시 「영원히, 영원히 우애의 팔짱을 굳게 끼자永遠, 永遠挽緊友愛的臂膀」가 발표되었다.

『문예보』 제28호에 사설 「류사오탕의 타락에서 교훈을 얻자從劉紹棠的墮落中吸取教訓」가 발표되었다. 같은 호에 「어느 청년 작가의 타락-류사오탕 언행 비판대회 보고一個青年作者的墮落──批判劉紹棠言行大會的報道」 및 본 대회에서의 마오둔, 양하이보楊海波(공산주의 청년단 중앙선전부 부장), 궈샤오촨 등 5인의 발언이 발표되었다. 이 외에도 쉬츠의 시 「오이스트라흐가 연주할 때當奧伊斯特拉赫在演奏」, 웨이진즈의 「두 가지 추세-단편소설 만담 제3편兩種趨勢──短篇小說漫談之三」이 발표되었다.

중국극협 광저우분회가 편찬한 격월간 잡지 『남국희극南國戲劇』이 광저우에서 창간되었다.

21일, 『인민일보』에 빙신의 시 「모스크바 상공莫斯科的上空」, 푸스의 시 「시험해 보다試試看」가 발표되었다.

22일, 『해방군보』에 쨩커자의 시 「'우정의 나무"友誼樹'」, 천이의 글 「부대문예공작에 대한 우파의 공격에 반격하자回擊右派對部隊文藝工作的進攻」가 발표되었다.

23일, 『인민일보』에 푸스의 시 「지구를 둘러싼 즐거운 노래環繞地球的歡歌」, 광핑의 시 「시난 행음西南行吟」이 발표되었다.

24일, 『해방군보』에 사설 「어떤 작가가 될 것인가作一個什麼樣的作家」가 발표되었다. 사설은 "공인계급 문학예술은 전체 공인계급 혁명사업의 일부분이다. 이러한 근본적인 관점에서 출발해, 작가들은 반드시 마오 주석이 「옌안문예좌담회에서의 강화」에서 말했듯이 '모두 루쉰을 본받아 무산계급과 인민대중의 '소'가 되어, 죽을 때까지 나라를 위해 온 힘을 다해야 한다'……공농병과 사회주의 사업을 위해 복무하겠다는 뜻을 세워야만 작가의 창작활동은 정확한 방향으로 나아가게 될 것이며, 우리 시대의 모습과 인민의 현실생활을 충실히 반영할 수 있을 것이다"라고 밝혔다.

『인민일보』에 리젠우의 글 「천극 관람 수필喜看川劇隨筆」이 발표되었다.

25일, 『인민일보』에 궈모뤄의 시 「첫 인공위성의 신호第一個人造地球衛星的訊號」가 발표되었다.

『광명일보』에 젠보짠의 글 「'선전후홍'은 실제로는 '선백후홍'이다"先專後紅"實際是"先白後紅"」가 발표되었다.

26일, 『인민일보』에 허윈샹何雲祥의 소설 「형수嫂嫂」, 저우신팡의 글 「소련 방문 잡기訪蘇雜記」 가 발표되었다.

『희극보』 제20호에 이저우意舟의 「화극 「낙타샹즈」 만담漫談話劇<駱駝祥子>」이 발표되었다. 그는 글에서 "화극 「낙타샹즈」의 각색과 공연은 비교적 성공적이다. 각색가는 원작에서 느낄 수 있는 짙은 삶의 냄새와 소박하고 세련되면서도 개성이 풍부한 언어를 화극에도 잘 반영하였으며, 여러 부분에서 이러한 장점을 발휘하였다", "특히 인물 창조에 있어 재능을 발휘하였다"라고 평하면서, 주인공 샹즈의 타락에 대해서는 "샹즈가 자연스럽고도 필연적으로 자신이 갈 길을 찾게 하기 위해 각색가는 그의 환경과 주변인물을 창조하였다. 그러나 희극의 전개 과정에서 샹즈는 늘 주변의 환경 및 인물과 동떨어져 있어, 그는 각색가가 그에게 부여한 특정한 환경 속에서 살아가지 않았다"라고 보았다.

27일, 『문회보』에 궈모뤄의 글 「늘 배움의 마음을 가지자始終懷抱著學習的心情」가 발표되었다.

『문예보』에 쉬광핑의 「루쉰과 소련문학의 관계에 관하여略談魯迅與蘇聯文學的關系」, 돤무훙량의 「리처드 3세의 자손理查三世的子孫」, 마톄딩의 「'우애를 논하다'를 반박하다駁"論友愛"」가 발표되었다.

28일, 『인민일보』에 위안수이파이의 시 「모스크바 예찬莫斯科禮贊」, 톈젠의 시 「붉은 광장을 거닐며 읊조리다在紅場上行吟」, 구궁의 산문 「밀림 속에서—변경에서 쓴 잡기密林中——在邊疆寫下的散記」(외 1장)이 발표되었다.

30일, 중국작가협회 중풍지도소조가 문련 대강당에서 베이징 소재 작가 및 소속 기관 간행물 편집자 동원대회를 소집하였다. 작가협회 당조서기이자 정풍지도소조 책임자 사오취안린, 부서기 류바이위가 반우파 투쟁과 정돈 개혁 방향에 대해 중요 발언을 진행하고, 작가들을 동원해 생활에 깊이 침투하여 신형 지식분자로 거듭날 것을 호소하였다.

상하이시 중소우호협회와 문회보가 합동으로 각계 인사들을 초청해 10월 사회주의 혁명 40주년 경축 좌담회를 개최하였다. 팡링루, 바이양, 리위루李玉茹, 진이 등이 참석하였다. 11월 6일자 『문회보』에 본 좌담회 기록이 게재되었다.

『문회보』에 가오스치의 「소련 과학기술의 새로운 성취를 위해 환호한다!爲蘇聯科學技術的新成就而歡呼!」, 왕리王力의 「우파분자 천멍자의 문학개혁 반대 망언을 비판한다批判右派分子陳夢家關於反對文字改革的荒謬言論」가 발표되었다.

『해방군보』에 지펑의 시 「3백 개의 눈이 반짝인다三百只眼睛亮晶晶」가 발표되었다.

『시안희극西安戲劇』 제20호에 메이란팡의 「공연예술에 관하여談表演藝術」가 발표되었다.

이달에 선충원의 『선충원 소설선집沈從文小說選集』이 인민문학출판사에서 출간되었다. 이 책은 출판사와의 약속에 따라 편찬된 책이다. 선충원은 「서문」에서 앞으로 다시 창작하고 싶다는 희망을 드러내었다.

쉬화이중의 장편소설 『우리는 사랑을 파종한다』가 해방군문예출판사에서 출간되었다.

차오밍의 단편소설집 『옌안 사람延安人』이 톈진인민출판사에서 출간되었다.

량상취안의 시집 『윈난의 구름雲南的雲』이 중국청년출판사에서 출간되었다. 본 시집에는 시인이 1956년 5월에서 12월 사이에 윈난에서 창작한 56편의 시가 창작 시기순으로 수록되었다.

아이칭의 시집 『곶 위에서海岬上』, 쩌우디판의 시집 『조국 서정시祖國抒情詩』가 작가출판사에서 출간되었다.

장융메이의 시집 『난하이 뱃노래南海漁歌』가 창장문예출판사에서 출간되었다.

어우양위첸이 각색한 화극『도화선桃花扇』이 중국희극출판사에서 출간되었다.

11월

1일,『인민일보』에 사설「전 인민의 정풍은 우리나라 사회주의 민주의 중요한 발전이다全民整風是我國社會主義民主的重要發展」, 허샹닝의「소련의 위대한 사심 없는 원조를 회상하다回憶蘇聯偉大無私的援助」, 자오수리의「나와 한자我與漢字」가 발표되었다.

『창장문예』11월호에 사설「작가와 예술가가 반드시 선택해야 할 길作家藝術家必須選擇的道路」 및 홍양洪洋의 단편소설「고공에서在高空」, 리샤오원의 소설「홍상紅裳」, 웨이양의 시「1957년 기록一九五七年紀事」, 리셴룽李顯榮의 시「밤에 붉은 광장을 거닐다夜遊紅場」, 사인沙茵의 시「백악관이 또 한 번 놀라다白宮又吃一驚」, 우보샤오의 시「강철 무지개鋼鐵的長虹」가 발표되었다. 이 외에도「철도 개통 시 모음通車集錦」시리즈(사어우의「잊을 수 없는 순간難忘的時刻」, 쉬츠의「대교 송가大橋頌」, 안양의「아, 대교의 가로등이 밝았다哦, 大橋的路燈亮了」수록), 장즈민의 시「산림 경물山林即景」및 리준의 글「농촌으로 가다到農村去」가 발표되었다.

『우화』의 '10월 사회주의 혁명 40주년 경축 특집'란에 천궈화陳國樺의 논문「소련 문학전선에서의 두 가지 노선의 투쟁蘇聯文學戰線上兩條道路的鬪爭」, 샤양夏陽의「10월 홍기가 세계에 휘날리다十月紅旗世界飛」가 발표되었다.

『창춘』11월호에 장즈민의 시「생활시초生活詩抄」(3편)가 발표되었다.

2일,『광명일보』에 쩌우디판의 시「10월 홍성十月紅星」이 발표되었다.

작가 마오둔, 시인 짱커자, 번역가 가오즈高植 등이 베이징인민문화궁에서 열린 '서적 시장'에서 독자들을 만나고, 서적 판매공작에 참가하였다. '서적 시장'은 신화서점에서 개최한 것으로, 베이징의 10월 사회주의 혁명 40주년 기념행사의 일환이다.

3일,『인민일보』에 메이란팡의 글「소련을 추억하며追憶蘇聯」가 발표되었다.

『문예보』의 '위대한 10월 사회주의 혁명 40주년 기념 특집호(1)'에 사설「40년의 영광의 길四十年的光榮道路」 및 궈모뤄의「소련 문예를 향해 정렬하자－10월 혁명 40주년을 기념해 '문예보' 기자의 질문에 답하다向蘇聯文藝看齊──爲十月革命四十周年紀念答“文藝報”記者問」, 마오둔의 「사회주의 현실주의는 영원히 승리하고 전진한다社會主義現實主義永遠勝利前進」, 라오서의 「새로운 문학전통新的文學傳統」이 발표되었다.

『광명일보』에 궈모뤄의 「우리는 반드시 소련 과학가를 향해 정렬해야 한다─수도 과학계의 10월 혁명 40주년 경축 개막사我們必須向蘇聯科學家看齊──首都科學界慶祝十月革命40周年的開幕詞」가 발표되었다.

『극본』에 어우양위첸의 단막극 「병풍 뒤屛風後」 및 그의 단문 「옛날이야기를 다시 하다舊話重提」, 자오전난의 단막극 「말참견하는 제비多嘴的燕子」, 웨예의 글 「소련 극작가와 그들의 작품을 학습하자向蘇聯劇作家和他們的作品學習」가 발표되었다.

4일, 『인민일보』에 푸스의 시 「배웅送行」이 발표되었다.

5일, 『인민일보』에 원제의 연작시 「모스크바 예찬禮贊莫斯科」이 발표되었다.

『문회보』에 췬칭의 글 「사람의 마음을 감동시키는 서사시─'혁명의 전주激動人心的史詩──“革命的前奏”」가 발표되었다.

6일, 『인민일보』에 샤오싼의 시 「10월 혁명의 개선가를 노래하다歌唱十月革命的凱歌」, 왕퉁자오의 시 「40년 전과 40년 후四十年前與四十年後」, 리지의 시 「위먼 사람이 바쿠 사람을 그리워하다玉門人想巴庫人」, 짱커자의 시 「두 번째 별第二顆星」(외 1편)이 발표되었다.

『문회보』에 저우언라이의 글 「소련 '국제생활' 잡지에 답하다─세계와 중국에 대한 10월 사회주의 혁명의 영향 문제에 관하여回答蘇聯“國際生活”雜志──關於十月社會主義革命對世界和中國的影響的問題」 및 「10월 혁명은 중국 인민이 철저한 해방 및 번영과 부강의 길을 찾게 했다─상하이시 중소우호협회와 본지의 각계 인사 초청 좌담회 기록十月革命使中國人民找到了徹底解放和繁榮富强的道路──上海市中蘇友好協會和本報聯請各界人士座談記錄」이 발표되었다.

『광명일보』에 둥비우의 글 「10월 혁명의 길을 따라 열심히 전진하자沿著十月革命的道路努力前進」가 발표되었다(8일자 『문회보』에 전재).

7일, 『문회보』에 11월 6일에 개최된 베이징 각계의 10월 사회주의 혁명 40주년 경축대회에서의 류사오치의 연설이 발표되었다. 이 외에도 어우양위첸의 시 「붉은 10월을 노래하다歌唱紅十月」, 왕퉁자오의 시 「진실한 우정真誠的友誼」, 짱커자의 시 「우정의 나무友誼樹」, 가오스치의 시 「끓어오르는 노랫소리沸騰的歌聲」, 루망蘆芒의 시 「나는 10월 혁명을, 무산계급 독재 정치를 노래한다我歌唱十月革命, 歌唱無産階級專政」, 한쯔의 글 「사랑스러운 가정可愛的家庭」이 발표되었다.

『꿀벌』 11월호에 사설 「소련문학의 위대한 성취를 위해 환호하자爲蘇聯文學的偉大成就歡呼」 및 장칭텐의 소설 「운송대장運輸隊長」, 톈젠의 시 「꿀벌에게給蜜蜂」(가두시 모음), 장즈민의 시 「산촌 경물山村即景」, 장톈민의 시 「펑만 수력발전소 댐 위에서豐滿水電站攔河壩上」가 발표되었다.

『희극보』 제21호에 사설 「우리나라 희극운동에 대한 소련 희극의 혁명화 영향蘇聯戲劇對我國戲劇運動的革命化影響」 및 우쉐의 「선진적인 소련 희극을 학습하자向先進的蘇聯戲劇學習」, 어우양산쥰의 「중국에서의 스타니슬랍스키斯坦尼斯拉夫斯基在中國」가 발표되었다.

『해방군보』에 쉬츠의 시 「10월의 시 十月的詩」가 발표되었다.

8일, 『인민문학』 11월호에 10월 혁명 40주년을 기념해 바진의 「위대한 혁명, 위대한 문학偉大的革命, 偉大的文學」, 짱커자의 「소련을 노래하다短歌頌蘇聯」, 톈젠의 「나의 노래我的歌」, 진이의 「나는 샤오러의 아빠를 만났다－모나코프 동지我會見了小樂的爸爸──莫納霍夫同志」, 왕시옌의 「엄준한 문학嚴峻的文學」이 발표되었다. 이 외에도 왕위안젠의 단편소설 「노랫소리歌聲」, 뤄빈지의 단편소설 「황혼 이후黃昏以後」, 사어우의 시 「갖가지 검보」(제4집), 샤오예蕭野의 시 「여명의 구름黎明的雲彩」(외 2편), 리시판의 논문 「소위 '생활에의 관여', '진실 창조'의 본질은 무엇인가?所謂"幹預生活"、"寫真實"的實質是什麽?」, 야오원위안의 논문 「문학에서의 수정주의 사조와 창작경향文學上的修正主義思潮和創作傾向」이 발표되었다.

『문예학습』에 야오원위안의 「새로운 시대, 새로운 아름다움, 그리고 새로운 문학－위대한 10월 사회주의 혁명 40주년을 경축하며新的時代、新的美和新的文學──慶祝偉大的十月社會主義革命四十周年」가 발표되었다.

9일, 『인민일보』에 베이징 문예계 10월 사회주의 혁명 40주년 경축대회에서의 저우양의 연설 「10월 혁명과 사회주의 문화 건설 임무十月革命和建設社會主義文化的任務」가 발표되었다.

『문회보』에 탕타오의 글 「응당, 반드시 결렬해야 한다－「결렬」을 보고應該決裂, 必須決裂──<決裂>觀後感」가 발표되었다.

10일, 『인민일보』에 왕징즈의 시 「홍성 송가紅星頌」가 발표되었다.

『문회보』에 탕타오의 「농업전선에서 분투하는 공인-모스크바 '게르크 제2' 농장을 방문하다奮鬪在農業戰線上的工人――訪莫斯科"哥爾克第二"的農場」, 왕시옌의 「「어머니」를 처음 읽었던 당시를 회상하다回憶第一次讀<母親>」, 진이의 「리차이후로 가다到麗采湖去」가 발표되었다.

『문예보』의 '위대한 10월 사회주의 혁명 40주년 기념 특집호(2)'에 류바이위의 「진귀한 단편珍貴的片段」, 어우양위첸의 시 「사심 없는 도움, 위대한 우정無私的幫助, 偉大的友誼」, 짱커자의 「소련 시인으로부터 배우자向蘇聯詩人學習」, 차오위의 「10월 혁명과 '총을 든 사람'十月革命與"帶槍的人"」이 발표되었다.

11일, 『문회보』 베이징사무실에서 영화 각본가들을 초청해, 하부 조직에 침투해 공농병 군중과 결합하는 것을 주제로 하여 베이징전영제편창에서 좌담회를 진행하였다. 거친葛琴, 하이모, 웨예, 양모, 두탄杜談, 린란林藍 등이 참석하였다. 11월 24일자 『문회보』에 본 좌담회의 발언기록이 게재되었다.

『문회보』에 구궁의 시 「아프로라阿芙樂爾」(외 2편)가 발표되었다.

12일, 『인민일보』에 사설 「강대한 공인계급 문예대오가 필요하다要有一支強大的工人階級文藝隊伍」가 발표되었다. 같은 날, 『광명일보』에도 사설 「작가가 군중생활 속에 뿌리내리게 하자送作家到群衆生活中去紮根」가 발표되었다.

『문회보』에 사설 「현재 작가의 중대한 임무作家當前的重大任務」가 발표되었다. 사설은 "베이징의 일부 작가들이 강대한 공인계급의 문예대오를 건립해 사회주의 문예창작을 번영시키기 위해 농촌, 공장, 중대 등의 하부 조직에 침투해 공농병 군중과 결합하였다. 이는 우리를 분발시킬 만한 사건이다"라고 밝혔다.

『해방군문예』에 궈샤오촨의 시 「10월의 시十月的詩」, 양쉬의 산문 「'쇳물' 이야기"鐵流"的故事」가 발표되었다.

13일, 『인민일보』에 캉줘의 「새로운 생활의 길로 단호히 나아가자堅決走上新的生活道路」, 레이자의 「생활 찰기生活的劄記」, 옌천의 시 「숲속의 모닥불林中篝火」이 발표되었다.

14일,『인민일보』에 자오수리가 딸에게 보낸 서신「네가 교양 있는 청년 사원이 되기를 바란다願你當一個有文化的靑年社員」가 발표되었다.

『문회보』에 커란의 산문시「낙타 방울駝鈴」(외 3편)이 발표되었다.

15일,『문회보』에 예젠잉葉劍英의 시「구체시 2편舊體詩兩首」, 쥔칭의 글「침통한 애도沉痛的悼念」, 자오수리의「자오수리가 딸에게 보낸 편지趙樹理給他女兒的一封信」가 발표되었다.

『신항』에 주웨이즈朱維之의「소련문학의 새로운 모습蘇聯文學的新面貌」, 천보추이의「선진적인 소련아동문학을 학습하자向先進的蘇聯兒童文學學習」가 발표되었다.

16일,『인민일보』에 샤옌의「중국영화의 역사와 당의 지도」, 장자오허의「소련의 예술은 인민예술의 최고봉이다蘇聯的藝術是人民藝術的最高峰」가 발표되었다.

17일,『인민일보』에 쩌우디판의 시「추수의 노래秋收之歌」가 발표되었다.

『문예보』의 '위대한 10월 사회주의 혁명 40주년 기념 특집호(3)'에 뤄쑨의「소련문학─강대한 정신 역량蘇聯文學──强大的精神力量」, 양쉬의「천지개벽의 문학開天辟地的文學」, 바런의「'괴멸'에서 '청년 근위군'까지從"毁滅"到"靑年近衛軍"」가 발표되었다.

『광명일보』에 푸장칭의 유작「사곡탐원詞曲探源」및 뤼수샹呂叔湘의「푸장칭 선생을 기념하며紀念浦江淸先生」가 발표되었다.

18일,『인민일보』에 한쯔의 산문「작은 자작나무小樺樹」, 천보추이의「소련 아동문학의 당성과 인민성蘇聯兒童文學中的黨性和人民性」, 우보샤오의「레닌 박물관을 기억하며記列寧博物館」가 발표되었다.

19일,『인민일보』에 궈모뤄의 시「두 인공위성의 대화兩個人造衛星的對話」가 발표되었다.

『해방군보』에 구궁의 시「낙하산병이여, 인민의 낙하산병이여傘兵啊, 人民的傘兵」가 발표되었다.

20일,『베이징문예』의 '위대한 10월 혁명 40주년 경축 특집호'에 저우양의「10월 혁명과 사회주의 문화의 임무十月革命和社會主義文化的任務」, 라오서의「중소문학의 친밀한 관계中蘇文學的親密

關系」, 캉줘의 「소련 작가의 길은 우리의 본보기이다蘇聯作家的道路是我們的榜樣」, 천보추이의 「소련 아동문학 작품 속의 계급교육蘇聯兒童文學作品中的階段教育」, 돤무훙량의 「가장 잊을 수 없는 우정最難忘的友誼」, 저우옌루周雁如의 산문 「어떤 책 이야기一本書的故事」, 가오옌창의 산문 「소련문학이 나를 격려하고 있다蘇聯文學在鼓勵著我」, 바무의 시 「두 번째 지혜의 별第二顆智慧的星星」, 궈황郭煌의 시 「'스탈린 8호"斯大林八號'」, 빙신의 「10월 혁명의 대포 소리十月革命一聲炮響」가 발표되었다.

22일, 『인민일보』에 구궁의 산문 「경사喜事」(외 2편)와 우보샤오의 「'동인잡지"同人刊物'」가 발표되었다.

『대공보』에 비예의 보고문학 「충링 아래서在蔥嶺下」가 발표되었다.

24일, 『수확』 제3호에 '소련 문학작품이 우리의 투쟁과 공작에 힘을 준다'라는 주제로 탕타오, 이췬, 류바이위, 진이 등의 글이 발표되었다. 이 외에도 자오수리의 산문수필 「금자金字」, 바진의 산문수필 「기념품 몇 개幾件紀念品」, 진이의 「아름다운 술병一只美麗的酒瓶」이 발표되었다.

『인민일보』에 궈모뤄의 「시 3편詩三首」이 발표되었다.

『문회보』에 쉬마오융의 「정신노동과 체력노동이 결합된 총진군에 적극적으로 참가하자積極參加腦力勞動和體力勞動結合的大進軍」가 발표되었다.

『문예보』의 '위대한 10월 사회주의 혁명 40주년 기념 특집호(4)'에 이췬의 「소련문학은 사상의 순결성을 위해 투쟁한다蘇聯文學爲思想的純潔性而鬥爭」, 진이의 「스파르나츠키 동지의 집에서在斯巴納茨基同志家裏」, 캉줘의 「기억 속의 반짝임記憶中的閃光」이 발표되었다.

25일, 『인민일보』에 구궁의 산문 「초원 위·난류─변경에서 쓴 잡기草原上·暖流──寫在邊疆的散記」가 발표되었다.

『시간』11월호에 궈모뤄의 「달에 사는 항아가 중국으로 돌아오고 싶어 한다月裏嫦娥想回中國」 등의 시와 바런의 글 「쉬즈모의 시에 관하여也談徐志摩的詩」가 발표되었다. 이번 호부터 편집위원회가 개편되어 볜즈린, 톈젠, 옌천, 롼장징, 사어우, 쉬츠, 궈샤오촨, 짱커자로 구성되었다.

26일, 『문회보』에 야오원위안의 「'실제에 연결'하는 마술─쉬마오융 잡문 비판 제2편"聯系實際"的魔術──批判徐懋庸雜文之二」이 발표되었다.

『희극보』제22호에 사설 「뜨거운 노동투쟁 속에서 공인계급의 희극 대오를 단련해 내어야 한다要在火熱的勞動鬥爭中鍛煉出一支工人階級的戲劇隊伍」 및 톈한의 「내가 아는 10월 혁명我所認識的十月革命」, 저우신광의 「10월 혁명의 격류가 쉼 없이 전진한다十月革命的洪流不停地向前」가 발표되었다.

27일, 『희극논총』제4집에 거이훙의 「중국에서의 러시아, 소련 희극의 30년간의 전파 상황俄羅斯、蘇聯戲劇在中國傳播三十年」, 어우양위첸의 「희극은 어떠해야 하는가怎樣才是戲劇」, 자오쉰의 「「동고동락」의 인물창조<同甘共苦>的人物創造」, 메이첸의 「「낙타샹즈」의 각색에 관하여談<駱駝祥子>的改編」가 발표되었다.

28일, 『인민일보』에 궈모뤄의 시 「아Q 정신阿Q精神」이 발표되었다.

29일, 시인 왕퉁자오가 향년 60세로 병사하였다. 정전둬는 「왕퉁자오 선생을 추모하며悼王統照先生」에서 "그의 소설은 특수한 풍격을 가지고 있다. 5·4 시대에 공유하고 있던 반항 정신을 표현하면서도, 그 자신의 완곡하고도 우울한 정서를 더했다. 그렇다. 그의 정서는 언제나 완곡하고도 우울한 것이었다. 그는 나보다 고작 한 살 위였지만 나보다 훨씬 성숙했고, 나보다 일찍 노쇠해지기도 했다. 그는 아주 일찍부터 '옛날이야기'를 반복하곤 했다", "겉으로 보면 왕퉁자오 선생은 아주 온화한 사람이다. ……그러나 그는 '함부로 행동하지 않는' 사람이다! 그는 겉으로는 부드러우나 속으로는 엄격한, 사실은 아주 고집스러운 사람이다! 그는 결코 정의롭지 못한 일을 대충 넘어가려 하지 않았다. 그는 악을 원수처럼 미워했다. 그는 그 어떤 죄악의 힘에도 결코 고개를 숙인 적이 없었다", "산둥대학에서 교수로 근무할 당시 그는 마치 등불처럼 비추어 학생들이 밝고 큰길로 나아가도록 해 주었다. 그는 '큰일을 하는' 사람이었다! 이 당시에도, 그리고 상하이에서 『문학』을 편집하던 당시에도, 그는 항상 진심으로 중국공산당의 지도를 받아들였다", "왕퉁자오 선생은 아주 힘찬 필치를 가지고 있었다……오늘날의 '서예가' 가운데 특출한 사람이라 할 만하다. 그러나 그는 이를 자랑한 적이 없었기 때문에, 그가 '서예'를 할 줄 안다는 사실을 아는 이는 매우 적었다"라고 말했다(『인민문학』1958년 제1호). 천이陳毅는 예전에 자신을 문학연구회에 가입하도록 소개해 준 왕퉁자오 선생이 별세했다는 소식을 듣고 감상에 차서 『왕퉁자오의 자(字)(역자 주)은 지금 어디에 있는가劍三今何在』라는 제목의 장시를 써서 그를 추모하였다.

『인민일보』에 어우양위첸의 시 「규향음葵向吟」이 발표되었다.

『문회보』에 야오원위안의 글 「용어·정교함·살기─쉬마오융 잡문 비판 제3편術語·花巧·殺氣

──批判徐懋庸雜文之三」가 발표되었다.

『광명일보』에 가오충민高崇民의 시 「알바니아 송가阿爾巴尼亞頌」가 발표되었다.

30일, 『해방군보』에 리구이李圭의 시 「인류의 신성한 맹세─두 위대한 선언을 노래하다人類神聖的誓言──爲兩個偉大的宣言而歌」가 발표되었다.

이달에 『어린이小朋友』 제21호에 연환화 「생쥐 가족老鼠的一家」이 발표되었다. 12월 23일자 상하이 『신문일보新聞日報』의 '독자 서신'란에 독자의 비평 「이것은 무슨 그림인가?這是什麽畫?」가 발표되었다. 서신은 아이들에게 쥐를 잡으라고 가르쳐야 할 때에 쥐를 보호하라고 교육하면 안 된다고 보았다. 12월 31일자 『신문일보』의 '인민광장'란에 옌빙얼嚴冰兒의 「이것은 아이들을 위한 그림이다這是給兒童看的畫」가 발표되어 독자의 비평에 반박해, 이를 시작으로 동화 창작에 대한 논쟁이 진행되었다. 『신문일보』에는 총 150여 건의 원고가 투고되었다. 본 토론은 당시 좌경 사조와 아동문학의 정치화 경향을 반영하였다.

톈한의 「소련 방문 서신訪蘇書簡」이 15, 16, 17, 21일자 『인민일보』에 발표되었다.

문예이론집 『사회주의 문예노선 수호를 위해 투쟁하자爲保衛社會主義文藝路線而鬥爭』(상, 하권), 차이치자오의 시집 『파도소리濤聲集』가 신문예출판사에서 출간되었다.

바이화의 장편서사시 『공작孔雀』과 시집 『러바 예인의 노래熱芭人的歌』가 중국청년출판사에서 출간되었다.

양뤼팡의 화극 『뻐꾸기가 또 울었다』가 중국희극출판사에서 출간되었다. 본 작품은 『극본』1월호에 최초 발표되었다.

쭝푸의 아동문학 『달을 찾는 이야기尋月記』가 중국소년아동출판사에서 출간되었다.

바런의 『준명집遵命集』이 베이징출판사에서 출간되었다. 책에는 「생활은 그 자체가 공식화된 것인가?」, 「생활의 공식화에 관하여略談生活的公式化」, 「다시 '생활은 그 자체가 공식화된 것인가?'를 말하다再談"生活本身是公式化的嗎?"」, 「'소재' 잡담"題材"雜談」 등 여러 편의 문예수필이 수록되었다.

작품집 『창 아래─산문특필과 평가窗下──散文特寫和評介』가 랴오닝인민출판사에서 출간되었다. 본 작품집에 수록된 작품들은 대부분 『처녀지』에 발표된 것으로, 문예청년의 독해 및 창작 능력 제고를 돕기 위해 출간되었다.

12월

1일, 『문예보』제34호에 「극작가가 공농 속에 뿌리를 내리다劇作家到工農中去紮根」라는 제목으로 중국극협 소속 작가들이 당의 호소에 호응해 공농 군중 속으로 침투해 정착한 상황을 보도하였다.

『광명일보』에 사설 「문화교육계는 행동하여 농촌을 지원하라文教界行動起來支援農業」가 발표되었다.

『창장문예』12월호에 사설 「새로운 기점에서 전진하다在新的起點前進」 및 먀오거苗歌의 소설 「약탈 혼인搶婚」, 장유더張有德의 소설 「편지를 보내다送信」, 궁무의 시 「10월의 노래十月之歌」, 리지의 시 「베이징 스케치北京速寫」(5편), 리빙의 시 「다리 위의 등불橋上的燈火」, 웨이양의 시 「칠흑 같은 새벽風雨如晦」, 리얼중의 시 「시린 동지를 배웅하다送別西林同志」, 메이창잉梅長英의 시 「인민의 금란전人民的金鑾殿」, 원망옌文莽彦의 시 「해진 겹옷 한 벌一件破夾襖」, 커란의 산문 「아침노을 피리」, 리준의 「감상과 희망感受和希望」, 리시판의 「류사오탕의 우파 문학사상을 비판한다批判劉紹棠的右派文學思想」 등이 발표되었다.

『우화』에 저우서우쥐안의 산문 「벌레와 물고기 소품 2제蟲魚小品二題」가 발표되었다.

『처녀지』에 하오란의 단편소설 「비바람風雨」이 발표되었다.

3일, 『인민일보』에 왕퉁자오의 유작 「구체시 5편舊體詩五首」, 짱커자의 시 「추모悼」, 어우양위첸의 시 「송가頌歌」가 발표되었다.

『극본』에 『인민일보』의 사설 「강대한 공인계급 문예대오가 필요하다」가 전재되었다. 같은 호에 웨이롄전의 단막 희극 「꿈이 아니다不是夢」, 커옌의 단막 희극 「맞선 보기相親記」, 청룽成容의 월극 「추근秋瑾」이 발표되었다.

4일, 『인민일보』에 궈모뤄의 시 「푸시킨 동상 아래서在普希金銅像下」, 구궁의 산문 「생일·갓난아기─변경에서 쓴 잡기生日·嬰兒──寫在邊疆的散記」가 발표되었다.

5일, 『인민일보』에 예성타오의 글 「젠싼을 추모하며悼劍三」가 발표되었다.

『문회보』에 푸정의 시 「14만 행진곡十四萬進行曲」이 발표되었다.

『옌허』12월호가 '형제민족문학 특집호'로 간행되어 카자흐족 및 위구르족의 산문과 시가, 그리고 신장과 티베트족의 민가가 게재되었다.

6일, 『인민일보』에 리지의 시 「강남초江南草」가 발표되었다.

『문회보』에 탕타오의 시 「정풍整風」 및 야오원위안의 글 「'유일무이'의 선택－쉬마오융 잡문 비판 제4편"獨一無二"的選擇——批判徐懋庸雜文之四」이 발표되었다.

7일, 11일, 중국극협 상하이분회와 문회보가 합동으로 상하이 화극 극목 문제에 관한 좌담회를 두 차례 진행하였다. 숭포시, 구중이, 두쉬안, 뤼푸 등 10여 명이 참석하였다. 『문회보』 희극부간(제9, 10호)에 두쉬안의 「1년간의 상하이 화극 극목의 경향一年來上海話劇劇目的傾向」과 뤼푸의 「상하이 화극 극목의 경향에 관하여也談上海話劇劇目的傾向」 등 두 편의 글이 발표되어(『희극보』 제24호에 전재), 이를 시작으로 '현대 소재 극목에 관한 문제'에 대한 토론이 전개되었다.

8일, 작가협회 상하이분회 회원들이 생활 침투 동원대회를 진행해 농촌, 산촌, 공장행 붐을 불러일으켰다. 대회가 진행되는 동안 '서약서決心書'가 넘쳐, 상하이 작가들이 농촌과 산촌으로 가서 자기 개조를 할 것을 분분히 서약하였다.

『문예보』에 쉬마오융을 비판하는 일련의 글이 발표되었다. 이 외에도 차오위의 「평화의 힘에는 저항할 수 없다和平的力量是不可抗拒的」, 짱커자의 「부고가 전해져 오다－왕퉁자오 선생을 추모하며 噩耗傳來——悼念王統照先生」, 루야오둥陸耀東의 「현재 5·4 이후 작가 작품 연구에 존재하는 한 가지 경향을 평하다評目前研究五四以來作家作品的一種傾向」 등의 글이 발표되었다. 루야오둥은 글에서 현재 쉬즈모, 위다푸 등 작가의 시와 소설을 평가할 때 지나치게 높이 평가하는 경향이 있어, 평가의 단편성 문제가 존재한다고 보았다.

『인민문학』 12월호에 장춘차오의 정치논문 「'사람을 키우는 데 십 년이 필요하다'를 논하다論十年樹人」, 양쉬의 보고문학 「바이화산百花山」, 왕징즈의 시 「낙원의 축객령樂園的逐客令」, 가오스치의 시 「인공위성에 바치다獻給人造衛星」, 톈졘의 글 「'10월의 노래' 머리말"十月的歌"引言」이 발표되었다.

『문회보』에 위전페이餘振飛의 글 「탕현조를 기념하고 학습하자紀念湯顯祖, 學習湯顯祖」, 청옌추의 글 「베이징에서의 사선극絲線戲在北京」이 발표되었다.

『문예학습』에 라오서의 「문학수양文學修養」이 발표되었다.

9일, 『인민일보』에 왕징즈의 시 「산악지대를 향해 진군하다^{向山區進軍}」가 발표되었다.

12일, 『해방군문예』 12월호에 웨이웨이 등 작가들의 글 「장기적이고, 무조건적이며, 전심전력으로 공농병 군중 속으로 들어가자^{長期地、無條件地、全心全意地到工農兵群眾中去}」 및 왕위안젠의 단편소설 「친지^{親人}」, 장즈민의 단편소설 「재결합 이야기^{複婚記}」가 발표되었다.

13일, 『인민일보』에 쌍커자의 시 「분골쇄신^{粉屍碎骨}」, 푸스의 시 「한바탕 혼란^{一片混亂}」이 발표되었다.

『문회보』에 위핑보의 시 「정풍^{整風}」이 발표되었다.

15일, 『문예보』 제36호에 「문예간행물은 반드시 군중을 향해야 한다^{文學刊物必須面向群眾}」라는 기사가 게재되었다. 편집자의 말은 "현재 문예계의 정풍은 이미 세 번째 단계에 진입하였다. 우리 문예간행물은 어떻게 바로잡고 개조해야 할 것인가? 이 글을 통해 중요한 참고 의견을 제시한다"라고 밝혔다. 같은 호에 캉줘의 「황추윈의 수정주의 경향^{黃秋耘的修正主義傾向}」이 발표되었다.

『장화이문학』 12월호에 옌전의 시 「중국은, 지금 대청소를 하는 중이다^{中國, 正在進行一次大掃除}」가 발표되었다.

『신항』에 왕시옌의 논문 「『자야』를 논하다^{論＜子夜＞}」가 발표되었다.

『문회보』에 위링의 글 「우리는 강대한 공인계급 화극대오가 필요하다^{我們要有一支強大的工人階級話劇隊伍}」가 발표되었다.

상하이시 문화계, 희극계 인사들이 모여 희극가 탕현조 서거 340주년을 기념하였다. 곤곡가 위전페이, 경극 비유 옌후이주^{言慧珠} 및 상하이시 희곡학원 곤곡반의 전체 교사와 학생들이 합동으로 탕현조의 대표작 「모란정^{牡丹亭}」을 공연하였다.

16일, 『중국청년』 제24호에 자오수리의 잡문 「'재능'과 '효용'^{"才"和"用"}」이 발표되었다.

17일, 『인민일보』에 천이^{陳毅}의 시 「미얀마의 벗에게 바치다^{贈緬甸友人}」가 발표되었다.

『문회보』에 왕징즈의 시 「평화의 복음^{和平的福音}」이 발표되었다.

18일,『인민일보』에 웨예의 글「회극 관람 서신觀戲書簡」이 발표되었다.

귀샤오찬이 장편서사시『하나와 여덟一個和八個』을 탈고하였지만 이 당시에는 발표되지 않았다. 1959년 6월, 중국작가협회 당조는 귀샤오찬의 이 작품에 대해 내부 비판을 진행하였다. 같은 해 11월, 작가협회 당조는 12급 이상의 간부회의를 소집해 이 시가 '건강하지 못한 사상'을 선양하였다고 비판하였다. 그 내용은 "첫째, 사실상 반혁명분자 및 반혁명분자 숙청을 이용해 당을 공격하는 반동분자를 변호하고, 강도와 탈주병, 살인범을 변호하여, 그들이 무고하고 가련한 것처럼 묘사하고 있다……둘째, 당을 모독하고 당의 정책을 왜곡하였다. 이 작품의 내용에 따르면 당은 선량한 사람을 모함하는 집단이다……셋째, 주인공 왕진王金이라는 고립된 인물의 소위 '인격적 역량'을 터무니없을 정도로 과장해, 그 개인의 '인격'과 '고행'이 당의 집단 역량과 원칙적인 정책을 이길 수 있다고 묘사하였다. 넷째, 시 전체가 '인성론'이라는 반동 관점으로 가득 차 있다. 모든 인물이 '사람'의 '양심'을 가지고 있으며, 능동적인 '사람의 의의'를 가지고 있다"는 것 등이다.[7] 문화대혁명이 끝난 후에 이 시는『창장총간長江叢刊』1979년 제1집에 공개적으로 발표되었다.

19일,『문회보』에 푸경의 시「신안장이여, 내가 왔다新安江, 我來了」가 발표되었다.

『문예보』편집부에서 화극「찻집」좌담회를 소집해 자오쥐인, 자오사오허우趙少侯, 천바이천, 샤춘, 린모한, 왕야오, 장헌수이, 리젠우, 장광녠 및 저자 라오서가 참석하였다. 좌담회 내용은『문예보』1958년 제1호에 발표되었다.

20일,『베이징문예』에 딩망丁芒의 시「깃발旗」, 바이런의 시「오랫동안 헤어진 샤먼久別的廈門」, 비예의 산문「변경 잡기邊疆散記」, 류바이위의「톨스토이와 3등 열차칸托爾斯泰與三等車廂」, 구궁의「나는 그 작은 텐트가 그립다我思念那頂小小的帳篷」, 리시판의「'인정론'을 반박한다駁"人情論"」등이 발표되었다.

딩망(1925~), 본명은 천옌陳炎 혹은 천이밍陳軼明으로 장쑤성 난퉁南通 출신이다. 1943년부터 작품 발표를 시작하였다. 1948년에 중국공산당에 가입해 30년간 해방군에서 기자 및 편집자로 근무하였다. 이 기간 동안 20년간 총정치부에서 대형 혁명 회고록『불티가 번져 들판을 태우다』를 집필하였다. 저서로 보고문학『둥산섬東山島』(왕위안젠과 합동 창작),『먼터우산 해전門頭山海戰』, 단편소설집『징집에 응하기 전應征以前』(왕수허王澍合와 합동 창작), 서정시집『즐거운 햇빛歡樂的陽光』,

---

7) 귀샤오찬,「우경의 오류와 개인주의에 관하여—나의 사상 반성關於右傾錯誤和個人主義——我的思想檢查」, 귀샤오후이郭小惠 엮음,『반성문檢討書』제24-25쪽, 중국공인출판사 2001년

『그리움懷念』 등이 있다.

『춘뢰』 12월호가 신년 및 춘절 가창 작품 특집호로 발간되었다. 같은 호에 위찬雨川의 시 「늙지 않는 마음一顆不老的心」, 춘바이淳白의 시 「수수를 베다割高粱」, 둥제董傑의 시 「농촌으로 가다到農村 去」, 빙양冰洋의 단막 화극 「우정 홍기友誼紅旗」, 자오칭쉰趙慶勳의 평극 「양식을 나누다分糧記」가 발 표되었다.

『희극보』 편집부에서 각 극원의 원장을 초빙해 좌담회를 진행하여 1958년에 공농병을 위한 공 연을 강화할 것을 각 극원에 호소하였다. 진쯔광金紫光, 마사오보, 런훙, 어우양산쥔, 천치퉁, 우쒜 등이 참석하였다.

『인민일보』에 리잉의 시 「인도네시아에게致印度尼西亞」, 구궁의 산문 「집·거문고 소리—변경 에서 쓴 잡기家·琴聲——寫在邊疆的散記」가 발표되었다.

22일, 『문예보』 제37호에 궁무의 시 「시사잡영時事雜詠」, 옌원징의 글 「민족 무용극 「보련등」 을 보고民族舞劇<寶蓮燈>觀後」, 리시판의 글 「우리나라 현실주의 발전 과정에서의 『수호전』과 『금 병매』의 지위水滸和金瓶梅在我國現實主義發展中的地位」가 발표되었다.

23일, 저우언라이 총리가 상하이의 문학, 영화, 희곡, 음악, 미술, 신문출판 등 업계의 인사 90 여 명을 초청해 좌담회를 진행해 문화예술공작 및 지식분자의 노동단련 등의 문제에 관해 이야기 하였다. 저우신팡, 슝포시, 진이, 황쭝잉 등이 발언하였다.

『인민일보』에 쩌우디판의 시 「둥자오 축목장에서在東郊畜牧場」, 톈한의 글 「훙선 형을 기억하며 憶洪深兄」가 발표되었다.

『문회보』에 야오원위안의 글 「헤겔에서 가짜 양놈까지—쉬마오융 잡문 비판 제6편從黑格爾到假 洋鬼子——批判徐懋庸雜文之六」이 발표되었다.

25일, 『인민일보』에 메이란팡의 「울라노바와의 만남和烏蘭諾娃的會見」, 다이보젠戴伯健의 「'백 가쟁명'을 왜곡한 시—'99가 쟁명기'에 대한 비평一首歪曲"百家爭鳴"的詩——對"九十九家爭鳴記"的批評」 이 발표되었다. 다이보젠은 1957년 5월 7일자 『인민일보』에 발표된 무단의 시 「99가 쟁명기」를 비평하였다. 그는 글에서 "나는 이 시가 나쁜 시라고 본다. 작가는 비록 에둘러 표현하는 방법을 쓰 기는 했으나, 당의 '백화제방, 백가쟁명' 방침과 정풍운동에 대한 불신과 불만이 새어 나오는 것을 가리지는 못했다"라고 보았다.

『시간』 12월호에 궈샤오촨의 서사시 「백설의 찬가白雪的贊歌」가 발표되었다(1957년 11월 말에 창작). 짱커자는 이 시를 궈샤오촨의 다른 장시 『깊은 산골짜기深深的山谷』와 연관지어 "샤오촨 동지의 또 다른 장시 '백설의 찬가'에서도 마찬가지로 사랑에 관한 소재를 다루고 있다. 그러나 이 시는 '깊은 산골짜기'와는 다르다. 후자가 사상의 모순으로 인해 발생한 비극을 다루고 있다면, 전자는 위험을 경험한 끝에 두 사람의 사랑이 혁명에 대한 공통된 믿음 위에서 견고해져 마침내 하나가 되는 과정을 그렸다", "한 가지, 아주 중요한 한 가지가 주제의 적극적인 의의를 파괴해 중대한 결점이 되었다. 바로 의사라는 인물이 여주인공의 사랑에 동요를 일으켰다는 점이다"라고 평했다(짱커자, 「궈샤오촨 동지의 장시 두 편郭小川同志的兩首長詩」, 『인민문학』 1958년 제3호).

26일, 『인민일보』, 『해방군보』에 예젠잉의 「서행 잡시西行雜詩」가 발표되었다.

27일, 『인민일보』에 짱커자의 시 「연말 소시歲末小詩」, 린모한의 글 「반도의 변호사叛徒的辯護士」가 발표되었다.

『문회보』에 야오원위안의 글 「쉬마오융은 어떤 '소품문'을 제창하는가?—쉬마오융 잡문 비판 제7편徐懋庸提倡的是什麼"小品文"?——批判徐懋庸雜文之七」이 발표되었다.

『광명일보』에 메이란팡의 글 「샤오 노선생(주: 샤오창화蕭長華를 가리킴)의 예술노동과 도덕 품성蕭老先生的藝術勞動和道德品質」이 발표되었다.

28일, 『인민일보』에 아이우의 글 「우크라이나에서 아이에게 보낸 편지從烏克蘭寄給孩子們的信」가 발표되었다.

29일, 『문회보』에 차이추성의 글 「우리에게는 어떠한 희극이 필요한가我們需要什麼樣的喜劇」가 발표되었다.

30일, 상하이시의 작가 37명이 하방下放 단련을 진행하였다. 다음날, 『해방일보』에 사설 「사회주의 문예노선의 결정적 문제를 철저히 집행하자貫徹執行社會主義文藝路線的關鍵問題」가, 『문회보』에 사설 「공인계급 작가 대오의 노선을 건립하자建立工人階級作家隊伍的道路」가 발표되었다.

『문회보』에 진이의 글 「노동인민과 동고동락하다跟勞動人民同甘共苦」, 야오원위안의 글 「맺음말

몇 마디―쉬마오융 잡문 비판 제8편幾句結束的話——批判徐懋庸雜文之八」이 발표되었다.

31일, 『인민일보』에 쉬츠의 시 「파리 없는 마을無蠅小鎭」, 짱커자의 글 「시의 벗이 공장과 시골로 가는 것을 배웅하다送詩友下廠下鄕」가 발표되었다.

『광명일보』에 황옌페이의 시 「1957년을 환송하고, 1958년을 환영하다歡送1957年, 歡迎1958年」가 발표되었다.

이달에 화극운동 50주년 기념행사가 상하이에서 전개되었다. 상하이 희극학원 공연과에서 공연을 진행하고, 상하이인민예술극원에서 다음해에 「오규교」, 「회상봉喜相逢」, 「메아리回聲」 등 '5·4' 이후의 우수 작품 공연을 준비하였다.

중국청년예술극원이 베이징에서 양한성의 6막 역사극 「천국춘추天國春秋」를 공연해 장이성張逸生이 감독을 맡았다. 장한의 「삼성고조三星高照」는 정즈이鄭止怡가, 톈한의 「여인행麗人行」은 진산, 정톈젠鄭天健이 감독을 맡았다.

『문예학습』에 『인민문학』에 합병되었다. 장톈이가 『인민문학』 편집장을 맡았으며 천바이천, 웨이쥔이, 거뤄葛洛가 부편집장을 맡았다. 편집위원회는 아이우, 저우리보, 우쭈샹, 위안수이파이, 자오수리 등 9인으로 구성되었다.

상하이신문예출판사가 상하이문화출판사라는 이름으로 연속 정기 간행물 『민간문학집간』을 창간하였다.

허자후이의 『유럽 여행 수필旅歐隨筆』이 중국청년출판사에서 출간되었다. 「아드리아 해의 진주―베니스亞得裏亞海上的珍珠——威尼斯」 등의 작품이 수록되었다.

궈샤오촨의 시집 『청년 공민에게致靑年公民』, 허징즈의 시집 『농촌의 밤鄕村的夜』이 작가출판사에서 출간되었다. 궈샤오촨의 시집 『청년 공민에게』에는 대표작 「뜨거운 투쟁에 투신하다」, 「고난을 향해 진군하다」, 「대해에게致大海」 등을 비롯해 시인이 1955년 4월에서 1957년 10월 사이에 창작한 시가 수록되었다. 시집은 '청년 공민에게', '준명'집'遵命'集', '발언집發言集' 등 3부로 구성되었다. 시집 말미에 수록된 '몇 가지 설명幾點說明'에서 저자는 책의 제목과 내용, 그리고 주인공 '나'의 형상 등의 문제에 대해 상세히 설명하였다. 궈샤오촨은 시에 등장하는 '나'에 대해 "이것은 그저 대명사일 뿐이다. 소설 속의 1인칭처럼, 사실상 진짜 나는 아니다"라고 밝혔다. 연작시 「청년 공민에게」에서 '계단식' 배열 방법을 사용한 데 대해 시인은 "속마음은 사실 마야코프스키의 형식을 쓰려 한 것이 아니라, 내가 중국의 언어를 사용하는 데 능하지 못했기 때문인 것이 크다. 흘러넘치는 감정을 표현할 때 내 문장은 항상 매우 길어지는데(문장이 짧으면 늘 부족하게 느껴진다), 한 행에 스무 자를 넣으면 독자(특히 낭송가)들은 분명히 읽기 힘들 것이기 때문이다"라고 밝혔다.

량빈梁斌의 장편소설『홍기보紅旗譜』가 중국청년출판사에서 출간되었다. 저자는「나는『홍기보』를 어떻게 썼는가我怎樣創作了<紅旗譜>」에서 "『홍기보』는 단편에서 중편으로, 중편에서 장편으로 발전했다"라고 밝혔다(『문예월보』1958년 제5호). 여기서 단편은 저자가 1934년에 창작한「밤의 교류夜之交流」를, 중편은 1942년에 창작한「세 볼셰비키의 아버지三個布爾什維克的爸爸」를 말한다. 량빈은 1953년에 장편소설『홍기보』의 창작을 시작해 1953~54년 사이에『봉연도烽煙圖』의 초고를 완성하였고, 1955~56년 사이에『홍기보』와『파화기播火記』의 초고를 완성하였다. 제2부『파화기』는 1963년에 백화문예출판사에서 출간되었으며, 제3부『봉연도』는 1983년에야 출간되었다.

량빈은「『홍기보』창작 만담漫談<紅旗譜>的創作」에서 "내가『홍기보』를 쓸 당시 확실했던 것은 인물이 반드시 현실에 뿌리를 내리고, 대담하게, 그리고 가능한 한 이상과 연상을 이용해 강화하고 제고해야 한다는 것이었다", "내가 이 장편을 쓸 당시 중요 인물들은 모두 머릿속에서 모습이 잡혀 있었다. 가령 주라오중朱老忠이 등장한 후, 나는 본래 한 가족에서 아들 한 명씩(다구이大貴, 윈타오運濤)을 희생시키려 했으나 나중에는 결국 이들을 희생시키지 않았다. 또한, 나는 본래 주라오중을 보통 당원으로 묘사해 가오리 폭동高蠡暴動 이후에 집에 돌아와 잠복하게 하고, 윈타오와 장타오江濤도 석방되어 집에 돌아온 후 다시 일하게 할 생각이었다. 그러나 나중에 나는 인물들을 제고해 그들의 기세를 강화하고, 인물의 성격을 더욱 발전시키기 위해 이들을 홍군 대대장으로 삼았다. 때문에 주라오중은 보통 당원이 아니게 되었다"라고 말했다. 그는 또한 "민족적인 기상을 가진 소설을 완성하기 위해 나는 우선 특정 지역의 인민 생활을 깊이 있게 반영해야 한다고 생각했다. 지방색이 짙으면 민족의 기상을 드러낼 수 있다. 지방색을 강화하기 위해 나는 특정한 지역의 민속에 특별의 주의했다. 나는 민속이야말로 수많은 인민의 역사와 생활을 가장 잘 드러내는 것이라고 생각한다"라고 말했다(『인민문학』1959년 제6호). 펑무와 황자오옌은「신시대 생활의 장면－건국 후 10년간 장편소설의 풍작을 논하다」에서 이 소설을 "10년간의 중국 문학 창작 속에서 두드러진 수확"이라고 평하며, 주인공 주라오중에 대해서는 "우리의 10년간의 문학창작 속에서 가장 밝게 빛나는 별이요, 날개가 가장 풍성한 제비"라고 평했다(『문예보』1959년 제19호).

양쒀의 산문집『아시아의 일출亞洲日出』이 베이징출판사에서 출간되었다.

톈젠의 시집『마두금 노래집馬頭琴歌集』, 장융메이의 시집『말을 타고 총을 걸고 천하를 달리다騎馬掛槍走天下』가 중국청년출판사에서 출간되었다. 톈젠의 시집에는 시인이 1956년에서 1957년 사이에 창작한 시 30편이 수록되었다.

진이의 『마음의 노래心的歌』, 『강산만리江山萬裏』가 신문예출판사에서 출간되었다. 『마음의 노래』
에는 「레닌의 광휘가 나를 비추고 있다列寧的光輝照耀著我」, 「소치 성의 붉은 꽃索奇城的一朵紅花」 등이
수록되었으며, 『강산만리』에는 「하늘 높이 솟은 백양나무聳天的白楊」, 「양건쓰 열사비 앞에 서서站
在楊根思烈士碑前」, 「포즈링의 서광佛子嶺的曙光」, 「포즈링으로 가다到佛子嶺去」 등이 수록되었다.

1957년 정리

상하이청년화극단이 설립되었다. 본 화극단의 전신은 상하이희극학원 실험화극단으로 본래 상하이희극학원에 소속된 교육을 위해 복무하는 실험극단이었다. 1963년에 학원에서 독립해 '청년화극단'으로 명칭을 변경하였다.

뤄양시 문련에서 편찬한 격월간 잡지『모란牡丹』이 창간되었다.

신장병단新疆兵團 문련에서 편찬한 격월간 잡지『녹주綠洲』가 창간되었다.

『홍기가 바람에 펄럭인다紅旗飄飄』(제1~5집)가 중국청년출판사에서 출간되었다. 6월에 출간된 제1집은 인쇄 부수가 1~20,000부로, 이후에 기본적으로 10만 부 이상 인쇄되었다. 1962년에 캉성康生의 지적을 받아 총권 16호로 폐간되었다가 문화대혁명 후에 다시 간행되어 1985년 9월까지 총 29호를 발행하였다. 1979년에 '선별본'의 출판이 시작되었다.

주쯔칭의『중국 가요中國歌謠』, 자즈와 쑨젠빙孫劍冰이 편찬한『중국 민간고사선中國民間故事選』(제1집)이 작가출판사에서 출간되었다.

리웨난의『신화 이야기, 가요, 희곡산론神話故事、歌謠、戲曲散論』이 신문예출판사에서 출간되었다.

허만쯔何滿子의『신화시론神話試論』이 상하이출판공사에서 출간되었다.

마커의『중국 민간음악 강화中國民間音樂講話』가 베이징공인출판사에서 출간되었다.

장홍모張洪模 등이 번역한 소련 작가 바첸스카야의 저서『민간수집가가 알아야 할 것民歌搜集者須知』이 베이징음악출판사에서 출간되었다.

올해 상영된 중요 영화는 다음과 같다.

「불야성不夜城」(커링 각본, 탕샤오단 감독, 장난전영제편창江南電影制片廠 제작)

「어려움을 무릅쓰고 용감히 나아가다乘風破浪」(쑨위 각본, 쑨위, 장쥔차오蔣君超 감독, 장난전영제편창 제작)

「퉁소를 가로로 불다」(하이모 각본, 루런魯韌 감독, 하이옌전영제편창 제작)

「바다의 혼海魂」(선모쥔, 황쭝장 각본, 쉬타오 감독, 하이옌전영제편창 제작, 1959년 제10회 체코슬로바키아 노동인민영화제 세계평화 투쟁 2등 상 수상)

「간호사의 일기護士日記」(아이밍즈 각본, 타오진 감독, 장난전영제편창 제작, 1957년 1월 1일 상영)

「류바오 이야기柳堡的故事」(스옌石言, 황쭝장 각본, 왕핑王萍 감독, 8·1전영제편창 제작)

「여자 농구팀 5호女籃五號」(셰진謝晉 각본, 톈마전영제편창 제작. 1957년 제6회 세계청년축전에서 개최한 국제영화제 은상 수상, 1960년 멕시코 국제영화제 은모자상 수상)

「지극한 우애情長誼深」(쉬창린徐昌霖 감독, 장난전영제편창 제작)

「오경한五更寒」(스차오史超 각본, 옌지저우 감독, 8 · 1전영제편창 제작)

「양청의 잠복 초소」(천찬윈 각본, 루줴盧珏 감독, 하이옌전영제편창 제작)

「전투 속에서 성장하다」(후커 각본, 옌지저우, 쑨민孫民 감독, 8 · 1전영제편창 제작)

올해 말까지 중국 대륙에 설립된 출판사는 모두 103곳으로, 그 가운데 중앙급 출판사는 55곳, 지방 출판사는 48곳이다. 출판한 서적은 27,571종으로 그 가운데 신판 도서는 18,660종이며, 총 인쇄 수량은 12억 7,500만 권이다. 잡지는 634종이 출간되었다.

1958年

1월

1일, 『광명일보』에 사설 「결정적인 5년이 시작되었다關鍵性的五年開始了」가 발표되어 "기합을 넣어 최대한 빨리 조국을 사회주의 강국으로 건설하자"라고 호소하였다. 같은 호에 펑유란의 「회고와 전망回顧與展望」이 발표되었다.

『창장문예』 1월호에 왕원스의 소설 「노인老人」, 천보추이의 동화 「바람 아이의 이야기風孩子的故事」, 웨이양의 소설 「계화향이 날릴 때桂花飄香的時候」, 왕위안젠의 소설 「시골 들판의 화성村野的火星」, 사오화韶華의 소설 「아이에게 이름을 지어 주다給孩子命名」, 예웨이린葉蔚林의 산문 「용수와 보초병榕樹和哨兵」이 발표되었다. 같은 호에 지쉐페이의 논문 「중시할 만한 문제一個值得重視的問題」가 발표되었다. 지쉐페이는 글에서 문학이 공농병을 위해 복무해야 한다는 방침을 중시해야 하며, 현재 공농병 군중의 흡수 수준과 감상 습관을 고려해야 한다고 주장하였다.

예웨이린(1935~2006), 광둥성 후이양惠陽 출신이다. 1950년에 중국인민해방군에 참가해 문공단원, 문화교원, 선전간사 등으로 근무하였다. 50년대 중엽에 문학창작을 시작하였으며 하이난성 작가협회 주석을 역임하였다. 저서로 산문집 『해변 잡기海濱散記』, 『변경 잠복 초소邊疆潛伏哨』, 소설집 『백호白狐』, 『주상酒殤』 등이 있다.

『처녀지』 1월호에 사오화의 소설 「열 번째로 비평을 요청하다第十次請求批評」, 하오란의 소설 「북두성北鬥星」, 천보추이의 과학동화 「신년 만찬회新年晚會」가 발표되었다.

『불꽃』 1월호에 리수웨이李束爲, 시룽, 마펑의 토론 「가오무훙은 어디로 가는가?高沐鴻向何處去?」

가 발표되었다. 이 외에도 '단편소설 특집'란에 쑨첸의 「햇보리新麥」, 마펑의 「'3년 일찍 알다'三年早知道」, 하이모의 「인성人性」 및 톈젠의 산문 「사람과 시간人和時間」이 발표되었다.

리수웨이(1918~1994), 본명은 수쉐리束學禮, 필명은 수웨이束爲로 산둥성 둥핑東平 출신이다. 옌안루예 문학원을 졸업한 후 『진수이 대중보晉綏大衆報』 편집자, 중공진시베이지구위원회 선전부 부부장, 산시山西성위원회 선전부 처장, 산시성 문련 주석 등을 역임하였다. 1943년에 작품 발표를 시작하였다. 1992년에 산시성위원회와 산시성 정부로부터 '인민작가' 칭호를 받았다. 저서로 단편소설집 『첫 번째 수확第一次收獲』, 『춘추도春秋圖』, 『늙은 머슴老長工』, 『대사업大事業』 및 보고문학집 『난류의 봄 경치南柳春光』 등이 있다.

『맹아』 제1호에 평론 「뜨거운 투쟁 속으로 들어가자!到火熱的鬪爭中去!」, 후완춘의 소설 「철강 공장의 대문鋼鐵廠的大門」이 발표되었다. 같은 호의 편집자의 말은 중국작가협회 선양분회가 편찬하는 『춘뢰』가 1958년부터 『문학청년文學靑年』으로 명칭을 변경한다는 소식을 전했다.

2일, 『인민일보』에 사설 「시난, 둥베이와 전국을 연결했다把西南東北和全國連接起來了」와 덩퉈의 산문 「영웅의 길—바오청 철도 정식 개통 감상英雄的路——寶成鐵路正式通車有感」이 발표되었다.

3일, 『광명일보』에 왕징즈의 시 「흰 장갑을 낀 살수帶白手套的劊子手」가 발표되었다.

『문회보』에 기사 「1958—영화사업 약진의 한 해1958——電影事業躍進的一年」가 발표되었다.

『극본』 1월호에 류촨劉川의 화극 「청춘의 노래靑春之歌」, 장전의 단론 「새 극목을 방출하자放出新劇目來」가 발표되었다.

4일, 『인민일보』에 무단의 반성의 글 「나는 수업을 들었다我上了一課」가 발표되었다. 그는 글에서 자신의 시가 "여러 부정적인 장면에 대해 가볍게 해학적으로 다루기만 했을 뿐 비판하지 않았다"는 것을 인정하고, 풍자시를 어떻게 써야 하는가, 과장과 허구 및 현실의 관계는 어떻게 처리해야 하는가 등의 예술적인 구상 문제를 탐구하였다.

5일, 『문예월보』 1월호에 '장기적이고, 무조건적이며, 전심전력으로 공농병 군중운동 속으로 들어가자' 특집란이 개설되어 아이밍즈의 「공농 생활 속으로 단호히 투신하자堅決投身到工農生活中去」, 페이리원의 「장기적으로 노동 속에 정착하기로 결심하다決心長期在勞動中安家落戶」, 스퉈의 「노동, 지식의 어머니!勞動, 知識的母親!」, 바이웨이의 「작가는 영원히 인민에게 속한다作家永遠屬於人民」 등의 단론과 웨이진즈의 「물에 관하여關於水」, 탕타오의 「모스크바 서정莫斯科抒情」 등의 산문, 쭝푸의 시 「작은 자작나무의 걱정小樺樹的心事」, 자원자오賈文昭의 논문 「현실주의 문제 토론에서의 수정주의 관점을 논하다論現實主義問題討論中的修正主義觀點」, 샤오리曉立의 논문 「당성, 생활, 그리고 진실黨性、生活和真實」 등이 발표되었다. 샤오리는 류사오탕과 충웨이시가 『문예학습』 1월호에 발표한 「진실을 표현하는 것─사회주의 현실주의의 생명과 핵심」이라는 글에 대해 류사오탕은 문학작품이 '공식화'되고 '진실하지 못한' 원인을 당의 개념의 속박이라고 보아서는 안 된다고 지적하였다.

『초지』 1월호에 옌이의 시 「바오청 철도, 심금을 울리는 시편寶成鐵路, 動人心弦的詩篇」과 사어우의 시 「고향 3편故鄉三首」이 발표되었다.

『옌허』 1월호에 리뤄빙의 단론 「생활의 부름生活的召喚」이 발표되었다.

『인민일보』에 두펑청의 「영웅의 사업英雄的事業」이 발표되었다.

『문회보』에 샤옌이 중국 화극운동 50주년을 기념해 집필한 글 「잊을 수 없는 1930년─예술극사와 좌익희극가연맹 성립 전후難忘的一九三零年──藝術劇社與劇聯成立前後」가 발표되었다.

6일, 문화부에서 「반동적, 외설적, 황당무계한 서적 및 그림 처리 문제에 관한 통지關於處理反動、淫穢、荒誕書刊圖畫問題的通知」를 발포하여 과거에 일부 지역에서 『춘명외사春明外史』, 『셜록 홈즈의 모험福爾摩斯探案』 등 처리해서는 안 되거나 처리하지 않아도 될 서적을 처리했으며, 이 외에도 『중국 금융 연감中國金融年鑒』 등 처리 범위에 속하지 않은 일반서적을 처리하였으므로, 만약 이처럼 부당하게 처리한 도서를 발견하면 국무원이 지시를 통해 규정한 기준과 한도에 근거해 각 성, 시 인민위원회의 비준을 받아 개정할 것을 각지 문화국(청)에 요구하였다.

7일, 『인민일보』에 마오쩌둥의 사 「접련화 · 리수이에게 바치다蝶戀花 · 贈李淑一」 및 장광녠의 단론 「개인주의와 암個人主義與癌」이 발표되었다.

『홍암』 1월호에 량상취안의 시 「기적과 목적汽笛與牧笛」이 발표되었다.

8일, 『인민문학』 편집위원회가 개편되어 장톈이가 편집장을, 웨이쥔이, 거뤄, 천바이천이 부편집장을 맡았으며 아이우, 저우리보, 우쭈샹, 위안수이파이, 자오수리가 편집위원을 맡았다. 『인민문학』 1월호에 저우리보의 장편소설 『산촌의 대격변山鄉巨變』의 연재가 시작되어 제6호에 완료되었다. 단행본은 '본편'으로서 6월에 작가출판사에서 출간되었으며, 1960년 4월에 '속편'이 출간되었다. 같은 호에 류바이위의 「어느 쾌청한 아침一個晴朗的早晨」, 뤄빈지의 소설 「밤夜晚」, 천바이천, 류창랑劉滄浪, 왕밍푸, 황티의 희극 「어머나, 미국의 작은 달哎呀呀, 美國小月亮」, 라오서의 산문 「광희 잡기狂喜雜記」, 궈모뤄의 시 「새해여, 너를 환영한다!新年, 歡迎你!」, 리지의 시 「남행 5편南行五首」이 발표되었다.

같은 호에 '작가가 '진실 창작'을 말하다'란이 개설되어 두펑청의 「감상과 인상ㅡ'진실 창작'에 관하여感想與感受——略談"寫真實"」가 발표되었다. 두펑청은 글에서 "작가는 반드시 진실을 창작해야 하고, 문학작품은 반드시 진실을 반영해야 한다. 그렇지 않다면 사회주의 현실주의를 말할 수 있겠는가? '진실 창작'이 토론의 주제가 된 것은 이러한 간판 뒤에서 사람들이 각종 사적인 것들을 사고팔고 있기 때문이다. 수정주의자들은 현재의 행복한 생활과 행복한 생활을 건설하기 위해 전투하는 사람들을 왜곡하고 모독하고 있다"라고 보았다. 왕시옌은 「진실과 진리真實與真理」에서 문학의 진실 문제란 곧 작가의 사상 역량 제고 및 계급 입장 개조 문제이며, 또한 작가와 인민생활 및 실제 투쟁의 관계 강화 문제라고 보았다.

이 외에도 리류루의 「'60년의 변천'에 관한 기자의 질문에 답하다關於"六十年的變遷"答記者問」, 리젠우의 「'찻집'을 읽고讀"茶館"」가 발표되었으며, 우보샤오의 「거짓말쟁이를 배척하자斥說謊的人」가 발표되어 숭포시가 1957년 7월호에 발표한 '나를 예로 들어라請以我爲例'라는 글에 대해 우파분자의 언행이라고 비평하였다. 이번 호의 편집자의 말은 올해 1월부터 『문예학습』과 『인민문학』이 합병되어 『문예학습』이 폐간되었다고 밝혔다.

류창랑(1919~2002), 쓰촨성 루현瀘縣 출신이다. 공화국 성립 후에 중앙희극학원 창작실 화극조 조장, 중국극협 창작위원회 상임작가, 중국극협 『희극보』 상무편집위원, 쓰촨인민예술극원 창작실 주임, 문학부 주임, 예술위원회 주임 등을 역임하였다. 저서로 대형 화극 극본 『홍기의 노래紅旗歌』(합동 창작), 『사상 문제思想問題』(합동 창작), 『붉은 바위紅岩』(각색), 『충칭 담판重慶談判』(합동 창작) 및 단막 화극 극본 『어머니의 마음母親的心』, 『고등 쓰레기高等垃圾』, 『마음을 당에 바치다把心交給黨』, 『신기한 일新鮮事』 등이 있다.

9일, 『문회보』에 왕시옌의 산문 「높은 상공의 붉은 별高空的紅星」이 발표되었다.

10일, 『전초』 1월호에 루즈쥐안의 소설 「새로 당선된 청년단 지부 서기新當選的團支書」가 발표되었다.

『광명일보』에 가오스치의 시「나일 강변의 노랫소리尼羅河畔的歌聲」가 발표되었다.

11일, 『문예보』 편집위원회가 개편되어 바런, 궁무, 옌원징, 천샤오위, 천황메이, 허우진징, 장광녠, 왕야오로 구성되었다. 편집장은 그대로 장광녠이 맡았다. 제1호에 마오둔의 장편 논문『야독우기─사회주의 현실주의 등에 관하여夜讀偶記──關於社會主義現實主義及其它』의 연재가 시작되어 총 5회(제1, 2, 8, 9, 10호)에 걸쳐 연재되었으며 8월에 톈진백화문예출판사에서 출간되었다. 이 논문은 마오둔이 허즈의「현실주의─넓은 길」과 문예계에서 진행된 사회주의 현실주의에 관한 토론 문장을 읽고 구상한 것으로, 그 취지는 '문예에서의 수정주의 사상'을 비판하는 것이다. 마오둔은 글에서 '현실주의와 반현실주의의 투쟁'을 골자로 하여 국내외 문학 발전의 일반적 규율을 논술하였다. 그는 "어떠한 역사적 시기를 막론하고 두 가지 문학의 기본 경향이 서로 투쟁해 왔다. 이는 인민과 반인민, 현실에 대한 정확한 반영과 현실에 대한 왜곡 및 분식粉飾이다. 문학에서의 이러한 두 가지 기본 경향의 투쟁을 현실주의와 반현실주의의 투쟁으로 정리할 수 있다"라고 보았다. 그는 공식화 및 개념화된 작품은 고전주의의 "이성에서 출발해 '어때야만 하는가'를 파악한 것"과 같으며, 따라서 "현실주의, 특히 사회주의 작가는 그의 사상 방법으로 말하자면 본래 공식화 및 개념화된 작품을 창작하지 말아야 하지만, 실제로는 그런 작품이 생겨나고 있다"라고 보았다. 또한 이러한 작품은 고전주의와 낭만주의의 "2류, 3류 작가의 작품에서 아주 흔히 볼 수 있다"라고 지적하였다.

같은 호에 사오취안린이 중국작가협회 확대 당조회의에서의 발언을 수정한 논문「수정주의 문예사상의 일례─『태화집』 및 그 작가의 사상을 논하다修正主義文藝思想一例──論＜苔花集＞及其作者的思想』(황추원을 말함) 및 왕야오의「현대문학사의 몇 가지 중요한 문제의 이해에 관하여─쉐펑의「민주혁명의 문예운동」 등을 논하다關於現代文學史上幾個重要問題的理解──評雪峰＜論民主革命的文藝運動＞及其它」가 발표되었다.

이 외에도 1957년 12월 19일에 『문예보』 편집부에서 개최한 '라오서의「찻집」' 좌담회에서의 자외취인, 자오사오허우, 천바이천, 샤춘, 린모한, 왕야오, 장헌수이, 리젠우, 장광녠, 쉬츠 등의 발언이 게재되었다. 자오취인은 발언에서 라오서의 창작이 단순히 우매하고 우스꽝스러운 현상을 폭로한 것이 아니라 미래에 대한 희망을 품고 있으며, 더 높은 곳에 서서 과거를 대하고 있다고 보았다. 린모한은 라오서의 필치가 정제되어 있으며, 서로 다른 세 시대를 표현하면서 그 변화를 드러내었고, 몇 마디 대사와 문장을 통해 인물을 묘사해 각각의 인물이 모두 선명한 개성을 가지고 있다고 평하였다. 리젠우는「찻집」에 대해 "'두루마리 그림', 내지는 세 편으로 구성된 풍속화이다. 모든 막과 장이 파도가 아니라 진주이다"라고 평하였다.

『인민일보』에 두펑청의 소설 「철로 공사현장의 깊은 밤鐵路工地的深夜」, 천바이천의 평론 「'까마귀'와 '참새'의 재상영으로부터 이야기를 시작하다從"烏鴉"與"麻雀"的重映說起」가 발표되었다.

12일, 『해방군문예』 1월호에 비예의 소설 「눈바람 부는 변경風雪邊境」, 리잉의 시 「아, 양민리, 우리의 양민리여呵, 楊敏莉, 我們的楊敏莉」, 장즈민의 시 「산촌 경물山村即景」, 옌밍晏明의 단론 「환호하라, 동풍이 서풍을 압도했다!歡呼呵, 東風壓倒西風!」, 주딩의 산문 「고비 사막 잡기戈壁灘剳記」가 발표되었다.

『문회보』에 장경의 「화극사의 한 가지 교훈話劇史中的一條教訓」이 발표되었다.

13일, 『인민일보』에 가오스치의 과학 소품 「현대의 등불現代的燈」이 발표되었다.

『양청만보』에 사어우의 시 「사진照片」이 발표되었다.

『문회보』에 리루칭의 산문 「열정적인 가객—부대생활 잡기熱情的歌者——部隊生活剳記」가 발표되었다.

14일, 『인민일보』에 차이치자오의 시 「샹양의 노래襄陽歌」가 발표되었다.

『학술월간學術月刊』 1월호에 주광첸의 논문 「아름다움은 필연적으로 이데올로기적인 것이다美必然是意識形態性的」가 발표되었다.

15일, 『신항』 1월호에 리지의 시 「대해에게致大海」가 발표되었다.

『중국청년보』에 후완춘의 단편소설 「혈육骨肉」(국제문예대회에서 수상한 공인 작품)이 발표되었다.

『희극보』 제1호에 사설 「희극창작을 번영시키고, 위대한 시대를 노래하자繁榮戲劇創作, 歌唱偉大時代」가 발표되었다.

『문학청년文學靑年』이 창간되어 원페이文菲, 커푸柯夫가 편집장을 맡았다.

창잉집단長影集團에서 편찬한 격주간 잡지 『전영문학電影文學』이 창간되었다.

16일, 『인민일보』에 주광첸의 논문 「아름다움이 곧 미의 관점인가?美就是美的觀點嗎?」가 발표되어 아름다움은 주관과 객관의 통일임을 주장하였다. 이 외에도 귀모뤄와 자오푸추의 「이집트 여행 시초旅埈詩抄」및 천샤오위의 평론「아름다운 서정시—「철로 공사현장의 깊은 밤」을 읽고優美的抒情詩——談<鐵路工地的深夜>的後記」가 발표되었다.

『문회보』에 사설「상하이—문학예술가의 보고上海——文學藝術家的寶庫」및 우창의「심각한 변화, 강렬한 감상深刻的變化, 强烈的感受」이 발표되었다.

『맹아』제2호의 '시가 특집'에 옌이의 시「철강 공장에서在鋼鐵廠」, 웨이양의 시「1957년 기록1957年記事」이 발표되었다.

17일, 『인민일보』의 '상산하향한 동지들에게 바치다獻給下鄉上山的同志們'란에 사어우의 시「농촌에서 온 편지農村來信」가 발표되었다.

20일, 『베이징문예』1월호에 린진란의 산문「취재采訪」가 발표되었다.

21일, 『인민일보』에 장광녠의 잡문「다시 개인주의와 암을 말하다再談個人主義與癌」가 발표되었다.

『해방일보』에 야오원위안의 단론「두 가지 주의할 만한 소식兩條値得注意的消息」이 발표되었다.

24일, 『문회보』에 스팡위의「출발 전야에 쓰다寫在出發前夕」가 발표되었다.

『수확』1월호에 수췬舒群의 장편소설『이 세대 사람這一代人』, 관화의 중편소설「신준지辛俊地」, 뤄빈지의 단편소설「사육사가 개에게 물린 문제에 관하여關於飼養員給狗咬傷的問題」, 톈젠의 장시『룽먼龍門』, 리준의 영화문학 극본「노병신전老兵新傳」, 리지예의 산문「자오츠핑 열사를 기념하며趙赤坪烈士紀念」, 바진의 산문「잊을 수 없는 추억難忘的回憶」이 발표되었다.

25일, 『문회보』에「근검절약하는 문화사업 방침을 견지하자—문화부 소속 각 기관 간부대회에서의 첸쥔루이의 보고堅持勤儉辦文化事業的方針——錢俊瑞在文化部所屬各單位幹部大會上作的報告」가 발표되었다.

『시간』1월호에 류바이위의 단론「시에 대한 희망對詩的希望」, 짱커자의 시「당신보다 더 우렁찬 목소리는 없다沒有什麼聲音比你更響亮」, 왕징즈의 시「미사일에는 선악의 구분이 있다導彈有善惡之分」, 톈젠의 잡기「'전투자에게'의 말미에 쓰다寫在"給戰鬥者"的末頁」, 쉬츠의 잡기「시인들은 이미 멀리 떠났다詩人們已經遠行」, 궁무의 논문 「궁류의 최근작 비판公劉近作批判」이 발표되었다. 궁무는 글에서 궁류의 시편이 "반혁명분자 숙청에 대해서든, 오늘날의 현실 속에서의 사람과 사람의 관계에 대해서든, 다른 꿍꿍이를 품고 악독하게 왜곡하고 모독하고 있다"라고 보면서, "혹자는 궁류의 이러한 「우화시」들을 「금수편禽獸篇」이라 칭하며 류사허의 「초목편」에 비교해 이에 견줄 만한 '자매편'이라고 평한다. 내가 보기에 견줄 만한 정도가 아니라, 더하면 더했지 못하지는 않다"라고 보았다.

베이징인민예술극원이 베이징에서 「어머나, 미국의 작은 달」(천바이천, 류창랑, 왕밍푸, 황티 각본, 어우양산쭌, 린징林婧 감독), 「전투의 일요일戰鬥的星期天」(천중쉬안陳鍾瑄 각본, 어우양산쭌 감독), 「고등 쓰레기」(류창랑 각본, 바이썬柏森 감독), 「황탄을 면회하다」(광청 각본, 메이쳰 감독) 등 4편의 시사극을 공연하였다.

26일, 『문예보』 제2호에 '재비판'란이 개설되어 딩링, 왕스웨이王實味, 샤오쥔, 뤄펑, 아이칭 등이 1942년에 옌안에서 발표한 글들에 대한 '재비판'이 진행되었다. 마오쩌둥의 대대적인 수정과 보충을 거친 '편집자의 말'은 "무엇을 '재비판'하는가? 왕스웨이의 「개나리꽃野百合花」, 딩링의 「3·8절 감상三八節有感」, 샤오쥔의 「동지의 '사랑'과 '인내'를 논하다論同志之 "愛"與 "耐"」, 뤄펑의 「여전히 잡문의 시대이다還是雜文的時代」, 아이칭의 「작가를 이해하고 존중하자了解作家, 尊重作家」를 비롯한 여러 편의 글을 비판하는 것이다", "'기이한 글을 함께 감상하며, 그 이치를 함께 풀어 나간다'. 많은 이들이 이 '기이한 글'들을 읽고 싶어 한다", "기이한 이유는 혁명가의 모습으로 반혁명적인 글을 썼기 때문이다. 후각이 기민한 이들은 한눈에 이를 간파했지만, 다른 이들은 다들 속아 넘어갔다. 외국인들 가운데 딩링과 아이칭의 이름을 아는 이들은 어쩌면 이 일의 자초지종을 알고 싶어 할지도 모른다. 따라서 우리는 이 글들을 전부 다시 게재한다"라고 밝혔다. 그는 또한 "딩링, 왕스웨이 등의 노동에 감사한다. 독초가 비료가 된 것처럼, 그들은 우리나라 수많은 인민의 스승이 되었다. 그들은 확실히 인민들에게 우리의 적이 어떻게 공작을 하는지 알려주었다. 코가 막힌 이들은 코가 뚫렸고, 세상사를 모르고 천진난만하던 청년과 노인들은 여러 가지 세상사를 단번에 알게 되었다"라고 말했다.[1] '재비판'란에 린모한의 「왕스웨이의 '개나리꽃'王實味的"野百合花"」, 장광녠의 「옌안에서의 소피 여사—딩링의 소설 「병원에서」에 관하여莎菲女士在延安——談丁玲的小說<在醫院中>」, 옌원징의 「뤄펑의 '단검'은 어디를 향하는가?—「여전히 잡문의 시대이다」 다시 읽기羅烽的 "短劍"指向哪裏?——重讀<還是雜文的時代>」, 펑즈의 「아이칭의 「작가를 이해하고 존중하자」에 반박한

---

1) 『건국 이후 마오쩌둥 문고』 제7권, 제19-23쪽, 중앙문헌출판사 1992년

다駁艾青的<了解作家, 尊重作家>」 등 비판의 글이 발표되었다.

27일, 『문회보』에 페이리원의 소설 「같은 일에 대하여在同一件事情上」, 리루칭의 시 「공사현장의 홍기工地上的紅旗」가 발표되었다.

28일, 『희극보』 제2호에 「현대 소재 극목에 관한 문제關於現代題材劇目的問題」라는 제목으로 현대 소재 극목 공연이 외면당하는 문제에 관한 희극계 인사들의 토론문이 발표되었다.

29일, 『인민일보』에 빙신의 시 「이집트 인민에게 경의를 표하다向埃及人民致敬」가 발표되었다. 『양청만보』에 예웨이린의 산문 「노랫소리歌聲」가 발표되었다.

30일, 『광명일보』에 진커무의 단론 「우파분자를 어떻게 인식하고 처리하며, 관용과 엄격함을 어떻게 결합할 것인가怎樣認識和處理右派分子, 寬嚴如何結合」가 발표되었다.

31일, 『인민일보』에 우보샤오의 시 「하향을 축하하며祝賀下鄕」가 발표되었다.

『희극보』 제2호에 천궁민의 「새 극본 「청춘의 노래」新劇本<靑春之歌>」가 발표되었다. 천궁민은 글에서 류촨의 5막 화극 「청춘의 노래」(『극본』 1958년 1월호에 발표)에 대해 "이 희곡은 「뻐꾸기가 또 울었다」의 뒤를 잇는, 현재 농촌생활을 묘사하고, 당이 제시한 '상산하향'의 위대한 호소를 긴밀히 결합한 새로운 희곡이다. 이는 우리의 희극창작이 나날이 왕성하게 발전하는 기쁜 현상이다……전체적으로 보아, 이 극본은 인물 묘사와 예술 구조에 있어 성숙하지 못한 부분이 보인다. 그러나 작가가 선택한 주제는 중대한 현실 의의를 가지고 있고, 소재는 참신하며, 농촌의 실제 모습과 격변 속을 살아가는 인물의 정신적인 면모가 비교적 생생하게 반영되어 있다"라고 평하였다.

이달에 펑즈의 「아이칭의 시를 논하다論艾靑的詩」가 『문학연구』 제1호에 발표되었다. 이 글은 아이칭을 비판한 글 가운데 이론적인 면이 가장 돋보이는 글로 평가된다.

류바이위의 「특필을 논하다論特寫」가 『신문전선新聞戰線』 제1호에 발표되었다. 이 글은 보고문학 이론에 관한 논문으로, 「보고문학을 논하다論報告文學」라는 제목으로 『중국당대문학연구자료총서·류바이위 전집中國當代文學硏究資料叢書·劉白羽專集』에 수록되었다.

양모楊沫의 장편소설『청춘의 노래青春之歌』가 작가출판사에서 출간되었다. 이 작품의 창작계획은 1951년 9월 하순에 시작되었다. 1954년 말에 35만 자에 달하는 초고가 완성되었다. 처음에는 제목을『수많은 단련을 겪다千錘百煉』로 정했으나 이후에『꺼지지 않는 들불燒不盡的野火』로 변경하였다. 1955년 5월에 출판사에서 전문가에게 원고 심사를 요청하였다. 1956년 1월에 심사위원은 소설의 예술 형식에 대해서는 긍정하였으나, 사상적인 문제가 다수 존재한다는 의견을 표하였다. 1956년 5월, 작가출판사에서는 원고를 접수하였다. 양모는 수정을 시작하면서 제목을『청춘의 노래』로 변경하였다. 소설은 '9·18' 사변과 '12·9' 운동을 배경으로 하여 소자산계급 지식 여성인 린다오징林道靜의 성장 과정을 묘사하였다.

소설이 출간된 직후에는 호평이 쏟아졌다. 1959년 베이징 진공관 공장의 공인 귀카이郭開가「린다오징에 대한 묘사에 나타난 결점에 관하여略談對林道靜的描寫中的缺點」(『중국청년』1959년 제2호)에서 최초로 소설에 대해 공개적인 비판을 한 이후 본 소설에 대한 전국적인 토론이 시작되었다. 양모는 토론 과정에서 제기된 의견을 1. 린다오징의 소자산계급 감정 문제, 2. 린다오징과 공농의 결합 문제, 3. 입당 후의 린다오징의 역할 문제, 4. '12·9' 학생운동이 충분히 강력하게 표현되지 않은 문제 등으로 정리하였다.

이 문제들에 대해 양모는 3개월에 걸쳐 원고를 수정하였다. 지식분자와 공농이 결합하는 주제를 돌출시키기 위해 린다오징이 농촌에서 생활하는 내용의 7장과 학생운동을 다룬 3장을 추가하였다(글자수 7만 자에 달하는 총 10장을 추가). 양모의 이러한 대처와 수정 후의『청춘의 노래』는 다시 긍정과 부정 두 가지 의견의 논쟁을 불러일으켰다. 문화대혁명 기간에 본 소설은 독초로 규정되어 양모는 반혁명 작가라고 비판받았다. '사인방'이 실각한 후에야 작가와 작품 모두 복권되었다.

양모(1914~1995), 여성 작가로 본명은 양청예楊成業이며 필명은 양쥔모楊君默, 양모楊默, 샤오후이小慧 등이다. 후난성 샹인 출신이다. 1936년에 중국공산당에 가입하였다. 『여명보黎明報』,『진차지 일보』,『인민일보』등 신문의 편집자, 베이징전영제편창 각본가, 베이징시 문련 주석, 전국인민대표대회 상무위원 등을 역임하였다. 1934년부터 작품을 발표하였다. 저서로 장편소설『청춘의 노래』,『동녘이 밝아온다東方欲曉』, 중편소설『갈대밭 이야기葦塘紀事』, 단편소설집『붉디붉은 산나리꽃紅紅的山丹花』, 산문집『자유—나의 일기自白——我的日記』,『일기가 아닌 일기不是日記的日記』,『대하와 물보라大河與浪花』및 영화극본『청춘의 노래』등이 있다.

펑더잉馮德英의 장편소설『씀바귀꽃苦菜花』이 해방군문예출판사에서 출간되었다.

펑더잉(1935~), 산둥성 웨이하이 출신이다. 1949년에 군에 입대해 1980년에 전역하였다. 공군 정치부 문화부 창작원,『취안청泉城』,『시대문학』편집장, 산둥성 작가협회 주석 및 당조서기를 역임하였다. 1953년에 소설 창작을 시작해 1958년에 발표를 시작하였다. 저서로 장편소설 『씀바귀 꽃』, 『영춘화迎春花』, 『산국화山菊花』, 『피로 물든 토지血染的土地』, 『쾌청한 하늘晴朗的天空』, 영화 극본 『씀바귀꽃』, 『여자 조종사女飛行員』 등이 있다.

샤오예무의 단편소설집 『잊을 수 없는 세월難忘的歲月』, 야오원위안의 문예이론집 『문학에서의 수정주의 사조를 논하다論文學上的修正主義思潮』가 신문예출판사에서 출간되었다.

차이치자오의 시 『메아리 속편回聲續集』, 커란의 산문시집 『아침노을 피리』, 친무의 산문집 『패 각집貝殼集』이 작가출판사에서 출간되었다.

산문특필집 『숲속의 밥 짓는 연기森林炊煙』가 베이징출판사에서 출간되었다. 책에는 『인민문학』 1957년 1월호~8월호에서 선정한 작품들이 수록되었다.

2월

1일, 『양청만보』에 사어우의 시 「재회重逢」가 발표되었다.

『창장문예』 2월호에 지쉐페이의 소설 「3월의 풍운三月裏的風雲」, 하이모의 소설 「땀에 젖은 솜 저고리 안감汗漬的棉襖裏子」, 류전의 소설 「난초蘭」, 쑨첸의 소설 「할아버지 · 아들 · 손자爺爺 · 兒子 · 孫子」, 가오잉의 시 「다량산 야곡大涼山夜歌」, 쑨징쉬안의 시 「나는 하늘에서 땅을 노래한다我在天空 歌唱大地」, 장융메이의 시 「도끼의 노래斧之歌」, 차이치자오의 시 「한수이 4편漢水四首」, 옌이의 시 「고원 단가高原短歌」가 발표되었다.

『작품』 2월호에 1957년 12월 25일에 진행된 광둥성 문예계 정풍운동 학습대회에서의 타오주陶 鑄의 연설 「정풍학습에 관한 연설關於整風學習的講話」이 발표되었다. 그는 글에서 강대한 공인계급 문예대오를 건설해야 하며, 문예계는 반드시 사상개조를 더 강력히 진행해야 하고, 당은 반드시 문예사업에 대한 지도를 강화해야 한다고 주장하였다. 같은 호에 친무의 단론 「모든 죄악을 깨부 수는 '보좌'摧毀一切罪惡的"寶座"」가 발표되었다.

『불꽃』 2월호에 린진란의 소설 「머리끈髮繩」, 시룽의 소설 「아가씨의 비밀姑娘的秘密」, 장융메이 의 시 「망아석望兒石」, 비예의 산문 「산을 허물어 길을 내다劈山開路」, 리뤄빙의 산문 「치롄에 눈이 분분히 내린다祁連雪紛紛」가 발표되었다.

『신관찰』 제3호에 쉬츠의 통신 「쫓아라! 전문가를 쫓아가라!"追!追專家去!"」, 구궁의 시 「고비 사막의 햇빛大戈壁上的陽光」, 리차오의 시 「얼하이에서 진사장까지從洱海到金沙江」가 발표되었다.

『처녀지』 2월호에 구궁의 영화문학 극본 「머나먼 여정遙遠的旅程」이 발표되었다.

『맹아』 제3호에 탕커신의 소설 「혈육親骨肉」, 쩌우디판의 시 「어느 백의의 전사에게給一個白衣戰士」가 발표되었다.

2일, 『광명일보』에 쨩커자의 단론 「재비판의 중대한 의의再批判的重大意義」가 발표되었다. 이 글은 『문예보』 1월 26일자의 '재비판'에 호응하는 글이다. 그는 글에서 "딩링, 천치샤 반당집단은 당원의 신분으로 반당 행위를 하였으며, '혁명문학가'라는 이름으로 반혁명 행위를 하였다. 그들을 비판해야 할 뿐만 아니라 영혼 깊은 곳이 그들과 유사한 더러운 개인주의자들도 비판하고 숙청해야 한다"라고 지적하였다.

3일, 『극본』 2월호에 류즈밍의 「지도를 강화하고, 더 좋은 극본을 더 많이 생산하기 위해 노력하자加強領導, 爲産生更多更好的劇本而努力」, 리룬李綸의 「더 많은 작품을 창작해 위대한 시대를 노래하자創作更多作品, 歌唱偉大的時代」가 발표되었다.

4일, 『인민일보』에 바진의 산문 「전에 없던 봄空前的春天」, 리잉의 시 「등불燈」이 발표되었다.

『양청만보』에 정민鄭敏의 시 「어느 부유한 나라가 있다有一個富國」가 발표되었다.

정민(1920~), 여성 시인이자 문학평론가로 푸젠성 민허우 출신이다. '구엽시파九葉詩派' 시인 중 한 사람으로, 1942년부터 시 창작을 시작해 「황금빛 볏단金黃的稻束」 등 우수한 시를 창작하였다. 1960년에 베이징사범대학으로 이동해 교편을 잡았다. 저서로 시집 『시집 1942~1947詩集1942-1947』, 『구엽집九葉集』(합동 창작), 『심멱집尋覓集』, 『정민 시집鄭敏詩集』 등이 있으며 논문 및 번역 문집으로 『영미시가희극연구英美詩歌戲劇硏究』 등 다수가 있다.

5일, 『옌허』 제2호에 두펑청의 스케치 「밤에 링관샤를 가다夜走靈官峽」, 리뤄빙의 산문 「차이다무 수기 제1, 2편柴達木手記之一、二」, 옌이의 시 「조국이여, 받아들이기를祖國, 請接收吧」, 쑨징쉬안의 시 「다바산 시편大巴山詩章」, 왕원스의 소설 「대목수大木匠」가 발표되었다.

『변강문예』 제2호에 사어우의 시 「산촌山村」이 발표되었다.

『문예월보』 2월호에 루즈쥐안의 소설 「과수원에서在果樹園裏」, 웨이양의 시 「양식에 관하여關於

糧食」, 커란의 산문 「보내지 않은 편지一封未發出的信」, 왕안유의 산문 「나는 이제 뱃멀미를 하지 않는다我現在不暈船了」, 량빙梁冰의 논문 「「홍일」의 몇몇 인물에 관하여談<紅日>中的幾個人物」, 이췬의 잡담 「어느 길로 가야 하는가該走哪一條路」, 웨이진즈의 잡담 「실패한 경험을 말하다談談失敗的經驗」 가 발표되었다. 웨이진즈는 글에서 "농촌 생활은 가장 풍부한 생활이며, 문학 자원을 얻기에도 가장 손쉬운 길이다. 그러나 오랫동안 머무르면서 농민과 완전히 어우러져 운명을 함께해야만 보물이 가득한 산속으로 깊이 들어갈 수 있다"라고 보았다.

『초지』 2월호에 톈젠의 평론 「후스의 『상시집』을 논하다論胡適的<嘗試集>」가 발표되었다. 그는 글에서 『상시집』이 봉건사상의 보루이며 수입품의 쓰레기더미라고 비판하면서, 인민과 함께 투쟁하고, 노동인민의 사상과 정서 및 언어 창작을 깊이 파악하고 있어야만 창조를 논할 수 있다고 지적하였다.

『인민일보』에 차오위의 산문 「우리의 봄我們的春天」이 발표되었다.

6일, 『인민일보』에 아이우의 산문 「봄 속의 봄春天裏的春天」이 발표되었다.

7일, 『홍암』 2월호에 옌이의 시 「설산의 들불雪山野火」, 쑨징쉬안의 시 「바오청 철도 시초寶成鐵路詩抄」, 가오잉의 논문 「장샤오의 어두운 영혼張曉的黑暗的靈魂」이 발표되었다.

『우화』 2월호에 가오스치의 과학소품 「·얼음의 화석"冰的化石」, 천서우주의 이론 「창작의 자유를 논하다論創作自由」가 발표되었다.

8일, 『인민문학』 2월호에 두펑청의 소설 「어느 평범한 여인一個平常的女人」, 취보의 소설 「열처리熱處理」, 리잉의 시 「농촌 4편農村四首」 및 라오서가 『인민문학』의 청탁을 받아 집필한 산문 「어느 청년에게 답하다答某青年」, 궈펑의 산문 「고향의 화집故鄉的畫冊」, 아이우의 특필 「양허 대수로洋河大渠」, 롼장징의 특필 「광산의 의사礦山醫生」 등이 발표되었다. '작가가 '진실 창작'을 말하다'란에는 마오둔의 「소위 진실 창작에 관하여關於所謂寫真實」의 연재가 계속되었다. 그는 "'진실 창작'이라는 구호의 본질은 수정주의적인 것이며, '어두운 면 폭로'의 대명사이다"라고 지적하였다. 뤼빈지의 「왕푸징 대로에서 본 것에서 연상한 것從王府井大街所見而想起的」는 "우리 자신을 꿀벌로 변화시켜야만 꽃의 향기를 맡을 후각을 얻을 수 있다"라고 보았다. 이상의 글들은 모두 '진실 창작'을 비판하였다. 사오화의 「진실의 왜곡真實的歪曲」은 "시대의 진실, 역사의 진실이 필요하다!"라고 호소하였다.

이 외에도 위안수이파이의 평론 「쉬마오융은 마오 주석의 '옌안문예좌담회에서의 강화'를 함부로 왜곡했다徐懋庸肆意歪曲毛主席"在延安文藝座談會上的講話"」가 발표되었다. 이 글은 1957년 11월의 쉬마오융 비판 대회에서의 발언으로, 그는 글에서 문예공작자의 입장 문제, 공인 군중에의 침투 문제, 인성론, 문예의 임무는 과연 폭로인가 하는 문제, 송가 문제, 잡문 관점 등에 대해 하나하나 반박하였다.

바런의 평론 「'영웅 인물 약론'"略論英雄人物"」은 펑쉐펑의 「영웅과 군중 및 기타英雄和群眾及其他」(『문예보』 1953년 제24호)에 대한 평론으로, 그는 글에서 펑쉐펑이 영웅 인물 창조를 긍정하는 논점 뒤에서 제2차 문대회에서 제기된 적극적인 긍정적 인물 창조라는 구호를 부정하고 있다고 보았다.

이번 호 '편집자의 말'은 "이번 호부터 두 가지 란을 증설한다. 하나는 '단론'으로, 예전에 본지에 개설되었던 것을 다시 복구하였다. 앞으로 작가들이 짧지만 전투력이 풍부한 글을 많이 공급해 주기를 바란다"라고 밝혔다.

이 외에도 샤오싼의 시 「우정의 노래友誼之歌」와 리지예의 시 「피카소 동지를 방문하다訪畢加索同志」가 발표되었다.

『해방군보』의 '사회주의 동방 전초지기를 수호하는 조선 인민군에게 경의를 표하다'란에 웨이웨이의 산문 「용사는 동방을 수호한다勇士鎮守在東方」가 발표되었다.

9일, 『광명일보』에 멍차오의 산문 「미국 '실력 정책'의 말로―「어머나, 미국의 작은 달」 극본과 공연 감상美國"實力政策"的下場――看<哎呀呀, 美國小月亮>劇作和演出有感」이 발표되었다.

10~14일, 문예부에서 8대 도시 예술공연단체 책임자 및 12개 성시 문화국 대표공작자 회의를 소집해 상산하향, 공농 침투 공연 문제에 관해 중점적으로 논의하였다. 회의에 참석한 41개 공연단체 대표들은 합동으로 제안서를 제출하여 전국의 각 형제 극단 사이의 경쟁을 전개할 것을 제의하였다. 『희극보』 제4호에 「예술공연단체들이 대약진의 나팔을 불다藝術表演團體吹起了大躍進的號角」라는 제목의 기사가 게재되었다.

11일, 『문예보』 2월호에 롼장징의 시 「강철의 맹세鋼鐵的誓詞」, 허우진징의 평론 「읽는 이를 황홀하게 하는 장편소설―『임해설원』을 읽고一部引人入勝的長篇小說――讀<林海雪原>」가 발표되었다. 허우진징은 글에서 소설의 환경 묘사를 긍정하고, 언어적 특징을 분석해 본 소설이 대단히 구어화되어 있으며 고전소설의 창작방법을 흡수하였으나, 다소 서구화된 색채가 보인다고 평하였다. 이 외에도 류바이위의 산문 「아이슬란드의 꽃冰島的花」 등이 발표되었다.

『해방군보』에 리루칭의 시 「노동전선의 자제병子弟兵在勞動戰線上」이 발표되었다.

12일, 『해방군문예』 2월호에 '소련군 건군 40주년 경축'란이 개설되어 하이모의 소설 「샤좡을 추억하며憶夏莊」, 류바이위의 산문 「우리 마음속의 소련 홍군我們心中的蘇聯紅軍」, 웨이웨이의 산문 「홍군 예찬紅軍贊」 및 쉬화이중의 평론 「어째서?爲什麽?」가 발표되었다.

『인민일보』에 예성타오의 시 「여러 동지들의 하향을 배웅하다送下鄉諸同志」, 쩌우디판의 산문 「사청의 초봄 밤沙城初春夜」이 발표되었다.

13일, 『인민일보』에 톈한의 「창작 번영을 위해 '3년간 고투'하다爲繁榮創作"苦戰三年"」가 발표되었다. 그는 글에서 문학예술의 건설 고조에의 호응에 대한 네 가지 의견을 제시하고, 창작을 번영시켜 백화제방을 이뤄야 한다고 보았다. 표현 형식은 다양할 수 있지만 우선 사회주의 내용을 강조해야 한다고 주장하면서, 작가와 예술가들의 주된 역량은 현재의 위대한 투쟁을 반영하고, 공인과 농민이 창조한 성취를 노래하는 데 사용해야 한다고 지적하였다. 그는 작가와 예술가들이 우선 인민에 다가가고, 노동하는 사회주의자들을 사랑해야 한다고 보면서, 노동 단련을 거친 작가와 예술가들은 분명히 더 좋은 작품을 창조할 수 있다고 보았다. 그는 또한 보통화 보급이 방언의 배척을 뜻하지는 않으며, 지방극은 오랫동안 존재할 것이라고 보았으며, 인물과 배경을 지나치게 치장해 낭비하는 현상은 응당 근절되어야 한다고 지적하였다.

13~16일, 중국문련과 각 협회 및 연구회에서 회의를 소집해 문예창작을 더욱 발전시켜 전국의 대약진 형세에 호응하는 방법에 대해 토론하고, 쉬광핑, 우쭤런을 중국문련 주석단 위원으로 선출하였다. 『광명일보』 21일자에 「문예창작을 추진해 약진의 새로운 형세에 적응하자推動文藝創作適應躍進新形勢」라는 제목의 기사가 게재되었다.

14일, 『인민일보』에 덩퉈의 시 「황징 동지를 애도하며挽黃敬同志」, 쉬광핑의 산문 「봄의 나팔소리春的號聲」가 발표되었다. 같은 호에 중국경극원, 중국평극원, 중국청년예술극원, 중국잡기단의 책임자 13인이 예술단체 공작회의에서 근검절약해 극단을 운영하고, 자급을 쟁취하고, 작품 내용을 풍부히 해 전국 예술단체에 도전할 것을 발표했다는 내용의 기사가 게재되었다.

『광명일보』에 왕징즈의 시 「중소 동맹의 노래中蘇同盟歌」, 천보추이의 산문 「갓난아이의 웃음소리嬰孩的笑聲」가 발표되었다.

15일, 『문예보』 편집부에서 '문풍 좌담회文風座談會'를 소집해 라오서, 짱커자, 자오수리, 예성 타오, 빙신, 우쭈샹. 천바이천, 주광첸, 쭝바이화, 왕야오, 궈샤오촨, 후커, 장광녠, 허우진징, 천샤오위 등이 참석하였다. 『문예보』 제4호에 「팔고문에 반대하고, 문풍을 해방시키자反對八股文, 文風要解放」라는 제목으로 본 좌담회의 발언 기록이 발표되었다.

『문학청년』 2월호에 하오란의 소설 「감찰주임監察主任」, 궁무의 「천재, 기교, 생활 만담漫談天才、技巧與生活」이 발표되었다.

『희극보』 제3호에 톈한의 「희극창작을 번영시키고, 사회주의 건설의 고조를 격려하자繁榮戲劇創作、鼓舞社會主義建設高潮」가 발표되었다. 이 외에도 '현대 소재 극목에 관한 문제'라는 제목으로 현대 소재 극목 공연이 외면당하는 문제에 관해 지속적으로 토론하였다.

16일, 『광명일보』에 빙신의 산문 「왼쪽으로 가자, 큰 걸음으로 가자向左走, 開步走」가 발표되었다.

『문회보』가 '희극' 부간을 '희극과 영화'로 명칭을 변경하였다.

『신관찰』 제4호에 사어우의 시 「미국의 작은 위성의 심정美國小衛星的心情」, 궈모뤄의 단론 「문화번영의 고조는 반드시 온다―알바니아 노동당 중앙 기관지 「인민의 목소리」의 세 가지 문제에 답하다文化繁榮的高潮必然到來――答阿爾巴尼亞勞動黨中央機關報 <人民之聲報> 所提三個問題」, 류바이위의 「6만만 개의 태양六萬萬個太陽」, 옌원징의 잡문 「그들의 길은 옳다他們的路走對了」가 발표되었다.

17일, 『인민일보』에 라오서의 「백화제방하는 봄百花齊放的春天」, 덩퉈의 잡문 「'유동 사무실'과 '현장 회의'"流動辦公室"和"現場會議"」가 발표되었다.

18일, 『인민일보』에 짱커자의 시 「봄의 노래春天的歌」, 사어우의 시 「봄날 풍경이 무한히 아름답다春光無限好」, 톈한의 시 「1958년의 봄을 노래하다歌一九五八年之春」, 자오수리의 쾌판 「농촌에서의 '봄'의 변화"春"在農村的變化」가 발표되었다.

『문회보』에 우창의 산문 「조국 대약진의 발걸음을 따라 전진하자跟著祖國大躍進的足音前進」, 후완춘의 산문 「봄에 '친정'으로 돌아가다―상강 2공장 순례春天回"娘家"――上鋼二廠巡禮」, 왕시옌의 산문

「호쾌한 봄豪邁的春天」, 진이의 산문 「나는 주화공이 되었다我當上了鑄花工」가 발표되었다.

20일, 『베이징문예』 2월호에 뤄빈지의 소설 「월출月出」이 발표되었다.

21일, 『광명일보』에 천보추이의 단론 「사회주의를 향해 달려가다奔向社會主義」가 발표되었다.

22일, 『여행가』 제2호에 저우리보의 「사오산 5일 일기韶山五日記」가 발표되었다. 이 글은 저우리보가 1956년에 사오산을 방문했을 당시 작성한 일기이다.

23일, 『인민일보』에 궈모뤄의 시 「전쟁을 멈추는 참된 무예의 노래─소련군 건군 40주년을 기념하며止戈爲武之歌──紀念蘇軍建軍四十周年」가 발표되었다.
『해방일보』에 리루칭의 시 「붉은 스카프 위의 맹세紅領巾上的誓辭」가 발표되었다.

25일, 국무원 과학계획위원회 고적정리출판계획소조古籍整理出版規劃小組가 성립되었다. 『인민일보』에 「문화유산을 계승하고, 사회주의 신문화를 발전시키자繼承文化遺產, 發展社會主義新文化」라는 제목으로 본 소조 성립대회에서 캉성康生과 저우양이 고적 정리 및 출판 방침 등의 문제에 관해 연설한 내용에 대한 상세한 기사가 실렸다. 이 외에도 정전둬의 산문 「봄이 부르고 있다春天在呼喚」가 발표되었다.

상하이에서 시 전체 규모의 문화예술 대약진 집회를 진행하였다. 저우양이 상하이시 문예공작자들에게 "정치에서는 혁명파가, 생산에서는 추진파가, 예수에서는 혁신파가 되라"라고 격려하였다. 커칭스柯慶施는 문예공작자들에게 군중 속에 정착해 창작에 매진하여 해방된 노동인민이 종사하고 있는 미증유의 사업을 반영할 것을 호소하였다『광명일보』 27일자에 상세한 기사가 게재되었다.

『시간』 2월호의 '봄맞이 특집'에 궈모뤄의 「모란, 작약, 춘란丹、芍藥、春蘭」, 쌍커자의 「봄바람이 불다春風吹」, 궁무의 「약진의 노래躍進歌」, 차이치자오의 「창장 수리 공작자의 바람長江水利工作者的願望」, 리광톈의 「최근작 10편近作十首」, 리잉의 「소련 사병에게給蘇聯士兵」, 쉬츠의 「중난하이 3편中南海三首」, 린겅의 「시 3편詩三首」, 톈한의 「10월 혁명 40주년을 노래하다歌十月革命四十周年」, 왕퉁자오의 유작 「천이 동지에게 바치다贈陳毅同志」, 롼장징의 「날개를 펼친 초원張開了翅膀的草原」

등의 시가 발표되었다.

『문회보』에 야오원위안의 단론 「미래를 전망하다展望未來」가 발표되었다.

26일, 『인민일보』에 빙신의 산문 「이곳에는 겨울이 없다我們這裏沒有冬天」가 발표되었다.

『문회보』에 진이의 산문 「나의 3년간의 창작계획我的三年創作規劃」이 발표되었다.

『문예보』 제4호에 야오원위안의 「펑쉐펑 자산계급 문예노선의 사상 기초馮雪峰資產階級文藝路線的思想基礎」, 어우양위첸의 단론 「열의를 북돋아 극본을 많이 창작하자!鼓足幹勁, 多寫劇本!」, 쉬츠의 단론 「인민의 노랫소리는 이 얼마나 맑은가人民的歌聲多嘹亮」가 발표되었다.

27일, 『인민일보』에 톈젠의 시 「봄맞이 노래—가두시 모음迎春曲──街頭詩一束」(상), 차오위의 단론 「'시사'극을 추천한다推薦"時事"戲」가 발표되었다. 차오위는 글에서 시사에 관한 짧은 극을 창작해 현재 사회에서 우선 해결해야 할 문제를 적시에 반영해야 한다고 지적하였다.

28일, 『희극보』 제4호에 사설 「희극계는 분발하여 생산 대약진의 열풍에 뛰어들자!戲劇界急起直追, 投人生產大躍進浪潮!」가 발표되었으며, 하이거 극단海各劇團에서 제정한 '대약진' 계획이 발표되었다. 이 외에도 전국 국영예술공연단체 공작회의에서의 우쉐의 발언 「의욕을 북돋아 목표를 향해 나아가자!鼓幹勁, 爭上遊!」가 발표되었다. 또한 '현대 소재 극목에 관한 문제'라는 제목으로 현대 소재 극목 공연이 외면당하는 문제에 관해 지속적으로 토론하였다.

베이징의 민간문학공작자들이 좌담회를 진행해 대약진 문제를 토론하였다. 좌담회는 비서장 린산林山이 주관하였으며 위핑보, 왕징즈 등 50여 명이 참석하였다. 『민간문학』 3월호에 「기초를 다져 약진을 위해 노력하자打好基礎, 力爭躍進」라는 제목으로 기사가 게재되었다.

『인민일보』와 『문예보』 제5호에 저우양의 「문예전선에서의 대토론文藝戰線上的一場大辯論」이 동시에 발표되었다. 이 글의 부제는 "1957년 9월 16일 중공 중국작가협회 당조 확대회의에서의 연설을 정리, 보충하고 문예계의 일부 동지들과 의견을 교환해 완성함"이다. 그는 글에서 "자산계급 우파에 반격하는 전국적인 투쟁 과정에서, 문예계는 딩링, 천치샤 반당집단 및 여타 우파 분자들을 폭로 및 비판해 큰 승리를 거두었다. 이는 문예전선에서 벌어진 근본적인 시비 사이의 논쟁이며, 사회주의 문예노선과 반사회주의 문예노선 사이의 투쟁이다. 이 투쟁은 현재 우리나라의 무산계급과 자산계급, 그리고 사회주의 노선과 자본주의 노선의 투쟁이 문예 영역에 반영된 것이다"라고 보면서, "문예는 시대의 기압계이다. 계급투쟁의 형세에 급격한 변화가 생길 때마다 이 기압계에서 그 징조를 볼 수 있다", "수정주의자는 문예를 혁명의 정치에서 멀어지게 하려고 애쓴다. 교조주의자는 정치가 있다면 곧 예술이 있다고 단순하게 생각한다. 이들은 예술 창작의 특징과 기교의 중요성을 경시한다. 그들의 공식은 정치가 곧 예술이라는 것이다. 이는 사실상 예술을 말살하는 것이므로, 당연히 옳지 않다. 반면에 수정주의자의 공식은 예술이 곧 정치라는 것이다. 이는 정치가 예술에 복종하게 하는 것으로, 사실상 혁명의 정치가 예술이라는 옷 속에 숨겨진 반혁명의 정치에 복종하도록 하는 것이다"라고 지적하였다. 그는 또한 "반우파 대토론을 거치면서 나를 포함한 우리 모두는 많은 것을 배웠다. 절대다수의 작가와 예술가들은 더욱 견고하게 사회주의의 편에 서게 되었다. 사회주의의 열정이 문예계 내에서 고조되었다. 우파분자의 활로는 철저히 회개해 새 사람이 되는 것뿐, 다른 활로는 없다. 당과 인민은 그들의 개조를 돕고자 하지만, 이러한 개조는 우선 그들 자신의 노력에 의지해야 한다"라고 보았다.

같은 날 『인민일보』에 톈젠의 시 「봄맞이 노래—가두시 모음」(하)이 발표되었다.

이달에 선런캉沈仁康의 시집 『가을날의 자작나무 숲秋天的白樺林』이 신문예출판사에서 출간되었다.

징옌둔井岩盾의 『적성집摘星集』, 펑즈의 『서교집西郊集』 등의 시집 및 뤼잉의 문예이론집 『예술의 이해藝術的理解』가 작가출판사에서 출간되었다.

3월

1일, 『작품』 3월호에 친무의 수필 「공로자 명단 아래서 마음을 터놓고 이야기하다紅榜下談心」, 장융메이의 시 「높은 산은 우리의 진지이다高山是我們的陣地」, 천보추이의 논문 「소련 아동문학작품을 통해 학교소설 창작방법을 보다從蘇聯兒童文學作品中看怎樣寫學校小說」가 발표되었다.

『신항』 2, 3월호 합본에 뤄빈지의 「밤에 돌아오다夜歸」, 아이우의 「리사오쿠이李紹奎」, 팡지의 「필기 한 쪽一頁筆記」, 왕시옌의 「오빠가 하향했다哥哥下鄉去了」, 왕원스의 「우물 바닥井下」, 위안젠願堅의 「성냥 일곱 개七根火柴」와 「삼인행三人行」 등의 소설 및 쉬츠의 통신 「다리가 남북을 높이 가로지르다一橋飛架南北」, 라오서의 단론 「장편掌篇소설을 많이 쓰자多寫小小說」가 발표되었다.

『신관찰』 제5호에 비예의 산문 「스싼링 댐에서 보낸 춘절春節在十三陵水庫」이 발표되었다.

『중국청년』제5호에 하오란의 소설「사과가 익는다蘋果要熟了」가 발표되었다.

『창춘』3월호에 하오란의 소설「발꿈치脚跟」가 발표되었다.

『처녀지』3월호에 샤오화의 소설「양상군자梁上君子」, 돤무훙량의 소설「이른 아침淸晨」, 아이우의 산문「소련의 제강 공인을 방문하다訪問蘇聯的煉鋼工人」, 관화의 소설「당이편편黨二扁片」이 발표되었다.

『불꽃』3월호에 쑨첸의 소설「흉터傷疤」가 발표되었다.

2일,『베이징일보』에 사설「열의를 북돋아 문예계 대약진을 전면적으로 실현하자鼓足幹勁, 全面實現文藝界大躍進」가 발표되었다.

3일~5일, 문화부, 중국극협, 중국음협, 베이징시 문련이 합동으로 수도 희극, 음악 창작 좌담회를 진행해 창작에서 대약진을 어떻게 반영해야 하는가에 관해 토론하였다. 문화부 부부장 천쿼루이는 동원보고에서 "대약진을 창작하는 것은 현재의 중심 임무이다"라고 지적하였다. 샤옌, 톈한, 양한성, 린모한, 류즈밍 등도 발언하였다. 샤옌은 연설에서 "현재 우리 눈앞에 펼쳐진 형세는 쫓기어 양산으로 올라가야 하는 형세이다. 우리는 혁명의 발걸음으로 따라잡아야만 한다!"라고 지적하였다. 『희극보』제5호에「창작의 열정이 봄날의 조수처럼 솟구친다創作熱情似春潮澎湃」라는 제목으로 종합기사가 게재되었다.

3일,『인민일보』에 관화의 시「농촌 세레나데鄕村小夜曲」, 저우리보의 소설「닝샹 견문寧鄕見聞」이 발표되었다.

『문회보』에 야오원위안의 잡문「나는 영원히 나의 신념을 고수한다─어느 주소 없는 편지에 답하다我永遠堅持自己的信念──答一封沒有地址的信」, 귀펑의 산문「바다의 수필海的隨筆」이 발표되었다.

『극본』3월호에 천치퉁의 단막 화극「염원心願」, 린진란의 단막 희극「얼굴에 윤이 나다容光煥發」, 류촨의「「청춘의 노래」창작 수기<靑春之歌>創作手記」가 발표되었다.

5일,『인민일보』에「인민생활에서 창작의 원천을 취하자從人民生活中吸取創作源泉」라는 제목으로 베이징 예술공작자들의 상산하향운동에 관한 기사가 게재되었다. 기사는 예술가들이 당의 호소에 응해, 관화는 이미 허베이성 평룬현으로 향했다고 전했다.

『문예월보』3월호에 웨이진즈의 단론「「어떤 선언」을 다시 읽다重讀<一篇宣言>」, 후완춘의 소설「

황푸장 강변에서 나고 자란 사람生長在黃埔江邊的人」이 발표되었다. 같은 호에 '문학은 인학이다' 비판
특별란이 개설되어 장쿵양의 「인도주의와 현실주의人道主義與現實主義」가 발표되었으며, '재비판'란에
우창의 「말거머리와 독초－왕스웨이와 그의 「개나리꽃」 재비판螞蟥和毒草──王實味和他的<野百合花>的
再批判」, 쥐칭의 「우리는 아이칭을 이해한다我們了解艾青」, 야오원위안의 「혁명자의 태도로 쓴 반혁명
소설－딩링의 「병원에서」 비판以革命者姿態寫的反革命小說──批判丁玲的<在醫院中>」, 이천의 「다시 량스
추의 '인성론'에 관하여重談梁實秋的"人性論"」가 발표되었다. 이 외에도 왕안유의 「나와 내 집주인我和我
的房東」, 진이의 「행복한 회견幸福的會見」, 친무의 「교만을 논하다論驕傲」 등의 산문이 발표되었다.

이번 호의 '문예동태'는 "본지에 첸구룽의 「'문학은 인학이다'를 논하다論文學是人學」가 발표된
후 문예계의 주목을 끌어 『인민문학』, 『해방군문예』, 『우화』에도 여러 평론이 발표되었다. 이 글의
잘못된 관점을 더욱 심도 있게 비판하기 위해 문예사상 대토론을 진행한다. 본지 편집부에서는 2
월 5일 오후에 이론 연구자와 작가 약 20인을 초청해 좌담회를 진행하였으며 첸구룽 본인도 참석
하였다. 참석자들은 이 글이 자산계급 문예사상을 체계적으로 선전한 글로, '인성론'으로써 '계급론'
을 반대했으며, 이는 마르크스주의와 근본적으로 대립되는 것이라고 의견을 모았다"라고 밝혔다.

『옌허』 제3호에 루즈쥐안의 단편소설 「백합꽃百合花」(『인민문학』 6월호에 전재), 리뤄빙의 산문
「차이다무 수기 제3편」, 차이치자오의 시 「샤오싱안링 5편小興安嶺五首」, 야오원위안의 평론 「전
투생활 송가戰鬥生活的頌歌」가 발표되었다.

『문회보』에 「희극가들이 홍전2) 계획을 정하다戲劇家訂紅專規劃」가 게재되어 저우신팡, 황쭤린,
위안쉐펀, 딩스어 등이 명확한 투쟁 목표를 제시하였다. 바진, 러우스이 등은 야오원위안의 "모든
비평가와 작가들은 매달 최소한 한 편의 짧은 문예서평을 쓰자"는 제안을 지지하였다. 『문회보』
는 「작가들이여, 다들 서평을 쓰자!作家們, 大家都來寫書評!」라는 제목의 기사를 게재해 "비평가들과
작가들이 서평을 더 많이 써서 서평의 적극적인 역할을 발휘하기를 바란다"라고 밝혔다.

6일, 『인민일보』에 진이의 산문 「상하이의 봄上海的春天」이 발표되었다.

『해방일보』에 야오원위안의 단론 「나태에 반대하고, 의욕을 발휘하자反對懶惰, 發揚幹勁」가 발표되었다.

7일, 『꿀벌』 3월호에 캉쥐의 방문기록 「쉬수이현의 준마가 앞장서서 달리다徐水縣快馬跑上游」,

---

2) 紅專: '홍'은 공산주의 사상과 정치라는 의미이며 '전'은 전문적인 업무와 기술이라는 의미로, '홍전'은 정치 사상
   적으로 무장되고 기술 지식에 정통하다는 뜻-역자 주

톈젠의 평론 「청년 친구에게—「사원 단가」 서문致青年朋友——<社員短歌>代序」이 발표되었다.

『홍암』 3월호에 가오잉의 소설 「다지와 그녀의 아버지達吉和她的父親」과 잡문 「마음은, 영원히 선홍빛이어야 한다!心, 要永遠是鮮紅的!」, 옌이의 단론 「뜨거운 생활 속으로 들어가다到火熱的生活中去」, 쑨징쉬안의 단론 「위험한 노정危險的曆程」이 발표되었다.

『인민일보』에 쉬친원許欽文의 산문 「산촌이 수향으로 변하다山鄕變水鄕」가 발표되었다.

『광명일보』에 궈모뤄의 시 「접련화—서기 1958년 '3·8' 부녀절蝶戀花——公元1958年"三八"婦女節」이 발표되었다.

중국작가협회 상하이분회에서 각지에 사회주의 혁명 경쟁을 전개할 것을 제안하였다. 『해방일보』 8일자에 「정치에서는 혁명파가, 생산에서는 추진파가, 예술에서는 혁신파가 되자政治上做革命派, 生産上做促進派, 藝術上做革新派」라는 제목으로 기사가 게재되었다.

8일, 중국작가협회 서기처에서 「문학공작 대약진 32조文學工作大躍進32條」를 토론하였다. 『인민일보』 8일자에 「중국작가협회에서 우렁차게 호소하다: 작가들이여!, 약진하라, 대약진하라中國作家協會發出響亮號召: 作家們!躍進, 大躍進」라는 제목의 기사가 발표되어 문예창작의 '대약진'을 실현할 것을 호소하였다. 9일자에 다시 「사회주의 문학의 풍작을 쟁취하자—작가협회 서기처에서 대약진 초안을 토론하고, 수도 작가들이 분분히 작가협회의 호소에 호응하다爭取社會主義文學大豐收, 作協書記處討論大躍進草案 首都作家紛紛響應作協號召」가 게재되어 라오서, 리뤼루, 사오취안린, 짱커자, 톈한, 빙신, 장톈이, 취보, 레이자, 천보추이, 두쉬안, 비예, 자오수리 등이 분분히 새로운 창작계획을 제출했다는 소식을 전했다.

『인민문학』 3월호에 라오서가 제1기 전국인민대표대회 제5차 회의에서의 발언을 정리한 단론 「서양 팔고문을 타도하자打倒洋八股」, 탕타오의 단론 「유 노파가 대관원에 세 번 들어가다劉姥姥三進大觀園」가 발표되었다. 같은 호에 '고리키 탄생 90주년 기념' 특집란이 개설되어 샤옌의 「진정한 무산계급 투사眞正的無産階級鬪士」가 발표되었다. 같은 호에 관화의 소설 「폭풍우 치는 밤暴風雨之夜」, 쉬츠의 시 「이것은 또 한 번의 위대한 시작이다這是又一個偉大的開端」, 사어우의 시 「겨울의 봄冬天的春天」, 바이웨이白薇의 시 「판금화 피는 10월盤錦花開十月天」, 차오밍의 「신구가 결합해 대오가 확대되다新老結合, 擴大隊伍」가 발표되었다.

이 외에도 짱커자의 평론 「궈샤오촨 동지의 장시 두 편郭小川同志的兩篇長詩」이 발표되었다. 이 글은 궈샤오촨이 『시간』 1957년 4월호와 12월호에 각각 발표한 두 편의 장시 『깊은 산골짜기』와 『백설의 찬가』에 관한 글로, 그는 글에서 『깊은 산골짜기』는 연애 이야기이기는 하나 주제가 참신해 현대의 우리에게 교육적 의의를 가지고 있지만, 반면에『백설의 찬가』는 진실하지 못한 면이 있고, 서구화된 문장과 무리한 압운이 보인다고 평하면서, 작가가 사랑에 관한 소재에 힘을 쏟지 않기를 바란다고 밝혔다.

베이징인민예술극원이 베이징에서 류찬의 화극「청춘의 노래」를 최초로 공연하였다. 메이첸이 감독을 맡았으며 예쯔, 쑤민蘇民, 리위안李源 등이 주연을 맡았다. 극본은『극본』1월호에 발표되었다. 감독 메이첸은 이 극본에 관해 "「청춘의 노래」는 현실을 반영한 훌륭한 희곡이다. 작가는 당에서 지식분자의 상산하향을 호소하고, 공산주의 이념과 전문지식 및 기술의 변론을 전개하기 전에 날카로운 관찰과 감상을 통해 생활 속에서 중요한 무언가를 포착하였다. 작가는 작품을 생활을 비추는 거울로 삼아 생활의 현실을 충실히 반영했을 뿐만 아니라, 당의 원칙 위에 서서 생활을 분석해 명확한 방향을 제시하였다"라고 밝혔다(「「청춘의 노래」주제 사상의 현실적 의의<青春之歌>主題思想的現實意義」,『희극보』1958년 제6호). 우쉐 역시 "선치원沈綺文과 딩후이丁輝의 생활에 대한 서로 다른 태도에 대한 묘사를 통해 사상개조에 있어서의 지식분자의 두 가지 노선의 투쟁을 반영하였다. 이는 오늘날 지식청년뿐만 아니라 수많은 군중에게도 깊은 교육적 의의를 가지고 있다"라고 평했다(「「청춘의 노래」에 관한 몇 마디關於<青春之歌>的三言兩語」,『극본』1958년 3월호). 그러나 장산江山은 "이 희곡은 현실에 크게 뒤떨어져 있다. 작품에서 표현한 농촌과 지식분자의 개조 등의 문제는 벌써 몇 년 전의 상황이며, 작품 속에 묘사된 농촌에서는 대약진의 기운이 전혀 느껴지지 않는다", "지식분자의 개조 역시 군중에 가까이 다가가는 것뿐이다", "극의 정서를 더욱 적극적으로 만들기 위해 몇몇 진실하지 못한 장면과 대사를 더해 이 희극이 불완전하고 조화롭지 못하게 만들었다"라고 평하였다(「화극「청춘의 노래」에 대한 몇 가지 의견對話劇<青春之歌>的幾點意見」,『극본』1958년 4월호).

9일,『인민일보』에 톈한의 산문「일본 백모녀를 맞이하다—마쓰야마 미키코迎日本白毛女——松山樹子」, 쉬츠의 시「이화원頤和園」이 발표되었다.

저명한 경극 공연예술가 청옌추가 베이징에서 병사하였다.『광명일보』3월 13일자에 장경의 「회상과 추모回憶和悼念」가 발표되었다. 장경은 글에서 "내 인상 속의 그는 신체가 건장하고 활력이 넘치는 사람이다. 해방 이후 9년간, 그는 언제나 흥분된 마음을 안고서 지치지 않고 각종 공작에 종사해 왔다", "옌추 동지는 경극예술에 독립적이고 새로운 풍격을 수립했다", "옌추 동지의 죽음은 예술상의 거대한 손실이다"라고 말했다. 천수퉁陳叔通은 청옌추를 추억하는 글에서 그에 대해 "옌추의 인물됨은 곧고 정직하다. 그러나 이런 평가는 너무 평범하다. 그의 사람됨은 '강직'이라는 두 글자로 바꿔 말할 수 있다. 그는 강직해서 손해를 보기도 했고, 이득을 보기도 했으며, 그의 노래 역시 강직했다. 옌추는 첫째로 강강剛하고 둘째로 결결潔, 즉 고결孤潔했다"라고 평가하였다.[3]

9일~26일, 중공중앙 정치국 확대회의가 청두에서 진행되었다. 마오쩌둥은 회의에서 "열의를 북돋아 높은 목표를 향해 노력하고, 더 많이, 더 빨리, 더 좋게, 더 절약해 사회주의를 건설하자"라는 총노선 사상을 제시하고, 민가 수집에 대해 "중국 시의 활로는 첫째가 민가이고 둘째가 고전이다. 이러한 기초 위에서 신시를 창작한다면 형식은 민가의 형식이면서 내용면에서는 현실주의와 낭만주의가 대립 통일을 이룰 것이다"라고 지적하였다.[4] 마오쩌둥의 호소 아래 각 지방이 분분히 행동을 시작하였다.

10일, 베이징 문예계 비평가들이 평론공작 약진대회를 소집하였다.

『인민일보』에서 6일에 베이징의 일부 문학예술공작 각본가, 작가, 예술가들을 초청해 문예창작 대약진 문제에 관한 좌담회를 개최하였다. 10일자 『인민일보』에 「모든 분야의 문예대군이 질주해 시대에 부끄럽지 않은 작품을 창작하자願百路文藝大軍馳騁, 創作出無愧於時代的作品」라는 제목으로 라오서, 정전둬, 톈한, 짱커자, 사오취안린, 샤옌, 펑즈 등 문예가 12인의 발언이 게재되었다.

『전초』 3월호에 왕안유의 평론 「왕잉펀은 어떻게 타락했는가王穎奮是怎樣墮落的」가 발표되었다.

『해방일보』에 사설 「문예공작자는 뜨거운 투쟁 속에 투신해야 한다文藝工作者要投入火熱的鬥爭中去」가 발표되었다.

『양청만보』에 친무의 글 「보수자가 따귀를 맞는 시대保守者吃耳光的時代」가 발표되었다.

11일, 『문예보』 제5호에 저우양의 「문예전선에서의 대토론」이 전재되었으며, 후커의 단론 「천이의 희극 얼굴―'암전'을 실제 생활에 사용하기 어려운 것에 관하여陳沂的戲劇面孔――談"暗轉"不宜用於實際生活」가 발표되었다. 이 외에도 「늙은 전사가 옛일을 말하다老戰士話當年」라는 제목으로 본지에서 2월 26일에 조직한 『홍기보』 좌담회 상황에 대한 기사가 게재되었다.

『인민일보』에 예성타오의 수필 「이뿐만은 아니다不僅此也」, 리지의 시 「치롄 위먼 사이의 봄春在祁連玉門間」이 발표되었다.

---

3) 천수퉁, 「꽃은 비록 지지만, 꽃 파는 목소리는 세상에 영원히 남는다花雖凋謝, 賣花聲將永留人間」, 『어상실록―청옌추 선생을 추억하며禦霜實錄――回憶程硯秋先生』 제5쪽, 문사자료출판사文史資料出版社 1982년

4) 『건국 이후 마오쩌둥 문고』 제7권, 제124쪽, 중앙문헌출판사 1992년

12일, 『해방군문예』 3월호에 웨이웨이의 「천이의 외투를 벗기자剝去陳沂的外衣」, 리잉의 시 「둥산커우에서在東山口」, 리잉루의 시 「군공 대대가 스싼링으로 가다軍工大隊開到十三陵」, 커위안의 전사 쾌판시 「산중 별장의 훌륭한 경치山中別墅好風光」, 「채소 재배 이야기種菜記」, 「넝쿨을 베다砍野藤」 등이 발표되었다. 같은 호에 주딩의 소설 「기술자가 하는 이야기工程師講的故事」, 바이런의 산문 「당의 딸黨的女兒」이 발표되었다.

『광명일보』의 '경극예술가 청옌추 동지 추모' 특집란에 장경의 「회상과 추모」가 발표되었다.

쓰촨성과 청두시 문예계 인사 500여 명이 성 문련 강당에서 문예계 대약진 회의를 개최하였다.

14일, 『광명일보』에 게제된 신화사 13일자 전보에 의하면 『문회보』가 최근에 개편되어 진중화金仲華가 사장을, 천위쑨陳虞孫이 부사장 겸 편집장을 맡았으며, 전임 사장 겸 편집장인 우파분자 쉬주청은 이미 해직되었다.

15일, 『문학청년』 제3호 '재비판'란에 윈잔雲展의 「'당근'의 껍질을 벗기는 법을 배우다—왕스웨이의 「개나리꽃」 분석學剝"紅蘿卜"的皮——剖王實味的<野百合花>」, 양치밍楊啟明의 「딩링의 반당 자백 내용—「3·8절 감상」 질책丁玲的反黨供詞——斥<三八節有感>」 등의 글이 발표되었다. 같은 호에 장쿵양의 평론 「내면생활 묘사에 관하여談談內心生活描寫」가 발표되었다. 장쿵양은 글에서 내면생활에 대한 묘사를 통해 사회생활의 모순과 투쟁이 어떻게 사람들의 사상 감정에 심각한 영향을 끼치는지 설명할 수 있으며, 이로써 인물의 성격을 더욱 깊이 있게 묘사할 수 있다고 보았다.

『문회보』에 진이의 시 「상하이의 봄을 노래하다歌唱上海的春天」, 루딩이의 「추진파가 되자—『장하이학간』 창작호에 부쳐要做促進派——爲<江海學刊>創刊號作」가 발표되었다.

『인민일보』에 예성타오의 수필 「써도 되고 쓰지 않아도 된다면, 쓰지 않는다可寫可不寫, 不寫」가 발표되었다. 그는 글에서 글로 써낸 모든 것은 '쓰지 않을 수 없는' 것이어야 한다고 보았다.

『해방일보』에 아이밍즈의 스케치 「배야, 빨리 흘러가거라—장난 조선소 스케치 제1편船呵, 快快地流——江南造船廠速寫之一」, 커란의 산문시 「신기한 세계新奇的世界」가 발표되었다.

『희극보』 제5호에 「각지 희극계가 대약진의 열풍에 뛰어들었다各地戲劇界投入了大躍進的浪潮」라는 제목으로 희극계의 대약진 상황이 보도되었다. 같은 호에 린모한의 「온 힘을 다해 나는 듯 전진하자鼓足勁頭, 飛躍前進」, 천궁민의 「현대 소재 극목 문제 토론에 대한 의견對現代題材劇目問題討論的意見」이 발표되었다.

『맹아』제6호에 우창의 평론 「딩링의 영혼 깊은 곳丁玲的靈魂深處」, 야오원위안의 평론 「독편을 판별하다辨毒篇」가 발표되었다.

『신관찰』제6호에 궈샤오촨의 산문 「사람의 역량을 최대한도로 발휘하자最大限度地發揮人的力量」, 캉줘의 산문 「봄에서 가을로 약진하자從春天躍進到春天」가 발표되었다.

18일, 『인민일보』에 정전둬의 산문 「고대인이 현대인을 위해 복무하게 하자讓古人爲今人服務」가 발표되었으며, 빙신의 연작 통신 「다시 꼬마 독자들에게再寄小讀者」의 연재가 시작되어 비정기적으로 총 6회 연재되었다. 편집자는 「「다시 꼬마 독자들에게」를 환영한다歡迎<再寄小讀者>」에서 "제목에 '다시'가 붙은 것은 30년여 전에 발표된 「꼬마 독자들에게」의 속편이기 때문이다", "조국이 새로운 역사적 시기로 나아가려는 이때에, 빙신 동지는 다시 펜을 들어 새로운 꼬마 독자들에게 새로운 시대의 이야기를 해 주었다"라고 밝혔다.

19일, 『인민일보』에 차오위의 단론 「고기가 물을 얻은 것처럼, '대약진'의 바다 속에서 비약하자如魚得水, 飛躍在"大躍進"的海洋裏」, 천바이천의 단론 「군중적 성격의 문학활동의 광범위한 전개라는 기초 위에서 대약진하자!在廣泛展開群衆性文學活動的基礎上大躍進!」가 발표되었다. 천바이천은 글에서 한편으로는 정교하고 세밀하며 사람들을 진정 놀라게 할 수 있는 작품을 창작하는 동시에, 다른 한편으로는 현재의 현실 투쟁을 적시에 반영해야 한다고 보았다. 같은 호에 게재된 통신은 전국 출판공작 약진회의가 15일에 상하이에서 폐막했다고 전했다. 회의에는 각지에서 150여 명의 대표들이 참석해 6일간의 토론을 거쳐 출판공작 대약진의 목적과 방침 및 임무를 명확히 하고, 선진적인 경험을 교류했으며, 세 건의 대약진 제안서를 통과시켰다.

20일, 『베이징문예』3월호에 라오서의 단론 「더 통속적으로 쓰자寫通俗一些」가 발표되었다.

『문회보』에 커란의 산문 「대약진의 북소리大躍進的鑼鼓」가 발표되었다.

21일, 『해방군보』에 후커의 산문 「조국이 당신을 환영한다祖國歡迎你」가 발표되었다.

22일, 중국경극원이 각색한 경극 「백모녀」가 베이징에서 초연되었다. 본 작품은 중국 경극계에서 전통적인 고전예술 형식을 이용해 현대생활을 표현한 대담한 시도이다(23일자 『광명일보』

에 보도).

문화부에서 22일부터 전국 27개 도시에서 '신작 영화 전시 주간'을 진행하기로 결정하였다. 행사 기간 동안 1957년에 제작된 일부 영화를 우선 상영하였다.

『인민일보』에 짱커자의 시「새로 지은 고층빌딩의 거울이 되어 주다給新建的高樓當明鏡」, 어우양위첸의 희극 평론「발레극「백모녀」에 관하여談芭蕾舞劇<白毛女>」, 장경의 평론「평극「삼리만」을 보고評劇<三裏灣>觀後感」, 샤옌의「'신작 영화 전시 주간'에 부쳐寫在"新片展覽周"前面」가 발표되었다.

『해방일보』에 탕타오의「대약진 수필大躍進隨筆」이 발표되었다.

23일, 『민간문학』 3월호부터 각지의 대약진 민가를 선정해 게재하기 시작하였다.

『해방일보』에 장춘차오의「현대 소재 극목에 관한 문제關於現代題材劇目的問題」가 발표되었다. 그는 글에서 "성공적인 보중은 자신을 개조해, 자기 자신을 사상적으로도 건전하고 기술적으로도 우수한 공인계급 희극공작자가 되게 하는 것이다. 새 작품을 창작하든 옛 작품을 정리하든 간에, 우리는 옛사람을 위해서가 아니라 현재와 장래의 사람들을 위해 복무하는 것이며, 또한 공농병을 위해, 사회주의 사업의 승리를 위해 복무하는 것이다"라고 밝혔다.

24일, 문화부 당조에서 중앙에「문학 및 사회과학 서적 원고료 임시 규정(초안) 비준에 관한 지시 요청 보고關於請求批准文學和社會科學書籍稿酬暫行規定(草案)的請示報告」를 제출해 현행의 '정액 인쇄 부수'로 보수를 계산하는 방법을 폐지하고, 기본 원고료와 인세를 결합하는 방안을 채택하기로 규정하였다.

『수확』 제2호에 저우얼푸의 장편소설『상하이의 아침上海的早晨』(제1부)이 발표되었다. 이 소식은『인민일보』에 기사로 보도되었다. 본 작품의 단행본은 1958년 5월에 작가출판사에서 출간되었다. 1962년 12월에 제2부가 출판되었으며, 제3, 4부는 80년대에 출판되었다. 같은 호에 하이모의 단편소설「소금鹽」, 사어우의 연작시「고향故鄕」, 바진의 창작담「「봄」에 관하여談<春>」, 야오원위안의「소피 여사들의 자유왕국―딩링의 일부 초기 창작을 비판하고, 딩링 창작사상과 창작경향 발전의 노선을 논함莎菲女士們的自由王國——丁玲早期部分作品批判, 並論丁玲創作思想和創作傾向發展的一個線索」이 발표되었다. 야오원위안은 글에서 "이 작품들을 읽으면서 나는 줄곧 잔인하고 냉혹하며, 성적인 자극 추구와 남성을 희롱하는 것을 목적으로 하는 자산계급 여성이 색정적인 눈빛과 모든 것을 경멸하는 냉소를 띠고서 작품 속에서 모든 독자들을 바라보면서, 독자들에게 집단주의적인 혁명대오와 대립하고, 공산주의 도덕과 대립하도록 선동하고 있다고 느꼈다"라고 밝혔다.

『인민일보』에 예성타오의 시 「마음을 당에 바치다把心交給黨」, 사오취안린의 논문 「길을 깨끗이 치우고, 용감하게 전진하자―「문예전선에서의 대토론」을 읽고掃清道路, 奮勇前進――<文藝戰線上的一場大辯論>讀後」가 발표되었다.

25일, 『시간』 제3호에 '농촌 대약진' 작품 특집란이 개설되어 벤즈린, 귀샤오촨, 쩌우디판, 광징, 장즈민 등이 민가체를 모방해 창작한 시들이 발표되었다. 같은 호에 홍용구洪永固의 글 「사오옌샹의 창작 외도邵燕祥的創作歧途」가 발표되었다. 그는 글에서 "작가는 「자구이상」을 통해 더욱 악독한 총탄을 쏘았다. 그는 관료주의를 공격한다는 명목으로 실제로는 우리 당의 하부 조직을 암흑 조직처럼 묘사해, 사회주의 제도에 깊은 원한을 쏟아부었다"라고 밝혔다.

26일, 『문예보』 제6호에 저우양의 「문예전선에서의 대토론」을 둘러싼 좌담이 진행되어 정전둬, 쌍커자, 천황메이, 바런, 왕야오, 위안수이파이, 아이우, 귀샤오촨, 옌원징, 린모한, 장광녠, 사오취안린 등이 참석하였으며, 문학계 대약진 좌담회 종합기사 「돛을 올리고 파도를 타 높은 목표를 향해 전진하자揚帆鼓浪, 力爭上遊」가 게재되었다. 기사는 "올해 전국적으로 창작 열풍을 불러일으켜 3~5년 안에 사회주의 문학의 풍작을 실현하자", "장편 대작을 창작하는 것 외에도, 매년 1인당 최소한 10편의 단편소설 혹은 평론을 쓰자"라고 말했다. 같은 호에 노작가들의 '창작계획' 및 샤옌의 단론 「더 많이, 빨리, 잘, 절약하고, 양 속에서 질을 추구하자多、快、好、省, 量中求質」, 위안수이파이의 단론 「5행시 속의 사상五行詩裏的思想」이 발표되었다.

28일, 『인민일보』에 아이우의 산문 「고리키는 영원히 우리의 앞에서 걷는다高爾基永遠走在我們前頭」가 발표되었다.

『광명일보』에 샤옌의 「진정한 무산계급의 투사―고리키 탄생 90주년을 기념하며真正的無產階級的鬥士――紀念高爾基誕辰九十周年」가 발표되었다.

29일, 베이징인민예술극원이 라오서의 신작 3막 화극 「찻집」을 공연하였다. 자오쥐인, 샤춘이 감독을 맡았으며 위스즈, 정룽, 란톈예, 잉뤄청 등이 주연을 맡았다. 극본은 1957년 7월 24일 『수확』 창간호에 발표되었다. 1958년 6월에 「찻집」의 단행본이 중국희극출판사에서 출간되었다. 본 화극은 현재 베이징인민예술극원의 고정 레퍼토리이다. 자오쥐인은 "구사회를 폭로하는 창작

방법은 두 가지가 있다. 하나는 우둔하고 우스꽝스러운 현상만을 폭로해 독자들이 이러한 사회의 생활은 옳지 않다고 느끼게 하는 것이고, 다른 하나는 작가가 단순하게 폭로만 하는 것이 아니라 그 안에 이상을 담는 것이다. 이 두 가지 방법에는 차이가 있다. 「찻집」은 후자에 속한다. 이 작품은 라오서 동지가 최근에 창작한 것이다. 작가는 더 높은 각도에서 과거를 대하고 있어, 19세기의 작품과는 다르다"라고 평했다(「라오서의 「찻집」 좌담座談老舍的<茶館>」, 『문예보』 1958년 제1호).

장경은 "라오서의 이 희곡은 거대한 그림과 같다. 등장하는 인물은 열 명 이상으로, 이들 중 대부분은 이름과 대사를 가진 인물이다. 시간은 50년을 아우르는데, 처음부터 끝까지 관통하는 인물들이 있어, 20대에서 70대까지 다뤄진다"라고 보았다. 그러나 "인물이 많고 시대가 길기는 하지만, 작가는 작품을 길게 쓰지 않아 전체 분량은 3만 자에 불과하다. 이 점에서 작가가 인물과 시대에 대해 고도로 개괄적인 묘사를 했음을 알 수 있다. 이 극본의 큰 특징 중 하나는 바로 간결하다는 것이다. 한 인물에 대해 매우 적은 분량을 할애해, 한두 마디 말만으로도 그 윤곽을 그려내었다"라고 평했다. 그러나 장경은 이 작품의 부족한 부분에 대해 "작가의 추모하는 마음이 너무 크다. 그는 구시대에 대해서는 통한의 마음을 품고 있으나, 구시대 속의 일부 옛사람들에 대해서는 여전히 지나치게 추모하는 마음을 가지고 있다. 추모하는 마음은 인지상정이므로 지나치게 비난할 수는 없다. 그러나 이와는 대조적으로, 마찬가지로 구시대에 생활하면서도 열정적으로 투쟁하고, 심지어 자신의 생명까지 바치는 이들에 대해서는 다소 냉담한 듯하다"라고 지적하였다(「「찻집」 만담<茶館>漫談」, 『인민일보』 1958년 5월 27일자).

류허우성은 「찻집」이 "의심할 여지 없이 반세기 동안 중국 화극 무대에 출현한 1류 작품들 가운데 가장 뛰어난 몇 편에 속한다. 이 작품은 중국 화극사상 두드러진 지위를 가지게 될 것이며, 어느 시기의 대표작 중 하나로서 상세히 서술되어야 한다"라고 평했다.[5]

31일, 『희극보』 제6호에 라오서의 단문 「「찻집」의 무대 연습을 보고看<茶館>排演」 및 본지 기자가 자오쥐인과 샤춘을 취재한 기록 「「찻집」의 감독이 「찻집」을 말하다<茶館>導演談<茶館>」가 발표되었다. 같은 호에 정전둬의 「관한경—우리나라 13세기의 위대한 희곡가關漢卿——我國十三世紀的偉大戲曲家」, 궈모뤄의 시 「다섯 백모녀의 합동사진에 부쳐題五位白毛女合影」, 톈한의 「일본 마쓰야마 발레단과 그들의 「백모녀」日本松山芭蕾舞團和他們的<白毛女>」, 허징즈의 산문 「일본의 백모녀를 환영하며歡迎日本的白毛女」, 사어우의 시 「백모녀—마츠야마 발레단의 공연을 보고白毛女——看松山芭蕾舞閉的演出」 및 메이첸의 「「청춘의 노래」 주제사상의 현실적 의의<青春之歌>主題思想的現實

---

5) 「「찻집」—예술적 완성의 절정<茶館>——藝術完整的高峰」, 『인민희극』 1980년 제9호

意義」가 발표되었다. 메이첸은 글에서 류찬의 「청춘의 노래」에 대해 "현실생활을 반영한 작품이다……작가는 현실적 의의를 가진 한 가지 문제, 즉 지식분자의 사상개조 문제(다시 말해 과학기술은 누구를 위해 복무하는가 하는 문제, 지식분자는 하향 후에 농민과 어떻게 결합하는가 하는 문제)를 엄숙하게 제기하였다. 주의할 만한 것은 작가가 주제를 표현함에 있어 명료성과 예술적 설득력을 이뤘으며, 이로 인해 현실생활에 큰 추진 작용을 하였다는 점이다"라고 보았다.

저우양이 후베이성과 우한시 문학예술계 약진대회에서 연설을 진행해 문예가 정치와 당에서 멀어지면 필연적으로 수정주의에 빠지게 되며, 문예의 약진은 곧 창작의 약진이라고 지적하였다. 그는 또한 문예공작자들은 군중 속에서 풍부한 창작 원료를 흡수해 선진을 노래하고 낙후를 비평해야 한다고 주장하였다. 『인민일보』에 「문예공작자는 어떻게 약진하는가? 군중 속에 뿌리를 내리고, 공농과 마음이 통해야 한다文藝工作者怎樣躍進?到群衆中紮根, 和工農通心」라는 제목으로 기사가 게재되었다. 같은 호에 리시판의 평론 「어떤 '소식', 어떤 '새로운 길'인가?什麼樣的"消息", 什麼樣的"新路"?」가 발표되어 「본지 내부 소식」이 반당적 정서를 가지고 있다고 지적하였다.

이달에 『마오둔 문집茅盾文集』, 『바진 문집巴金文集』, 『예성타오 문집葉聖陶文集』이 인민문학출판사에서 출판되기 시작하였다.

저우쭤런이 정리 및 교정한 『명·청 유머 4종明清笑話四種』이 인민문학출판사에서 출간되었다. 책에는 명·청 시대의 유머 이야기 357편이 수록되었다.

펑즈의 시집 『서교집西郊集』, 류바이위의 산문집 『백 발의 대포가 진먼을 진동시킨다百炮震金門』가 작가출판사에서 출간되었다.

롼장징의 시집 『장허의 물漳河水』(증보판)이 통속문예출판사에서 출간되었다.

쑨징쉬안의 시집 『해양의 서정시海洋的抒情詩』가 상하이신문예출판사에서 출간되었다.

중국희극가협회에서 편찬한 『신가극 문제 토론집新歌劇問題討論集』이 중국희극출판사에서 출간되었다.

아잉의 『만청 문예 간행물 약술晚清文藝報刊述略』이 고전문학출판사에서 출간되었다.

4월

1일, 『해방일보』에 아이밍즈의 「쫓다－장난 조선소 스케치 제2편追——江南造船廠速寫之二」이 발표되었다.

『창장문예』4월호에 지쉐페이의 단편소설 「배가 저기 뒤집혀 있다船翻在那裏」가 발표되었다.

『신항』4월호가 '약진 특집호'로 발간되어 비예의 산문 「댐의 춘절 밤水庫春節夜」, 왕창딩의 산문 「첫 번째 푸른 잎第一片綠葉」, 위안징의 산문 「뿌리를 내리다紮根」, 웨이강옌의 시 「늙은 선장老船長」이 발표되었다. 같은 호에 광지의 단론 「대약진大躍進」, 관화의 소설 「길 위路上」가 발표되었다.

『작품』4월호에 타오주의 「시대에 부끄럽지 않은 작품을 창작하자創作無愧於時代的作品」 및 어우양산의 「짧은 형식의 작품 창작의 중대한 의의創作短小形式作品的重大意義」, 천찬윈의 「많이 써서, 양 속에서 질을 추구하자多寫東西, 從量中求質」, 친무의 「노동 강도를 제고하자提高勞動強度」 등의 단론이 발표되었다. 같은 호에 천잉陳盈의 논문 「두팡밍의 잡문 두 편에 관하여談杜方明的兩篇雜文」가 발표되었다(황추윈이 두팡밍이라는 필명으로 남방일보의 '열풍' 부간에 발표한 두 편의 잡문을 가리키는 것으로, 1957년 1월 5일자에 발표한 「'6불'을 기쁘게 들은 감상欣聞"六不"有感」과 4월 18일자에 발표한 「큰 문제를 작게 처리하다大題小做」를 말한다).

『처녀지』제4호에 톈젠의 시 「처녀지에게給處女地」(가두시 15편), 차이치자오의 시 「창장 대교長江大橋」가 발표되었다.

『불꽃』4월호의 시 특집에 궁무의 「헝가리匈牙利」, 롼장징의 「천고에 해바라기가 처음으로 피다千古初開向日葵」, 장융메이의 「조선 4편朝鮮四題」, 웨이강옌의 「지하의 별地下的星」이 발표되었다.

『맹아』제7호에 리루칭의 시 「군병원에서在軍醫院裏」, 후완춘, 장유지張友濟의 특필 「방울을 떼다解鈴」, 이췬의 문학 지도 「고전문학 작품을 어떻게 대할 것인가?怎樣對待古典文學作品?」가 발표되었다.

2일,『광명일보』부간의 명칭이 '동풍東風'으로 변경되었다.

3일,『인민일보』에 궈모뤄의 장시 『백화제방百花齊放』의 연재가 시작되었다.

『극본』4월호에 톈한의 단론 「고도의 사회주의 열정으로 희극창작의 풍작을 쟁취하자以高度社會主義幹勁爭取戲劇創作大豐收」, 양한성의 단론 「극작가를 위해 몇 가지 문제를 해결해야 한다要爲劇作家解決幾個問題」, 차오위의 「우리의 사업이 나는 듯 전진하게 하자讓我們的事業飛躍前進」, 천치퉁의 「우리는 '서둘러 임무를 완성'해야 한다我們要"趕任務"」가 발표되었다.

4일,『중국청년보』에 라오서의 「「찻집」에 관하여談<茶館>」가 발표되었다.

5일,『문예월보』4월호의 '대약진 중의 상하이' 특집란에 루즈쥐안의 산문 「사회주의의 궤도 위에서在社會主義的軌道上」, 후완춘의 소설 「철강 공장에서 발생한 일在鋼鐵廠發生的事情」, 탕커신의 특필 「평범하지 않은 나날 속에서在不平常的日子裏」, 바런의 평론 「소설 『청춘의 노래』에 관하여談 小說<靑春之歌>」가 발표되었다. 바런은 글에서 『청춘의 노래』에 대해 열정이 가득하며 청년들에게 교육적인 역할을 하는 좋은 책이라고 평하였다. '작가가 창작을 말하다'란에는 바진의 「「멸망」에 관하여談<滅亡>」, 진이의 「「포즈링으로 가다」에 관하여關於<到佛子嶺去>」, 야오원위안의 논문 「문 예에서의 수정주의는 어떤 면에 나타나는가?文藝上的修正主義表現在那幾方面?」, 웨이진즈의 평론 「「 포신공」 만담漫談<包身工>」이 발표되었다.

『옌허』4월호에 류칭의 중편소설 「가래를 단단히 물리다咬透鐵鍬」, 리지의 소설 「고비의 길동무 戈壁旅伴」, 원제의 소설 「아! 나팔이 울렸다啊!號角響了」, 리뤄빙의 산문 「차이다무 수기 제4편」, 웨 이강옌의 평론 「'산난 홍색 산가' 송가"陝南紅色山歌"頌」, 정보치의 평론 「문풍은 반드시 개선되어야 한다文風一定要改進」가 발표되었다.

『초지』4월호에 아이우의 여행기 「톨스토이 생가와 박물관托爾斯泰的故居和博物館」이 발표되었다.

7일,『해방일보』에 웨이진즈의 단론 「말은 남의 마음에 적중해야 한다話要說中別人的心窩」가 발 표되었다.

『홍암』4월호에 사팅의 소설 「랴오 노부인廖老娘」, 천보추이의 소설 「환송歡送」, 옌이의 장시 『지구에게 노래를 불러 주다唱給地球』가 발표되었다.

8일~11일, 중국작가협회에서 문학평론공작회의를 소집하였다.『인민일보』,『문예보』, 『인민문학』,『문학연구』,『해방군문예』,『희극보』,『극본』,『중국전영』 및 톈진『신항』편집부 의 책임자들이 전무 참석하였다. 회의는 사오취안린이 주관하였으며 린모한, 궈샤오촨, 천황메이 등 16명이 발언하였다. 회의를 통해 앞으로의 평론 규칙에 대한 의견을 교류하고, 건국 이후 문학 평론공작의 방침과 임무 및 방법을 토론하였으며, 또한 평론 대오를 확대하고 신생 역량을 양성할 방법 등의 문제에 대해서도 토론하였다. 회의 종료 후에 다시 확대회의가 열려 저우양이 연설하였 다. 확대회의의 결론은 "현재 평론공작의 근본적인 임무는 사회주의 문예의 신속하고 건강한 발전 을 촉진하고, 각종 반사회주의적인 문예사상에 대해서는 지속적으로 비판을 진행하는 것이어야 한다"는 것이다.

8일, 『인민문학』 4월호(작가가 문학창작의 대약진을 말하다)의 '좋은 작품이 더 많이 출현하기를 바란다' 특집에 마오둔, 예성타오, 빙신, 리류루, 차오위, 펑즈, 쨩커자, 장헌수이, 아이우, 우쭈샹, 천치퉁, 후커, 사오취안린 등의 글이 발표되었다. 같은 호에 아이우의 소설 「두 시대의 상흔兩個時代的傷痕」, 왕원스의 소설 「봄밤春夜」, 쉬화이중의 소설 「술 파는 여자賣酒女」, 마펑의 소설 「잊을 수 없는 사람難忘的人」, 팡지의 특필 「하루 24시간一天二十四小時」, 캉줘의 특필 「쉬수이 평원의 낮과 밤徐水平原的白天黑夜」, 쉬친원의 산문 「낭랑한 달구질 소리清脆的夯聲」, 위안잉의 산문 「시안 2제西安二題」 및 탕타오의 「'부뚜막을 늘리고 철군한다'에 관하여談"增灶撤軍"」(친자오양을 비평한 글), 후커의 「'저명인사'의 '문예사상'"知名人士"的"文藝思想"」 등이 단론이 발표되었다. 후커는 글에서 천이의 '새로운 영웅 인물'과 '사회주의 현실주의' 및 '공농병 방향' 등의 관점을 비판하였다.

『인민일보』에 궈모뤄의 시 「지구와의 전쟁을 시작하다向地球開戰」, 취보의 「낭송회를 더 많이 진행하자多辦幾次朗誦會」가 발표되었다.

10일, 『문예보』 편집부에서 「예술가의 홍전 계획藝術家的紅專計劃」이라는 제목으로 전국 예술가들을 상대로 공모를 진행하였다.

『전초』 4월호에 뤄빈지의 소설 「낮잠을 잘 때午睡的時候」가 발표되었다.

『문회보』에 웨이진즈의 잡문 「마음을 어떻게 내놓을 것인가?怎樣把心交出來?」가 발표되었다.

11일, 『인민일보』에 라오서의 상성 「덜레스를 방문하다訪問杜勒斯」가 발표되었다.

『광명일보』에 멍차오의 평론 「화극 「류제메이」 감상看話劇<劉介梅>有感」이 발표되었다.

『문예보』 제7호의 「「접련화」 토론討論<蝶戀花>」란에 궈모뤄의 「『문예보』의 질문에 답하다答<文藝報>問」 및 장광녠의 통신이 발표되었다. 같은 호에 옌원징, 궁무의 「샤오쥔 사상 재비판蕭軍思想再批判」, 펑무의 「아이우 창작노선의 새로운 약진艾蕪創作道路上的新躍進」, 바런의 「『백 번 담금질해 강철을 만들다』만담漫談<百煉成鋼>」이 발표되었다.

12일, 『광명일보』에 톈젠의 「「바다제비 송가」 머리말ー단간 2편<海燕頌>前言——短簡二則」이 발표되었다.

『해방군문예』 4월호에 바진의 시 「환영한다, 가장 사랑스러운 사람이여!歡迎, 最可愛的人!」, 커란의 소설 「목석간장"鐵石心腸"」, 뤄빈지의 소설 「6월의 아침六月的早晨」, 천치퉁의 단막극 「돈 두 푼

二分錢」이 발표되었다.

『해방군보』에 허우진징의 「중심 문제는 문예와 정치의 관계이다―저우양 동지의 「문예전선에서의 대토론」을 읽고中心問題是文藝和政治的關係──讀周揚同志的<文藝戰線上的一場大辯論>」가 발표되었다.

13일, 『광명일보』에 사어우의 시 「출발出發」이 발표되었다.

『양청만보』에 탕타오의 산문 「레닌그라드의 백야―소련 방문 잡기列寧格勒的白夜──訪蘇散記」가 발표되었다.

14일, 『인민일보』에 사설 「전국의 민가를 대규모로 수집하자大規模地收集全國民歌」가 발표되었다. 사설은 당시 전국의 대약진 분위기와 긴밀히 연관되어, 청두와 우창 회의에서의 마오쩌둥의 민가에 관한 연설을 전면적으로 소개하였다. 사설은 "이것은 대단히 가치 있는 공작이다. 우리나라 문학예술의 발전(특히 시가와 가곡의 발전)에 중대한 의의를 가지고 있다", "중국 신시의 발전은 의심할 여지 없이 이 시들의 영향을 받게 될 것이다"라고 보면서, 마지막에는 "우리는 착정기를 이용해 시의 대지를 깊이 파고들어 민요, 산가, 민간서사시 등이 원유처럼 뿜어져 나오게 해야 한다"라고 전국 인민을 향해 호소하였다. 같은 호에 12일에 진행된 전국청년공인대표회의에서의 후야오방의 보고 「사람은 우리의 위대한 사업의 결정적 요소이다人是我們偉大事業的決定因素」, 류바이위의 산문 「황금색 사과金黃的蘋果」가 발표되었다.

15일, 상하이 철학사회과학계에서 대토론을 진행하였다. 『인민일보』에 「후금박고론(지금 것을 중시하고 옛것을 경시함-역자 주)이 후고박금론(옛것을 중시하고 지금 것을 경시함-역자 주)을 이기다厚今薄古論戰勝厚古薄今論」라는 제목으로 종합기사가 게재되었다.

16일, 『맹아』 제8호에 하오란의 소설 「마차가 대로 위를 질주한다馬車在大路上奔馳」가 발표되었다.

『신관찰』 제8호에 탕타오의 산문 「문을 두드리다叩門」가 발표되었다.

17일, 『해방일보』에 야오원위안의 단론 「'진실 보존'에 관하여略談"存真"」가 발표되었다.

18일, 『인민일보』에 사어우의 「영웅들에게―스싼링 댐 공사현장을 위한 속보給英雄們──爲十

三陵水庫工地寫的快報」, 쉬츠의 「난취안샹에서 쓰다寫在暖泉鄉」, 위안수이파이의 「지식분자 사자경知識分子四字經」 등의 시가 발표되었다.

『문회보』에 귀모뤄의 「오늘의 새로운 국풍과 내일의 새로운 초사를 위해 환호하자爲今天的新國風, 明天的新楚辭歡呼」, 야오원위안의 「'편견'이 아니다並非"偏見"」가 발표되었다.

20일, 『베이징문예』 4월호에 라오서의 상성 「'5기'를 소탕하자掃蕩五氣」가 발표되었다.

21일, 『인민일보』에 장편 취재기사 「민가의 대규모 수집 문제에 관하여ㅡ귀모뤄가 『민간문학』 편집부의 질문에 답하다關於大規模收集民歌問題——郭沫若答<民間文學>編輯部問」, 류칭의 산문 「마창춘을 다시 방문하다重訪馬場村」가 발표되었다.

23일, 『민간문학』 4월호에 상하이와 후베이성 마청麻城 지역의 대약진을 반영한 공인 혹은 민간가요 90편이 게재되었다.

24일, 『해방일보』에 탕타오의 단론 「'자연히 붉은' 것이 아니라 '붉게 단련'하는 것이다是"鍛煉紅"而不是"自然紅"」가 발표되었다.

25일, 『인민일보』에 류바이위의 특필 「아침의 태양ㅡ자오위안 사람들을 기억하며早晨的太陽——記肇源的人們」, 위안수이파이의 시 「화극 「붉은 폭풍」을 보러 가자!看話劇<紅色風暴>去!」가 발표되었다.

『시간』 제4호에 「공인이 시를 말하다工人談詩」, 「공인 시가 100편工人詩歌一百首」 및 귀모뤄의 「붉은 별이 머리 위를 비춘다頭上照耀著紅星」, 우보샤오의 「대자보를 읊다詠大字報」, 광지의 「동풍송가東風頌」 등의 시와 짱커자의 논문 「1957년 시가 창작의 윤곽1957年詩歌創作的輪廓」, 사오취안린의 논문 「문외한이 시를 말하다門外談詩」가 발표되었다. 사오취안린은 글에서 시풍 문제와 보급 및 제고 문제, 현실주의와 낭만주의에 관한 문제 등에 대해 토론을 전개하였다.

26일, 중국문련, 중국작가협회, 민간문학연구회가 민가 좌담회를 진행해 민가와 민요에 대한 수집 및 정리 공작을 위해 전국적인 기관을 설립해 통일적으로 계획할 것을 제안하였다. 저우양이 민가 수집 문제에 관해 발언하였다. 『문예보』 제9호에 「민요 수집 대군 총동원采風大軍總動員」이라는 제목으로 기사가 게재되었다.

『문예보』 제8호의 「흥! 반역자 파스트!呸!叛徒法斯特!」란에 바진의 「파스트의 비극法斯特的悲劇」, 차오위의 「반역자 파스트를 질책한다斥叛徒法斯特」, 위안수이파이의 「11년 전의 옛일11年前的往事」이 발표되었다.

27일, 『독서』 제5호에 바런의 「광범위한 생활, 집중적인 묘사─『백 번 담금질해 강철을 만든다』를 평하다廣闊的生活, 集中的描繪──略評<百煉成鋼>」가 발표되었다.

28일, 『톈진일보』에 「자아 교육을 진행해 공인 작가를 배양하고, 각 공작 직공들이 '공장사'를 집필한다進行自我教育, 培養工人作家, 各廠職工將編寫"工廠史"」 및 사설 「공인계급의 역사를 묘사하자描寫工人階級的歷史」가 발표되었다.

30일, 『인민일보』에 궈모뤄의 시 「인민영웅기념비人民英雄紀念碑」가 발표되었다. 같은 날 소식은 문화부가 29일에 각 성, 시, 자치구 문화국(청) 및 문화부의 각 직속 극원 및 극단에 항저우 월극단이 도시의 거리에서 공연을 진행한 방법을 학습하라는 통지를 발포하였다고 전했다. 소식은 또한 가두극과 가두 공연은 혁명문예의 빛나는 전통으로, 중일전쟁과 해방전쟁 시기에도 가두극과 광장 앙가극을 공연해 당시의 실제 투쟁을 적시에 반영하였으며, 이러한 가두극들은 형식이 생생하고 공연에 융통성을 있어 혁명문예의 전투적 역할을 충분히 발휘했다고 지적하였다.

『문회보』에 후완춘의 특필 「상강 2공장 사화上鋼二廠史話」가 발표되었다.

이달에 아이칭이 우파분자로 규정되어, 왕전王震 장군의 도움을 받아 헤이룽장성 베이다황의 어느 삼림 농장으로 가서 노동개조에 임하였다. 그는 이 기간에 장시 『황야 천 리의 눈길을 끝까지 걷다踏破荒原千裏雪』와 『하마퉁허 위의 아침노을蛤蟆通河上的朝霞』을 창작하였다.

쑨리의 소설산문집 『바이양뎬 기록白洋澱紀事』이 중국청년출판사에서 출간되었다.

두펑청의 중편소설 『평화로운 나날 속에서』가 둥펑문예출판사東風文藝出版社에서 출간되었다.

시룽의 『종신대사終身大事』, 쑨첸의 『흉터 이야기傷疤的故事』 등의 단편소설집이 산시인민출판사에서 출간되었다.

빙신의 산문집 『돌아온 후歸來以後』가 작가출판사에서 출간되었다. 책에는 「일본 방문 관찰기訪

日觀察」, 「히로시마ー고발의 도시廣島ーー控訴的城市」 등이 작품이 수록되었다.

톈젠의 시론집 『바다제비 송가海燕頌』가 베이징출판사에서 출간되었다.

『「·문학은 인학이다」를 논하다」 비판집<論‘文學是人學’>批判集』(제1집)이 신문예출판사에서 편집 및 출간되었다.

5월

1일, 『창장문예』 5월호에 쉬보란許伯然의 4막 7장 화극 극본 「류제메이劉介梅」, 우커런武克仁의 평론 「한 편의 극을 통해 약진을 보다ー화극 「류제메이」를 보고由一出戲看躍進ーー話劇<劉介梅>觀後感」가 발표되었다.

『신항』 5월호에 리지예의 단론 「마르크스주의 세계관을 고수하고, 수정주의에 단호히 반대하자堅持馬克思主義世界觀, 堅決反對修正主義」가 발표되었다.

『신관찰』 제9호에 장융메이의 시 「마오 주석은 우리 가운데에 있다毛主席在我們中間」, 펑쯔카이의 산문 「양주몽揚州夢」, 후완춘의 특필 「45분과 2년四十五分鐘和兩年」, 바런의 「인도네시아 인민을 그리워하며懷印度尼西亞人民」가 발표되었다.

『처녀지』 소설 특집호에 취보의 「말다툼爭吵」, 캉줘의 「겨울의 이른 봄冬天的早春」, 사오화의 「구원求援」, 뤼빈지의 「한밤중半夜」 등의 소설이 발표되었다.

『불꽃』 5월호에 시룽의 소설 「왕런허우와 그의 사돈王仁厚和他的親家」, 마펑의 소설 「늙은 과부老寡婦」, 옌이의 시 「황허의 돛 그림자黃河帆影」 및 청인成蔭, 하이모의 영화 극본 「봄 도시는 어디서나 꽃잎이 날리네春城無處不飛花」가 발표되었다(6월호에 연재 완료).

『맹아』 제9호에 페이리원의 소설 「황푸장의 파도黃浦江的浪潮」, 바진의 「나의 ‘산문’을 말하다談我的“散文”」가 발표되었다.

『창춘』 5월호에 타오란陶然의 논문 「기념과 수호紀念與捍衛」가 발표되었다.

타오란(1914~1966), 본명은 타오즈야오陶志堯로 산둥성 쥐예鉅野 출신이며 중공 당원이다. 잡지 『동성東聲』 편집자, 지린성 문련 부주석, 중국작가협회 지린분회 부주석 등을 역임하였다. 40년대에 작품 발표를 시작하였으며 1962년에 중국작가협회에 가입하였다. 저서로 『중국현대문학사中國現代文學史』(3권, 합동 집필), 『문예이론文藝理論』이 있으며 역서로 장편소설 『부재지주不在地主』

등이 있다.

2일, 『광명일보』에 톈젠의 시 「노동과 노래—가두시 3편勞動和歌唱——街頭詩三首」, 사어우의 시 「영웅비英雄碑」가 발표되었다.

신화사에서 「신민가가 한 시기의 시풍을 열다新民歌開創一代詩風」를 발표하였다. 이후 중국민간 문예연구회에서 편찬한 『민간문학』 1958년 5월호에 수록되었다.

3일, 『인민일보』에 린모한의 논문 「현실주의인가 아니면 수정주의인가?現實主義還是修正主義?」, 스팡위의 산문 「치먼에서의 첫날祁門第一天」이 발표되었다.

『극본』 5월호에 양뤼광의 「「뻐꾸기가 또 울었다」에 관한 창작 상황 몇 가지關於<布穀鳥又叫了> 的一些創作情況」, 라오서의 「「찻집」에 관한 몇 가지 문제에 답하다答復有關<茶館>的幾個問題」가 발표 되었다. 같은 호에 톈한의 화극 「관한경」이 발표되었다(단행본은 6월에 중국희극출판사에서 출간 되었으며, 1961년 4월에 수정판이 출간되었다).

4일, 『광명일보』에 '5 · 4' 운동 39주년을 기념해 사설 「공농 군중과 결합하는 것은 지식분자 개조의 근본 노선이다和工農群眾結合是知識分子改造的根本道路」가 발표되었다. 같은 호에 펑즈의 시 「동풍 속에서在東風裏」가 발표되었다.

5일, 『인민일보』에 「도처에 시가 있고, 모든 이가 노래한다無處不見詩, 無人不歌唱」라는 제목으로 중공 후베이성 홍안紅安현 선전부장이 시가 창작 활동 전개 상황을 소개한 기사가 게재되었다.

『문예월보』 제5호에 두펑청의 단편소설 「옌안 사람延安人」, 왕원스의 소설 「흰 연기가 피어오르는 곳에서在白煙升起的地方」, 황쭝잉의 통신 「농촌생활의 첫날農村生活的第一日」이 발표되었다. 웨이진즈는 「민가와 민요여, 너를 환영한다!民歌, 民謠, 歡迎您!」에서 "백화제방을 제창하고 공농병 문예방향을 적극적으로 집행하는 지금, 우리는 '옌안 문학'만을 중시하고 민간문학을 경시하던 이전의 관점을 변화시켜야 할 뿐만 아니라 민간을 학습해야 한다. 인민이 선호하는 민간의 문학형식과 민간이 표현하는 인민의 건강한 감정을 학습해야 한다. 민간의 몇몇 결점들은 그저 지엽적인 문제일 뿐이다"라고 보았다. '작가가 창작을 말하다'란에는 량빈의 「나는 어떻게 『홍기보』를 창작했는가我怎樣創作了<紅旗譜>」, 양뤼광의 「「뻐꾸기가 또 울었다」의 양식과 풍격에 관하여談<布穀鳥又叫

了>的樣式和風格」가 발표되었다. 이 외에도 장쿵양의 평론「생활처럼 풍부하고 다채롭다─아이우의『백 번 담금질해 강철을 만들다』에 관하여象生活一樣豊富多彩──談艾蕪的<百煉成鋼>」, 왕야오의 논문「'15년간'의 문학에 관하여說"十五年間"的文學」, 거비저우의 시「이 산베이의 달 아래서在這陝北的月下」(외 1편)가 발표되었다.

『옌허』5월호에 두펑청의 소설「첫날第一天」, 옌이의 소설「성숙한 계절成熟的季節」, 웨이강옌의 시「광부의 노래煤礦工人之歌」가 발표되었다.

『초지』5월호에 탕타오의 소련 여행기「트랙터의 조국拖拉機的祖國」, 옌이의 연작시「광부 서정시礦工抒情詩」가 발표되었다.

6일,『희극보』와『극본』의 편집부가 합동으로 베이징의 일부 희극가와 역사학자들을 초청해 톈한의 신작「관한경」에 관한 좌담회를 진행하였다. 류즈밍, 장경, 우사오링, 저우이바이, 차이메이뱌오蔡美彪, 어우양산쭌, 수슈원, 이빙, 장잉, 펑쯔鳳子, 장전, 다이부판 등이 참석하였다. 참석자들은 작가가 관한경이라는 인물에게 거대한 혁명의 열정을 부여했으며, 사상 면에서는 사랑과 증오가 분명하고, 언어는 통속화되어 이해하기 쉽다고 평하였다. 본 좌담회의 발언 원고는「톈한의 신작「관한경」좌담座談田漢新作<關漢卿>」이라는 제목으로『희극보』제9호에 발표되었다.

7일,『문회보』에 장쿵양의 문예단론「전형은 반드시 선명한 성격이어야 한다典型必須是鮮明的性格」가 발표되었다.

『꿀벌』5월호에 캉줘의 평론「공인계급 문예의 대번영을 위하여爲了工人階級文藝的大繁榮」, 량빈의 평론「나는 어째서『홍기보』를 쓰려 했는가我爲什麼要寫<紅旗譜>」가 발표되었다. 편집후기는 『홍기보』의 제2부는 제목을「북방의 폭풍北方風暴」이라고도 하며 6월호에 내용의 일부가 발표될 것이라고 밝혔다.

『홍암』5월호에 옌이의 소설「아들兒子」이 발표되었다.

8일,『인민일보』에 사설「더 많이, 빨리, 잘, 절약해서 사회주의 문화예술사업을 발전시키자多快好省地發展社會主義文化藝術事業」가 발표되었다. 사설은 "생산 대약진에 발맞춰 문화 방면의 대약진도 시작되었다. 양은 적고, 느리고, 질은 떨어지고, 원료를 낭비하는 것에 반대하고, 우경 보수와 냉담한 태도, 그리고 쓸데없는 걱정을 일삼는 문화건설노선을 반드시 반대해야 한다"라고 밝혔다. 같은 호에 톈젠의「전단을 뿌리다播種傳單」와 쨩커자의 잡문「동록을 긁어내다刮去銅綠」가 발표되었다.

『인민문학』5월호에 궁무의 「시가의 상산하향 문제詩歌底下鄉上山的問題」가 발표되었다. 궁무는 글에서 시가는 오늘날의 농촌과 농민 속으로 들어가야 한다고 보면서, 민가와 민간 운문 형식을 이용할 것을 주장하였다. 이 글은 격률시를 제창하는 허치팡에 대한 비평을 담고 있는데, 허치팡이 "가요체 신시를 반대 혹은 의심"하고 있다고 보았다. 허치팡은 이 글에 반박해, 『처녀지』1958년 7월호(시가 특집호)에 「신시의 '백화제방' 문제에 관하여關於新詩的"百花齊放"問題」를 발표해 이 문제에 대해 보다 상세히 해석하고 해명하였다.

같은 호에 리지의 「위먼 사람玉門人」(5편), 리지예의 「조지아의 친구에게 보내다寄格魯吉亞的友人」, 거비저우의 「네게 이별을 고하고 고향으로 돌아갈 때 나는 시베이에 이별을 고하리當我向你告別返故鄉時向西北告別」(2편), 쩌우디판의 「양수장의 노래揚水站的歌」(2편) 등의 시와 사오쯔난의 유작 소설 「장더취안과 그가 한 이야기張德全和他所講的故事」, 차오밍의 「영춘곡迎春曲」, 페이리원의 「조선소 추적船廠追蹤」 등의 소설과 우보샤오의 「창작 잡담寫作雜談」, 장톈이의 「아름다움에 관하여談美麗」, 류바이위의 통신 「푸라얼지에서 치치하얼까지從富拉爾基到齊齊哈爾」, 커란의 특필 「귀를 잘못 듣다聽錯了耳朵」, 아이밍즈의 특필 「봄날의 조수春潮」, 천바이천, 미구米穀, 장유성江有生, 왕셴汪現이 공동 창작한 단막 풍자극 「미국 기담美國奇譚」 및 위안수이파이의 「중국 작풍과 중국 기상을 가진 시를 쓰자寫中國作風、中國氣派的詩」, 야오원위안의 「친절하고 사람을 진보하게 하는 책—『마르크스 엥겔스를 회상하며』를 읽고親切而引人上進的書——讀<回憶馬克思恩格斯>」, 아이우의 「침묵을 평하다評沉默」가 발표되었다(「침묵沉默」은 친자오양이 '허유화何又化'라는 필명으로 『인민문학』1957년 1월호에 발표한 소설이다). 아이우는 글에서 친자오양은 아직도 어두운 면을 폭로하는 것이 현실주의의 유일한 천직이라고 여기고 있는데, 이는 결코 옳지 않다고 보았다.

10일, 『전초』5월호에 왕창딩의 소설 「일일천리一日千裏」와 옌이의 시 「수차水車」가 발표되었다.

베이징인민예술극원이 베이징에서 취보의 소설 『임해설원』을 각색한 4막 9장 화극 「지취위호산智取威虎山」을 공연하였다. 자오치양趙起揚, 샤춘, 메이첸 등이 각색을 맡았으며 자오쥐인이 감독을, 퉁디童弟, 퉁차오 등이 주연을 맡았다.

11일, 『문예보』제9호에 「시인들이 혁명적 현실주의와 혁명적 낭만주의의 결합에 대해 필담하다詩人們筆談革命的現實主義和革命的浪漫主義相結合」라는 제목으로 허징즈의 「시의 혁명적 낭만주의 만담漫談詩的革命浪漫主義」, 궈샤오촨의 「우리에게는 최강음이 필요하다我們需要最強音」, 위안수이파이의 「시 속의 현실주의와 낭만주의의 결합詩中的現實主義和浪漫主義的結合」, 짱커자의 「이상, 열정, 시의理想、熱情、詩意」, 펑즈의 「신시의 노력 방향 만담漫談新詩的努力方向」이 발표되었다. 같은 호에 옌자옌嚴家炎의 평론 「두 개의 검은 선 — 옛것을 중시하고 지금 것을 경시하는 경향은 어디에서 왔는가兩條黑線——厚古薄今從何而來」, 천바이천의 「집단창작에 관하여關於集體創作」 등이 발표되었다. 옌자옌은 글에서 옛것을 중시하고 지금 것을 경시하는 각종 현상 속에는 분명히 이를 관통하는 두 개의 검은 선이 있는데, 하나는 감정 속 깊은 곳에 남아 있는, 고대 작품의 퇴폐적이고 개인 반항적이며 통속적이고 저급한 정취를 선호하고 아쉬워하는 마음, 그리고 다른 하나는 공명심이라고 보았다. 천바이천은 글에서 집단창작이 적시에 빨리 창작하는 문제를 해결한다고 지적하면서 '책 한 권 주의'에 반대하였다.

옌자옌(1933~), 필명은 옌젠嚴奢 혹은 자시稼兮로 상하이에서 출생하였다. 1958년에 베이징대학 중문과 문예이론 전공을 졸업한 후 부박사副博士 과정을 거쳤다. 중국현대문학연구회 회장, 베이징시 문련 부주석, 딩링연구회 명예회장 등을 역임하였다. 1948년부터 작품 발표를 시작하였으며 1979년에 중국작가협회에 가입하였다. 저서로 문집 『지춘집知春集』, 『구실집求實集』, 『현대소설과 문예사조를 논하다論現代小說與文藝思潮』, 『세계의 발자국 소리 — 20세기 중국소설 논집世紀的足音——二十世紀中國小說論集』 및 논저 『진융 소설 논고金庸小說論稿』 등이 있다.

12일, 『해방군문예』 5월호에 라오제바쌍의 시 「고향에 보내다寄家鄕」, 푸둬의 단막극 「고별 전告別之前」, 우창의 단론 「나는 둥둥거리는 전고 소리를 들었다我聽到咚咚的戰鼓聲」, 양뤼팡의 단론 「창작의 진실과 자유의 감상에 대하여對創作的眞實和自由的感想」, 탕타오의 산문 「공산주의 사회로 통하다 — 소련 방문 수기通向共産主義社會——訪蘇手記」가 발표되었다.

『인민일보』에 옌전의 시 「산가가 부르기 쉬워 입이 잘 열린다山歌好唱口好開」가 발표되었다.

『문회보』에 궈모뤄의 「민가는 고쳐야 하는가?民歌要不要改?」, 웨이진즈의 「아Q를 어떻게 볼 것인가怎樣看待阿Q」, 궈샤오촨의 「거대한 규모의 시가 낭송운동을 일으키자興起一個規模巨大的詩歌朗誦運動」가 발표되었다.

13일, 『인민일보』에 진진의 「산간지대의 봄 경치山區的春光」가 발표되었다. 이 외에도 「산가 민요의 전국 지음山歌民謠擧國知音」이라는 제목으로 광둥, 산둥, 랴오닝, 상하이 등에서 광범위하게 민가를 수집하는 상황이 보도되었다.

14일, 『문회보』에 「희극은 반드시 새로운 군중시대를 표현해야 한다―저우양 동지가 고금동서 극목을 정확하게 대하는 문제에 관해 말하다戲劇一定要表現新的群眾時代――周揚同志談正確對待今古中外劇目問題」가 발표되었다.

15일, 『인민일보』에 짱커자의 「마음을 털어놓는 것에서부터 이야기를 시작하다從交心談起」가 발표되었다.

『미술작품美術作品』이 창간되었다(통권 4호로 폐간).

『희극보』 제9호에 커소프柯索夫와 차오위의 「「뇌우」의 소련 공연에 관한 통신關於<雷雨>在蘇聯上演的通信」이 발표되었다.

16일, 『인민일보』에 라오서의 상성 「옛것을 중시하고 지금 것을 경시하다厚古薄今」가 발표되었다.

『신관찰』 제10호에 류바이위의 산문 「삼림이 즐겁게 노래한다森林在歡唱」가 발표되었다.

18일, 『광명일보』에 가오스치의 시 「세 번째 인공위성第三顆人造衛星」, 사어우의 시 「절정 속의 기쁜 소식高潮中的喜訊」이 발표되었다.

『문회보』에 라오서의 「서평계에 홍기를 꽂자把紅旗插到評書界」가 발표되었다.

19일, 중국극협에서 항저우 월극단과 저장 소극단紹劇團에 대한 저우양의 연설에 관한 좌담회를 개최해 희극계 인사들을 초청해 토론을 진행하였다. 좌담회는 톈한이 주관하였다. 일부 발언 내용은 「두 다리로 희극의 새로운 단계를 향해 나아가자用兩條腿邁向戲劇的新階段」라는 제목으로 『희극보』 제10호에 게재되었다.

20일, 『인민일보』에 바런의 시 「교심편交心篇」이 발표되었다.

『베이징문예』 5월호에 린진란의 소설 「약진躍進」, 돤무홍량의 산문 「석강 교향악石鋼交響樂」, 류허우밍의 단막 희극 「시인은 어디에 있는가?詩人在哪裏?」가 발표되었다.

20일~6월 13일, 매일 1~5개의 극단이 스싼링 댐 공사현장을 방문해 15만 노동대군을 위해 위문공연을 진행하였다. 본 위문공연에는 30여 개의 극단이 참여하였다.

22일, 『인민일보』에 젠셴아이의 산문 「칭옌샹의 하루青岩鄕的一天」가 발표되었다.

『여행가』 제5호에 궈모뤄의 시 「마오 주석은 장샤 기선 위에 있다毛主席在江峽輪上」, 리지의 시 「란저우 위먼의 길 위蘭州玉門道上」가 발표되었다.

23일, 『광명일보』에 라오서의 잡문 「화는 입에서 나온다禍從口出」가 발표되었다.

『민간문학』 5월호에 위안수이파이의 단론 「전국이 노래하고 있다!全國唱起來了!」, 사어우의 단론 「풍부하고 다채로운 표현수법豐富多彩的表現手法」, 자즈賈芝의 「민가 수집의 새로운 국면搜集民歌的新局面」이 발표되었다.

쓰촨성 및 시 문예계 인사 300여 명이 성 문련에서 개최한 마오쩌둥의 「옌안문예좌담회에서의 강화」 발표 16주년 기념 좌담회에 참석하였다.

24일, 『해방일보』에 커란의 「자동차화에 관하여─하향 찰기 제1편關於車子化──下鄕劄記之一」이 발표되었다.

『수확』 제3호에 바진의 창작담 「「가을」에 관하여談<秋>」, 팡지의 「방문자來訪者」, 왕시옌의 「풍경風景」, 하이모의 「개를 때리다打狗」와 「진강 동지金剛同志」 등의 단편소설, 리광톈의 「어려움을 무릅쓰고 용감히 나아가다乘風破浪」, 차이치자오의 「단장커우·난진관丹江口·南津關」 등의 시 및 캉줘의 보고문학 「벼락출세의 길 위一步登天的路上」, 커란의 영화 극본 「철창열화鐵窗烈火」가 발표되었다. 야오원위안은 평론 「「방문자」의 사상 경향을 논하다論<來訪者>的思想傾向」에서 "「방문자」는 사회주의 사회를 추악하게 묘사하고 극단적인 개인주의자를 미화한 작품이다"라고 평했다 (『문예보』 1958년 제16호). 1959년에서 1960년 사이에 정치에서는 '우경 사회주의'를 비판하고 문예에서는 '수정주의'를 비판하던 당시에 「방문자」는 재차 비판받았다. 『신항』과 『허베이일보』에 캉줘의 「팡지 단편소설 비판方紀短篇小說批判」(『신항』 1960년 3월호) 등 비판의 글이 여러 편 발표되었다.

25일, 『문회보』에 멍차오의 「화극 「지취위호산」에 관하여談話劇<智取威虎山>」가 발표되었다.

『시간』 5월호에 마오둔의 단론 「공인 시가 100편 독후감工人詩歌百首讀後感」과 라오서의 단론

「큰 경사大喜事」가 발표되었다. 마오둔은 글에서 공인시가를 높이 평가하면서 "'노동자가 자신의 일을 노래'함에 있어 전문화될 필요가 있는가? 창조성을 발휘해 한 세대의 시풍을 개척했다"라고 보았다. 라오서는 글에서 공인 시가는 감정이 진지하고, 진실한 생활 체험을 표현하였으며, 언어가 명랑한 등의 특징을 가지고 있다고 평했다. 같은 호에 펑무의 평론「리광톈의 근작을 기쁘게 읽다喜讀李廣田的近作」, 위안수이파이의「민가에서 낭만주의 정신을 배우자向民歌學習浪漫主義精神」, 펑즈의「고전시가 학습 방법 만담漫談如何向古典詩歌學習」, 천바이천의「목청껏 노래하자放聲歌唱吧」 등의 단론과 허징즈의 시「싼먼샤의 노래三門峽歌」가 발표되었다.

『신후난보新湖南報』에 저우리보의「빗속의 사람들雨裏的人們」이 발표되었다. 이 작품은 이후에 『저우리보 선집周立波選集』에 수록되었다.

26일, 『인민일보』에 궈샤오촨의「'영원히 총을 놓지 않는다'에 관하여關於"永不放下槍"」가 발표되었다.

『문예보』에 허징즈의「다큐멘터리여, 네가 나를 감동시켰다紀錄片, 你激動了我」, 천샤오위의「대변혁 시대의 생활록, 대약진의 이정표大時代的生活錄, 大躍進的裏程碑」가 발표되었다. 이상의 글은『문예보』편집부에서 5월 7일에 몇몇 작가, 시인, 영화평론가들을 초청해 중앙신문기록전영제편창에서 8편의 신문 다큐멘터리를 관람한 후에 진행한 좌담회에서의 발언이다.

27일, 『희극논총』제2집의 관한경 기념 특집란에 저우이바이의「관한경 연구關漢卿研究」, 정전둬의「중국의 위대한 희곡가 관한경中國偉大的戲曲家關漢卿」 등의 글이 발표되었다. 같은 호에 천서우주의「궈모뤄의 역사극을 논하다論郭沫若的曆史劇」, 예타오葉濤의「「뻐꾸기가 또 울었다」를 보고看<布穀鳥又叫了>劄記」가 발표되었다.

『인민일보』에「신민가선新民歌選」 및 짱커자의 시「마오 주석이 스싼링에 오다毛主席來到十三陵」, 장경의「「찻집」만담<茶館>漫談」이 발표되었다.

『문예보』와『불꽃』편집부가 산시山西 타이위안에서 좌담회를 개최해『불꽃』1956년 10월호부터 1958년 5월호까지 게재된 70여 편의 단편소설의 창작 경향 문제에 관해 토론하였다. 산시성 문련 주석 리수웨이,『불꽃』편집장 시룽,『문예보』부편집장 천샤오위 등이 참석하였다. 참석자들은 이 단편소설들이 인물 창조, 줄거리, 언어 등의 부분에 짙은 향토적 특색과 시대정신 및 생활의 정취를 가지고 있다고 의견을 모았다.『문예보』제11호에 본 좌담회의 상황이 보도되었다.

28일, 『문회보』에 톈한의 「접쌍비蝶雙飛」가 발표되었다. 「접쌍비」는 「관한경」의 삽입곡 중 하나로, 본 희곡은 북곡北曲 「신수령新水令」 등의 곡패曲牌를 종합해 각색한 작품이다. 같은 호에 진쯔광金紫光의 글 「관한경 동지의 「접쌍비」에 관하여談田漢同志的<蝶雙飛>」가 발표되었다.

29일, 『해방일보』에 야오원위안의 「독초와 독초 제거毒草及鋤毒草」, 리루칭의 시 「변경의 아침 풍경邊疆晨景」이 발표되었다.

31일, 『희극보』 제10호에 좌담 토론 「두 발로 희극의 새로운 단계를 향해 나아가자─희극계에서 저우양 동지의 연설 「희극은 반드시 새로운 군중시대를 발견해야 한다」에 관해 좌담하다用兩條腿邁向戲劇的新階段──戲劇界座談周揚同志的談話<戲劇一定要發現新的群眾時代>」라는 제목으로 톈한, 뤼펑侶朋, 마사오보, 어우양산쭌 등의 발언이 게재되었다. 이 외에도 『희극보』 편집부에서는 이번 호부터 '홍과 전'에 관한 주제 토론을 시작하기로 결정하였다. 편집자의 말은 그 이유에 관해 "희극계의 정풍운동은 이미 4단계에 진입해, 여러 기관에서 '홍'과 '전' 문제에 대해 심도 있는 토론을 전개하였다. 몇몇 동지는 희극계의 '홍'과 '전' 문제는 다른 분야보다 더욱 해결하기 힘들다고 보았다"라고 설명하였다.

이달에 해방군문예사解放軍文藝社에서 '중조 우호 원고 공모中朝友誼征文'를 시작하였다.

시인 원제가 『간쑤일보』 기자의 신분으로 주더 총사령관을 따라 간쑤성 허시 회랑, 위먼 유전 등을 시찰하고 취재하였다. 그는 취재 기간 동안 『인민일보』 기자와 함께 15편의 통신 특필을 집필해 「잊을 수 없는 15일간難忘的十五天」이라는 제목으로 발표하였다. 그는 이 외에도 「허시에서의 주 총사령관朱總在河西」이라는 제목의 연작시 12편을 창작해 『간쑤일보』에 발표하였다.

윈난성위원회 선전부와 중국작가협회 쿤밍분회의 지도와 조직하에 민족집단거주구역을 단위로 하여 윈난성의 문학공작자, 민간문학 공작자 및 쿤밍사범학원 학생들을 소집해 7개 조의 조사대를 구성하여, 본 지역들 및 민족의 민간문학에 대해 민간고사와 민간서사시를 위주로 전면적인 조사와 수집을 진행하였다. 본 조사는 공전의 대규모 조사로 1년여의 시간이 걸렸으며, 본 조사를 통해 『어빙과 쌍뤄額丙與桑洛』, 『메이거梅葛』, 『창세기創世紀』, 『조롱박 편지葫蘆信』, 『쑤원나와 그의 아들蘇文納和他的兒子』 등 여러 편의 장편서사시가 출판되었으며, 이 외에도 『백족 문학사白族文學史』, 『납서족 문학사納西族文學史』 등의 초고가 집필되었다.

왕멍이 '우파 분자'로 규정되었다.

아이우의 장편소설 『백 번 담금질해 강철을 만들다』, 단편소설집 『밤에 돌아오다夜歸』, 하오란의 단편소설집 『까치가 가지에 오르다』, 리준의 시집 『시위안 시초西苑詩草』가 작가출판사에서 출간되었다.

신문예출판사에서 편찬한 『대약진 시선大躍進詩選』이 출간되었다.

『맹아』 편집위원회에서 편찬한 산문특필선집 『허란산에서 묵다夜宿賀蘭山』가 상하이문화출판사에서 출간되었다. 본 선집에 수록된 작품 15편은 1957년에 격주간 잡지인 『맹아』에 발표된 작품들 중에서 선정한 것이다.

후커 등이 합동 창작한 화극 『전투 속에서 성장하다』가 중국희극출판사에서 출간되었다.

아잉의 『소설한담小說閑談』과 『소설이담小說二談』이 고전문학출판사에서 출간되었다.

빙신 등이 번역한 『타고르 선집 · 시집泰戈爾選集 · 詩集』이 인민문학출판사에서 출간되었다.

6월

1일, 잡지 『홍기紅旗』가 창간되었다. 창간호에 마오쩌둥의 「어느 합작사 소개介紹一個合作社」와 저우양의 「신민가가 신시의 새로운 길을 개척했다新民歌開拓了詩歌的新道路」가 발표되었다. 저우양은 "대약진 민가는 부단히 고조되는 노동인민의 혁명 열정과 생산 열정을 반영하였고, 역으로 다시 이러한 열정을 크게 격려해 생산력의 발전을 촉진하였다. 신민가는 공인과 농민이 작업장과 논밭에서 읊는 정치 선동시가 되었다. 대약진 민가는 생산 투쟁의 무기이며, 노동 군중이 스스로 창작하고 감상하는 예술품이다"라고 보았다. 그는 사회주의 정신이 민가에 스며들어 새로운 사회주의 민가를 형성했으며, 이러한 새로운 민가가 민가 발전의 신기원을 개척하였고, 또한 중국 시가의 새로운 길을 개척했다고 보았다. "마오쩌둥 동지는 우리의 문학이 혁명적 현실주의와 혁명적 낭만주의가 결합된 형태가 되어야 한다고 제창하였다. 이는 문학의 모든 역사적 경험을 과학적으로 개괄한 것으로, 이 시대의 특징과 요구에 근거해 제시한 대단히 정확한 주장이다. 이 주장은 우리 모든 문예공작자가 공통으로 분투할 방향이 되어야 한다. 마오쩌둥 동지 본인이 창작한 시들이 바로 우리의 가장 좋은 본보기이다"라고 보면서, 또한 "민가 및 여타 민간문학 예술을 전면적으로 수집하는 것은 당 전체와 인민 전체가 임해야 할 공작이며, 모든 문예공작자들이 이 공작에 참가해야 한다"라고 밝혔다.

　　마오쩌둥은 글에서 전국 인민에게 허난성 펑추封丘현에 위치한 '소사병대사小社並大社'라는 웅거사應擧社를 추천하였다. 천보다는 『홍기』 제3호(7월 1일)에 「새로운 사회, 새로운 사람全新的社會, 全新的人」, 제4호(7월 16일)에 「마오쩌둥의 기치 아래在毛澤東的旗幟下」 등 두 편의 글을 발표해 공사公社에 관한 마오쩌둥의 사상을 전달하면서 최초로 '인민공사人民公社'라는 명칭을 사용하였다. 그는 글에서 "합작사가 농업합작과 공업합작을 겸비한 하층 조직으로 변한다면, 이는 사실상 농업과 공업이 결합된 인민공사이다", "우리의 방향은 점진적이며 체계적으로 공(공업), 농(농업), 상(교환), 학(문화교육), 병(민병, 즉 전 인민 무장)을 결합해 대공사를 조성하고, 이로써 우리나라 사회의 기본 단위를 구성하는 것이다"라고 밝혔다. 이 글을 통해 '인민공사'라는 개념의 실마리가 잡혔다. 이후에 허난, 산둥, 허베이 등지에서도 인민공사의 조성이 시작되었다.

　　『신항』 6월호에 라오서의 단편소설 「전화電話」, 귀샤오촨의 「베이징－톈진 급행열차에서在京津特別快車中」, 사오화의 「모닥불 옆에서在篝火旁邊」, 왕창딩의 「해바라기向日葵」 등의 소설과 아이우의 산문 「아르메니아의 농촌에서在亞爾美尼亞農村中」, 리시판의 단론 「바오창의 우파 문예관념과 그 정치사상의 근원鮑昌的右派文藝觀念及其政治思想上的根源」, 예성타오의 시 「청년 농장 견문 기록青年農場記聞」, 리지예의 시 「톈진의 붉은 스카프天津的紅領巾」, 거비저우의 소련 방문 시초 「나는 더욱 아름다운 화랑을 본다我見著更美麗的畫廊」가 발표되었다.

　　『창장문예』 6월호에 리지의 장시 『3변－소년三邊──少年』이 발표되었다.

　　『작품』 6월호에 라오서의 단평 「문병文病」이 발표되었다. 그는 글에서 거드름피우거나 어지럽게 말하지 않고 있는 그대로 말해, 건강하고 명랑한 새로운 문풍을 수립해야 한다고 지적하였다.

　　『열풍』 6월호에 귀펑의 「푸셴에서 민가를 채집한 감상在莆仙采集民歌的一些感受」이 발표되었다.

　　『중국청년』 제11호에 야오원위안의 「서구 고전문학 작품의 애정 묘사를 어떻게 볼 것인가－「적과 흑」으로부터 이야기를 시작하다怎樣看待西歐古典文學作品中的愛情描寫──從＜紅與黑＞談起」가 발표되었다.

　　『맹아』 제11호에 류전의 소설 「펑 아주머니와 저우 아주머니馮大娘和周大娘」 및 이췬의 문학 지도 「개인 반항에서 '생활 관여'까지從個人反抗到"幹預生活"」가 발표되었다. 글은 우선 현실생활과 사회주의를 이해하고, 자신의 견해를 이야기하고, 공인계급과 노동인민에게서 사회주의 건설을 위해 분투하는 정신을 학습한 후에야 사회주의 생활을 정확하게 반영한 작품을 창작할 수 있다고 보았다.

　　『창춘』 6월호에 타오란의 논문 「문학창작은 반드시 노동 속에 뿌리를 내려야 한다文學創作必須在勞動中紮根」가 발표되었다.

『별』 6월호에 「사회주의 동풍社會主義東風」이라는 제목으로 민가 100편이 발표되었다. 이 외에도 옌이의 필담 「시가 하방에 대한 한 가지 견해對詩歌下放的一點看法」가 발표되었다. 옌이는 글에서 '시가 하방'이라는 구호가 "우선 과거 시가의 성취를 인정하고 긍정했을 뿐만 아니라, 또한 이러한 성취를 더욱 적극적으로, 더욱 잘 발전시키기 위한 것이다"라고 보았다. 그는 또한 '시가 하방'은 시가의 사상 내용에 중점을 둔 것이며, 시의 형식은 사상 내용을 표현하는 수단일 뿐이라고 보았다. 신민가를 일제히 찬양하는 당시의 상황에 이 글이 발표되자 곧바로 비판받게 되었다.

『처녀지』 6월호에 관화의 소설 「갈증渴」, 아이우의 산문 「사상적으로 건전하고 기술적으로도 우수한 소련의 기술자를 방문하다訪問蘇聯又紅又專的工程師」, 천보추이의 평론 「소련 아동문학작품의 국제주의 교육蘇聯兒童文學作品中的國際主義教育」이 발표되었다.

2일, 『인민일보』의 '모든 벽에 시가 적혀 있다' 특집란에 궈모뤄의 시 「화위안샹 송가花園鄉頌」, 톈젠의 시 「동풍가東風歌」가 발표되었다.

『문회보』에 바진의 잡문 「옛 지식분자는 반드시 개조되어야 한다舊知識分子必須改造」가 발표되었다.

3일, 『인민일보』에 광지의 시 「총노선 가두시總路線街頭詩」가 발표되었다. 같은 호에 게재된 소식은 문화부 전영사업관리국이 5월 25일부터 31일까지 베이징에서 진행한 영화사업 약진공작회의를 통해 영화사업 발전 과정에서 당의 사회주의 건설 총노선을 관철하고, 5~10년 내에 점진적으로 각 성에 전영제편창을, 각 현에 영화관을, 각 향鄉에 영화 상영대를 배치할 계획을 제시하였다고 전했다.

『극본』 6월호에 사설 「우리나라의 위대한 희극가 관한경을 기념하며紀念我國偉大的戲劇家關漢卿」가 발표되었다. 사설은 그의 투쟁정신, 낙관주의, 인민과의 긴밀한 결합, 인민의 언어를 활용한 창작 등을 찬양하였다. 이 외에도 궈모뤄와 톈한의 「「관한경」에 관한 통신關於<關漢卿>的通信」과 샤옌의 「「관한경」을 읽고 역사극을 말하다讀<關漢卿>雜談歷史劇」, 커옌의 아동극 「인형 가게娃娃店」, 류창랑의 단막 화극 「마음을 당에 바치다把心交給黨」, 저우이바이의 「관한경의 시대와 그 극작 소개介紹關漢卿的時代及其劇作」, 류허우밍의 「아동극 만담漫談兒童劇」이 발표되었다.

5일, 『양청만보』에 친무의 「성하星下」의 연재가 시작되어 6일에 완료되었다.

『문예월보』 6월호에 페이리원의 특필 「나는 '목화 창고'를 방문했다我訪問了"棉倉"」, 스팡위의 소설 「장난은 봄이 빠르다江南春무」, 후완춘의 「토양과 종자—나의 작품 「골육」에 관하여土壤和種子——談我寫的〈骨肉〉」, 야오원위안의 「「아침노을 피리」를 평하다評〈早霞短笛〉」가 발표되었다.

『옌허』 6월호에 커중핑의 시 「부단히 비약하고 노래하자不斷地飛躍不斷地唱」, 옌이의 시 「길의 노래路的歌」, 왕원스의 소설 「만만蠻蠻」, 마라친푸의 산문 「봄 경치가 가득한 초원滿眼春色的草原」, 예성타오의 논문 「아동소설 창작에 가장 적합한 사람最適於寫兒童文學的人」, 천보추이의 「'중국에서의 외국 아동문학' 만담漫談"外國兒童文學在中國"」, 커중핑의 평론 「신민가가 파도처럼 일어나다新民歌如同海起潮」(시안 지역 신민가 좌담회에서의 발언)가 발표되었다. 커중핑은 글에서 신민가가 표현한 새로운 기상을 열정적으로 찬양하며 "신민가의 내용과 리듬은 사회주의의 영웅적 기개를 표현하였으며, 더 많이, 빨리, 잘, 절약하는 노동의 영웅적 기개를 추구하고 있다"라고 보았다. 그는 마지막에 신시를 신민가와 대립하는 구도에 두고 비평을 진행하였다.

『초지』 6월호에 리제런의 단론 「민가 수집 정리에 대한 의견對搜集整理民歌的意見」, 장융메이의 시 「댐 공사현장 스케치水庫工地速記」가 발표되었다.

7일, 『꿀벌』 6월호에 라오서의 상성 「말을 분명히 하다說明白話」, 량빈의 「북방의 폭풍北方的風暴」, 류전의 소설 「살아 있는 보배活寶貝兒」, 캉줘의 소설 「불화살과 자수바늘火箭和繡針」이 발표되었다.

『홍암』 6월호에 옌이의 시 「소묘화 세 장三幅素描像」, 천보추이의 「소련 아동문학 작품의 사상성과 예술성에 관하여談蘇聯兒童文學作品的思想性和藝術性」 및 뤄광빈羅廣斌 등이 합동 창작한 특필 「총리님이 우리 농장에 오다總理來到我們的農場」가 발표되었다.

『인민일보』에 진진의 「공업의 꽃이 온 산에 피다工業花朵滿山開」가 발표되었다.

『해방일보』에 푸레이의 '자아 반성'의 글이 발표되었다. 본지 11일자에 다시 푸레이의 '반당 반사회주의 언행'을 비판하는 글이 발표되었다.

8일, 『인민문학』 6월호에 바진의 「나의 단편소설에 관하여談我的短篇小說」, 라오서의 「짧을수록 어렵다越短越難」, 마오둔의 「최근의 단편소설에 관하여談最近的短篇小說」가 발표되었다. 마오둔은 글에서 최근의 단편소설에 나타난 결점에 대해 분량에 충분히 주의하지 않고, 예술적인 개괄 능력이 결핍되어 항상 1인칭 서술만을 사용하고, 환경 묘사가 인물 묘사와 결합되지 못하고, 인물 묘사 또한 적절하지 못한 문제 등을 지적하였다. 그는 또한 글에서 「일곱 개의 장작七根火柴」과 「백합꽃白合花」의 창작에 대해 구체적으로 분석하고 높이 평가하였다.

같은 호에 루즈쥐안의 소설 「백합꽃」(『옌허』 1958년 3월호에 발표)와 위안젠의 소설 「일곱 개의 장작」(『신항』 1958년 2, 3월호에 발표), 광웨이란의 장시 『굴원屈原』, 웨이웨이의 「작은 개울이 굽이굽이 흐르다細流彎彎」, 짱커자의 「『예성타오 동화선』을 읽고讀<葉聖陶童話選>」, 류허우밍의 「「샤오헤이마 이야기」를 읽고讀<小黑馬的故事>」, 위안잉의 「당신은 자신의 청춘을 어떻게 대하는가?─어느 청년 동지와 『청춘의 노래』에 관해 이야기하다你怎樣對待自己的靑春?──和一位靑年同志談<靑春之歌>」, 사팅의 소설 「풍랑風浪」, 류바이위의 소설 「어느 따뜻한 눈 내리는 밤一個溫暖的雪夜」, 궈샤오촨의 소설 「밤에 방문하다夜訪」, 「말다툼한 후爭吵以後」, 「백 번째 대자보第一百張大字報」, 후완춘의 소설 「부가오 사부가 생각한 것步高師傅所想到的」, 왕시옌의 소설 「쟁기를 위하여爲了鏵犁」, 진이의 특필 「라오멍타이가 상하이에 왔다老孟泰來到了上海」, 진진의 동화 「월계화와 눈사람月季花和雪人」과 「거만한 수탉驕傲的大公雞」이 발표되었다.

『광명일보』에 예쥔젠의 「열여덟 용사─스싼링 댐 공사현장 잡기十八勇士──十三陵水庫工地散記」가 발표되었다.

9일, 『인민일보』에 짱커자의 시 「열여덟 용사 돌격대十八勇士突擊隊」, 사어우의 시 「동풍이 붉은 구름을 휘날리게 하다東風把紅雲漫卷」가 발표되었다.

10일, 『광명일보』에 궈모뤄의 「지금 것을 중시하고 옛것을 경시하는 문제─베이징대학 역사학과 교수와 학생들의 서신에 답하다關於厚今薄古問題──答北京大學歷史系師生的一封信」가 발표되었다. 그는 "'지금 것을 중시하고 옛것을 경시하는' 것은 반드시 동일선상에 두고 논해야 한다. 지금 것과 옛것은 서로 대립하는 것이고, 중시하고 경시하는 것도 서로 대립하는 것이다. 지금 것을 중시하고 옛것을 경시하는 것을 동일선상에 두고 논하면 합리적이고 변증적인 통일을 이룰 수 있다"라고 지적하였다. 같은 호에 궈모뤄의 시 「줘루행 6편涿鹿行六首」, 「서유림사를 방문하다訪西榆林社」, 톈젠의 시 「대약진의 노래大躍進之歌」가 발표되었다.

『양청만보』에 장융메이의 「'민가 만세'民歌萬歲」가 발표되었다.

『해방일보』에 야오원위안의 「시 전단지가 온 시에 흩날리게 하자讓詩傳單飛遍全市」가 발표되었다.

『동해』 6월호에 진진의 특필 「새로운 생산지표新的生産指標」가 발표되었다.

『문회보』에 예쥔젠의 「첫 번째 전투 전야─스싼링 댐 공사현장 잡기第一次戰役的前夕──十三陵水庫工地散記」, 사어우의 시 「운전병 연대汽車兵連」와 「열여덟 용사十八勇士」가 발표되었다.

11일, 『인민일보』에 꽝지의 「동방에서 해가 떠오르다日出東方」 등이 발표되었다.

『문예보』 제11호에 사설 「홍기를 꽂아 온갖 꽃을 피우자揷紅旗, 放百花」가 발표되었다. 사설은 "지금 비록 무산계급이 문예전선의 깃발을 분명히 그 손에 쥐고 있지만, 문학예술의 크고 작은 각 진영들 사이에 누가 누구를 이기는가 하는 문제가 완전히 해결되지는 않았다"라고 밝혔다. 같은 호에 바런의 「자오수리 동지의 창작 약론略談趙樹理同志的創作」, 펑즈의 「유럽 자산계급 문학 속의 인도주의와 개인주의 약론略論歐洲資產階級文學裏的人道主義和個人主義」 등의 글과 허징즈의 시 「동방 만리─중공 제8차 전국대표대회 제2차 회의를 노래하다東風萬裏──歌八大第二次會議」, 궈모뤄의 단론 「'수탉이 한 번 우니 세상이 밝아지다' '一唱雄雞天下白'」가 발표되었다.

12일, 『해방일보』에 사설 「현대 극목의 더 큰 풍작을 쟁취하자爭取現代劇目更大的豐收」, 펑더잉의 창작담 「나는 「쏨바귀꽃」을 어떻게 썼는가我怎樣寫出了＜苦菜花＞」가 발표되었다.

『광명일보』에 예쥔젠의 「'이상'한 사람─스싼링 댐 잡기"奇怪"的人──十三陵水庫散記」가 발표되었다.

『양청만보』에 장융메이의 시 「당의 영전 총노선黨的令箭總路線」이 발표되었다.

『해방군문예』 6월호에 비예의 소설 「눈밭을 개간하다雪地開荒」가 발표되었다.

13일~7월 15일, 문화부가 베이징에서 희곡의 현대생활 표현 좌담회를 소집해 희곡예술의 발전 방향, 희곡공작자의 사상개조, 희곡예술 전통의 정확한 계승과 발전 등 중요한 문제들에 관해 토론하였다.

14일, 『광명일보』에 사설 「사회주의 현대 희곡을 대대적으로 발전시키자大力發展社會主義的現代戲」가 발표되었다.

15일, 베이징방송국에서 첫 드라마 「채소 전병 한 입一口菜餅子」을 시범 방영하였다.

16일, 『맹아』 제12호에 바진의 단론 「총노선을 선전하다宣傳總路線」, 저우얼푸의 단론 「총노선의 홍기를 온 상하이에 꽂자把總路線的紅旗揷遍全上海」가 발표되었다.

『인민일보』에 장융메이의 시 「사상에 날개가 자라다思想長翅膀」, 옌이의 시 「산가가 총노선을 노래한다山歌要唱總路線」가 발표되었다.

『양청만보』에 두펑청의 「『평화로운 나날 속에서』후기<在和平的日子裏>後記」, 친무의 단론 「민가의 낭만주의 색채民歌中的浪漫主義色彩」가 발표되었다.

『신관찰』제12호에 친무의 특필 「22만 개의 벼 이삭二十二萬稻穗」이 발표되었다. 같은 호에 천창펑陳昌奉의 혁명 회고록 「마오 주석을 따라 장정길에 오르다跟隨毛主席長征」의 연재가 시작되어 1958년 제17호에 연재가 완료되었다.

17일, 『문회보』소식이 장쑤성 작가협회 준비위원회가 설립되어 팡광시方光熹가 준비위원회 주임으로, 쑨왕孫望, 리진李進, 선시멍沈西蒙이 부주임으로 당선되었다고 전했다.

18일, 『희극보』제11호에 사설 「총노선이 비추는 아래 공농병을 위해 복무하는 홍기를 높이 들자在總路線的照耀下高擧爲工農兵服務的紅旗」와 「위대한 희극가 관한경은 영생불후하리偉大戲劇家關漢卿永垂不朽」가 발표되었다. 같은 호에 「홍기가 펄럭이고, 백화가 만발하다紅旗招展, 百花盛開」라는 제목으로 베이징 희극계의 대약진 상황이 보도되었다. 이 외에도 '총노선을 널리 선전하고, 도처에 홍기를 꽂자'라는 주제로 궈모뤄의 「땅과 하늘에 홍기를 꽂자把紅旗插在地上和天上」, 톈한의 「시사 단극에 대한 잘못된 사상을 철저히 숙청하자徹底肅清對時事短劇的錯誤思想」가 발표되었다.

19일, 『문회보』에 스튀의 「신 죽지사新竹枝詞」가 발표되었다.

20일, 『베이징문예』에 사설 「총노선이 비추는 아래 전진하자在總路線的照耀下前進」, 천보추이의 「실제로 있었던 일 같은 희극ー스싼링 댐에 관한 동화一幕若有其事的喜劇——關於十三陵水庫的童話」가 발표되었다.

『인민일보』소식은 문화부 전영사업관리국이 15일부터 17일까지 톈진에서 신문전영원 공작현장회의를 소집해 전국 각 계통 및 각 유형의 영화관 및 영화상영대에 신문, 기록, 과학교육 관련 영화의 상영공작을 강화할 것을 제안하고, 적시에, 자주, 보편적으로, 심화하여 모든 영화관과 상영대에서 상영할 것을 요구했다고 전했다.

22일, 『문회보』에 단평 「노동인민 자신의 작가와 예술가를 양성하자培養勞動人民自己的作家和藝術家」가 발표되었다.

『쓰촨일보』에 사팅의 단론 「창작의 신비 관점을 타파하자打破創作的神秘觀念」가 발표되었다.

『여행가』 제6호에 사어우의 시 「공사현장의 밤工地之夜」, 쉬친원의 여행기 「유엽소기-월극의 발원지를 방문하다遊朁小記──訪越劇發源地」가 발표되었다.

23일,『인민일보』에 지쒜페이의 장편掌篇소설 「월장기越牆記」, 리광텐의 시 「단가短歌」가 발표되었다.

25일,『시간』 6월호에 궈모뤄의 신작시 35편 「편지개시사불영遍地皆詩寫不贏」이 발표되었다. 같은 호에 리지의 「잊을 수 없는 봄難忘的春天」, 톈젠의 「당에 바치다獻給黨」, 롼장징의 「춘가집春歌集」, 원제의 「우리는 새로운 나날의 도래를 환호한다我們歡呼新日子來臨」, 돤무훙량의 「총노선總路線」, 옌천의 「고조 지휘부高潮指揮部」, 옌이의 「황마오린에게致黃茂林」 등의 시가 발표되었다.

26일,『문예보』 제12호에 류바이위의 논문 「투명한가 아니면 혼탁한가?-유고슬라비아 수정주의 문예강령을 평하다透明的還是汙濁的?──評南斯拉夫修正主義的文藝綱領」가 발표되었다. 같은 호에 '희극가 혁명적 현실주의와 혁명적 낭만주의의 결합에 관해 필담하다'라는 주제로 런구이린의 「현실과 이상現實與理想」, 둥샤오우董小吾의 「화극 창작에 존재하는 미신을 타파하자打破話劇創作中的迷信」, 어우양산쭌의 「새로운 형식을 대담하게 시도하자大膽嘗試新形式」 등의 글이 발표되었다.

『문회보』에 커란의 산문 「문화혁명의 파도文化革命的浪潮」가 발표되었다.

28일, 중국문련과 중국극협 등의 단체가 베이징에서 원나라 시대의 위대한 희극가 관한경 창작 700주년 기념회를 개최하였다. 『인민일보』, 『광명일보』, 『희극보』, 『극본』 등의 간행물에 궈모뤄, 샤옌, 톈한, 정전둬 등의 관한경에 관한 논문 혹은 평론이 발표되었고, 중국희극출판사에서 『관한경 희곡집關漢卿戲曲集』을 출간하였다. 베이징인민예술극원은 이날 저녁에 열린 기념공연 주간의 개막식에서 톈한의 신작 희곡 「관한경」을 공연하였다. 자오쥐인, 어우양산쭌이 감독을 맡았으며 댜오광탄, 수슈원 등이 주연을 맡았다. 극본은 『극본』 5월호에 발표되었다. 어우양위첸은 「관한경」이 "현재까지 톈한 동지의 극작 가운데 가장 뛰어난 작품"이라고 보았다(「성공적인 훌륭한 희곡 「관한경」一個成功的好戲<關漢卿>」, 『희극보』 1958년 제13호).

다이부판은 톈한이 "지금껏 그저 그런 작가로 여겨져 온 이 풍류가를 인민을 위해 전투한 극작가로 그려내었다. 이것은 성공적인 이미지 전환이라고 보아야 한다. 이러한 이미지 전환이 성공한 이유는 우선 생활, 역사, 자료에 대한 극작가의 과학적인 분석에 있다. 구체적으로 말하면, 이것은 어떻게 현존하는 약간의 자료, 그리고 십여 편의 극본과 몇 십 수의 산곡을 통해 13세기 중국 사회의 상황을 연결해 역사유물주의적 관점으로 관한경이 어떠한 사람인지를 평가하였는가 하는 것이다"라고 보았다. 그는 또한 "극본의 구조는 그 맥락이 분명하다. 이뉴二妞에 관한 줄거리는 훌륭히 안배되었다. 이 줄거리는 관한경의 성격 묘사에도 유기적인 역할을 하였다. 극의 주된 줄거리는 매우 흥미롭다. 관한경이 두아원竇娥冤을 창작하려 한 때부터 줄거리는 모두 '한 가지 사건'을 둘러싸고 발전한다. 시작과 끝이 명확할 뿐 아니라, 사건 발전 과정의 몇 가지 중요한 장면을 모두 무대에 표현해 관중에게 보여주었다. 생동감 있고 구체적이며 사실과 같다. 이는 전통 희곡의 창작방법과 매우 유사하다"라고 보았다(「쟁쟁하게 울리는 구리 완두콩 한 알—화극 극본 「관한경」 단상響當當的一顆銅豌豆——談話劇劇本<關漢卿>斷想」, 『문예보』 1959년 제16호).

멍차오는 "관한경이 생활한 시대는……작가가 직접 목도한 그 원망스러운 국민당 반동 통치 시기와 유사한 면이 있다", "따라서 그는 관한경의 고충을 느낄 수 있고, 심지어 관한경의 맥박이 뛰고, 피가 흐르는 것까지도 같은 몸처럼 느낄 수 있다. 때문에 이 인물을 창조할 때 자연히 자신의 생활 감상을 인물의 사상 감정으로 화하게 하여 서로 융합하는 경지에 도달했다. 이렇게 해서 그가 창조한 관한경은 그저 선으로 그린 그림이 아니라, 생명과 피와 살을 가진 생동적인 실체가 되어, 사람을 감동시키는 강렬한 힘을 가지게 된 것이다"라고 보았다. 그는 또한 톈한의 예술적 구상이 "역사적 사실의 한계를 타파해, 약간의 자료를 통해 관한경이 「두아원」을 창작하던 당시의 분개한 심정, 그와 주수렴朱秀廉과의 교류 관계, 그리고 「불복노不服老」 조곡을 통해 그의 운치 있고 호방하면서도 고집스럽고 굽히지 않는 성격을 파악하여 이를 특별히 강조하고, 여기에 원나라의 봉건 통치 왕조의 극단적인 압박과 착취를 결합해 가혹한 횡포의 대표적 인물인 아합마阿合馬를 등장시키고, 여기에 왕저王著라는 반항자를 연관시켰다……이처럼 시야가 넓고 기세가 호방해 구체적인 역사적 사실 속에서만 맴돌지 않고, 역사적 시대의 동맥을 장악해 중요 인물의 사상 감정을 파악하고, 문학적 재능을 발휘해 자신의 예술적 구상을 펼쳤다"라고 평했다(「건국 10년간의 톈한의 극작 만담漫談建國十年來的田漢劇作」, 『희극연구戱劇硏究』 1959년 제4호).

관한경 희극창작 700주년 기념 전람회가 개막하였다. 같은 날, 상하이에서도 각종 형식의 기념 행사가 거행되었다.

30일, 중국극협에서 '관한경 학술연구 좌담회'를 개최하였다. 참석자들은 관한경 극작의 사상성과 예술성, 그가 생활한 시대 배경, 관한경의 극작을 연구하고 공연하는 현실적 의의 등을 토론하였다.

『희극보』제12호에 귀모뤄의「관한경을 학습하고, 그를 초월하자學習關漢卿, 並超過關漢卿」, 톈한의「위대한 원나라 희극 전사 관한경偉大的元代戲劇戰士關漢卿」, 장전의「「두아원」을 통해 관한경 극작의 정치적 감정을 보다從<竇娥冤>看關漢卿劇作的政治感情」, 마사오보의「미신을 타파하고 소리 높여 노래하며 용감히 전진하자破除迷信, 高歌猛進」등의 글이 발표되었다.

이달에 11개 희극단체가 베이징에서 '현대 소재 희곡 연합공연'을 진행하였다. 본 공연은 현대 소재 희곡 창작의 성취를 보여주었다.

푸젠성 문련에서 편찬한『가두문예街頭文藝』가 이달 말에 창간되었다.

뤄펑羅烽과 바이랑白朗 부부가 '우파 분자'로 규정되어 랴오시遼西 푸신阜新 광산지대로 가서 노동개조에 투입되었다.

창춘전영제편창에서 영화「댐 위의 노랫소리水庫上的歌聲」를 완성하였다. 이후에 이 영화를 모범으로 한 '예술 다큐멘터리'가 대거 제작되었다.

린진란의 단편소설집『춘뢰春雷』가 작가출판사에서 출간되었다.

귀샤오촨의 서사시집『눈과 산골짜기雪與山谷』가 중국청년출판사에서 출간되었다.

량상취안의『파촉 산수 사이에서 보내다寄在巴山蜀水間』, 옌천의『같은 구름 아래同一片雲彩下』등의 시집이 신문예출판사에서 출간되었다.

귀샤오촨의 잡문집『침봉집針鋒集』이 베이징출판사에서 출간되었다.

『문예보』편집부에서 편찬한 비평집『재비판再批判』이 작가출판사에서 출간되었다.

후난인민출판사에서 편찬한 비평집『'진실 창조'라는 간판 아래서在"寫真實"的幌子下』가 출간되었다.

장경의 문예이론집『신가극을 논하다論新歌劇』가 중국희극출판사에서 출간되었다.

저우양 등의『문예전선에서의 대토론文藝戰線上的一場大辯論』이 작가출판사에서 출간되었다.

6월~11월, 『별』잡지에서 '시가 하방'(시가가 군중 속으로 침투하는 것을 뜻함) 문제에 관한 토론을 진행하였다. 10월 11일에『별』에서는 청두에서 본 토론에 관한 좌담회를 개최하였다. 리야췬李亞群의 결산 발언이『별』과『홍암』에 발표되었다. 그는 "형식 문제에 관한 논쟁은 누구와 함께 갈 것인가 하는 문제이다", "누가 주류인가에 관한 논쟁은 사실상 지식분자가 시가 전선에서 전통과 지도권을 두고 싸우는 문제이다"라고 보았다(「시가 하방 문제에 관한 나의 의견我對詩歌下放問題的意見」,『별』1958년 제11호).

7월

1일,『인민일보』에 민가「7월 1일 좋은 날, 산가 한 곡 불러 마음을 털어놓다七月一日好時光, 唱首山歌表心腸」, 추즈줘裘之倬의 혁명 이야기「마오 주석이 지어 준 이름毛主席起的名字」이 발표되었다.

『처녀지』7월호가 시가 특집호로 발간되어 허치팡의「신시의 '백화제방' 문제에 관하여關於新詩的"百花齊放"問題」가 발표되었다. 이 글은 궁무의 비평에 대한 반박이다. 허치팡은 "민가체는 신시의 중요한 형식 중 하나가 될 수는 있지만, 민가로써 신시의 형식을 통일할 필요는 없으며, 지배적인 형식이 될 것이라는 보장도 없다. 민가체에는 한계가 있기 때문이다"라고 보았다. 민가체의 한계에 대해 그는 "첫째는 민가체의 구성이 현대 구어와 모순되기 때문이고……둘째는 민가체의 체제에 한계가 있어, 내가 주장하는 현대 격률시만큼 변화가 다양하고 양식이 풍부하지 못하기 때문이다"라고 밝혔다.

같은 호에 볜즈린의「신시 발전 문제에 대한 몇 가지 견해對於新詩發展問題的幾點看法」가 발표되었다. 볜즈린은 글에서 "시가의 민족형식을 민가의 형식으로만 이해해서는 안 된다", "우리가 민가를 학습하는 것은 민가를 그대로 모방해 '쓰는' 것을 배우는 것이 아니다. 이것은 단지 위조일 뿐으로, 실패할 수밖에 없기 때문이다……우리가 신민가를 학습하는 것은……그 풍격과 표현방식, 언어를 학습해 이를 기초로 하여 구 시사와 '5·4' 이후의 신시의 우수한 전통을 결합하고, 외국 시가에서 장점을 흡수해 더욱 새롭고 풍부하며 다채로운 시를 창조하기 위해서이다"라고 밝혔다.

이후에『인민일보』,『문예보』,『문학평론』,『맹아』,『별』등에 토론의 글이 여러 편 발표되었다. 궈모뤄, 저우양, 허치팡, 커중핑, 옌이, 궁무, 리양 등의 시인 및 평론가들이 토론에 참여하였다.

같은 호에 톈젠의「난수이취안 마을 입구에서 쓰다(가두시 2편)寫在南水泉村口(街頭詩二首)」, 쩌우디판의「큰길에서 차에서 내리다從康莊下車」, 거비저우의「톨스토이의 모스크바 생가를 방문하다(시 2편)訪老托爾斯泰莫斯科故居(詩二首)」등의 시가 발표되었다.

『홍기』제3호에 궈모뤄의 논문「낭만주의와 현실주의浪漫主義和現實主義」및 시「스싼링 댐 송가頌十三陵水庫」가 발표되었다.

『작품』 7월호에 천찬원의 시 「모든 마을에 홍기를 꽂다村村插紅旗」가 발표되었다. 같은 호에 이 췬의 이론 「군중의 실천과 창조를 존중하자尊重群眾的實踐和創造」가 발표되었다. 그는 글에서 "우리 는 반드시 군중에 의지하고, 군중의 노선을 걸으며, 군중의 문예실천을 존중하고, 이 분야에 있어 서의 군중의 혁명성과 창조성을 존중해야 한다", "우리 문학공작자들은 군중을 믿고 문학실천에 서의 군중의 혁명성과 창조성을 존중하는 관념을 수립하기 위해 현재 임해야 할 두 가지 공작이 있다. 하나는 반드시 전 세대의 권위에 대한 미신을 타파해야 한다는 것이다", "다른 하나는 우리 가 군중 창작 속에서 문학공작의 새로운 경험을 탐색해야 한다는 것이다"라고 밝혔다.

『분류』 7월호에 리준의 소설 「귀빈이 왔다貴賓來了」가 발표되었다.

『창춘』 7월호에 하오란의 소설 「석산백石山栢」, 린모한의 「우리의 임무我們的任務」가 발표되었다.

『초원』 7월호에 나·싸이인차오커투의 시 「등대燈塔」와 「우쑤투 댐(외 2편)烏素圖水庫(外二首)」 이 발표되었다.

『신관찰』 제13호에 원제의 시 「인민의 가수人民的歌手」, 샤옌의 잡문 「중국과 외국 사이中外之間」 가 발표되었다.

『맹아』 제13호에 후완춘의 장편掌篇소설 「미신을 타파하다打破迷信」, 웨이진즈의 평론 「「우리 공사의 어린 의사」의 인물에 관하여談談<咱社的小醫生>裏的人物」가 발표되었다.

『신항』 7월호에 고리키의 「공장사工廠史」와 「「공장사」의 공작을 평하다評<工廠史>的工作」가 번 역 게재되었다. 『변강문예』 1958년 12월호에 전재되었다.

『열풍』 7월호에 루야오路遙의 잡문 「'저8도'를 '고8도'로 변화시켜야 한다要變"低八度"爲"高八度"」 가 발표되었다.

『창장문예』 7월호에 사오취안린의 「홍기를 꽂아 백화를 피우자─중국작가협회 우한분회 주석 단 (확대)회의에서의 연설插紅旗放百花──在中國作家協會武漢分會主席團(擴大)會議上的講話」, 리준의 글 「홍기를 꽂을 때마다 꽃을 피우자遍插紅旗遍地開花」가 발표되었다. 사오취안린은 글에서 "홍기를 꽂는 것은 문예 영역에서 무산계급을 일으키고 자산계급을 제거하는 문제이고, 파괴와 수립의 문 제이며, 마르크스주의 문예사상으로써 모든 문예진지를 점령하는 문제이고, 진정한 공인계급의 문예대오를 건립하는 문제이다. 백화를 피우는 것은 전면적인 군중문예 창작을 광범위하게 전개 하고, 인민군중에 의지해 사회주의 문예를 번영시키는 문제이며, 당의 백화제방, 백가쟁명 방침을 더욱 잘 관철하는 문제이고, 또한 보급과 제고의 결합이라는 마오 주석의 방침을 더욱 잘 관철하 고 집행하는 문제이다"라고 보았다.

『별』 7월호에 옌이의 시 「충칭은 녹화 중이다(외 1편)重慶在綠化(外一首)」가 발표되었다.

경극 「붉은 폭풍紅色風暴」이 상하이에서 공연되었다. 이달 7일에 상하이희극가협회에서 희극가, 작가, 경극 원로 배우들을 초빙해 좌담회를 개최하였다. 좌담회 내용은 『해방일보』 9일자 제3판에 「고전 극종으로도 현대극을 공연할 수 있음을 증명하다證明古典劇種能演現代戲」라는 제목으로 게재되었다.

『동해』 제7호 '총노선 특집'호에 '짧은 문예작품을 더 많이 창작하자—『인민일보』 4월 26일자 사설 필담'이라는 제목으로 옌원징의 「짧은 문예작품을 더 많이 창작하자」 감상讀<要創作更多短小的文藝作品>有感, 모예漠野의 「짧은 작품이지만 그 효과가 반드시 작지는 않다短小的作品作用不一定小」 등의 글이 발표되었다.

2일, 『광명일보』에 쩌우디판의 시 「당에 바치다獻給黨」가 발표되었다.

『인민일보』에 차오밍의 특필 「자손이 번창하다兒孫滿堂」가 발표되었다.

3일, 『인민일보』에 바진의 글 「변화무쌍한 오늘날變化萬千的今天」이 발표되었다.

『극본』 7월호에 양란춘楊蘭春의 예극豫劇 「조양구朝陽溝」(본 예극은 1980−1981년 전국우수극본상을 받았다. 1958년 12월에 중국희극출판사에서 단행본이 출간되었다), 양한성의 화극 「삼인행三人行」, 허징즈의 평론 「구조의 혁명적 낭만주의에 관하여談格局的革命浪漫主義」, 자오쥐인의 단론 「청년작가와 소설 각색 극본에 관해 이야기하다和靑年作家談小說改編劇本」, 샤춘의 「『임해설원』의 각색에 관하여關於<林海雪原>的改編」가 발표되었다.

『양청만보』에 친무의 산문 「풍작 풍경화豐收風景畫」가 발표되었다.

『구이저우일보貴州日報』에 싱리빈刑立斌의 「전위안 풍광鎭遠風光」이 발표되었다.

4일, 『인민일보』에 궈모뤄의 시 「태양 문답太陽問答」이 발표되었다. 이 시는 대약진 민가 「태양을 향해向太陽」에 호응한 시이다.

5일, 『문예월보』 7월호의 '상하이 공인 창작 특집호'란에 쉬핑위徐平羽의 글 「용맹하게 전진해 두 번째 관문을 타파하자!勇猛前進, 打破第二關!」가 발표되었다. 그는 글에서 상하이의 군중문예창작 상황을 소개하였다. "3~4개월간 상하이의 군중문예창작은 큰 수확을 거두었다. 초보적인 통계에 따르면, 시 전체의 군중문예창작 작품은 200만 편이 넘는다." "군중문예와 군중문예 창작운동은 사회주의 문예의 주류가 되고, 사회주의 문예의 기초와 원천이 될 것이다." "나는 창작에 내용과 기교의 두 가지 요소가 있다고 본다. 다시 말하면 무엇을 쓰는가, 그리고 어떻게 쓰는가이다. 작품의 우열은 첫째로 그 사상 내용에 깊이가 있는가, 그 목적성이 정확한가에 따라 결정되며, 둘째로는 그 창작 기교가 숙련되어 있는가, 작품이 사람을 감동시키고 고무하는 힘이 강한가 약한가에 따라 결정된다. 작품의 수준은 그 작품이 사회에 어떤 역할을 얼마나 끼치는가에 따라 결정된다."

같은 호에 웨이진즈의 「위대한 시작偉大的開端」이 발표되었다. 그는 글에서 '상하이 공인 창작 특집호'의 의의에 대해 "우리는 당의 호소와 제창이 각 지도 기관의 동지들의 창작을 격려하고, 사회주의 총노선의 관철을 위해 투쟁하도록 격려한 데 대해 감사해야 한다. 이는 문예와 생산이 결합하는 방법을 크게 개척하였다", "이 특집호의 내용을 통해, 작품이 기술혁명에 관한 것이든, 사람의 변화에 관한 것이든, 아니면 사람과 사람 사이의 관계의 변화에 관한 것이든, 전부 새로운 인물의 새로운 정신적 면모를 표현한 것임을 알 수 있다"라고 정리하였다. 그는 또한 공인의 창작 기교에 관해 "첫째는 큰 소리로 말하는 것, 즉 공인 창작의 소박하고 시원스러운 수법이다"라고 보았다.

6일, 『광명일보』에 톈한의 「10만 영웅 인민의 공적―나는 어째서 「스싼링 댐 몽환곡」을 썼는가十萬英雄人民的功績――我爲什麼寫<十三陵水庫暢想曲>」가 발표되었다. 또한 「방향을 명확히 하고, 앞을 향해 전진하자!明確方向, 向前邁進!」라는 제목의 기사가 게재되었다. 본 기사는 후금박고 좌담회에 관한 종합기사로, 본 좌담회에서는 고전문학 연구와 교육에서 '후금박고' 방침을 관철하고 집행할 방법에 관해 중점적으로 토론하였다.

『소극본小劇本』(격주간)이 창간되었다.

7일, 『인민일보』에 첸쥔루이의 「모든 문화 도구를 동원해 총노선의 선전과 관철을 위해 복무하자調動一切文化工具爲宣傳和貫徹總路線服務」가 발표되었다. 이 글은 8일자 『문회보』에 전재되었다. 그는 글에서 "우리는 인류의 역사적 사건과 역사유물주의 관점에 근거해 정직하고 공개적으로 모든 이들에게 문화는 사회의 상부 구조이자 특정한 정치 경제의 반영이며, 또한 이러한 정치와 경제를 위해 복무해야 한다는 것을 알려주어야 한다", "무산계급의 사회주의 문화는 필연적으로 인류 역사상 가장 위대하고 숭고한 문화이다. 왜냐하면 무산계급 사회주의 문화는 무산계급과 노동인민의 효과적인 도구이자 날카로운 무기로서 무산계급을 일으키고 자산계급을 소멸시키고, 착취와 계급과 빈곤과 어리석음을 소멸시켜 진정으로 평등하고 자유로우며 부유하고 행복한 사회주의와 공산주의 사회를 건립할 수 있기 때문이다"라고 보았다. 같은 호에 커위안의 시 「벼의 물결이 그보다 몇 장이나 높다稻浪比它高幾丈」가 발표되었다.

『꿀벌』7월호에 궈모뤄의 「가외의 꽃(2편)額外的花(二首)」, 샤오싼骨三의 「참새를 때리다打麻雀」, 쉬츠의 「돌격대원(가두시 3편)突擊手(街頭詩三首)」, 사어우의 「스싼링 댐 연작시十三陵水庫組詩」, 쩌우디판의 「가두시 소집街頭詩小集」, 웨이쥔이의 「시위린의 계획(가두시 3편)西榆林的規劃(街頭詩三首)」, 캉줘의 「쉬수이를 노래하다詠徐水」(6편), 톈젠, 마빙수馬秉書의 「시험전(가두시 2편)試驗田(街頭詩兩首)」 등의 시와 톈젠의 시론 「시풍에 관하여－허베이 시가 좌담회에서의 발언談詩風──在河北詩歌座談會上的發言」, 「가두시 단론街頭詩短論」(4편), 쉬츠의 시론 「난수이취안 시회 발언南水泉詩會發言」이 발표되었다. 톈젠은 「시풍에 관하여」에서 "시가는 노동인민이 창조한 것이다", "고금동서를 막론하고, 모든 위대한 시는 전부 민가와 관련이 있었다", "우리가 한 시대의 시풍을 창조하기 위해서는 고전시가와 민가의 기초 위에서 신시를 풍부하게 하고 발전시켜야만 한다", "신시를 풍부하게 하기 위해서는 신시가 중국의 작풍과 기상을 가지게 해야 한다. 신시가 군중에게 환영받게 하기 위해서는 우선 민가로부터 배워야 한다"라고 보았다.

8일, 『인민문학』 7월호에 선원 루쥔차오陸俊超의 「유조선 '노동호'"勞動號"油輪」가 발표되었다. 같은 호에 궈모뤄의 「홍파곡－항일전쟁 회고록洪波曲──抗戰回憶錄」의 연재가 시작되어 12월호에 완료되었다. 이 외에도 뤄쑨의 단론 「새로운 것을 세우지 않으면 낡은 것을 깰 수 없다不立不破」, 거비저우의 시 「마오 주석이 온 후로自從來了毛主席」, 관화의 소설 「우물가에서井台上」, 「부추 파는 사람賣韭菜的」, 레이자의 산문 「도화수 소식桃汛的消息」, 저우리보의 「『산촌의 대격변』에 관해 독자의 질문에 답하다關於<山鄉巨變>答讀者問」, 왕시옌의 「『산촌의 대격변』을 읽고讀<山鄉巨變>」, 펑무의 「혁명 풍격을 가진 작품－「평화로운 나날 속에서」를 읽고一本具有革命風格的作品──讀<在和平的日子裏>」가 발표되었다.

『인민일보』에 메이란팡의 「우리의 후계자에게 보내는 몇 마디向我們的接班人說幾句話」가 발표되었다.

9일, 『인민일보』의 '가두문예'란에 바진의 장편掌篇소설 「누이동생이 노래를 짓다小妹編歌」가 발표되었다.

『문회보』에 마오쩌둥이 작사한 가곡 「접련화蝶戀花」와 「징강산井岡山」이 발표되었다. 같은 호에 야오원위안의 글 「선명하고 낙관적이며 전투적인 문학－문예월보의 '상하이 공인 창작 특집호' 추천鮮明、樂觀、戰鬥的文學──推薦文藝月報"上海工人創作專號"」, 라오서의 글 「우리의 나라는 시의 나라다我們的國家是詩的國家」가 발표되었다.

10일, 『동해』 7월호에 옌원징의 「'짧은 문예작품을 더 많이 창작하자'를 읽고讀"要創作更多短小的文藝作品"有感」가 발표되었다.

11일, 『문예보』 제13호에 장광녠의 「미국 달러가 티토의 머리를 혼미하게 했다!美元沖昏了鐵托的頭腦!」, 바런의 「반역자의 낯짝叛徒的嘴臉」, 천징룽의 「프랑스 문학계의 반파시즘 투쟁法國文學界的反法西斯鬥爭」, 왕런중王任重의 「작가와 생활―중국작가협회 우한분회 주석단 (확대)회의에서의 연설作家和生活――在中國作家協會武漢分會主席團(擴大)會議上的講話」 등의 글 및 마오쩌둥이 작사하고 취시셴瞿希賢이 작곡한 가곡 「접련화」, 리시판의 글 「영웅의 꽃, 혁명의 꽃―펑더잉의 「씀바귀꽃」를 읽고英雄的花, 革命的花――讀馮德英的＜苦菜花＞」가 발표되었다. 이 외에도 「'다같이 공장사를 집필하자' 특집大家都來編寫工廠史專輯」란에 공장사 집필 경험을 소개하는 이론과 작품이 발표되었다.

12일, 『인민일보』에 「문예계에 꽂힌 수정주의의 백기(자본주의 사상, 우파 사상 등을 뜻함-역자 주)를 뽑아 버리자拔掉文藝界的一面修正主義白旗」가 발표되었다. 글은 "중국작가협회 당조 확대회의에서 우파분자 친자오양을 비판하고 폭로하였다"라고 밝히면서, 베이징의 작가와 편집자 100여 명이 회의에 참석해 장톈이, 천바이천, 귀샤오촨 등 20인이 발언하고 사오취안린이 회의를 주관했다고 밝혔다. 참석자들은 친자오양이 허즈何直라는 필명으로 발표한 「현실주의―넓은 길」을 중점적으로 비판하였다, 같은 호에 거비저우의 시 「선서宣誓」(2편)가 발표되었다.

『창장일보』에 「친자오양의 수정주의 백기를 뽑아 버리자拔掉秦兆陽的修正主義白旗」가 발표되었다.

『해방군문예』에 본지 편집부의 이름으로 「단편소설 창작은 대약진해야 한다短篇小說創作要大躍進」, 천보추이의 시 「공사현장에서 마주친 것과 떠오른 것在工地上遇到想到的」, 장융메이의 쾌판극 「수용차收容車」가 발표되었다.

『독서월보』 제10호에 '대약진 과정의 상하이 출판물 특집'이 발간되어 샤옌의 「「관한경」을 읽고 역사극을 말하다」가 발표되었다.

13일, 『창장일보』에 사설 「노동인민은 문예의 주인이다勞動人民是文藝的主人」가 발표되었다.

14일, 문화부에서 「문학 및 사회과학 서적 원고료에 관한 임시 시행 규정關於文學和社會科學書籍稿酬的暫行規定」을 발포해 8월 1일부터 베이징과 상하이 2개 도시의 유관 출판사에서 시범적으로 시행되었다.

『양청만보』에 사설 「문화혁명을 새로운 고조로 발전시키자把文化革命推向新的高峰」가 발표되었다.

15일, 『인민일보』에 리광톈의 시 「'지구를 수리하는 사람'에게給"修理地球的人"」가 발표되었다.

『해방일보』에 바진의 글 「넓고 밝은 길─문예월보의 '상하이 공인 창작 특집호' 소개廣闊、光明的道路──介紹文藝月報"上海工人創作專號"」가 발표되었다.

『희극보』에 어우양위첸의 「성공적인 훌륭한 희곡 「관한경」一個成功的好戲＜關漢卿＞」이 발표되었다.

16일, 『인민일보』에 어우양위첸의 글 「「스싼링 댐 몽환곡」에 큰 갈채를 보내다爲"十三陵水庫暢想曲"大聲喝彩」가 발표되었다.

『문회보』의 '민가를 말하다' 특집란에 이췬의 글 「반드시 추진하는 태도를 취해야 한다必須采取促進的態度」가 발표되었다. 그는 글에서 민가의 특징, 시가의 발전 방향 및 '풍자'에 관한 문제 등을 언급하였다.

『신관찰』에 러우스이의 잡문 「노동이 사람을 거인으로 변화시켰다勞動使人變成了巨人」가 발표되었다.

17일, 중공중앙 선전부에서 전국 민간문학 공작자 대표대회에 참석했던 각 자치구와 소수민족 대표들을 소집해 좌담회를 개최해 소수민족 문학사 편찬 문제에 관해 토론하였다.

중국민간문예연구회와 베이징도서관에 합동으로 주최한 '중국 민간문학 전람회'가 베이징에서 개최되었다.

18일, 『인민일보』에 샤오싼의 시 「침략자의 척추를 부러뜨리자打斷侵略者的脊骨」, 위안수이파이의 시 「꺼져라! 꺼져라! 꺼져라!滾！滾！滾！」, 사어우의 시 「총칼로 역사의 바퀴를 막을 수는 없다屠刀擋不住歷史的輪子」, 위안잉의 시 「레바논의 어떤 아이黎巴嫩一小孩」가 발표되었다.

19일, 『인민일보』에 롼장징의 「이라크 공화국 만세伊拉克共和國萬歲」, 사어우의 「만인이 이라크를 환호한다萬人歡呼伊拉克」, 리광톈의 「레바논 형제를 지지한다支持黎巴嫩兄弟」 등의 시와 류바이 위의 글 「정의의 햇불이 타고 있다正義的火把在燃燒」가 발표되었다.

20일, 『인민일보』에 톈젠의 「항의서抗議書」, 궈샤오촨의 「미국과 영국 강도들이여, 중동에서 꺼져라!美英強盜, 從中東滾出去!」, 펑즈의 「분노의 화염憤怒的火焰」 등의 시가 발표되었다.

『베이징문예』 7월호에 라오서의 상성 「신선이 사직하다神仙辭職」가 발표되었다.

21일, 『문회보』에 탕타오의 시 「하룻밤 사이一夜之間」와 우창의 글 「침략자의 마수를 끊어 버리자斬斷侵略者的魔爪」가 발표되었다.

23일, 『인민일보』에 위안수이파이의 시 「대포의 재 속에서 기름을 짜내다從炮灰裏榨油」, 마사오보의 '시사 경극' 「침략자의 검은 손을 끊어 버리다斬斷侵略者的黑手」가 발표되었다.

『문회보』에 궈샤오위의 시 「광장의 격한 분노廣場的怒火」와 커링, 카이레이開壘의 글 「폭력에 맞서 싸우는 큰 바람抗暴的巨風」이 발표되었다.

『베이징일보』에 사설 「군중노선을 견지하고, 사회주의 문학예술을 발전시키자堅持走群眾路線, 發展社會主義文學藝術」가 발표되었다.

24일, 저우타오펀鄒韜奮 서거 14주년을 기념해 싼롄출판사에서 『타오펀의 길韜奮的路』이 출간되었다. 『문회보』에 저우타오펀 기념 특집란이 개설되었다.

『인민일보』에 차오위의 글 「6억 인민이 네게 경고한다六億人民警告你」가 발표되었다.

『수확』 제4호에 사팅의 「하향 후 첫 수업下鄉第一課」, 류바이위의 「노랫소리가 떠돌다歌聲飄蕩」, 왕원스의 「미옌샤米燕霞」, 왕위안젠의 「지대 정치위원支隊政委」 등의 단편소설과 원제의 장시 『동풍이 황허의 물결을 재촉한다東風催動黃河浪』, 가오잉의 장편서사시 『딩유쥔丁佑君』, 관화의 산문 「고향故鄉」, 진이의 산문 「나는 상하이에서 창춘 자동차 공장의 공인을 마주쳤다我在上海遇到了長春汽車廠工人」가 발표되었다.

25일, 『시간』 7월호에 궈모뤄의 「『대약진의 노래』 서문<大躍進之歌>序」이 발표되었다.

26일, 문화부에서 중공중앙에 「사회주의 신희곡의 대대적인 발전에 관한 지시 요청 보고關於
大力發展社會主義新戲曲的請示報告」를 진행하였다.

『인민일보』에 정전둬의 시 「아랍 형제들을 위해 승리를 환호하다爲阿拉伯兄弟們歡呼勝利」가 발표
되었다.

『문예보』제14호에 마오둔의 「우리는 아랍 인민의 정의로운 투쟁을 전력으로 지지한다!我們全
力支持阿拉伯人民的正義鬥爭!」, 톈한의 시 「이라크 인민을 향해 환호한다!向伊拉克人民歡呼!」, 궈샤오촨
의 글 「인민의 위대한 힘人民的偉大力量」, 광웨이란의 시 「종이호랑이 조상紙老虎造象」, 톈젠의 수필
「서사시로 통하는 길通向史詩的路」, 류즈밍의 글 「공산주의 문학예술의 맹아―중국 민간문학 공작
자 대회에서의 연설共產主義文學藝術的萌芽――在中國民間文學工作者大會上的講話」, 류바이위의 글 「『불
티가 번져 들판을 태우다』 예찬<星火燎原>贊」, 웨이웨이의 글 「전사시―혁명영웅주의의 전고戰士
詩――革命英雄主義的戰鼓」가 발표되었다.

류바이위는 글에서 『불티가 번져 들판을 태우다』를 "영웅의 책"이라고 평하면서, "이 책의 출판
은 우리의 문학생활을 뒤흔들고, 우리의 문학생활에 새로운 임무를 제시하였다. 우리 중국 인민에
게는 그들의 웅대한 거인의 생활에 걸맞은 영웅서사시가 필요하다"라고 보았다. 웨이웨이는 글에
서 "전사시의 내용은 사회주의의 사상 내용이며, 그 풍모는 혁명 영웅주의의 전투적 풍모이다. 그
러나 이러한 내용과 풍모는 전체적으로 보면 순박한 민가의 형식을 통해 표현되었다. 이 세 요소
가 융합되어 부대의 수많은 전사들이 선호하는 전사시를 구성하였다"라고 보았다.

『문회보』에 러우스이의 「무덤은 이미 파 두었다墳墓已經掘好」, 궈샤오촨의 「다시 나의 아이에게
再給我的孩子」 등의 시와 마오쩌둥이 작사하고 왕위안팡王元方이 작곡한 가곡 「염노교念奴嬌」가 발
표되었다.

27일, 사오취안린이 시안 문예계 좌담회에서 연설하였다. 연설은 「창작은 반드시 군중 노선
을 걸어야 한다創作必須走群眾路線」라는 제목으로 29일자 『산시일보』에, 「민가 · 낭만주의 · 공산주
의 풍격民歌 · 浪漫主義 · 共產主義風格」이라는 제목으로 『문회보』제18호에 게재되었다. 이후에 『옌
허』 9월호와 『시간』 10월호에도 전재되었다.

29일, 『해방일보』에 야오원위안의 「우리는 전쟁이 두렵지 않다我們不怕戰爭」가 발표되었다.

30일, 『희극보』제14호에 톈한의 「다 함께 일어나 침략자의 마수를 끊어내자!—致奮起, 斬斷侵略者的魔手!」, 메이란팡의 「군국주의자들에게 엄숙하게 알린다!正告好戰分子們!」, 저우웨이츠의 「현재 희곡계의 현대 극목 공연의 고조를 더 새롭고 높은 단계로 끌어올리자把目前戲曲演出現代劇目的高潮推向更新更高的階段」가 발표되었다.

31일, 『인민일보』에 류바이위의 「'패장이 죽으러 찾아오다'敗軍之將, 前來送死」, 궈모뤄의 시 「군축 대회에서在裁軍大會上」, 자오푸추趙樸初의 시 「스톡홀름 2편斯德哥爾摩二首」이 발표되었다.
  『문회보』제2판에 예성타오의 글 「모두들 보통화를 널리 보급하자人人都來推廣普通話」가 발표되었다.

31일~8월 6일, 허베이성에서 문예이론공작회의를 진행하였다. 저우양이 「중국 자신의 마르크스주의 문예이론과 비평을 건립하자建立中國的馬克思主義的文藝理論和批評」라는 제목으로 연설하였다(『문예보』제17호에 게재). 저우양은 연설에서 허베이성 문예이론공작회의를 긍정하면서 "문예이론공작은 우리 당의 사상공작의 중요한 부분이다", "문예이론비평은 사회주의 건설을 위해 복무해야 한다"라고 보면서, 새로운 형세하의 문예이론비평 공작의 임무와 '백화제방, 백가쟁명'에 관한 문제 등을 지적하고, 가장 근본적인 문제는 "중국 자신의 마르크스주의 문예이론과 비평을 건립"하는 것이라고 보았다. 회의 개요는 『꿀벌』1958년 9월호에 발표되었다.

  이달에 베이징에서 중국민간문학공작자대회가 개최되었다. 회의를 통해 "전면적으로 수집하고, 중점적으로 정리하고, 대대적으로 보급하고, 연구를 강화"하는 공작방침을 결정하였다. 참석자들은 각 형제 민족의 문학사와 문학 개황을 집필할 것을 결정하였다. 대회를 통해 궈모뤄를 중국민간문예연구회 주석으로 선출하였으며 저우양, 라오서, 정전둬를 부주석으로 선출하였다. 회의 후에 류즈밍의 연설 「공산주의 문학예술의 맹아共産主義文學藝術的萌芽」가 『민간문학』7, 8월호 합본에 발표되었다. 본 회의에 관해 8월 1일자 『인민일보』와 『광명일보』에 사설과 기사가 발표되었다.
  딩링과 천밍푸陳明夫 부부가 베이다황으로 가서 정착하였다.
  『중국전영』에 「자산계급의 백기를 뽑아 버리고, 사회주의의 기치를 높이 들자—창춘, 상하이 영화창작사상 약진회에 부쳐拔掉資産階級白旗, 高擧社會主義帥旗——記長春、上海的電影創作思想躍進會」라는 기사가 발표되어 영화 「꽃이 활짝 피고 달이 둥글다花好月圓」, 「상하이 처녀上海姑娘」 등의 영화를 비판하였다.

문화부 직속의 23개 출판, 인쇄, 발행기관에서 2,217개 전시품을 제출해 문화부에서 개최한 '대약진 전람회'에 참가하였다.

중국작가협회에서 소속 출판사인 작가출판사에 위탁하여 '대약진의 하루' 원고 모집을 진행하였다. 7월에 공고를 발표하고 8월에 『대약진의 하루大躍進的一天』 제1집을 출간하였다.

저우리보의 단편소설 『산촌의 대격변』이 작가출판사에서 출간되었다.

톈젠이 선정 및 편집한 『사원 단가집社員短歌集』이 중국청년출판사에서 출간되었다.

작가출판사에서 『후고박금 비판집(중국 고전문학)厚古薄今批判集(中國古典文學)』(제1집)이 출간되었다. 이후에 인민문학출판사에서 제2~4집을 출간하였다.

8월

1일, 백화문예출판사百花文藝出版社가 톈진에서 설립되었다.

『인민일보』 제8판에 왕위안젠의 「시간은 준비하고 있다時刻准備著」, 웨이웨이의 시 「대화對話」가 발표되었다.

『중국청년』 제15호에 웨이웨이의 시 「분노한 도시-교토 120만 시민의 영국 대사관 앞에서의 시위에 부쳐憤怒的城──記京都一百二十萬人在英國代辦處門前示威」와 「베이징 기록北京記事」 및 구궁의 시 「군영 단가軍營短歌」가 발표되었다.

『분류』 8월호에 리준의 시 「중동에 간섭해서는 안 된다不准幹涉中東」와 가사 「육신이 불안하다六神不安」가 발표되었다.

『창춘』 8월호에 마오둔의 「창춘시 문예계 대회에서의 연설在長春市文藝界大會上的講話」이 발표되었다. 그는 연설에서 노동이 예술을 창조한 점, 민간운동, 보급과 제고, 문예의 형식, 작품의 정치성과 예술성 등의 문제에 관해 언급하였다.

『신관찰』 제15호에 허징즈의 「지중해, 우리 마음속의 바다여地中海呵, 我們心中的海」, 샤오싼의 「해적들아, 중동에서 꺼져라海盜們, 滾出中東」, 펑즈의 「우리는 모든 힘을 다해……我們用一切力量……」 등의 시가 발표되었다.

『옌허』 8월호에 커중핑의 시 「총노선을 노래하다歌唱總路線」, 정보치의 서평 「'만 개의 꽃송이'

가 온통 붉다「花兒萬朵」朵朵紅」가 발표되었다.

『맹아』 제15호에 후완춘의 소설 「라오바툰老八頓」이 발표되었다.

『산화』 8월호에 천보추이의 시 「스싼링 댐 찬가十三陵水庫贊歌」, 젠셴아이의 잡문 「공농을 배워 무기력을 없애다學工農掃暮氣」가 발표되었다.

『처녀지』 8월호에 마오둔의 「혁명적 낭만주의에 관하여關於革命浪漫主義」가 발표되었다. 이 글은 마오둔이 작가협회 선양분회 좌담회에서 진행한 발언으로, 그는 "현실주의와 혁명적 낭만주의의 결합이라는 문제는 곧 작가와 예술가의 '홍'한 후에 '전'하는 것, '홍'하고 또한 '전'하는 것, 투철하게 '홍'하고 심도 있게 '전'하는 것 등의 문제와 같다. '홍'은 작가와 예술가의 마르크스레닌주의 세계관을 뜻하고, '전'은 일반적으로 예술 표현의 각종 기법(창작 기교를 포함하여)을 말한다. 그러나 나는 '전'에 또 다른 중요한 측면, 즉 생활 경험이 풍부한 '전', 다시 말해 공농병의 사상 감정에 익숙한 '전'이라는 측면이 있다고 본다"라고 밝혔다.

『불꽃』 제8호에 자오수리의 단편소설 「단련하다鍛煉鍛煉」가 발표되어 『인민문학』 9월호에 전재되었다. 이 소설은 이후에 1980년 10월에 공인출판사에서 출간된 『자오수리 문집趙樹理文集』(전4권)에 수록되었다.

『처녀지』 제8호에 마오둔의 글 「낭만주의에 관하여關於浪漫主義」가 발표되었다.

『별』 8월호에 거비저우의 시 「마오 주석이 오셨다毛主席來了」(2편), 예성타오의 구체시 「두보 초당에 부쳐題杜甫草堂」 및 홍바이링紅百靈의 「여러 가지 풍격의 시가 검증받게 하자讓多種風格的詩去受檢驗」가 발표되었다. 그는 글에서 시가에 하방이 필요하고, 민가로부터 배워야 한다는 점을 긍정하면서 "하지만 시인들이 일제히 같은 곡조의 민가를 부르게 해야 하는가? 본래 시대의 맥박을 뛰게 하던 시인들의 각종 풍격을 전부 사용하지 말아야 하는가?……시가 하방은 민가체를 더 많이 사용해 인민을 위해 노래해야 할 뿐만 아니라, 시인들이 자신의 풍격을 가진 시를 대중들에게 검증받도록 해야 한다. 형식 면에서 반드시 민가에만 얽매일 필요는 없다"라고 자신의 의견을 게시하였다. 이 글은 발표된 후 곧바로 날카로운 비평을 받았다.

『우화』 문학월간이 격주간으로 변경되었다.

1일~14일, 제1회 전국곡예공연대회가 베이징에서 진행되었다. 2일자 『인민일보』에 본 대회의 내용과 방침을 소개하는 일련의 글과 「민간문예공작을 강화하자加強民間文藝工作」라는 제목의 사설이 발표되었다. 15일자 『광명일보』에 사설 「곡예가 현실생활을 더욱 잘 반영하게 하자讓曲藝更好地反映現實生活」가 발표되었다.

2일, 『인민일보』에 자오수리의 시 「아이크에게 고하다告艾克」, 짱커자의 시 「자유의 금종을 울리다敲響了自由的金鍾」가 발표되었다.

『인민일보』에 각지의 민가 수집 상황이 보도되었다. 기사는 장쑤성 창수常熟현에서만 작년 겨울에서 올해 봄 사이에 민가 43만 편을 수집하였으며, 허난성 위현禹縣에서는 51만 편을 수집했다고 전했다.

3일, 『인민일보』에 사어우의 시 「미국 대통령이 좌립불안하다美國總統坐臥不安」가 발표되었다.

『광명일보』에 사어우의 시 「살인범殺人凶手」(외 1편)이 발표되었다.

『문회보』에 메이란팡의 글 「잊을 수 없는 하루難忘的一天」, 어우양위첸의 시 「아랍 형제들의 정의로운 투쟁을 전력으로 지지한다全力支持阿拉伯兄弟的正義鬥爭」가 발표되었다.

『극본』 8월호에 톈한의 화극 「스싼링 댐 몽환곡」이 발표되었다. 발표 후에 공산주의의 몽환 및 혁명적 현실주의와 혁명적 낭만주의의 결합이라는 기법의 운용 문제에 관해 논쟁이 전개되었다. 주즈쭈朱芝祖는 이 화극이 "사회주의 사회에 대한 단편적인 이해"라고 보면서, "20년 후의 사람들은 더욱 투철한 마르크스주의자일 것이다. 그들은 결코 이미 얻은 성공에 만족하지 않고, 더욱 새롭고 아름다운 전망을 향해 나아갈 것이다", "작품은 단순히 미래의 물질생활의 아름다운 묘사를 통해 현재 인민의 혁명적 적극성을 자극하고 있는데, 이 역시 정확하지 않다", "작가는 공산주의를 정확하게 이해하지 못해, 혁명적 낭만주의를 통속화하고, 공산주의를 통속화하고 있다"라고 보았다(주즈쭈, 「공산주의의 내일을 어떻게 전망할 것인가?怎樣展望共産主義的明天?」, 『문예보』1958년 제19호). 반면에 마사오보는 "「스싼링 댐 몽환곡」은 상당한 노력을 통해 우리에게 공산주의의 아름다운 앞날을 보여주었다. 두뇌노동과 육체노동의 차별, 공농의 차별, 도시와 시골의 차별 등의 소멸, 그리고 인민들의 사심 없는 노동의 성과, 과학기술의 발달, 인민생활의 부단한 제고, 모든 이가 교양 있는 노동자가 되는 것. 이 모든 것이, 20년 전에 스싼링 댐의 건설에 참여한 노동자들이 구상한 구체적인 모습을 통해 실현된 것이다"라고 보았다(마사오보, 「아름다운 미래를 위하여爲了美好的未來」, 『대중전영』 1958년 제21호). 같은 호에 양룬선楊潤身의 단막 화극 「보관계장保管股長」이 발표되었다.

4일, 문화부가 베이징에서 전국 신문, 서적 인쇄공작회의를 소집하였다.

『베이징문예』 8월호에 왕위안젠의 단편소설 「평범한 노동자普通勞動者」가 발표되었다(『인민문학』10월호에 전재).

4일부터 마오쩌둥이 허베이, 허난, 산둥 등 3개 성을 시찰하였다. 8월 6일, 그는 허난성 신샹新鄉현 치리잉七裏營 인민공사를 시찰한 후에 "인민공사는 아주 좋은 이름인 듯하다. 공, 농, 상, 학, 병이 모두 포함되어 있으며, 생산, 생활, 정권을 모두 관리한다. 인민공사 앞에 군중이 좋아하는 이름을 붙여도 좋다"라고 말했다. 8월 9일, 그는 산둥성 리청曆城현 베이위안北園 인민공사를 시찰한 후에 "역시 인민공사를 운영하는 것이 좋다. 인민공사의 장점은 공, 농, 상, 학, 병을 한데 모을 수 있어 지도하기 편리하다는 데 있다"라고 말했다. 8월 13일자『인민일보』에 소식이 게재되어 각지에서 대대적으로 인민공사를 운영하기 시작하였다.

5일,『인민일보』에 궈모뤄가 8월 4일에 창작한 시「중소회담 성명을 위해 환호한다!爲中蘇會談公報歡呼!」, 샤오싼의「거인들이 평화 수호의 최전선에 서 있다巨人們立在保衛和平的最前線」, 사어우의「만민이 기뻐하다—마오 주석과 흐루쇼프의 회담 성명을 읽고萬眾歡騰——讀毛主席和赫魯曉夫會談公報」등의 글과 타오둔의 글「곡예공연의 첫 3일曲藝會演頭三天」이 발표되었다. 같은 호에 천덩커의 장편소설『산을 옮기다移山記』의 출간 소식이 보도되어 본 소설의 사상 내용과 예술적 특징을 소개하였다.

『광명일보』에 톈젠의 시「거인들이 경적을 분다巨人吹起警號」가 발표되었다.

6일,『인민일보』에 쩌우디판의 시「농촌에서 온 항의農村來的抗議」, 캉줘의 산문「아름다운 풍경과 목장美景與牧場」이 발표되었다.

7일,『인민일보』에 사설「희곡공작자는 현대생활을 표현하기 위해 노력해야 한다戲曲工作者應該爲表現現代生活而努力」가 발표되었다(『극본』9월호에 전재). 같은 호에 '희곡의 현대생활 표현 좌담회'의 내용이 보도되었다. 본 좌담회는 6월 13일부터 약 1개월여 동안 진행되었으며 28개 성, 시, 자치구의 대표들이 참석하였다. 좌담회를 통해 3년간 노력해 현대극이 50% 이상을 달성하도록 할 것을 제안하였다. 저우양이 좌담회에 참석해 연설하였다.

『꿀벌』8월호가 혁명투쟁고사 특집호로 발간되어 톈젠의 시「아랍 예찬阿拉伯禮贊」, 캉줘의 잡문「해적의 검은 깃발을 뽑아 버리자拔掉海盜的黑旗」, 린망林莽의 소설「할머니奶奶」가 발표되었다.

『문회보』에 사설「현대생활을 표현하는 것이 신희곡의 방향이다表現現代生活是新戲曲的方向」가 발표되었다.

『해방일보』에 바진의 「'흡혈귀'의 말로"吸血鬼"的末路」가 발표되었다.

8일, 『인민문학』8월호의 '군중 창작 특집'란에 바진의 특필 「생명을 구원하는 전투一場挽救生命的戰鬥」, 차오밍의 「세 공인의 작품에 관하여談三個工人的作品」, 위스즈, 마천의 활보극活報劇 「약진의 노래躍進之歌」가 발표되었다.

『인민일보』에 이천의 글 「예술에 존재하는 미신을 타파하자破除藝術上的迷信」가 발표되었다. 그는 글에서 문예계의 미신, 공포, 열등감, 의기소침한 정신 상태에 대해 비평하고, 옛것을 중시하고 지금 것을 경시하는 사상과 외국 것을 숭배하는 사상에 반대하면서, 두려움 없는 공산주의 풍격을 주장하였다.

『광명일보』에 짱커자의 시 「환호집歡呼集」이 발표되었다.

9일, 문화부에서 「조직인원의 소수민족 민간문학 조사 참가에 관한 통지關於組織人員參加少數民族民間文學調查的通知」를 발포하였다.

『인민일보』에 짱커자의 시 「환호집」이 발표되었다. 『인민일보』 기사는 중앙희극학원 연기과에서 화극 「베이징의 내일北京的明天」을 공연하였으며, 본 극본은 리보자오가 대약진 과정에서 불과 몇 시간 안에 완성한 것이라고 전했다.

『양청만보』에 친무의 산문 「청춘의 불꽃青春的火焰」이 발표되었다.

10일, 『인민일보』에 평론가의 글 「곡예가 더 큰 선전 및 교육의 역할을 발휘하도록 하자讓曲藝發揮更大的宣傳教育作用」가 발표되었다. 글은 곡예대회 기간의 가두 공연과 선전 공연을 높이 평가하였다. 같은 호에 샤오싼의 시 「헤이펑커우 쑤멍 연합군 열사 기념탑에 가서詣黑風口蘇蒙聯軍烈士紀念塔」가 발표되었다.

『광명일보』에 예성타오의 시 「거인의 목소리巨人的聲音」, 위핑보의 글 「종이호랑이 한 마리, 난폭한 말 한 필一只紙老虎, 一匹瘋馬」이 발표되었다.

『양청만보』에 친무의 산문 「유머와 흥미주의幽默與趣味主義」가 발표되었다.

10일~12월 26일, 『문예보』 편집부에서 '양결합兩結合' 창작방법에 관한 토론회를 일곱 차례 진행하였다.

11일, 『인민일보』에 캉줘의 특필 「마오 주석이 쉬수이에 도착하다毛主席到了徐水」가 발표되었다(12일자 『해방일보』, 『문회보』, 14일자 『창장일보』에 전재). 같은 날 기사는 상하이 국면國棉 17 공장이 6년 내에 공장 전체의 청장년 직공들을 대학생으로 양성할 계획이라는 소식을 전했다.

『문예보』 제15호에 광웨이란의 시 「중소회담 성명을 노래하다歌中蘇會談公報」, 짱커자의 시 「내 마음은 다시는 평온해지지 않으리我的心再也不能平靜」, 사어우의 글 「기이하고 아름다운 형상奇麗的 形象」, 「너무 잘 잊다太健忘了」, 「회색 깃발一面灰旗」, 리시판의 글 「상하이 공인계급의 창작의 꽃― 7월호 『문예월보』 공인 창작 특집호를 읽고上海工人階級的創作之花──讀7月號<文藝月報>工人創作專號」 가 발표되었다.

12일, 『해방군문예』 8월호에 린진란의 소설 「경사喜事」, 펑더잉의 소설 「난하이 공중전南海空 戰」, 주딩의 소설 「여름걷이의 밤夏收夜」이 발표되었다.

『독서월보』 제12호에 위안수이파이의 시평 「불꽃같은 시구火焰般的詩句」, 천덩커의 창작담 「나 는 어째서 『산을 옮기다』를 썼는가我爲什麽要寫<移山記>」, 펑무의 서평 「혁명 풍격을 가진 작품― 「평화로운 나날 속에서」를 읽고」가 발표되었다.

『해방일보』에 야오원위안의 글 「후안무치한 속임수無恥的騙局」가 발표되었다.

13일, 『인민일보』에 마오둔의 구체시 「베이쿤 극원의 「훙샤」 초연을 보고觀北昆劇院初演<紅 霞>」가 발표되었다.

14일, 『인민일보』에 농민 예인 쑨라이쿠이孫來奎의 장편 서하 대고西河大鼓 『오천일五千一』이 발표되었다. 본 작품은 허베이성 안궈安國현의 보리 생산량이 한 묘畝당 5,103근에 달한 것을 노래 하고, 내년에는 13,000근을 달성할 것임을 다짐하는 내용이다.

14일~16일, 중국곡예공작자대표대회가 베이징에서 진행되었다. 중국곡예공작자협회中國 曲藝工作者協會(약칭 중국곡협中國曲協)가 성립되어 자오수리가 주석으로 선출되었다.

15일, 중공중앙 선전부에서 「소수민족 문학사 집필공작 좌담회에 관한 요록關於少數民族文學史 編寫工作座談紀要」을 전국에 배포하고, 이를 기초로 하여 조건을 갖춘 소수민족 및 지구를 조직해 소수민족 문학사를 집필하기로 하였다.

『광명일보』에 톈젠의 시「색외제벽塞外題壁」(가두시 6편)이 발표되었다.

『문회보』에 사설「곡예는 영원히 문예의 첨병이다曲藝永遠是文藝尖兵」가 발표되었다.

톈진시위원회 선전부에서 아마추어 작가 좌담회를 소집하였다. 저우양이 참석해 연설을 진행해 청년 공인 아마추어 작가의 창작을 격려하였다.『인민일보』에「공장, 공인, 투쟁을 창작하자―톈진 공인 아마추어 창작의 공전의 번영寫工廠、寫工人、寫鬥爭――天津工人業餘創作空前繁榮」이라는 제목의 기사가 게재되었다. 기사는 4개월 동안 톈진 신발공장의 아마추어 작가 22명이 문학작품 150여 편을 창작했다고 전했다.

『인민일보』에 '공장사'란이 개설되어 첫 호에 톈진 공인이 창작한 공장사 5편이 발표되었다.

16일,『신관찰』제16호에 아이우의 산문「자포로제 철강 공장에서在查波羅什鋼鐵廠」가 발표되었다.

『맹아』제16호에 슝포시의 평론「어떤 감상―광장극「신이 누군가를 죽이려 한다면, 반드시 우선 그를 미치게 만든다」를 보고―點觀感――廣場劇<上帝要誰死亡, 必先使她瘋狂>觀後」가 발표되었다. 슝포시는 "이 희곡은 영미 제국주의가 아랍 국가들을 무장 침략한 각종 음모를 폭로하면서, 이에 덧붙여 현재 우리의 공농업 대약진의 놀라운 성적을 선전하였다", "둘째로 이 희곡은 비교적 생동감 있는 형식을 선택해, 일반적인 무대극의 상황을 타파하고 배우와 관중이 함께 어울리는 형식을 채택하였다"라고 평했다.

『인민일보』에 마오둔의 구체시「곡예 공연 단편曲藝會演片斷」이 발표되었다.

17일,『광명일보』에 허치팡의 글「『『홍루몽』론』서문<論<紅樓夢>>序」이 발표되었다.

『문회보』에 메이란팡의 글「나와 '패왕별희'我與"霸王別姬"」가 발표되었다.

『희극보』제15호에 사설「희곡 무대에서 사회주의 시대를 열정적으로 반영해야 한다要在戲曲舞台上熱情地反映社會主義時代」및 7월 14일에 개최된 희곡의 현대생활 표현 좌담회에서의 류즈밍의 결산 발언「사회주의적이고 민족적인 신희곡을 창조하기 위해 노력하자爲創造社會主義的民族的新戲曲而努力」가 발표되었다. 같은 호에 '현실과 환상 문제에 관하여'라는 제목으로「스싼링 댐 몽환곡」과「베이징의 내일」등 두 편의 희곡의 혁명적 현실주의와 혁명적 낭만주의의 결합에 관한 세 편의 글이 발표되었다.

18일, 중국작가협회에서 '생활 침투' 좌담회를 소집하였다. 『문예보』제16호에 「작가와 노동 군중의 결합 방침을 더욱 잘 관철하고, 대약진 과정의 인민영웅주의를 충분히 반영하자進一步貫徹作家與勞動群衆結合的方針, 充分反映大躍進中的人民英雄主義」라는 제목으로 기사가 게재되었다.

『인민일보』에 커링의 산문「평차오의 어느 공사를 방문하다訪楓橋的一個公社」가 발표되었다.

19일, 『인민일보』에 저우웨이츠의 장문「예술공작의 낡은 것 파괴와 새로운 것 수립藝術工作中的破和立」의 연재가 시작되어 21일자에 완료되었다.

20일, 『신항』8, 9월호 합본에 펑쯔카이의 수필「행로역行路易」, 캉쥐의「상류의 물결上遊水浪」(3편), 쉬친원의「만근정萬斤燈」, 비예의「군간 농장의 하루軍墾農場的一天」, 한쯔의「길路」등의 산문과 예쥔젠의 여행기「여정 잡기旅途散記」, 라오서의 서신「편지로 원고를 대신하다以信代稿」가 발표되었다.

『베이징문예』8월호에 왕위안젠의 소설「평범한 노동자」, 돤무훙량의 시「중소 성명이 하늘에 걸리다中蘇公報掛在天」, 톈젠의 시「아랍 예찬」이 발표되었다.

『신후난보新湖南報』에 저우리보의「니완사의 현재와 과거泥灣社今昔」가 발표되었다.

『문회보』에 야오원위안의「'사랑과 아름다움'의 '인생관'"愛和美"的"人生觀"」이 발표되었다. 이 글은 잔타이안詹泰安의 책『이경과 이욱의 사李璟李煜詞』에 대한 평론으로, 야오원위안은 이 책이 "지주계급과 자산계급의 반동사상을 철두철미하게 선전"하는 책이라고 보았다.

『인민일보』에 마오둔의 산문「약진하는 둥베이躍進中的東北」가 총 5회에 걸쳐 연재되었다. 그는 글에서 둥베이의 대약진 상황을 묘사하였다.

『광명일보』에 라오서의 시「왕사오탕 노인이 이야기해 주는 '무송타호' 감상聽王少堂老人評講"武松打虎"有感」이 발표되었다.

21일, 『인민일보』에 톈젠의 시「은하곡銀河曲」과 팡지의 글「간장의 후예—쑤저우 최초의 용광로 탄생을 기념하며幹將的後裔——記蘇州第一座小高爐的誕生」가 발표되었다.

22일, 『인민일보』에 천이陳毅의 시「비 내린 후에 스싼링 댐을 다시 방문하다雨後重訪十三陵水庫」가 발표되었다. 같은 날의 기사는 안후이성 판창繁昌현 어산샹峨山鄉 동방홍東方紅의 논에서 벼

43, 075.9근을 생산했다는 소식을 전했다.

23일, 『인민일보』에 캉줘의 특필 「쉬수이 인민공사 송가徐水人民公社頌」의 연재가 시작되었다 (총 5회 연재되었으며 9월에 허베이인민출판사에서 단행본이 출간되었다). 같은 호에 위안수이파이의 시 「평화를 위해 복무하는 과학 만세爲和平服務的科學萬歲」, 류바이위의 산문 「베이징ー모스크바北京──莫斯科」가 발표되었다.

25일, 『인민일보』에 자오수리의 「나는 상성 「수병이 미신을 깨다」가 좋다我愛相聲<水兵破迷信>」, 타오둔의 「혁명사를 더 많이, 더 잘 설창하자更多更好地說唱革命史」, 정전둬의 「사회주의의 예찬론자들을 예찬하자歌頌社會主義的歌頌者們」, 천창평의 회고록 「행복한 추억幸福的回憶」이 발표되었다.

『문회보』에 탕타오의 글 「문화혁명文化革命」이 발표되었다.

『해방일보』에 기사 「전 인민을 동원해 문화과학을 향해 진군하자全民動員向文化科學大進軍」, 사설 「문화혁명을 대대적으로 진행하자大鬧文化革命」가 발표되었다.

『시간』 8월호에 「민가선 100편民歌選一百首」, 롼장징의 「역사의 큰 빛을 밝게 비추자照亮歷史的巨光」, 짱커자의 「다시 환호하다再歡呼」, 러우스이의 「군은 보증鋼鐵的保證」, 리지의 「풍작의 노래豐收歌」, 쉬츠의 「공사의 맹아公社的萌芽」, 샤오싼의 「초원 위의 홍기草原上的紅旗」, 류잔추劉湛秋의 「과립 비료 공장 인상顆粒肥廠印象」 등의 시와 위안수이파이의 평론 「모스크바 가두시를 기억하며記莫斯科街頭詩」 및 본지 편집부에서 개최한 좌담회에서의 궈샤오촨, 짱커자, 롼장징 등의 발언이 발표되었다.

궈샤오촨은 「시가를 어떻게 더 빨리, 더 잘 발전하게 할 것인가怎樣使詩歌更快更好的發展」라는 제목의 발언에서 "근본적인 문제"는 "제고와 보급의 결합"에 있다고 보면서, "이 두 가지를 잘 결합하면 일이 쉬워질 것이다"라고 보았다. 롼장징은 「시인에 대한 군중의 요구는 무엇인가群衆對詩人的要求是什麼」라는 제목의 발언에서 "군중은 혁명의 기백을 대담하게 표현한 작품을 좋아하고, 이리저리 다듬고 빙빙 돌려 말하는 것은 싫어한다. 군중은 힘 있는 시구와 혁명적이고 웅장한 언어를 좋아한다"라고 보았다.

류잔추(1935~), 시인이자 평론가로 안후이성 우후蕪湖 출신이다. 공인 및 러시아어 번역가로 근무하였으며 『시간』 편집자, 부편집장, 편집심사위원 등을 역임하였다. 1957년부터 작품 발표를 시작하였다. 저서로 시집 『생명의 즐거움生命的歡樂』, 『무제 서정시無題抒情詩』, 『사람·사랑·풍경人·愛情·風景』, 산문시집 『머나먼 기타遙遠的吉他』, 논문집 『서정시의 선율抒情詩的旋律』 및 번역서

『푸시킨 서정시선普希金抒情詩選』, 『예세닌 서정시선葉賽寧抒情詩選』 등이 있다.

26일, 『인민일보』에 위안수이파이의 시 「정의로운 엄벌正義的嚴懲」이 발표되었다.

『문예보』 제16호에 캉줘의 「대약진 속의 새로운 문체 - 이야기하고 노래하다大躍進中的新文體——說說唱唱」, 야오원위안의 평론 「「방문자」의 사상 경향을 논하다論＜來訪者＞的思想傾向」가 발표되었다. 야오원위안은 글에서 "「방문자」는 사회주의 사회를 추악하게 묘사하고, 극단적인 개인주의자를 미화한 작품이다. 이 작품은 해롭다"라고 보았다.

27일, 『독서월보』에 리시판의 서평 「혁명의 홍기를 높이 들다 - 『불티가 번져 들판을 태우다』를 읽고高擧起革命的紅旗——＜星火燎原＞讀後」, 류신우劉心武의 서평 「『제41』에 관하여談＜第四十一＞」가 발표되었다.

류신우(1942~), 필명은 류류劉瀏, 자오좡한趙壯漢 등으로 쓰촨성 청두 출신이다. 중학교 교사, 출판사 편집자, 『인민문학』 편집장 등을 역임하였다. 저서로 소설집 『류신우 단편소설집劉心武短篇小說選』, 『반주임班主任』, 『이곳에 황금이 있다這裏有黃金』, 『눈이 큰 고양이大眼貓』, 『먼 곳으로 가서 편지를 보내다到遠處去發信』, 『일정이 촉박하다日程緊迫』 및 장편소설 『종루鍾鼓樓』, 『쓰파이러우四牌樓』 등이 있다. 이 가운데 『반주임』은 신시기 문학의 시발점으로 평가되며 제1회 전국 우수단편소설상을 받았다. 최근에는 '홍학' 연구에 종사하여 『홍루해몽紅樓解夢』, 『홍루망월紅樓望月』 등의 논저를 출간하였다.

『인민일보』에 양쉬의 「카셈을 방문하다訪卡塞姆」가 발표되었다.

28일, 『인민일보』에 위안수이파이의 시 「라틴 아메리카에게致拉丁美洲」가 발표되었다.

29일, 『인민일보』에 사어우의 시 「영국에 경고한다警告英國」가 발표되었다.

30일, 『인민일보』에 위안수이파이의 시 「량 아주머니가 벽화를 그리다梁大娘畫壁畫」가 발표되었다.

31일, 『인민일보』에 궈모뤄의 '네 가지 해로운 것의 제거'에 관한 시 「네 가지 해충이 여생 동안 사방으로 도망치다四害餘生四海逃」, 정전둬의 산문 「주익균의 '지하궁전'朱翊鈞的"地下宮殿"」이 발표되었다.

이달에 '베이다이허 회의北戴河會議'가 개최되었다. 본 회의는 농촌에 인민공사를 시험적으로 설치하는 것을 주된 의제로 하여 「차야산 위성 인민공사 시범 시행 요강(초안)嵖岈山衛星人民公社試行簡章(草案)」을 발포하고, 마오쩌둥이 직접 수정한 「농촌의 인민공사 건립 문제에 관한 결의關於在農村建立人民公社問題的決議」를 통과시켜 공사화公社化 운동을 더욱 고조시켰다. 뒤이어 중앙 신문들에 연이어 사설이 발표되어 인민공사의 홍기를 높이 들고 전진할 것을 호소하고, 우선 인민공사의 틀을 세울 것을 요구하였다. 이후로 인민공사의 대대적인 설립 붐이 전국적으로 시작되었다. 1958년 여름부터 불과 몇 달 동안 전국의 74만여 개의 농업생산합작사가 26,000여 개의 인민공사로 개편되어 인민공사화가 기본적으로 실현되었다.

저우양이 허베이성 문예이론공작회의에서 「중국 자신의 마르크스주의 문예이론과 비평을 건립하자」라는 제목의 보고를 진행하였다. 『문예보』 제17호는 이에 관한 기사에서 "저우양 동지는 우선 허베이성 문예이론공작회의의 개최를 긍정하였다. 그는 문예이론공작은 우리 당의 사상공작의 중요한 방향이며, 당중앙과 마오쩌둥 동지도 이 방면의 공작을 매우 중시하고 있다고 밝혔다", "이어서 저우양 동지는 새로운 형세하에서의 문예이론비평 공작의 임무와 '백화제방, 백가쟁명' 등의 문제를 언급하였다. 그는 가장 근본적인 문제는 중국 자신의 마르크스주의 문예이론과 비평을 건립하는 것이라고 제창하였다"라고 전했다. 『허베이일보』에 연설문이 발표된 후 『광명일보』, 『문회보』, 『문예보』에도 전재되었다.

시안전영제편창西安電影制片廠이 설립되었다.

저우리보의 신문통신 「증오희曾五喜」가 『새싹新苗』 8월호에 발표되었다.

『곡예曲藝』 8월호에 자오수리의 장편 평서評書 『링취안둥靈泉洞』(상편)의 연재가 시작되어 제11호에 완료되었다. 『인민문학』 11월호에 작품의 일부가 게재되었다. 1959년 2월에 작가출판사에서 단행본이 출간되었다.

왕원스의 단편소설집 『눈보라 치는 밤風雪之夜』이 중국청년출판사에서 출간되었다. 책에는 11편의 작품이 수록되었으며, 이 책은 '파종문예총서播種文藝叢書'에 포함되었다.

뤄빈지의 단편소설집 『라오웨이쥔과 팡팡老魏俊與芳芳』이 작가출판사에서 출간되었다.

왕시옌의 단편소설집 『새로운 토양新的土壤』이 상하이신문예출판사에서 출간되었다.

마오둔의 문예이론집 『야독우기夜讀偶記』, 예성타오의 산문집 『소기 10편小記十篇』이 백화문예출판사에서 출간되었다. 『야독우기』는 1962년 6월에 제2판이, 1979년 5월에 제3판이 출간되었다. 제3판에는 저자의 컬러 사진과 엮은이의 「재판 설명再版說明」이 추가되었다.

자오치양 등이 각색한 화극『지취위호산』이 중국희극출판사에서 출간되었다.

양화성楊華生 등이 합동 창작한 해학극『우파백추도右派百醜圖』가 상하이문화출판사에서 출간되었다.

9월

1일, 『역문』 9월호에 마오둔의 「아시아 아프리카 인민의 우정과 단결을 위하여爲了亞非人民的友誼和團結」가 발표되었다.

『옌허』 9월호에 커중핑의 시 「마오쩌둥과 흐루쇼프의 회의 성명을 노래하다歌唱毛澤東和赫魯曉夫會議公報」, 정보치의 평론 「카자흐 문학의 새로운 수확──『톈산』 8월호의 '카자흐 문학 특집호' 소개哈薩克文學的新收獲──＜天山＞八月號"哈薩克文學專輯"介紹」가 발표되었다.

『처녀지』 9월호에 우보샤오의 잡문 「평범한 노동자가 되자作普通勞動者」, 하오란의 소설 「이사搬家」, 장즈민의 시 「사 주임社主任」(외 1편)이 발표되었다.

『창장문예』 9월호에 리준의 소설 「참관參觀」이 발표되었다.

『인민일보』에 한쯔의 글 「위성전의 풍작을 목도하다目睹衛星田豐收」가 발표되었다. 그는 글에서 논에서 30,614.5근의 벼를 수확하였으며, 벼가 자란 땅 위에 체구가 건장한 남자 세 명이 올라서도 꼼짝도 하지 않는 장면을 직접 목격했다고 밝혔다. 「약진하는 둥베이」란에 마오둔의 산문 「북쪽 지방의 모란은 필수록 더 선명하다北地牡丹越開越豔」의 연재가 시작되어 10일자에 완료되었다.

『신관찰』 제17호에 한쯔의 소설 「애벌갈이初耕」가 발표되었다.

2일, 『인민일보』에 궈모뤄의 시 「불화살 위에 올라서다跨上火箭篇」, 위안잉의 여행기 「두장옌 산가都江堰散歌」 및 영화 「청춘의 발걸음靑春的脚步」에 대한 이췬의 평론이 발표되었다. 베이징사범 대학 학생 쑨융성孫永生, 왕페이좡汪培莊의 평론 「「청춘의 발걸음」을 평하다評"靑春的脚步"」는 이 영화가 '백기'이므로 뽑아 버려야 하며, 문예계에 '홍기를 꽂아'야 한다고 주장하였다.

3일, 베이징 문예계에서 베이징 공인문예활동 적극분자 대회를 개최하였다. 린모한이 「공인문예활동에 관한 몇 가지 문제關於工人文藝活動的幾個問題」라는 제목으로 연설하였다.

『극본』 9월호에 쓰촨 이빈촨宜賓川 극단에서 합동 창작한 13장 천극川劇 「쓰촨 백모녀四川白毛女」, 양뤼팡의 단막 화극 「불야향不夜鄉」, 장경의 「신희곡의 대약진新戲曲的大躍進」, 이빙의 「혁명사를 회고하고, 대약진을 노래하자回憶革命史, 歌唱大躍進」 등의 글이 발표되었다.

4일, 『인민일보』에 양쉬의 여행기 「바그다드 풍경巴格達即景」이 발표되었다.

『문회보』에 야오원위안의 글 「가장 새롭고 가장 아름다운 그림最新最美的畫圖」이 발표되었다.

『양청만보』에 친무의 산문 「유다와 돈주머니猶大與錢袋」가 발표되었다.

중국전영자료관中國電影資料館이 설립되었다.

5일, 『문예월보』 9월호에 루즈쥐안의 「위성은 동방에서 떠오른다衛星從東方升起」, 탕커신의 「차오양신춘의 사람들曹陽新村的人們」, 리뤄빙의 「차카행茶卡行」, 광지의 「양류칭 여행기楊柳青遊記」 등의 산문과 아이밍즈의 소설 「성격의 희극性格的喜劇」, 왕시옌이 푸레이를 비판한 글 「로맹 롤랑의 외투 아래서在羅曼·羅蘭的外衣下」, 궈사오위의 평론 「민가와 시民歌與詩」가 발표되었다.

『변강문예』 9월호에 리광톈의 시 「중소회담 성명을 위해 노래하다爲中蘇會談公報而歌」와 평론 「신민가를 학습하자學習新民歌」, 취보의 창작담 「『임해설원』에 관하여―이 글을 친애하는 독자들에게 삼가 바치다關於<林海雪原>――略以此文敬獻給親愛的讀者們」가 발표되었다. 리광톈은 「신민가를 학습하자」에서 "우리는 신민가가 신시임을 반드시 인정해야 한다"라고 보면서, "우리는 또한, 신민가는 시일 뿐만 아니라 확실히 좋은 시임을 인정해야 한다", "내용과 형식을 막론하고, 나는 그 어느 시인이 이처럼 충실하고, 간결하며, 호탕하고, 기세가 드높고, 진리를 충분히 표현하고, 전진을 격려하는 시를 쓸 수 있을지 알 수 없다"라고 밝혔다.

『인민일보』에 「옌안 리자취 가두시초延安李家渠街頭詩抄」 및 쉬츠가 수집 기록한 허베이성 화이라이懷來현 놘취안샹暖泉鄉의 농민시가 「놘취안 가수가 공사를 노래하다暖泉歌手唱公社」가 발표되었다.

6일, 『인민일보』에 평론가의 글 「중국 희극의 무대미술이 한 발 대약진하게 하자讓中國戲劇舞台美術大躍進一步」가 발표되었다.

7일, 『꿀벌』9월호에 캉줘의 시「마오 주석의 쉬수이 시찰을 노래하다頌毛主席視察徐水」(6편),
한잉산韓映山의 평론「'할아버지의 휴가를 신청해 드리다'를 읽고讀"給爺爺請假"」가 발표되었다. 그
는 글에서 "충만한 정치적 열정뿐만 아니라 반드시 묘사하는 생활 내용에 대해 대단히 익숙해야
한다", "좋은 문학작품은 모두 정치적 열정이 충만하고, 생활의 향기가 짙다"라고 보았다.

한잉산(1933~1998), 필명은 두쥐안杜鵑이다. 허베이성 문련 편집자, 톈진시 문련 편집자, 바오
딩시 군중예술관 창작원, 바오딩시 문련 주석 및 편집심사위원을 역임하였다. 1972년에 중국작가
협회에 가입하였다. 저서로 소설산문집『수향 잡기水鄕散記』,『자위집紫葦集』,『녹하집綠荷集』,『천
지홍串枝紅』,『호수에 연꽃 향기가 가득하다滿澱荷花香』,『쑨리의 인품과 작품孫犁的人品與作品』 등이
있다.

『광명일보』에 짱커자의 시「엄정한 성명─저우 총리의 성명을 듣고嚴正的聲明──聽了周總理的聲明
以後」, 사오취안린의 글「고전문학을 어떻게 대하고, 옛것을 현실에 맞게 이용할 것인가如何對待古
典文學, 怎樣古爲今用」가 발표되었다.

8일, 『인민문학』9월호에 양숴의 장편소설『세병마洗兵馬』의 연재가 시작되어 10월호에 완료
되었다. 같은 호에 류바이위의 글「친자오양의 파산─중국작가협회 당조 확대회의에서의 발언秦
兆陽的破産──在中國作家協會黨組擴大會議上的發言」이 발표되었다. 그는 글에서 "친자오양이라는 이 철
두철미한 현대 수정주의자를 비판하는 투쟁은 문학전선의 심각한 계급투쟁이다. 이 투쟁은 우리
에게 자산계급 사상의 영향을 철저히 제거해야만 진정한 사회주의 문학을 수립할 수 있음을 다시
금 가르쳐 주었다. 우리와 친자오양 사이의 투쟁은 근본적으로 조화될 수 없는 양자 사이의 투쟁
이다", "친자오양을 비판하는 투쟁은 승리했지만, 문학에 존재하는 수정주의 사상, 그리고 자산계
급이 문학예술에 오랫동안 흩뿌려 온 독소를 비판하는 것은 여전히 우리가 당면한 중요한 전투 임
무이다. 적대계급의 영향과의 부단한 투쟁 속에서만이 우리는 사회주의 문학을 진정으로 건설하
고, 문학이론과 창작을 건강하게 발전시키며, 문학이 넓은 길로 전진하게 할 수 있다"라고 보았다.

이 외에도 자오수리의 소설「단련하다鍛煉鍛煉」, 리준의 소설「밤에 뤄퉈링을 가다夜走駱駝嶺」,
옌천의 시「홍안紅岸」, 푸처우의 시「황허가 창장의 물을 빌리다黃河要借長江水」, 러우스이의「어느
공인에게 보내는 편지─시에 반드시 진실한 감정과 명확한 언어가 있어야 하는 것에 관하여給一位
工人的信──談詩必須有眞實的感情和明確的語言」, 마첸쭈馬前卒의 평론「당의 지도를 공격하는 독초─
「개선」을 평하다一株攻擊黨的領導的毒草──評<改選>」, 옌원징의 평론「「본지 내부 소식」을 평하다
評<本報內部消息>」가 발표되었다.

옌원징은 「본지 내부 소식」이 "무미건조하고 잡다하며, 현실생활을 왜곡하는 수법에 사이비적인 반동 설교를 더해 자산계급 지식분자의 개인주의와 무정부주의를 미화하고, 우파분자의 반당적이며 반사회주의적인 일련의 주장을 선양한 반동적 작품"이라고 보았다. 마첸쭈는 글에서 "「개선」은 주의깊게 보지 않으면 작가의 지극히 반동적이고 악독한 창작 목적을 알아채기 어렵다. 작가는 세심한 구상과 상세히 퇴고된 언어로 이 '독초'를 숨기고 있다"라고 보았다.

같은 호에 「「붉은 팥」의 문제는 무엇인가?─어느 좌담회의 요약 기록<紅豆>的問題在哪裏?──一個座談會紀要摘錄」이 발표되었다. 이 글은 7월 28일에 베이징대학 중문과 3학년의 해연문학사海燕文學社 당대문학평론조에서 진행한 소설 「붉은 팥」 좌담회의 기록이다.

『인민일보』에 궈모뤄의 「미국의 전쟁 광인을 질책하다斥美國戰爭狂人」, 정전둬의 「분노하여 항소하다憤怒地抗訴」, 타오둔의 「미국에 경고한다警告美國」, 사어우의 「노도가 일어나다─미국의 군사적 도발에 반대한다怒潮澎湃──反對美國的軍事挑釁」 등의 시와 라오서의 상성 「방문기訪問記」, 차오위의 글 「침략자여, 그 머리를 조심해라侵略者, 小心你的腦袋」, 바런의 글 「조국의 부름을 기다리다聽候祖國的召喚」가 발표되었다.

『광명일보』에 톈한의 시 「저우 총리의 타이완 해협 지구 정세에 관한 성명을 노래하다歌周總理關於台灣海峽地區局勢聲明」가 발표되었다.

『양청만보』에 친무의 산문 「사람과 이리의 격투人和狼的搏鬥」가 발표되었다.

『문회보』에 왕시옌의 「침략자에게 치명적인 타격을 가하자予侵略者以毁滅性的打擊」, 사어우의 시 「베이징은 분노하고 있다北京在憤怒中」, 후완춘의 글 「원한仇恨」, 우창의 글 「조국이 필요로 할 때在祖國需要的時候」, 바진, 진이의 글 「6억 인민은 반드시 끝까지 투쟁할 것이다六億人民一定要鬥爭到底」가 발표되었다.

9일, 『인민일보』에 메이란팡의 「무리한 간섭에 반대한다反對無理干涉」, 어우양위첸의 「우리는 승냥이와 이리에게 어떻게 맞서야 할지 안다我們懂得如何對付豺狼」, 바진, 진이의 「우리는 끝까지 투쟁할 것이다我們要鬥爭到底」, 샤오싼의 시 「미국 놈들에게 경고한다警告美國鬼子」, 짱커자의 시 「우리는 반침략의 노래를 소리 높여 부른다我們高唱起反侵略的歌」, 궈모뤄의 서신 「펜과 현실─궈 노인의 편지筆和現實──郭老來信」가 발표되었다.

『문회보』에 사설 「문예창작도 하늘에 위성을 띄워야 한다文藝創作也該有衛星上天」가 발표되었다.

10일, 『동해』 9월호에 자오수리의 소설 「우정의 꽃友誼之花」이 발표되었다.

『인민일보』에 마오둔의 글 「선양에서의 군중문예운동群衆文藝運動在沈阳」, 위안수이파이의 시 「제7함대에 대한 평가서를 쓰다ー흐루쇼프가 아이젠하워에게 보낸 서신을 읽고給第七艦隊寫了個鑒定——讀赫魯曉夫給艾森豪威爾的信」가 발표되었다.

『광명일보』에 짱커자의 시 「두 개의 거대한 목소리兩個巨大的聲音」, 메이란팡의 글 「뉘우치지 않으면 교수형에 처한다不回頭就處以絞刑」가 발표되었다.

『문회보』에 기사 「문예창작 약진 전람회 개막ー천이 부총리가 개막식을 참관하고 중요 지시를 하다文藝創作躍進展覽會開幕——陳毅副總理前往參觀並作重要指示」가 게재되었다. 같은 호에 스튀의 시 「미국 강도에게 경고한다警告美國強盜」, 쥔칭의 시 「천만 명의 사람들이 팔을 흔들며 크게 외치다千百萬人振臂高呼」, 이췬의 글 「광인의 헛소리狂人的囈語」, 커링의 글 「우리는 언제나 준비되어 있다!我們隨時准備著!」가 발표되었다.

11일, 『인민일보』에 웨이웨이의 글 「덜레스를 질책한다斥杜勒斯」가 발표되었다.

『광명일보』에 궈모뤄의 시 「상간링을 타이완으로 옮기자!把上甘嶺搬到台灣去!」, 예성타오의 시 「아이젠하워에게給艾森豪威爾」, 사어우의 시 「톈안먼 앞에서 하늘을 향해 주먹을 들다天安門前拳頂天」, 바런의 글 「전쟁광인戰爭狂人」, 리췬力群의 글 「전세계 인민의 의지全世界人民的意志」가 발표되었다.

『해방일보』에 이췬의 글 「광인의 행동狂人的行徑」이 발표되었다.

『문예보』제17호에 베이징대학 중문과 2학년 '루쉰문학사'에서 합동으로 집필한 「문예계의 두 노선 사이의 투쟁은 부정을 용납하지 않는다ー왕야오의 『중국신문학사고』비판文藝界兩條路線的鬥爭不容否定——批判王瑤的<中國新文學史稿>」이 발표되었다. 『시간』1958년 10월호에 베이징대학 중문과 56기 학생 '루쉰문학사'에서 합동으로 집필한 글 「신시에 대한 왕야오의 자산계급 관점을 비판한다批判王瑤對新詩的資產階級觀點」가 발표되었다.

『문회보』에 바진의 글 「미 제국주의는 확실히 종이호랑이다美帝的確是紙老虎」및 톈한의 「위산 정상에서 홍기를 보다玉山頂上看紅旗」, 정전둬의 「우리는 용인할 수 없다我們不能容忍」, 짱커자의 「오래된 제국주의老牌的帝國主義」, 광웨이란의 「격한 분노怒火」등의 시와 천바이천의 「덜레스여, 들어라!杜勒斯聽著!」, 궈모뤄의 「아시아 아프리카 작가회의에 대한 희망對亞非作家會議的希望」, 샤옌의 「영화 기술인원과 한담을 하다和電影技術人員談天」등의 글이 발표되었다.

12일, 『인민일보』에 궈모뤄의 시 「상간링을 타이완으로 옮기자!」가 발표되었으며, 전국 각지의 농민이 인민공사를 노래한 시 9편이 발표되었다.

『해방군문예』 9월호에 제위전解馭珍, 커디克地의 글 「쉬광야오의 수정주의 사상-「바다에는 물고기들이 자유롭게 뛰논다」를 반박하다徐光耀的修正主義思想——駁<海闊憑魚躍>」가 발표되었다.

13일, 『인민일보』에 한쯔의 「지원군들이 종이호랑이를 웃음거리로 삼다志願軍笑談紙老虎」가 발표되었다.

『문회보』에 탕타오의 「형상의 진리形象的真理」가 발표되었다.

14일, 『인민일보』에 롼장징의 시 「바오강이 우강에게 개선가를 불러 주다包鋼給武鋼唱凱歌」가 발표되었다.

『광명일보』에 베이징대학 중문과 2학년 1반 '취추바이 문학회'에서 합동 집필한 글 「정전둬 선생의 『중국속문학사』를 평하다評鄭振鐸先生的<中國俗文學史>」가 발표되었다.

『독서월보』에 예성타오의 「새로운 농촌의 새로운 모습-「까치가 가지에 오르다」를 읽고新農村的新面貌——讀<喜鵲登枝>」가 발표되었다.

15일, 『인민일보』에 어우양위첸의 「「훙샤」가 곤곡의 새로운 국면을 열다<紅霞>開了昆曲的新生面」가 발표되었다. 그는 글에서 "「훙샤」의 공연은 희곡사에서 중대한 의의가 있다. 이처럼 이미 쇠퇴한 극종을 개조해 인민을 위해 복무하게 하는 것은 매우 기쁜 일이다. 곤곡 자체에도, 모든 병폐를 제거하고 장점을 더욱 잘 발휘해 더 건강하게 존재할 수 있게 하는 것도 역시 매우 기쁜 일이다"라고 보았다. 이 외에도 바오딩시 주민 커우후이윈寇惠雲의 「할머니가 「훙기보」를 평하다老大娘評<紅旗譜>」가 발표되었다. 글은 평극 「홍기보」에 대해 연기가 진실 같다고 평하였다.

『문회보』에 샤옌의 「우리의 영화사업은 반드시 정치를 우선시해야 한다-영화공업 계획회의에서의 연설我們的電影事業必須政治掛帥——在電影工業規劃會議上的講話」이 발표되었다.

『희극보』에 톈한의 「조국이 우리에게 타이완 해방을 위해 단호히 투쟁할 것을 호소한다祖國號召我們堅決爲解放台灣而鬥爭」가 발표되었다.

15일~10월 19일, 문화부, 교육부, 중앙민족사무위원회中央民族事務委員會 합동으로 전국 소수민족 출판공작회의를 진행하였다.

16일, 『인민일보』에 사설 「곡예의 문예 첨병으로서의 역할을 충분히 발휘하자充分發揮曲藝的文藝尖兵作用」가 발표되었다. 글은 "앞으로 곡예 공작은 문예는 공농병을 위해 복무한다는 방침 및 백화제방하고 옛것을 취사선택하여 새롭게 발전시키는 방침을 지속적으로 관철하면서, 새로운 시대의 새로운 생활을 반영하는 창작을 발전시키기 위해 노력하고 또한 우수한 전통 작품을 적극적으로 정리해, 생산투쟁에 호응하고 군중과의 연계를 강화해 문예 첨병으로서의 역할을 충분히 발휘하고, 사회주의 건설을 위해 더욱 힘차게 복무해야 한다"라고 밝혔다.

『인민일보』에 궈모뤄의 시 「아이젠하워를 질책한다斥艾森豪威爾」와 위안잉의 특필 「원 아주머니가 마오 주석에게 소식을 전하다溫大娘捎口信給毛主席」가 발표되었다.

『중국청년』 제18호에 톈한의 시 「그들에게 튼튼한 밧줄 몇 개를 준비해 주자替他們預備幾根結實實的絞繩」, 광지의 시 「덜레스에게 대답하다回答杜勒斯」가 발표되었다.

『맹아』 제18호에 후완춘의 평론 「감동적인 산문-「47일만에 대형 회전로 작업장을 완성하다」를 읽고一篇感人的散文──<四十七天造一座大型轉爐車間>讀後」가 발표되었다.

17일, 『인민일보』에 아이우의 「여자 광부女礦工」가 발표되었다.

『문회보』에 쥔칭의 「위성이 새벽에 떠오르다衛星在淸晨升起」가 발표되었다.

상하이경극1단上海京劇一團이 상하이에서 현대 경극 「지취위호산」을 공연하였다.

18일, 『인민일보』에 캉줘의 특필 「쉬수이에서의 류사오치 동지劉少奇同志在徐水」, 천보추이의 「아이크와 민하오성艾克和閔豪生」이 발표되었다.

『문회보』에 후완춘, 샤오리曉立의 글 「우산合傘」이 발표되었다.

19일, 『인민일보』에 롼장징의 시 「영웅의 어머니 점호英雄母親大點名」가 발표되었다.

『광명일보』에 예성타오의 시 「만강홍-쉬수이 송가滿江紅──頌徐水」, 쉬광핑의 시 「인민공사를 축하하며祝人民公社」, 쩌우디판의 산문 「별빛이 반짝이다星光璀璨」가 발표되었다.

20일, 『베이징문예』 9월호에 옌전의 시 「금고리를 달아 달을 걸다(외 1편)打把金鉤掛月亮(外一首)」가 발표되었다.

『광명일보』에 베이징대학 중문과 2학년 '루쉰문학사'에서 합동 집필한 글 「주광첸 저작의 남은 독소를 철저히 제거하자─「청년에게 보내는 12통의 서신」과 「수양에 관하여」 비판徹底淸除朱光潛著作的遺毒──批判<給靑年的十二封信>和<談修養>」이 발표되었다.

21일, 『해방일보』에 사설 「문화혁명의 홍기一面文化革命的紅旗」가 발표되었다.

22일, 『인민일보』에 짱커자의 시 「명성이 자자하다如雷貫耳」, 빙신의 시 「우리의 마음은 만 개의 불화살처럼 앞으로 날아간다我們的心像萬根火箭飛向前方」, 샤오싼의 시 「미국 강도를 타이완에서 내쫓자把美國強盜趕出台灣去」, 류바이위의 글 「우리는 늘 전투를 준비한다我們隨時准備戰鬥」가 발표되었다.

『여행가』 9월호에 예성타오의 여행기 「바상에서의 하루壩上一天」, 리준의 여행기 「원춘 잡기文村散記」, 위안수이파이의 수필 「루마니아 수필羅馬尼亞隨筆」이 발표되었다.

23일, 『인민일보』에 러우스이의 시 「유엔 총회에서의 덜레스의 연설을 질책한다斥杜勒斯在聯大的演說」, 톈한의 시 「타이완 해방 행진곡台灣解放進行曲」이 발표되었다.

『광명일보』에 짱커자의 시 「덜레스여, 들어라杜勒斯, 你聽著」가 발표되었다.

『해방일보』에 바진의 글 「덜레스의 이리 같은 모습杜勒斯的豺狼面目」이 발표되었다.

베이징인민예술극원에서 류촨의 8장 화극 「뜨거운 붉은 마음烈火紅心」을 공연하였다. 극본은 『극본』 10월호에 발표되었다.

24일, 『인민일보』에 궈모뤄의 시 「다시 아이젠하워를 질책한다再斥艾森豪威爾」, 톈젠의 시 「인민공사 송가頌人民公社」가 발표되었다.

『광명일보』에 바런의 글 「정의의 목소리正義的聲音」가 발표되었다.

『수확』 제5호에 리지의 장편서사시 『양가오 전기楊高傳』의 제1부 「5월 단오五月端陽」, 왕안유의 장편소설 『바다 위의 어가海上漁家』 및 후완춘의 「목표目標」, 돤무훙량의 「꿀蜜」, 린진란의 「모녀母女」 등의 단편소설, 빙신의 산문 「스싼링 댐 공사현장 잡기十三陵水庫工地散記」, 리시판의 평론 「생활과 예술의 진실성에 관하여略談生活和藝術的真實性」가 발표되었다.

25일, 『인민일보』에 위안잉의 「바산의 쇳물巴山鐵水」이 발표되었다.

『창장문예』에 메이란팡의 「우강의 '소철에 꽃이 핀' 일을 축하하며祝武鋼"鐵樹開花"」가 발표되었다.

『시간』 9월호에 뤄장징의 「최후의 경고最後的警告」, 짱커자의 「두 개의 거대한 목소리」, 궈모뤄의 「창춘행長春行」, 궈샤오촨의 「전도양양鵬程萬裏」, 톈젠의 「개선문凱旋門」 등의 시와 쉬츠의 「모두들 난취안 민가를 평하다暖泉民歌大夥評」가 발표되었다. 같은 호에 사어우의 평론 「신민가의 표현수법에 관하여談新民歌的表現手法」가 발표되었다. 그는 글에서 신민가에 과장, 비유, 직설, 대비, 대조, 병렬 등 여섯 가지의 주된 표현수법이 존재한다고 보았다.

26일, 『해방일보』에 사설 「공인계급 문예대오를 양성하자培養工人階級的文藝隊伍」가 발표되었다.

『문예보』 제18호에 화푸華夫의 논고 「문예의 위성을 발사하자文藝放出衛星來」가 발표되었다. 그는 글에서 "공농병 군중은 문예 영역에서도 위성을 발사했다. 신민가, 공장사, 혁명 회고록. 이들이 바로 이미 발사된, 그리고 발사하고 있는 문예 위성이다"라고 보았다. 같은 호의 '군중문예특집'란에 창춘시 문예계 대회에서의 마오둔의 연설 「문예와 노동의 결합文藝和勞動相結合」이 발표되었다. 이 외에도 쩌우디판의 시 「10월 헌시十月獻詩」. 리지의 시 「쿤룬산에서 소리 높여 노래하다昆侖山放歌」 및 바런의 「아이크는 히틀러의 길을 가고 있다艾克在走希特勒的老路」, 장광녠의 「수도의 공인 아마추어 작가들과 한담을 나누다和首都工人業餘作者們談天」, 정전둬의 「이란 시인 사디의 『장미원』─『장미원』 출판 700주년을 기념하며伊朗詩人薩迪的<薔薇園>──紀念<薔薇園>出版700周年」가 발표되었다.

27일, 중국문련 주석단이 확대회의를 개최해 전국 문예공작자들에게 군중의 창작운동과 비평운동을 대대적으로 추진해 문학예술의 공산주의 사상성을 강화하고, 공산주의 정신으로써 인민을 교육할 것을 호소하였다. 마오둔이 「새로운 형식과 새로운 임무新形勢與新任務」라는 제목의 보고를 진행하였다.

『문회보』에 후완춘, 샤오리의 「전투의 밤戰鬥的一夜」이 발표되었다.

『인민일보』에 이췬의 글 「몽유병자의 춤夢遊病者的幻舞」이 발표되었다.

『광명일보』에서 베이징대학 중문과 1955년 입학생들이 편찬한 『중국문학사中國文學史』에 대해 중점적으로 소개하였다. 바런이 「이것은 하나의 방향이다這是一個方向」라는 글을 발표해 축하하였다.

『해방일보』에 야오원위안의 글 「공인계급의 공산주의 정신을 학습하자向工人階級的共産主義精神學習」가 발표되었다.

28일, 『해방일보』에 사설 「영화창작의 새로운 길을 고수하자堅持電影創作的新道路」가 발표되었다.

문화부에서 원고료 기준 하향 좌담회를 개최하였다. 회의를 통해 신문과 잡지의 원고료는 현행 기준의 반으로 낮추고, 저서의 기본 원고료는 1,000자당 4~15원이던 것을 3~8원으로 낮추며, 번역 작품의 원고료는 3~10원이던 것을 2~5원으로 낮추기로 결정하였다. 인세 역시 하향 조정하였다.

『인민일보』에 장톈이, 저우리, 아이우 등의 글 「우리는 원고료를 인하할 것을 건의한다我們建議減低稿費報酬」가 발표되어 베이징의 작가들도 상하이의 작가들을 본받아 원고료를 반으로 낮춰야 한다고 건의하였다. "원고료가 높고 낮은 것을 지나치게 따져서는 공산주의 사회에 진입할 수 없다. 우리는 현재 아직 공산주의 사회에 진입하지 못하고 과도기에 머물러 있다. 원고료를 당장 취소할 수는 없으나, 원고료를 인하하는 것은 대단히 적합하고도 필요한 일이다. 원고료가 너무 높으면 작가의 생활이 특수화되어 군중과 멀어지기 쉽기 때문이다"라고 보았다. 이 전의 『대공보』8월 2일자와 『광명일보』8월 3일자에 사설이 발표되어 원고료 인하가 '혁명적 조치'라고 지적하였다. 『인민일보』10월 5일자의 기사는 베이징 각 신문과 출판사에서 원고료 기준을 낮추기로 결정했다고 전했다. 『문예월보』1958년 11월호에 진이의 「원고료 인하에 열렬히 찬성한다熱烈贊成降低稿費」가, 『극본』11월호에 톈한, 샤옌, 라오서, 양한성, 차오위, 천바이천이 공동으로 서명한 「우리는 원고료 인하를 열렬히 옹호한다我們熱烈擁護降低稿酬」가, 『창장문예』11, 12월호 합본에는 자오쉰, 리양, 톈타오田濤, 왕징즈의 글 「우리는 원고료를 인하하자는 제안을 옹호한다我們擁護減低稿費的倡議」가 발표되었다. 『문예보』제19호에는 차오위의 「원고료와 공연 보수를 반드시 인하해야 한다必須減低稿費和上演報酬」가, 9월 24일자 『문회보』에는 우창의 「원고료를 인하해 문학의 약진을 추진하자減低稿酬, 推動文學躍進」가 발표되었으며, 9월 27일자 『문회보』에는 야오원위안의 「원고료를 논하다論稿酬」가 발표되었다.

『인민일보』에 쌍커자의 「들어라, 전사들이 노호한다─시집 『전사의 맹세』를 읽고聽, 戰士怒吼了──讀詩集<戰士的誓言>」가 발표되었다.

30일, 『인민일보』에 사설 「문학예술의 더 큰 약진을 쟁취하자爭取文學藝術的更大躍進」가 발표되었다(이후에 『분류』11월호와 『칭하이후青海湖』10월호에 전재). 사설은 한동안 "좋은 작품이 적지 않게 발표되어 새로운 기상을 드러내었"으나, "생산건설의 속도와 군중의 요구에 비하면 문학예술의 창작은 객관적인 수요에 발맞추지 못하고 있다"라고 보았다. 글은 문예가 공농병을 위해 공인계급의 문예대오를 건설해 공인 자신이 창작하도록 도와야 한다고 보았으며, 또한 원고료 인하 문제를 언급하면서 원고료가 지나치게 높으면 작가와 인민의 거리감이 커지게 할 뿐이라고 지적하였다.

『인민일보』같은 호에 바진의 글「아시아 아프리카 작가회의 개막 전에 쓰다寫在亞非作家會議開幕之前」, 베이징 공인시인 리쉐아오의 시「아홉 번째 국경일에 바치다獻給第九個國慶」가 발표되었으며 중국문련 주석단 확대회의 소식이 게재되었다.

『희극보』제18호에 톈한의 글「희극계에서는 ‘위성’을 어떻게 발사할 것인가戲劇界怎樣放出“衛星”」, 장전의「집단창작은 많이, 빨리, 잘, 절약할 수 있는 창작방식이다集體創作是多快好省的創作方式」, 아자의「희곡의 현대생활 표현에 관하여談戲曲表現現代生活」및 다이부판이「희극전선에서의 사회주의 혁명戲劇戰線上的社會主義革命」이라는 제목으로 대약진 이후의 극단의 상산하향 상황에 대해 종합 보도한 글이 발표되었다.

이달에『시간』,『홍암』,『민간문학』,『신항』등의 간행물에서 민가 학습 문제에 관한 토론을 진행하였다.

저우쭤런이『사오싱 동요집紹興兒歌集』의 정리를 시작하였다.

베이징대학에서『중국 현대 문예사상 투쟁사中國現代文藝思想鬥爭史』,『당대문학當代文學』교과서, 『해방 이후 한어 어휘의 발전解放以來漢語詞彙的發展』등 중요한 저작을 완성하였다.

톈마전영제편창天馬電影制片廠에서 제작한「황바오메이黃寶妹」가 상영되었다. 본 영화는 ‘다큐멘터리 예술 영화紀錄性藝術片’의 대표작으로 꼽힌다.

중국전영학기술연구소中國電影學技術研究所가 설립되었다.

쉐커雪克의 장편소설『전투하는 청춘戰鬥的青春』이 상하이신문예출판사에서 출간되었다.

쉐커(1919~1987), 본명은 쑨전孫振으로 허베이성 셴현獻縣 출신이다. 1940년에 혁명공작에 참가하였다.『진차지 일보』,『인민일보』기자, 중국문련 사무실 주임, 톈진음악학원 당위원회 서기, 톈진시 문련 당조 부서기, 톈진시 사회과학원 문학연구소 소장 등을 역임하였다. 1958년부터 작품을 시작하였다. 저서로 장편소설『전투하는 청춘』,『무왕지대無往地帶』등이 있다.

류류劉流의 장편소설『열화금강烈火金剛』및 시간사詩刊社에서 편찬한『전사 시가 100편戰士詩歌一百首』과『공인 시가 100편工人詩歌一百首』이 중국청년출판사에서 출간되었다.

류류(1914~1977), 본명은 류치겅劉其庚으로 허베이성 허젠河間 출신이다. 1937년에 혁명공작에 참가하였으며 다음해에 중국공산당에 가입하였다. 진차지 변구 항적극사에서 근무하였으며, 공화국 성립 후에는 허베이성위원회 선전부 간사,『희극전선戲劇戰線』편집부 주임을 역임하였다. 1958년에 장편소설『열화금강』을, 1964년에 장편소설『홍아紅芽』제1부를 출간하였다.

쥔칭의 중단편소설집『여명의 강가』, 루즈쥐안의 단편소설집『백합꽃』이 상하이문예출판사에서 출간되었다.

천창평의 혁명 회고록『마오 주석을 따라 장정길에 오르다』, 위안수이파이의『시론집詩論集』이 작가출판사에서 출간되었다.

중국인민해방군 30년 공모 원고 편집위원회에서 편찬한『불티가 번져 들판을 태우다』가 중국인민해방군전사출판사中國人民解放軍戰士出版社에서 출간되었다.

차오위의『영춘집迎春集』이 베이징출판사에서 출간되었다.

원제의 첫 시집『톈산의 목가天山牧歌』가 인민문학출판사에서 출간되었다.

9월~12월,『중국전영』제9~12호(1959년 2월의 제2호까지) 샤옌의「영화극본 창작의 몇 가지 문제寫電影劇本的幾個問題」가 연재되었다. 그는 글에서 "창작사상과 창작방법"에 대해 언급하면서 중국의 10년간의 현실주의 영화창작을 검토하였다.

10월

1일, 중국민간문예연구회에서 편찬한『민간문예 통신民間文藝通訊』(내부 간행물) 제1호가 출간되었다.

『해방군문예』10월호에 왕위안젠의 소설「·'휴식'"休息」, 리잉의 시「검은 쇠기둥, 흰 쇠가시黑的鐵椿、白的鐵刺」가 발표되었다.

『작품』제10호에 천찬원의 산문「수향의 여름밤水鄉夏夜」이 발표되었다.

『중국청년』제19호에 웨이웨이의「옛 혁명을 배워야 한다—『불티가 번져 들판을 태우다』를 읽고要學老革命——<星火燎原>讀後」와 야오원위안의 평론「바진의 소설「멸망」의 무정부주의 사상을 논하다論巴金小說<滅亡>中的無政府主義思想」가 발표되었다. 웨이웨이는 글에서『불티가 번져 들판을 태우다』가 "대단히 진귀하고 풍부한 저작"이라고 평했다. 야오원위안은 글의 집필 동기를 "바진 동지가 이전에 한동안 자신의 과거 창작에 관한 글을 지속적으로 발표"했기 때문이라고 밝히면서, "바진 동지가 자신의 초기 창작인「멸망」에 대해 이야기한 글을 읽고, 나는 그가 몇 가지 문제에 있어 여전히 자산계급 개인주의 입장에 서서 문제를 보고 있으며, 작품 속에 폭로된 아주 선명한 자산계급 사상, 특히 무정부주의 사상에 대해 긍정하고 또한 찬양하고 있다고 느꼈다"라고 밝혔다.

『맹아』제19호에 후완춘과 샤오리의 특필「공산주의의 서광共產主義的曙光」과 야오원위안의 평론「수병의 마음, 수병의 노래水兵的心, 水兵的歌」가 발표되었다.

『창춘』10월호에 타오란의 평론「항일전쟁 시기의 문예사상 투쟁 약론略談抗日戰爭時期的文藝思想鬥爭」이 발표되었다.

월간『동해』가 격주간으로 변경되었다.

『별』10월호에 마오쩌둥의 「청평악(후이창)淸平樂(會昌)」이 발표되었다. 잡지『별』에 본 작품에 대한 토론 특집란이 개설되어 궈모뤄, 짱커자, 류카이양劉開揚 등이 본 작품에 대한 글을 발표하였다. 같은 호에 거비저우의 「사회주의의 큰 밭社會主義大田」(6편)이 발표되었다.

『인민일보』에 궈모뤄의 시 「우주에 칭송하는 소리가 가득하다宇宙充盈歌頌聲」가 발표되었다.

『해방일보』에 장춘차오의 글「노동의 기념일勞動的節日」이 발표되었다.

『양청만보』에 친무의 산문「중화인민공화국 만세!中華人民共和國萬歲!」가 발표되었다.

『문회보』에 예성타오의 시「심원춘－1958년 국경절을 경축하며沁園春——慶祝一九五八年國慶節」, 야오원위안의 글「오성홍기가 만 줄기의 금빛을 내쏜다－국경절 전야에 사상전선의 두세 가지 일을 잡담하다五星紅旗射出萬道金光——國慶前夕雜談思想戰線二三事」가 발표되었다.

중국희곡학원中國戲曲學院이 설립되었다.

『산시희극陝西戲劇』창간 준비호가 간행되었다.

베이징인민예술극원이 베이징에서 라오서의 신작 3막 6장 화극「홍대원紅大院」을 공연하였다. 극본은『극본』11월호에 발표되었다.

3일, 『인민일보』에 마오쩌둥의 칠언시「역신을 물리치다送瘟神」2편이 발표되었다. 본 작품은 『홍기』제10호, 『시간』10월호, 『별』11월호, 『성화』제11호에도 게재되었다. 본 작품은 마오쩌둥이 6월 30일자『인민일보』에서 장시성 위장餘江현에서 흡혈충을 박멸했다는 기사를 읽고 이에 감명을 받아 창작한 것이다.

『극본』10월호에 톈한, 라오서, 차오위의 「미국 강도는 타이완에서 꺼져라!美國強盜從台灣滾出去!」가 발표되었다. 같은 호에 어우양위첸의 창작담「공산주의 희곡예술을 위해 분투하자爲共產主義的戲劇藝術而奮鬥」가 발표되었다. 어우양위첸은 글에서 "생활은 풍부하고 다채롭다. 따라서 우리의 예술작품도 풍부하고 다채로워야 한다", "백화제방 방침에 근거해, 풍부하고 새로운 예술 내용을 위해 각양각색의 새로운 예술 형식을 선택하고 또한 창조해야 한다"라고 보았다.

4일, 『인민일보』에 '풍작을 창작하고, 노래하고, 그려내자' 특집란이 개설되어 문예계에서 문예형식을 활용해 풍작을 노래할 것을 호소하였다. 같은 호에 리준의 산문 「좋은 일, 좋은 광경大好事情, 大好景象」, 짱커자의 시 「올해 오늘에 작년을 생각하다今年今天想去年」가 발표되었다.

『문회보』에 한쯔의 글 「잊을 수 없는 야화難忘的夜談」가 발표되었다.

『해방일보』에 탕타오의 글 「역사를 뒤엎는 혁명革歷史的命」이 발표되었다.

5일, 『옌허』 10월호에 류칭의 산문 「비 오는 밤雨夜」이 발표되었다.

『문예월보』 10월호에 쥔칭의 소설 「영웅과 기적英雄與奇跡」, 탕타오의 특필 「우리 시대의 영혼我們時代的靈魂」, 후완춘과 샤오리의 「청년 위성 병영青年衛星營」, 웨이진즈의 평론 「'세 개의 목형' 만담漫談"三只木模"」, 펑춘의 특필 「'길을 막는 호랑이'를 붙잡다拿住"攔路虎"」, 우창의 특필 「열기가 끓어오르다熱浪奔騰」, 야오원위안의 평론 「공인계급의 공산주의 정신을 노래한 작품—후완춘 동지의 근작을 평하다歌頌工人階級共產主義精神的作品——簡評胡萬春同志最近的創作」, 뤄쑨의 평론 「영원히 전진하는 사람—위페이룽 동지의 「불길이 활활 타오르다」를 읽고永遠前進的人——讀俞培榮同志的<爐火熊熊>」가 발표되었다.

『변경문학』 10월호에 리광톈의 시 「반드시 타이완을 해방시켜야 한다一定要解放台灣」가 발표되었다.

6일, 『인민일보』에 사오취안린이 소련 『신시대新時代』 잡지의 청탁에 응해 집필한 글 「우리 문학은 새로운 시기에 진입했다我們的文學進入了新的時期」, 어우양위첸의 글 「전통의 기초 위에서 가장 새롭고 아름다운 희극예술을 창조하자在傳統的基礎上創造最新最美的戲劇藝術」가 발표되었다. 사오취안린은 글에서 "군중문학운동의 공전의 고조, 작가 및 군중과 노동의 긴밀한 결합, 그리고 창작에서의 혁명적 낭만주의 정신의 고양, 이런 점들이 최근 1년간의 우리나라 문학의 특색이라고 볼 수 있다. 이러한 특색들은 우리나라 문학운동이 새로운 시기로 진입했음을 설명한다. 우리의 문학운동은 가장 광범위하고 견실한 노동군중이라는 기초 위에서 부단한 혁신과 창조를 진행해 우리나라의 문학 수준을 제고할 것이다"라고 보면서, 또한 이러한 군중문예 형식이 세계 혁명문학 사업에 중요한 공헌을 할 것이라고 보았다.

상하이 『신민만보』에 탄웨이譚微의 「톨스토이는 쓸모가 없다托爾斯泰沒得用」가 발표되었다. 그는 글에서 톨스토이를 '경시'할 것을 주장하면서, "톨스토이는 우리의 시대를 반영할 수 없다", 톨스토이의 "느릿느릿한 창작방법"은 우리 시대의 요구에 부합하지 않는다, "톨스토이의 창작 생활에는 '비밀'이 있는데, 이는 바로 그에게 시간이 있다는 것이다"라고 지적하였다. 이후에 장광녠은 『문예보』 1959년 제4호에 「누가 '톨스토이는 쓸모가 없다'고 말하는가?誰說"托爾斯泰沒得用"?」라는 글을 발표해 탄웨이의 글에 드러난 관점을 하나하나 반박하였다. 그는 "우리 고대의 우수한 유산뿐만 아니라, 외국 고대의 우수한 유산 역시 부정해서는 안 된다. 우리 민족의 위대한 선인들뿐만 아니라, 다른 민족의 위대한 선인 역시 경시해서는 안 된다"라고 보았다.

『문회보』에 탕타오의 글 「역신을 물리치다 2편 해석送瘟神二首試釋」이 발표되었다.

7일, 『인민일보』에 사설 「군중문예공작을 서둘러 지도해야 한다要抓緊領導群眾文藝工作」가 발표되었다. 사설은 허베이성위원회의 '대약진을 노래하고, 혁명사를 회고하자'라는 군중 창작운동의 경험을 전국적으로 확대해야 한다고 지적하면서, 1,000만 건의 문예작품을 창작하겠다는 허베이성의 계획이 그 기세가 웅장해 듣는 이를 흥분하게 한다고 보았다. 같은 호에 예성타오의 시 「쉬수이 목화 풍작徐水棉花豐收」이 발표되었다.

『꿀벌』 10월호에 캉줘의 보도 「마오 주석과 류사오치 동지의 쉬수이 시찰 보충 기록毛主席和劉少奇同志視察徐水補記」, 한잉산의 특필 「노랫소리가 사방에서 일어나다歌聲四起」, 샤오싼肖三, 장광녠, 러우스이, 왕야판, 사어우, 쉬츠의 시 「쉬수이현 다왕뎬 폭풍 인민공사 송가徐水縣大王店風暴人民公社頌」, 톈젠의 시 「불화살 송가火箭頌」, 예성타오의 시 「만강홍─쉬수이 송가滿江紅──頌徐水」, 쩌우디판의 시 「공사 성립을 축하하며賀公社成立」 및 캉줘의 평론 「첫 향기를 뿜는 꽃─선웨중의 작품에 관하여初露芬芳的香花──談申躍中的作品」, 류전의 특필 「노인老人」, 관화의 소설 「리 서기李書記」가 발표되었다.

『광명일보』에 빙신의 글 「타슈켄트의 성대한 모임塔什幹的盛會」이 발표되었다.

7일~14일, 아시아 아프리카 작가회의가 소련 타슈켄트에서 개최되었다. 중국 작가 대표단은 마오둔, 저우양 등으로 구성되었다. 마오둔이 「민족 독립과 인류 진보사업을 위해 투쟁하는 중국문학爲民族獨立和人類進步事業而鬥爭的中國文學」이라는 제목으로, 그리고 저우양이 「문화에 대한 식민주의의 악영향을 제거하고, 동서방 문화 교류를 발전시키자肅清殖民主義對文化的毒害影響, 發展東西方文化的交流」라는 제목으로 발언하였다. 『인민문학』 10월호에 마오둔의 「아시아 아프리카 작가회의를 축하하며祝亞非作家會議」, 류바이위의 「아시아 아프리카 인민 단결의 길亞非人民團結的道路」, 샤오싼의 「타슈켄트로 가다到塔什幹去」, 궈샤오촨의 「타슈켄트에서 보내는 편지寄自塔什幹」 등의 글이 발표되었다. 10월 14일자 『인민일보』에 사설 「아시아 아프리카 작가들이여, 반식민주의의 기치를 높이 들고 전진하라!亞非作家們, 高擧反殖民主義旗幟前進!」가, 『문예보』에 사설 「반식민주의의 기치를 높이 들어라—아시아 아프리카 작가회의의 개막을 축하하며高擧反殖民主義大旗——祝亞非作家會議開幕」가 발표되었다.

  8일, 『인민문학』 10월호에 덩퉈의 「공사천추公社千秋」, 마오둔의 「아시아 아프리카 작가회의를 축하하며」, 류바이위의 「아시아 아프리카 인민 단결의 길」, 샤오싼의 「타슈켄트로 가다」, 궈샤오촨의 「타슈켄트에서 보내는 편지」, 장즈민의 시 「공사의 인물社裏的人物」(2편), 샤오싼의 시 「이라크 시인에게致伊拉克詩人」(외 1편), 한쯔의 산문 「24시간 내二十四小時之內」, 웨이진즈의 글 「공인 창작 지도에 관한 몇 가지 이해關於輔導工人創作的一些體會」, 쉬츠의 특필 「강철과 양식鋼和糧食」, 커란의 특필 「사오산 아래—마오 주석 고거 자료韶山脚下——毛主席故居拾零」 및 톈젠의 「인민공사 축사人民公社祝詞」, 거비저우의 「선서집宣誓集」, 광웨이란의 「민병의 노래民兵歌」, 저우리보의 「쉬수이에서 돌아오다徐水歸來」, 짱커자의 「지도자와 군중의 마음이 이어지다領袖和群眾心連著心」 등의 시와 라오서의 단론 「사람의 노력은 자연을 이긴다人定勝天」, 자오수리의 발언 원고 「곡예에서 영양분을 흡수하자從曲藝中吸取營養」가 발표되었다.

  10일, 『인민일보』에 쉬츠의 시 「밥 먹는 데 돈이 필요 없다吃飯不要錢」가 발표되었다. 그는 시에서 인민공사의 공동 식사에 돈을 낼 필요가 없는 기적에 관해 노래하였다.

  11일, 『해방일보』에 소식 「시 위원회의 호소에 열렬히 호응해 창작활동을 적극적으로 전개하자—공농병이 당대의 위대한 작품을 창작하다熱烈響應市委號召, 積極開展創作活動——工農兵要寫出當代偉大作品」가 발표되었다.
  『문회보』에 탕타오의 산문 「마 사부와 우리 셋馬師傅和咱三個」이 발표되었다.
  『문예보』 제19호에 사설 「문예창작의 고조를 일으키자! 공산주의 문예를 건설하자!掀起文藝創作的高潮!建設共產主義的文藝!」가 발표되었다. 사설은 "새로운 창작의 열기가 곧 도래할 것이다", "공산주의 문학예술 건설은 우리의 영광스러운 임무이다", "보급과 제고의 관계를 정확히 이해하자", "공인계급의 문예대오를 공고히 하고 확대시키자"라고 주장하였다. 같은 호에 우창의 글 『붉은 해』 창작의 몇 가지 감상寫作<紅日>的幾點感受」이 발표되었다.

12일, 『독서월보』 제16호에 바런의 「이것은 하나의 방향이다─베이징대학 1955년 학생들이 집필한 『중국문학사』 출판을 축하하며這是一個方向──祝賀北京大學1955級學生編寫的<中國文學史>出版」, 야오원위안의 「'수많은 군중'에게 어떤 것을 추천할 것인가?─『구양수 사 선집』을 평하다向"廣大群眾"推薦什麼東西?──簡評<歐陽修詞選譯>」가 발표되었다. 야오원위안은 글에서 "퇴폐적이고 소극적인 작품을 선정하고, 자산계급 퇴폐파와 유미주의파의 풍격으로 번역해 자산계급과 봉건주의 문예관점을 이용해 '수많은 군중'에게 추천하는 것은 문학유산을 계승하는 정확한 길과는 근본적으로 동떨어진 것이다"라고 보았다. 그는 또한 이 책에 "친자오양 무리의 수정주의적인 '진실 창작'" 및 "봉건 문인들이 문학 평가에 사용했던 봉건적인 인성론 관점"이 드러나 있다고 평했다.

13일, 『인민일보』에 톈한의 산문 「관한경이 옛 고향을 알아보기 힘들다關漢卿難認舊家鄕」가 발표되었다. 이 외에도 타슈켄트에서 열린 아시아 아프리카 작가회의에 관한 여러 편의 글이 발표되어 아시아 아프리카 작가의 교류를 강조하고, 식민주의 문화의 악영향에 반대하였다.

14일, 『인민일보』에 황메이의 「약진하는 시대, 약진하는 영화躍進的時代躍進的電影」가 발표되었다.

15일, 잡지 『전영문학電影文學』이 창춘에서 창간되었다.
『인민일보』에 리지의 시 「천군만마가 쿤룬에서 떠들썩하다千軍萬馬鬧昆侖」가 발표되었다.
『희극보』에 라오서의 글 「인민공사에 관해 쓰다寫人民公社」가 발표되었다.

16일, 『동해』 제11호에 쉬광핑의 글 「루쉰이 백기를 뽑고 홍기를 꽂은 몇 가지 일魯迅拔白旗揷紅旗的一些事情」이 발표되었다. 쉬광핑은 이 글을 집필한 이유에 관해 "루쉰이 서거한 이후 20년 동안 우리의 루쉰에 대한 연구 공작은 몇몇 우파분자에 의해 왜곡된 바 있다"라고 밝히면서, "루쉰을 정확하게 이해하는 방법은 우리 전국 인민이 앞으로도 탐구하고 연구해야 한다"라고 밝혔다. 쉬광핑은 글에서 "우리는 루쉰을 연구함에 있어 그가 성심으로 공산당의 지도를 수용하고 전심전력으로 인민을 위해 복무한 정신을 연구해야 할 뿐만 아니라, 그가 무산계급 혁명사업을 끝까지 고수하고 진리를 단호히 수호하며 사상전선에서 널리 홍기를 꽂아 온, 나이가 들어서도 더욱 꿋꿋하며 고될수록 더욱 두려움을 모르는 정신을 인식해야 한다"라고 밝혔다.

『문회보』에 왕시옌의 글「숭고한 풍격崇高的風格」이 발표되었다.

17일, 정전둬가 서아시아를 방문하는 도중에 비행기 사고로 인해 향년 60세로 사망하였다. 정전둬가 사고로 사망한 후 여러 작가들이 추모의 글을 발표하였다. 마오둔은 11월에 7언시「정전둬를 애도하며挽鄭振鐸」 2편을 창작하였다. 바진은 10월 31일자『인민일보』에 산문「정전둬 동지를 추모하며悼鄭振鐸同志」를 발표하였다. 그는 글에서 "전둬는 국가와 민족을 열렬히 사랑했다. 내가 그를 만날 때마다 그의 말속에는 늘 이러한 깊은 사랑이 넘쳐흘렀다"라고 말했다. 바진은 1958년 11월 3일에 집필한「전둬를 애도하며悼振鐸」에서 "벗들은 전둬를 '만능인'이라고 칭찬했다. 그는 확실히 흥미가 광범위하며, 공작 범위 또한 아주 넓었다. 그는 문학예술, 심지어 문화 방면에 관해서도 적지 않은 연구와 소개, 전파 공작을 진행하였다. 그는 또한 다수의 산문, 소설, 그리고 시를 창작했다. 해방 전, 특히 가장 어두운 나날들 속에서도 그는 혼자서 몇 사람이 할 일을 하곤 했다. 그는 그의 공작이 방해를 받는 것만을 가장 두려워했기에, 기회만 있으면 온 힘을 다했다", "나도 물론 때때로 그의 공작에 드러나는 거친 작풍을 알아채기는 했다. 그러나 나는 그가 패기가 드높고 활력이 넘치는, 결코 피로를 모르는 공작자라는 것을 인정하지 않을 수 없었다"라고 말했다. 『광명일보』 11월 16일자에 '정전둬 동지 추모 특집호'가 발간되어 샤옌의「정전둬 동지의 일생鄭振鐸同志的一生」, 위핑보의「정전둬 동지를 추모하며哀念鄭振鐸同志」가 발표되었다. 허치팡은『문예보』 제20호에「정전둬 선생을 추모하며悼念鄭振鐸先生」를, 저우얼푸는 11월 1일자『광명일보』에「정전둬 동지를 추모하며悼念鄭振鐸同志」를 발표하였다. 탕타오는 1992년 10월에 인민문학출판사에서 출관된『정전둬 선집鄭振鐸選集』의 서문에서 "시디西諦(정전둬의 자(字)ㅡ역자 주)는 문학창작의 각종 소재를 시험했다. 그는 시, 산문, 소설을 모두 창작했다. 이 분야들에서 그가 동년배 작가들보다 뛰어난 성취를 이뤘다고 말하기는 힘들지만, 그의 해박하고, 단순하고, 역사적 감정이 충만한 열렬한 언어는 다른 작가들의 작품에서 찾기 어려운 것이다", "시디의 소설 가운데 생활을 묘사한 것은 적고, 역사적 사실을 서술한 것이 비교적 많다. 그는 문학 언어의 연마에는 크게 신경 쓰지 않았으나, 자신만의 소박하고 솔직한 특징을 가지고 있었다. 이런 특징은 그의 산문에 더욱 잘 드러나 있다"라고 밝혔다.

18일, 『문회보』에 첸쥔루이의 시「시 3편詩三首」, 스퉈의 여행기「1923년 혁명박물관을 참관하다參觀1923年革命博物館」가 발표되었다.

19일, 『광명일보』에 허치팡의 「「『홍루몽』론 서문」에 관한 설명關於<論<紅樓夢>序>的一點說明」, 팡밍의 「허치팡 동지의 「『홍루몽』론 서문」에 대한 의견對何其芳同志的<論<紅樓夢>序>的意見」이 발표되었다.

20일, 『베이징문예』 10월호에 자오수리의 「철저히 군중을 향하자徹底面向群眾」, 돤무훙량의 인물 전기 연재 「강철전사 왕차이(공농영웅전)鋼鐵戰士王才(工農英雄傳)」, 라오서의 「벗의 질문에 답하다答友問」가 발표되었다.

21일, 『인민일보』에 궈모뤄의 서평 「들판을 태우는 불티燎原的星火」(『독서월보』 제17호에 전재)가 발표되었다. 궈모뤄는 이 책이 "당연히 아주 훌륭한 혁명 사료로, 근대사를 연구하는 이들은 이 책에서 무한히 풍부한 자원을 발굴할 수 있을 것이다. 이 책은 또한 애국주의와 국제주의 교육을 진행할 수 있는 혁명 교과서이기도 하다"라고 보았다.

『인민일보』에 후차이의 「문학예술창작의 위성을 발사하자放出文學藝術創作的衛星」가 발표되었다. 그는 글에서 "현재 우리의 사회생활 단계에서 공산주의 문학은 유일한 문학이 아니며, 어느 시기 동안은 가장 많은 양을 차지하는 문학도 아니었다. 그러나 공산주의 문학은 분명히 가장 새롭고 아름다운 문학이며, 공신 당원 작가들과 모든 혁명 작가들이 창작을 실천하고 노력하는 방향이다"라고 보았다.

『인민일보』에 쉬츠의 시 「나는 우렁찬 포성을 들었다我聽見隆隆的炮聲」 및 톈한이 작사하고 메이란팡이 부른 경극 「전선 위문 소곡慰問前線小唱」이 발표되었다.

22일, 『여행가』 10월호에 류바이위의 산문 「고요한 고리크 마을靜靜的高爾克村」, 예췬젠의 산문 「'속세 밖'에 있지 않은 '도원'不在"世外"的"桃源"」, 저우얼푸의 여행기 「스위스의 가을 경치瑞士秋色」가 발표되었다. 같은 호에 '다 함께 여행기를 말하다'란이 개설되어 옌원징, 우보샤오, 천보추이, 아이우 등이 글을 발표해 여행기의 창작에 관해 토론하였다. 옌원징은 "새로운 시대에는 새로운 여행기가 있어야 한다", "인민의 모든 행동, 그들의 노동과 투쟁을 묘사하는 것이 기이한 모양의 소나무나 바위를 자세히 묘사하는 것보다 훨씬 더 큰 의의가 있을 것이다"라고 보았다. 아이우는 "여행기를 창작할 때는 정확한 관점이 있어야 한다", "자신이 기록하고자 하는 장소와 사물, 그리고 인민생활에 대한 견해가 있어야 한다. 인민의 이익을 그 관점 속에 두고, 새로운 사물에 주의를 기울여야 하며, 고립된 채 사물을 보아서는 안 된다"라고 보았다. 우보샤오는 "여행기에서도 지금 것을 중시하고 옛것을 경시해야 한다", "쓸 가치가 있고, 써야 하고, 서둘러 적시에 써야 하는 것은 현재 비약적으로 발전하고, 신속하게 변화하고 있는 새로운 사물이다"라고 보았다.

『인민일보』에 톈젠의 시「대포를 쏴라!開炮!」가 발표되었다.

『양청만보』1면 톱기사로「문예 '위성'을 발사해 국경절을 맞이하자要大放文藝"衛星"迎國慶」가 게재되었다.

『해방군보』에 궈모뤄의 시「'지원군 전가' 서막시"志願軍戰歌"序幕詩」가 발표되었다.

23일, 『문회보』에 야오원위안의「'공산주의는 반드시 게으른 인간을 만든다'는 논리에 반박한다駁"共產主義必出懶漢"論」가 발표되었다.

『민간문학』에 샤오싼의「'혁명민가집' 서문"革命民歌集"序言」이 발표되었다.

24일, 문화부에서「문예작품에서의 실제 인물 및 사건 창작 문제에 관한 통지關於文藝作品中寫真人真事問題的通知」를 발포하였다.

『해방군보』에 궈모뤄의 시「지원군 송가頌志願軍」가 발표되었다.

25일, 『시간』10월호에 '신민가 필담'란이 개설되어 쑹레이宋壘의「허치팡, 볜즈린 동지와의 논의與何其芳、卞之琳同志商榷」, 쩌우디판의「뜨거운 투쟁 속에서 민가를 학습하자到火熱的鬥爭中學習民歌」, 어우와이어우歐外鷗의「시풍 문제에 관하여也談詩風問題」, 뤼후이원呂恢文의「차이치자오의 반현실주의 창작경향을 평하다評蔡其矯反現實主義的創作傾向」 등의 글이 발표되었다. 뤼후이원은 글에서 "차이치자오 동지가 1956, 1957년의 2년간 창작한 수많은 시에는 이 시기의 그의 창작의 대단히 위험한 경향이 반영되어 있다. 이 경향은 바로 정치에서 동떨어지고, 사회주의 현실주의의 기본 원칙을 포기하며, 자산계급 예술 취향의 추구에 열중하고 자산계급의 미학 이상을 표현하고, 또한 부패한 형식주의에 연연하는 경향이다. 이러한 경향은 그가 1954년에 발표한 일부 시에서 이미 그 징조가 드러났으며, 1956, 1957년에 수정주의 문학사조가 우리 문단을 공격하던 시기에 악질적이고도 신속하게 발전해 그 정점에 달했다"라고 보았다.

같은 호에 양한성의「시 4편詩四首」, 선인모沈尹默의「서강월西江月」, 광웨이란의「송이송이 붉은 꽃이 마음속에 피다朵朵紅花心裏開」(3편), 짱커자의 논문「장시를 부르다呼喚長詩」와 시평「마오주석의 '역신을 물리치다 2편'을 읽고讀毛主席的"送瘟神二首"」이 발표되었다.

26일, 『인민일보』에 리지의 시「쿤룬산에 오르다登崑崙」, 한쯔의 산문「여덟 마리의 새끼고양이 이야기八只小貓的故事」가 발표되었다.

『문예보』에 차오쯔시曹子西의 총론「시가의 발전을 위해 길을 개척하다-시가 문제 토론 소개爲詩歌的發展開拓道路——介紹詩歌問題的討論」가 발표되었다.

28일, 『인민일보』에 류바이이위의「문학은 반드시 노동인민과 결합해야 한다文學必須與勞動人民結合」가 발표되었다. 그는 글에서 "사회주의 시대의 문학가는 반드시 노동인민의 문학가여야 한다. 사실상 노동인민 자신의 문학가여야만 그처럼 자유자재로 자신들의 이 영웅의 시대를 노래할 수 있다. 자산계급 문학가들은 이 영웅시대에 어울리지 못한다", "사회주의 시대의 문학가는 인민군중과 결합해 인민군중에 의해 양육되어 그 혈관에 노동인민의 피가 흐르고, 마음속에 노동인민의 감정이 충만해야만 노동인민의 작가가 될 조건을 갖출 수 있다"라고 보았다.

29일, 『인민일보』에 사어우의 시「소리 높여 노래해 개선을 축하하다高歌慶凱旋」가 발표되었다.

『광명일보』에 광웨이란의「큰 산과 바다가 영명을 우러러보다大山大海仰英名」, 사어우의「헌시獻詩」등의 시가 발표되었다.

30일, 『인민일보』에 궈모뤄의 시「지원군 개선가志願軍凱歌」와 정전둬의 유작「쑤저우 찬가蘇州贊歌」가 발표되었다.

『희극보』에 사설「보급의 기초 위에서 '위성'을 발사하자在大普及的基礎上大放"衛星"」가 발표되었다.

31일~12월 6일, 『문예보』편집부에서 일곱 차례의 좌담회를 개최하였다. 좌담회에 참석한 작가와 평론가들은 혁명적 현실주의와 혁명적 낭만주의의 결합에 관해 더욱 심도 있는 토론을 진행하였다. 『문예보』 1958년 제21호에「혁명적 현실주의와 혁명적 낭만주의의 결합 문제에 관한 각 간행물의 토론各報刊關於革命的現實主義和革命的浪漫主義相結合問題的討論」이라는 글이 발표되어 본 문제에 관한 각 대형 간행물의 토론을 종합적으로 평가하였다. 제22호에는『문예보』편집부가 10월 31일과 11월 12일에 진행한 두 차례의 좌담회 요록이「『문예보』에서 좌담회를 소집해 혁명적 현실주의와 혁명적 낭만주의의 결합 문제에 관해 토론하다＜文藝報＞召開座談會討論關於革命現實主義和革命浪漫主義相結合問題」라는 제목으로 발표되었다.

이달에 각지의 간행물에 여러 편의 문장이 발표되어 혁명적 현실주의와 혁명적 낭만주의의 결합이라는 창작방법에 관해 토론하였다.

『중국청년』, 『독서월보』, 『문학지식』 잡지에 바진의 구작 '격류 3부작'에 관한 토론란이 신설되었다.

문화부가 정저우에서 전국문화행정회의를 소집해 건국 10주년을 기념해 문예계에서 '위성'을 발사하는 문제에 관해 토론하였다.

중국과학원 장쑤분원 연구소에서 『오가 을집吳歌乙集』(1928년 중산대학 민속학회 총서), 『화이안 가요집淮安歌謠集』(1929년 중산대학 민속학회 총서), 『장쑤 가요집江蘇歌謠集』(1933년 장쑤성 교육학원 린쭝리林宗禮, 첸쭤위안錢佐元 엮음) 등 세 권의 책을 합해 『장쑤 민가 참고 자료江蘇民歌參考資料』 제1집으로 편찬해 신민가 조사에 대한 참고자료 및 장쑤 민간문학 사료로 삼았다.

문화부와 상하이시 인민정부가 상하이전영제편공사上海電影制片公司를 상하이시 전영국上海市電影局으로 개편하고, 또한 각지에 새로운 제편창의 건설을 지원하기 위해 장난제편창을 폐지할 것을 결정하였다.

중국희극가협회에서 편찬한 『중국 지방희곡 집성中國地方戲曲集成』의 출판이 시작되었다.

사어우의 중편소설 『관문을 돌파하다闖關』, 레이자의 단편소설집 『청춘의 부름靑春的召喚』이 중국청년출판사에서 출간되었다.

차오뎬윈喬典運의 단편소설집 『모판산 위에 홍기가 휘날리다磨盤山上紅旗飄』가 허난인민출판사에서 출간되었다.

원망옌文莽彦의 시집 『징강산 시초井岡山詩抄』, 장톈이의 『문예잡평文藝雜評』, 장광녠의 『문예 변론집文藝論辯集』이 작가출판사에서 출간되었다.

『1957년 시선一九五七年詩選』이 인민문학출판에서 출간되었다.

11월

1일, 『신관찰』 제21호에 리지의 시 「호장가虎將歌」, 궈샤오촨의 산문 「노동과 우정의 노래勞動和友誼之歌」, 한쯔의 글 「마오 주석이 안후이 인민들 사이에 있다毛主席在安徽人民中間」가 발표되었다.

『산화』 11월호에 사어우의 평론 「노동인민의 영웅 형상—신민가 학습 통신 제1편勞動人民的英雄

形象——學習新民歌通信之一」과 「역사상 전례 없는 혁명 열정-신민가 학습 통신 제2편史無前例的革命
幹勁——學習新民歌通信之二」이 발표되었다.

『처녀지』11월호의 '당대 영웅소설 특필 특집호'에 하오란의 소설 「강을 건너는 이야기過河記」,
차오밍의 특필 「늙은 영웅이 용광로를 굳게 지키다老英雄堅守高爐上」가 발표되었다.

『홍암』제11호에 친톈秦天의 「쑨징쉬안의 우파적 면모를 폭로한다揭露孫靜軒的右派面目」와 선링
윈沈凌雲, 천카이웨陳開躍의 「「해양 서정시」 비평<海洋抒情詩>批評」 등 쑨징쉬안과 그의 시에 대해
매섭게 비판한 두 편의 글이 발표되었다. 선링윈과 천카이웨는 글에서 "우파분자 쑨징쉬안의 「해
양 서정시」는 독초이다. 그는 바다에 대한 찬양과 자연에 대한 묘사를 빌려 우리의 현실을 악독하
게 비방하고 자신을 과장해, 비열한 자산계급 개인주의와 색정적이고 어두운 감정을 선양하였다"
라고 보면서, "쑨징쉬안의 '시인'이라는 가면을 떼어 버리고, 그의 '시'가 퍼뜨리는 독소를 철저히
청산해, 「해양 서정시」를 바다 속에 던져 버리자!"라고 주장하였다.

『해방군보』에 톈한의 시 「난하이창청을 위해 노래하다爲南海長城而歌唱」가 발표되었다.

『문회보』에 평론가의 글 「군중 노선을 걷고, 문예 위성을 발사하자走群眾路線, 放文藝衛星」가 발표
되었다.

『신항』11월호에 지쉐페이의 소설 「열정이 하늘을 찌르다幹勁沖天」, 리지예의 평론 「신민가에
관하여略談新民歌」가 발표되었다.

광둥월극원廣東粵劇院이 설립되었다.

2일, 『인민일보』에 예성타오의 시 「부녀의 진정한 해방婦女真解放」이 발표되었다.

3일, 『극본』11월호에 라오서의 화극 「홍대원」 및 「홍대원 속 사람들이 「홍대원」을 평하다紅
大院裏的人評<紅大院>」라는 제목으로 일련의 평론이 발표되었다. 같은 호에 류즈밍의 「군중 전문가
를 대대적으로 동원해 문예의 별을 꽃피우자群眾專家大動員, 百家齊放文藝星」가 발표되었다.

『인민일보』에 양모의 산문 「알마티와 지나阿拉木圖和吉娜」가 발표되었다. 같은 호에 궈모뤄의 시
「중국과 조선의 우정을 노래하다歌頌中朝友誼」의 연재가 시작되어 6일에 완료되었다.

『양청만보』에 친무의 산문 「어느 여족 한자의 소리一個黎族漢字的聲音」가 발표되었다.

4일, 『인민일보』에 왕차오원의 「완전과 불완전-문예감상수필完整不完整——文藝欣賞隨筆」이 발
표되었다. 그는 글에서 농민화農民畫 문제에 관해 중점적으로 토론하였다. 같은 호에 위안잉의 시

「7월 14일의 여명七月十四日黎明」이 발표되었다.

『창장일보』에 평론가의 글 「현대 소재 극목을 대대적으로 전개하자大力開展現代題材的劇目」가 발표되었다.

5일, 문화부에서 전국 각 성의 1급 이상 출판사에 출판서적의 질 검사를 진행할 것을 통지해, 검사를 통해 대약진 이후의 출판공작을 정리하고, 1959년의 '위성' 발사를 위한 사상 기초를 다지라고 요구하였다.

『옌허』11월호에 왕원스의 단편소설 「새로 사귄 동료新結識的夥伴」가 발표되었다. 본 작품은 1959년에 문자개혁출판사文字改革出版社에서 출간된 단편소설집 『새로 사귄 동료』에 수록되었으며, 이후에 1963년 11월에 작가출판사에서 출간된 '농촌문학서적총서農村文學讀物叢書'의 『단편소설』 제3집에 수록되었다.

『문예월보』11월호에 왕안유의 소설 「약진躍進」이 발표되었다.

『변경문학』11월호에 사설 「가장 새롭고 아름다운 문자를 쓰고, 가장 새롭고 아름다운 그림을 그리자寫最新最美的文字, 畫最新最美的圖畫」가 발표되었다. 사설은 "시대가 6억 인민에게 부여한 신성한 직책은 바로, 빠른 속도로 사회주의를 건설하고 공산주의를 향해 나아가는 것이다. 그리고 혁명의 문학예술은 반드시 항상 새로운 사물을 반영하고 새로운 사물의 성장을 촉진해야 하며, 새로운 사물이 이미 출현했지만 아직 명확하지 않은 때에도 반드시 혁명 발전의 규율에 따라 이를 반영해야 한다"라고 밝혔다.

6일, 『광명일보』에 라오서의 시 「진심 어린 축하衷心的祝賀」가 발표되었다.

7일, 『꿀벌』11월호에 한잉산의 소설 「용광로의 불이 하늘을 찌르다爐火沖天」가 발표되었다.

『인민일보』에 위안수이파이의 시 「흐루쇼프가 우리와 함께 웃는다赫魯曉夫和我們一起歡笑」가 발표되었다.

8일, 『인민문학』11월호가 '소설 특집호'로 발간되어 저우리보의 「산 저편의 인가山那面人家」(1979년 7월에 후난인민출판사에서 출간된 동명의 단편소설집에 수록), 사팅의 「야화夜談」, 왕안유의 「협력協作」, 왕원스의 「시골 의사村醫」, 아이밍즈의 「비雨」, 비예의 「스바판산의 눈보라十八盤山

暴風雪」, 린진란의 「편지를 보내다送信」, 펑더잉의 「긴급 구조搶救」 등의 단편소설이 발표되었다. 같은 호에 『인민일보』 사설 「문학예술의 더 큰 약진을 쟁취하자爭取文學藝術的更大躍進」, 자오수리의 소설 「링취안둥」(『곡예』 1958년 8, 9월호 합본에 최초 발표), 왕위안젠의 소설 「평범한 노동자」(『베이징문예』 1958년 8월호에 최초 발표)가 전재되었다. 이 외에도 아이우의 「새로운 지시, 새로운 호소新的指示, 新的號召」, 왕쯔예의 「원고료 인하 제의에 대한 감상對降低稿費的倡議有感」, 예성타오의 「정전둬 선생을 추모하며悼鄭振鐸先生」, 후완춘의 「기술 묘사 문제에 관하여略談技術描寫問題」, 페이리원의 「간결하게 쓰고, 주제를 돋보이게 해야 한다要寫得精練, 突出主題」 등의 글이 발표되었다.

『인민일보』에 류바이위의 산문 「만 발의 포성이 진먼을 진동시키다—푸젠 전선 스케치 제1편 萬炮震金門——福建前線速寫之一」가 발표되었다.

10일, 『인민일보』에 위안수이파이의 산문 「10월의 종소리十月的鍾聲」가 발표되었다.

『해방일보』에 「백기를 뽑고 홍기를 꽂을 때가 왔다是拔白棋插紅旗的時候了」라는 제목으로 상하이시 제3기 인민대표대회 제1차 회의에서의 저우위퉁周予同, 취안쩡샤全增嘏, 리루이푸李銳夫, 귀사오위, 스이신時宜新, 청쥔잉程俊英의 연합 발언이 발표되었다.

11일, 『문예보』 제21호에 전문 논고 「노간부를 동원해 문학창작을 진행하는 일에 관하여談發動老幹部進行文學創作」가 발표되었으며 「혁명 회고록 특집革命回憶錄特輯」이 발간되었다. 이 외에도 「혁명적 현실주의와 혁명적 낭만주의의 결합 문제에 관한 각 간행물의 토론」이 발표되어 "혁명적 현실주의와 혁명적 낭만주의의 결합이라는 창작방법을 제시하는 현실적인 근거"와 "혁명적 현실주의와 혁명적 낭만주의의 결합이라는 창작방법에 대한 인식"이라는 두 가지 문제에 관해 중점적으로 토론하였다. 같은 호에 펑무의 「혁명의 군가, 영웅의 송가—『붉은 해』의 성취와 약점 약론革命的戰歌, 英雄的頌歌——略論<紅日>的成就及其弱點」, 위안수이파이의 「타슈켄트의 횃불이 영원히 빛나게 하자讓塔什幹的火炬永放光明」가 발표되었다.

『중국청년보』에 타오청陶承이 구술하고 허자둥何家棟, 자오제趙潔가 집필한 혁명 회고록 「우리 가족我的一家」의 연재가 시작되어 24일자에 완료되었다.

12일, 『독서월보』 제18호에 게재된 소식 「중국 혁명사와 시가에 관한 소련 한학자의 새로운 논저蘇聯漢學家有關中國革命史和詩歌的新論著」에서 소련 학자 마르코바의 저작 『항일전쟁 시기의 중국 시가抗日戰爭時期的中國詩歌』를 소개하였다. 책은 "1937년에서 1945년 사이의 중국문학의 특징 및 이 시기의 중국 전업 작가의 시가와 민가의 특징을 개술하였다", "이 책의 몇몇 장에서는 궈모뤄, 톈젠, 커중핑, 짱커자 등 10명의 시인의 창작을 분석하였다".

『해방군문예』 11월호에 주딩의 소설 「카라토바卡拉土巴」, 장융메이의 시 「장군이 선창하고 우리가 합창한다將軍領唱我們合」, 한샤오의 「완서우 병가영 소개介紹萬首兵歌營」가 발표되었다. 한샤오는 글에서 7월 중순부터 9월 말까지 병영 전체에서 전개된 병가 창작활동 상황을 소개하였다.

14일, 『인민일보』에 웨이웨이의 산문 「아쉬워하며 이별하는 깊은 정依依惜別的深情」, 류수전劉淑珍의 「남을 위하여, 또한 자신을 위하여爲人, 也是爲己」가 발표되었다.

『해방일보』에 「정치를 우선시한 좋은 희곡―상하이경극원의 「붉은 폭풍」 예술 결산政治掛帥出好戲――上海京劇院<紅色風暴>藝術總結」이 발표되었다. 글은 "위대한 반우파 투쟁이 없다면 이 희곡, 심지어 현대극의 개념을 언급할 수 없다. 반우파 투쟁과 정풍운동은 번영과 예술혁신을 창조하는 정치적 기초이자 사장적 기초이다"라고 밝혔다.

15일, 『작품』 제13호에 친무의 잡문 「강렬한 공산주의 정신으로 사유제의 모든 잔재를 씻어내자以强烈的共産主義精神沖刷私有制的一切殘餘」가 발표되었다.

『인민일보』에 탕타오의 글 「종이호랑이의 흉포함과 나약함紙老虎的凶暴和怯懦」이 발표되었다.

『해방일보』에 후완춘의 「어느 여자 제강 공인一個女煉鋼工人」이 발표되었다.

16일, 『창장일보』에 사설 「창작운동을 전개하고, 문예위성을 발사하자開展創作運動大放文藝衛星」가 발표되었다.

『성화』 제13호에 사설 「문예창작의 위성을 발사해야 한다文藝創作要大放衛星」가 발표되었다. 사설은 "우리는 문예위성을 대량으로 발사해 내용과 형식면에서 가장 새롭고 아름다운 작품, 즉 공산주의의 사상 내용과 가능한 한 완벽한 예술형식이 결합된 작품을 요구해야 한다", "문예 위성을 발사하기 위해서는 당의 지도에 긴밀하게 의지해 문예공작의 군중노선을 단호히 관철해야 한다", 또한 "문예창작의 위성을 발사하기 위해서는 반드시 문예이론의 발전과 긴밀히 결합해, 문예이론 비평공작에서도 위성을 발사해야 한다"라고 보았다.

『중국청년』 제22호에 야오원위안의 평론 「바진 소설 「집」이 역사에 끼친 적극적 영향과 소극적 영향―또한 줴후이라는 인물을 어떻게 인식할 것인가論巴金小說<家>在歷史上的積極作用和它的消極作用――並談怎樣認識覺慧這個人物」가 발표되었다. 야오원위안은 글에서 "「집」이 역사상 끼친 네 가지

적극적 영향"은 "봉건 가정의 어둡고 부패한 면과 지주계급분자의 비열하고 수치심을 모르는 면을 폭로 및 고발한 점, 봉건주의의 압박에 대한 청년들의 증오 및 혼인과 연애의 자유를 쟁취하고자 하는 초보적인 민주혁명의 요구를 일깨운 점, 청년들의 봉건가정에 대한 투쟁 및 봉건가정으로부터의 탈출에 대한 용기를 격려한 점, 봉건 미신과 구 예교를 비판한 점"이라고 보았다. 그러나 그는 「집」이 역사상 가진 한계성과 소극적인 면에 대해서는 "이 작품은 일정한 범위 내, 즉 착취계급 출신으로, 여전히 동요하고 배회하고 있으며, 아직 진보의 길을 찾지 못한 지식분자들에 대해서만 이러한 적극적인 영향을 끼친다. 또한 이 작품은 어느 정도에서만, 즉 초보적인 민주혁명의 요구를 일깨우는 정도로만 적극적인 역할을 할 뿐이다"라고 보았다. 「집」이 역사상 기친 소극적인 영향에 관해 그는 "반봉건성이 철저하지 못하고, 지주계급의 인물을 폭로하고 비판함에 있어 그 가운데 일부 인물에 대해서는 깊은 동정과 안타까움을 가지고 있다. 주인공의 철학은 소자산계급의 개인적인 분투이고, 개인주의이고 무정부주의이며, 애정지상주의이다"라고 보았다.

17일, 『인민일보』에 마사오보의 「예술형상을 정확하게 창조하자―「홍샤」의 창조와 재창조의 성패를 평하다正確創造藝術形象――評<紅霞>創造和再創造的得失」가 발표되었다. 그는 글에서 「홍샤」의 원작과 이를 각색한 영화판 및 곡극판을 비교하면서, 원작이 "여러 부분에서 '세밀'한 감정을 표현하기 위해 인물의 소극적인 정서를 적절치 못하게 과장"하였으며, 원작의 결함은 "근본적인 결함"이라고 보았다. 영화판은 기본적으로 원작의 색채를 유지했으며, 곡극판은 "원작에 대해 상당한 각색을 가했다", "곡극판은 당의 지도적 역할과 군중의 정신적 면모를 정확히 표현하려고 큰 노력을 기울였으며, 홍샤라는 지혜롭고 용감한 영웅의 모습을 비교적 완전하게 표현하였다"라고 평했다.

18일, 『인민일보』에 궈샤오촨의 시「'굶주린 초원'―타슈켄트 시초"饑餓的草原"――塔什幹詩抄」가 발표되었다.

『문회보』에 사설 「당의 지도를 견지하고, 군중노선을 관철하여, 문예 '위성'의 발사를 확보하자 堅持黨的領導, 貫徹群眾路線, 確保放出文藝"衛星"」가 발표되었다. 사설은 "군중창작운동은 기세가 드높은 거대한 흐름이다. 이는 문화혁명의 고조가 시작되고 있음을 보여준다", "중점 창작 계획을 실현하고, 가장 새롭고 아름다운 위성의 발사를 확보하기 위한 관건은 각급 당위원회의 지도에 있다"라고 보았다.

19일, 『인민일보』에 궈모뤄의 시 「천지를 뒤바꾸는 권력을 장악하다―모스크바 선언 1주년을 기념하며掌握著旋乾轉坤的權柄――紀念莫斯科宣言一周年」, 어우양위첸의 글 「진강 「삼적혈」과 완완강 「금완채」秦腔<三滴血>和碗碗腔<金琓釵>」가 발표되었다.

21일, 『인민일보』에 천황메이의 시 「덩펑 참관 감상參觀登封有感」이 발표되었다.

　『문회보』에 펑쯔카이의 글 「10년간의 독서보다 낫다―쓰촨성 혁명 상이군인 공연대 지감을 환영하며勝讀十年書――歡迎四川省革命殘廢軍人演出隊志感」가 발표되었다.

22일, 『인민일보』에 톈한의 시 「김일성 원수를 맞이하다迎金日成元帥」, 어우양위첸의 글 「중조 우정의 '우정'을 노래하다歌頌中朝友誼的"友誼"」가 발표되었다.

　『문회보』에 웨이진즈의 산문 「전선 기록前線紀事」이 발표되었다.

　『여행가』 11월호에 톈젠의 시 「병사의 노래兵的歌」(3편), 짱커자의 시 「영웅지원군을 환영하며歡迎英雄志願軍」가 발표되었다.

23일, 『인민일보』에 궈모뤄의 시 「두 배의 봄雙倍的春天」, 라오서의 시 「김일성 수상을 환영하며歡迎金日成首相」가 발표되었다.

　『문회보』에 루즈쥐안의 「수확의 계절收獲時節」, 예췬젠의 「아시아 아프리카 작가회의를 기억하며記亞非作家會議」, 진이의 「가장 굳센 영웅, 가장 비범한 공연最堅强的英雄, 最不平凡的演出」 등의 글 및 우창의 「소설 창작에 관하여關於寫小說」, 후완춘의 「우리 공인들은 대담하게 창작해야 한다―문학창작 문제에 관하여我們工人要大膽創作――略談文學創作問題」가 발표되었다. 우창은 글에서 소설을 창작할 때는 "인물과 이야기를 생각해야 한다", "인물표와 줄거리 개요를 작성해야 한다", "우선 단편을 창작해 꾸준히 갈고 닦고, 많이 쓰고 많이 고쳐야 하며, 개인창작과 집단창작을 결합해야 한다", "진지하고, 인내심 있게 견지해야 한다"라고 지적하였다. 후완춘은 글에서 문학창작은 "미신 사상을 타파해야 한다", "군중들 속에서 거드름을 피워서는 안 된다", "넘치는 열정으로 생활을 끌어안아야 한다", "인물의 정신적 면모를 묘사하는 법을 학습해야 한다"라고 지적하였다.

24일, 『수확』 제6호에 리잉루李英儒의 장편소설 『야화춘풍두고성野火春風鬪古城』이 발표되었다. 본 소설의 단행본은 12월에 작가출판사에서 출간되었다. 같은 호에 짱커자의 시 「마샤오추이

馬小翠」, 천바이천의 극본 「동풍지호기東風紙虎記」, 황쭝잉, 구시둥顧錫東의 영화문학 극본 「서로 앞을 다투다你追我趕」가 발표되었다.

『인민일보』에 샤오싼의 시 「환영의 노래歡迎之歌」가 발표되었다.

25일, 『인민일보』에 리시판의 「지도자, 스승, 자애로운 아버지이자 전우─「마오 주석을 따라 장정길에 오르다」를 읽고領袖、導師、慈父和戰友──讀＜跟隨毛主席長征＞」, 광웨이란의 시 「변경행塞上行」이 발표되었다.

『시간』 제11호에 위안수이파이의 시 「10월 송시十月頌詩」, 궈샤오촨의 시 「타슈켄트 시초塔什幹詩抄」, 궈모뤄의 시 「돼지와 돌豬與石」이 발표되었다. '신민가 필담'란에는 샤오인의 「민가는 신시 발전의 기초가 되어야 한다民歌應當是新詩發展的基礎」 등의 글이 발표되었다. 샤오인은 글에서 민가는 신시 발전의 기초가 되어야 한다고 보면서, 허치팡의 '현대 격률시' 주장을 비판하고, 허치팡이 "자산계급의 예술 취향과 군중에게서 벗어난 경향"을 표현하였다고 보았다. 같은 호에 볜즈린이 쑹레이의 비평에 반박한 글 「어디에서 어긋나는가?分歧在哪裏?」가 발표되었다. '시가 발전 노선 논쟁'이 이로써 시작되었다.

베이징시위원회의 이론 간행물인 격주간 『전선前線』이 창간되었다.

26일, 『문예보』 제22호에 화푸의 전문 논고 「집단창작에는 장점이 많다集體創作好處多」가 발표되었다. 「공장사 특집工廠史特輯」에는 짱커자의 「새로운 형세, 새로운 구호新的形勢新的口號」, 펑무의 글 「숭고한 주제, 빛나는 형상─「평범한 노동자」 추천崇高的主題光輝的形象──推薦＜普通勞動者＞」, 옌자옌의 「「새로 사귄 동료」 인물 묘사의 특징＜新結識的夥伴＞人物刻劃的特點」, 원제의 「간쑤 대창시에 관하여─「대창시의 대풍작」 편찬 후기談談甘肅對唱詩──＜對唱詩的大豐收＞編後記」 등의 글이 발표되었다.

『해방일보』에 야오원위안의 글 「작은 식당 안에서의 감상小飯店裏的雜感」이 발표되었다.

27일, 『양청만보』에 친무의 산문 「광저우가 조선 귀빈을 포옹하다廣州擁抱著朝鮮貴賓」가 발표되었다.

29일, 『인민일보』에 류바이위의 산문 「불빛이 붉은 바다를 비춘다─푸젠 전선 스케치 제2편

火光照紅海洋──福建前線速寫之二」이 발표되었다.

30일, 『인민일보』에 기사 「문예대군이 강철을 위해 복무한다文藝大軍爲鋼鐵服務」가 발표되었다.

『광명일보』에 양후이, 지전화이季鎮淮, 펑중원馮鍾芸, 천이셴陳眙掀, 리사오광李紹廣의 「홍색 '중국문학사'의 과학적 성취紅色"中國文學史"的科學成就」가 발표되었다.

『희극보』에 톈한의 「푸젠 전선의 희극활동과 우리의 책임福建前線的戲劇活動和我們的責任」, 천바이천의 「회극 잡담淮劇雜談」이 발표되었다.

이달에 펑즈馮志의 장편소설 『적후 무공대敵後武工隊』가 해방군문예출판사에서 출간되었다.

펑즈(1923~1968), 본명은 펑루샹馮祿祥으로 허베이성 징하이靜海 출신이다. 1938년에 팔로군에 참가해 무공대장, 문공대장을 역임하였다. 공화국 성립 후에는 『허베이일보』 기자, 허베이인민방송국 문예부 부주임 등을 역임하였다. 1945년부터 작품을 발표하였다. 저서로 장편소설 『적후 무공대』 등이 있다.

원제의 시집 『조국! 빛나는 10월祖國!光輝的十月』이 작가출판사에서 출간되었다.

류촨의 8장 화극 『뜨거운 붉은 마음』이 중국희극출판사에서 출간되었다.

왕옌王雁이 각색한 극본 『당의 딸黨的女兒』이 베이징출판사에서 출간되었다.

싱예 등의 『랑야산의 다섯 장사狼牙山五壯士』(1), 두쉬안杜宣의 『무명 영웅無名英雄』 등의 영화문학 극본이 중국전영출판사에서 출간되었다.

상하이문예출판사에서 편찬한 『공인 습작가와 함께 창작을 말하다和工人習作者談寫作』와 『장편소설 창작 경험을 말하다談談創作長篇小說的體會』가 출간되었다.

12월

1일, 『창장문예』 11, 12월 합본에 왕징즈의 시 「공산주의 풍격은 좋다共產主義風格好」가 발표되었다.

『작품』 제14호에 천찬원의 산문 「푸젠 전선 잡기福建前線散記」, 사오취안린의 구체시 「신후이 3편新會三首」이 발표되었다.

『맹아』제23호에 후완춘의 글「나는 창작을 어떻게 배웠는가我是怎樣學習創作的」의 연재가 시작되어 제24호에 완료되었다.

『성화』제14호에 사설「사상과 창작의 더 큰 약진을 쟁취하자爭取思想、創作的更大躍進」가 발표되었다.

『분류』12월호에 사설「경험을 종합해 문예창작의 더 큰 약진을 조직하자總結經驗, 組織文藝創作的更大躍進」가 발표되었다.

『신관찰』제23호에 쨩커자의 잡문「현명한 평가英明的鑒定」가 발표되었다.

『신항』12월호에 쩌우디판의 시「톈진의 시天津的詩」(3편), 팡지의 글「공산주의 문학의 건설과 문예창작의 위성 발사에 관하여—톈진시 문예창작 좌담회에서의 결산 발언(개요)關於建設共產主義文學和文藝創作放衛星——在天津市文藝創作座談會上的總結發言(摘要)」이 발표되었다.

『산화』12월호에 사설「내년 국경절을 맞이해 문예위성을 대대적으로 발사하자迎接明年國慶, 大放文藝衛星」가 발표되었다.

『열풍』12월호에 웨이진즈의 산문「전선 3군 영웅 군상前線三軍英雄群像」, 천찬원의 산문「아주머니도 영웅이다嫂嫂也是英雄」, 톈젠의 시「영웅 군가英雄戰歌」(4편) 및 사설「문예창작의 고조를 일으켜 건국 10주년을 맞이하자掀起文藝創作高潮, 迎接建國十周年」가 발표되었다.

『역문』제12호에「마르크스가 수집한 민가馬克思所搜集的民歌」와「각국 민가선各國民歌選」이 발표되었다.

『중국청년』제23호에 제2차 전국 청년 사회주의 건설 적극분자 대회에서의 저우양의 보고「문화혁명 문제에 관하여關於文化革命問題」, 펑더잉의 인물전기「청춘의 개선가—공공의 이익을 위해 자신을 버리고 헌신적으로 분투한 장옌캉을 기억하며靑春的凱歌——記舍己爲公奮不顧身的張延康」, 하오란의 인물전기「눈 속의 금강 왕융지雪裏金剛王永吉」가 발표되었다. 저우양은 글에서 "공산주의 사상 해방 운동은 문화혁명의 영혼이다", "문화혁명의 기본 임무는 '공농군중 지식화, 지식분자 노동화'로, 즉 옛 문화를 개조하고, 구 중국이 남긴 문화적 낙후 현상을 소멸시켜 새로운 공산주의 문화를 창조하는 것이다", "문화혁명의 가장 중요한 임무 중 하나는 수많은 공농군중의 문화 요구를 만족시키고, 육체노동과 정신노동의 엄중한 차별을 점차 소멸시켜 공농군중의 지식화를 실현하는 것이다"라고 밝혔다.

『처녀지』12월호에 천보추이의 동화「작은 당나귀는 뭘 바랄까小毛驢願意什麼」, 리시판의 논문「생활, 소재, 그리고 창작 구상 만담—「방문자」와 「낙숫물이 돌을 뚫다」의 사상경향을 평하다漫談生活、題材和創作的構思——評＜來訪者＞和＜水滴石穿＞的思想傾向」가 발표되었다. 리시판은 글에서 우선 후펑의 사상을 비판한 후에 광지의 소설 「방문자」와 캉줘의 소설 「낙숫물이 돌을 뚫다」를 수정주의 소설로 규정하고, 이 작품들이 "당의 문예노선에서 벗어나 자신의 작품을 통해 수정주의 이론을 실천"했다고 평했다.

2일, 『인민일보』에 천황메이의 장편 평론 「은막 위의 백기를 단호히 뽑아 버리자—1957년 예술영화에 존재하는 잘못된 사상경향 비판堅決拔掉銀幕上的白旗——1957年電影藝術片中錯誤思想傾向的批判」이 발표되었다(6일자 『문회보』에 전재). 그는 글에서 1957년에 중덴페이 등 우파분자의 영향하에 영화계에 자산계급 취향이 만연했고, 따라서 1957년 영화에 존재하는 오류에 대해 비판을 진행할 필요가 있다고 지적하였다. 그는 이들 영화가 "풍자를 남용하고, '진실 반영', '생활에의 관여'라는 핑계하에 당과 신사회를 직접적으로 공격하고 당의 지도에 반대"하였고, "당의 지도를 말살하고, 당의 정책을 위반하고, 당원과 지도자의 모습을 왜곡했으며, 당의 생활과 작품을 왜곡"하였으며, "자산계급의 관점과 사상 감정 및 자산계급의 생활방식을 선양"하였으므로, "수정주의 사상의 영향을 철저히 소멸시키고, 당의 지도를 강화하고 지속적으로 백화제방 방침을 관철해 사상적으로 건전하고 기술적으로 우수한 영화 대오를 건립해야 한다"라고 보았다.

『양청만보』에 톈젠의 시 「샤먼의 노래廈門歌」가 발표되었다.

3일, 문화부와 문자개혁위원회에서 「연환화, 아동도서, 문맹 퇴지 도서 및 각종 통속 간행물에서 한어 병음 자모의 사용만을 허용하는 데 관한 통지關於在連環畵、兒童讀物、掃盲讀物以及各種通俗書刊上, 盡可能加注漢語拼音字母的通知」를 발표하였다.

『극본』 12월호에 야오원위안의 글 「어떤 기준으로 작품의 사상성을 평가할 것인가—「뻐꾸기가 또 울었다」에 대한 다른 의견從什麽標准來評價作品的思想性——對<布穀鳥又叫了>一劇的一些不同的意見」이 발표되었다. 야오원위안은 「뻐꾸기가 또 울었다」가 "근본적인 사상에 있어 '시대의 숨결'이 부족해, 우리 사회발전 시기의 '본질'을 반영하지 못했다. 혹은 적어도, 작가가 생활을 관찰하는 사상 수준이 충분히 높지 못하다. 그(양뤼팡)는 비교적 정교한 예술형상의 감수성을 가지고 있으나, 정치면에서의 '날카로운 안목'은 부족하다"라고 평하였다. 이후로 양뤼팡의 「뻐꾸기가 또 울었다」에 대한 전면적인 비판이 시작되었다.

『해방일보』에 바진의 글 「김일성 수상을 환영하며歡迎金日成首相」가 발표되었다.

『문회보』에 궈사오위의 시 「김일성 장군을 맞이하며迎金日成將軍」가 발표되었다.

5일, 『문예월보』 12월호에 야오원위안의 평론 「문학 속의 공산주의 사상성 잡담雜談文學中的共産主義思想性」 및 리지의 「차이다무 3편柴達木三首」, 텐젠의 「포격의 노래炮擊歌」(외 1편), 천찬원의 「최전방 방어 진지에서在前沿陣地上」, 웨이진즈의 「최전방 진지 포병 군상前沿炮兵群象」, 구궁의 「해상의 격투海上搏鬥」 등의 시, 우창의 창작담 「소설 창작 만담漫談寫小說」, 진이의 스케치 「마음이 차분하고 일이 신중한 처녀一個心靜手穩的姑娘」, 궈사오위의 「'문학연구회' 성립 시기의 몇 가지 추억"文學硏究會"成立時的點滴回憶」이 발표되었다.

『변경문학』 12월호에 사설 「당과 인민 전체가 문예에 임해, 문예위성이 하늘 위를 난다全黨全民辦文藝, 文藝衛星飛上天」가 발표되었다.

『인민일보』에 텐한의 구체시 「식당 3절－안궈 방문 기록食堂三絶——訪問安國紀事」이 발표되었다.

『산시희극陝西戲劇』이 창간되었다.

6일, 『문회보』에 진이의 시 「당신을 환영합니다, 영웅인민의 지도자, 김일성 수상歡迎你, 英雄人民的領袖, 金日成首相」, 슝포시의 글 「나는 조선의 모든 것을 사랑한다我愛朝鮮的一切」가 발표되었다.

7일, 영화 「이른 봄早春」이 완성되었다. 본 영화의 주된 내용은 '우리나라 대약진의 열정과 기적'을 반영한 것이다.

『인민일보』에 메이란팡의 글 「진강의 몇몇 전통 극목의 공연에 관하여談秦腔幾個傳統劇目的表演」가 발표되었다.

『꿀벌』 12월호에 사설 「가장 새롭고 아름다운 시편으로써 가장 새롭고 아름다운 시대를 노래하자用最新最美的詩篇歌頌最新最美的時代」와 한잉산의 소설 「어느 별밤一個星夜」이 발표되었다.

8일, 『인민일보』에 천이陳毅의 시 「'개미가 뼈다귀를 갉는' 것을 참관하다參觀"螞蟻啃骨頭"」가 발표되었다.

『인민문학』 12월호에 차오위의 평론 「위대한 문헌偉大的文獻」, 위안수이파이의 평론 「수명이 짧은 사육제短命的狂歡節」, 텐젠의 시 「콘도르 송가神鷹頌」, 원제의 시 「소리 높여 허시를 노래하다高歌一曲唱河西」 및 각 민족의 민가 선집 「온갖 꽃이 태양을 향해 피다百花欣向太陽開」가 발표되었다. 같은 호에 쭝푸의 글 「난롯불이 겨울 눈을 전부 태우며 시간을 재촉해 이른 봄이 오게 하다－아시아 아프리카 및 중국 작가의 제강 소기鋼爐燒盡冬天雪, 催促時光早到春——亞非及中國作家煉鋼小記」, 나·

싸이인차오커투의 시 「타슈켄트의 부름塔什幹的召喚」, 쩌우디판의 시 「모래바람 속에서 철을 제련하다風沙中煉鐵」, 량상취안의 시 「창장 강가에서長江邊上」, 왕윈스의 소설 「새로 사귄 동료」, 하이모의 소설 「혁명부革命伕」, 진이의 글 「전둬와 함께한 나날和振鐸相處的日子」이 발표되었다.

9일, 중공중앙 선전부가 중국민간문예연구회에서 제정한 『중국가요총서中國歌謠叢書』, 『중국민간고사총서中國民間故事叢書』 계획을 전달하였다.

10일, 『인민일보』에 루쉐빈陸學斌의 글 「신민가 운동을 진일보 전개하자進一步開展新民歌運動」, 메이란팡의 글 「전통 기교를 활용해 현대 인물을 묘사하다－「량추옌」을 통해 현대극의 공연을 말하다運用傳統技巧刻畫現代人物——從＜梁秋燕＞談到現代戲的表演」가 발표되었다. 루쉐빈은 글에서 신민가의 예술 표현수단의 특징, 신민가의 내용을 확장시킬 방법, 신민가와 기타 문예형식의 결합 방법을 정리하였다.

11일, 『인민일보』에 톈한의 구체시 「안궈 7언 절구安國七絶」이 발표되었다.

『문예보』 제23호에 「공사사 특집公社史特輯」이라는 제목으로 여러 편의 글이 발표되었다.

12일, 『해방군문예』 12월호에 사설 「문예 '위성'을 반드시 발사해야 한다一定要放出文藝"衛星"來」가 발표되었다.

『독서월보』 20호에 타오주의 글 「광둥 민가(제1집) 서문廣東民歌(第一集)序」이 발표되었다.

13일, 『인민일보』에 류바이위의 산문 「푸른 하늘을 머리에 이고 바다를 밟고 선 이들－푸젠 전선 스케치 제3편頭頂青天足踏海洋的人們——福建前線速寫之三」이 발표되었다.

14일, 『인민일보』에 거비저우, 안치安旗의 글 「힘찬 독수리－노 설비공 우잉쿠이를 기억하며矯健的雄鷹——記老安裝工武英魁」가 발표되었다.

15일, 『희극보』에 정보치의 글 「희극수필觀劇隨筆」이 발표되었다.

16일, 『홍기』 제14호의 '푸젠 전선 통신'란에 류바이위의 「아름다운 웨이터우美麗的圍頭」가 발표되었다.

『중국청년』 제24호에 린진란의 인물전기 「모범 여자 집배원 뤄수전模範女投遞員羅淑珍」이 발표되었다.

『해방일보』에 기사 「투쟁사를 회고하고, 대약진을 노래하다─상연1공장 공인 군중이 공장사 집필에 열정적으로 참여하다回憶鬥爭史, 歌頌大躍進──上煙一廠工人群眾熱烈參加編寫工廠史」 및 사설 「공장사를 잘 집필하자寫好工廠史」가 발표되었다.

『동해』 제15호에 웨이진즈의 산문 「대포 발사 소기打炮小記」, 톈젠의 「시 3편詩三首」이 발표되었다.

17일, 『해방일보』에 사설 「군중문예창작도 양 속에서 질을 추구해야 한다群眾文藝創作也要量中求質」가 발표되었다.

18일, 『인민일보』에 샤오싼의 시 「다들 '역사의 교훈'을 보아야 한다大家應該看"歷史的教訓"」가 발표되었다.

20일, 『베이징문예』 12월호에 잉뤄청英若誠의 쾌판 「내화 벽돌 열두 장(3인 쾌판)十二塊耐火磚(三人快板)」이 발표되었다.

잉뤄청(1929~2003), 공연예술가이자 번역가로 베이징 출신이다. 중국희극가협회 상무이사, 베이징시 극협 이사, 문화부 부부장, 베이징인민예술극원 예술위원회 부주임 및 극본실 주임을 역임하였다. 「낙타샹즈」, 「찻집」, 「세일즈맨의 죽음」 등 유명 연극의 주연을 맡았으며, 1979년에 라오서의 명작 「찻집」을 영어로 번역해 출판하였다.

격주간 『신장홍기新疆紅旗』가 신장에서 창간되었다. 본 잡지는 중국어, 위구르어, 카자흐어 등 세 가지 문자로 발행되었다.

『인민일보』에 궈모뤄의 글 「'아이의 시'를 읽고讀了"孩子的詩"」가 발표되었다.

『해방일보』에 야오원위안의 글 「다들 문예평론을 쓰자大家動手寫文藝評論」가 발표되었다.

21일, 『간쑤일보甘肅日報』에 원제의 장시 『허시 회랑행河西走廊行』의 연재가 시작되어 30일자에 완료되었다.

22일, 『인민일보』에 궈모뤄의 「강철, 1,070만 톤 확정!鋼, 鐵定的1,070萬噸!」, 짱커자의 시 「붉은 낭보紅色喜報」 등의 시와 아이우의 산문 「더 큰 승리의 시작更大勝利的開端」이 발표되었다.

23일, 『인민일보』에 차오위의 글 「더 완벽한 현대 소재 희곡 극목을 창조하자－산시 희곡 베이징행 공연단의 공연을 보고創造更完美的現代題材的戲曲劇目──看陝西戲曲赴京演出團的演出」, 류바이위의 산문 「환호하고, 전진하라!歡呼, 前進!」가 발표되었다.

24일, 『양청만보』에 톈한의 시 「푸젠 최전방 진지 포병 모 부대에 바치다題贈福建前沿炮兵某部」가 발표되었다.

25일, 『문회보』에 야오원위안의 글 「우수한 사진 스크랩 한 장一幅優秀的照片剪貼」이 발표되었다.
『시간』 12월호에 톈젠의 시 「병사의 노래兵的歌」, 리지의 시 「렁후에서 석유가 뿜어져 나온 소식을 듣다一聽說冷湖噴了油」, 리광톈의 시 「전투의 산촌戰鬥的山村」, 샤오싼의 시 「타슈켄트에 다시 가다重遊塔什幹」, 우보샤오의 시 「톈안먼에서 노동하다勞動在天安門」, 천찬원의 시 「랑치다오 위의 민병琅岐島上的民兵」, 사어우의 평론 「혁명적 현실주의와 혁명적 낭만주의에 관하여關於革命現實主義和革命浪漫主義」가 발표되었다.

26일, 『인민일보』에 톈한의 시 「철강 우선 송가鋼帥頌」가 발표되었다.
『문예보』에 리시판의 글 「평술의 형식으로 위대한 투쟁을 반영한 훌륭한 작품－「열화금강」을 읽고運用評述形式反映偉大鬥爭的好作品──讀<烈火金剛>」, 사어우의 글 「좋은 시 몇 편幾首好詩」이 발표되었다.

28일, 저우언라이 총리가 문화부에 예술 '위성' 발사 등 창작 규율을 위배한 구호에 대한 비평을 제기하고, "'위성' 발사"라는 구호를 취소할 것을 요구하였다.
『인민일보』에 궈모뤄의 시 「황산의 영지초를 노래하다詠黃山靈芝草」가 발표되었다.

29일, 『인민일보』에 라오서의 글 「네이멍구 민가 가창 전람회內蒙古民歌歌唱展覽」가 발표되었다.

『문회보』에 펑쯔카이의 글 「군중 아마추어 미술 전람회를 참관하다參觀群衆業餘美術展覽會」가 발표되었다.

30일, 문화부에서 '위성' 지도소조를 해체하였다.

『희극보』 24호에 톈한의 「더 새롭고 아름다운 「백옥박」을 연마하자!琢磨出更新更美的<白玉璞>吧!」, 정보치의 「「공방전의 노래」의 모순 처리에 관하여談<攻堅戰歌>的矛盾處理」, 마톄딩의 「두 다리로 걷는 것6)에 관하여關於兩條腿走路」, 장전의 「실제 사람과 사건을 전형으로 제고하다─혁명적 현실주의와 혁명적 낭만주의의 결합 학습 찰기從眞人眞事提高到典型──學習革命的現實主義和革命的浪漫主義相結合的劄記」가 발표되었다.

31일, 『인민일보』에 사어우의 글 「신시의 노선 문제新詩的道路問題」가 발표되었다. 그는 글에서 신시에 대한 신민가의 영향, 신시에 존재하는 문제, 신시의 형식 문제 등에 대해 언급하였다.

이달에 베이징사범대학 중문과 4학년 민간문학연구소조의 「『중국민간문학사』초고 소개<中國民間文學史>初稿介紹」가 『베이징사범대학학보北京師範大學學報』(사회과학판)에 발표되었다. 같은 달에 중문과 1955년 학생들이 공동 집필한 『중국민간문학사』(초고)가 인민문학출판사에서 출간되었다.

『독서월보』 제18, 19호에 바진의 중편소설 「멸망滅亡」에 대한 토론이 전개되었다.

무단이 난카이대학의 '반우경운동' 과정에서 '역사 반혁명' 분자로 규정되어 교단에서 축출당해, 난카이대학 도서관에서 3년간의 '감독 노동'에 임하게 되었다. 그는 1962년에 통제가 철폐되고 감봉 근무를 하게 되기 전까지 난카이대학 도서관의 직원으로서 '감독 고용'되었다.

『마오쩌둥이 문학과 예술을 논하다毛澤東論文學與藝術』가 인민문학출판사에서 출간되었다. 이 책은 중국 최초로 문학예술에 관한 마오쩌둥의 논술을 비교적 체계적으로 수집한 책이다.

롼장징의 시집 『장허의 물漳河水』, 아이우의 단편소설집 『새 집新的家』이 인민문학출판사에서 출간되었다. 『장허의 물』은 1958년 3월의 증보판의 재판으로, 재판에는 저자의 「후기」가 수록되었다. 본 시집은 1950년 9월에 베이징신화서점에서 초판이 발행되었고, 1953년 1월에 인민문학출

---

6) 兩條腿走路: 대약진 정책에서 공업과 농업, 중공업과 경공업, 도시 공업과 지방 공업, 대기업과 중소기업, 외래식 생산 방법과 중국 재래식 생산 방법을 제각기 동시에 발전시키는 정책을 뜻함-역자 주

판사에서 재판이 발행되었으며, 1958년 3월에 통속문예출판사에서 증보판이 발행되었다. 증보판의 재판에서는 저자가 증보판을 기초로 하여 약간의 수정을 가하였다.

문예이론집 『신민가를 논하다論新民歌』, 후완춘의 단편소설집 『누가 기적의 창조자인가誰是奇跡的創造者』가 상하이문예출판사에서 출간되었다.

장즈민의 시집 『공사의 인물』이 작가출판사에서 출간되었다.

시간사詩刊社에서 편찬한 『신민가 100편新民歌百首』(제2집)이 중국청년출판사에서 출간되었다.

톈자의 『시의 공산주의 풍격을 논하다論詩的共產主義風格』가 베이징출판사에서 출간되었다.

1958년 정리

올해 1월 1일부터 22일까지 '난닝 회의南寧會議'가 개최되었다. '난닝 회의'는 '대약진'의 서막이라 할 수 있다. 회의에서는 1956년의 돌격주의 반대反冒進의 '오류'를 비판하고, 이로써 '대약진'을 위한 사상 인도를 진행하였다. '대약진'이라는 구호는 농업발전 실현 강령 14조의 호소에서 최초로 등장하였다. 1957년 10월 27일자 『인민일보』에 사설 「사회주의 농촌 건설의 위대한 강령建設社會主義農村的偉大綱領」이 발표되어 중앙에서 발포한 전국 농업발전 강령 초안에 근거해 "농업 및 농촌에 관한 각 방면의 공작은 12년 내에 필요와 가능성에 따라 거대한 약진을 실현"할 것을 요구하였다. 1958년 3월 9일부터 26일까지 당중앙은 청두에서 회의를 개최하였다. 본 회의는 '난닝 회의'에 이어 다시 한 번 돌격주의 반대를 비판하고, 미신을 타파하고, 사상을 해방시키고, 빠른 속도를 중심으로 하는 '대약진'을 추진하는 대단히 중요한 회의로, 역사적으로 '청두 회의成都會議'라 칭해진다. '청두 회의'에서 최초로 사회주의 총노선 건설이라는 개념을 제시하고 관련 내용에 대해 초보적인 설명을 진행하였다. 5월 5일부터 23일까지, 중국공산당 제8차 전국대표대회 제2차 회의가 베이징에서 개최되어 본 회의를 통해 '청두 회의'에서 제시한 사회주의 건설 총노선이 정식으로 통과되었다. 본 회의를 통해 '총노선'이 정식으로 통과되었기 때문에 '대약진' 운동이 전면적으로 시작된 지표로 본다. 8월 17일부터 30일까지, 중공중앙이 베이다이허에서 정치국 확대회의를 진행하였는데 본 회의를 '베이다이허 회의北戴河會議'라 칭한다. 본 회의는 당이 '대약진' 운동을 시작하고 지도한 대단히 중요한 회의이다. 본 회의를 통해 '대약진' 운동의 각 항목의 중요 계획을 제정하고, 당의 '좌'경화된 잘못된 지도사상을 극단으로 발전시켰다. 회의 후에 전 인민의 제강 제철 운동 및 인민공사의 대대적인 설립을 지표로 하여 '대약진' 운동이 고조에 달했다.

문예 '대약진'은 '대약진' 운동의 중요한 분야였다.

올해 2월 13일부터 16일까지, 전국 생산 대약진의 형세에 발맞추기 위해 중국문련, 중국작가협회 및 각 연구회에서 회의를 개최해 문예창작을 더욱 발전시키고, 문예창작 방면에서 대약진을 실현하며, 각종 사회주의 건설사업이 비약적으로 전진하는 모습을 반영할 방법에 대해 토론하였다. 2월 25일, 상하이시위원회에서 진행한 문예간부회의에서 시위원회 서기 커칭스柯慶施가 문예 '대약진'에 대한 자신의 견해와 상하이 문예계에 대한 요구를 "문예계의 대약진을 실현하고, 백화제방을 통해 창작을 번영시키기 위해서는 온갖 방법을 써서 어려움을 극복해야 한다. 하루로 안 되면 이틀, 이틀로 안 되면 한 달을 노력해야 하며, 낮에 다 하지 못했다면 밤에 더 노력하고, 혼자서 안 된다면 다같이 노력해야 한다. 열정과 고집을 가지고 어려움과 단호히 투쟁해야 한다"라고 발표하였다(「시대의 거울이 되고, 혁명의 용장이 되자做時代的鏡子, 做革命的闖將」, 『문회보』 1958년 2월 26일). 회의 후에 중국작가협회 상하이분회에서 확대회의를 개최해 문예계에서의 약진 실현 문제에 관해 토론하고, 작가들이 분분히 자신의 약진 계획을 발표하였다.

3월 6일, 중국작가협회 서기처에서 확대회의를 개최해 문학공작 대약진 문제에 관해 토론하였다. 회의에서 작가협회는 전국 작가들을 향해 「작가들이여! 약진, 대약진하라作家們!躍進, 大躍進」라는 서신을 발표하였다. 이와 동시에 작가협회 상하이분회에서 각지 분회에 경쟁 제안서를 보냈다. 5월, 중국공산당 제8차 전국대표대회 제2차 회의에서 커칭스는 문화 '대약진'에 관해 발언하면서, 15년 후의 중국 신문예를 상상하며 "그때가 되면 새로운 문화예술생활은 공인과 농민의 생활의 평범한 모습이 될 것이다. 공농병을 위해 더욱 잘 복무하는 문학예술이 존재할 뿐만 아니라, 공농병 자신들 또한 보편적으로, 더욱 높은 실력으로 문학예술을 창작할 수 있을 것이다. 모든 공장과 광산과 농촌에 도서관이 세워질 것이며, 모든 곳에 자신만의 이백, 루쉰, 녜얼, 그리고 메이란팡과 궈란잉이 존재할 것이다……문예 터전의 곳곳에 '백화제방'하고, 날마다 '옛것을 취사선택해 새롭게 발전'시키게 될 것이다"라고 보았다(「노동인민은 반드시 문화의 주인이 되어야 한다勞動人民一定要做文化的主人」, 『홍기』 창간호). 본 연설은 문화 영역의 '대약진'을 더욱 선동하는 역할을 하였다.

문화부에서는 8월에 성, 시 자치구 문화국장 회의를, 10월에 전국 문화행정회의를 개최해 문화공작의 '대약진'을 안배하였다. 회의를 통해 군중활동에 대해 모든 이가 책을 읽을 수 있고, 글을 쓰고 셈을 할 수 있고, 영화를 볼 수 있고, 노래를 부를 수 있고, 그림을 그릴 수 있고, 춤을 추고 연기를 할 수 있고, 창작을 할 수 있게 될 것을 요구하였으며, 또한 문예창작 영역의 모든 방면과 각계각층에서 위성을 발사할 것을 요구하였다. 9월, 중앙선전부는 8월의 베이다이허 회의 정신에 근거해 문예창작 좌담회를 소집해 '대약진' 과정에서의 문예공작과 국경 10주년을 맞이하는 문예창작 임무에 대해 중점적으로 토론하였다. 참석자들은 1,070톤의 강철을 생산한 것처럼 문학, 영화, 희극, 음악, 미술, 이론연구 등 각 방면에서도 '위성'을 발사해야 하며, 문예창작과 비평 분야에서도 군중운동을 대대적으로 진행해야 한다고 보았다. 이러한 요구에 따라 문화부에서는 전국문화대보급관공실全國文化大普及辦公室을 설립하고, 각 구에도 문화위성지휘부를 설립해 '문예위성'의 대대적인 발사를 시작하였다. 문예작가들은 '중심을 창작하고', '중심을 노래하고', '중심을 그리자'는 요구하에 본인의 '약진 계획'을 수립해 '창작 위성'을 대대적으로 발사하여, '대약진'을 반영한 공식화, 개념화된 슬로건 형식의 작품을 대량으로 창작하였다.

'전 인민이 문예에 참여'하는 고조 가운데 그 영향이 가장 컸던 것은 신민가 운동이다. 4월 14일, 『인민일보』에 사설 「전국 민가를 대규모로 수집하자大規模地收集全國民歌」가 발표되어 전국적인 규모의 '신민가 운동'을 불러일으키고, '모든 마을에 시인이 있다'는 구호를 제시하였으며, 군중들에게 시 창작의 임무와 지표를 할당하였다. 중국공산당 제8차 전국대표대회 제2차 회의에서 마오쩌둥은 민가의 의의를 크게 긍정하였다. 민가에 관한 마오쩌둥의 연설의 정신에 근거해 저우양은 「신민가가 신시의 길을 개척했다新民歌開拓了詩歌的道路」라는 보고를 진행하였다. 그는 보고의 말미에 100여 편의 민가를 첨부하였다. 중국공산당 제8차 전국대표대회 제2차 회의 이후에 궈모뤄와 저우양은 공동으로 『홍기가요紅旗歌謠』라는 책을 편찬하였는데, 책에는 대량의 신민가에서 선정한 300편 내외의 민가를 수록하였다. 본 책은 홍기잡지사紅旗雜志社에서 11월에 견본이 인쇄되었고, 1959년 9월에 정식으로 출판되었다.

중앙선전부에서 중국사회과학원 문학연구소와 중국민간문예연구회가 합동으로 조직하고 칭하이성青海省에서 수집 정리한 티베트족 서사시 「거싸얼格薩爾」 공작조를 비준해 서사시에 대한 조사와 수집, 번역, 정리를 진행하였다.

국무원 민족사무위원회와 중국과학원 철학사회부의 지도하에 중국사회과학원 민족연구소, 중앙민족학원 및 각 소수민족 유관 부서에서 『소수민족간사少數民族簡史』, 『소수민족간지少數民族簡志』, 『민족자치지방개황民族自治地方概況』 등의 총서를 편찬하는 과정에서, 일부 지구에 대해 필요한 조사를 진행하였다. 본 조사는 8개월간 소수민족 사회와 역사에 관해 진행되었으며, 30여 개 민족의 문예공작자가 참가하였다. 이후에 민족문화지도위원회에서 『1958년 소수민족 문예조사 자료 총집1958年少數民族文藝調査資料彙編』을 편찬하였다. 책에는 29편의 조사 보고서 및 민간문예에 관한 부분이 수록되었다.

중앙선전부의 비준을 거쳐 중국과학원 문학연구소에서 주관한 소수민족 문학사 편찬계획이 시작된 후, 국가민족사무위원회에서 중앙민족학원에 『티베트족 문학사藏族文學史』의 편찬을 위탁하였다. 중앙민족학원 티베트어과는 티베트족 민간고사편역소조를 설립하였다.

중앙의 지시에 따라 상무인서관이 고등교육출판사에서 분리되어 외국 학술서적과 어문 공구서 전문 출판사로 변경되었으며, 중화서국이 재정경제출판사財政經濟出版社에서 분리되어 중국 고적 전문 출판사로 변경되었다.

농업출판사, 상하이교육출판사 등이 설립되었다.

『독서월보』가 『독서』로 명칭이 변경되었으며, 1960년에 폐간되었다.

탕스唐湜가 '우파'로 규정되어 헤이룽장성 베이다황으로 압송되어 노동교도에 임했으며, 1961

년에 본적지인 저장성 원저우로 보내졌다.

탕치가 '우파'로 규정되어 베이다황으로 압송되어 노동교도에 임했다. 그는 1958년에서 1960년 사이에 「베이다황 피리北大荒短笛」(연작시)를 창작했는데, 본 연작시에는 「여명黎明」, 「영혼의 노래心靈的歌曲」, 「토지土地」, 「물새水鳥」, 「사랑愛情」, 「피리短笛」, 「광야曠野」, 「샤오후강의 비 오는 밤小湖崗的雨夜」, 「영원히 사라지지 않는 노래永不消逝的歌」 등의 시가 수록되었다.

네간누가 '우파'로 규정되어 베이다황 850농장 4분장으로 압송되어 '노동개조'에 참가했다가 1962년 봄에 베이징으로 돌아왔다. 그는 노동개조 생활 도중에 대량의 구체시를 창작했으나 그 원고는 찾을 수 없다. 그는 베이징으로 돌아온 후 베이다황 생활에 관한 구체시를 계속해서 창작해 「베이황차오北荒草」라는 제목을 붙였으며, 이후에 1982년에 인민문학출판사에서 출간된 시집 『산의생시散宜生詩』에 수록되었다.

리지와 원제가 합동 창작한 가사 「커라마이의 노래克拉瑪依之歌」가 군중에 의해 널리 불렸다.

귀모뤄가 중국공산당에 가입하였다.

중국청년출판사에서 편찬한 『홍기가 펄럭이다』(제6~9집)가 출간되었다.

광지의 산문집 『창장행長江行』, 위안잉의 산문집 『훙허 남북紅河南北』, 중국민간문예연구회에서 편찬한 『소련 민간문학 논문집蘇聯民間文學論文集』이 작가출판사에서 출간되었다.

비예의 산문집 『머나먼 안부遙遠的問候』, 류바이위의 『문학잡기文學雜記』가 베이징출판사에서 출간되었다.

한쯔의 산문집 『유추집幼雛集』이 중국청년출판사에서 출간되었다.

쯔펑紫風의 산문집 『진흙 위에 쓴 시寫在泥土上的詩』, 양쾅민楊匡民의 『민가를 어떻게 기록할 것인가怎樣記錄民歌』가 상하이문예출판사에서 출간되었다.

리뤄빙의 특필집 『당의 아들 왕바오징黨的兒子王保京』이 산시인민출판사陝西人民出版社에서 출간되었다.

위민於敏의 보고문학 『라오멍타이 이야기老孟泰的故事』가 춘풍문예출판사春風文藝出版社에서 출간되었다.

웨이강옌의 『보물 같은 땅·보물 같은 사람·보물 같은 일寶地寶人寶事』이 동풍문예출판사東風文藝出版社에서 출간되었다.

상하이시 군중예술관上海市群眾藝術館에서 편찬한 『상하이 가요上海歌謠』가 출간되었다.

화산의 『동화시대童話時代』, 베이징사범대학 중문과 1955년 학생들이 합동 집필한 『중국민간문학사中國民間文學史』(상, 하권), 베이징사범대학 중문과 4학년 학생들이 합동 집필한 『중징원 문예사상 비판鍾敬文文藝思想批判』이 인민문학출판사에서 출간되었다.

올해 말까지 중국 대륙에 설립된 출판사는 모두 95곳으로, 그 가운데 중앙급 출판사는 48곳, 지방 출판사는 47곳이다. 출판한 서적은 45,495종으로 그 가운데 신판 도서는 33,170종이며, 총 인쇄 부수는 23억 8,900만 부이다. 잡지는 822종이 출판되었다.

어메이전영제편창峨嵋電影制片廠, 신장전영제편창新疆電影制片廠(1979년에 톈산전영제편창天山電影制片廠으로 명칭 변경)이 설립되었다.

최초의 중국과 외국의 합작 극영화「연風箏」(중국과 프랑스 합작)이 탄생하였다.

영화 생산에서도 '대약진'이 진행되었다. 1958년에 제작된 극영화는 105부에 달하며, 이 가운데 처음으로 탄생한 새로운 양식인 '다큐멘터리 예술영화'는 49편이다. 그 외 영화들 가운데 예술영화는 27편, 과학교육영화는 178편, 다큐멘터리는 352편이다.

올해 새로 상영된 주요 국산 영화는 아래와 같다.

「당의 딸黨的女兒」(린산林杉 각본, 린눙林農 감독, 창춘전영제편창 제작)

「붉은 아이紅孩子」(차오위喬羽 각본, 쑤리蘇裏 감독, 창춘전영제편창 제작, 1979년 전국 제2차 소년아동문예창작 2등 상 수상)

「노반의 전설魯班的傳說」(주신朱心 각본, 쑨위 감독, 장난전영제편창 제작)

「상하이 처녀上海姑娘」(장셴張弦 각본, 청인 감독, 베이징전영제편창 제작)

「사라지지 않는 전파永不消逝的電波」(린진林金 각본, 왕핑王蘋 감독, 이뎬전영제편창一電影制片廠 제작. 1978년, 여주인공 위안샤袁霞가 제7회 유고슬라비아 소포트의 '자유를 위한 투쟁' 국제영화제 최우수 여자배우상 수상)

「붉은 종자紅色的種子」(샤양夏陽 각본, 린양林揚 감독, 하이옌전영제편창, 장쑤전영제편창 제작)

「철창열화鐵窗烈火」(커란 각본, 왕웨이이王爲一, 천강陳崗 감독, 톈마전영제편창天馬電影制片廠 제작)

「랑야산의 다섯 장사狼牙山五壯士」(싱예, 쑨푸톈孫福田, 구옌穀岩 각본, 스원츠史文熾 감독, 8 · 1전영제편창 제작)

1월

1일, 『홍기』제1호에 장광녠의 「공인시가를 통해 시가의 민족형식 문제를 보다從工人詩歌看詩歌的民族形式問題」, 궈샤오촨의 「풍부하고 다채롭다豐富多彩」가 발표되었다.

『인민일보』에 사설 「새롭고 더욱 위대한 승리를 맞이하자迎接新的更偉大的勝利」가 발표되었다. 사설은 강철과 식량 생산량의 증가 등 소련과 중국 사회주의 건설의 성취를 열거하면서, 제국주의는 나날이 부패하고 사회주의는 나날이 훌륭해진다는 결론을 제시하였다. 같은 호에 궈모뤄의 「1959년의 동풍1959年的東風」, 라오서의 「설날에 소리 높여 노래하다元旦放歌」, 덩퉈의 시 「경춘택 −1959년 설날을 맞이하다慶春澤──迎接1959年元旦」, 가오스치의 글 「더욱 박차를 가해 새로운 한 해를 맞이하다快馬加鞭迎接新的一年」가 발표되었다.

『문예홍기文藝紅旗』1월호에 리지의 「시 3편詩三首」, 장톈민張天民의 「황허 소년黃河少年」(외 1편) 등의 시와 마자의 문예단론 「생활 속의 공산주의의 맹아를 묘사하다描寫生活中的共産主義萌芽」가 발표되었다.

『신관찰』제1호에 류바이위의 푸젠 전선 스케치 「푸른색 숄藍色的披巾」, 마오둔의 시 「조선 예술단의 공연을 우연히 보다觀朝鮮藝術團表演偶成」 2편과 원제의 시 「둔황 신8경敦煌新八景」이 발표되었다.

『신항』1월호에 지쉐페이의 소설 「만 송이 꽃이 일제히 피다萬朶花兒一齊開」, 쉐커雪克의 평론 「내가 「전투하는 청춘」을 쓰면서 느낀 몇 가지 문제我寫<戰鬥的青春>感到的幾個問題」가 발표되었다.

『불꽃』 1월호의 극본 설창 특집에 마펑의 「레닌그라드 잡기列寧格勒散記」가 발표되었다.

『옌허』 1월호에 원제의 시 「풍사선 위에서風沙線上」가 발표되었다.

『초원』 1월호에 마라친푸의 장편소설 『아득한 초원 위에서在茫茫草原上』 제2부 제8장이 발표되었다.

『동해』 제1호에 황쭝잉의 이론 「「서로 앞을 다투다」는 어떻게 창작되었는가?<你追我趕>是怎樣創作出來的?」가 발표되었으며, 우창의 「소설 창작 만담漫談寫小說」의 연재가 시작되었다.

『열풍』 1월호에 톈젠의 시 「푸저우에 바치는 시 4편贈福州四首」이 발표되었다.

『산화』 1월호에 옌이의 시 「공사 만세公社萬歲」가 발표되었다.

『역문』이 월간 『세계문학世界文學』으로 개편되었다. 「타슈켄트 정신 만세塔什幹精神萬歲」란이 개설되어 마오둔의 「숭고한 사명과 장엄한 부름崇高的使命和莊嚴的呼聲」, 류바이위의 「타슈켄트가 부르는 소리塔什幹的呼聲」, 샤오싼의 「타슈켄트에서 돌아오다從塔什幹歸來」 등 '아시아 아프리카 국가 회의'를 회고한 글이 발표되었다. 같은 호에 숄로호프의 「개간된 처녀지被開墾的處女地」 부분이 번역 게재되었다.

『해방일보』에 바진의 「신년시필新年試筆」, 황상黃裳의 「올해의 더 큰 풍작을 미리 축하하다預祝今年更大豐收」가 발표되었다.

3일, 『중국청년보』에 과학원에서 개최한 설날 선물대회獻禮大會에 관한 기사가 게재되었다. 궈모뤄가 대회에서 소련의 우주 로켓이 달을 향해 발사된 것을 축하하고, 「대형 우주 로켓의 비상을 환호하다歡呼巨型宇宙火箭上天」라는 제목의 축사를 낭독하였다.

『극본』 1월호부터 '새로운 영웅 인물 창조와 실제 인물 및 사건 창작 문제에 관한 토론'란이 개설되어 장경의 「새로운 문제의 연구에 있어 전통 경험을 적절히 참고할 수 있다研究新問題可以適當借鑒傳統經驗」, 허징즈의 「실제 인물 및 사건 창작에 관하여關於寫真人真事」, 리차오의 「가장 새롭고 아름다운 영웅 형상을 창조하자創造最新最美的英雄形象」가 발표되었다. 같은 호에 장전의 「화극의 희극 전통 학습 문제에 관하여談話劇學習戲劇傳統問題」, 류찬의 창작담 「행복한 추억幸福的回憶」 등의 글이 발표되었다.

4일, 『인민일보』에 짱커자의 시 「장대한 첫 출발壯行色」, 샤옌의 「신년수첩新年首捷」이 발표되었다.

5일, 『북방문학北方文學』 신년 특집호가 발간되어 제1호부터 제4호까지 샤옌의 이론 「영화극본 창작의 몇 가지 문제寫電影劇本的幾個問題」가 연재되었다(『중국전영』 1958년 제9호에 최초 발표).

『문예월보』 1월호에 웨이진즈의 소설 「해적의 고민海盜的煩惱」, 류바이위의 푸젠 전선 스케치 「이곳은 영원히 봄이다這裏永遠是春天」가 발표되었다.

『문학청년』 제1호에 양모의 평론 「『청춘의 노래』의 인물과 창작에 관하여談談<靑春之歌>裏的人物和創作」가 발표되었으며, 샤어우의 「신민가의 언어新民歌的語言」가 연재되었다.

『인민일보』에 샤어우의 시 「오강이 계화주를 받쳐 들고 있다吳剛捧著桂花酒」, 궈모뤄의 「우주 로켓과 인공위성이 대화하다宇宙火箭與人造衛星對話」가 발표되었다.

『중국청년보』에 펑즈의 「홍기가 달의 상공에 펄럭이다紅旗飄揚在月球的上空」, 샤오싼의 「환호歡呼」, 리잉의 「우주 대화원을 건설하다建設宇宙大花園」 등의 시와 마오둔의 「전세계 인미에게 보내는 기쁜 소식給全世界人民的喜訊」, 옌원징의 「우주의 새로운 섬광宇宙間新的閃光」이 발표되었다.

6일, 『인민일보』에 쉬츠의 시 「월광곡−우주 로켓의 노래月光曲――宇宙火箭的歌」, 마톄딩의 「덜레스의 눈물은 사람을 속일 수 없다杜勒斯的眼淚騙不了人」가 발표되었다.

『해방군보』에 리잉의 시 「소련이 하늘로 통하는 길을 닦다蘇聯鋪成通天道」, 「어서 달에 전보를 보내자快給月球打急電」가 발표되었다.

7일, 『광명일보』에 중국경극원과 베이징경극단이 합동으로 톈한이 각색한 경극 「서상기」를 공연했다는 기사가 게재되었다. 같은 호에 톈젠의 시 「봄의 노래春歌」와 가오스치의 「우주 정복의 선봉征服宇宙的先鋒」이 발표되었다.

8일, 『인민문학』에 궈모뤄의 「현재 창작에 존재하는 몇 가지 문제에 대해 『인민문학』 편집자의 질문에 답하다就目前創作中的幾個問題答<人民文學>編者問」가 발표되었다. 그는 글에서 마오쩌둥이 제시한 '혁명적 현실주의와 혁명적 낭만주의의 결합'이라는 창작방법을 이해하는 방법, 문학창작에서 인민 내부의 모순을 표현하는 방법 등의 문제에 대해 의견을 발표하였다. 이 외에도 아이우의 이론 「작품 속의 인물을 통해 혁명적 현실주의와 혁명적 낭만주의의 결합 문제를 말하다就作品中的人物來談革命現實主義和革命浪漫主義相結合的問題」가 발표되었다. 아이우는 글에서 인물을 통해 혁명적 현실주의와 혁명적 낭만주의의 결합이라는 창작방법을 표현하는 방법을 제시하고, 양자의 결합의 중요성과 현실적으로 유리한 조건을 강조하였다.

같은 호에 예성타오의 평론 「「초원의 봉화」를 읽고讀<草原烽火>」, 리지의 장편서사시 『양가오전기』 제2부 「홍군이 된 오빠가 돌아왔다當紅軍的哥哥回來了」, 류바이위의 특필 「영웅섬英雄島」, 리준의 특필 「마샤오추이 이야기馬小翠的故事」, 왕원스의 소설 「루셴란盧仙蘭」, 저우얼푸의 산문 「위대한 레닌은 영생하리偉大的列寧永生」 및 라오서 등이 창작한 16편의 춘련春聯이 발표되었다.

『문학지식文學知識』 1월호에 라오서의 평론 「장편掌篇소설을 읽다讀小小說」가 발표되었다. 그는 글에서 "장편소설은 사람을 표현할 수 있다. 비록 분량은 짧지만 의미심장하고 자세히 음미할 가치가 있다"라고 보았다.

『해방일보』에 탕타오의 「두 다리로 걷다兩條腿走路」가 발표되었다.

10일, 『인민일보』에 우창의 「대첩영춘―화이하이 전투 10주년을 기념하며大捷迎春――紀念淮海戰役十周年」가 발표되었다.

11일, 『문예보』 제1호에 리칭의 「시가 문제의 백가쟁명詩歌問題的百家爭鳴」이 발표되었다. 그는 글에서 현재 민가와 시가의 관계 문제에 관한 토론 상황을 보도하였다. 이 외에도 본지 편집부가 진행한 '혁명적 현실주의와 혁명적 낭만주의의 결합' 문제에 관한 토론회의 토론기록과 관련 글들이 발표되었으며, '혁명적 현실주의와 혁명적 낭만주의의 결합 토론'란에 라오서의 이론 「나의 몇 가지 이해我的幾點體會」, 천바이천의 「무대 위의 이상적인 인물 및 기타舞台上的理想人物及其它」가 발표되었다. 같은 호에 허징즈의 시 「붉은 우주 로켓을 환호하다歡呼紅色宇宙火箭」, 바런의 평론 「단편소설 6편 약론略談短篇小說六篇」, 왕위안젠의 단편소설의 몇 가지 특징을 분석한 펑무의 글 「생생한 공산당원 형상有聲有色的共產黨員形象」이 발표되었다.

『광명일보』에 푸단대학 중문과 2학년 창조성소조創造性小組의 「도연명의 평가 문제를 통해 류다제 선생의 자산계급 관점을 보다從對陶淵明的評價問題上看劉大傑先生的資産階級觀點」 등 도연명 시의 평가에 대한 토론의 글이 발표되었다.

13일, 『인민일보』에 톈젠의 「민가가 신시를 위해 길을 열었다民歌爲新詩開辟了道路」, 짱커자의 「민가와 신시民歌與新詩」, 볜즈린의 「시가의 발전 문제에 관하여關於詩歌的發展問題」 등 '민가와 신시'의 관계 토론에 관한 글들이 발표되었다. 짱커자는 "시인들이 민가를 학습할 것을 강조"하면서도, "시인들의 노동의 성과에 대해서도 공평한 평가를 해야 한다"라고 주장하였다. 톈젠은 "우리는 최대한의 노력을 통해 신시의 형식이 수많은 군중의 요구에 맞게, 군중이 작품을 쉽게 받아들일 수 있게, 최소한 군중이 받아들일 수 있도록 노력해야 하며, 사상과 예술 면에서 높은 수준에 도달하도록 해야 한다"라고 보았다. 한편 볜즈린은 사어우가 1958년 12월 31일자 『인민일보』에 발표한 「신시의 노선 문제新詩的道路問題」에 드러난 자신에 대한 오해에 대해 변호하였다. 같은 호에 류몐즈劉勉之의 독서 잡기 「노동勞動」이 발표되었다.

『중국청년보』에 하오란의 「공산주의를 위해 열심히 창작하자爲共產主義而努力寫作」가 발표되었다.

15일, 『작품』 제2호에 친무의 평론 「넓은 마음으로 남풍을 대하다 ─ 「광둥 민가」 제1집을 읽고如飮醇酒對南風 ── 讀〈廣東民歌〉第一輯」가 발표되었다.

『전영문학』 1월호에 수이화 등이 각색한 영화문학 극본 「백모녀」 및 「백모녀」의 창작상황을 소개한 글 「「백모녀」의 창작상황에 대한 간단한 소개簡介〈白毛女〉的創作情況」, 「「백모녀」 영화극본 각색에 참가한 일로부터 이야기를 시작하다從參加改編〈白毛女〉電影劇本說起」가 발표되었다.

『희극보』 제1호에 사설 「경험을 종합해 새로운 약진을 시작하자總結經驗, 開始新的躍進」, 톈한의 평론 「수도의 새해 공연을 통해 '두 다리로 걷는 것'을 보다從首都新年演出看兩條腿走路」가 발표되었으며, 메이란팡의 「회화를 통해 「천녀산화」를 말하다從繪畫談到〈天女散花〉」의 연재가 시작되어 제9호에 완료되었다.

16일, 『신관찰』 제2호에 허징즈의 시 「나는 보았다…… ─ 붉은 인공위성에 바치다我看見…… ──獻給紅色人造行星」가 발표되었다.

『중국청년』 제2호에 궈카이의 「린다오징에 대한 묘사에 나타난 결점에 관하여」가 발표되었다. 이 글은 『청춘의 노래』를 비평한 글이다. 그는 글에서 "이 책은 소자산계급 정서로 가득 차 있다. 작가는 소자산계급의 입장에 서서 자신의 작품을 소자산계급의 자아표현으로 삼아 창작을 진행하였다", "공인 군중 및 지식분자와 공농의 결합을 잘 묘사하지 못했다. 책에 등장한 지식분자, 특히 린다오징은 시종일관 공농 대중과의 결합을 진지하게 실행하지 않았다", "지식분자의 개조 과정을 실제적이고 진지하게 묘사하지 못했으며, 인물의 영혼 속 깊은 곳의 변화를 드러내지 못했다. 특히 린다오징은 심각한 사상 투쟁을 진행한 적이 전혀 없다. 그녀의 사상 감정은 한 계급에서 다른 계급으로의 변화를 경험하지 않았기에, 책의 마지막까지 가서도 그녀는 그저 비교적 진보한 소자산계급 지식분자일 뿐이다. 그럼에도 작가는 그녀에게 공산당원이라는 영광된 칭호를 부여하였다. 그 결과 공산당원의 모습을 심각하게 왜곡하였다"라고 보았다.

17일, 『인민일보』에 가오스치의 「인조 혜성은 붉디붉고, 우주 높이 날아가 기공을 드러내다人造彗星紅又紅, 高飛太空顯奇功」, 류몐즈의 독서 잡기 「「적벽대전」의 노숙을 논하다論<赤壁之戰>裏的魯肅」가 발표되었다.

18일, 『인민일보』에 진진의 「새롭게 부르는 농촌 동요農村兒歌新唱」가 발표되었다.

『광명일보』에 간쑤사범대학 루스판盧世藩의 「도연명은 기본적으로 현실주의 시인이다陶淵明基本上是現實主義詩人」, 허베이 닝진사범대학寧晉師範大學 푸진리傅晉理의 「도연명의 은둔의 객관적 의의와 영향陶淵明歸隱的客觀意義與影響」, 지린대학 중문과 장롄시張聯喜의 「은둔은 '적극적 의의'를 가진 '반항'인가?退隱是有"積極意義"的"反抗"嗎?」 등 도연명 시의 평가에 대한 토론의 글이 지속적으로 발표되었다.

19일, 『인민일보』에 광지의 「강산은 이토록 수려하다─리커란 동지의 산수사생화집 서문江山如此多嬌──李可染同志作山水寫生畫集序」이 발표되었다.

20일, 『꿀벌』 제2호에 「궈모뤄 동지가 신년 시 창작 방송대회에 보낸 축사郭沫若同志給新年賽詩廣播大會的祝詞」, 허베이성 문학예술계연합회 주석 톈젠의 「신년 시 창작 방송대회 개회사新年賽詩廣播大會開幕詞」 등 허베이 문련에서 진행한 신년 시 창작 방송대회의 상황이 보도되었으며, 짱커자의 축시 「단가로 신년을 맞이하다短歌迎新年」 등이 발표되었다.

『인민일보』에 류몐즈의 독서 잡기 「「적벽대전」의 주유, 제갈량, 장소를 논하다論<赤壁之戰>裏的周瑜諸葛亮張昭」가 발표되었다.

21일, 『인민일보』에 시가 문제 좌담회 상황이 보도되었다. 좌담회의 주된 논제는 "1. 민가와 고전시가의 기초 위에서 신시를 발전시키는 문제, 2. 신민가의 발전과 제고에 관한 문제, 3. 시가의 형식과 현대 격률시 등에 관한 문제, 4. '5ㆍ4' 이후의 신시 평가에 관한 문제" 등이다. 또한 '신시 문제에 관한 토론'이라는 제목으로 쉬츠의 발언 「민가체는 일종의 기본적인 형식이지만, 다른 형식을 배척하지 않아야 한다民歌體是一種基本的形式, 但不要排斥其它形式」, 쑹레이의 발언 「신민가는 주류이며, 시가의 발전은 반드시 민가체를 중요한 기초로 삼아야 한다新民歌是主流, 詩歌的發展應當以民歌體爲主要基礎」가 발표되었다. 같은 호에 톈젠의 논문 「왕소군 형상에 관하여談王昭君的塑造」, 천바이천의 논문「혁명적 현실주의와 혁명적 낭만주의의 결합革命現實主義和革命浪漫主義相結合」의 개요가 발표되었다.

『광명일보』에 펑무의「「마오 주석을 따라 장정길에 오르다」를 읽고讀<跟隨毛主席長征>」가 발표되었다.

23일,『베이징문예』제2호에 톈한, 라오서, 장지춘張季純, 왕수王術 등의 시 5편「베이징 해방 10주년을 축하하며祝賀北京解放十周年」가 발표되었다.

장지춘(1907~2000), 본명은 장지춘張繼純으로 산시성 양청陽城 출신이다. 1932년에 베이핑대학北平大學 예술학원 희극과를 졸업하였다. 1937년에 상하이 구국연극 2대에 참가하였으며 1941년에 옌안으로 갔다. 1925년부터 작품 발표를 시작하였다. 베이징시 문화국 국장, 베이징시 문련 부주석을 역임하였다. 저서로 단막극 극본집『국경 밖의 파도塞外的狂濤』,『위생침衛生針』, 시집『타이항산太行山』, 앙가극 극본『평화를 수호하라保衛和平』, 화극 극본『루거우차오를 수호하라保衛盧溝橋』(합동 창작) 등이 있다.

『민간문학』1월호에 궈모뤄의「현재 창작에 존재하는 몇 가지 문제를 통해『인민문학』편집자의 질문에 답하다」(『인민문학』1월호)의 일부가「신민가를 통해 혁명적 현실주의와 혁명적 낭만주의의 결합을 보다從新民歌看革命的現實主義和革命的浪漫主義的結合」라는 제목으로 전재되었다.

『중국청년보』에 원제의 시「치롄산의 노래ー'허시 회랑'행 제9편祁連山歌ーー"河西走廊"行之九」이 발표되었다.

24일,『수확』제1호에 루옌저우의 영화문학 극본「싼바허 강가三八河邊」, 옌이의 장시『강철을 위해 싸우다爲鋼而戰』, 류바이위의「푸젠 전선 스케치 2편福建前線速寫兩則」, 웨이진즈의「영웅의 금사英雄的金沙」, 지쉐페이의「두 형제哥弟倆」가 발표되었다.

『인민일보』에 사어우의 시「온 하늘에 무지개가 가득하고, 불빛이 찬란하다彩虹滿天, 火光燦爛」가 발표되었다.

25일,『시간』제1호에 궈모뤄의「현재 시가에 존재하는 주요 문제에 관해 본지의 질문에 답하다就當前詩歌中的主要問題答本社問」(2월 13일자『인민일보』, 2월 25일자『광명일보』에 전재)가 발표되었다. 그는 글에서 "신민가는 현재 시가운동의 주류인가", "신민가에는 한계성이 있는가", "중국 신시는 어떠한 기초 위에서 발전하는가", "5·4 이후의 신시를 어떻게 평가해야 하는가" 등 네 가지 문제에 답변하였다. 궈모뤄는 글에서 "나는 오늘날의 신민가 정신이 주류라고 본다. 신민가는 모두 생산과 노동의 실천에서 출발해 노동인민의 혁명 낙관주의와 공산주의 풍격을 표현하였다. 이러한 정신과 기개가 신민가의 핵심이라 해야 할 것이다", "우리는 결코 신민가의 형식을 경시해서는 안 되고, 신민가를 특별히 중시하고, 정신적으로 학습해야 한다. 정신은 부단히 발전하고 혁명하며, 형식 역시 부단히 발전하고 혁명한다", "나는 신민가의 장점이 바로 그 한계성에 있다고 본다. 작가가 한계성 속에서 가장 적절한 표현을 해낼 수 있다면, 오묘함이란 바로 이 지점에 있는 것이다. 이것이 바로 '규율과 자유의 공존'이다"라고 보았다. 시가의 기초에 관해서는 "항상 내용이 지도적 위치에 있어야 한다. 정치 제일, 이 점은 확고부동하다. 일정한 내용이 있다면 일정한 형식을 탄생시킬 수 있다"라고 보았다. 반면에 5·4 이후의 신시에 관해서는 "5·4 이후의 신시는 정신적인 면에서는 긍정해야 하며, 일률적으로 말살하지 말고 각각의 시인의 작품에 대해서 선택적으로 대해야 한다. 5·4 이후의 신시는 그 나름의 생명이 있다. 자유의 길 역시 갈 수 있는 길이다"라고 보았다.

같은 호에 궈샤오촨의 「눈은 풍년의 징조雪兆豐年」, 사어우의 「태양의 친지太陽的親人」, 장융메이의 「나팔수 전기號兵的傳奇」, 둥비우의 「홍옌춘에서 시를 쓰다在紅岩村題詩」, 리지선의 「제국주의는 모두 종이호랑이라는 마오 주석의 논문을 읽고讀毛主席論帝國主義都是紙老虎而作」, 원제의 「위먼행玉門行」, 리잉의 「해안 방어 전선에서 보낸 시寄自海防前線的詩」 등의 시와 장광녠의 평론 「베이징 공인의 시가北京工人的詩歌」가 발표되었다.

『광명일보』의 '문학유산'란에 궈모뤄의 「채문희의 「호가십팔박」에 관하여談蔡文姬的〈胡笳十八拍〉」가 발표되었다. 같은 호에 러우스이의 시 「1959 동풍곡1959東風曲」, 구궁의 시 「반제국주의의 뜨거운 분노여, 타올라라!─쿠바와 콩고 인민을 지원하기 위해 쓰다反帝的怒火, 燃燒吧!──爲聲援古巴、剛果人民而作」가 발표되었다.

26일, 『문예보』 제2호에 장편소설 『청춘의 노래』에 대한 토론이 시작되어 청신成欣의 「린다오징의 묘사에 관하여也談關於林道靜的描寫」, 천리췬力의 「『청춘의 노래』의 부족한 점〈靑春之歌〉的不足之處」 등의 글이 발표되었다. 같은 호에 『청춘의 노래』 독자 토론회 상황이 보도되었다. 청신은 글에서 린다오징이라는 인물의 모습에 대해 중점적으로 분석하면서, 작가가 린다오징의 인물 창조에 대한 궈카이의 비평과 부정에 동의하지 않는다며, 이러한 "이해 문제는 지나치게 단순화되었다"라고 보았다. 그는 또한 "이 시기의 린다오징에 대한 작가의 묘사에는 결점이 존재한다. 이 결점은 작가가 현실생활보다 높은 곳에 서지 못했다는 점으로 표현된다. 린다오징의 운명은 동정할 만하지만, 그녀의 소자산계급 정서를 감상해서는 안 된다"라고 보았다. 청신은 양모가 린다오징이라는 인물을 창조한 과정에서의 노력을 긍정하면서도 두 가지 결점, 즉 "첫째는 작가가 린다오징의 사상의 성장에 대한 대단히 중요한 줄거리를 포착하고 이를 돌출시켜 중점적으로 묘사하지 못했다는 점", "둘째는 작가가 린다오징의 세밀하고 복잡한 사상활동과 사상투쟁(가령 그녀가 위융쩌餘永澤와 헤어진 후 때때로 옛집을 그리워하는 부분, 그리고 루자촨盧嘉川과의 대화에 표현된 몇몇 사상적 상황 등)을 누차 묘사하였지만, 이러한 부분들이 모두 사소하고 잡다하게 표현되어 집중되지 못했고, 때문에 더욱 명확하고 힘있게 작가의 창작 의도를 표현하지 못한 점"이라고 지적하였다. 그럼에도 글의 마지막에서 그는 이 소설에 대해 "소설『청춘의 노래』에는 앞서 말한 결점이 존재하지만, 그 사상성과 예술 표현으로 보아 우수한 작품이라 할 수 있다"라고 긍정하였다.

췬리는 글에서『청춘의 노래』에 존재하는 결점이 "주인공인 린다오징이라는 인물의 전형적 의의가 부족한 점"이라고 보면서, 작품에 결점이 발생한 근본적 원인이 "작가가 현실보다 높은 곳에서서 지식분자가 공농과 반드시 결합해야만 철저히 혁명화될 수 있다는 진리를 명확히 표현하지 못했기 때문"이라고 지적하였다. 그는 글의 마지막에서 "당시의 지식분자가 혁명의 길을 가는 것을 더욱 잘 반영한 완전한 전형적 형상을 창조"할 것을 요구하였다.

같은 호의 '형제 민족 문학 특집'에는 펑무의 「「즐겁게 웃는 진사장」에 관하여談<歡笑的金沙江>」가 발표되었다. 이 외에도 자오옌昭彦(황추윈)의 글 「혁명춘추의 서곡-『삼가항』을 기쁘게 읽다革命春秋的序曲――喜讀三家巷」가 발표되었다. 그는 글에서 "『삼가항』은 대혁명 전후의 남중국 혁명의 형세의 과정, 계급 역량의 성쇠와 모순 투쟁, 정치 무대의 변화무쌍함에 대해" "비교적 정확하게 묘사"하였으며, "광범위하고도 다채로운 시대 생활의 화면을 성공적으로 그려내었다", "작품은 한 사람의 노동자로서의 저우빙周炳의 사상 감정을 충분히 표현하지 못했는데, 이것은 자연히 작품의 결점이다. 그럼에도 불구하고 작가는 이러한 선명한 예술형상을 창조해 그에게 어느 정도의 계급적 특징과 선명한 개성을 부여하였다. 완벽한 수준에 이르지는 못했으나 우리가 긍정하고 환영할 만하다"라고 평하였다.

『인민일보』에 짱커자의 시 「승리의 환호성이 일제히 전해지다勝利呼聲一齊傳」, 리잉의 시 「쿠바에게給古巴」가 발표되었다.

28일,『인민일보』에 친무의 「온갖 꽃이 달콤하다百花甜蜜」가 발표되었다.

29일,『인민일보』에 장광녠의 「새로운 사물 앞에서-신민가와 신시 문제에 관해 허치팡, 볜즈린 동지와 논의하다在新事物面前——就新民歌和新詩問題和何其芳同志和卞之琳同志商榷」가 발표되었다.

30일, 『희극보』 제2호에 편집부의 글 「중국극협에서 좌담회를 소집하다中國劇協召開座談會」가 발표되었다. 글은 좌담회의 상황을 소개하며 "중국경극원과 베이징경극단이 최근에 합동으로 경극 「적벽대전」(런구이린, 리룬李編, 마사오보, 웡어우훙翁偶虹 각색), 「서상기」(톈한 각색)를 공연하였다. 이에 앞서 중국경극원은 새 작품 「도화선」(어우양위첸 각색)을 공연한 바 있다. 이상의 새로운 작품들의 제고를 돕기 위해 죽국희극가협회는 1월 17일 오후에 좌담회를 소집하였다. 좌담회에는 톈한, 류즈밍, 메이란팡, 장겅, 런구이린, 리룬, 마사오보, 진쯔광金紫光, 리쯔구이李紫貴, 정이추鄭亦秋, 마롄량馬連良, 리사오춘李少春, 탄푸잉, 추성룽裘盛戎, 리허후이李和會, 위안스하이袁世海, 장쥔추張君秋, 두진팡杜近芳, 중링鍾靈, 리차오, 이빙, 리즈화, 장전, 다이부판, 투안屠岸 등이 참석하였다"라고 밝혔다.

참석자들은 주로 「적벽대전」에 대해 토론하였는데, 글은 이들의 관점을 "일부 발언은 신판과 구판 희극의 모순과 인물관계를 비교하며 신판이 다소 평면적이라 구판에 비해 모순이 두드러지지 않았다고 평하였다", 다른 이들은 "「적벽대전」은 더욱 긴밀하고 일관되어야 한다", "「적벽대전」의 배경 설계가 너무나 사실주의적이라 연기와 모순된다"라고 평했다고 정리하였다. 같은 호에 '「적벽대전」 토론'란이 개설되어 제4호까지 토론의 글이 발표되었다.

이 외에도 우쉐의 「불이 적벽의 불을 태운다火燒赤壁中的火」, 첸충리錢崇禮의 「경극 「적벽대전」을 평하다試評京劇<赤壁之戰>」, 추원秋文의 「더 집중시킬 수 있다可以更集中一些」가 발표되었다.

31일, 『인민일보』에 궈샤오촨의 시 「봄이 오니 꽃이 핀다春暖花開」가 발표되었다.

『중국청년보』에 리잉의 시 「아프리카 대륙에 보내는 노래給阿非利加洲的歌」가 발표되었다.

이달에 중앙선전부에서 출판, 선전, 문예공작 책임자 회의를 개최하였다. 후차오무와 저우양이 1958년의 학술비판에 나타난 몇 가지 문제에 관해 연설하였다. 1958년 12월 28일에 저우언라이는 루딩이, 캉성, 장지춘, 저우양, 양슈펑楊秀峰, 첸쥔루이, 장쯔이張子意, 후차오무, 샤옌, 천커한陳克寒, 린모한, 쉬윈베이徐運北 등 10인을 소집해 문예, 위생, 체육 등 분야의 고속 발전에 존재하는 일부 편차에 관해 협의하였다. "저우언라이는 참석자들의 발언 도중에 끼어들어 '첫째, 우리의 발언에 만약 타당하지 못한 부분이 있다면 언제든 반박해도 좋습니다. 미신적인 권위를 수립해서는 안됩니다. 둘째, 공산주의의 열정을 인정해야 하지만, 지도 간부들의 두뇌는 깨어 있어야 합니다. 셋째, 정신적 산물은 위성을 발사해서는 안 됩니다. 넷째, 안궤에서 중학교 수준에 미치지 못하는 학생들을 한데 모아 대학이라는 간판을 걸고 가르치면서 우리 당의 겸허한 작풍을 자만으로 바꿔 버렸는데, 나는 이 모습을 보고 슬퍼졌습니다'라고 말했다. 그는 또한 교육 분야에서, 대학 교수들 가운데 '백기를 뽑는' 것은 잘못된 일이니 당장 중지해야 하며, 문예 분야에서는 문예가 단순히 정책에 호응할 것을 요구하는 방식에 찬성하지 않는다고 밝혔다. 또한 그는 참석자들에게 지식분자를 정확히 대하는 문제를 주의 깊게 연구하라고 말했다."[1] 본 회의를 통해 1959년 1월에 중앙선전부가 소집한 출판, 선전, 문예공작 책임자 회의를 준비하였다.

문화부 당조에서 확대회의를 소집해 1958년 문예공작에서 전통 극목을 경시한 문제를 조사하였다. 문화부 전영국에서도 1958년의 공작을 결산하고, '약진' 과정에 존재하는 과학정신 결핍, 발전 불균형, 영화 제작의 조잡함, 관리 제도의 혼란 등의 문제를 지적하였다.

항저우시 문련에서 편찬한 월간 『시후西湖』가 항저우에서 창간되었다. 이 잡지는 1959년 6월에 폐간되었다가 1969년 10월에 복간되면서 명칭이 『혁명문예革命文藝』로 변경되었고, 항저우시 문화국에서 비정기적으로 간행하였다. 1972년 1월에 월간으로 개편되었으며, 1973년 1월에 『군중연창群衆演唱』으로 명칭이 변경되었다. 1974년 10월에 다시 『항저우문예杭州文藝』로 명칭이 변경되어 종합 문예 월간지로 성격이 변경되었다. 1976년에 격월간으로 변경되었다가. 1977년에 다시 월간으로 변경되었다. 1978년 10월에 명칭이 다시 『시후』로 변경되었다.

『저우리보 선집周立波選集』이 인민문학출판사에서 출간되었다. 본 선집에는 작가가 1938년에서 1959년 사이에 창작한 대부분의 작품이 수록되었다.

류바이위의 산문집 『아침의 태양早晨的太陽』, 천바이천의 4막 시사 풍자 희극 『종이호랑이가 본 모습을 드러내다紙老虎現形記』, 마오둔의 평론집 『고취집鼓吹集』, 『시간』 편집부에서 편찬한 『신시가의 발전 문제新詩歌的發展問題』(제1집), 『인민문학』 편집부에서 편찬한 평론집 『『산촌의 대격변』을 평하다評<山鄕巨變>』, 『문예보』 편집부에서 편찬한 『혁명 영웅의 계보革命英雄的譜系』(『홍기보』 평론집) 등의 책이 작가출판사에서 출간되었다.

톈젠의 시집 『동풍가東風歌』가 작가출판사에서 출간되었다. 본 시집의 부제는 『사원들과의 창화집和社員唱和集』으로, 시인이 1956년 초에서 1959년 상반기 사이에 창작한 단시 133편 및 건국 초기에 창작한 시 일부가 수록되었다.

톈젠의 시집 『맹세의 말誓詞』이 상하이문예출판사에서 출간되었다.

1) 중공중앙문헌연구실中共中央文獻研究室編 엮음, 리핑力平, 마즈쑨馬芷蓀 편찬, 슝화위안熊華源 집필, 『저우언라이 연보: 1949~1976 상周恩來年譜:1949－1976上』, 제198, 199쪽, 중앙문헌출판사 1997년

네이멍구인민출판사에서 편찬한 산문특필집 『타이위안에서 다칭산까지從太原到大青山』가 출간되었다.

궈모뤄의 평론집 『웅계집雄雞集』이 베이징출판사에서 출간되었다.

동풍문예출판사에서 편찬한 『신민가 논문집新民歌論文集』이 출간되었다.

2월

1일, 『후난문학』 2월호에 저우리보의 단시 「처음으로 월궁의 문턱을 넘어선 사람第一個撞進月宮的門檻」이 발표되었다.

『창장문예』 2월호에 원제의 시 「열차는 서쪽으로 간다列車西去」, 지쉐페이의 소설 「긴급 소집된 집안 회의緊急召開的家務會議」가 발표되었다.

『산화』 2월호에 옌이의 시 「풍신 송가風神頌」(외 1편), 사어우의 평론 「노동인민은 마오 주석을 열렬히 사랑한다-신민가 학습 통신勞動人民熱愛毛主席——學習新民歌的通訊」이 발표되었다.

『신관찰』 제3호에 위안잉의 「열 번째 봄第十個春天」이 발표되었다.

『세계문학』 2월호에 사오취안린의 「새로운 역사적 이정표-소련 공산당 제21차 비상대표대회를 축하하며新的曆史裏程碑——祝蘇聯共產黨第二十一次非常代表大會」, 장광녠의 「유고슬라비아 이론가의 파산-비드마의 최근의 반공 언론을 반박한다南斯拉夫理論家的破產——駁斥維德馬爾最近的反共言論」, 류바이위의 「소볼레프와의 회견和索波列夫的會見」이 발표되었다. 같은 호의 '쿠바와 콩고 인민에게 경의를 표하다' 특집란에 라오서의 「정의로운 투쟁은 반드시 승리할 것이다正義鬥爭必將勝利」, 예성타오의 「최후의 철저한 승리는 쿠바와 콩고 인민의 것이다最後的徹底勝利屬於古巴和剛果人民」, 옌원징의 「쿠바와 콩고 인민에게 경의를 표한다!向古巴人民和剛果人民致敬!」, 쩌우디판의 「자유를 위하여爲了自由」, 쉬츠의 「쿠바의 뇌성과 쿠바의 노랫소리古巴的雷聲和古巴的歌聲」가 발표되었다.

『신항』 2월호에 장융메이의 서사시 「백마홍선녀白馬紅仙女」가 발표되었다.

『불꽃』 2월호에 리수웨이의 평론 「소설 창작의 몇 가지 문제에 관하여關於小說創作中的幾個問題」가 발표되었다.

『옌허』 2월호의 '농민 왕라오주와 그의 시' 특집란에 왕라오주의 「근작 5편近作五首」. 「나의 창작과 생활을 말하다談談我的創作和生活」 등의 글이 발표되었다. 같은 호에 웨이강옌의 소설 「사막 위의 이야기沙漠上的小故事」, 천보추이의 소설 「평화 수호 이야기保衛和平的小故事」가 발표되었다.

『초원』 2월호에 마라친푸의 장편소설 『아득한 초원 위에서』 제2부 제9장이 발표되었다.

『문예홍기』 2월호에 원제의 시 8편 「열차는 서쪽으로 간다列車西去」, 청스차이程世才의 혁명 회고록 「비장한 노정悲壯的曆程」이 발표되었다(2월호, 3월호에 연재).

『별』 제2호에 사어우의 시가 창작 이론 「목적―'시를 어떻게 쓸 것인가'에 관한 첫 번째 서신目的――"怎樣寫詩"的第一封信」이 발표되었다.

2일, 『문회보』에 웨이진즈의 「실제 인물 및 사건 묘사를 통해 제고를 말하다從描寫真人真事談提高」가 발표되었다.

3일, 『인민일보』에 라오서의 쾌판 「봄이 왔다春天來了」, 어우양산의 「젊은 벼 전문가를 방문하다訪問年青的水稻專家」가 발표되었다.

『극본』 2월호의 '새로운 영웅 인물 창조와 실제 인물 및 사건 창작 문제에 관한 토론'란에 우쉐의 「영웅 인물 묘사 등에 관하여關於描寫英雄人物及其他」, 차오위喬羽의 「실제 인물 및 사건 창작에 관하여也談寫真人真事」, 리칭판李慶番의 「새로운 영웅 인물 창조에 관한 몇 가지 의견創造新英雄人物的幾點淺見」 등의 글이 발표되었다.

5일, 『인민일보』에 팡지의 「봄春天」이 발표되었다.

『문회보』에 바런의 「'두 다리로 걷는 것'에 관하여―『마오쩌둥이 문예를 논하다』 독서 수필關於"兩條腿走路"――讀<毛澤東論文藝>隨筆」이 발표되었다.

『문예월보』 2월호에 『마오쩌둥이 문예를 논하다』의 출판을 축하하는 본지 편집부의 축사 「마르크스주의 문예이론의 권위 있는 저작馬克思主義文藝理論的經典著作」이 발표되었다. 같은 호에 쥔칭의 소설 「마다 이야기馬達的故事」, 야오원위안의 「무산계급의 영웅화(혁명 전기문학을 논하다)無產階級的英雄花(論革命傳記文學)」, 탕타오의 「군중 창작 만담 3제群眾創作漫談三題」, 웨이진즈의 「작품에 어째서 신선한 느낌이 없는가?作品寫得爲什麼沒有新鮮感?」 등의 글이 발표되었다.

『문학청년』 제2호에 하오란의 소설 「도움幫助」이 발표되었다.

『산시희극』 제2호에 다이부판의 「시대의 첨단에 서다―희극창작에서의 혁명적 현실주의와 혁명적 낭만주의의 결합에 관한 몇 가지 문제를 말하다站在時代的尖端――談談戲劇創作中革命現實主義和革命浪漫主義相結合的幾個問題」가 발표되었다.

6일, 『문회보』에 탕타오의 「인물 창작 3제—군중 창작 만담人物創作三題——群衆創作漫談」이 발표되었다.

7일, 『광명일보』에 톈젠의 시 「봄노래의 으뜸春歌之首」이 발표되었다.

『전영창작電影創作』 제2호에 양모의 동명의 소설을 각색한 영화 극본 「청춘의 노래」(상편)가 발표되었다. 같은 호에 '독자가 『홍기보』에 관해 좌담하다' 특집란이 개설되었다.

8일, 『인민일보』에 빙신의 산문 「우리는 봄을 깨웠다我們把春天吵醒了」가 발표되었다.

『중국청년보』에 사어우의 시 「한 해 봄의 좋은 시절正是一年春好處」이 발표되었다.

『인민문학』 2월호에 마오둔의 「단편소설의 풍작 및 창작에 존재하는 몇 가지 문제短篇小說的豐收和創作上的幾個問題」가 발표되었다. 이 글은 "최근 1년간의 단편소설에 대한 감상"으로, 마오둔은 글에서 '장편소설掌篇小說'이라는 문체의 가치에 대해 높이 평가하고, "풍부하고 다채로운 노동인민 영웅 형상", "인민의 내부 모순의 반영", "'혁명적 현실주의와 혁명적 낭만주의의 결합' 문제" 등 몇 가지 측면에서 지난 1년간의 단편소설 창작에 대해 정리하고 평론하였다. 그는 마지막으로 "실제 인물 및 사건에 관한 문제"와 "기교를 정확하게 대하는 문제" 등 두 가지 문제에 관해 토론하면서, 선인의 경험에 학습할 가치가 없다고 보는 잘못된 사상을 비판하였다.

같은 호에 캉줘의 단편소설 「식사에 돈이 필요없는 나날吃飯不要錢的日子」, 류바이위의 소설 「아침 햇살을 밟고 전진하는 사람들踏著晨光前進的人們」, 리잉의 시 「작은 용광로의 노래小高爐謠」, 가오스치의 산문 「우주를 향해 진군하는 돌격 나팔이 울렸다向宇宙進軍的沖鋒號響了」, 치수이위안慕水源의 보고문학 「설산의 다섯 처녀冰峰五姑娘」가 발표되었다. 「봄은 늘 오고 꽃은 늘 핀다春天常在花常開」(신년 시회)란에는 톈젠의 「봄맞이 시회 송가頌迎春詩會」 등 23편의 새해맞이 시가 발표되었다.

『문학지식』 2월호에 허치팡의 평론 「신시화新詩話」(4)가 발표되었다.

11일, 『문예보』 제3호에 '부대사部隊史 특집'이 발간되어 두펑청이 왕원스에게 보낸 서신 「「눈보라 치는 밤」을 읽고讀<風雪之夜>」가 발표되었다. 같은 호에 독자 토론란이 개설되어 양모의 장편소설 『청춘의 노래』에 관해 토론하였다. 이번 호에는 양쯔민楊子敏의 「실사구시인가 아니면 단순하고 거친 것인가實事求是還是簡單粗暴」, 원핑文萍의 「린다오징을 위한 변론爲林道靜一辯」, 중왕鍾望의 「린다오징에 대한 나의 견해我對林道靜的看法」, 리칭李青의 「단면을 통해 전체적인 모습을 반영해야 한다應該從側面反映出全貌」 등 독자의 토론 문장 4편이 발표되었다.

양쯔민은 "궈카이 동지의 글은 단순하고 거친 비평이다. 저자는 『청춘의 노래』의 시대배경과 작품에서 묘사한 구체적인 환경, 그리고 작품 속 인물의 성격적인 특징 및 그 발전 과정을 고려하지 않고, 몇몇 장면을 전체 작품과 분리한 후 모종의 추상적이고 고정적인 개념을 억지로 적용시켜, 결국 일련의 잘못된 판단을 도출하였다. 이는 수많은 독자가 작품을 정확하게 인식하고 작품을 통해 교훈을 얻는 데 도움이 되지 않을 뿐만 아니라, 오히려 혼란을 야기한다"라고 보았다. 원평은 글에서 린다오징이라는 인물 형상과 그 성장 과정을 분석해, 『청춘의 노래』가 '인물이 성장하는 구체적인 과정'을 그려내었다고 보았다. 또한 궈카이의 의문 중 하나, 즉 "그녀는 어떻게 소자산계급 지식분자에서 무산계급 선봉 전사로 변모했는가?"라는 의문은 불필요하다고 보았다.

12일, 『인민일보』에 궈모뤄의 시 「봄이 오니 꽃이 핀다春暖花開」가 발표되었다.

『문회보』에 쥔칭의 「소재와 줄거리題材與故事性」가 발표되었다.

13일, 『인민일보』에 『시간』 1월호에 발표된 궈모뤄의 글 「현재 시가에 존재하는 주요 문제에 관해 본지의 질문에 답하다」가 전재되었다.

『중국청년보』에 구궁의 시 「나의 동지여, 당신을 축복한다!―베이징을 떠나 변경으로 갈 친지들에게我的同志, 祝福你!――給即將離京去邊疆的親人們」가 발표되었다.

15일, 『광명일보』에 도연명 토론에 관한 종합기사 및 네이멍구 공학원의 왕저청汪浙成의 「전면적이고 역사적으로 도연명을 평가해야 한다應該全面地歷史地評價陶淵明」가 발표되었다.

『작품』 제4호에 궈모뤄의 시 9편 「영웅의 나무 아래 꽃이 앞다퉈 피다英雄樹下花爭放」가 발표되었다.

16일, 『인민일보』에 리지의 「꽃 한 송이가 더 피기를 바라다希望再開一朵花」가 발표되었다.

『신관찰』 제4호에 캉줘의 산문 「봄이 와서 꽃이 피니 도처에 향기가 가득하다春暖花開遍地香」가 발표되었다.

『중국청년』 제4호의 '현대 소재를 반영한 문학작품을 어떻게 정확하게 대할 것인가―소설 『청춘의 노래』에 관한 토론'란에 독자들의 토론의 글이 지속적으로 발표되었다. 이번 호에는 마오둔의 「『청춘의 노래』를 어떻게 평가할 것인가?怎樣評價<靑春之歌>?」, 청메이成美의 「중요한 것은 사상 방법이다重要的是思想方法」, 장훙의 「린다오징은 학습할 만한 모범인가?林道靜是値得學習的榜樣嗎?」 등 3편의 글이 발표되었다.

마오둔은 글에서 세 가지 문제에 관해 중점적으로 언급하였다. 첫째로 그는 『청춘의 노래』가 어느 정도의 교육적 의의를 가진 우수한 작품임을 긍정하면서, 이 소설이 "우리(특히 청년 세대)의 혁명 역사에 대한 인식 및 특정한 역사적 시기, 지역, 특정한 군중 속의 당의 혁명 책략과 방침에 대한 인식을 풍부하게 하는 것을 도울 수 있다"라고 보았다. 둘째로 린다오징이라는 인물을 어떻게 평가해야 하는가 하는 문제에 관해 그는 "이 인물의 모습은 진실하다", "린다오징에게는 우리가 배울 만한 점도, 그리고 우리에게 교훈을 주고, 우리가 경계해야 할 만한 점도 있다"라고 보았다. 배울 만한 점은 "그녀가 입당 전에 진리를 추구하고, 자아개조를 단호히 진행하고, 적의 폭력 아래서도 굴하지 않는 정신"이며, 교훈을 얻을 부분은 "그녀가 시시때때로 드러내는 환상과 온정"이라고 지적하였다. 셋째로 인물 묘사와 구조 및 문학 언어 등 세 가지 측면에서 이 소설에 존재하는 결점을 지적하였는데, 마오둔은 "인물 묘사 면에서 린다오징이라는 이 중요 인물은, 몇몇 부분에서는 보다 간결하게 묘사할 수도 있기는 하나, 비교적 세밀하게 묘사되었다. 그러나 작품 속에는 린다오징 외에도 여러 인물(소자산계급 지식분자를 말함)이 등장하지만, 그들은 대부분 '도구'로서 존재할 뿐이다", "구조 면에서, 작가의 수법은 다소 어수선하다", "『청춘의 노래』의 문학 언어는 선명하지 않다고 말할 수는 없으나 색채가 단조롭고, 유창하지 않다고 할 수는 없으나 예리함과 박력, 그리고 리듬감이 부족하고, 서로 다른 상황의 정서에 맞지 않는다 할 수는 없으나 때때로 기세가 부족하거나 혹은 문학적 재능이 부족하다. 작품 전체의 문학 언어에 개성이 결핍되어 있다. 다시 말해, 작가는 아직 자신만의 풍격을 형성하지 못했다"라고 평하였다.

장훙은 글에서 "종합하면, 나는 궈카이 동지의 의견에 동의한다. 린다오징은 적지 않은 혁명가와 접촉했으며 몇몇 학생 운동에 참가했음에도 불구하고 광범위한 공농 속에 뛰어들어 개조에 임하지 않았다. 때문에 그녀는 입당을 했음에도 사상 감정이 철저히 개조되지 않아, 어려움 앞에서 굳세지 못한 모습을 보여주고, 여러 면에서 항상 소자산계급의 사상 감정을 드러낸다. 따라서 그녀를 지식분자 개조의 모범으로 삼아 학습할 수 없다"라고 보았다.

17일, 『중국청년보』에 하오란의 소설 「사랑愛」이 발표되었다.

18일, 『해방일보』에 탕타오의 「민가와 5, 7언－군중창작 만담民歌與五七言——群衆創作漫談」이 발표되었다.

『여행가』제2호에 탕타오의「상하이의 아침上海的早晨」이 발표되었다.

『희극보』제3호에 사설「적극적으로 질을 제고하고, 여러 가지 형식의 희극활동을 전개하자積極提高質量, 開展多種形式的戲劇活動」가 발표되었다.

18일~27일, 중국작가협회에서 문학창작공작 좌담회를 소집하였다. 마오둔이「창작 문제 만담創作問題漫談」이라는 제목으로 발언하였으며 라오서가「규율과 열정規律與幹勁」이라는 제목으로 발언하였다(『문예보』제5호에 게재).

19일, 『인민일보』에 쉬츠의 시「구이산에서 온 편지圭山來信」가 발표되었다.

21일, 『인민일보』에 롼장징의「영춘귤송迎春橘頌」, 옌원징의 우화「해바라기와 돌向日葵和石頭」이 발표되었다.

22일, 『인민일보』에 가오스치의 시「카메룬의 분노의 불길喀麥隆的怒火」이 발표되었다.

중국민간문예연구회와 중국작가협회에서 합동으로 민족민간문학 좌담회民族民間文學座談會를 개최하였다.

23일, 『인민일보』에 마오둔의「달이 둥글고 사람이 장수하고, 빛나는 것은 더욱 빛나고, 썩지 않는 것은 영원히 썩지 않기를!願月圓人壽, 光明的更光明, 不朽的永遠不朽!」과 장융메이의 시「타오메이陶妹」가 발표되었다.

『베이징문예』제4호에 톈한의 시「하이뎬 잡영海澱雜詠」이 발표되었다.

24일, 『인민일보』에 마오둔의「문학의 민족형식 만담漫談文學的民族形式」이 발표되었다. 마오둔은 "문학의 민족형식의 중요한 요소는 문학 언어이다. 그러나 민족문학이 오랫동안 발전하는 과정에서 창조되어 온 표현방식을 무시할 수는 없다"라고 보았다. 그는 언어라는 요소가 민족형식에서 가지는 절대적인 중요성을 인정하면서, 이것이 민족형식의 문학이 외국어로 번역될 가능성을 부정하는 것과는 다르다고 보았다.

25일, 『광명일보』에 평론기사 「문학계에서 신시가 발전문제를 열렬히 토론하다文學界熱烈討論新詩歌發展問題」가 발표되었다.

『문회보』에 야오원위안의 「변증법, 단편성, 그리고 절충주의에 관하여─바런 동지와 두 가지 문제를 토론하다略談辯證法、片面性和折衷主義──和巴人同志討論兩個問題」가 발표되었다.

『문학평론』 제1호에 허치팡의 글 「시가 형식 문제에 관한 논쟁關於詩歌形式問題的爭論」이 발표되어 그가 1958년 7월에 발표했던 「신시의 백화제방 문제에 관하여關於新詩的百花齊放問題」에 대해 해명하고 반성하였다. 같은 호에 쉬츠의 「민가체에 관하여談民歌體」, 리양의 「시의 나라의 백화제방詩國上的百花齊放」, 펑즈의 「신시의 형식 문제에 관하여關於新詩的形式問題」 등의 토론문과 바런의 평론 「현실주의인가 아니면 반현실주의인가─펑쉐펑의 '현실주의' 이론에 대한 초보적 비판是現實主義還是反現實主義──對馮雪峰的"現實主義"理論的初步批判」이 발표되었다.

『시간』 제2호에 톈젠의 장편이야기시 『영웅 군가英雄戰歌』와 사어우의 평론 「도로는 넓고, 꽃들이 아름다움을 다툰다道路寬闊, 百花爭豔」가 발표되었다.

『희극연구戲劇研究』가 창간되었다. 본 간행물은 『희극논총』과 『희곡연구』가 합병된 희극 이론 잡지이다. 톈한이 창간호에 발간사를 발표해 여러 희극공작자들에게 『희극연구』라는 지면을 이용해 "중국에 마르크스레닌주의 희극 미학을 수립해 중국만의 독특한 공연감독의 풍부한 경험을 이론의 수준으로 제고하고, 역대 희극가들이 수백 년간의 실천 속에서 형성한 연기 체계를 체계화 및 이론화해 중국만의 공연 감독 체계를 수립"하는 방법 등의 과제를 해결할 것을 호소하였다. 창간호에는 천모陳默의 「희극창작의 새로운 과제─인민 내부의 모순 반영戲劇創作的新課題──反映人民內部矛盾」, 리강李剛의 「극작에서의 실제 인물 및 사건 문제 만담漫談劇作中的真人真事問題」, 다이부판의 「「뻐꾸기가 또 울었다」의 인물묘사<布穀鳥又叫了>的人物描寫」 등의 글이 발표되었다.

천모(1922~), 본명은 천톈위陳天育이며 필명은 딩난丁南, 거창葛暢 등으로 후난성 난현南縣 출신이다. 1941년에 혁명에 참가하였다. 『문예보』 편집부 주임, 인민문학출판사 희극편집실 부주임, 중국희극출판사 사장을 역임하였다. 1957년부터 작품을 발표하였다. 저서로 논문집 『몇몇 극목을 통해 혁명적 현실주의와 혁명적 낭만주의의 결합을 말하다從幾個劇目談革命現實主義和革命浪漫主義相結合』, 『화극창작의 몇 가지 문제 질의話劇創作中幾個問題質疑』 등이 있다.

26일, 『광명일보』에 「작년에 단편소설이 풍작을 거두다去年短篇小說獲得豐收」라는 제목의 총론이 발표되었다.

『문예보』 제4호에 장광녠의 평론 「누가 '톨스토이는 쓸모가 없다'고 말하는가?」가 발표되었다.

그는 글에서 1958년 10월 6일자 『신민만보』에 발표된 탄웨이의 「톨스토이는 쓸모가 없다」에 대해 비판하였다. 같은 호의 『청춘의 노래』 토론란에 궈카이의 「『청춘의 노래』를 통해 문예창작과 비평의 몇 가지 원칙 문제를 말하다―양모 동지의 소설 『청춘의 노래』를 다시 평하다就<青春之歌>談文藝創作中和批評的幾個原則問題――再評楊沫同志的小說<青春之歌>」가 발표되었다. 궈카이는 글에서 세 가지 문제에 관한 자신의 견해를 발표하였다. 첫째로 "공산당원을 묘사함에 있어 반드시 엄숙하고 진지해야 한다"는 문제에 관해, 그는 "린다오징의 사상 수준은 급진적인 민주주의자 수준까지만 올라왔을 뿐, 공산주의자의 수준에 완전히 도달하지 못했다. 우리는 그녀가 옛 자아의 핵심, 즉 개인 영웅주의를 파괴하는 과정을 볼 수 없기 때문이다. 따라서 작가가 그녀를 입당시키기는 했지만, 독자들은 그녀가 공산당원이라고 분명히 느낄 수 없다"라고 보았다. 둘째로 "문예창작과 문예비평에서 계급 관점을 견지해야 한다"는 문제에 관해, 그는 "린다오징은 당연히 지주 계급 출신의 여학생이다. 그러나 작가는 린다오징의 생모가 소작농이라는 점을 포착해 린다오징이 완전한 지주 계급 출신이 아니며, 그녀에게는 지주 계급의 요소와 소작농의 요소가 모두 존재한다고 주장한다. 이는 옳지 않다"라고 보면서, "비평공작에도 계급 관점이 결핍된 표현이 존재한다"라고 지적하였다. 셋째로 "역사를 정확하게 반영해야 한다"는 문제에 관해서는 "소설 속에는 역사적 분위기에 관한 묘사가 매우 부족하다", "12·9운동은 중요한 역사적 사건이다. 이 소설은 학생운동에 대한 묘사가 그 중심 내용임에도 이 학생운동을 잘 표현하지 못했다. 이는 매우 큰 결점이라고 보아야 한다", "바로 이러한 이유로 소설의 진실성뿐만 아니라 인물의 성장에도 큰 영향을 끼쳤다"라고 보았다.

27일, 『인민일보』에 궈모뤄의 시 「다시 때맞춰 눈이 내리다再喜雪」가 발표되었다.

『중국청년보』에 야오원위안의 「세 부류의 사람의 세 가지 '냉담함'三種人的三種"冷"」이 발표되었다.

『해방일보』에 야오원위안의 「'가둬둘 수 없는' 정신을 발양하자發揚"關不住"精神」가 발표되었다.

28일, 중국희극가협회에서 희극좌담회를 소집해 화극 발전 문제에 관해 토론하였다. 좌담회는 톈한이 주관하였으며 궈모뤄, 어우양위첸, 샤옌, 양한성, 리보자오, 천치퉁, 어우양산쭌 등이 참석하였다. 톈한은 서두에 "온갖 방법을 써서 화극의 사상과 예술의 질을 제고해야 한다", "화극 발전을 방해하는 모든 걸림돌을 찾아내 제거하고……적극적 요소를 찾아내 이를 긍정하고 보급해야 한다"라고 주장하였다. 리보자오는 "반드시 화극을 발전시켜야 한다", 어우양산쭌은 "희곡과 화극을 대립시켜서는 안 된다", 궈모뤄는 "화극에 낭만주의를 더해야 한다", 차오위는 "'중도 포기'를 반드시 피해야 한다" 등 각기 다른 관점과 주제에 대해 발언하였다(『희극보』 제5호에 관련 발언이 게재되었다).

『인민일보』에 타오주의 글「소나무의 풍격松樹的風格」이 발표되었다(『신관찰』 제5호에 최초 발표).

이달에 중앙선전부에서 선전공작회의를 소집해 '대약진' 과정에서의 문예공작에 존재하는 과열, 과장, 편향 등의 문제에 대해 비평하였다. 루딩이는 "중심을 창작하고, 중심을 그리고, 중심을 노래"하는 방법에 대해, 저우양은 "모든 이가 노래하고, 춤을 추고, 시를 쓰고, 그림을 그리고……" 등의 방법에 대해 연설하였다. 문화부 당조에서 1958년도 공작을 점검하였다.

궈샤오촨이 춘절 기간에 시「엄격한 사랑嚴厲的愛」을 창작하였다(1979년 『수확』 제1호에 발표).

뤄광빈, 류더빈劉德彬, 양이옌楊益言이 합동 창작한 혁명 회고록『열화 속에서 영생하다在烈火中永生』가 중국청년출판사에서 출간되었다.

양이옌(1925~2017), 쓰촨성 우성武勝 출신이다. 1944년에 퉁지대학同濟大學에 입학하였다. 1948년에 학생운동에 참가했다는 이유로 퇴학당한 후 같은 해 8월에 충칭에서 체포되어 충칭 자쯔둥 수용소에 구금되었다. 공화국 성립 후에 공산주의청년단 충칭시위원회에서 근무하였다. 쓰촨성 충칭시 문련 부주석, 충칭시 작가협회 부주석을 역임하였다. 저서로 혁명 회고록『열화 속에서 영생하다』(합동 창작), 장편소설『붉은 바위紅岩』(합동 창작), 『대후방大後方』, 『비밀 세계秘密世界』 등이 있다.

『인민문학』 편집부에서 편찬한 평론집『현실주의인가 아니면 수정주의인가?現實主義還是修正主義?』가 작가출판사에서 출간되었다.

사어우의 시론집『신민가 학습學習新民歌』이 베이징출판사에서 출간되었다.

리준, 왕옌페이王燕飛의 화극『흙 전문가土專家』가 중국희극출판사에서 출간되었다.

3월

1일, 『신항』 3월호에 리지예의 평론「신민가와 신시에 관한 서신一封關於新民歌和新詩的信」이 발표되었다.

『불꽃』 3월호에 마펑의 평론 「현재 창작에 존재하는 몇 가지 문제에 관하여談目前創作中的幾個問題」가 발표되었다. 그는 글에서 "대작을 쓸 욕심만을 부려서는 안 된다", "어떻게 하면 작품을 짧게 쓸 수 있는가", "실제 인물 및 사건과 예술적 가공" 등의 문제에 대해 토론하였다.

『초원』 3월호에 '베이징 작가들이 네이멍구 백만 민가 전람회에 보낸 헌시' 특집란이 개설되어 마오둔의 「웅장한 뜻이 더욱 웅장해지기를歌雄心更雄」, 라오서의 「마음이 뜨거우면 겨울에도 꽃이 핀다心熱冬天花也開」, 짱커자의 「오늘날 시 짓기를 다투는 이들이 무리를 이룬다今天賽詩人成群」 등의 시가 발표되었다.

『열풍』 3월호에 리잉의 시 「해안 방어 전선에서 보낸 편지寄自海防前線的詩」가 발표되었다.

『별』 제3호에 원제의 시 「허시에서의 주 총리朱總在河西」('허시 회랑행' 제7편)가 발표되었다. 같은 호에 쓰촨문련에서 주관한 신시 노선 문제 좌담회의 발언 개요와 사어우의 이론 「소재 선택― '시를 어떻게 쓸 것인가'에 관한 두 번째 서신取材――"怎樣寫詩"的第二封信」이 발표되었다.

『중국청년』 제5호에 허치팡의 「『청춘의 노래』를 부정할 수 없다<青春之歌>不可否定」가 발표되었다. 허치팡은 글에서 이 소설을 다시 읽은 후에 "이 소설의 장점을 더욱 많이 느끼게 되었고, 때문에 이 소설이 폭넓게 유행하는 이유를 더 명확히 알게 된 듯하다"라고 밝히면서, "작가는 '소자 산계급의 입장에 서서' 그녀(린다오징)을 묘사한 것이 아니며, '그들의 결점마저 동정하고 심지어 부추긴' 것이 아니다"라고 보았다. 또한 "궈카이 동지가 본인의 글에서 표현한 주관주의의 성질은 사실상 교조주의이다"라고 지적하였다.

양모의 소설 『청춘의 노래』에 관해서는 일찍이 1958년 4월 17일에 『인민일보』에 왕스더의 평론 「지식분자의 혁명의 길―장편소설 『청춘의 노래』를 평하다知識分子的革命道路――評長篇小說<青春之歌>」가 발표되어 이 소설에 대해 높이 평가하면서, 『청춘의 노래』가 "민족과 혁명을 위해 자신을 돌보지 않고 분투하는 혁명 지식분자를 열정적으로 노래했으며, 나약하고 저속한 인간 말종과 비열하고 수치스러운 반역자를 강력히 규탄하였다. 동시에 몇몇 정직하고 선량하지만 어리석은 호인들의 각성 과정을 세밀하게 표현하였다. 이 소설을 통해 우리는 교육과 고무의 효과를 얻을 수 있으며, 무엇을 학습하고, 무엇을 포기하고, 또한 자신의 길을 어떻게 선택해야 하는지를 알게 된다. 오늘날 사상적으로 건전하고 기술적으로 우수해지는 길을 열렬히 탐구하고 있는 수많은 지식분자들에게 이 소설은 더욱 강렬한 현실적 의의를 가진다. ……『청춘의 노래』는 어지러운 시대의 각종 지식분자들의 모습과 변화를 본질에 파고들어 반영했으며, 생생하고 구체적인 역사의 화면을 그려내어 후세에 중요한 의의를 가질 뿐만 아니라, 우리가 개조를 요구하는 오늘날의 수많은 지식분자들에게 있어서도 현실적인 교육 의의를 가진다"라고 평가하였다.

1959년 초에『청춘의 노래』는 이미 전국적으로 유행해 영화로도 제작되었다.『중국청년』1959년 제2호에 베이징 진공관 공장의 공인 궈카이의 글「린다오징에 대한 묘사에 나타난 결점에 관하여」가 발표되어 최초로『청춘의 노래』에 대해 공개적으로 비평하였다. 궈카이의 비평은 사회적으로 큰 반향을 불러일으켜,『청춘의 노래』에 대한 전국적인 토론이 전개되어『중국청년』과『문예보』등에도 관련 특집란이 개설되었다.『문예보』1959년 제2호에 청신의「린다오징의 묘사에 관하여」, 췬리의「『청춘의 노래』의 부족한 점」등 두 편의 글이 발표되어 토론이 시작되었다. 청신은 린다오징의 인물 창조에 대한 궈카이의 비평과 부정에 동의하지 않았다.

『중국청년』1959년 제3호에 자오잉趙鷹的의「『청춘의 노래』는 소자산계급의 자아 표현인가?“靑春之歌”是小資産階級的自我表現嗎?」, 왕스더의「문학작품을 단순하고 기계적으로 평가해서는 안 된다不能簡單機械地評價文學作品」, 커리可立의「『청춘의 노래』에 대한 궈카이 동지의 비평에 관하여談談郭開同志對“靑春之歌”的批評」등 세 편의 토론문이 발표되었다. 왕스더는 궈카이의 관점을 반박하며 "정치적인 기준이 최우선으로, 이를 반드시 고수해야 한다는 데는 의문의 여지가 없다. 그러나 동시에 예술적인 특징을 잘 발휘해 이러한 원칙과 방법을 구체적으로 관철하고 융통성 있게 운용해야 한다. 이 역시 불구가 되지 않는 '두 다리'이다. 작품을 읽는 과정에서 비정치적인 관점에 근거해, 혹은 예술적 특징에 근거하지 않고 구체적으로 분석하는 형이상학적인 방법은 모두 반드시 비판하고 극복해야 한다"라고 보았다. 그는 궈카이의 글이 후자의 오류의 표현이라고 보면서,『청춘의 노래』에 대해 궈카이가 제기한 요구와 비평이 불합리한 것이라고 지적하였다.『문예보』1959년 제3호에 양쯔민의「실사구시인가 아니면 단순하고 거친 것인가」, 원펑의「린다오징을 위한 변론」, 중왕의「린다오징에 대한 나의 견해」, 리칭의「단면을 통해 전체적인 모습을 반영해야 한다」등의 글이 발표되었다. 양쯔민 등의 글은 모두 궈카이의 관점에 대해 비평을 진행하였다.

마오둔은『중국청년』1959년 제4호에「『청춘의 노래』를 어떻게 평가할 것인가?怎樣評價<靑春之歌>?」라는 제목의 글을 발표해 "작가가 소자산계급 지식분자의 사상개조를 묘사하려 한다면, 인물의 행동 속에 나타나는 소자산계급 사상 의식의 표현과 그 완고함을 중점적으로 묘사할 수밖에 없다. 이러한 내용을 중점적으로 모사하는 것은 바로 이를 중점적으로 비판하기 위해서이다"라고 지적하였다. 그는 또한 린다오징이라는 인물이 진실하며, 전형성과 교육적인 의의를 가지고 있다고 명확하게 지적하였다. 권위를 가진 인물이 이러한 결론을 내리자「청춘의 노래」는 요행히 한고비를 넘겨, 계속해서 대량으로 발행되게 되었다.

『세계문학』3월호에 위안잉의 평론「봄풀이 무성해 도처가 푸르다—트바르도브스키의 장시『춘초국』을 읽고春草芊芊遍地綠——喜讀特瓦爾朵夫斯基的長詩<春草國>」가 발표되었다.

2일, 문화부에서 출판공작 보고회를 소집해 출판물의 품질 제고, 출판공작의 전체적인 규칙, 출판물의 분업 및 간부 양성 등의 문제에 대해 중점적으로 토론하였다.

『문회보』에 궈샤오위의 「약진의 노래躍進歌」가 발표되었다.

3일, 『극본』 3월호에 돤청빈段成濱, 린스쥔林士俊이 창작한 13장 화극 「용을 굴복시키고 범을 제압하다降龍伏虎」가 발표되었다.

4일, 『인민일보』에 궈모뤄의 「땅에 머물기, 하늘 유람하기 및 기타坐地、巡天及其它」가 발표되었다(3월호 『시간』에 전재). 그는 글에서 이전에 『시간』 1월호에 발표한 글 「현재 시가에 존재하는 주요 문제에 관해 본지의 질문에 답하다」의 몇몇 문제들을 수정하였다. 같은 호에 캉줘의 산문 「안궈의 보리밭이 모두 비단처럼 아름답다安國麥田皆似錦」, 가오스치의 지식소품 「대해가 우리에게 준 선물大海給我們的禮物」이 발표되었다.

5일, 『문예월보』 3월호에 후완춘의 소설 「세계적인 의의를 가진 때具有世界意義的時候」, 궈모뤄의 「시 2편詩二首」이 발표되었다. 같은 호의 '창작담'란에는 예성타오의 「작품 속에서 공사 기술에 관련된 부분作品裏涉及工程技術的部分」이 발표되었다.

『북방문학』 3월호에 광즈의 「우리 시대의 새로운 인물 형상을 창조하자塑造我們時代新人物的形象」가 발표되었다.

『광명일보』에 '조조를 어떻게 평가할 것인가'란이 개설되어 류이빙劉亦冰의 「조조를 정확하게 평가해야 한다應該給曹操一個正確的評價」, 위안량쥔袁良駿의 「조조를 객관적으로 평가해야 한다要客觀地評價曹操」, 아오성傲聲의 「조맹덕이 해방되다曹孟德翻身了」가 발표되었다.

6일, 『광명일보』에 류바이위의 「새로운 생활을 위해 길을 닦는 사람—소련 영화 「공산당원」을 보고爲新生活鋪道路的人——蘇聯電影<共産黨員>觀後感」, 룽성戎笙의 「「채문희」 속의 조조 형상의 진실성에 관하여談<蔡文姬>中曹操形象的真實性」가 발표되었다. 룽성은 글에서 "궈모뤄 동지는 이 사건을 대담하게 뒤엎어 역사적 진실의 기초 위에서 조조라는 예술적 형상을 창조하였다. 궈 동지가 표현한 조조는 사람들의 인상 속의 간신 형상과는 전혀 다르지만, 이것이 오히려 역사 속의 진정한 조조이다. 궈 동지는 이 극본에서 조조의 명예를 회복하고, 역사의 본래 모습을 환원하였다. 이것은 대담한 예술창조이자 공정한 역사적 평가이다"라고 보았다.

7일, 『전영창작』 3월호에 샤옌이 마오둔의 「린씨네 가게」를 각색한 영화문학 극본이 발표되었다.

8일, 『광명일보』에 린모한의 「삶이 얼마 남지 않은 서방세계風燭殘年的西方世界」가 발표되었다.
『인민문학』 3월호에 스퉈의 소설 「·정치 교사'政治教師'」, 장톈민張天民의 시 「푸른 하늘 아래, 대설원藍天下, 大雪原」, 궈샤오촨의 장시 『장군 3부작─월하將軍三部曲之──月下』(『장군 3부작將軍三部曲』은 월하月下, 무중霧中, 풍전風前의 3부로 구성되며, 1961년 12월에 작가출판사에서 초판이, 1978년 10월에 인민문학출판사에서 재판이 출간되었다), 사어우의 정치 풍자시 「덜레스의 잠꼬대杜勒斯的夢囈」, 라오서의 3막 13장 화극 「여자 점원女店員」, 천샹허의 산문 「베트남 방문기越南走訪記」, 왕라오주의 「나의 창작과 생활을 말하다」, 바런의 「단편소설 창작에 관한 몇 가지 문제有關短篇小說創作的幾個問題」, 탕타오의 「인물 창조 3제人物創造三題」가 발표되었다.
『문학지식』 3월호에 마펑의 「「3년 일찍 알다」의 창작 과정<三年早知道>的寫作經過」이 발표되었다.

9일, 『인민일보』에 구궁의 「새 집新的家」(외 2장), 톈젠의 시 「편지信」가 발표되었다.
『광명일보』에 톈한이 청옌추를 기념해 집필한 글 「청옌추 동지를 기념하고, 그의 예술창조를 발전시키자紀念程硯秋同志, 發展他的藝術創造」가 발표되었다.

10일, 『인민일보』에 린모한의 「신화와 현실神話和現實」 등의 글이 발표되었다.
『광명일보』에 왕쿤룬의 「역사 속의 조조와 무대 위의 조조歷史上的曹操與舞台上的曹操」가 발표되었다. 그는 글에서 "중국 민족이 예로부터 가지고 있는 자신만의 도덕 관점을 무시할 수는 없지만, 역사적 인물을 평가할 때는 우선 그가 역사에 대해 가지는 객관적 역할을 판단해야 한다. 우리는 현재 역사 연구와 역사 교육 공작을 진행함에 있어 더 이상 무대 위의 교활한 모습으로써 역사 속의 봉건 영웅의 정신적 면모를 대체해서는 안 되며, 역사유물주의에 근거해 역사의 진실을 재인식하고 역사적 인물의 시비와 공과를 분명히 구별해야 한다"라고 보았다.

11일, 『문예보』 제5호에 중국작가협회 창작공작좌담회에서의 마오둔의 발언 「창작 문제 잡담創作問題漫談」이 발표되었다. 그는 발언에서 "작년의 대약진의 기초 위에서 어떻게 제고할 것인가"라는 문제에 대해 논의를 전개해 '사상 제고'와 '예술 제고' 등 두 가지 문제를 중점적으로 제기하면서, "혁명적 낭만주의 정신은 물론 충분하지만, 혁명적 현실주의, 즉 현실에 대한 과학적 분석은 아직 부족하다"라고 지적하고, 이러한 점을 "작품에서 인민의 내부 모순을 반영함에 있어 깊이가 부족한 점에서 엿볼 수 있다"라고 보았다. 예술 제고 측면에 대해서는 "하나는 감상 능력의 제고, 다른 하나는 표현력의 제고이다"라고 보았다. 그는 특히 "문예 전통에 대한 견해에 있어 우리는 당연히 옛것을 중시하고 지금 것을 경시하는 데 반대하고, 옛것을 발전 계승해 오늘의 현실에 적용해야 한다"라고 지적하면서, "소재 범위가 한정적인 문제", "혁명적 낭만주의에 대한 오해", "생산과 중심공작을 위해 복무하는 것에 대한 단편적인 견해" 등 "문예발전과 제고에 불리한 현상"을 주의해야 한다고 지적하였다. 마지막으로 그는 인물의 묘사 문제에 대해 '전형적 인물'과 '영웅 인물'을 구별해야 한다고 보았다.

『문예보』 같은 호에 중국작가협회 창작공작좌담회에서의 라오서의 발언 「규율과 열정規律與幹勁」이 발표되었다. 그는 글에서 지난 1년간의 문예공작을 전체적으로 정리하고, "문예창작에는 그 나름의 규율이 있으므로, 서두르기만 해서 작품을 창작할 수는 없다"는 점과, "약진 계획은 반드시 양과 질을 모두 고려하고, 규율과 열정이 평행을 이루게 해야 하며, 문체 면에서 백화제방을 추구해야 한다"는 점을 지적하였다. 같은 호에 쉬츠의 「여행기 만담漫談遊記」 등의 글이 발표되었다.

12일, 『인민일보』에 주더의 「시 8편詩八首」이 발표되었다.

14일, 『문회보』에 『중국문학사中國文學史』에 관한 토론 상황 기사 「『중국문학사』 논쟁이 확대되어 학술계의 광범위한 주의를 불러일으키다<中國文學史>擴大論戰, 引起學術界的廣泛注意」 및 베이징 희극계의 화극 발전 상황 토론에 대한 기사 「수도 희극계에서 화극 발전 문제를 토론하다. 궈모뤄는 화극에 낭만주의 요소를 증가시키고 영화 및 경극과 협력할 것을 주장하고, 샤옌은 화극 배우들이 희곡계 선배들의 부지런히 배우고 연마하는 정신을 배워야 한다고 보다首都戲劇界探討話劇發展問題, 郭沫若主張話劇增加浪漫主義成分, 與電影京劇協作, 夏衍認爲話劇演員要學習戲曲界老前輩勤學苦練精神」가 게재되었다. 같은 호에 왕시옌의 이론 「생활의 실제에서 예술 구조까지從生活實際到藝術結構」가 발표되었다.

15일, 『문회보』에 탕타오의 이론 「겉에서 속까지-'인물 창조 속편 3제' 제1편從表到裏——"人

物創造續三題"之一」이 발표되었다.

『희극보』제5호에 2월 28일에 열린 중국희극가협회 희극좌담회 관련 기사가 게재되었다. 같은 호에 톈한이 청옌추를 기념해 집필한 글「청옌추 동지를 기념하고, 그의 예술창조를 발전시키자!」와 메이란팡의「옌추 동지의 예술생활을 추억하며追憶硯秋同志的藝術生活」등의 글이 발표되었다. 이번 호에는 '현실과 이상의 토론'란이 개설되어 대약진 이후에 탄생한「붉은 위성이 천궁을 떠들썩하게 하다紅色衛星鬧天宮」,「견우직녀가 활짝 웃다牛郎織女笑開顔」등 사람과 신이 함께 등장하는 몇몇 희곡에 대해 토론을 전개하였다.「견우직녀가 활짝 웃다」는 1958년 대약진 시기에 출현한 작품들 중 가장 큰 영향을 끼친 '신신화극新神話劇'으로, 이러한 희곡 현상에 대해 희곡계에서는 격렬한 논쟁을 전개하였다. 이번 토론의 주된 내용은 1.「견우직녀가 활짝 웃다」및 유사 작품에 대한 평가, 2. 현실과 이상의 관계, 3. 신화적 정서와 신화적 논리 문제 등 세 부분에 집중되었다.

16일,『문회보』에 친무의 산문「남국의 봄南國之春」이 발표되었다.

18일,『문회보』에 탕타오의「'9대 0'인가 아니면 '2대 1'인가—'인물 창조 속편 3제' 제2편"九比〇"還是"二比一"——"人物創造續三題"之二」가 발표되었다.

19일,『인민일보』에 톈한의「더욱 속도를 가해 희극을 발전시키자快馬加鞭發展戲劇」가 발표되었다. 그는 글에서 '좋은 극본을 많이 창작하는 것', '좋은 연극을 많이 공연하는 것', '청년 배우를 많이 양성하는 것', '건설적인 평론을 많이 쓰는 것' 등에 대해 토론을 전개하였다.

『광명일보』에 우한의「조조를 논하다論曹操」가 발표되었다. 우한은 "조조라는 역사적 인물에 대해서는 그가 역사서와 역사박물관에서 상당한 지위를 가지고 있음을 반드시 긍정해야 한다. 그러나 역사적 인물에 대한 토론을 예술 작품 속의 인물과 완전히 동일시해서는 안 된다. 옛 희곡 가운데 조조에 관한 희곡은 그대로 공연할 수 있다. 이미 정형화된 조조에 관한 희곡은 옛날부터 있어 왔던 것이므로 고치지 않는 것이 좋다……이를 수정하기보다는 새로 창작하는 것이 낫다. 역사에 관한 소재는 대단히 많은데, 옛 희곡을 수정할 생각만 할 필요가 있는가?"라고 보았다.

『중국청년보』에 광수민, 황지창黃際昌의 중편소설「샹슈리向秀麗」의 연재가 시작되었다.

20일,『광명일보』에 궈모뤄의「「호가십팔박」을 다시 말하다再談＜胡笳十八拍＞」가 발표되었다.

21일, 베이징인민예술극원이 베이징에서 라오서의 3막 13장 화극「여자 점원」을 공연하였다
(극본은『인민문학』3월호에 발표).

21일~23일,『문회보』에 스퉈의 새로 쓴 옛 이야기「조조曹操」가 연재되었다.

22일,『인민일보』에 진진의「동요 선집兒歌選」이 발표되었다.
　『윈난일보雲南日報』에 태족傣族 시인 캉랑잉康郎英의 장시『류사허의 노래流沙河之歌』가 발표되었
다(1959년 8월에 작가출판사에서 초판 발행).

23일,『인민일보』에 궈모뤄의「조조의 명예를 회복하다替曹操翻案」가 발표되었다(24일자『광
명일보』에 전재). 궈모뤄는 역사와 문화라는 관점에서 조조를 새롭게 평가해, "조조는 비록 황건
적을 공격하기는 했으나 황건적 봉기의 목적을 위배하지는 않았다", "조조가 오환을 평정한 것은
반침략적인 성격을 띤 전쟁으로, 인민의 지지를 얻었다", "조조가 살인을 한 문제에 대해서는 역사
적 사실에 근거해 다시 고려해야 한다", "조조는 민족과 문화의 발전에 큰 공헌을 했다……조조가
특별히 왜곡당한 가장 주된 원인은 정통적 관념의 통치에 있다고 할 수밖에 없다", 따라서 "오늘날
그의 명예를 회복해야 한다"라고 주장하였다. 같은 호에 '조조 문제를 어떻게 평가할 것인가에 관
한 토론' 기사가 게재되었다. 토론은 "조조가 봉건적인 정통 역사관에 해를 끼쳤음을 부정한다",
"조조를 간신으로 보는 것은 그가 인민에게 심각한 죄를 범했기 때문이다", "역사상의 조조와 무
대 위의 조조는 구별해서 대해야 한다", "조조의 사업 전체를 평가하면 그는 공이 과보다 크다" 등
의 결론을 얻었다. 같은 호에 린모한이 미 제국주의를 비판한 글「진상을 감추려 할수록 잘못이 드
러나다欲蓋彌彰」가 발표되었다.
　『민간문학』3월호에「옛 혁명가요 5편老革命歌謠五首」, 「태평천국의 노래太平天國的歌謠」, 「의화
단의 노래義和團的歌謠」가 발표되었다.

24일, 문화부에서「원고료 기준 하향의 몇 가지 문제에 관한 통지關於降低稿酬標准的幾個問題的通
知」를 발포해 1958년 10월 10에 원고료를 절반으로 인하하자는 제안이 시행된 후에 나타난 문제
를 지적하면서, 원고료 기준을 최대한 반으로 낮추는 원칙을 고수하고, 인세의 비율은 문화부에서
1958년 7월 14일에 발포한 임시 시행 규정의 계산 방법을 다시 사용할 것을 요구하였다. 원고료

인하 이후에 생활이 어려워져 생활수준이 지나치게 하락한 전업작가에 대해서는 인하 비율을 낮추거나 혹은 인하하지 않거나, 혹은 기타 적절한 방법을 통해 보살피기로 하였다.

『수확』제2호에 라오서의 화극 극본 「전가복全家福」(3막 7장), 루즈쥐안의 단편소설 「높디높은 백양나무」, 정쥔리의 영화문학 극본 「임칙서林則徐」, 바진의 「폴레보이에게 보내는 서신給波列伏依的信」, 야오원위안의 평론 「'바이란화'와 '딩유쥔'을 논하다論"白蘭花"和"丁佑君"」 및 중국작가협회 하방노동단련소조下放勞動鍛煉小組의 「보리밭 인민공사사麥田人民公社史」가 발표되었다.

『인민일보』에 '공장사' 특집란이 다시 개설되어 톈진 공장사 집필의 경험을 정리하고, 「고리키가 공장사를 논하다高爾基論工廠史」를 번역 소개하였다. 이 외에도 류몐즈의 독서 잡기 「명대의 화기明代的火器」, 광지의 글 「공장사의 발전 가능성이 크다工廠史大有可爲」가 발표되었다.

25일, 『문회보』에 류다제의 「조조의 인도주의에 관하여關於曹操的人道主義」가 발표되었다.

『시간』3월호에 짱커자의 장시 『리다자오李大釗』 및 왕야핑의 시 「쑹장차오·량산 처녀宋江草·梁山姑娘」, 원제의 「'허시 회랑행'의 헌사와 후기"河西走廊行"的獻詞及後記」 등이 발표되었다.

26일, 『인민일보』에 아이우의 「낭만주의와 현실주의 결합의 일례-천극 「거중연」을 보고浪漫主義和現實主義結合一例——川劇<櫃中緣>觀後感」가 발표되었다.

『중국청년보』에 짱커자의 장시 『리다자오』가 발표되었다.

『해방일보』에 웨이진즈의 「민가의 전통에 관하여略談民歌的傳統」가 발표되었다.

『문예보』제6호에 빙신의 시 「평화를 수호하는 이들이여, 일어나라!保衛和平的人們, 起來!」가 발표되었다.

27일, 저우양이 사회주의 문화건설 문제에 관해 광둥성 문화계에 보고를 진행하였다.

문화부에서 중공중앙에 「각지 전영제편창의 건설 방침에 관한 지시 요청 보고關於各地電影制片廠的建設方針的請示報告」를 상신해 단호한 조치를 취해 각지에 극영화 제편창이 새로 건설되는 것을 제지해 달라고 건의하였다.

『문회보』에 조조 평가 문제에 관한 토론문 「조조를 어떻게 평가할 것인가? 탄치샹이 궈모뤄의 「조조의 명예를 회복하다」에 드러난 일부 견해에 동의하지 않다怎樣評價曹操?譚其驤不同意郭沫若<替曹操翻案>文章中的若幹看法」가 발표되었다.

28일, 『광명일보』에 궈모뤄의 「「호가십팔박」 화권 발문跋<胡笳十八拍>畫卷」이 발표되었다.

『문회보』에 탕타오의 「인물의 언어-'인물 창조 속편 3제' 제3편人物的語言——"人物創造續三題"之三」이 발표되었다.

29일, 『광명일보』의 『문학유산』 특집호에 도연명 시에 대한 토론의 글이 지속적으로 발표되었다. 베이징대학 중문과 56기 4반 '마오쩌둥 문학사'의 「도연명의 사상 및 그 작품의 인민성에 관하여談談陶淵明的思想及其作品的人民性」와 『문학유산』 편집부의 「몇 가지 문제를 제기하다提出幾個問題」가 발표되었다.

30일, 중공중앙에서 「간행물 및 서적 출판발행공작의 몇 가지 문제에 대한 통지關於報刊書籍出版發行工作的幾個問題的通知」를 발포하여 출판물의 발전은 반드시 국가와 인민군중의 진실한 수요에 근거해야 하며, 반드시 우선적으로 품질에 주의하고, 그 실제적인 효과를 고려해야 하며, 결코 출판을 위해 출판하거나 발행을 위해 발행해서는 안 된다고 지적하였다.

『희극보』제6호에 「궈모뤄 동지가 「채문희」의 창작을 말하다郭沫若同志談<蔡文姬>的創作」가 발표되었다.

31일, 『인민일보』에 샤오싼이 집필한 『혁명열사 시초革命烈士詩抄』의 서문이 「피로 쓴 큰 글자血液寫成的大字」라는 제목으로 발표되었다.

『문회보』에 탄치샹의 「조조를 논하다論曹操」가 발표되었다.

『산시일보陝西日報』에 두펑청의 「화극 「옌안을 보위하라」 약론略論話劇<保衛延安>」이 발표되었다.

이달에 베이징 화극계 인사들이 2월 28일, 3월 18일, 3월 24일에 세 차례 좌담회를 소집해 혁명적 현실주의와 혁명적 낭만주의의 결합 문제, 공농 노동인민과의 더욱 긴밀한 결합 문제, 전통과 외국의 우수한 희극전통에 대한 학습 문제 등 화극의 제고와 발전에 관한 각종 문제에 대해 열띤 토론을 전개하였다. 톈한, 리보자오, 어우양산쭌, 우쉐, 궈모뤄, 어우양위첸, 샤옌, 양한성, 라오서, 후단페이, 댜오광탄 등이 참석해 발언하였다. 『희극보』제5호부터 제7호까지 좌담회 발언의 상세한 내용이 여러 차례 게재되었다. 『인민일보』4월 2일자에 기사 「사상과 예술의 질을 제고해 화극이 더욱 날카로워지게 하자提高思想質量和藝術質量, 讓話劇更加鋒利」가, 『광명일보』4월 7일자에 기사

「화극이라는 꽃이 더 잘 피게 하자讓話劇這朵鮮花更好地開放」가 게재되었다.

왕롄王煉이 각색한 7장 화극『마른 나무에 꽃이 피다枯木逢春』가 상하이문예출판사에서 출간되었다. 본 화극은『상하이희극上海戱劇』제3호에 최초 발표되었다.

리지의 당대 장편서사시『양가오 전기』의 제1부『5월 단오五月端陽』의 단행본이 작가출판사에서 출간되었다. 본 장시는 1958년에『수확』제5호에 발표된 바 있다. 제2부『홍군이 된 오빠가 돌아왔다』는『인민문학』1959년 1월호에 발표되었으며 1959년 6월에 작가출판사에서 단행본이 출간되었다. 제3부『위먼 자녀 출정기玉門兒女出征記』는『해방군문예』1960년 1월호에 발표되었으며, 1960년 5월에 단행본이 작가출판사에서 출간되었다.

사팅의 소설산문집『과도過渡』, 짱커자의 시집『춘풍집春風集』, 궈샤오촨의 시집『붕정만리鵬程萬裏』, 리시판의 평론집『관견집管見集』이 작가출판사에서 출간되었다.

시간사詩刊社에서 편찬한『신민가 100수新民歌百首』(제3집), 웨이웨이가 편찬한『진차지 시초晉察冀詩抄』, 리뤄빙의 산문집『여정집旅途集』이 중국청년출판사에서 출간되었다.

시간사에서 편찬한『윈난 형제 민족 민가 100수雲南兄弟民族民歌百首』가 백화문예출판사에서 출간되었다.

샤옌의『잡문과 정론雜文和政論』, 위안수이파이의『문예잡기文藝劄記』가 베이징출판사에서 출간되었다.

리시판의 평론집『'사람'과 '현실'을 논하다論"人"和"現實"』가 창장문예출판사에서 출간되었다.

장펑蔣風의『중국아동문학강화中國兒童文學講話』가 장쑤문예출판사에서 출간되었다. 이 책은 중국 아동문학의 발전 과정의 윤곽을 초보적으로 그린 책이다.

4월

1일,『문회보』에 장쿵양의 「발자크와 돈巴爾紮克與錢」이 발표되었다.

『해방군문예』제4호에 딩망의 「원로 동지의 회고록 집필을 도운 두세 가지 체험協助老同志寫回憶錄的二三體會」이 발표되었다.

『세계문학』4월호의 "5·4' 운동과 외국문학' 특집란에 차오징화의 「5·4' 초기의 외국문학 소개로부터 이야기를 시작하다從"五四"初期的外國文學介紹談起」, 펑즈의 「5·4' 이후 번역계의 우수한 전통을 계승하고 발양하자繼承和發揚"五四"以來翻譯界的優良傳統」가 발표되었다. 같은 호에 바런의 글 「고골－봉건제도를 부순 사람果戈裏——封建制度的掘墓人」(고골 탄생 150주년 기념)이 발표되었다.

『신항』4월호에 광지의 글 「풍격을 가진 작가－쑨리 동지의 「바이양뎬 기록」을 읽고一個有風格的作家——讀孫犁同志的<白洋澱紀事>」가 발표되었다.

『옌허』4월호에 주딩의 「봉사자服務者」가 발표되었다. 같은 호에 류칭柳靑의 장편소설 『창업사創業史』의 제1부 「논의 풍파稻地風波」의 연재가 시작되어 제11호에 완료되었다. 4월호부터 7월호까지는 「논의 풍파」라는 제목을, 8월호부터 11월호까지는 '「창업사」(제1부)'라는 제목을 사용하였다. 1960년 9월에 중국청년출판사에서 제1부의 단행본이 출간되었다. 『옌허』1960년 3월호에 「깊은 산 속의 가족深山一家人」(새로 창작한 「창업사」 제1부 22장 부분)이 발표되었다. 『옌허』1960년 10월호에 「창업사」 제2부 제1장이, 『상하이문학』1960년 12월호에 「입당入黨」(「창업사」 제2부 부분)이 발표되었다. 『옌허』1961년 10월호에 「창업사」 제2부 제6, 7장이 발표되었으며, 1977년 6월에 중국청년출판사에서 『창업사』 제2부 상권이 출간되었다. 『옌허』1979년 제1~3호에 「창업사」 제2부 하권이 연재되었으며 1979년 6월에 중국청년출판사에서 『창업사』 제2부 하권이 출간되었다.

류칭의 『창업사』는 본래 4부로 계획되어 품앗이조와 농업사, 그리고 인민공사에 관한 내용을 다룰 예정이었으나, 작가가 문화대혁명 시기에 정치적인 공격을 받아 제1, 2부만을 완성하게 되었다. 평무는 「『창업사』를 처음 읽고初讀<創業史>」에서 "이 작품은 우리나라의 수많은 농민의 역사와 운명, 그리고 생활의 길을 깊이 있고도 완전하게 반영한 작품으로, 우리나라의 거대한 농촌에서 토지개혁이 진행되고 봉건 소유제가 소멸한 이후에 발생한 더없이 심각하고도 첨예한 사회주의 혁명운동을 진실하게 기록한 작품이다"라고 평했다(『문예보』1960년 제1호).

이후에 옌자옌이 발표한 『창업사』에 대한 평론이 본 소설의 인물 형상에 대한 일련의 토론을 불러일으켰다. 옌자옌은 "품앗이조 단계의 농촌의 상황만을 묘사한 작품이 중국 농촌의 전체적인 동향을 이처럼 납득이 가게 표현했다는 점이 바로 『창업사』 제1부의 두드러진 성취이다", "지금까지 농민들 가운데 사회주의 노선을 걸을 것을 요구하는 긍정적 역량을 『창업사』만큼 생생하고 힘 있게 표현한 작품은 없다……주인공 량성바오梁生寶는 당연히 작가가 공들여 그려낸 사회주의 혁명 시대의 청년 농민 영웅의 모습이다"라고 보면서, 동시에 "이 인물의 창조에 대해서는 여전히 고려할 만한 부분이 있다. 이 인물은 『창업사』에 등장한 가장 뛰어나고 깊이 있는 예술형상이 아니다"라고 보았다(「『창업사』 제1부의 두드러진 성취<創業史>第一部的突出成就」, 『베이징대학 학보北京大學學報』1961년 제3호). 그는 또한 「『창업사』의 량싼 노인 형상에 관하여談<創業史>中梁三老漢的形象」

에서 "작품 속에서 가장 선진적인 사상을 가진 인물이 반드시 가장 성공적인 예술형상인 것은 아니다. 예술형상으로서 『창업사』에서 가장 성공적인 인물은 다름아닌 량싼 노인이다", "량싼 노인은 비록 긍정적인 영웅 형상에 속하지는 않으나, 거대한 사회적 의의와 독특한 예술적 가치를 가지고 있다", "『창업사』에서 량싼 노인을 창조함에 있어 평범하지 않은 부분은 작가가 다른 한쪽 측면, 즉 계급 지위로 인해 당 및 사회주의와 잠재적인 감정적 연결을 가진 측면을 세밀하게 관찰하고 정확하게 표현했다는 점에 있다. 이것이 더욱 중요한 측면이다"라고 보았다(『문학평론』 1961년 제3호).

엔자옌은 「량성바오의 형상에 관하여關於梁生寶形象」에서 우선 량성바오의 형상이 가진 심미적 가치를 긍정하면서, "작품 자체에서 량성바오의 형상은 확실히 비교적 집중적으로 농촌의 새로운 인물의 빛나는 품성을 드러내었다. 특정한 시대적 내용을 개괄하였을 뿐만 아니라 예술적으로도 성공을 거두어, 유사한 소재를 다룬 작품에 등장하는 비교적 빈약하며 성격의 몇 가지 측면만을 가진(가령 성격이 급하거나, 기술 연구를 즐겨 하는 등의) 청년 혁명 농민 형상에 비해 큰 진전을 보여준다"라고 보았다. 그러나 그는 더 나아가 "량성바오 형상의 예술적 창조는 '세 가지가 많고 세 가지가 부족하다'라고 말할 수 있을 것이다. 이념 활동의 묘사가 많고 성격 묘사가 부족하며(정치 면에서 성숙한 정도는 인물의 실제 조건에서 다소 동떨어져 있다), 환경을 통해 두드러지게 하는 부분이 많으나 충돌 속에서 표현한 부분이 부족하고, 서정적인 논의가 많고 객관적인 묘사가 부족하다. '세 가지가 많은' 점은 반드시 약점이라 할 수는 없으나(간혹 장점으로 작용하기도 한다), '세 가지가 부족한' 점은 예술상의 결점이다"라고 평했다. 그는 량성바오의 형상에 "생생한 묘사가 부족하지 않아 존경하고 사랑할 만하지만, 읽는 이에게 문장의 기백이 부족하고, 정신 상태의 묘사에 깊이가 부족하며, 크게 보이려 하지만 오히려 평면적인 느낌을 준다"라고 보았다(『문학평론』 1963년 제3호).

류칭은 「몇 가지 문제를 제기해 토론하다提出幾個問題來討論」에서 엔자옌의 관점을 반박하면서 "나는 애초에 량성바오를 자신을 과시하려는 영웅으로 묘사할 생각이 전혀 없었다. 그는 영웅 아버지가 낳은 영웅 아들이 아니며, 니체가 말한 '초인'도 아니다. 그의 행동은 첫째로는 객관적인 역사의 구체적 조건의 제약을 받고, 둘째로는 혁명 발전의 수요에 부합하며, 셋째로는 그가 대표하는 계급의 본성, 즉 무산계급 선봉대 구성원의 성격적 특징을 반영한다. 한 마디로 간단히 말하자면, 나는 량성바오를 당의 충실한 아들로 묘사하고자 했다. 나는 이것이 당대 영웅의 가장 기본적이고 보편적인 성격 특징이라고 생각한다"라고 밝혔다(『옌허』 1963년 제8호).

『문학평론』 1964년 제2호에 『창업사』에 대한 차오윈朝耘의 정리의 글 「「량성바오의 형상에 관하여」에 대한 의견對<關於梁生實形象>一文的意見」이 발표되어 "이념 활동'과 성격 묘사에 관한 문제', '모순 충돌에 관한 문제', "서정적 논의'에 관한 문제' 등 세 가지 측면에서 량성바오 형상에 관한 옌자옌의 '세 가지가 많고 세 가지가 부족하다'는 관점을 반박하였다.

『불꽃』4월호에 수웨이束爲의 소설 「오래된 바람多年的願望」, 천보추이의 소설 「협력 만세協作萬歲」, 왕야핑의 시 「떨어지지 않는 별不落的星辰」이 발표되었다.

『문예홍기』4월호에 하오란의 소설 「젠간허 강가箭杆河邊」가 발표되었다.

『별』제4호에 리지가 집필한 시집 『석유시石油詩』의 편찬 후기 「석유와 석유를 채취하는 이들을 위해 노래하다爲石油和探采石油的人們而歌」가 발표되었다.

2일, 『인민일보』에 커옌의 시 「우정의 찬가－영화 「흰 갈기 야생마」와 「붉은 기구」를 보고友誼的贊歌——看影片<白鬃野馬>和<紅氣球>」가 발표되었다. 같은 호에 「혁명열사 시초革命烈士詩抄」의 연재가 시작되었다.

『해방일보』에 탕타오의 「가창과 낭송－군중창작 만담歌唱與朗誦——群眾創作漫談」이 발표되었다.

3일, 『인민일보』에 샤옌의 「'포신공'이 불러온 기억從"包身工"引起的回憶」이 발표되었다.

『극본』제4호에 천치퉁의 「노동인민의 전사勞動人民的戰士」와 리젠우의 「극본 각색 만담漫談改編劇本」이 발표되었다.

4일, 『중국청년보』에 샤옌의 보고문학 「포신공包身工」이 발표되었다.

5일, 『인민일보』에 어우양위첸의 「고가건무정하한－천극 「타신고묘」를 보고高歌健舞情何限——看川劇<打神告廟>」가 발표되었다.

『문예월보』4월호에 중국작가협회 상하이분회 회원대회 상황에 대한 본지 기자의 보도 「당의 문예방침을 고수하고, 사회주의 문학의 더 큰 약진을 위해 분투하자堅持黨的文藝方針, 爲社會主義文學的更大躍進而奮鬥」가 게재되었다. 같은 호에 우창의 「작가 · 작품 · 생활作者 · 作品 · 生活」, 웨이진즈의 「기교 만담漫談技巧」, 후완춘의 「방침을 고수하고 부단히 약진하자!堅持方針, 不斷躍進!」 및 진이의 「더 좋은 작품을 더 많이 창작하자!寫出更多更好的作品來!」 등의 글이 발표되었다.

『북방문학』4월호에 천보추이의 소설 「마지막 수업最後一課」이 발표되었다.

『작품』 4월호에 친무의 이론 「산문, 소품, 잡문의 창작 문제散文、小品、雜文的寫作問題」 및 쉬츠의 「장베이 기병 송가張北騎兵頌」, 옌이의 「공사 시간公社詩簡」, 리칭웨이青의 「인도네시아 시초印度尼西亞詩抄」 등의 시가 발표되었다.

『문학청년』 제4호에 우보샤오의 평론 「문무를 겸비하다又文又武」가 발표되었다.

『산시희극』 제3호에 다이부판의 「'사람과 신이 함께 등장하는 것' 및 기타"人神同台"及其他」가 발표되었다.

6일, 『인민일보』에 리잉의 시 「비 오는 밤에 명령을 기다리다雨夜待令」가 발표되었다.

6, 8, 9, 11일, 『문회보』에 스퉈의 역사소설 「도주出奔」(조조에 관한 이야기)가 발표되었다.

8일, 『인민일보』에 궈모뤄의 「현재 역사 연구에 존재하는 몇 가지 문제에 관하여關於目前歷史研究中的幾個問題」가 발표되었다. 그는 글에서 "역사 연구의 방향 문제", "왕조 체계 타파 문제", "사료, 고증, 그리고 역사학의 관계 문제", "역사 인물의 평가 문제" 등에 대해 답변과 토론을 진행하였다. 역사 인물에 대한 평가 문제에 대해 그는 "역사 인물을 평가할 때는 반드시 그가 처해 있었던 시대적 배경 및 그가 역사 발전에 끼친 영향을 기준으로 하여 전면적인 분석을 해야만 역사상 그 인물이 가져야 할 지위를 비교적 정확하게 판단할 수 있다"라고 주장하였다(이 글은 『신건설新建設』 편집부의 질문에 답하는 형식으로 같은 날 『신건설』과 『광명일보』에 게재되었다).

『인민문학』 4월호에 췬칭의 중편소설 「매山鷹」, 커란의 소설 「외국식과 재래식의 결합洋土結合」, 마펑의 단편소설 「'근무 정지'停止辦公」, 롼장징의 시 2편 「기러기 떼雁群」, 양상쿠이楊尚奎의 혁명 투쟁 회고록 「고된 세월艱苦的歲月」, 덩홍鄧洪의 「대혁명이 실패했을 때在大革命失敗的時候」, 쉬츠의 평론 「쓰촨 신민가는 아름답고도 기지가 넘친다四川新民歌優美而又機智」 및 웨이웨이의 『진차지 시초』서문 「전투의 시대, 전투의 시편戰鬥的年代, 戰鬥的詩篇」이 발표되었다.

『문학지식文學知識』 4월호에 자오수리의 이론 「군중창작의 진정한 번영群眾創作的真繁榮」, 리준의 「생활 속에서 정련하다從生活中提煉」 및 「본지의 바진 작품 토론 개황 및 우리의 몇 가지 의견本刊巴金作品討論概況和我們的幾點意見」이 발표되었다.

『문회보』에 야오원위안의 잡문 「독서 만담漫談讀書」이 발표되었다.

9일, 궈샤오촨이 당시 작가협회의 주요 책임자인 류바이위에게 보낸 서신에서 "내가 작가협회에 온 지 4년이 되었는데, 요즘 점점 일하기가 힘들어지고 있습니다. 듣기 좋지 않은 말을 한마디 하자면, 이대로 가다가는 '정치적으로 평범한 사람'으로 전락하게 될 것 같습니다……하루 종일 사물들에 뒤엉켜 몸이 점점 무너져 내려 책을 읽을 수도, 진지하게 창작을 할 수도 없습니다. 솔직히 말해, 요즘 나는 아주 걱정이 되어 종종 걱정 탓에 가슴이 뛰어 밤에 잠을 이루지 못합니다……우리는 몇몇 동지들의 정신과 육체가 모두 무너지는 것을 두고 볼 수는 없습니다……나는 항상 내가 하부 조직에서, 성省에서라면 더 많은 일을 할 수 있을 거라고 믿습니다. 나는 쉬지 않고 작가협회에서 일을 하는 것을 형벌이라고 생각하는 것은 아닙니다. 그러나 나는 이대로 가다가는 오래지 않아 육체와 정신이 붕괴되어 버릴 거라는 것을 압니다……"라고 말했다. 궈샤오촨은 서신에서 작가협회를 떠나고 싶다는 요구를 했으나, 작가협회 당조 구성원들은 이 서신을 '당조에 대한 항의'로 보았다.

이달 20일 오전에 작가협회 당조 서기인 사오취안린의 자택에서 궈샤오촨의 불안한 공작 태도와 그의 장편서사시 『하나와 여덟』의 정치사상 문제에 대한 좌담회를 소집해 비판과 토론을 진행하였다. 본 서신은 궈샤오촨이 사오취안린에게 보낸 서신과 함께 1959년 11월 18일에 작가협회 정풍사무실에서 '12급 이상의 당원 간부 문건'으로서 인쇄 및 공개되어 '동지들이 궈샤오촨 동지를 비판할 때 사용할 참고문헌'이라고 명시되었다. 이후에 궈샤오촨은 11월 25일에 열린 반성회에서 이에 대해 반성하였다.[2]

11일, 『문예보』 제7호에 '중국에 아시아 아프리카 작가 상설사무국 중국연락위원회 설립에 대한 공고'가 게재되어 중국과 아시아 아프리카 작가 상설사무국 연락위원회가 설립되었음을 선포하고, 마오둔이 주석으로, 류바이위와 샤오싼이 부주석으로, 양쉬가 비서장으로 선출되었다고 공포하였다.

『문예보』 제7호에 자오수리의 단편소설 「단련하다」에 대한 독자들의 서로 다른 견해에 관해 특별란을 개설해 '문예작품은 인민 내부의 모순을 어떻게 반영하는가' 하는 문제에 관해 토론을 진행하였다. 이에 관해 장칭허張慶和의 「소설 「단련하다」를 읽고讀小說<鍛煉鍛煉>」, 장싱야오薑星耀의 「「단련하다」를 즐겨 읽다喜讀<鍛煉鍛煉>」, 우양武養의 「현실을 왜곡한 소설─「단련하다」 독후감一篇歪曲現實的小說──<鍛煉鍛煉>讀後感」 등의 토론문이 발표되었다. 같은 호에 왕위안젠의 「굳건한

---

2) 궈샤오촨, 『반성문檢討書』 제8−10쪽, 중국공인출판사 2001년, 천투서우陳徒手, 『사람이 병든 것을 하늘은 아는가人有病, 天知否』 제187−189쪽, 인민문학출판사 2000년

영웅 형상—두펑청 단편소설 학습 필기結結實實的英雄形象——學習杜鵬程短篇小說的幾則筆記」, 친무의 「왕춘아와 설보—월극「삼낭교자」에 관하여王春娥與薛保——談粵劇<三娘敎子>」가 발표되었다.

12일, 『중국청년보』에 구궁의 시「채색된 영혼, 채색된 시구—영화「사랑의 전설」예찬彩色的心靈, 彩色的詩句——贊影片<愛情的傳說>」가 발표되었다.

13일, 『인민일보』에 위안수이파이의 「하이난다오를 위해 노래하다爲海南島歌唱」가 발표되었다.

14일, 『인민일보』에 쨩커자의 시「봄의 시春天的詩」, 저우얼푸의 「녹색의 황금綠色的金子」, 가오스치의 「푸저우로 돌아가다回到福州」, 쉬광핑의 「중저우 기행中州記行」이 발표되었다.

『동해』제8호가 시 특집호로 발행되어 딩망의 시「행성行星」, 진진의 동요「천 묘의 차나무가 마치 바다 같다千畝茶樹象大海」(외 2편)가 발표되었다.

16일, 『인민일보』에 빙신의 「싱푸거우를 기억하며記幸福溝」, 예젠잉의 「접련화蝶戀花」(2편) 및 천이陳毅의 시「톈안먼 앞에서在天安門前」가 발표되었다.

17일, 『문회보』에 야오원위안의 잡문「'죄는 책에 있는 것이 아니다'라는 표현은 정확하지 않다"罪不在書本"的提法不確切」가 발표되었다.

18일, 저우언라이가 제2기 전국인민대표대회 제1차 회의에서 「정부공작보고政府工作報告」를 진행하였다. 보고의 제3부분인 '문화교육 전선에서의 우리의 임무'에서 그는 중국의 교육, 과학, 예술의 건전한 발전을 위해서는 반드시 '백화제방, 백가쟁명' 방침을 관철해 수많은 공인계급 지식분자 대오를 건립해야 한다고 지적하였다.

『해방일보』에 야오원위안의 「점적집點滴集」(6편)이 발표되었다.

19일, 『광명일보』에 류다제의 「문학의 주류 및 기타文學的主流及其它」가 발표되었다. 그는 글에서 '중국문학사의 주류는 무엇인가', '"현실주의와 반현실주의'에 대한 견해는 어떠한가', '「야독우기」에 대해 어떤 의견이 있는가' 등 세 가지 문제에 답하였다.

『문회보』에 진이의 「봄은 공사 안에 있다春天在公社裏」가 발표되었다.

20일, 『인민일보』에 짱커자의 시 「화이런탕 안의 장막이 열리다-제2기 인민대표대회 개막을 위해 노래하다懷仁堂裏錦幕開──爲第二屆人代大會開幕歌唱」가 발표되었다.

21일, 『인민일보』에 류바이위의 「영웅의 발자취를 쫓아서-대군 도강 10주년을 기념하며追尋英雄的足跡──紀念大軍渡江十周年」가 발표되었다. 같은 호에 「조조를 긍정해야 하는가?曹操應當被肯定嗎?」가 발표되어 이후 몇 호에 걸쳐 조조에 대한 토론문이 게재되었다.

『중국청년보』에 구궁의 시 「격정은 강물처럼 용솟음친다-도강 전투 10주년을 기념하며激情, 像江水似地翻騰──紀念渡江戰役十周年」가 발표되었다.

23일, 『광명일보』에 예성타오의 시 「저우 총리의 정부공작보고를 듣다聽周總理的政府工作報告」, 펑쯔카이의 시 「장난을 바라보다-전국인민대표대회, 정협 대회 감상望江南──全國人代、政協大會書感」, 짱커자의 「소조회에서-저우 총리의 보고를 토론하다在小組會上──討論周總理的報告」, 가오스치의 「6억 인민이 한마음六億人民一條心」이 발표되었다.

『민간문학』 4월호에 천바이천의 「의화단의 명예를 회복하다爲義和團恢複名譽」가 발표되었다.

25일, 『인민일보』에 위안수이파이의 시 「메농 성명梅農聲明」이 발표되었다.

『문학평론』 제2호에 탕타오의 「루쉰 사상의 발전을 논하다-루쉰의 잡문을 통해 그의 사상 변천을 말하다論魯迅的思想的發展──從魯迅雜文談他的思想演變」, 이췬의 「'5·4' 문학혁명의 사상 지도"五四"文學革命的思想領導」, 예성타오의 「문학연구회에 관하여略談文學研究會」가 발표되었다. 같은 호에 허치팡의 「다시 시가 형식 문제를 말하다再談詩歌形式問題」, 볜즈린의 「시가의 격률 문제에 관하여談詩歌的格律問題」, 원이둬의 「도연명 토론을 어떻게 평가할 것인가如何評價陶淵明的討論」, 리쩌허우의 「형상 사유를 논하다試論形象思維」가 발표되었다. 이 가운데 원이의 글은 1958년 12월 중순부터 『광명일보』의 『문학유산』 주간에서 전개되었던 도연명의 평가에 관한 토론에 대한 보도이다.

『시간』 4월호에 짱커자의 「'5·4', 신시의 위대한 기점"五四", 新詩偉大的起點」, 펑즈의 「내가 「여신」을 읽었을 때我讀<女神>的時候」, 빙신의 「나는 어떻게 「번성」과 「춘수」를 썼는가我是怎樣寫<繁星>和<春水>的」, 궈샤오촨의 「낭송회에서 들은 기이한 이야기朗誦會上的一段奇聞」, 광지의 「창장 송가長江頌」, 리잉의「해안 방어 전선 찬가海防前線贊歌」, 왕야핑의 설창시「돼지 치는 처녀養豬姑娘」, 류정劉征의「뤼량 방가呂梁放歌」, 리시판의「정확한 태도로 비평을 대해야 한다對待批評應該有正確的態度」, 쉬츠의「1958년 시선 서문1958年詩選序」이 발표되었다.

류정(1926~), 본명은 류궈정劉國正으로 베이징 출신이다. 1948년부터 작품 발표를 시작하였으며 1979년에 중국작가협회에 가입하였다. 저서로 우화시 및 풍자시집『해연계海燕戒』,『봄바람 제비소리春風燕語』,『꽃의 신과 비의 신花神和雨神』, 시사집『류와이루 시사流外樓詩詞』,『제월집霽月集』등이 있다.

26일,『문회보』에 왕시옌의 잡문「이성이 고개를 들게 하자讓理性抬頭」가 발표되었다.

『문예보』제8호가 '5 · 4 문학 40주년 기념 특집호'로 간행되었다.「문학혁명과 문학전통 필담文學革命與文學傳統筆談」란에 린모한의「계승과 부정繼承和否定」, 샤옌의「전통 계승에 관하여關於繼承傳統」, 탕타오의「'5 · 4'를 통해 전통을 말하다"五四"談傳統」, 바런의「루쉰이 민족문화유산을 대한 태도魯迅對待民族文化遺産的態度」등의 글이 발표되었다. 같은 호에 마오둔의「문학연구회에 관하여關於文學研究會」, 정보치의「창조사의 문학활동에 관하여略談創造社的文學活動」, 쉬광핑의「5 · 4 시기 루쉰의 문학활동魯迅在五四時期的文學活動」, 이췬의「5 · 4 문학혁명운동의 진상五四文學革命運動的真相」및 톈젠의 평론「「여신」예찬<女神>贊」이 발표되었다.

30일,『인민일보』에 빙신의「중국 · 인도 우정의 죄인中印友誼的罪人」과 구궁의「달콤함甜蜜」이 발표되었다.

『희극보』제8호에 사설「5 · 4 정신을 발양해 민족의 사회주의적 신희극 건설을 위해 노력하자發揚五四精神, 爲建設社會主義的民族的新戱劇而努力」및 어우양위첸의 평론「천극「추강」을 다시 보다再看川劇<秋江>」가 발표되었다.

이달에 마오쩌둥이 상하이에서 열린 중국공산당 제8기 중앙위원회 제7차 전체회의에서 감히 옳은 말을 할 수 있어야 한다고 말하면서, 해서가 황제에게 서신을 올린 이야기를 하였다. 회의 종료 후에 후차오무는 본 회의의 정신을 우한에게 전달하고 해서에 관한 글을 쓰도록 격려하였다. 본 회의의 정신에 고무를 받아, 저우신팡이 소속된 상하이 경극원에서도 해서를 주인공으로 한 희곡을 적극적으로 수정하였다. 이후에 상하이 희극단에서 해서에 관한 희곡을 분분히 상영하였다.

중앙민족학원 티베트어과에서『티베트족 문학사藏族文學史』의 편찬을 위해 티베트족 민간고사

편역소조를 조직해 1959년 4월에 『티베트족 민간고사藏族民間故事』(제1집)를 편역 출간하였다. 책에는 민간고사 66편이 수록되었다. 이 책은 공화국 성립 이후에 중국 학자가 편집, 번역 및 인쇄 발행한 최초의 티베트족 민간고사집이다.

『모뤄 선집沫若選集』이 인민문학출판사에서 출간되었다(총 4권 10집으로 구성).

궈모뤄의 중일전쟁 회고록 『홍파곡洪波曲』이 백화문예출판사에서 출간되었다.

쉬광핑이 서문을 쓴 『루쉰 작품선魯迅作品選』이 중국소년아동출판사에서 출간되었다.

리준의 단편소설집 『그 길을 갈 수 없다』의 재판이 인민문학출판사에서 출간되었다. 이 책은 1955년 3월에 중국청년출판사에서 출간되어 '문학소총서'에 포함된 바 있다.

허징즈의 정치서정시 『목 놓아 노래하다』의 재판이 인민문학출판사에서 출간되었다. 이 시는 『베이징일보』 1956년 7월 1일자와 22일자 및 9월 2일자에 발표되었으며, 1957년 1월에 중국청년출판사에서 단행본이 출간되어 '문학소총서'에 포함된 바 있다.

리뤄빙의 산문집 『차이다무 수기柴達木手記』가 작가출판사에서 출간되었다.

쓰촨인민출판사에서 편찬한 산문특필집 『기름 바다가 들끓다油海沸騰』가 출간되었다.

샤옌의 『영화극본 창작의 몇 가지 문제寫電影劇本的幾個問題』가 중국전영출판사에서 출간되었다.

5월

1일, 『해방군문예』 제5호에 캉줘의 단편소설 「처음 뜬 태양이 붉디붉다初升的太陽紅豔豔」가 발표되었다.

『세계문학』 5월호의 '소년아동문학 특집'란에 각국의 소년아동문학 작품이 번역 소개되었다. 같은 호에 궈샤오촨이 몽골 작가 청거曾格를 추모한 글 「'거센 열화처럼 영원히 사람들의 마음속에 타오르다'—몽골 작가 청거 동지를 추모하며象熊熊的烈火永遠燃燒在人們心中——悼蒙古作家曾格同志」가 발표되었다.

『신항』 5월호의 "5·4'운동 40주년 기념'란에 왕시옌의 「위대한 전투偉大的戰鬥」, 천상허의 「'5·4' 시대 청년의 인생관에 관하여略談"五四"時代青年人的人生觀」, 쉬친원許欽文의 「'5·4'를 추억하며 예로셴코를 말하다憶"五四"話愛羅先珂」 등 '5·4'를 추억하는 여러 편의 글이 발표되었다. 같은 호에 왕창딩의 산문 「무단청을 처음 방문하다初訪牡丹城」와 톈젠의 「'어수집' 머리말"魚水集"小引」이 발표되었다.

『옌허』5월호에 옌전의 시 「향경 2편鄕景二歌」이 발표되었다.

『문예홍기』5월호에 하오란의 소설 「아침놀이 불처럼 붉다朝霞紅似火」가 발표되었다. 같은 호에 마자의 장편소설 『붉은 과실紅色的果實』의 연재가 시작되었다.

『불꽃』5월호에 마펑의 소설 「늙은 사원老社員」, 리수웨이의 평론 「익숙한 것과 익숙해야 하는 것熟悉的和應該熟悉的」이 발표되었다.

『창장문예』5월호에 리지의 이론 「시단간에 관하여談詩短簡」가 발표되었다.

『성화』제5, 6월호 합본이 '5·4' 운동 40주년 기념 특집호로 간행되어 톈한의 「'5·4' 만담漫談 "五四"」이 발표되었다. 같은 호에 톈한의 구체시 5편 「루이진의 마오쩌둥 동지 고거를 방문하다瑞金訪毛澤東同志舊居」가 발표되었다.

『칭하이후青海湖』5월호에 왕라오주의 창작경험 「나의 창작생활에 관하여談談我的創作和生活」가 발표되었다.

『동해』제9호에 저우젠런의 「문예 속의 진실성 만담漫談文藝裏的真實性」이 발표되었다.

『후난문학』5월호에 마오쩌둥이 5·4를 기념해 집필한 글 「5·4 운동五四運動」이 발표되었다.

『산화』5월호에 젠셴아이의 소설 「식당 안의 풍파食堂裏的風波」가 발표되었다.

『인민일보』에 웨이웨이의 「티베트 반란 평정 부대에 경의를 표하다向西藏平叛部隊致敬」가 발표되었다.

3일, 오후에 저우언라이가 인민대표와 정협 위원들 가운데 일부 문예계 대표 및 위원들, 그리고 베이징의 일부 문예계 인사들을 만나 중난하이 쯔광거紫光閣에서 좌담회를 가지고 「문화예술공작이 두 다리로 걷는 문제에 관하여關於文化藝術工作兩條腿走路的問題」라는 제목의 중요 연설을 진행하였다. 그는 "대약진 과정에서 몇 가지 결점이 발생했다. 일부는 피할 수 있는 것이었으나 일부는 피할 수 없는 것이었다……문화예술공작 역시 두 다리로 걸어야 한다. 결합할 뿐만 아니라 주도해야 한다", "1. 열의를 북돋우는 동시에 마음이 편안해야 한다", "2. 힘써 완성하면서도 여지를 남겨두어야 한다", "3. 사상성과 예술성을 겸비해야 한다", "4. 낭만주의와 현실주의가 결합되어야 한다", "5. 마르크스레닌주의를 학습하면서도 실제와 결합시켜야 하며, 정치를 학습하면서도 생활 실천과 결합되어야 한다", "6. 기본 훈련과 문예수양을 겸비해야 한다", "7. 정치를 우선시하면서도 물질적인 복지를 중시해야 한다", "8. 노동 단련을 중시하는 동시에 신체의 건강을 보호해야 한다", "9. 기탄없이 생각하고, 말하고, 행동할 수 있으면서도 과학적인 분석과 근거가 있어야 한다",

"10. 독특한 풍격을 가지면서도 모든 것을 망라해야(혹은 풍부하고 다채로워야) 한다"라고 지적하였다.

『인민일보』에 친무의 「인도 정치의 '용감한 아이'들印度政治上的一群"狼孩"」, 구궁의 「따스함溫暖」, 위안수이파이의 시 「이 구호를 소중히 여기다珍惜這口號」가 발표되었다. 같은 호에 제2기 전국인민대표대회 제1차 회의에서의 차오위의 발언 「희극예술의 질을 제고하자提高戲劇藝術的質量」가 발표되었다.

『광명일보』에 샤옌의 「소년아동을 위해 더 좋은 작품을 더 많이 창작하자爲少年兒童創作更多更好的作品」가 발표되었다.

『중국청년보』에 구궁의 시 「족보를 펼쳐 보다揭開家譜來看一看」가 발표되었다.

『문회보』에 왕야핑의 「5·4 정신의 깊은 영향五四精神的深遠影響」이 발표되었다.

『극본』 5월호에 리강李剛의 「'신 신화극'에 대한 몇 가지 견해對"新神話劇"的一些看法」, 판룽範溶의 「'신 신화극' 문제에 관한 논의關於"新神話劇"問題的商榷」가 발표되었다.

4일, 베이징에서 5·4 40주년 기념대회가 개최되었다. 『인민일보』에 사설 「빛나는 전통을 발양해 위대한 조국을 건설하자—'5·4 운동' 40주년을 기념하며發揚光榮傳統, 建設偉大祖國——紀念"五四運動"四十周年」 및 베이징 각계의 '5·4' 40주년 기념대회에서의 궈모뤄의 개회사와 사오취안린의 「5·4 문학의 발전 노선五四文學的發展道路」 등의 논고가 발표되었다. 같은 호에 샤오싼의 「'5·4' 40주년 감상"五四"四十周年有感」, 리지예의 「제1차 당대표대회 개최지를 방문하다訪第一次黨代表大會會址」, 가오스치의 「위대한 '5·4'偉大的"五四"」 등의 시, 위안수이파이의 「예절편禮節篇」, 차오징화의 「한두 마디 말로 당시를 말하다—리다자오 동지와 취추바이 동지에 관한 이야기片言只語話當年——關於李大釗同志和瞿秋白同志的故事」 및 제2기 전국인민대표대회 제1차 회의에서의 어우양위첸, 저우신팡, 위안쉐펀, 황쭤린의 연합 발언 「희극공작자의 '여덟 글자'戲劇工作者的"八個字"」, 중국인민정치협상회의 제3기 전국위원회 제1차 회의에서의 천치퉁의 발언 「해방군 문예활동 백화제방의 모습이 새롭다解放軍文藝活動百花齊放萬象一新」, 슝포시의 발언 「화극은 새로운 풍격을 더욱 잘 창조해야 한다話劇應進一步創造不同的風格」가 발표되었다.

『중국청년보』에 마오둔의 「사회주의 문화혁명을 단호히 완성하자堅決完成社會主義文化革命」 및 궈모뤄의 「개회사開幕詞」, 쉬광핑의 「더 높은 곳에 서서, 더 멀리 보고, 더 많은 일을 하자站得更高, 看得更遠, 做得更多」가 발표되었다.

『문회보』에 베이징 각계의 '5·4' 40주년 기념대회에서의 캉성康生의 연설 「마르크스레닌주의를 열심히 학습하고, 공농과의 결합을 고수해, '5 · 4'가 개척한 혁명 노선 위에서 전진하자努力學習馬列主義, 堅持同工農相結合, 在"五四"開辟的革命道路上前進」가 발표되었다. 같은 호에 왕시옌의 「전투와 창조戰鬥和創造」가 발표되었다.

캉성(1898~1975), 산둥성 주청諸城(지금은 자오난膠南시에 속함) 출신이다. 1925년에 중국공산당에 가입한 후 상하이 후중滬中, 자베이閘北, 후시滬西, 후둥滬東 등 지구의 구위원회 서기 및 장쑤성위원회 조직부 부장, 비서장 등을 역임하였다. 1937년 이후에 중공중앙 서기처 서기, 중앙당교 교장, 중앙사회부 부장 등을 역임하였다. 옌안 정풍운동 시기에는 중앙총학습위원회中央總學習委員會 부주임을 맡았다. 해방전쟁 시기에는 중공중앙 산둥분구 서기, 산둥군구 정치위원, 산둥성 인민정부 주석을 역임하였다. 공화국 성립 후에는 중공중앙 서기처 서기, 전국정협 부주석, 전국인민대표대회 상무위원회 부위원장, 중앙이론소조中央理論小組 조장, 『마오쩌둥 선집』 출판위원회 부주임을 맡았다. 문화대혁명 시기에는 중앙문혁소조中央文革小組 고문, 중앙조직선전조 조장, 중앙위원회 부주석 등을 맡아 당과 국과의 지도권을 찬탈하려는 린뱌오와 장칭 등의 음모에 직접적으로 가담해 수많은 오심 사건을 발생시켰다. 1980년, 중공중앙은 그가 심각한 죄를 범한 점을 보아 그를 당적에서 제적하고, 그의 「추도사悼詞」를 폐지하여 그의 죄목을 공포하였다.

5일, 『중국청년보』에 짱커자의 「'청춘' 만세―리다자오 동지의 「청춘」을 읽고"靑春"萬歲――讀李大釗同志的<靑春>」, 옌전의 「각성제를 복용하자請服點淸醒劑」가 발표되었다.

『문예월보』가 상하이 해방 10주년 기념 특대호로 발간되었다. 기념 특집란에 장춘차오의 정치 논문 「새로운 승리의 최고봉에 오르자攀登新的勝利高峰」 및 루즈쥐안의 단편소설 「원하는 대로 이루어지다如願」(『인민문학』 8월호에 전재), 바진의 산문 「'상하이, 아름다운 땅, 우리의 땅!'上海, 美麗的土地, 我們的!」, 탕타오의 산문 「감정의 파도感情的波浪」, 야오원위안의 이론 「봄바람에 복숭아꽃 자두꽃 피는 날―군중의 아마추어 창작 가운데 공인 생활을 반영한 몇몇 우수한 소설과 특필에 관하여春風桃李花開日――談談群眾業餘創作中反映工人生活的一些優秀的小說和特寫」 및 '상하이 해방 10주년' 모집 원고가 발표되었다. 같은 호의 '5 · 4 운동 40주년 기념' 특집란에는 마오둔의 「문학연구회에 관하여關於文學研究會」가 발표되었으며, 정보치의 「창조사를 추억하며憶創造社」의 연재가 시작되었다.

『작품』 5월호에 위안수이파이의 시 「아름다워라, 하이난다오여美哉海南島」가 발표되었다.

『문학청년』 제5호에 하오란의 소설 「아름다움美」이 발표되었다.

6일, 『인민일보』에 류바이위의 「찬란한 생활의 장면一幅燦爛的生活圖畫」이 발표되었다.

『해방일보』에 야오원위안의 「이것은 무슨 '인도주의'인가?這是什麼"人道主義"?」가 발표되었다.

7일, 『인민일보』에 제2기 전국인민대표대회 제1차 회의에서의 리보자오의 발언 「지식분자는 두뇌를 써야 할 뿐 아니라 양손으로 부지런히 일해야 한다知識分子既要動腦又要雙手勤勞」, 중국인민정치협상회의 제3기 전국위원회 제1차 회의에서의 옌두허嚴獨鶴와 저우서우쥐안의 발언 「나팔소리 속에서 다시 약진하자在號角聲中再躍進」, 선충원의 발언 「문물의 '옛것을 현실에 맞게 이용하는' 문제에 관하여關於文物"古爲今用"問題」가 발표되었다.

옌두허(1889~1968), 이름은 전慎, 자는 쯔차이子材로 저장성 통상 출신이다. 청나라 함풍제 시대의 한림翰林 엄진嚴辰의 종손이다. 1914년부터 상하이에서 30여 년간 『신문보新聞報』 부간 편집자를 맡았으며, 『쾌활림快活林』, 『신원림新園林』을 편찬하였다. 1950년 이후에 제1~5기 상하이시 인민대표대회 대표 및 제3, 4기 전국정협 위원을 역임하였다. 저서로 장편소설 『인해몽人海夢』, 『옌두허 소설집嚴獨鶴小說集』 및 여러 편의 영화문학 극본이 있다.

8일, 『인민문학』 5월호에 톈젠의 시 2편 「홍기의 노래紅旗歌」, 사오취안린의 「5·4 문학의 역사적 평가 문제에 관하여關於五四文學的歷史評價問題」, 빙신의 「5·4를 추억하며回憶五四」, 리지예의 「5·4 시기의 몇 가지 추억五四時期一點回憶」, 광수민, 황지창의 보고문학 「샹슈리」, 펑무의 평론 「견실한 길, 순박한 시편 ─ 리지의 신작 서사시에 관하여堅實的道路, 淳樸的詩篇──試談李季的敘事詩新作」가 발표되었다.

『문학지식』 5월호에 탕타오의 군중창작 만담 「루쉰을 예로 들다擧魯迅一例」, 정보치의 「창조사 3제創造社三題」, 위핑보가 『시詩』 잡지에 대해 이야기한 「5·4 회상五四憶往」 등 5·4 신문학운동을 기념하는 여러 편의 글이 발표되었다.

『인민일보』에 유사오인遊紹尹의 「조조는 긍정해야 한다曹操是應當被肯定的」 및 조조 문제 토론 상황에 관한 기사 「조조 문제 토론 과정에서의 논쟁에 관하여關於曹操問題討論中的爭論」 등 조조 토론에 관한 글이 발표되었다.

9일, 『인민일보』에 쌍커자의 시 「산 뒤편의 눈山後的雪」(외 1장), 린모한의 「사마귀의 비극螳螂的悲劇」이 발표되었다.

『광명일보』에 정보치의 「궈모뤄와 위다푸郭沫若和鬱達夫」가 발표되었다.

10일, 『문회보』에 어우양산쭌의 「「두 주인을 둔 하인」의 재공연을 기쁘게 보다喜看<一仆二主>再度演出」가 발표되었다.

11일, 문화부에서 「서적 인쇄 품질 제고에 관한 통지關於提高書刊印刷質量的通知」를 발포하였다.

『인민일보』에 위핑보의 「시 5편詩五首」이 발표되었다.

『문예보』제9호에 제3차 전 소련 작가대표대회에 보낸 바진의 축사 「더없이 빛나는 모범無比光輝的榜樣」과 라오서의 「진심으로 축하하다衷心祝賀」가 발표되었다. 같은 호에 쩡커자의 평론 「『새로 엮은 당시 300수』로부터 이야기를 시작하다從<新編唐詩三百首>說起」가 발표되었다.

12일, 『인민일보』에 러쩌허우의 「'형상'을 통해 '신'을 창작하다―예술형상의 유한과 무한, 우연과 필연以"形"寫"神"――藝術形象的有限與無限、偶然與必然」, 두펑청의 「먼 곳의 벗을 그리워하다懷念遠方的朋友」가 발표되었다.

『해방일보』에 웨이진즈의 「우공이산의 정신을 어떻게 이해할 것인가怎樣來體會愚公精神」가 발표되었다.

14일, 『인민일보』에 류몐즈의 독서 잡기 「유배刺配」가 발표되었다.

16일, 『신관찰』제8호에 우한의 「봄의 시春天的詩」, 비예의 「다채로운 이리多彩的伊犁」가 발표되었다.

『동해』제10호에 딩망의 시 「장난의 이른 봄江南早春」이 발표되었다.

『인민일보』에 궈모뤄의 「중국 농민 봉기의 역사적 발전 과정―「채문희」 서문中國農民起義的歷史發展過程――序<蔡文姬>」이 발표되었다(『수확』 5월호에 동시 발표).

『광명일보』에 구궁의 시 「라싸의 새로운 탄생―영화 「티베트 반란 평정」을 보고拉薩的新生――電影<平息西藏叛亂>觀後」, 정보치의 「'추억' 잡담"回憶"雜談」이 발표되었다.

18일, 『인민일보』에 우한의 「사람과 귀신人和鬼」이 발표되었다.

문화부에서 「도서 입하 및 출하 실험 시행 규정 통지圖書進發貨試行章程的通知」를 발포하였다.

19일, 『인민일보』에 어우양위첸의 「화극 배우의 기본 훈련과 문예 수양話劇演員的基本訓練與文藝修養」이 발표되었다.

20일, 『인민일보』에 쉬친원의 「인도의 고사 선생을 추억하며懷印度高士先生」가 발표되었다.

21일, 『인민일보』에 저우얼푸의 「바티스타의 부장巴蒂斯塔的部長」이 발표되었다.

베이징인민예술극원이 베이징에서 궈모뤄의 역사극 「채문희」를 공연하였다(극본은 『수확』 제 3호에 발표). 「채문희」 공연 이후에 각계의 반응이 뜨거웠다. 룽성이 최초로 조조의 명예를 회복한 본 극본의 주제를 긍정하면서 궈모뤄가 "역사적 진실의 기초 위에서 조조라는 예술형상을 창조하였다", "조조의 명예를 회복하고, 역사의 본래 모습을 환원하였다. 이는 대담한 예술창조인 동시에 공정한 역사적 평가이다"라고 보았다(「「채문희」 속 조조 형상의 진실성에 관하여談<蔡文姬>中曹操形象的真實性」, 『광명일보』 1959년 3월 6일자).

반면에 아자는 "채문희라는 소재를 통해 조조의 명예를 회복하는 데는 한계가 있다. 내 직관에 따르면, 조조의 영명함은 그 주위 사람들보다 훨씬 부족해, 마치 이 사람들이 고의로 조 승상을 치켜세우고 있는 듯하다. 조조는 일생 동안 좋은 일을 많이 했는데, 어째서 전형적인 사건을 선택해 창작하지 않았는가? 나는 이 극본이 그의 명예를 회복하는 데는 부족했다고 본다"라고 보았다(「진실에는 의미가 담겨야 한다真實, 還要夠味兒」, 『희극보』 1959년 제14호).

장아이딩張艾丁 역시 이 극본에서는 주로 다른 이의 입을 통해 조조를 칭송한다고 보면서, "이러한 칭송의 말들은 그 행동을 보지 못했기 때문에 관객에게 공허하고 과장된 느낌을 준다. 때문에 우리는 이처럼 공덕을 칭송하는 말만을 보고 조조가 대단한 사람이며, 우리 민족과 문화의 발전에 실제로 공헌을 한 사람임을 인정할 수 없다"라고 보았다. 그는 또한 "「채문희」에서의 조조의 구체적인 행동은 몇 가지 일(한 침상을 십 년 동안 사용하는 검소한 습관, 「호근시胡笳詩」를 칭찬한 일, 경솔하게 주위의 말을 믿어 동사에게 자결하게 한 일, 하늘을 대신해 도리를 행해 채문희와 동사를 혼인시킨 일)들을 통해 나타난다. 그러나 이 일들 중에 칭송을 받을 만한 일은 한 가지도 없다. 혹자는 그의 선량한 품성을 드러내지 못할 뿐만 아니라 심지어 그의 악랄한 본성을 더욱 폭로할 뿐이다"라고 보았다(「「채문희」에 관하여談<蔡文>」, 『베이징문예』 1959년 제12호).

옌자옌은 이에 동의하지 않고, "극작가(궈모뤄)는 깊이 있는 파악과 대량의 사료에 대한 연구를 기초로 하여 문희귀한文姬歸漢이라는 소재에 대한 예술적 처리를 통해 역사유물주의 관점으로써 조조를 평가해, 억울한 누명을 쓰고 있던 조조의 명예를 회복하고, 역사적 인물의 본래의 모습을 복원하였다"라고 보았다. 그는 궈모뤄가 "「채문희」에서 현시대의 정신을 표현하기 위해 신중하고 과학적인 태도를 취했다. 이것이 바로 극본이 성공한 중요한 원인이다"라고 보면서, 특히 민족 단결이라는 주제의 처리에 있어 궈모뤄가 "생생하게 살아 있는 인물 형상과 그 행동을 통해 표현하였다", "작가의 원숙한 예술적 기교와 높은 사상 수준이 훌륭히 결합되었다"라고 평했다(「「채문희」에 관하여—장아이딩 동지와의 논의也談<蔡文姬>——與張艾丁同志商榷」, 『베이징문예』 1959년 8월호).

22일, 『인민일보』에 위안량이袁良義의 「황건적 봉기의 역할과 조조의 역사적 역할黃巾起義的作用和曹操的歷史作用」 등 조조에 관한 글이 지속적으로 발표되었다. 같은 호에 옌천의 시 「샤오싱안링小興安嶺」이 발표되었다.

23일, 『인민일보』에 궈모뤄의 「북유럽 여행시 4편遊北歐詩四首」, 옌전의 시 「장난의 노래江南曲」가 발표되었다.

『중국청년보』에 루루춘盧如春, 딩산丁山, 장쥔타오張俊濤, 리보량李伯良의 「해변의 푸른 소나무海邊青松」가 발표되었다.

24일, 『수확』 제3호에 원제의 장시 『복수의 불꽃複仇的火焰』 제1부 「동요하는 시대動蕩的年代」, 량상취안의 장시 『홍운애紅雲崖』, 쥔칭, 중톈重天의 「삼복마천무三伏馬天武」, 궈모뤄의 극본 「채문희」(단행본은 7월에 문물출판사에서 출간) 및 그의 글 「중국 농민 봉기의 역사적 발전 과정—「채문희」 서문」, 원추文秋, 커란의 「린톄터우繭鐵頭」, 저우얼푸의 「역사의 거울歷史的鏡子」, 진이의 「베이징의 봄北京的春天」이 발표되었다.

궈모뤄는 「채문희」 서문에서 "나는 이 극본 속에 나 자신의 경험을 녹여 넣은 것을 부정하지 않겠다", "유명한 소설 「보바리 부인」의 저자인 프랑스 작가 플로베르는 '보바리 부인은 바로 나다!—나를 비추어 쓴 것이다'라고 말한 바 있다. 나도 그의 말을 따라하자면, '채문희는 바로 나다!—나를 비추어 쓴 것이다.'" "반대로, '채문희'는 대부분이 진실이다. 그 가운데는 나의 감정에 관한 것과 나의 생활에 관한 것이 적지 않다", "나는 생활 속에서 채문희와 비슷한 경험, 그리고 비슷한 감정을 경험한 적이 있다. 그러나 이런 점들을 적용할 때, 나는 시대성에 특히 주의했다", "한 가지 더 설명하자면, 내가 「채문희」를 창작한 주된 목적은 조조의 명예를 회복하는 것이다. 조조는 확실히 우리 민족과 문화의 발전에 공헌을 하였다. 봉건 시대에 그는 대단한 역사적 인물이었다. 그러나 예전에 우리는 송나라 이후의 정통 관념의 속박을 받아 왔다. 이는 그의 평가에 있어서는 너무나 불공평한 것이다"라고 밝혔다.

25일, 『문회보』에 스튀의 「고향−상하이 해방 10주년을 기념하며老家──爲紀念上海解放十周年而作」가 발표되었다.

『시간』 5월호에 궈샤오촨의 장시 『장군 3부작』의 제2부 「무중」, 위안수이파이의 「풍자시 2편諷刺詩兩篇」, 진진의 「엄마 이야기媽媽的故事」, 왕야핑의 「티베트 반란군 범죄행위 전람회를 보다看西藏叛匪罪行展覽」가 발표되었다.

26일, 『인민일보』에 가오스치의 「의료 회의衣料會議」가 발표되었다.

『해방일보』에 슝포시의 「잊을 수 없는 기념일難忘的紀念日」이 발표되었다.

28일, 『인민일보』에 궈모뤄의 「모스크바 방문 근작 2편訪莫斯科近作二首」이 발표되었다.

『문회보』에 예성타오의 시 「자고천鷓鴣天」, 펑쯔카이의 시 「상하이 해방 10주년의 노래上海解放十周年歌」가 발표되었다.

29일, 『중국청년보』에 야오원위안의 「그들은 어째서 미친 듯이 짖는가他們爲什麼狂吠」가 발표되었다.

30일, 중국민간문예연구회, 중국곡예가협회, 베이징사범대학, 베이징대학이 합동으로 『중국민간문학사中國民間文學史』에 관한 토론회를 개최하였다.

『인민일보』에 리잉의 시 「안예민을 기리다頌安業民」가 발표되었다.

31일, 『인민일보』에 빙신의 「우정의 '연'을 찾다尋求友誼的"風箏"」가 발표되었다.

『광명일보』에 샤옌의 「소년아동을 위해 더 좋은 작품을 더 많이 창작하자爲少年兒童創造更多更好的作品」가 발표되었다.

이달에 『광명일보』에 이청조李淸照와 도연명의 평가에 관한 서로 다른 견해를 가진 글들이 발표되었다.

중국민간문예연구회 연구부에서 루궁과 류시청劉錫誠을 푸저우와 샤먼의 해안 방어 전선에 파견해 전사 가요를 수집하도록 하였다. 이달에 장쑤성 창수常熟현 바이마오 공사白茆公社 민가 조사조를 조직하였다. 조사조에는 루궁, 장쯔천張紫晨, 장쑤의 저우정량周正良, 중자오진鍾兆錦, 루루이잉陸瑞英이 참가하였다. 본 조사를 통해 수집한 성과는『바이마오 공사 신민가 조사白茆公社新民歌調查』라는 책으로 출간되었다(루궁 등,『바이마오 공사 신민가 조사』, 상하이문예출판사 1960년. 루궁의「신민가의 빛나는 성취新民歌的光輝成就」는『민간문학』1959년 제11호에 발표).

웨이쥔이와 쉬츠 등의 소설산문집『고향과 친지故鄕和親人』, 스튀의 단편소설집『석공石匠』, 텐젠의 시집『영웅 군가英雄戰歌』, 리지의 장시『5월 단오』, 라오서의 화극『홍대원』이 작가출판사에서 출간되었다.

리잉의 시집『시대 기록時代紀事』이 창장문예출판사에서 출간되었다.

마오둔, 마자 등의『청년 작가에게 보내는 서신給靑年作者的信』(문학청년총서文學靑年叢書)이 춘풍문예출판사에서 출간되었다.

『메이란팡 희극 산론梅蘭芳戲劇散論』, 스한石漢의 가극본『홍샤紅霞』가 중국희극출판사에서 출간되었다.

6월

1일,『후난문학』6월호에 저우리보의 아동문학 작품집「소설 3편小說三篇」(「푸성과 구성伏生和穀生」,「보리를 베고 벼를 심다'割麥揷禾'」,「샤오칭과 호랑이小靑和老虎」수록)이 발표되었다.

『창장문예』6월호에 하오란의 소설「맑고 투명한 샘물泉水淸淸」, 위헤이딩의 평론「문학은 모순 투쟁을 묘사해야 한다—작가협회 우한분회에서 개최한 '문학창작은 인민 내부의 모순을 어떻게 반영하는가에 관한 좌담회'에서의 발언文學要描寫矛盾鬥爭——在作協武漢分會召開的"文學創作如何反映人民內部矛盾座談會"上的發言」(7월호에 연재 완료), 장융메이의 시「보마寶馬」가 발표되었다.

『해방군문예』6월호에 '사상과 예술 수준을 제고해 부대 단편소설 창작을 번영시키자'란이 개설되어 푸중의「부대 단편소설 창작 좌담회에서의 연설在部隊短篇小說創作座談會上的講話」, 사오취안린의「단편소설에 관하여談短篇小說」, 라오서의「인물, 언어 및 기타人物、語言及其它」, 왕위안젠의

「혁명 선배의 빛나는 정신이 비추는 아래서在革命前輩精神光輝的照耀下」(단편소설 몇 편의 창작 과정에 관하여) 및 『해방군문예』 편집부 소설조의 「단편소설 창작 과정의 몇 가지 문제短篇小說創作中的幾個問題」, 주자성朱家勝의 보고문학 「흔들리는 횃불飄動的篝火」이 발표되었다.

『세계문학』 6월호의 '제3차 전소련 작가대표대회' 특집란에 「소련공산당 중앙에서 제3차 전소련 작가대표대회에 보낸 축사蘇共中央給第三次全蘇作家代表大會的祝詞」, 「공산주의 건설에서의 소련문학의 임무蘇聯文學在共產主義建設中的任務」의 번역문 및 「제3차 전소련 작가대표대회를 기억하며記第三次全蘇作家代表大會」 등의 글이 발표되었다.

『신항』 6월호의 '6·1 아동절에 부쳐, 소선대少先隊 건립 10주년을 축하하며'란에 진진의 소설 「퇴비의 아이들堆肥的孩子們」, 커옌의 시 3편 「붉은 스카프 일지紅領巾日志」가 발표되었다. 같은 호에 웨이쥔이의 특필 「류 사장을 기억하며記劉社長」, 위안징의 「붉은 수송선紅色交通線」의 제1장 「뤼장 동굴綠江洞」, 리지예의 평론 「고전시가를 어떻게 학습할 것인가怎樣向古典詩歌學習」 및 시 「티베트의 새로운 탄생을 축하하며祝西藏新生」, 쉬츠의 평론 「장시『리다자오』를 처음 읽고初讀長詩<李大釗>」가 발표되었다.

『옌허』 6월호에 후차이의 「원제 시선『생활의 찬가』 서문序聞捷詩選<生活的贊歌>」 및 왕원스가 후차이의 글에 대한 견해를 표현한 서신 「후차이 동지에게 보내는 서신給胡采同志的信」과 후차이의 회신 「원스 동지에게 보내는 회신複汝石同志」이 발표되었다. 같은 호의 '어린이들에게'란에 천보추이의 소설 「엄마는 공사현장에 있다媽媽在工地上」가 발표되었다.

『불꽃』 6월호에 3월 13일에 진행된 산시성 문련 이론연구실에서의 자오수리의 담화 기록 「현재 창작에 존재하는 몇 가지 문제當前創作中的幾個問題」가 발표되었다. 그는 담화에서 "새로운 영웅 인물 표현 문제", "인민 내부의 모순 표현 문제", "보급과 제고의 관계 문제", "창작 기교에 관한 문제" 등 네 가지 문제에 대해 자신의 견해를 피력하였다. 그는 담화에서 "영웅 인물을 표현함에 있어, 나는 그들의 영웅적인 품성을 중점적으로 묘사해야 한다고 본다……그들을 이해하기 위해서는 그들과 함께 생활해야 한다……우리가 평소에 묘사하는 영웅 인물은 종종 개념화되고 공식화되어 있는데, 이는 군중과 함께 생활하지 않아 영웅 인물의 품성과 생활과 모습에 익숙하지 않고 이해하지 못하기 때문이다. 상부에서 어떤 호소를 하면 그에 해당하는 소재를 찾는 식의 임무를 서둘러 완성하는 방법을 통해서는 좋은 작품을 쓸 수 없다……군중 속에서 생활하면서 자신도 힘을 보태 본 적이 있다면 자신이 직접 느낀 신선한 사물을 표현할 수 있다. 이렇게 하면 상부의 호소에 부합하며, 갑작스럽거나 임무를 서둘러 완성한다는 느낌을 받지 않을 것이다", "인민 내부의 모순을 표현함에 있어 나는 어떤 종류의 모순이 반드시 큰 비중과 분량을 차지해야 할지 규정할 필요가 없으며, 이는 그저 관점과 입장 문제라고 본다", "한편으로는 사상성과 예술성을 제고해야 하며……다른 한편으로는 글의 구조를 제고해야 한다……" "작품의 질을 결정하는 것은 첫째는 내용이고 둘째가 창작 기교이다……우리는 겸허하게 군중창작을 학습해야 한다"라고 보았다.

『창춘長春』 6월호에 리지의 이론 「10년간 걷는 법을 배우다學步十年」가 발표되었다.

『산화』 6월호에 옌이의 시 「러우산의 새벽嶁山之晨」이 발표되었다.

『별』 제6호에 옌이의 신작시 「단시 4편短詩四首」이 발표되었다.

『인민일보』에 궈모뤄의 시 「어린이들이여, 안녕!小朋友, 你們好!」이 발표되었다.

『문회보』에 진진의 시 「'연'에 부쳐寫給"風箏"」가 발표되었다.

1월~7월 24일, 중국인민해방군 제2기 문예공연대회가 베이징에서 개최되어 총 5,600여 명의 문예공작자들이 참가하였다. 대회에서는 「난하이 창청南海長城」, 「회화나무 마을槐樹莊」, 「동진 서곡東進序曲」 등의 화극이 공연되었다.

2일, 『인민일보』에 장경의 「구이린 산수－자연미에 관하여桂林山水──兼談自然美」가 발표되었다.

『광명일보』에 예성타오의 「소년아동에게 더 많은 참고서적을 제공하자給少年兒童更多的課外讀物」가 발표되었다.

『문회보』에 타오주의 이론 「태양의 광휘太陽的光輝」가 발표되었다.

3일, 『극본』 제6호에 어우양위첸의 「희극창작의 수준을 제고하자提高戲劇創作的水平」, 천바이천의 「뻐꾸기는 어째서 노래하는가布穀鳥爲什麼要歌唱」가 발표되었다.

5일, 『문예월보』 6월호에 페이리원의 소설 「빗길의 바퀴 자국雨路車轍」, 후완춘의 단편소설 「성격이 특이한 사람特殊性格的人」, 친무의 창작이론 「잡문 소식雜文小識」이 발표되었다.

『문학청년』 제6호에 왕위쑹王玉嵩, 장톈민張天民, 저우후이周慧의 시 「티베트의 새로운 탄생을 축하하며祝西藏新生」, 장톈민의 「그녀는 정류장으로 간다她往車站走」가 발표되었다.

『북방문학』 6월호에 옌천의 시 「푸르른 숲青青的林子」(외 3편), 웨이진즈의 이론 「실제 인물 및 사건 묘사를 통해 제고를 말하다從描寫真人真事談提高」가 발표되었다.

『인민일보』에 류멘즈의 독서 잡기 「고대의 복장 및 기타古代的服裝及其它」가 발표되었다.

『문회보』에 야오원위안의 이론 「학이사소례學而思小禮」가 발표되었다.

6일, 『인민일보』에 옌전의 시 「장난의 노래江南曲」, 거바오취안의 「푸시킨과 중국普希金與中國」
이 발표되었다.

7일, 『인민일보』에 량상취안의 시 「러산을 노래하다歌樂山」(2편)가 발표되었다.

『문회보』에 스퉈의 역사소설 「청주 황건적의 비극靑州黃巾的悲劇」(조조 이야기)의 연재가 시작
되었다.

『해방일보』에 야오원위안의 「'명제작문'에 관하여─쉬아오 선생과의 논의略談 "命題作文"──和徐
鼇先生商榷」가 발표되었다.

『전영창작』 6월호에 루쉰의 소설 「축복」을 샤옌이 각색한 영화문학 극본 및 샤옌의 글 「각색
잡담雜談改編」이 발표되었다.

8일, 베이징, 상하이, 톈진 문화계 인사들이 모여 러시아 시인 푸시킨 탄생 160주년 기념행사
를 진행하였다.

『인민일보』에 톈한의 「「환혼기」 및 기타<還魂記>及其它」가 발표되었다.

『광명일보』에 궈모뤄의 「채문희의 「호가십팔박」에 관하여 제3편」, 류카이양劉開楊의 「채문희
와 그 작품에 관하여關於蔡文姬及其作品」 등 채문희에 관한 평론이 발표되었다.

『인민문학』 6월호에 마펑의 소설 「나의 첫 상사我的第一個上級」, 저우리보의 단편소설 「베이징
에서 온 손님北京來客」, 옌천의 시 2편 「옛 공청단원의 발자국을 밟고서踏著老共靑團員的腳印」, 저우
얼푸의 산문 「자유는 조만간 반드시 온다自由遲早必將到來」, 셴아이先艾의 산문 「두 돌격대장兩個突
擊隊長」, 량빈의 「『홍기보』 창작 만담漫談<紅旗譜>的創作」, 류바이위가 집필한 『아침의 태양早晨的太
陽』의 서문 「인민의 통신원이 되다給人民作一個通信員」, 린모한의 이론 「소재에 관하여關於題材」, 탕
타오의 이론 「감정의 주입感情的灌注」, 짱커자의 평론 「커옌의 동시柯岩的兒童詩」가 발표되었다.

『베이징문예』 제11호에 톈젠의 장시 『인력거꾼 전기』 제3부 「스부란이 인력거를 끌다石不爛趕
車」가 발표되었다. 같은 호에 왕위안젠이 "단편소설 몇 편의 창작 과정을 이야기"한 글 「혁명 선배
의 빛나는 정신이 비추는 아래서」가 발표되었다.

『문학지식』 6월호에 예쥔젠의 평론 「안데르센의 동화安徒生的童話」가 발표되었다.

9일, 『인민일보』에 루쉐빈陸學斌의 「조조에 관한 희곡을 말하다試談曹操戲」가 발표되었다.

『광명일보』에 학술소식 「신시가 논쟁이 계속 발전하는 과정에서 신시가의 격률 문제를 집중적으로 토론하다新詩歌的爭論在繼續發展中集中討論新詩歌的格律問題」가 게재되었다.

『문회보』에 리젠우의 「어떻게 배우를 '아르파공(프랑스 작가 몰리에르의 희곡 <수전노>의 주인공-역자 주)'으로 훈련시킬 것인가?怎樣訓練一個演員"阿爾巴貢"?」가 발표되었다.

10일, 『해방일보』에 진이의 「행복한 날들의 시작幸福的日子的開始」이 발표되었다.

11일, 『인민일보』에 궈모뤄의 「우시 방문 4편訪無錫四首」이 발표되었다.

『문예보』 제11호에 「중국문련 주석 궈모뤄가 소련작가대표대회에 보낸 축전中國文聯主席郭沫若給蘇聯作家代表大會的賀電」, 마오둔의 「소련 제3차 작가대표대회에서의 축사在蘇聯第三次作家代表大會上的祝詞」, 펑무의 평론 「「전투하는 청춘」의 성패와 득실에 관하여談<戰鬥的青春>的成敗得失」가 발표되었다.

12일, 『해방일보』에 천보추이의 「사회주의를 위하여爲社會主義好」가 발표되었다.

13일, 『인민일보』에 라오서의 「모스크바에서 돌아오다歸自莫斯科」가 발표되었다.

14일, 『광명일보』 제265호 주간 『문학유산』에 리딩원李鼎文의 「「호가십팔박」은 채문희의 작품인가?<胡笳十八拍>是蔡文姬作的嗎?」 왕다진王達津의 「「호가십팔박」이 채염 작품이 아니라는 보충 증거<胡笳十八拍>非蔡琰作補證」, 장주江九의 「도연명, 이청조에 관한 토론을 보고 생각한 것從陶淵明、李清照討論中想到的」, 탕구이장唐圭璋, 리치화李啓華의 「이청조를 논하다也論李清照」가 발표되었다.

15일, 『인민일보』에 우한의 「허례허식에 반대한다反對繁文」가 발표되었다.

『광명일보』에 딩시린의 글 「수많은 군중의 사용에 적합한 자전 검자법이 절실히 필요하다迫切需要一個適合於廣大群眾使用的字典檢字法」가 발표되었다.

『희극보』 제11호에 리젠우의 「「채문희」의 공연을 보고 생각한 것從<蔡文姬>的演出想到的」, 장진차이張錦才의 「감동적인 서정시—「채문희」를 보고一首激動人心的抒情詩──<蔡文姬>觀後感」 등 화극

「채문희」에 관한 평론이 여러 편 발표되었다.

『전영문학』 6월호에 류허우밍이 각본을 맡고 옌궁嚴恭이 감독을 맡은 영화 「아침놀朝霞」의 감독 극본이 발표되었다.

16일, 『광명일보』에 톈젠의 시 「해바라기葵花」, 리준의 「석류꽃 피는 계절石榴花開的季節」, 가오스치의 「자연 면역自然免疫」이 발표되었다.

『인민일보』에 류멘즈의 「해서가 황제를 꾸짖다海瑞罵皇帝」가 발표되었다.

17일, 『희극연구』 제2호에 톈한의 「'5·4' 정신과 경험을 수용해 사회주의 신희극을 창조하자接受"五四"的精神和經驗創造社會主義新戱劇」가 발표되었다.

18일, 『여행가』 6월호에 천덩커의 「메이산에 다시 가다重遊梅山」가 발표되었다.

20일, 『해방군보』에 장융메이의 시 「전사와 꿀벌戰士和蜜蜂」이 발표되었다.

21일, 『광명일보』에 궈모뤄의 「채문희의 「호가십팔박」에 관하여 제4편」이 발표되었다.

22일, 『인민일보』에 제3차 전소련작가대표대회에서의 수르코프의 보고 「공산주의 건설에서의 소련문학의 임무蘇聯文學在共産主義建設中的任務」 요약문이 발표되었다. 같은 호에 궈모뤄의 시 「안예민 열사 예찬贊安業民烈士」가 발표되었다(23일자 『해방군보』에 전재).

23일, 『베이징문예』 제12호에 톈젠의 장시 『인력거꾼 전기』 제3부 「스부란이 인력거를 끌다」의 연재가 계속되었으며, 커옌의 단막극 「아, 한잠 잘 잤다!哎, 這一覺睡得!」가 발표되었다.

『해방군보』에 샤오싼의 시 「장군합창단 예찬將軍合唱團贊」이 발표되었다.

『중국청년보』에 친무의 「두 좀도둑의 경험兩個小偸的經歷」이 발표되었다.

25일, 마오쩌둥이 32년만에 고향 사오산韶山으로 돌아가 7언 율시 「사오산에 오다到韶山」를 창작하였다.

『인민일보』에 위안잉의 「피기도 전에 시들다未開先萎」가 발표되었다.

『해방일보』에 진이의 「삼천리강산은 갈라질 수 없다三千裏江山是不可分割的」가 발표되었다.

『문학평론』 제3호에 '시가 격률 문제에 관한 토론 특집'란이 개설되어 왕리의 「중국 격률시의 전통과 현대 격률시의 문제中國格律詩的傳統和現代格律詩的問題」, 주광첸의 「신시 격률에 관하여談新詩格律」, 뤄녠성의 「시의 리듬詩的節奏」, 탕타오의 「'민가체'에서 격률시까지從"民歌體"到格律詩」, 진커무의 「시가 잡담詩歌瑣談」, 지셴린의 「신시에 대한 몇 가지 견해對於新詩的一些看法」가 발표되었다. 같은 호에 차이이의 「현실주의 예술의 전형 창조現實主義藝術的典型創造」, 리젠우의 「스탕달의 정치 관점과 『적과 흑』司湯達的政治觀點與<紅與黑>」, 양장楊絳의 「새커리의 『허영의 시장』 서문薩克雷<名利場>序」, 왕지쓰王季思의 「이러한 실마리와 기준이 있는가?－나의 『송원문학사강의』 비판에 대한 답변有沒有這樣的線索和標准?——關於我的<宋元文學史的講義>的批判的答辯」이 발표되었다.

『시간』 6월호에 나·싸이인차오커투의 「베이징의 시北京的詩」, 짱커자의 「작은 삼판선小舢板兒」, 옌천의 「삼림시초森林詩草」, 셰몐謝冕 등의 「여신 재생의 시대－'신시 발전 개황' 제1편女神再生的時代——"新詩發展概況"之一」, 쉬츠의 「격률시에 관하여談格律詩」, 우보샤오의 「'목란시'를 읽고讀"木蘭詩"」가 발표되었다.

셰몐(1932~), 시인, 문예비평가. 필명은 셰위량謝魚梁으로 푸젠성 푸저우 출신이다. 1960년에 베이징대학 중문과를 졸업한 후 모교에 남아 교편을 잡았다. 현재 중국작가협회 전국위원, 베이징작가협회 부주석, 중국당대문학연구회 부회장을 맡고 있다. 그의 논문 「새로운 굴기 앞에서在新的崛起面前」는 1980년대의 몽롱시 운동에 지대한 역할을 하였다. 저서로 학술논저 『호안시평湖岸詩評』, 『문학의 녹색혁명文學的綠色革命』, 『20세기 중국문학을 논하다論二十世紀中國文學』 등 10여 권과 산문수필집 『세기유언世紀留言』, 『마음속 풍경心中風景』 등이 있다.

26일, 중국극협 우한분회의 기관 간행물 『창장희극長江戲劇』이 창간되어 뤄원駱文이 편집장을, 자오쉰, 란광 등이 부편집장을 맡았다. 창간호에는 자오쉰의 「전통 희곡을 학습하고 독특한 풍격을 발양하자學習傳統戲曲與發揚獨特風格」가 발표되었다.

27일, 『인민일보』에 라오서의 「화방재에서 그림을 보다畫舫齋觀畫」가 발표되었다.

『광명일보』에 빙신의 시 「비 온 후雨後」가 발표되었다.

『해방일보』에 웨이진즈의 「남은 밥剩飯」이 발표되었다.

『남방일보』에 타오주의 산문 「태양의 광휘」가 발표되었다.

28일, 『광명일보』에 왕수밍의 「이청조 작품에 대한 토론으로부터 이야기를 시작하다從對李淸照作品的討論說起」, 귀위헝의 「이청조 단론李淸照短論」이 발표되었다. 같은 호에 바이즈白芷의 「중국 고전 서정시가 문제에 관하여談談中國古典抒情詩歌問題」 투고 원고에 대한 종합기사 「맹호연과 그 시「춘효」에 관한 논쟁關於孟浩然及其<春曉>詩的爭論」이 발표되었다.

29일, 중국문자개혁위원회와 문화부가 합동으로 통지를 발포해 제4조 92개 간화한자를 발표하고, 7월 15일부터 시행하기로 하였다.

『해방일보』에 웨이진즈의 「17가지 나무十七種樹」가 발표되었다.

30일, 『중국청년보』에 톈젠의 「토지시土地詩」(장시 『인력거꾼 전기』 제4부의 일부)가 발표되었다.

『인민일보』에 톈젠의 「산베이와 이별하다別陝北」(장시 『인력거꾼 전기』 제4부 「마오 주석毛主席」의 부분)이 발표되었다(「마오 주석」의 전문은 『베이징문예』 7월호에 발표).

『희극보』 제12호에 톈한의 「「목계영괘수」를 보고 메이란팡에게 보낸 서신─소사 한 단락을 첨부하여看<穆桂英掛帥>後給梅蘭芳的一封信──附小詞一闋」가 발표되었다.

이달에 『희극학습戲劇學習』 제6호에 중앙희극학원에서의 어우양위첸의 강의 기록 「화극이 전통을 학습하는 문제話劇向傳統學習的問題」(1~3편)가 발표되었다.

수신청舒新城의 제안하에 『사해辭海』의 재수정이 시작되었다.

쑨리의 단편소설집 『하화전』, 샤옌의 화극 『파시즘 세균』이 인민문학출판사에서 출간되었다.

리지의 『사랑하는 차이다무心愛的柴達木』, 『홍군이 된 오빠가 돌아왔다』 등의 시집이 작가출판사에서 출간되었다.

쩌우디판의 시집 『바람이 불고 번개가 치다風馳電閃』가 상하이문예출판사에서 출간되었다.

라오서의 화극 『여자 점원』, 아이우의 산문집 『유럽 여행기歐行記』가 백화문예출판사에서 출간되었다.

천펑쿤陳鳳鯤, 스메이창史美强이 각색한 동명의 경극 극본 『붉은 폭풍紅色風暴』이 춘풍문예출판사에서 출간되었다.

저우리보의 논저 『문학천론文學淺論』이 베이징출판사에서 출간되었다.

6~7월, 저우양, 린모한, 첸쥔루이, 사오취안린, 류바이위, 천황메이, 허치팡, 장광녠 등이 베이

다이허에서 회의를 개최해 문예공작 개선 방안에 관해 토론하고 문예공작에 존재하는 10대 문제를 제기하였다. "일찍이 1958년 11월에 개최된 정저우 회의에서 마오쩌둥이 '좌경' 수정 문제를 제기한 후, 저우양은 저우언라이의 지지하에 문화공작에 존재하는 극단적인 '좌' 경향과 오류를 수정하기 위해 '좌경' 수정에 관한 문건의 초안을 준비하였다. 1959년 6월, 그는 제2회 전군 문예공연대회 간부 좌담회에서의 연설에서 문예 문제 가운데 하나는 '백화제방, 백가쟁명'이며, 다른 하나는 문화공작의 방침 정책 문제로, 방법을 수립하고 규정을 결정하여 모두가 따를 수 있게 해야 한다고 보았다. 그는 이렇게 하지 않으면, 어떤 지역에 가거나 혹은 어느 문화국장을 만났을 때 만약 그 사람이 한 가지의 풍격 혹은 학술만을 발전시키려 한다면 바로잡을 방법이 없으므로, 방법과 규정을 수립해야 한다고 주장하였다.

같은 달에 저우양은 린모한, 첸쿤루이, 사오취안린, 류바이위, 천황메이, 허치팡, 장광녠 등과 함께 베이다이허에서 회의를 개최해 문예공작 개선 문제에 관해 토론을 진행하고 방안을 제시하였으며 또한 열 가지 문제를 제기하였는데, 이것이 바로 이후의 「문예십조文藝十條」이다. 그 내용은 정치와 예술, 소재 다양화, 유산 문제, 지도 문제 등이 포함되어, 연말에 개최될 전국문화공작회의에서 이를 토론하고 집행할 준비를 하였다. 그러나 정치적 분위기가 갑자기 일변해 루산 회의廬山會議에서 펑더화의의 소위 '우경 기회주의'를 비판한 후, 저우양은 문화공작방면에서의 '좌경' 수정공작을 중단할 수밖에 없었으며, 본래 '좌경'을 수정할 계획이었던 문화공작회의는 그 방향을 바꾸어 '우경'과 '수정주의'를 반대하고, 19세기 유럽의 자산계급 문예를 반대하게 되었다."[3]

7월

1일, 『홍기』 제13호에 1959년 5월의 어느 좌담회에서의 천보다의 연설 「비판적인 계승과 새로운 탐색批判的繼承和新的探索」이 발표되었다.

『해방군문예』 7월호에 왕더잉王德英, 아이청위안艾承遠의 2장 화극 「누가 영광스러운가誰光榮」, 차오지수이曹繼水, 허진링何晉齡의 단막 화극 「붉은 선一條紅線」, 류즈졘劉志堅의 「제2회 전군 문예공연대회 개막식에서의 연설在全軍第二屆文藝會演大會開幕式上的講話」, 아이우의 「생활, 인물, 이야기——부대 단편소설 창작좌담회에서의 발언生活、人物、故事——在部隊短篇小說創作座談會上的發言」, 옌원

---

3) 하오화이밍郝懷明, 『연기처럼 불처럼 저우양을 말하다如煙如火話周揚』 제220,221쪽, 중국문련출판공사中國文聯出版公司 2008년

징의 「형상의 관찰과 표현－부대 단편소설 창작좌담회에서의 발언形象的觀察和表現——在部隊短篇小說創作座談會上的發言」이 발표되었다.

『신항』 7월호에 두위안의 혁명투쟁 회고록 「'톈진 제3감옥'에서의 전투戰鬥在"天津第三監獄"」, 티베트족 민가선 「설산의 정상에서 후광을 빛내다雪山頂上放祥光」(11편) 등이 발표되었다.

『창장문예』 7월호에 위헤이딩의 평론 「문학은 모순 투쟁을 묘사해야 한다」의 연재가 완료되었다.

『맹아』 제13호에 탕타오의 평론 「예술 개괄에 관하여談藝術概括」, 후완춘의 「인물의 정신적 면모를 어떻게 묘사할 것인가怎樣刻劃人物的精神面貌」가 발표되었다. 탕타오는 글에서 "성숙한 작가에게 있어 공간과 시간은 구속이 되지 못한다. 작가는 개괄하는 법을 알고, 종합하고, 포기하는 법을 알기 때문이다. 포기를 해야만 종합할 수 있고, 종합하기 위해서는 반드시 포기해야 한다. 독자가 영원히 잊지 못하게 할 수 있는 것이야말로 문예작품이 가장 묘사해야 하는 것이다. 나는 예술의 역할이 여기에 있다고 본다"라고 밝혔다.

후완춘의 글은 그가 선양시의 국영 쑹링 기계공장松陵機械廠의 공인 류훙쥔劉鴻俊에게 보낸 회신으로, 그는 서신에서 류훙쥔의 문제에 대해 인물의 정신적 면모를 잘 묘사하기 위해서는 반드시 생활을 진지하게 관찰해야 한다고 말하면서, "인물을 표현할 때는 내가 표현하려는 주인공이 어떤 사람인지 마음속에 명확하게 그려져야 한다. 그의 습관, 그가 좋아하는 것, 그의 구체적인 개성을 알고 있어야 한다"라고 밝혔다.

『옌허』 7월호에 야오원위안의 「'눈보라 치는 밤'을 논하다論"風雪之夜"」가 발표되었다. 같은 호에 마샤오샤오馬蕭蕭의 장편서사시 『스파이팡 전설石牌坊的傳說』이 발표되었다(1963년 3월에 중국청년출판사에서 출간).

『신관찰』 제13호에 리준의 소설 「보리를 수확하는 나날에在麥收的日子裏」, 톈젠의 시 「옌안 송가延安頌」 및 리뤄빙의 「풍작 수필豐收隨筆」, 마톄딩의 「우감록偶感錄」, 한쯔의 「황산소기黃山小記」, 펑쯔카이의 「항저우 사생杭州寫生」 등의 산문, 우한의 명대사 연구 「해서 이야기海瑞的故事」가 발표되었다.

『홍암』 7월호에 옌이의 소설 「행복幸福」, 젠셴아이의 「잊지 못할 만남難忘的會晤」이 발표되었다.

『우화』 제13호에 천서우주의 「생활, 사상, 기교生活、思想、技巧」가 발표되었다.

『열풍』 7월호에 차이치자오의 시 「전선의 자매前線姐妹」, 주원朱文의 시 「빗속에서 퇴비를 모으다雨中積肥」, 궈펑의 「산문 2편散文兩篇」이 발표되었다.

『별』 제31호에 가오잉의 「싼샤 산시三峽散詩」(2편), 궈모뤄의 「구체시 2편舊體詩二首」이 발표되었다.

『인민일보』에 정둥밍鄭東明의 혁명 회고록 「소금 반 통半罐鹽」이 발표되었다.

『중국청년보』에 천이陳毅의 시 「샹수리의 노래向秀麗歌」가 발표되었다.

베이징인민예술극원이 브라질의 저명한 시인이자 희극가의 화극 「이솝伊索」을 공연하였다. 천융陳顒이 번역 및 감독을 맡았으며, 뤼치呂齊, 팡관더, 수슈원 등이 주연을 맡았다.

2일, 『베이징일보』에 샤옌의 「'이솝'에 관하여關於"伊索"」가 발표되었다.

3일, 『인민일보』에 류칭의 「가감승제加減乘除」가 발표되었다.

『극본』 7월호에 자오환, 량신이 집필하고 전사화극단에서 공동 창작한 화극 「난하이 군가南海戰歌」 및 톈한, 양한성, 어우양위첸, 라오서, 우쉐의 평론 「「난하이 군가」 좌담座談<南海戰歌>」이 발표되었다.

4일, 『인민일보』에 「해방군문예공연에 훌륭한 작품 공연이 이어지다—제2단계 공연의 여러 작품이 관중들의 칭찬을 받다解放軍文藝會演好戲連台——第二階段演出的許多節目受到觀衆稱贊」가 발표되었다. 글은 "베이징부대문공단이 공연한 장막극 『회화나무 마을』은 화베이 지역의 농촌 '회화나무 마을'의 평범한 사람들의 성장과 변화를 통해 우리 농촌의 10년간의 거대한 변화와 생산 대약진의 성대한 기세를 심도 있게 묘사하였다", "우한부대문공단이 공연한 장막극 『산처럼 높고 물처럼 길다山高水長』는 1946년 중원 해방구의 우리 군대가 잠시 퇴각했던 당시에 해당 지역의 군중들이 국민당의 대군이 밀어닥친 상황에서 단호히 분투한 영웅적인 행동을 묘사하였다"라고 밝혔다.

5일, 『문예월보』 7월호에 우창의 단편소설 「해변海邊」, 주다오난朱道南의 혁명 회고록 「'광저우 봉기'를 추억하며回憶"廣州起義"」, 웨이진즈의 수필 「「'광저우 봉기'를 추억하며」를 기쁘게 읽다喜讀<回憶'廣州起義'>」, 페이리원의 독서수필 「「그는 오리를 먹지 않는다」의 세 차례의 수정 과정<他不吃鴨子了>的三次修改經過」, 장쿵양의 창작담 「진실한 생활에서 예술적 형상까지從眞實的生活到藝術的形象」, 왕시옌의 창작담 「실제 인물 및 사건 창작에서부터 이야기를 시작하다從寫眞人眞事談起」가 발표되었다.

『북방문학』 7월호에 왕위안젠의 소설 「평범한 노동자普通勞動者」가 발표되었다.

『작품』 7월호에 위펑於逢의 「진사저우金沙洲」 및 공동창작한 작품을 허추何求가 집필한 4막 8장

화극 「홍몐장紅棉江」이 발표되었다.

위핑(1915~2008), 본명은 리자오린李兆麟으로 본적은 광둥성 타이산台山이며 베트남 하이퐁에서 출생하였다. 1934년부터 작품 발표를 시작하였으며 1956년에 중국작가협회에 가입하였다. 『구망일보』 기자 및 편집자, 특약전지기자, 『류저우일보柳州日報』 부간 편집자, 화난문련 편집출판부 부부장 및 전문 창작원, 중국작가협회 광둥분회 부주석, 문학원 원장을 역임하였다. '사인방' 집권 시기에 리빙즈李冰之라는 필명으로 발표한 「하오란의 「시사의 자녀」를 평하다評浩然的<西沙兒女>」가 전국적으로 강렬한 반향을 불러일으켰다. 저서로 문학평론집 『「하구전」 등을 논하다論<蝦球傳>及其他』, 장편소설 『동료들夥伴們』, 『진사저우』, 『무산자無產者』 및 『위핑 자선집於逢自選集』 등이 있다.

『꿀벌』 제13호에 캉줘의 「툰좡의 샘물이 하늘을 보다屯莊泉水見青天」가 발표되었다.

『광명일보』에 「중국문학사의 주류 문제에 관하여關於中國文學史主流問題」가 발표되어 현재까지 진행된 토론에 드러난 여러 관점을 정리하였다. 대표적인 관점으로는 1. 민간문학이 주류라는 데 동의하는 관점으로, 그 이유는 아래와 같다. (1) 민간문학은 유구한 역사를 가지고 있다. (2) 민간문학은 태생부터 현실주의적이었으며, 이후의 문학을 위해 견고한 기초를 다져 주었다. (3) 민간문학은 가장 혁명적이고 진보적인 문학으로, 사회의 변화에 따라 부단히 진보하고 발전하는 문학이다. (4) 민간문학은 시대정신과 시대의 역사를 가장 정확하게 반영하는 문학이며, 인민의 바람을 담은 외침이다. (5) 민간문학은 시종일관 문학 속의 보물이었다.

2. 민간문학이 문학사의 주류라는 데 동의하지 않는 관점으로, 그 이유는 아래와 같다. (1) 란저우대학의 루이쉬瑞需는 "문학사는 계급이 없는 사회의 문학과 계급이 존재하는 사회의 문학을 모두 포함한다……그러나 미래의 공산주의 사회에서는 민간문학과 작가문학 사이의 구별이 사라질 것임을 추측할 수 있으며, 따라서 이러한 주장을 모든 문학사에 적용하는 것은 적절치 않다"라고 보았다. (2) 간쑤사범대학의 루스판廬世藩은 "마오 주석은 '루쉰의 방향이 바로 중화민족의 새로운 문화의 방향이다'라고 말한 바 있다. 따라서 현대문학사의 주류는 민간문학이 아니라 루쉰 등의 위대한 작가들을 위시한 현실주의 문학임을 알 수 있다"라고 보았다. 3. 진보문학, 현실주의 및 적극적인 낭만주의 문학, 인민문학 등이 주류라고 보는 관점.

6일, 『인민일보』에 멍보孟波의 「생산노동이 예술의 꽃송이를 피우다―「싱푸허 대합창」의 창작에 관하여生產勞動開出了藝術花朵――談<幸福河大合唱>的創作」가 발표되었다.

7일, 『인민일보』에 라오서의 「화가 위페이안을 추모하며悼於非闇畫師」, 메이란팡의 「허베이약진극단 학생과 희곡에 대해 이야기하다和河北躍進劇團學生談學戲」가 발표되었다.

8일, 『인민문학』 7월호에 두펑청의 「엄준하고도 빛나는 노정嚴峻而光輝的裏程」, 마펑의 「늙은 사원」, 후완춘의 「성격이 특이한 사람」, 루즈쥐안의 「청허 강가에서澄河邊上」, 류커의 「바사巴莎」 등의 소설, 거비저우의 장시 『삼현 전사三弦戰士』, 옌천의 시 「늙은 사냥꾼老獵手」, 사오취안린의 창작담 「산문 한 편을 읽고 생각한 것從一篇散文想起的」, 탕타오의 「풍격의 일례—「산 저편의 인가」에 관하여風格一例——試談<山那面人家>」, 커링의 「창작학습필기創作學習筆記」, 양모의 「린다오징 형상에 관하여談林道靜的形象」, 류바이위의 「독서우감讀書偶感」, 리수화李叔華의 보고문학 「시골 의사鄕村醫生」가 발표되었다.

『베이징문예』 7월호에 장즈민의 소설 「어느 공산당원一個共産黨員」, 톈젠의 장시 「마오 주석—『인력거꾼 전기』 제4부毛主席——<趕車傳>第四部」, 린진란의 산문 「루거우차오의 밤盧溝橋之夜」이 발표되었다.

9일, 『인민일보』에 위안수이파이의 시 「브라질의 명작 화극 「이솝」을 보고觀巴西名劇<伊索>」, 류바이위의 「그리스의 등불希臘的明燈」이 발표되었다.

9일, 28일, 8월 6일, 『문학평론』 편집부와 『인민일보』 문예부, 『문예보』, 『시간』에서 합동으로 베이징의 일부 시인, 학자 및 시가 애호자들을 초청해 세 차례의 좌담회를 개최해 시가 격률 문제에 관해 토론하였다. 좌담회는 허치팡이 주관하였다. 종합 토론문은 「시가 격률 문제 토론詩歌格律問題的討論」이라는 제목으로 『문학평론』 1959년 제5호에 게재되었다.

10일, 『희극연구』 제3호에 자오쥐인의 「화극의 민족형식과 민족풍격 약론略談話劇的民族形式和民族風格」이 발표되었다.

11일, 『문예보』 제13호에 왕시옌의 「「상하이의 아침」을 읽고讀<上海的早晨>」, 바런의 「밤에 돌아오다」 잡담閑話<夜歸>」, 멍차오의 「시적 정취가 충만한 「채문희」詩情洋溢的<蔡文姬>」, 장광녠의 「짱커자의 근작 단시에 관하여—『환호집』 서문談克家的近作短詩——序<歡呼集>」, 쩌우디판의 「『진차지 시초』를 읽고<晉察冀詩抄>讀後」, 톈젠의 「「신국풍찬」 머리말<新國風贊>題記」이 발표되었다.

『인민일보』에 「해방군문예공연에 새로운 꽃이 피다—난징과 란저우 부대에서 훌륭한 작품들을 공연하다解放軍文藝會演新花頻放——南京和蘭州部隊演出不少好戲」가 발표되어 제2기 해방군 공연대회에서 난징 부대 대표단이 화극「동진 서곡東進序曲」을, 란저우 부대에서 가극「붉은 매紅鷹」를 공연했다는 소식을 전했다.

13일, 『양청만보』에 위펑의 「여자 대장 량톈女隊長梁甜」(위펑의 장편소설 『진사저우』 부분)의 연재가 시작되어 제18호에 완료되었다.

14일, 문화부와 대외문화연락위원회에서 중국과 이라크 문화교류 및 양국 인민의 우정 강화를 위해 중국·이라크 문화협정에 근거해 14일부터 20일까지 베이징, 상하이, 선양, 우한 등 4개 대도시가 연합하여 중국·이라크 수교 이후 최초로 '이라크공화국 영화 상영 주간'을 진행해, 이라크의 극영화 「이웃鄰居」과 단편 다큐멘터리 「인민의 이름으로在人民的名義下」를 상영하기로 결정하였다.

『인민일보』에 리쩌허우의 「산수화조의 아름다움 – 자연미 문제에 관한 논의山水花鳥的美——關於自然美問題的商討」가 발표되었다. 리쩌허우는 글에서 "자연의 아름다움은 변화하고 발전한다……자연에 예술적인 비유와 상징을 더하여 관념적 형태의 의미를 부여하고, 자연에 의식과 감정 및 상상의 '의인화'를 가하는 것은 자연미를 창조하는 것이 아니라, 자연에 대한 사람의 감상에 더욱 확실하고 구체적인 사회적 내용과 의의를 가진 심미적 태도를 형성하는 것일 뿐이다"라고 보았다. 같은 호에 야오원위안의 「『누가 기적의 창조자인가』를 읽고 – 후완춘 동지에게 보낸 서신讀<誰是奇跡的創造者>——給胡萬春同志的一封信」이 발표되었다(『누가 기적의 창조자인가誰是奇跡的創造者』는 후완춘의 작품집 제목이다).

15일, 『전영문학』 7월호에 후쑤胡蘇, 우톈 등의 「쌍혼기雙婚記」, 지샤오청紀小城의 「홍선녀紅仙女」, 량첸윈梁倩雲의 「절세미녀 두십낭絕代名姬杜十娘」 등의 영화문학 극본과 위민의 극본 창작 경험 「탐색探索」이 발표되었다.

『광명일보』에 라오서의 「짧은 상성 1편小相聲一則」이 발표되었다.

16일, 『맹아』 제14호에 페이리원의 소설 「날개를 펴고 높이 날다展翅高飛」, 우란바간烏蘭巴幹의 혁명투쟁 회고록이 발표되었다.

우란바간(1928~2005), 네이멍구 커얼친 출신으로 1945년에 혁명공작에 참가하였다. 네이멍구 문련 주석을 역임하였다. 저서로 장편소설 『초원의 봉화草原烽火』, 『커얼친의 전화科爾沁戰火』, 『들판의 불길燎原烈火』, 중단편소설 『마장 주임馬場主任』, 『초원 위의 작은 씨름꾼草原上的小摔跤手』 등이 있다.

『홍기』 제14호에 저우얼푸의 「'동의 왕국'의 빈곤"銅的王國"的貧困」이 발표되었다.

『신관찰』 제14호에 타오주의 시 「홍수와 싸운 전사들의 귀환을 위로하며慰抗洪戰士歸來」, 탕타오의 「문풍에 관하여關於文風」, 쉬광핑의 「석류를 보고 생각한 것從石榴想起」, 친무의 「해변에서 조개껍질을 줍다海灘拾貝」, 한쯔의 「격도激渡」가 발표되었다.

18일, 『광명일보』에 리젠우의 「루위안의 홍기를 보고看綠園紅旗」가 발표되었다.

20일, 폴란드인민공화국 15주년 국경절을 축하하기 위해 문화부, 대외문화연락문화위원회 및 중국·폴란드우호협회에서 합동으로 폴란드 영화 「바르샤바 미인어華沙美人魚」의 최초 상영 초대회를 개최하였으며, 중국·폴란드우호협회와 중국음협에서 폴란드 국경절 경축 음악회를 개최하였다. 문화부 부부장 샤옌과 주중국폴란드대사가 초대회에 참석해 연설하였다.

『인민일보』에 위안잉의 시 「쿤룬다오, 화산이여昆侖島啊, 是一座火山」가 발표되었다.

21일, 샤옌이 전국 극영화제편창 창장 화의에서 연설하였다. 그는 "새로운 장르를 추가하기 위해서는 반드시 의식적으로 공작을 진행해야 한다. 현재 우리의 영화는 케케묵은 '혁명 경전'과 '전쟁 그림'이며, 이러한 '경전經'과 '그림道'을 벗어난 영화가 없다. 이렇게 해서는 새로운 장르를 탄생시킬 수 없다. 오늘 나의 발언은 바로 '경전'을 벗어나고 '그림'에 반대하는 발언이다. 여러분의 사상을 해방시켜 백화제방을 관철하고, 의식적으로 새로운 장르를 더하기 위한 발언이다"라고 밝혔다. 샤옌의 본 연설은 이후의 '문화대혁명' 시기에 '사인방'에 의해 '리경반도론離經叛道論'으로 규정되었다.

22일, 『인민일보』에 두펑청의 「폴란드에서 보낸 나날을 추억하며回憶在波蘭度過的日子」가 발표되었다.

23일, 『인민일보』에 마톄딩의 「기본 훈련基本訓練」, 한쯔의 「백채원百菜園」이 발표되었다.

24일, 『수확』 제4호에 평더잉의 장편소설 『영춘화迎春花』, 류춘산劉春山, 후완춘이 합동 창작한 단편소설 「한즈창과 그의 동료들韓志強和他的夥伴們」, 진이의 산문 「황푸장의 아침黃浦江的早晨」, 장펑張烽의 혁명투쟁 회고록 「비밀리에 이동하다秘密轉移」, 야오원위안의 「루쉰이 문학을 논하다魯迅論文學」가 발표되었다.

『광명일보』에 후성의 「인민 가운데 있는 사람─타오펀 서거 15주년을 기념하며一個在人民中間的人──紀念鞱奮逝世十五周年」가 발표되었다.

25일, 『광명일보』에 「영웅의 송가, 전투의 서사시─제2회 인민해방군 문예공연을 평하다英雄的頌歌、戰鬥的史詩──評述人民解放軍第二屆文藝會演」가 발표되었다. 글은 공연이 거둔 성공을 정리하면서, 이번 공연이 중국 군대 문예공작이 당의 '문예는 공농병을 위해 복무한다'는 방침과 '백화제방, 백가쟁명' 방침의 지도하에 거대한 성공을 거두었음을 충분히 보여주었다고 평했다. 문예공작에 존재하는 결점에 대해서는 "일부 작품은 다소 조잡해 줄거리의 안배가 부족하고, 언어가 세련되지 못하며, 상상력이 풍부하지 못하다. 소형 화극과 가극 작품이 적다. 배우들의 기본적인 기술 훈련이 아직 비교적 부족하며, 일부 작품은 내용 면에도 결점이 존재한다"라고 평하였다.

『시간』 7월호에 셰몐 등의 「무산계급 혁명시가의 고조無產階級革命詩歌的高潮」('신시 발전 개황' 제2편) 및 장융메이의 「국경 수비군邊防軍」, 리잉의 「신병 일기新兵日記」, 롼장징의 「우란차부烏蘭察布」, 평즈의 「시 2편詩二首」, 옌이의 「티베트 시화西藏詩畫」 등의 시가 발표되었다.

26일, 『광명일보』에 중국작가협회와 중국과학원 문학연구소에서 6월 17일에 개최한 문학사 연구 토론회에서의 허치팡의 발언 「문학사 토론의 몇 가지 문제文學史討論中的幾個問題」가 발표되었다. 글은 1. 중국문학사의 규율에 관하여, 2. 현실주의와 반현실주의의 투쟁에 관하여, 3. 중국문학의 주류에 관하여, 4. 과거 작가와 작품을 평가하는 기준에 관하여 등 네 부분으로 구성되었다(제3부분은 『광명일보』 8월 2일자에, 제4부분은 8월 9일자에 발표).

『문예보』 제14호에 「산문이라는 꽃을 더욱 아름답게 피우자讓散文這枝花開的更絢麗」라는 제목으로 빙신의 「산문에 관하여關於散文」, 한쯔의 「1,000~2,000자의 산문 예찬贊一兩千字的散文」, 친무의 「산문 영역─끝없이 넓다散文領域──海闊天空」, 커란의 「「아침노을 피리」를 말하다我談〈早霞短笛〉」

등의 글이 발표되었다.

같은 호에 평무의 「「비바람 부는 새벽」의 성취와 약점<風雨的黎明>的成就和弱點」이 발표되었다 (「비바람 부는 새벽風雨的黎明」은 뤄단羅丹이 창작 중인 장편소설『강철의 강물鋼鐵的河流』의 제1부 이다).『문예홍기』편집부는 「비바람 부는 새벽」의 출판에 앞서 토론회를 개최하였는데, 평무의 글은 당시 토론회에서 제기된 여러 관점을 종합한 것이다. 그는 「비바람 부는 새벽」의 성취에 대해 "풍부하고 다채로운 내용, 역사적 사실의 윤곽, 그리고 인물의 활동이 존재하며, 풍부하고 반복적 인 생활 화면의 진실한 묘사, 그리고 인물 성격에 대한 치밀한 묘사와 심도 있는 분석이 존재한다", "이 작품은 표현방법과 예술 구조 면에서도 비교적 독특한 형식을 차용하였다. 작가는 작품 속에 서 완전하며 읽는 이를 매료시키는 복잡한 이야기를 추구하지 않았다"라고 평했다. 반면에 부족한 점은 "서술과 묘사에 유럽화된 문장이 존재하며, 대화 속에 종종 방언과 속담을 억지로 끼워넣은 부분이 있다. 이는 읽는 이로 하여금 조화롭지 못하고 순수하지 않은 느낌을 준다"라고 보았다.

뤄단(1911~1995), 본명은 뤄스위안羅土垣으로 광둥성 싱닝興寧 출신이다. 1938년에 옌안항대에 서 수학하였으며, 이후에『다롄일보大連日報』사 사장, 안강기계3공장鞍鋼機械三廠 공장장, 중국작가 협회 랴오닝분회 전문작가를 역임하였다. 1941년부터 작품을 발표하였다. 저서로 장편소설『비바 람 부는 새벽』, 단편소설집『전투 풍운록戰鬥風雲錄』,『어린 나팔수小號手』,『비밀 정보원秘密情報員』, 화극 극본『비밀의 투쟁秘密的鬥爭』등이 있다.

27일,『독서』제14호에 왕위안젠의 「전투의 길, 성장의 길―「푸른 정도」를 읽고戰鬥的路, 成長 的路――讀<藍色的征途>」, 바런의 「『야담우기』를 다시 읽다重讀<夜談偶記>」가 발표되었다.

30일,『인민일보』에 저우얼푸의 「우정의 꽃송이友誼的花朵」가 발표되었다.

이달에『중국전영』과『국제전영國際電影』이 합병되어『전영예술電影藝術』로 개편되었다.

원제의 시집『허시 회랑행』이 작가출판사에서 출간되었다.

백화문예출판사에서 '공농병 문예학습 소총서工農兵文藝學習小叢書'를 편찬 및 출판하였다. 본 총 서에는『장편소설 창작 경험담長篇小說創作經驗談』,『실제 인물 및 사건 창작과 전형 창조寫真人真事 和創造典型』,『작품에 어째서 신선한 느낌이 없는가作品爲什麼寫得沒有新鮮感』,『인물을 어떻게 창작 할 것인가怎樣寫人物』가 발표되었다.

8월

1일, 『해방군문예』 8월호에 마오둔의 「부대 단편소설 창작좌담회에서의 연설在部隊短篇小說創作座談會上的講話」, 바런의 「창작 잡담－부대 단편소설 창작좌담회에서의 연설創作瑣談——在部隊短篇小說創作座談會上的講話」, 룽페이후龍飛虎의 혁명 회고록 「저우 부주석을 따른 11년跟隨周副主席十一年」이 발표되었다.

『신항』 8월호에 린진란의 소설 「베이베이가 잠들었을 때貝貝睡著的時候」, 리지예의 산문 「미명사에서의 왕칭스 동지를 추억하며憶王青士同志在未名社」, 라오서의 단론 「문예학도文藝學徒」, 우옌吳雁의 단론 「창작에는 재능이 필요하다創作, 需要才能」, 왕시옌의 평론 「문학 기교 만담漫談文學技巧」, 광지의 평론 「아동문학에 관한 몇 가지 견해關於兒童文學的一點淺見」가 발표되었다.

왕시옌은 글에서 우선 문학 기교에 대한 두 가지 오해에 대해 "한 가지는 유기교론唯技巧論으로, 창작을 완전히 기교로 보는 것이다. 다른 한 가지 오해는 유생활론唯生活論이라고 불러도 무방할 것이다"라고 지적한 후, 체호프와 루쉰 등의 예를 들어 기교와 생활의 관계에 대해 "생활을 벗어난 기교는 존재할 수 없다"라고 설명하였다.

우옌은 글에서 "문학창작에는 재능이 필요하다……모든 사람이 작가가 될 수 있는 것은 아니다……어떤 이는 문장이 매끄럽지 못해 일반적인 편지조차 명확하게 쓰지 못함에도 불구하고 일찍부터 작가라는 길에 매료되어 작가가 될 것이라고 공언하기도 한다. 이런 사람은 창작 노동의 고됨뿐만 아니라 재능의 의미 또한 이해하지 못하고, 머릿속에 '명리名利'라는 두 글자가 적힌 간판 밖에는 들어 있지 않다. 한편 몇몇 청년들은 창작의 규칙도 이해하지 못하고 생활의 경험도 부족함에도 불구하고 펜을 들어 100만 자에 달하는 소설을 적어내어 자신이 살아온 20년간의 '경험'을 썼다고 말하기도 하는데, 유치하고 우스꽝스러움을 면하기 힘들다"라고 밝혔다.

이 글은 발표된 후 논쟁을 불러일으켰다. 『신항』, 『문예보』, 『인민일보』, 『허베이일보』, 『광명일보』, 『문회보』 등 여러 간행물에 11월에서 12월 사이에 화푸의 「「창작에는 재능이 필요하다」에 대한 변론＜創作, 需要才能＞辯」(『문예보』 제21호), 마오둔의 「창작과 재능의 관계로부터 이야기를 시작하다從創作和才能的關系說起」(『인민문학』 제12호), 「군중창작을 어떻게 보아야 하는가－「창작에는 재능이 필요하다」가 불러일으킨 토론應該如何看待群眾創作——由＜創作, 需要才能＞一文引起的討論」

(『광명일보』11월 18일자) 등 이를 비판하는 글이 여러 편 발표되었다.

『창장문예』 8월호에 리준의 소설 「야윈 말 두 필兩匹瘦馬」, 천보추이의 「키르기스스탄에 보내다 寄向吉爾吉斯」가 발표되었다.

『맹아』 제15호에 후완춘의 소설 「첫 번째 여름第一個夏季」, 웨이진즈의 「성격·형상·이야기("인물 형상을 어떻게 창조할 것인가?")性格·形象·故事("如何塑造人物形象?")」가 발표되었다. 웨이진즈는 글에서 인물의 성격, 인물 형상, 이야기 사이의 관계를 통해 인물 형상을 창조하는 방법에 대해 "인물의 성격은 당연히 이야기를 엮는 근거가 된다. 또한 이야기는 성격을 지탱하는 지지대가 된다. 인물의 형상은 당연히 이야기를 표현하는 요소이며, 또한 이야기는 형상을 연결하는 몸통이 된다. 이 세 가지 요소는 서로 연관되어 있어, 결코 서로 완전히 분리할 수 없다"라고 보았다.

『홍암』 8월호에 리제런의 「유혈 전후流血前後」(장편소설 『큰 파도』 중권中卷 제1장)가 발표되었다.

『신관찰』 제15호에 장경의 「홍선녀의 표현예술에 관하여談紅線女的表演藝術」, 바런의 「'열의'를 말하다說"勁"」, 리잉의 「해안 방비 전선에서 보내온 편지寄自海防前線的詩」, 비예의 「설로운정雪路雲程」, 류바이위의 「일출日出」, 펑무의 「우수한 작품「동진 서곡」不同凡響的<東進序曲>」, 리젠우의 「군가戰歌」가 발표되었다.

『칭하이후』 8월호에 장융메이의 「서행 시고西行詩稿」(2편), 자오수리의 평론 「군중창작의 진정한 번영群眾創作的真繁榮」이 발표되었다.

『별』 제32호에 쉬츠의 「귀샤오촨의 시 몇 편에 관하여談郭小川的幾首詩」가 발표되었다.

2일, 『광명일보』에 기사 「작가협회와 문학연구소에서 합동으로 네 차례의 토론회를 개최해 문학사 토론에 존재하는 세 가지 주된 문제를 탐구하다作協、文學研究所聯合召開四次討論會, 探討文學史討論中的三個主要問題」가 게재되었다. 기사는 '세 가지 주된 문제'에 대해 "1. 중국문학사에서의 현실주의와 반현실주의의 투쟁 문제, 2. 민간문학은 중국문학사의 주류인가 하는 문제, 3. 고전문학을 평가하는 정치적 기준과 예술적 기준 문제"로 정리하였다.

21−16일까지, 중국공산당 제8기 중앙위원회 제8차 전체회의가 장시성 루산에서 개최되었다. 회의에서는 1959년도 국민경제계획의 집행 상황을 점검하고, 현재의 경제 형세를 충분히 토론하였으며, 절약 강화 운동을 더욱 잘 전개해 올해 안으로 제2차 5개년 계획(1958~1962)의 주요 지표와 전투 임무를 앞당겨 완성할 것을 제기하였다. 회의 후에 전국적으로 '반우경反右傾' 운동이 시작되었다.

3일, 『극본』 8월호에 후커의 화극 「회화나무 마을」 및 왕더잉, 아이청위안의 단막 화극 「누가 영광스러운가」가 발표되었다. 후커의 화극 「회화나무 마을」은 중국인민해방군 정치부 우수극작상을 받았다.

『양청만보』에 어우양산의 「삼가항三家巷」의 연재가 시작되었다. 편집자의 말은 "어우양산 동지는 현재 새로운 장편소설 『일대풍류一代風流』를 창작 중이다. 100만 자가 넘을 것으로 보이는 이 작품 속에서 작가는 '오삼십 사건'에서부터 광저우 해방 전까지의 광저우 사회를 배경으로 삼아 대장장이의 아들 저우빙周炳의 혁명 속에서의 성장을 주된 줄거리로 하여, 광저우 공인과 농민 및 기타 계층 혁명 군중의 각각의 시대에서의 혁명 활동과 그들이 경험한 단련 및 성장의 과정을 묘사하였다. 본 작품은 「삼가항」, 「고투苦鬥」, 「장엄함과 후안무치莊嚴和無恥」, 「옌안으로 가다到延安去」, 「대지에 봄이 돌아오다大地回春」 등 총 5부로 구성되었다. 제1부 「삼가항」은 이미 탈고되었으며, 본지에는 「삼가항」의 첫 10장을 9월 16일까지 연재한다"라고 밝혔다. 『양청만보』 8월 28일자에 연재가 완료된 후 편집자의 말은 "「삼가항」의 앞부분 10장의 연재가 완료되었다. 독자들의 요구를 만족시키기 위해 본지에서는 독자들의 의견에 따라 계속해서 작품의 제15장까지 연재할 예정이다"라고 밝혔다.

3-7일, 중국전영대표단이 제1회 모스크바 국제영화제에 참가하였다. 「노병신전老兵新傳」이 기술성취상을, 「작은 잉어가 용문에 오르다小鯉魚跳龍門」가 만화영화 부문 은상을 받았다.

4일, 『광명일보』에 궈모뤄의 「채문희의 「호가십팔박」에 관하여 제6편」이 발표되었다.

『중국청년보』에 차오밍의 소설 「'공청 용광로' 책임자"共青爐"爐長」(『어려움을 무릅쓰고 용감히 나아가다乘風破浪』 일부, 8월 8일까지 연재)의 연재가 시작되었다.

5일, 『문예월보』 8월호에 탕타오의 창작담 「문학언어에 관하여關於文學語言」, 왕시엔의 소설 「오랜 친구舊雨」, 리루칭의 「선물禮物」이 발표되었다.

『꿀벌』 제15호에 시시西西의 「현실을 왜곡했다歪曲了現實」가 발표되었다.

『작품』 8월호에 천찬원의 「티라나 만필地拉那漫筆」(알바니아 여행기)이 발표되었다.

『광명일보』에 다이허우잉戴厚英의 「아침 해와 같은 활력朝陽般的活力」이 발표되었다.

다이허우잉(1938~1996), 안후이성 잉상潁上 출신이다. 상하이작가협회 문학연구소 문예이론조

보조 연구원, 푸단대학 중문과 및 상하이대학 문학원 부교수를 역임하였다. 1981년부터 작품을 발표하였으며 1985년에 중국작가협회에 가입하였다. 저서로 장편소설『사람아, 사람아!人啊, 人!』,『시인의 죽음詩人之死』,『나의 이야기我的故事』,『골짜기 속의 발소리穀中的足音』, 중단편소설집『쇠사슬은, 유연하다鎖鏈, 是柔軟的』, 산문집『다이허우잉 수필戴厚英隨筆』 등이 있다.

7일,『인민일보』에 마라친푸의「바이윈어보 서정白雲鄂博抒情」이 발표되었다.

8일,『인민문학』8월호에 리준의「3월의 봄바람三月裏的春風」, 루즈쥐안의「원하는 대로 이루어지다」, 차오밍의「고모할머니姑奶奶」 등의 소설과 위안수이파이의 풍자시「설명서와 희극 평론의 애매한 관계說明書和劇評的曖昧關系」, 웨이양의 시 3편「지하총地下槍」, 옌전의「친취안琴泉」, 루잔路展의「식량 수송대送糧隊」, 사바이莎白의「검수驗收」 등의 시, 샤오췬肖群의 산문「고산수천 수필高山水川隨筆」, 탕타오의 창작담「인물 묘사의 초점人物描寫上的焦點」, 이췬의 창작담「잡문 예술의 사유－『고리키 문학논문선』 필기雜談藝術的思維<高爾基文學論文選>筆記」, 펑젠난馮健男의「사팅의 단편소설에 관하여談沙汀的短篇小說」 등의 글이 발표되었다. 탕타오는 글에서 자오수리의 작품「단련하다」를 예로 들어 '샤오투이텅小腿疼', '츠부바오吃不飽', '양샤오쓰楊小四'가 모두 성공적으로 묘사된 인물이라고 평하였다.

『베이징문예』8월호에 하오란의 소설「달이 동쪽 벽을 비추다月照東牆」, 린진란의「바바오산의 보물八寶山之寶」, 리잉의 시「신병 일기新兵日記」, 옌자옌의 평론「'채문희'에 관하여也談"蔡文姬"」가 발표되었다.

베이징인민예술극원이「압박壓迫」(리싱李醒 감독),「국비 3위안三塊錢國幣」(자오쥐인 감독),「부인이 돌아오실 때等太太回來的時候」(샤춘 감독) 등 딩시린의 단막극 세 편을 공연하였다.

9일,『인민일보』에 라오서의「나는 어째서「전가복」을 썼는가我爲什麼寫<全家福>」가 발표되었다.

10일,『전영창작』8월호에 후쑤, 링쯔펑凌子風이 량빈의 원작을 각색한 영화문학 극본「홍기보」가 발표되었다.

11일, 『문예보』 제15, 16호에 어우양위첸의 글 「화극, 신가극 및 중국희극예술 전통話劇、新歌劇與中國戲劇藝術傳統」이 연재되었다. 그는 글에서 중국 희극의 발전상황을 설명하고, 전통 희곡의 극본과 공연예술 면에서의 특징을 분석하였으며, 중국 화극과 신가극이 이러한 풍부한 예술 유산을 어떻게 학습해야 하는가에 대해 중점적으로 논술하였다. 『문예보』 제15호에 스옌石燕의 「「바이양뎬 기록」을 읽고<白洋澱紀事>讀後」가 발표되었다.

『인민일보』에 천치퉁의 글 「전군 문예공연대회에서 본 것과 생각한 것在全軍文藝會演中看到的和想到的」이 발표되었다.

12일, 『독서』 제15호에 펑무의 「웅장한 시대, 웅장한 인물―「아침 햇살을 밟고 전진하는 사람들」 감상壯麗的年代, 壯麗的人――讀<踏著晨光前進的人們>隨感」이 발표되었다.

14일, 근현대의 저명한 출판가 장위안지張元濟가 상하이에서 사망하였다.

장위안지(1867~1959), 자는 샤오자이筱齋, 호는 쥐성菊生으로 청 말기의 진사이다. 본적은 저장이며 광둥에서 출생하였다. 청나라 정부의 총리각국사무아문總理各國事務衙門에서 근무하였으나 이후에 해직되었다. 남양공학관리역서원南洋公學管理譯書院에서 근무하였으며, 1901년에 상무인서관을 설립해 이사장을 맡았다. 공화국 성립 후에는 정협 위원, 제1기 인민대표를 역임하였다. 장위안지는 저명한 출판가로, 중국 현대 출판사업에 중요한 공헌을 하였다.

15일, 『희극보』 제15호에 본지 평론가의 글 「해방구 시기의 작품을 중시하고 공연하자重視上演解放區時期的保留劇目」가 발표되었다.

『전영문학』 8월호에 지캉季康, 궁푸公浦의 「금꽃 다섯 송이五朵金花」와 톈예田野의 「38선 위三八線上」가 발표되었다.

광저우 방송국이 설립되었다.

영화 「금꽃 다섯 송이」가 제2회 아시아 아프리카 영화제 최우수 감독상 은매상과 최우수 여자 배우상 은매상을 받았다.

16일, 『맹아』 제16호에 옌전의 서사시 「해녀漁女」(상)가 발표되었다.

『신관찰』 제16호에 가오잉의 「다지와 그녀의 아버지」, 쥔칭의 「둥팅산의 하루洞庭山一日記」, 쭝푸의 「계곡山溪」, 라오서의 산문 「고양이貓」, 허우진징의 「샤오우타이 유람漫遊小五台」이 발표되었다.

18일, 『인민일보』에 하오란의 「달이 동쪽 벽을 비추다」가 발표되었다.

20일, 『인민일보』에 옌전의 시 「완난의 푸르른 산들을 건너다穿過皖南翠綠的山群」가 발표되었다.

22일, 중국청년예술극원이 라오서의 화극 「전가복」을 초연하였다. 정즈이가 감독을 맡았다 (극본은 『수확』제2호에 발표되었으며, 1959년 8월에 작가출판사에서 단행본이 출간되었다).
『인민일보』에 장융메이의 시 「라싸의 꽃 파는 소녀拉薩賣花女」가 발표되었다.

23일, 『중국청년보』에 류칭의 장편소설 『한투철狠透鐵』이 발표되었다.

25일, 『문학평론』제4호에 왕시옌의 「『백 번 담금질해 강철을 만들다』를 논하다試論<百煉成鋼>」가 발표되었다.
『시간』8월호에 장즈민의 시 「조국 송가祖國頌」가 발표되었다.

26일, 『문예보』제16호에 황메이의 「'세부 내용'에 관하여談"細節"」, 펑무의 「새로운 생활의 아름다움을 탐구하다─아이우의 단편집 『밤에 돌아오다』로부터 이야기를 시작하다探求新的生活的美──從艾蕪的短篇集<夜歸>談起」가 발표되었다.
『광명일보』에 저우리보의 「창작에 관하여談創作」가 발표되었다. 그는 글에서 『산촌의 대격변』과 관련하여 창작에 관한 자신의 견해를 설명하면서, "문학창작은 실천에 의지해야 한다"라고 보았다.

27일, 『인민일보』에 사설 「우경에 반대하고, 의욕을 북돋워, 올해 안으로 제2차 5개년 계획의 주요 지표를 완성하기 위해 투쟁하자反右傾, 鼓幹勁, 爲在今年完成第二個五年計劃的主要指標而鬥爭」가 발표되었다.
『광명일보』에 사설 「중국공산당의 지도 아래 우경에 반대하고, 용감하게 약진하자在中國共産黨的領導下, 反對右傾, 奮勇躍進」가 발표되었다.

『광시일보』에 민간전설 「류싼제劉三姐」의 연재가 시작되어 9월 10일에 완료되었다.

29일, 『인민일보』에 사설 「인민공사 만세人民公社萬歲」가 발표되었다. 동시에 『해방군보』에도 「인민공사 만세」라는 제목의 사설이 발표되었다.

30일, 『중국청년보』에 마톄딩의 「마치 솟아오르는 해처럼 눈부시게 빛난다如日方升, 光芒萬丈」, 쩌우디판의 「영광스러운 깃발을 높이 들자高擧光榮的旗幟」, 팡핑方平의 「대붕의 노래─중국공산당 제8기 중앙위원회 제8차 전체회의 결의를 읽고大鵬鳥的歌──讀八中全會決議」가 발표되었다.

이달에 문화부 부부장 샤옌이 중국출판대표단을 이끌고 1959년 라이프치히 국제서적예술전람회에 참가하였다. 중국의 전시품은 금 포장褒章 10개, 은 포장 9개, 동 포장 5개를 획득하였다.

『민간문학』 8월호에 싱훠의 「민간문학의 수집과 정리에 관하여也談民間文學的搜集和整理」, 란훙언藍鴻恩, 사훙莎紅의 「「포백」의 정리에 관하여關於＜布伯＞的整理」가 발표되었다.

원제의 『복수의 불꽃』 제1부 『동요하는 시대』가 작가출판사에서 출간되었다. 1962년 11월에 작가가 많은 부분을 수정한 제2판이 출간되었으며, 1963년에 3쇄를 발행하였다. 1962년 11월에 작가출판사에서 제2부 『반란의 초원叛亂的草原』(본래 제목은 『전투의 초원戰鬥的草原』)이 출간되었다. 제3부 『각성한 사람들覺醒的人們』은 단행본이 출간되지 않고, 『변강문예』(1961년 제3호), 『상하이문학』(1962년 제10호) 등의 간행물에 일부가 발표되었으며 남은 원고는 소실되었다. 1979년에 인민문학출판사에서 『복수의 불꽃』 합본이 출간되었다.

라오서의 3막 7장 화극 『전가복』, 안치安旗의 시론집 『시와 민가를 논하다論詩與民歌』가 작가출판사에서 출간되었다.

리잉루李英儒의 장편소설 『후퉈허 위에서의 전투戰鬥在滹沱河上』, 취칭의 단편소설집 『자오둥 기록膠東紀事』, 궈샤오찬의 『월하집月下集』, 짱커자의 『환호집』, 리지의 『잊을 수 없는 봄難忘的春天』 등의 시집이 인민문학출판사에서 출간되었다.

옌전의 시집 『앵화집櫻花集』이 안후이인민출판사에서 출간되었다.

리잉의 시집 『해안 방비 전선에서 보낸 시寄自海防前線的詩』가 해방군문예출판사에서 출간되었다.

『왕라오주 시선王老九詩選』이 둥펑문예출판사에서 출간되었다. 본 시선집은 월간 『옌허』 편집부에서 편찬하였으며, 농민시인 왕라오주의 작품 29편을 수록하였다. 수록 작품들은 통속독물출판사에서 1954년에 출간된 『왕라오주 시선』과 둥펑문예출판사에서 1958년에 출간된 『동방에서

거룡이 날아오르다東方飛起一巨龍』 등의 시집에서 선정한 것이다. 저자의 창작 상황에 대한 독자들의 이해를 돕기 위해 부록으로 저자의 「나의 창작과 생활에 관하여」를 수록하였다.

야오원위안의 비평집 『흥멸집興滅集』이 상하이문예출판사에서 출간되었다.

9월

1일, 『해방군문예』 9월호에 장치張岐의 시 「공사 선대公社船隊」, 후커의 극본 「회화나무 마을」, 류커의 「산난 기록山南記事」, 하이모의 「버드나무 가지柳條」가 발표되었다.

『신항』 9월호에 탕타오의 단론 「어휘 잡담雜談詞彙」, 쉐커의 평론 「「전투하는 청춘」 토론이 내게 준 깨달음討論<戰鬥的靑春>給我的啟示」, 우보샤오의 「기차는, 전진한다火車, 前進」가 발표되었다.

『창장문예』 9월호에 하오란의 소설 「징티롄井蒂蓮」, 리칭의 시 「베이징 연작시北京組詩」가 발표되었다.

『맹아』 제17호에 옌전의 서사시 「해녀」(하)가 발표되었다.

『옌허』 9월호에 옌전의 시 「연계蓮溪」가 발표되었다.

『우화』 제17호에 저우서우쥐안의 시 「접련화」가 발표되었다.

『홍암』 9월호에 옌이의 「노래하는 사람唱歌的人」, 옌전의 시 「장난의 노래江南曲」 및 충칭시 천극원 극목조劇目組에서 합동 각색한 천극 「조씨 고아趙氏孤兒」가 발표되었다.

『신관찰』 제17호에 양모의 「『청춘의 노래』 각색에 관하여改編<靑春之歌>的幾句話」, 리차오李喬의 「자오줴에서의 횃불 축제火把節在昭覺」가 발표되었다.

『초원』 9월호에 나·싸이인차오커투의 시 「진차오金橋」가 발표되었다.

『열풍』 9월호에 리칭의 시 「화교 시초華僑詩抄」(6편)가 발표되었다.

2일, 『광명일보』에 라오서의 「십년백화영十年百花榮」, 리지의 시 「우리의 마오 주석이 웃으셨다我們的毛主席笑了」가 발표되었다.

3일, 『극본』 9월호에 리젠우의 수필 「조나라 태후가 새롭게 정권을 잡다……"趙太後新用事……"」가 발표되었다.

5일, 『문예월보』 9월호에 웨이진즈의 창작담 「세부 내용 만담漫談細節」, 주다오난朱道南의 혁명 회고록 「상장이 역류하다─'마일사변'을 기억하며湘江逆流──"馬日事變"追記」, 란링의 시 「우호적인 방문一次友好的訪問」이 발표되었다. 웨이진즈는 글에서 세부 내용의 중요성을 강조하며 "작품 속의 한 가지 세부 내용에 대한 묘사가 작품 전체의 성공을 보증하지는 못하지만, 여러 세부 내용에 대한 힘 있는 묘사는 작품 전체의 성공을 보증할 수 있다"라고 보았다.

『작품』 9월호에 어우양산의 「총노선의 빛나는 기치를 고수하자堅持總路線的光輝旗幟」, 천찬윈의 「자신감을 가득 품고, 계속해서 약진하자滿懷信心, 繼續躍進」, 「루마니아 시초羅馬尼亞詩草」, 한베이핑韓北屛의 「국경 관문 시초邊關詩草」, 쉬츠의 「과수림 속에서在果林裏」, 친무의 「기념紀念」, 장유메이의 장시 일부 「친어머니를 찾다找親娘」, 옌이의 「캉짱 단시康藏短詩」 등이 시가 발표되었다.

『꿀벌』 제17호에 캉쥐의 소설 「드문 청원稀奇的請願」(장편소설 『심상치 않은 봄不平常的春天』 일부)이 발표되었다.

7일, 문화부에서 「전문 예술공연단체에서 반우경 및 의욕 고취에 호응해 선전 및 공연활동을 진행하는 데 대한 긴급 통지關於專業藝術表演團體配合反右傾, 鼓幹勁, 進行宣傳、演出活動的緊急通知」를 발포하였다.

8일, 『인민문학』 9월호에 류수더劉澍德의 소설 「마찬가지로 문 앞에 강이 있다同是門前一條河」, 거비저우의 시 「윈난행雲南行」(5편), 원망옌의 시 「베이징이여, 나의 노래를 들어라北京, 聽我唱支歌」(2편), 비예의 산문 「타림 분지에서在塔裏木盆地」, 옌원징의 창작담 「동화 총론泛論童話」, 탕타오의 창작담 「줄거리 배치에 관하여談情節安排」가 발표되었다.

류수더(1906~1970), 필명은 디셴狄鹹, 디셴滌先 등으로 지린성 융지永吉 출신이다. 1936년부터 작품 발표를 시작하였으며 1956년에 중국작가협회에 가입하였다. 저서로 장편소설 『귀가歸家』, 단편소설집 『한동집寒冬集』, 『조춘집造春集』, 『배를 팔다賣梨』, 중편소설 『다리橋』 등이 있다.

9일, 『인민일보』에 원제의 「다뉴브 강가의 황혼多瑙河畔的黃昏」이 발표되었다.

『베이징일보』에 린진란의 「소나무松」, 원제의 「다뉴브 강多瑙河」이 발표되었다.

10일, 『전영창작』 10월호에 영화문학 극본 「폭풍우」와 「샤오얼헤이의 결혼」이 발표되었다.

11일, 『문예보』 제17호에 웨이진즈의 「루즈쥐안 작품 속의 부녀 형상茹志鵑作品中的婦女形象」, 쉬츠의 「인민공사의 노래人民公社之歌」가 발표되었다. 웨이진즈는 루즈쥐안 작품 속의 일부 여성 형상을 분석하고 이를 높이 평가하였다.

12일, 『독서』 제17호에 정보치의 「농민시인 왕라오주와 그의 시農民詩人王老九和他的詩」가 발표되었다.

『광명일보』에 궈샤오촨의 장시 『10년의 노래十年的歌』가 발표되었다.

『인민일보』에 저우리보의 「창밖窗外」이 발표되었다.

13일, 『허베이일보』에 톈젠의 시 「송가ㅡ『변경의 동풍』 서문頌歌——<塞上東風歌>代序」이 발표되었다.

14일, 『인민일보』에 쩌우디판의 「청춘 만세ㅡ제1회 전국운동회 개막식에서靑春萬歲——寫在第一屆全國運動會開幕式上」가 발표되었다.

15일, 『전영문학』 9월호에 톈예의 창작 잡담 「영화극본 「낭자군」을 읽고 생각한 것讀電影劇本<娘子軍>所想到的」, 진난희극협회晉南戲劇協會 포극원蒲劇院에서 합동 각색한 「두아원竇娥冤」이 발표되었다.

『인민일보』에 마라친푸의 「미로迷路」가 발표되었다.

『희극보』 제17호에 톈한의 「희극계가 계속해서 드높은 열정으로 사회주의 건설의 고수가 되다戲劇界繼續以沖天幹勁做社會主義建設的鼓手」가 발표되었다.

16일, 『맹아』 제18호에 후완춘의 산문 「세계를 뒤흔드는 웃음震撼世界的歡笑」, 이빙의 평론 「군중문예창작의 홍기를 더 높이 들자更高地舉起群眾文藝創作的紅旗」가 발표되었다.

『홍기』 제18호에 궈모뤄, 저우양의 「『홍기가요』 편집자의 말<紅旗歌謠>編者的話」이 발표되었다. 이들은 글에서 "이 민가 선집은 대약진 형세하의 산물이다"라고 밝히고, 이 책에 수록된 민가들을 그 내용에 따라 1. 당에 대한 송가, 2. 농업대약진의 노래, 3. 공업대약진의 노래, 4. 조국 수호의 노래 등 네 가지로 분류하였다.

『우화』 제18호에 루윈푸의 소설 「부딪쳐서는 안 된다碰不得」가 발표되었다.

『신관찰』 제18호에 우한의 「톈안먼 찬가天安門贊歌」, 예췬젠의 「톈안먼의 밤天安門之夜」, 류바이위의 「청춘의 섬광靑春的閃光」이 발표되었다.

17일, 『인민일보』에 양한성의 「우수한 영화 「임칙서」에 관하여談優秀影片〈林則徐〉」, 광지의 「하이허여, 너는 어째서 이토록 아름다운가海河, 你爲什麼這樣美麗」, 위안수이파이의 「추석 초승달中秋新月」이 발표되었다. 이 외에도 '국경절에 바친 국산 영화가 풍부하고 다채로워, 25일부터 전국 각지에서 동시에 전시의 달 진행'이라는 소식이 게재되었다. 본 전시 행사는 9월 25일부터 10월 24일까지 진행되었으며, 전시 동안 27개 도시에서 30여 편의 영화를 상영하였다.

18일, 『인민일보』에 「위대한 기념일에 여러 새로운 작품을 바치다一批新作品獻給偉大節日」가 게재되었다. 글은 신중국 건국 10주년 국경절을 기념해 작가출판사에서 궈모뤄의 신작 시집 『조석집潮汐集』, 차오밍의 신작 장편 『어려움을 무릅쓰고 용감히 나아가다』, 톈젠의 『인력거꾼 전기』, 류바이위의 『아침의 태양早晨的太陽』, 가오스치의 『과학시科學詩』 등의 시집과 1958년 단편소설선, 루쥔차오陸俊超의 『9급 태풍九級風暴』, 하오란의 단편소설집 『사과가 익는다蘋果要熟了』 등의 소설집, 왕차오젠王朝間의 신작 논문집 『하나로 열에 맞서다一以當十』, 우한의 『투창집投搶集』, 리시판의 『관견집管見集』 등의 평론집을 출간할 예정이라고 밝혔다. 이 외에도 자오수리의 『링취안둥靈泉洞』, 저우리보의 『산촌의 대격변』, 양모의 『청춘의 노래』 등의 장편소설, 리지의 『5월 단오』와 『홍군이 된 오빠가 돌아왔다』 등의 장시가 삽화 추가본 혹은 양장본으로 다시 출간될 예정이다. 또한 중국청년출판사에서도 국경절을 기념해 국경절 전후로 류칭의 신작 『창업사』, 두펑청의 『태평성대太平年月』, 커옌의 『이 일은 베이징에서 발생했다這是發生在北京』 등의 우수한 작품들을 출간할 예정이라고 밝혔다.

20일, 『꿀벌』 제18호에 톈젠의 시 「중국공산당 제8기 중앙위원회 제8차 전체회의 성명을 읽고讀八中全會公報」가 발표되었다.

『인민일보』에 양쉬의 「타이산 정상泰山極頂」이 발표되었다.

21일, 건국 10주년을 기념해 전국의 유명 예술단체가 이날부터 베이징에서 100여 편의 우수한 작품을 공연하였다. 문화부는 전국 각지 20여 개 극종의 수십 개 극단 및 베이징의 문예단체를 소집해 20여 일간 희극, 음악, 무용, 곡예, 잡기, 인형극 등의 헌정 공연을 진행하였다. 행사 기간 동안 경극 「제삼해除三害」, 「장상화將相和」, 「귀비취주」, 월극粵劇 「관한경」, 「수서원搜書院」, 월극 越劇 「홍루몽」, 「추어追魚」, 예극豫劇 「홍낭紅娘」, 한극漢劇 「이도매二度梅」, 「목계영지파천문진穆桂 英智破天門陣」, 상극湘劇 「생사패生死牌」, 천극川劇 「납랑배拉郎配」, 곤곡昆曲 「장두마상牆頭馬上」, 진 강秦腔 「유서호遊西湖」, 「삼적혈三滴血」, 허베이 방쯔河北梆子 「단교斷橋」, 「당마擋馬」 등의 희곡과 「일 출」, 「뇌우」, 「채문희」, 「용을 굴복시키고 범을 제압하다」, 「열화홍심烈火紅心」, 「전가복」, 「동진 서곡」, 「38선 위」, 「혁명 일가革命的一家」, 「붉은 폭풍」 등의 화극 및 「인민공사 대합창人民公社大合 唱」, 「홍군근거지 대합창紅軍根據地大合唱」 등의 음악을 공연하였다.

　『인민일보』에 우한의 「해서를 논하다論海瑞」가 발표되었다. 이 글은 '명나라 사람이 해서를 논 하다', '투쟁하는 일생', '해서의 역사적 지위' 등 세 부분으로 구성되었다. 우한은 해서에 관한 자신 의 견해를 "오늘날 우리에게는 인민과 공인계급의 입장에 서는 해서와 같은 인물이 필요하다. 사 회주의 건설을 위해 굽히지 않고 투쟁하는 해서가 필요하다……그러나 결코 해서를 가장하거나 혹은 왜곡해서는 안 된다……해서를 연구하고 학습하며, 또한 해서의 왜곡에 반대하는 것은 유익 하고 현실적인 의의를 가진 일이다"라고 밝혔다.

　『베이징일보』에 량빈의 「베이징에게致北京」가 발표되었다.

22일, 『인민일보』에 쉬광핑이 인민해방군을 칭송한 글 「당신들에게 인류와 중국의 미래를 맡긴다在你們身上寄托著人類和中國的將來」, 수웨이束爲의 「타이위안의 기세가 웅장하다太原氣勢雄」가 발표되었다.

23일, 『인민일보』에 라오서의 「새로운 풍조新風氣」가 발표되었다.

　『베이징일보』에 천보추이의 「중대가 방문하다中隊來訪」가 발표되었다.

24일, 『수확』 제5호에 차오밍의 장편소설 『어려움을 무릅쓰고 용감히 나아가다』, 양모의 장 편소설 『청춘의 노래』의 수정 원고 및 새로 추가한 7장 「농촌에서의 린다오징林道靜在農村」 및 쥔 칭의 「불빛火光」, 황쭝린의 「새로 온 당지부 서기新來的黨支部書記」, 예쿤젠의 「압둘라阿布杜拉」, 진 이의 「결혼結婚」 등의 단편소설, 류바이위의 「태양이 처음으로 뜰 때 쓰다寫在太陽初升的時候」, 빙신 의 「기적의 싼먼샤시奇跡的三門峽市」, 캉줘의 「일출의 기적을 환호하다爲日出的奇跡歡呼」, 후완춘의

「제강 공장의 밤鋼廠的夜」, 리쥔의 「인민공사의 기원人民公社之源」, 저우얼푸의 「위대한 미래를 향해 약진하자向偉大的未來躍進」, 바진의 「나는 또 이곳에 왔다我又到了這個地方」 등의 산문 및 뤄쑨의 평론 「사업의 주인과 문학의 주인事業的主人和文學的主人」, 커링, 셰쥔펑謝俊峰, 쌍후桑弧가 합동 창작한 영화문학 극본 「천지에 봄이 가득하다春滿人間」가 발표되었다.

25일, 『시간』 건국 10주년 특집호에 궈모뤄의 「인민공사 만세人民公社萬歲」, 허징즈의 「10년 송가十年頌歌」, 옌전의 「내 마음속에 아름다운 송가가 있다我心中有一支美麗的頌歌」, 천찬원의 「총노선을 소리 높여 노래하다高歌總路線」, 나·싸이인차오커투의 「톈안먼天安門」, 궈샤오촨의 「덜레스의 영혼과 대화하다與杜勒斯的鬼魂談話」, 펑즈의 「우리의 국가에서在我們的國家裏」, 린겅의 「10년을 노래하다歌唱十年」, 리지의 「신허 송가新河頌」, 롼장징의 「다허 예찬大河贊」, 거비저우의 「다옌탄을 소리 높여 노래하다大雁灘高歌」(8편) 등의 시 및 위안수이파이의 「신민가의 예술적 특징 한두 가지新民歌的一二藝術特點」, 톈젠의 「『인력거꾼 전기』 상권 후기<趕車傳>上卷後記」 등의 글이 발표되었다.

『희극연구』 제4호에 이빙의 「10년간의 중국 화극의 발전十年來中國話劇的發展」, 리차오의 「우리나라 다민족의 희극예술이 백화제방하게 하자讓我國多民族的戲劇藝術百花齊放」, 우창의 「신사군의 화극활동을 회상하며憶新四軍的話劇活動」 및 리룬李綸, 런구이린의 「군중화극활동을 논하다論群眾話劇活動」가 발표되었다.

25일~10월 24일, 문화부에서 '국산 신작 영화 전시의 달' 상영 행사를 진행해 「바람은 동방에서 불어온다風從東方來」, 「임칙서」, 「청춘의 노래」, 「보련등寶蓮燈」, 「천지에 봄이 가득하다」, 「노병신전」, 「착한 아이好孩子」, 「음악가 녜얼音樂家聶耳」, 「금꽃 다섯 송이」, 「빙상의 자매冰上姐妹」, 「린씨네 가게」, 「폭풍風暴」, 「우리 마을의 젊은이我們村裏的年青人」, 「만수천산」, 「열 번째 봄第十個春天」, 「영웅들이 베이다황과 싸워 이기다英雄戰勝北大荒」, 「녹색의 들판綠色的原野」, 「붉은 해가 산촌을 비추다紅日照山村」, 「사막 원정遠征沙漠」, 「시솽반나의 밀림 속에서在西雙版納的密林裏」, 「중국 원인中國猿人」, 「산속의 운하山上運河」, 「자연을 개조하다改造自然」, 「대지를 원림화하자讓大地園林化」 등의 신작 영화를 상영하였다. 이번 행사 기간 동안 상영된 신작 영화는 총 35편으로, 이 가운데 극영화는 17편, 다큐멘터리 17편, 과학교육영화 7편, 예술영화는 4편을 차지하였다. 『인민일보』, 『광명일보』, 『베이징일보』 등에 관련 소식이 게재되었다.

26일, 『인민일보』에 우한의 「두 친구兩個朋友」가 발표되었다.

『문예보』제18호가「건국 10주년 경축 특집호慶祝建國十周年專號」(1)로 간행되어 사설「새 시대의 예술의 고조를 향해 나아가자向新時代的藝術高峰邁進」가 발표되었다. 같은 호에 궈모뤄의「'백화제방, 백가쟁명' 방침을 더욱 잘 전개하자進一步展開"百花齊放, 百家爭鳴"」, 마오둔의「이미 획득한 거대한 성취 위에서 계속해서 약진하자!從已經獲得的巨大成就上繼續躍進!」, 라오서의「옛것을 현실에 맞게 이용하자古爲今用」, 샤옌의「영화예술의 풍작電影藝術的豐收」, 허치팡의「문학예술의 봄文學藝術的春天」, 장경의「희곡이 새로운 생명을 획득했다戲曲獲得了新生命」, 사오취안린의「문학 10년 노정文學十年曆程」, 톈젠의「공사를 위해 노래하자!爲公社歌唱!」, 차오밍의「첨병의 역할을 다하자做好這名尖兵」, 마라친푸의「조국 각 민족의 문학 대화원을 위해 환호하자爲祖國各民族的文學大花園而歡呼」등의 글이 발표되어 10년간의 문학, 영화, 희극 등 각 문예 장르 전선에서의 성취를 논술하였다.

『문예보』같은 호에「'건국 10년간의 우수 창작' 목록"建國十年來優秀創作"目錄」이 발표되었다. 목록의 내용은 아래와 같다.

소설: 자오수리의『삼리만』(장편), 아이우의『백 번 담금질해 강철을 만들다』(장편), 저우리보의『산촌의 대격변』(장편), 류칭의『철옹성』(장편), 양쉬의『삼천리강산』(장편), 우창의『붉은 해』(장편), 즈샤의『철도유격대』(장편), 취보의『임해설원』(장편), 양모의『청춘의 노래』(장편), 량빈의『홍기보』(장편), 펑더잉의『씀바귀꽃』(장편), 리잉루의『후퉈허 위에서의 전투』(장편), 리차오의『즐겁게 웃는 진사장』(장편), 우란바간의『초원의 봉화』(장편), 쉬화이중의『우리는 사랑을 파종한다』(장편), 가오위바오의『가오위바오』(장편), 류바이위의「불빛이 앞에 있다」(중편), 두펑청의「평화로운 나날 속에서」(중편), 마자의「시들지 않는 꽃開不敗的花朵」(중편), 류수더의「디리橋」(중편), 천덩커의「활인당」(중편), 캉줘의「태양이 처음 떠오를 때太陽初升的時候」(단편), 마펑의「나의 첫 상사」(단편), 시룽의「아가씨의 비밀姑娘的秘密」(단편), 쥔칭의「자오등 기록」(단편), 왕위안젠의「평범한 노동자」(단편), 왕원스의「눈보라 치는 밤」(단편), 리준의「수레바퀴의 궤적車輪的轍印」(단편), 후완춘의「성격이 특이한 사람」(단편) 및「새로운 생활의 광휘新生活的光輝」(형제 민족 작가 소설 합본집).

시: 궈모뤄의『낙타집駱駝集』, 톈젠의『톈젠 시초田間詩抄』, 짱커자의『환호집』, 펑즈의『10년 시초十年詩抄』, 위안수이파이의『꾀꼬리 송가春鶯頌』, 리지의『잊을 수 없는 봄難忘的春天』, 롼장징의『영춘귤송』, 거비저우의『나는 햇빛을 향한다我迎著陽光』, 궈샤오촨의『월하집月下集』, 옌천의『번성집』, 원제의『생활의 찬가生活的贊歌』, 스팡위의『평화의 최강음』, 차오린의『백란화白蘭花』, 웨이치린의『백조의』, 옌뎨岩迭 등이 정리한『자오수툰召樹屯』(「가룽嘎龍」수록) 및『나는 마오 주석의 손을 잡고 있다我握著毛主席的手』(형제 민족 작가 시가 합본집).

극본: 톈한의 『관한경』, 차오위의 『명랑한 날』, 라오서의 『라오서 극작선老舍劇作選』, 샤옌의 『시험考驗』, 천바이천의 『종이호랑이가 본모습을 드러내다』, 천치퉁의 『만수천산』, 후커의 『전투집戰鬪集』, 런핑任萍의 『초원의 노래草原之歌』, 차오커투나런의 『금매金鷹』, 진산의 『붉은 폭풍』 및 간쑤성 화극단에서 공동 창작한 『캉부얼 초원 위에서在康布爾草原上』.

산문: 마오둔의 『야독우기 및 기타夜讀偶記及其他』, 바진의 『신성집新聲集』, 진이의 『행복한 나날幸福的日子』, 웨이웨이의 『누가 가장 사랑스러운 사람인가』, 한쯔의 『전선의 송가前線的頌歌』.

아동문학: 장톈이의 『아이들에게給孩子們』, 옌원징의 『시냇물의 노래小溪流的歌』, 위안잉의 『톰스 리버에 보내는 시寄到湯姆斯河去的詩』, 후치胡奇의 『우차이루五彩路』, 위안징의 『샤오헤이마 이야기』.

『문예보』 제18호에 「10년간의 문학사업 발전 상황도十年來文學事業發展情況圖」가 게재되어 문학사업 각 항목의 내용을 비교하였다. 중국작가협회 회원은 1949년의 401명에서 1959년에 3,136명으로 증가하였고, 중국작가협회 각지 분회는 1954년의 6곳에서 1959년에는 23곳으로 증가하였다. 문예 간행물은 1949년의 18종에서 1959년에는 86종으로, 문학작품 창작 종류는 1950년의 156종에서 1959년에는 2,600종으로 증가하였다. 소수민족 문학작품은 1950년의 1종에서 1958년에는 51종으로 증가하였으며, 문학작품 발행 총 수량은 1950년의 2,147,700권에서 1958년에는 39,364,094권으로 증가하였다.

29일, 『인민일보』에 자오수리의 「하향 잡기下鄕雜記」가 발표되었다.

30일, 『인민일보』에 궈모뤄의 「만세 삼창三呼萬歲」, 롼장징의 「조국에 바치다獻祖國」, 덩추민鄧初民의 「60년 마소, 10년 인간六十年牛馬十年人」이 발표되었다.

『희극보』 제28호에 사설 「희극사업의 빛나는 10년戲劇事業輝煌的十年」 및 샤옌의 「희극예술의 청춘戲劇藝術的靑春」, 메이란팡의 「희곡이 크게 발전한 10년戲曲大發展的十年」, 어우양위첸의 「화극의 오늘話劇的今天」, 자오치양의 「10년간의 베이징인민예술극원十年來的北京人民藝術劇院」이 발표되었다.

이달에 중국민간문예연구회에서 편찬한 『중국 각지 가요집中國各地歌謠集』의 출간이 시작되었다.

어우양산의 장편소설 『일대풍류一代風流』(전5권)의 제1부 『삼가항』이 광둥인민출판사에서 출간되었다. 1962년 12월에 광둥인민출판사에서 제2부 『고투苦鬪』가 출간되었다. 1964년 3월 9일부터 4월 18일까지 『양청만보』에 제3부 『버드나무 우거지고 백화가 만발하다柳暗花明』의 제

81~85부가 연재되었다. 제3부『버드나무 우거지고 백화가 만발하다』는 1981년에, 제4부『성지聖地』는 1983년에, 제5부『만년청萬年靑』은 1985년에 출간되었다.

차오밍의 장편소설『어려움을 무릅쓰고 용감히 나아가다』, 우창의 장편소설『붉은 해』(수정본), 리준의 중단편소설집『수레바퀴의 궤적』, 마펑의 단편소설집『나의 첫 상사』, 롼장징의 시집『영춘귤송』, 원제의 시집『생활의 찬가』, 옌원징의 동화집『시냇물의 노래』가 인민문학출판사에서 출간되었다.

류바이위의 중편소설『불빛이 앞에 있다』에「서문」이 추가되어 인민문학출판사에서 재판이 출간되었다. 본 소설은 1949년 10월 25일『인민문학』제1권 제1호에 발표된 후 1950년 6월에 베이징신화서점에서 초판이 출간되어 '중국인민문예총서'에 포함되었다. 1952년 4월에 인민문학출판사에서 단행본을 출간하였으며, 1979년 5월에는 인민문학출판사에서 출간된『류바이위 소설선劉白羽小說選』에 수록되었다.

루즈쉬안의 소설집『높디높은 백양나무』, 야오원위안의 논저『루쉰—중국 문화혁명의 거인魯迅——中國文化革命的巨人』이 상하이문예출판사에서 출간되었다.

하오란의 단편소설집『사과가 익는다』, 시간 편집부에서 편찬한 시론집『신시가의 발전 문제新詩歌的發展問題』(제2집), 위안수이파이의『시론집詩論集』, 류바이위의 산문집『아침의 태양』, 우한의 잡문집『투창집』이 작가출판사에서 출간되었다.

궈모뤄, 저우양이 편찬한『홍기가요紅旗歌謠』가 홍기잡지사紅旗雜志社에서 출간되었다.

톈젠의 장시『인력거꾼 전기』(상권)가 작가출판사에서 출간되었다. 상권에는「인력거꾼 전기」,「란니藍妮」,「스부란石不爛」,「마오 주석毛主席」등 총 4부 및 저자가 8월에 집필한「상권 후기上卷後記」가 수록되었다. 1959년에서 1961년 사이에 톈젠은 본 작품을 수정하고 2만여 자를 보충하여 총 7부로 구성하였다. 하권에는「진와金娃」,「진부환金不換」,「낙원가樂園歌」등 3부가 수록되어 1961년 6월에 출간되었다.

쓰촨성 십년문학예술편선위원회十年文學藝術編選委員會에서 편찬하고 커강이 서문을 집필한『쓰촨십년산문특필선四川十年散文特寫選』(1949~1959)이 쓰촨인민출판사에서 출간되었다. 본 선집에는 사팅, 커강, 리제런, 리레이李累, 가오잉, 푸처우, 쑨하오강孫浩剛 등의 작품이 수록되었다.

북방문예출판사에서 편찬한 소설산문특필집『옌워다오雁窩島』가 출간되었다.

중국작가협회 산둥분회에서 편찬한 보고문학집『대산홍기大山紅旗』가 산둥인민출판사에서 출간되었다.

창장문예출판사에서 편찬한 보고문학집『창장을 건설한 사람들建設長江的人們』이 출간되었다.

장텐이의 아동문학 『뤄원잉 이야기羅文應的故事』가 중국소년아동출판사에서 출간되었다. 이 책은 1978년 11월에 제6쇄를 발행해 총 인쇄 부수는 207,000권에 달한다. 본 작품은 『인민문학』 1952년 2월호에 최초로 발표되어 1949~1953년 전국아동문학 1등상을 받았다.

중국소년아동출판사에서 편찬한 『1958년 아동문학선1958年兒童文學選』이 출간되었다. 본 선집은 '소설', '산문특필', '동요, 민요, 시', '극본, 곡예', '동화, 민간고사', '과학문예' 등 여섯 부분으로 구성되었으며 허이賀宜가 서문을 집필하였다.

소년아동출판사에서 편찬한 『아동문학선兒童文學選』(1949~1959)이 출간되었다.

마오둔 등의 『예술의 기교에 관하여關於藝術的技巧』, 린모한, 탕타오 등의 『소재, 인물 및 기타題材、人物及其他』, 자오수리, 류바이위 등의 『작가가 창작경험을 말하다作家談創作經驗』 등의 문예이론집이 중국청년출판사에서 출간되었다.

10월

1일, 『해방군문예』 10월호에 쿼칭의 소설 「비밀 아지트 이야기交通站的故事」, 왕위안젠의 소설 「아침早晨」, 류커의 소설 「구첸과 더첸古茜和德茜」, 쉬화이중의 소설 「라오톈 형님阿哥老田」, 궈샤오촨의 시 「풍전風前」(장시 『장군 3부작』 제3), 톈젠의 「송가頌歌」(2편), 웨이웨이의 「타는 듯 붉은 세월火紅的年月」, 옌천의 「송가」 등의 시, 구바오장, 쉬윈핑所雲平의 화극 「동진 서곡東進序曲」, 양숴의 산문 「봉래선경蓬萊仙境」이 발표되었다.

쉬윈핑(1928~), 본명은 루이如義로 산둥성 예현掖縣(지금의 라이저우萊州) 출신이며 중공 당원이다. 자오둥군구 분구 문공단 분대장을 역임하였다. 공화국 성립 후에는 라이양萊陽지구 문공단 창작조 조장, 군사학원 문공단 각색조 조장, 난징군구 전선 화극단 각본가, 총정치부 문공단 창작원 및 화극단 단장을 역임하였다. 저서로 화극 『주더 군단장朱德軍長』, 『동진 서곡』(합동 창작), 『동진, 동진하라東進, 東進』(합동 창작), 『화이하이 결전決戰淮海』 등이 있다.

『문예월보』가 명칭을 『상하이문학上海文學』으로 변경하였다. 10월호(총권 1호)에 스퉈의 역사소설 「서문표의 운명西門豹的遭遇」, 커란의 「한 손에는 금을, 한 손에는 은을 쥐다一手抓金一手抓銀」, 루옌저우의 「도화수 전桃花汛前」, 커링의 「어머니와 딸母與女」 등의 소설, 옌전의 시 「포도원葡萄園」, 저우얼푸의 산문 「남극과 북극南極和北極」, 후완춘의 산문 「친애하는 당이 나를 키웠다是親愛的黨哺

育了我」, 진이의 「해바라기가 태양을 향해 피다朝陽花開向太陽」, 바진의 정치논고 「새로운 광명을 맞이하다迎接新的光明」, 이천의 논문 「10년간의 상하이 문학사상전선의 풍작을 경축하며上海十年文學思想戰線慶豐收」, 웨이진즈의 「10년간의 상하이 단편소설의 거대한 수확上海十年來短篇小說的巨大收獲」, 장쿵양의 창작담 「줄거리의 정련과 구조의 배치情節的提煉和結構的安排」, 류다제의 「중국문학사 속의 사상투쟁 문제中國文學史中的思想鬥爭問題」가 발표되었다.

『신항』 10월호에 캉줘의 소설 「네 번째 시험용 전답第四塊試驗田」, 팡지의 서정 장시 『창장은 동쪽으로 흐른다大江東去』, 톈젠의 「송가頌歌」, 롼장징의 「마란화 한 송이一支馬蘭花」 등의 시와 리지예의 「10년 술회十年述懷」, 왕창딩의 「강철에는 송풍이 필요하다鋼鐵需要鼓風」 및 장쒜신張學新, 팡선方沈의 극본 「순해영웅馴海英雄」이 발표되었다.

『창장문예』 10월호(건국 10주년 특대호)에 사설 「위대한 중화인민공화국 10주년을 환호한다歡呼偉大的中華人民共和國十周年」, 웨이양의 시 「공사를 소리 높여 노래하다高歌唱公社」, 천보추이의 산문 「지혜의 꽃智慧花」, 리칭의 조국 송가 「우한 시초武漢詩草」 및 우한대학 중문과 토가족土家族 문예조사조에서 수집 정리한 토가족 서정 장시 『딸을 시집보내며 울다哭嫁』가 발표되었다.

『맹아』 제19호에 후완춘, 우란바간 등의 필담 6편 「'당의 지도 아래 용감히 전진하자'在黨的教導下奮勇前進」, 진이의 「청년 동료들에게('습작자와 창작을 이야기하다')給青年夥伴們("和習作者談創作")」, 옌전의 서정시 「아, 고요한 화이허啊, 靜靜的淮河」, 바진의 산문 「우리의 조국我們的祖國」, 저우얼푸의 산문 「카스트로 총리를 기억하며記卡斯特羅總理」, 위안잉의 산문 「가장 아름다운 소리最美的聲音」, 커란의 특필 「구제받은 사람得救的人」이 발표되었다.

『옌허』 10월호에 사설 「빛나는 10년光輝的十年」, 왕원스의 소설 「중대한 순간嚴重的時刻」, 커중핑의 「대비약의 노래大飛躍歌」, 정보치의 방문기 「인민공사의 홍기人民公社的一面紅旗」가 발표되었다.

『우화』 제19호에 저우서우쥐안의 산문 「쑤저우의 원림과 분경蘇州的園林和盆景」이 발표되었다.

『산화』 10월호에 젠셴아이의 소설 「댐 공사현장에서水庫工地上」가 발표되었다.

『후난문학』 10월호에 사설 「위대한 조국의 10년을 위해 소리 높여 노래하자爲偉大祖國的十年放聲歌唱」, 저우리보의 「여장부女將」(『산촌의 대격변』 속편 부분), 왕시옌의 장편소설 부분 「홍토의 아침 해紅土朝陽」, 커란의 단편소설 「일가반一家班」, 웨이양의 시 「나의 노래를, 조국에 바친다我的歌, 獻給祖國」가 발표되었다.

『창춘長春』 10월호에 장톈민의 시 「백발의 노래白髮歌」가 발표되었다.

『작품』 10월호(국경 10주년 특대호)에 어우양산의 장편소설 『삼가항』(제16~20장), 친무의 소설 「여자 손님女客」 및 차이추성, 천찬윈, 왕웨이이王爲一의 영화문학 극본 「난하이의 조수南海潮」

가 발표되었다.

『동해東海』 제19호에 웨이진즈의 「대나무와 대나무를 사용하는 사람竹和使用竹的人」이 발표되었다.

『신관찰』 제19호에 타오주의 「건국 10년 감상建國十年有感」, 예성타오의 「건국 10년을 노래하다建國十年詠」, 리지의 「행복한 순간幸福的時刻」, 궈펑의 「노래하라, 계곡이여唱吧, 山溪」 등의 시와 우한의 「나는 베이징을 사랑한다我愛北京」, 리젠우의 「희곡 감상 10년看戲十年」이 발표되었다.

『칭하이후』 10월호에 청슈산程秀山, 왕우쩡王吾增의 영화문학 극본 「초원의 폭풍草原風暴」이 발표되었다.

『별』 제34호에 거비저우의 평론 「10년 선집 서문十年選集自序」, 톈젠의 시 「송가頌歌」(2편), 옌이의 연작시 「날개를 펴고 높이 날다展翅高飛」, 거비저우의 「흑토의 해양黑土的海洋」, 위안잉의 「강산행음江山行吟」(3편), 옌전의 「창장 뱃사공長江船工」, 쉬츠의 「베링 해협白令海峽」, 가오잉의 서정 장시 『싼샤의 등불三峽燈火』 등의 시가 발표되었다.

『초원』 10월호에 나·싸이인차오커투의 장시 『기쁨의 노래狂歡之歌』가 발표되었다.

『광명일보』에 톈젠의 시 「광명 예찬光明贊」, 빙신의 「천하의 모든 사람이 함께 경축하다普天同慶」, 궈샤오촨의 「생활의 감미生活的甜味」, 커링의 「상하이의 발소리上海的腳步聲」가 발표되었다.

『중국청년보』에 옌전의 시 「화이허여, 너는 마치 한 줄 황금의 시구 같구나淮河啊, 你像一行黃金的詩句」가 발표되었다.

월간 『어메이峨嵋』가 창간되었다. 창간호에 사팅의 특필 「어느 경작구 주임의 집에서在一個耕作區主任家裏」, 왕우王吾의 산문 「부용성 송가芙蓉城頌」이 발표되었다.

3일, 『극본』 10월호에 추이더즈의 단막 화극 「생활의 찬가」가 발표되었다. 같은 호에 샤옌의 「희극예술의 대약진, 대수확戲劇藝術的大躍進、大豐收」, 마사오보의 「희곡 극목의 계승과 발전戲曲劇目的繼承發展」, 궈한청郭漢城, 위린俞琳의 「옛것을 취사선택하여 새롭게 발전시키고, 현실에 맞게 이용하자推陳出新, 古爲今用」, 라오서의 창작담 「나의 경험我的經驗」, 천치퉁의 창작담 「나의 창작 체험我的創作體會」, 커옌의 「아동극에 관하여試探兒童劇」가 발표되었다.

4일, 『광명일보』에 사설 「사회주의의 빛나는 문학예술창조를 위해 분투하자爲創造社會主義輝煌的文學藝術而奮鬥」, 「총노선과 전 인민 대약진의 격려하에, 문단의 백화가 아름답게 만발하다在總路線和全民大躍進的鼓舞下 文壇百花怒放滿目琳琅」가 발표되었다.

『베이징일보』에 비예의 「붉은 태양이 세상을 비추다一輪紅日照人間」, 예성타오의 「건국 10년을 노래하다建國十年詠」가 발표되었다.

5일, 『변강문예』10월호에 류수더의 소설 「라오뉴진老牛筋」이 발표되었다.

『북방문학』10월호에 전문 논고 「당의 호소에 호응해 문예창작을 번영시키자響應黨的號召, 繁榮文藝創作」, 톈젠의 시 「송가頌歌」, 뤄빈지의 시 「10년간, 100년의 길을 달려왔다十年, 奔馳了百年的路」가 발표되었다.

『꿀벌』 제19호에 사설 「고수가 되어 현실생활을 적극적으로 반영하자做鼓手, 積極反映現實生活」, 캉쥐의 「'근거지'에서─소련 『문학보』를 위해 쓰다在"根據地" 裏──爲蘇聯<文學報>作」, 톈젠의 시 「송가」(2편), 리칭의 「차오롄 빌딩의 건축 공인僑聯大廈的建築工人」, 리지예의 「톈진의 세 가지 보물天津三寶」, 왕창딩의 「자오 집안의 풍파焦家的風波」(장편소설 『하이허에 봄빛이 짙다海河春濃』 제2부 부분)가 발표되었다.

『열풍』10월호에 차이치아오의 시 「민서초閩西草」, 궈펑의 산문 「린쉐위안 2제林學院二題」가 발표되었다.

7일, 『인민일보』에 거비저우의 「나는 창장 상류에 서 있다我立在長江上遊」, 바진의 「우리는 땅 위에 천당을 세워야 한다我們要在地上建立天堂」가 발표되었다.

『광명일보』에 우보샤오의 산문 「톈안먼 광장天安門廣場」이 발표되었다.

8일, 『인민문학』10월호에 자오수리의 「'라오딩어'老定額」, 저우리보의 「하방의 어느 밤下放的一夜」, 빙신의 「귀국 전回國以前」, 마라친푸의 「길路」, 췬칭의 「단애백설丹崖白雪」, 리준의 「두 세대 사람兩代人」, 수웨이의 「대사업大事業」, 루즈쥐안의 「따뜻한 봄날春暖時節」 등의 소설, 예성타오의 연작시 「건국 10년을 노래하다建國十年詠」, 톈젠의 「송가」, 롼장징의 「철강 도시 송가鋼都頌」, 나·싸이인차오커투의 「기쁨의 노래」, 웨이양의 「조국祖國」, 옌천의 「개선가凱歌」, 장즈민의 「고향故鄉」(6편), 싱예의 「다시 인민공사를 찬양하다再贊人民公社」 등의 시 및 류바이위의 「신세계의 노래新世界的歌」, 웨이웨이의 「우리의 힘이 존재하는 곳我們的力量所在」, 양숴의 「해시海市」, 궈펑의 「샤먼 서정廈門抒情」 등의 산문, 샤옌의 정치 논문 「나는 톈안먼 앞에 서 있다我站在天安門前面」, 리지예의 「『아침 꽃 저녁에 줍다』 만담漫談<朝花夕拾>」, 웨이진즈의 「루쉰 소설의 창작수법 만담漫談魯迅小說中的創作手法」이 발표되었다.

『베이징문예』10월호에 린진란의 소설 「밥 짓는 사람做飯的」, 옌전의 「조국 송가祖國頌」, 장즈민의 「용과 봉황龍和鳳」, 바이런의 「군가를 부르며 쏜살같이 앞으로 나아가자唱著戰歌飛步前進」, 구궁의 「해방─모두가 아는 베이징의 두 사람에 관하여翻身──記述北京兩位大家都熟識的人」 등의 시, 라오서의 「오늘을 열렬히 사랑하다熱愛今天」, 웨이쥔이의 산문 「시위린을 기억하며憶西楡林」, 메이란팡의 「격려에 격려를 더하고, 약진에 약진을 더하자鼓勵再鼓勵, 躍進再躍進」가 발표되었다.

『인민일보』에 빙신의 「다시 칭룽차오에 가다再到青龍橋去」가 발표되었다.

9일, 『인민일보』에 마오둔의 「신중국 사회주의 문화예술의 빛나는 성취新中國社會主義文化藝術的輝煌成就」가 발표되었다. 그는 글에서 1958년 기준으로 전국의 각종 전문 예술공연단체는 3,162개, 전국의 극장은 2,620곳에 달하며, 공연단체는 1936년에 비해 4배로, 극장 수는 7배로 증가하였다고 밝혔다. 영화 상영 기관은 1958년 기준 12,579곳으로 이 가운데 영화관은 1,386곳, 유동적 영화 상영대는 8,384곳으로, 공화국 성립 전에는 영화 상영대가 전혀 없었으며, 영화관은 1936년에 비해 3배로 증가했다고 밝혔다. 1958년 기준 전국의 출판사는 108곳으로, 올해 출판된 도서는 45,495종이며, 총 인쇄 부수는 2,300,008,000여 권으로 1936년에 비해 13배로 증가하였다고 밝혔다. 1958년 기준 현 이상의 공공 도서관은 922곳으로 1936년에 비해 18배로 증가하였으며, 현 이상의 박물관은 360곳으로 1936년에 비해 15배로 증가하였다.

그는 "해방 전에 우리나라의 대다수의 소수민족 지구에는 문화시설이 거의 없었으나, 1958년 말 기준 전국 소수민족 지구에 영화 상영 기관 1,559곳, 민족출판사 11곳, 서점 656곳이 설립되었다. 네이멍구, 신장, 광시, 닝샤 등 4개 민족 자치구의 통계만 보아도 예술공연단체는 156개, 극장은 89곳이며, 국가가 설립한 문화관과 문화참文化站은 322곳에 달한다"라고 밝혔다. 그는 또한 "당의 지도와 정치를 우선시하는 방침이 모든 문화예술공작의 영혼이다", "문화예술공작은 반드시 공농병과 사회주의를 위해 복무해야 한다", "문화예술공작의 번영과 발전은 당의 '백화제방, 백가쟁명' 방침을 시행한 결과이다"라고 밝혔다.

『상하이희극上海戲劇』이 창간되었다. 본 잡지는 중국희극가협회 상하이분회의 기관 간행물로, 창간호에는 천궁민의 4막 화극 「끓어오르는 1958沸騰的1958」이 발표되었다.

11일, 『허베이일보』에 즈페이志非의 평론 「군중창작을 열성적으로 대하자─'창작에는 재능이 필요하다'에 관하여熱誠的對待群衆創作──也談"創作, 需要才能"」가 발표되었다. 그는 글에서 『신항』 8월호에 발표된 우옌의 「창작에는 재능이 필요하다」에 관한 견해를 제시하였다. 즈페이는 "이 글은 매우 나쁘다. 첫째, 군중창작에 '완전히' '찬물을 끼얹'어 버렸다. 둘째, 잘못된 '재능론'을 선전했다. 작가가 발을 잘못 디디고 섰기 때문에 모든 경향이 잘못되었다고 보아야 한다"라고 명확히 지적하면서, 우옌의 '재능론'에 대해 "우옌 동지의 '재능론'은 '밤낮으로 고심'하고 '정신에 의지'하라는 등 전부 황당무계한 말로, 그 결과 문학창작에 소극적인 영향을 불러왔을 뿐이다. 이런 논조는 한편으로는 일부 청년 작가들이 끝도 없이 오만해지게 해 '천재'를 자처하게 하며……다른 한편으로는 수많은 공농군중 작가의 창작적 적극성에 타격을 주어 자신의 재능 없음을 탄식하며 다시 붓을 들지 못하게 만든다"라고 보았다.

12일, 『독서』 제19호에 쉬츠의 「1958년 시선 서문一九五八年詩選序」, 리잉의 「피와 땀으로 쓴 시─『지원군 시 100편』을 읽고一部由血汗寫成的詩──讀<志願軍詩一百首>」가 발표되었다.

14일, 『광명일보』에 귀샤오촨의 「기념일에 관한 말關於節日的話」이 발표되었다.
『베이징일보』에 진이의 「베이징에 가다上北京」가 발표되었다.

15일, 『전영문학』 10월호에 마펑이 각색한 「우리 마을의 젊은이」, 판칭潘靑, 후쒀의 극본 「만목춘萬木春」이 발표되었다.

16일, 중국극협과 베이징시 문련이 합동으로 월극 「측천황제則天皇帝」 좌담회를 진행하였다. 역사학자 우한, 상웨尚鉞, 젠보짠, 뤼전위呂振羽 등이 참석해 발언하였다. 참석자들은 역사극 창작 과정에서 반드시 역사유물주의 관점을 통해 역사적 인물을 처리 및 표현해야 하며, 현실주의와 낭만주의를 결합해 역사극의 인물이 역사적 진실성과 예술적 진실성을 겸비하게 해야 한다고 의견을 모았다. 발언 내용은 『희극보』 제20~22호에 연재되었다.
『맹아』 제20호에 왕시옌의 「생활과 소재('습작자와 창작을 이야기하다')生活和題材("和習作者談創作")」가 발표되었다. 이 외에도 「'당의 지도 아래 용감히 전진하자'在黨的領導下奮勇前進」라는 제목으로 탕커신, 딩런탕丁仁堂 등의 필담 6편이 발표되었으며, 하오란의 소설 「채색된 저녁彩色的傍晚」, 루즈쥐안의 산문 「푸르른 메이자우碧綠的梅家塢」가 발표되었다.
『인민일보』에 천보화陳伯華의 「당이 나에게 예술 청춘을 주었다黨給了我藝術青春」가 발표되었다.

17일, 『인민일보』에 두펑청의 「변경행塞上行」, 톈한의 「울라노바의 「지젤」 공연을 보고觀烏蘭

諾娃演<吉賽爾>」가 발표되었다.

18일, 『여행가』에 빙신의 산문 「영국 방문 감상訪英觀感」이 발표되었다.

『인민일보』에 「사회주의의 백화가 만발하다—새싹이 앞다퉈 꽃망울을 터뜨리고, 고목이 회춘해 기이한 꽃을 피우다社會主義百花盛開——新苗爭長盛吐豔蕾, 老樹回春競放奇花」가 발표되어 베이징에서 진행된 각지 예술공연단체의 국경 헌정 공연이 종료되었으며, 본 공연이 크게 성공했다고 전했다.

『베이징일보』에 야오원위안의 「강변 단상江邊斷想」이 발표되었다.

『중국청년보』에 우란바간의 「초원의 두 자매草原兩姐妹」, 쉬츠의 「기묘한 숲속 생활奇妙的林中生活」이 발표되었다.

19일, 문화부에서 「베이징, 상하이의 유관 출판사에서의 「문학 및 사회과학 서적 원고료에 관한 임시 시행 규정」 계속 시행에 관한 통지關於北京、上海兩地有關出版社繼續試行<關於文學和社會科學書籍稿酬暫行規定>的通知」를 발포하여 1959년 11월 1일부터 시행할 것을 결정하였다.

20일, 『꿀벌』 제20호에 캉줘의 「밤에서 새벽으로—소련 『현대동방』 잡지를 위하여從黑夜到黎明——爲蘇聯<現代東方>雜志作」가 발표되었다.

23일 낮, 문화부에서 성대한 연회를 개최해 베이징을 방문한 각 성, 시, 자치구의 16개 예술공연단체를 초청하였다. 저우언라이 총리가 연회에 참석하였으며, 문화부 부장 마오둔, 부부장 첸쥔루이, 샤옌 및 정부의 기타 책임자들도 참석하였다. 저우언라이는 백화제방 측면에서 문예계가 거둔 성취를 축하하면서, 혁명정신을 계속해서 고수하며 부단히 전진하고, 혁신하며, 옛것을 취사선택하여 새롭게 발전시키고 백화제방하기 위해 노력해 달라고 당부하였다. 저우양은 연설에서 10년간의 희극사업의 발전과 성취를 정리하면서, 앞으로의 임무는 공연 작품을 풍부하게 하고 작품의 사상 및 예술적 수준을 제고하는 것, 공연예술과 무대미술을 제고하는 것, 희극대오가 공농 노동군중과 더욱 밀접한 관계를 맺는 것, 정치와 문화와 기술이 모두 우수한 신세대를 양성하는 것, 당의 지도를 강화하는 것 등이라고 지적하였다.

25일, 『문학평론文學評論』 제5호에 차이이의 「현실주의 예술과 미감 교육—현실주의 문제를 논하다 제4편現實主義藝術與美感敎育——四論現實主義問題」이 발표되었다.

『시간』10월호에 옌이의 「날개를 펴고 높이 날다」, 쉬츠의 「우정 송가友誼頌」, 장즈민의 「드넓은 강산이 끝없이 아름답다萬頃江山萬頃嬌」, 궈모뤄의 「시 14편詩十四首」, 장융메이의 「눈처럼 흰 하다雪白的哈達」, 옌전의 「시의 시대가 우리를 부른다詩的時代呼喚我們」, 셰멘 등의 「폭풍우의 전주('신시 발전 개황' 제3편)暴風雨的前奏("新詩發展槪況"之三)」이 발표되었다.

『허베이일보』에 한잉산의 「태양이 막 떠오르다太陽初升」가 발표되었다.

26일,『문예보』제19, 20호 합본이 「건국 10주년 경축 특집호(2)慶祝建國十周年專號(二)」로 간행되어 사설 「군중운동의 격류 속에 투신하다投身在群衆運動的激流中」 및 바진의 「새로운 광명을 맞이하다迎接新的光明」, 바런의 「대붕가大鵬歌」, 류바이위의 「신세계의 문학新世界的文學」, 자오수리의 「하향 잡기下鄕雜記」, 아이우의 「문예창작의 주된 조건文藝創作的主要條件」, 리차오의 「창작의 원천－생활, 생활創作的源泉——生活, 生活」, 톈한의 「큰 뜻을 세우는 것에 관하여談立大志」, 펑무, 황자오옌의 「신시대 생활의 장면－건국 후 10년간 장편소설의 풍작을 논하다」, 위안수이파이의 「성장하고 발전하는 사회주의의 신시가成長發展中的社會主義的新詩歌」, 옌원징의 「광명의 찬가－개국 10년 문학 창작선『산문특필』서문光明的贊歌——開國十年文學創作選<散文特寫>序」이 발표되었다. 같은 호에 본지 편집부의 「10년간의 문학 신인十年來的文學新人」, 「해외에서의 중국문학中國文學在國外」, 「비약적으로 발전하는 형제 민족 문학突飛猛進中的兄弟民族文學」 등의 글이 발표되어 10년간의 문학, 영화, 희극 등 각 문예전선의 성취를 논술하였다.

『양청만보』에 위핑의 「하늘나라와 인간 세상－'백조의 호수' 송가天上人間——頌"天鵝湖"」가 발표되었다.

이달에 상하이에서 화극헌정공헌을 진행하였다. 상하이인민예술극원에서는 5막 9장 화극 「공산주의 개선가共產主義凱歌」(천궁민, 왕롄王煉 각본, 천시허, 뤼푸, 취바이인 등 감독), 4막 8장 화극 「상하이 군가上海戰歌」(두쉬안 각본, 양춘빈楊村彬 감독), 4막 화극 「일출」(차오위 각본, 잉윈웨이應雲衛, 취바이인 등 감독), 12장 화극 「대담한 엄마와 그녀의 아이들膽大媽媽和她的孩子們」(독일 작가 브레히트 각본, 황쭤린 감독. 국내에서 최초로 공연된 브레히트의 희곡), 9장 화극 「고목에 꽃이 피다枯木逢春」(왕롄 각본, 장쿤샹 등 감독) 등을 공연했으며, 상하이희극학원에서는 「뇌우大雷雨」(소련 작가 오스트롭스키 각본, 슝포시, 천리팅陳鯉庭 등 감독), 12장 화극 「관한경」(톈한 각본, 주루이쥔朱瑞鈞 감독), 「결렬決裂」(소련 작가 라브레뇨프 각본, 톈자田稼 감독), 단막극 「영예로운 직책光榮

的崗位」, 「거중연櫃中緣」, 「바데린 선생巴德林先生」(후다오胡導, 예타오葉濤 감독)을 공연하였다. 중국 복리회 아동예술극원中國福利會兒童藝術劇院에서는 10장 화극 「지하 소년 선봉대地下少先隊」(합동 창작, 시리더奚裏德 집필, 런푸任複 감독), 3막 10장 화극 「마란화」(런더야오 각본, 멍위안孟遠 감독)을 공연하였다.

왕롄(1925~), 극작가. 본명은 왕수신王樹鑫으로 산둥성 지난 출신이다. 1947년에 베이핑푸런대학輔仁大學 중문과를 졸업하였다. 화둥인민혁명대학 문공단 및 화둥화극단 감독, 상하이인민예술극원 각본가, 상하이희극가협회 이사, 상하이시작가협회 이사, 전영창작위원회 주임을 역임하였다. 1948년부터 작품을 발표하였다. 저서로 화극 극본 『고목에 꽃이 피다』, 『조국 광상곡祖國狂想曲』, 『신기질辛棄疾』, 『그녀는 어째서 살해당했는가?她爲什麼被殺?』, 영화극본 『마술사의 뜻밖의 만남魔術師的奇遇』, 『리산쯔李善子』, 『청춘靑春』, 『그녀 둘과 그들 둘她倆和他倆』, 『우연郵緣』, 『여자 국장과 남자친구女局長的男朋友』, 드라마 극본 『두 공관杜公館』, 『장미꽃 24송이24朵玫瑰花』, 『동방의 꿈東方夢』, 『핏빛 여명血色黎明』 등이 있다.

양춘빈(1911~1989), 감독, 극작가, 희극교육가. 본명은 양루이린楊瑞麟, 필명은 루이린瑞麟으로 베이징 출신이다. 중공 당원이며 민주동맹 회원이다. 1932년에 베이핑대학 예술학원 희극과를 졸업하였다. 허베이 딩현定縣 중화평민교육촉진회中華平民教育促進會 희극간사, 항적극단 단장, 국립희극전문학교國立戲劇專科學校 교수, 베이징군구 정치부 문예연구실 주임, 상하이희극전과학교 교수 겸 교무장, 상하이인민예술극원 각본가, 부원장, 고문, 제5~7기 전국정협 위원, 중국작가협회, 중국극협, 중국영협 이사를 역임하였다. 1928년부터 작품을 발표하였다. 저서로 화극 극본 『해방자解放者』, 『청궁외사淸宮外史』 3부작(「광서친정기光緒親政記」, 「광서변정기光緒變政記」, 「광서귀정기光緒歸政記」), 영화문학 극본 『원명원이 불타다火燒圓明園』, 『수렴청정垂簾聽政』, 논저 『감독예술 민족화 모색집導演藝術民族化求索集』 등이 있다.

리샤오밍李曉明, 한안칭韓安慶의 장편소설 『평원의 총소리平原槍聲』, 마톄딩의 평론집 『장이집張弛集』이 작가출판사에서 출간되었다.

쑨리의 중편소설 『철목전전鐵木前傳』이 백화문예출판사에서 출간되었다.

왕위안젠의 단편소설집 『평범한 노동자』가 인민문학출판사에서 출간되었다.

량상취안의 장편서사시 『홍운증紅雲症』(『수확』 1959년 제3호에 발표), 구궁의 시집 『불빛 속의 노래火光中的歌』가 중국청년출판사에서 출간되었다.

옌전의 시집 『축가喜歌』가 작가출판사에서 출간되었다.

구궁의 시집 『생활의 바다 속에서在生活的海洋裏』가 춘풍문예출판사에서 출간되었다.

아이우의 평론집『낭화집浪花集』이 베이징출판사에서 출간되었다.

동풍문예출판사에서 편찬한『소설「평화로운 나날 속에서」평론집小說<在和平的日子裏>評論集』이 출간되었다.

11월

1일,『해방군문예』11월호에 하이모의 소설「쫓다追」, 장양張揚의 소설「별빛이 찬란하다星光燦爛」및 공동 창작한 작품을 가오더화高德華가 집필한 극본「38선 위三八線上」가 발표되었다.

장양(1924~2014), 본명은 장사오張韶, 필명은 쾅예曠野, 마번馬奔으로 쓰촨성 취현渠縣 출신이다. 일찍이 유격지대遊擊支隊 정치위원을 맡은 바 있다. 1957년 이후에 쓰촨인민출판사, 문예출판사 편집자를 역임하였다. 1939년부터 작품 발표를 시작하였다. 저서로 시집『흘러가지 않는 푸른 구름飄不去的綠雲』,『아름다운 잘못美麗的錯誤』등이 있다.

『신항』11월호에 위안징袁靜, 싱루전邢汝振, 리징옌李晶岩, 샤오위肖雨, 마딩馬丁의「「창작에는 재능이 필요하다」에 관한 토론關於<創作, 需要才能>的討論」, 량빈의『홍기보』제3부 부분「전구도戰寇圖」, 옌이의 시「우리의 공장我們的工廠」이 발표되었다.

『맹아』제21호에 루즈쥐안의 산문「승리에서 더 큰 승리로 나아가자從勝利躍向更大的勝利」, 탕커신의 특필「대약진의 첨병大躍進的標兵」, 웨이진즈의「'1959 상하이 민가선'을 위해 환호하다爲"1959上海民歌選"而歡呼」가 발표되었다.

『옌허』11월호에 웨이강옌의 소설「거인巨人」이 발표되었다.

『신관찰』제21호에 가오잉의「신등神燈」, 궈샤오촨의「풍작의 계절豐收的季節」, 장경의「울라노바의 '지젤'烏蘭諾娃的"吉賽爾"」이 발표되었다.

『창춘』11월호에 하오란의「예술 개괄 잡담雜談藝術概括」이 발표되었다. 그는 글에서 "예술 개괄은 생활에 그 기초를 둔다. 예술적 진실은 생활의 진실보다 우위에 있으나, 반드시 생활의 진실 위에 세워져야 한다. 광범위하고 풍부하며 익숙한 생활의 누적이 없다면 예술 개괄을 진행할 수 없고, 현실을 반영한 작품이 탄생할 수 없다"라고 보았다.

『열풍』11월호에 궈펑의 산문「공사 기상관측소公社氣象哨」가 발표되었다.

『별』제35호에 장융메이의「티베트 2제西藏二題」, 리지예의「천거잡시川居雜詩」가 발표되었다.

2일, 신작 영화 전시의 달이 종료되었다. 저녁에 문화부와 중국전영공작자연의회가 베이징 호텔에서 연회를 개최해 1959년 국산 신작 영화 전시의 달 성공을 축하하였다. 저우언라이는 연설에서 "희극예술과 마찬가지로, 영화예술사업 역시 대약진 가운데 가장 찬란한 꽃을 피운 분야이다", "이번에 전시된 영화들을 통해 영화에서도 다른 예술과 마찬가지로 수많은 신생 역량이 탄생했음을 알 수 있다. 앞으로 다른 예술 대오에서, 그리고 문예 애호가들 사이에서도 지속적으로 더 많은 신생 역량을 흡수해 영화공작자의 대오를 확대하고, 사상성과 예술성이 더욱 높은 영화를 더 많이 제작해 당 성립 40주년, 그리고 건국 20주년을 맞이해야 한다"라고 밝혔다. 저우양과 샤옌도 연설을 진행하였다.

『인민일보』에 라오서의 「군영회 송가群英會頌」가 발표되었다.

3일, 『극본』 11월호에 어우양위첸의 9장 화극 「흑노한黑奴恨」 및 「「흑노한」 후기<黑奴恨>後記」가 발표되었다.

『인민일보』에 이췬의 「재능, 군중창작, 찬물 끼얹기才能、群眾創作、潑冷水」, 천바이천의 「영화 「폭풍」의 각색에 관하여談電影<風暴>的改編」가 발표되었다. 이췬은 글에서 우옌(왕창딩)의 단론 「창작에는 재능이 필요하다」에 대한 견해를 피력하였다. 그는 공농병 군중창작이 문학에 새로운 모습을 더해 주었다고 보면서, 우옌의 글이 "군중창작에 찬물을 끼얹었다", "우옌의 이러한 자산계급 문예사상을 우리는 반드시 반격해야 한다"라고 밝혔다.

『베이징일보』에 차오밍의 「어향이 만리에 퍼지다魚香飄萬裏」, 라오서의 「희곡 관람 간단 감상觀戲簡記」이 발표되었다.

5일, 『상하이문학』 11월호(통권 2호)에 쥔칭의 「바다제비海燕」, 후바오화胡寶華의 「신선神仙爺」, 루즈쥐안의 「노정裏程」 등의 소설, 페이리원의 「사부, 동료, 제자師傅、夥伴、徒弟」, 웨이원보魏文伯의 「시 10편詩十首」, 리칭의 「창춘 자동차 공장에서在長春汽車制造廠」 등의 시, 우창의 정치논문 「총노선을 위해 전투하자爲總路線而戰鬥」, 야오원위안의 단론 「변론과 추천論辯和推薦」이 발표되었다.

『작품』 11월호에 위핑의 소설 「일편단심一片丹心」, 친무의 산문 「골동품古董」이 발표되었다.

『광명일보』에 양치楊奇의 「타오펀과 함께한 나날和韜奮相處的日子」이 발표되었다.

7일, 진이가 향년 50세로 사망하였다. 바진은 『진이 선집靳以選集』(5권, 쓰촨인민출판사 1983

년) 서문에서 "그(진이)의 창작 태도는 매우 진지했다. 그는 나처럼 펜을 들어 바로 글을 쓰는 것이 아니라, 생각을 잘 정리한 후에야 쓰기 시작했다. 그는 간혹 내게 소설의 줄거리를 이야기해 주기도 했는데 대단히 생생했다. 그는 문장을 쓰는 데 시간을 많이 들이지 않았다. 나는 그가 펜을 멈추고 고민하는 일을 거의 본 적이 없다", "그를 생각하면 눈앞에 그가 책상 앞에 앉아 글을 쓰는 모습이 떠오른다. 내가 받은 인상이 맞는지는 모르지만, 나는 그가 인도주의적인 예술가로, 동정심이 풍부한 사람이었다고 생각한다", "나는 오랫동안 그가 성실하게 일하고, 책임감을 가지고 잡지 한 권 한 권을 독자들에게 보내는 모습을 보아 왔다. 나는 큰 감동을 받았다"라고 말했다.

천치정陳其正은 「진이 동지를 애도하며悼念靳以同志」에서 "그는 활기차고, 혁명의 열정이 풍부해, 단 1분도 가만히 있지 못하는 사람이었다. 그의 넘치는 정력과 쾌활한 성격, 설득력 있는 말솜씨는 사람들에게 깊은 인상을 주었다. 그 누구도 그가 죽으리라는 생각을 하지 못했을 것이며, 이렇게 일찍 우리를 떠날 거라고는 생각지 못했을 것이다"라고 말했다(『상하이문학』1959년 12월호).

선충원은 「진이를 추모하며悼靳以」에서 "문학창작 대오는 한 사람의 전사를 잃었다. 벗들 가운데 솔직하고 진지하며, 열정이 풍부하고, 언제나 사람들을 격려해 주는 벗을 잃었다. 이것은 채울 수 없는 손실이다", "진이는 죽었으나 죽지 않았다. 그를 비롯한 수천의 작가들이 노래한 인민영웅이 더없이 용감하게 노동에 임해 조국 건설을 위해 계속 전진하고 있기 때문이다"라고 말했다(『인민문학』1959년 12월호).

『광명일보』에 빙신의 「모스크바 강가의 아이들莫斯科河畔的孩子們」이 발표되었다.

8일, 『인민문학』 11월호에 라오서의 창작담 「벗의 편지에 답하다 ─ 간결함에 관하여答友書── 談簡練」, 장톈이의 창작담 「대리 편지 ─ 소재와 작품 창작에 관하여代郵──談題材和寫作品」, 바런의 「「까치가 가지에 오르다」 등에 관하여略談<喜鵲登枝>及其他」, 쓰멍思蒙의 「마펑 동지의 단편소설을 읽고讀馬烽同志的短篇小說」 및 저우리보의 「일찍 일어나다早起」, 리제런의 「해방 전야의 어느 작은 마을解放前夕一小鎮」, 왕원스의 「중대한 순간」, 캉줘의 「공사의 모公社的秧苗」, 펑진탕馮金堂의 「구이메이와 샤오후이桂梅和小惠」 등의 소설, 광웨이란의 「불화살편火箭篇」(2편), 샤오싼의 「칭다오 수필靑島隨筆」(2편), 궈샤오촨의 「별이 총총한 하늘을 바라보다望星空」, 옌천의 「열 번째 홍성第十顆紅星」 등의 시 및 천치퉁의 6막 가극 「커산의 붉은 해柯山紅日」(상), 진이의 산문 「늙은 말과 함께 선회하다跟著老馬轉」, 린진란의 산문 「룽탄龍潭」이 발표되었다. 라오서는 글에서 수사적 표현을 남용하지 않고 멋대로 형용하지 않는 것, 소설에 대해 깊이 생각해 복잡함을 간결함으로 바꾸는 것, 문장을 고칠 때는 서로 호응할 것 등 세 가지를 정리하였다.

『베이징문예』11월호에 장즈민의 시 「소련에게致蘇聯」, 바이런의 「인민강산 만만년人民江山萬萬年」이 발표되었다.

『인민일보』에 빙신의 「기쁘게 추억하고, 흥분해 전망하자歡樂地回憶, 興奮地前瞻」, 한베이핑의 「민족 송가民族頌」가 발표되었다.

9일, 『상하이희극』 제2호에 쉬쓰옌許思言이 집필하고 상하이경극원에서 공동 창작한 경극 극본 「해서가 상소하다海瑞上疏」가 발표되었다.

10일, 『인민일보』에 줜칭의 「산호사珊瑚沙」, 류바이위의 「진이 동지를 추모하며悼念靳以同志」, 탕타오의 「비통한 가운데 쓰다寫於悲痛中」가 발표되었다.

『전영창작電影創作』11월호에 쉬화이중의 영화문학 극본 「무정한 연인無情的情人」이 발표되었다. 본 극본은 작가가 베이징전영제편창의 청탁을 받아 자신의 단편소설 「송이석松耳石」(『변강문예』 1957년 1월호에 발표)을 각색한 것이다.

11일, 『문예보』 제21호에 화푸의 「「창작에는 재능이 필요하다」에 대한 변론」이 발표되었다. 그는 글에서 우옌(왕창딩)의 단론 「창작에는 재능이 필요하다」에 대한 견해를 피력하였다. 화푸는 "창작의 '재능' 혹은 '규칙'을 강조해 신비화시켜 이를 통해 군중 속의 창작 초심자가 포기하게 만드는 것은 전형적인 귀족 작풍이다", "우옌 동지의 이 글은 그의 사상 감정의 어두운 면, 그의 영혼 깊은 곳의 무언가, 그가 문제를 대하는 극단적인 단편성을 집중적으로 반영하고 있으며, 이는 대단히 나쁜 영향을 끼친다"라고 보았다. 같은 호에 양한성의 「우수한 영화 「임칙서」에 관하여談優秀影片<林則徐>」, 궈샤오촨의 「예술가들이 성숙해지다藝術家們走向成熟」가 발표되었다.

12일, 『독서』 제21호에 사오취안린의 「『홍기보』는 중국 민주혁명 시기 농민의 투쟁 생활을 개괄한 예술적 수준이 높은 작품이다<紅旗譜>是槪括中國民主革命時期農民鬥爭生活的有高度藝術水平的作品」가 발표되었다.

『인민일보』에 저우얼푸의 「공산주의 정신─의사 베쑨 서거 20주년을 기념하며共產主義精神──紀念白求恩大夫逝世二十周年」가 발표되었다.

13일~23일, 10년간의 희극사업이 거둔 성적을 결산하고 경험을 교류해 희극사업의 더욱 빠른 약진을 실현하기 위해 문화부와 중국극협에서 화극 좌담회와 희곡 좌담회를 개최하였다. 샤옌은 회의에서 앞으로도 전통극과 현대극이 '두 다리로 걷는' 방침을 확고하게 시행해야 한다고 지적하였다. 좌담회에는 샤옌, 톈한, 어우양위첸, 저우웨이츠, 마옌샹, 리룬 및 각 공연단체의 책임자 총 80명이 참석하였다. 좌담회 내용은 『극본』 12월호에 「지금까지의 성적을 결산하고, 더 큰 약진을 쟁취하자總結以往成績, 爭取更大躍進」라는 제목으로 게재되었다.

16일, 『신관찰』 제22호에 쩌우디판의 시 「군영회에 경의를 표하다向群英會致敬」, 거비저우, 원제의 시 「위면 송가玉門頌」, 예쥔젠의 「초원 위의 의사草地上的醫生」, 궈펑의 「우체국 다덩다오 지부에 보내다寫給大嶝島郵電支局」, 류수더의 「혁혁한 승리赫猛的勝利」가 발표되었다.

『인민일보』에 옌이의 「조국에 바치는 노래給祖國的歌」, 진이의 「상하이 송가上海頌」가 발표되었다.

18일, 『여행가』 제11호에 쭝푸의 「쌍간강변의 어느 마을桑幹河畔一村莊」이 발표되었다.

20일, 『꿀벌』 제22호에 리지예의 「겸허하되 풀이 죽어서는 안 된다要謙虛不要自餒」, 리허린李何林의 「지식 범위를 확대하고, 많이 읽고 많이 쓰자擴大知識範圍, 多讀多作」가 발표되었다.

『베이징일보』에 하오란의 「공사의 훌륭한 참모公社裏的好參謀」가 발표되었다.

22일, 『인민일보』에 하오란의 「엄마媽媽」가 발표되었다.

24일, 『수확』 제6호에 류칭의 장편소설 『창업사』, 웨이원보의 시 「시 4편詩四首」, 옌이의 장시 『채교彩橋』, 주다오난의 혁명투쟁 회고록 「홍4사단이 하이루펑으로 달려가다紅四師奔向海陸豐」 및 바진의 「그는 분명히 아직 살아 있다他明明還活著」, 류바이위의 「진이 동지를 추모하며悼念靳以同志」, 황쭝잉의 「진이 동지와 함께한 나날和靳以同志相處的日子」, 천눙페이陳農菲의 「영원히 지나가지 않는다永遠不會過去」, 뤄쑨의 「열정의 찬가가 세계에 울려퍼지게 하자讓熱情的贊歌響徹世界」 등의 산문이 발표되었다.

『해방일보』에 장쥔샹의 「우경사상에 단호히 반대하고, 당의 문예방침을 수호하자堅決反對右傾思想, 保衛黨的文藝方針」가 발표되었다. 그는 글에서 영화공작자들이 "어떤 영화를 평가할 때 영화의 정치적 수준이나 그 영화가 공농 군중에게 환영받을 수 있는가가 아니라, 자신과 같은 개조를 거치지 않은 소자산계급의 취미와 요구를 만족시킬 수 있는지, 그리고 소위 '시민 취향'에 부합해 '흥행 성적'을 보장할 수 있는지를 우선적으로 고려한다"라고 지적하였다.

25일, 『시간』 11월호에 리잉의 「11월 7일十一月七日」, 쉬츠의 「허베이성 시가좌담회를 기억하며記河北省詩歌座談會」가 발표되었다.

『광명일보』에 쉬츠의 「싼먼샤 댐을 한 바퀴 돌다繞三門峽大壩一匝記」가 발표되었다.

26일, 베이징시 인민위원회의 비준을 거쳐 베이징경극단, 베이징시 경극 4단, 메이란팡경극단, 상샤오윈경극단尚小雲京劇團, 쉰후이성경극단荀慧生京劇團, 옌밍경극단燕鳴京劇團, 베이징시 허베이방쯔극단北京市河北梆子劇團, 베이징곡예단 등 8개 민간 전문극단이 국영극단으로 변경되었다.

『문예보』 제22호에 탕타오의 문예수필 「보따리는 방석이 아니다包袱不是坐墊」, 화푸의 「우감 2편偶感兩則」, 캉쥐의 「공사 사원 만세 삼창의 모습—『공사사 작품선집』 서문公社社員三呼萬歲的寫照——<公社史作品選集>序」, 바진의 「안식하길, 진이 동지여—진이 동지 공장 의식에서의 추도사安息吧, 靳以同志——在公祭靳以同志儀式上的悼詞」, 뤄쑨의 「진이 동지를 추모하며悼念靳以同志」. 쉬츠의 「샤오싼 동지의 신작 몇 편에 관하여談蕭三同志的幾篇新作」가 발표되었다.

27일, 알바니아 해방 15주년을 기념해 문화부, 대외연락위원회, 중국알바니아우호협회가 베이징에서 알바니아 극영화 '폭풍風暴'의 최초 상영 초대회를 개최하였다.

이달에 희극영화喜劇電影가 처음으로 비판받은 후로 새로운 형태의 '송가형 희극' 「우리 마을의 젊은이」, 「금꽃 다섯 송이」, 「나는 오늘 쉰다今天我休息」 등이 발표되어 열렬한 환영과 호평을 받았다. 「우리 마을의 젊은이」, 「금꽃 다섯 송이」의 삽입곡이 유행하기 시작하였다.

캉랑잉康朗英의 장시 『류사허의 노래流沙河之歌』(1958년 3월 22일자 『윈난일보』에 발표), 리준의 단편소설집 『밤에 뤄퉈링을 가다夜走駱駝嶺』가 작가출판사에서 출간되었다. 『류사허의 노래』는 총 9장으로 구성되었으며, 서두에 위안보袁勃의 서문 「장시 류사허의 노래에 관하여關於長詩流沙河之歌」가 수록되어 이 시가가 가진 예술 표현 측면의 특징을 설명하였다. 말미에는 멍하이현猛海縣 문예관공실과 윈난성 민족 민간문학 시청반나 조사대 멍하이조사조에서 집필한 평론 「캉랑잉과 그의 장시 류사허의 노래康朗英和他的長詩流沙河之歌」가 수록되어 캉랑잉의 생애와 『류사허의 노래』의 예술적 특징을 소개하였다. 글은 이 시의 예술 형식에 대해 "새롭다", "짙은 민족 정서와 생동감 있고 적절한 비유가 풍부하다"라고 평하면서도, "결점이 없는 것은 아니다", "불교사상의 영향을 깊이 받았으며, 특히 시인이 인생 최후의 몇 년 동안 승려 생활을 한 점이 그의 문학창작에 어느 정도의 속박으로 작용하였다"라고 평했다.

캉랑잉(1903~1977), 태족傣族으로 가수이자 시인이다. 윈난성 시솽반나 출신이다. 10세 때 출가하여 승려가 되었으며 16세 때 노래를 시작하였고, 25세 때 환속하였다. 30년대에 작품 발표를 시작해 시솽반나 지역에서 널리 유행하였다. 중국어로 번역 출판된 저서로 장시『류사허의 노래』, 『창장의 노래瀾江之歌』, 단시「행복의 시작幸福的開端」, 「봉황이 태양을 향해 날아가다一支鳳凰飛向太陽」 등이 있다.

류칭의 중편소설『한투철(1957년 기록狠透鐵(1957年紀事)』이 동풍문예출판사에서 출간되었다.

후완춘의 단편소설집『성격이 특이한 사람』이 인민문학출판사에서 출간되었다.

『신관찰』 편집부에서 선정하고 마톄딩이 서문을 집필한『1958년 산문특필선1958散文特寫選』이 작가출판사에서 출간되었다. 마톄딩은 서문에서 "1958년은 대약진의 해이다……우리의 산문, 특필, 보고문학은 이 시대의 정신과 모습, 시대의 생활의 숨결을 생생하고도 감동적으로 반영하였다"라고 밝혔다.

궈모뤄의 역사극「채문희」가 중국희극출판사에서 출간되었다.

구바오장, 쉬원펑이 각색한 8장 화극『동진 서곡』의 단행본이 해방군문예출판사에서 출간되었다. 극본은『해방군문예』 10월호에 발표되었다. 본 화극은 1959년 제2회 전군 문예공연에서 수상하였으며, 이후에 동명의 영화로 각색되었다.

쉬츠의 평론집『시와 생활詩與生活』이 베이징출판사에서 출간되었다.

톈젠의 시론집『신국풍 찬가新國風贊』가 백화문예출판사에서 출간되었다.

톈잉의『1958년 중국민가운동1958年中國民歌運動』이 상하이문예출판사에서 출간되었다.

린단추의『백화제방 속의 산문소품百花齊放中的散文小品』이 상하이문예출판사에서 출간되었다. 저자는 서문에서 건국 초기에 잡문이 부흥하지 못한 원인에 대해 논술하였다.

12월

1일, 『해방군문예』 12월호에 취보의 소설 『산과 바다가 울부짖다』(장편소설 부분), 하오란의 소설 「사돈親家」, 장아이핑張愛萍의 혁명투쟁 회고록 「쭌이에서 다두허까지從遵義到大渡河」, 쉬츠의 「시가와 낭송에 관하여談詩歌和朗誦」, 펑더잉의 「청년 발명가靑年發明家」가 발표되었다.

『신항』 12월호에 쉬친원의 「「후지노 선생」에 관하여關於<藤野先生>」가 발표되었다. 같은 호에 장쉐신의 「근본적인 옳고 그름에 대한 논쟁一場大是大非的辯論」, 천밍수陳鳴樹의 「「창작에는 재능이 필요하다」의 근본적인 오류는 어디에 있는가"創作, 需要才能"的根本錯誤何在」, 아이원후이艾文會의 「자산계급 재능관의 반동적 본질資産階級才能觀的反動實質」 등 「창작에는 재능이 필요하다」에 대한 토론문이 발표되었다.

장쉐신은 글에서 "우옌 동지가 군중창작에 대해 지적하는 것은 사회주의 문화혁명에 대한 소수의 자산계급 지식분자의 공포와 반항심이 반영된 것이다", "군중창작을 대하는 우옌 동지의 귀족적인 태도의 근원은 그의 자산계급 세계관과 관련이 있다"라고 보았다. 천밍수는 "이 글의 근본적인 오류는 대약진 이후에 왕성하게 시작된 군중문예창작운동에 대해 격려하고 갈채를 보내는 태도가 아니라, 이를 가치 없게 여겨 냉대하고 비웃는 자산계급 귀족식의 태도를 취한 데 있다", "종합하면, 「창작에는 재능이 필요하다」가 표현하는 사상의 본질은 자산계급의 이데올로기에 유심주의적 재능관을 포함해, 이해의 질곡을 조성해 이미 해방된 노동인민의 재능을 다시 속박하고, 그들을 다시 영웅이 재능을 발휘할 기회를 얻지 못하는 비참한 역사적 단계로 몰아넣으려 하고 있다"라고 보았다.

아이원후이는 글에서 "우옌 동지의 「창작에는 재능이 필요하다」는 표면적으로 보면 작가가 이야기할 만한 문제를 이야기하는 것처럼 보이지만, 실제로는 만약 이러한 자산계급 유심주의적 재능관이 관철된다면 당의 '의욕을 북돋워 더 높은 목표를 위해 힘쓰고, 많이, 빨리, 잘, 절약해서 사회주의를 건설하자'는 총노선 문예 방침을 관철할 수 없게 된다. 이는 사실상 문예 영역에서의 두 가지 노선의 논쟁으로, 사회주의 건설 시대에 계급투쟁이 문예전선에 반영된 것이다"라고 보았다.

『창장문예』 11, 12월 합본에 쥔칭의 「페이추이구翡翠穀」, 천찬윈의 「자러춘의 밤을 축하하며賀加勒村之夜」가 발표되었다. 같은 호에 왕웨이슝王爲熊의 「후칭포는 무슨 속셈인가?胡靑坡是何居心?」,

마쭈馬卒의 「인민 내부의 모순 반영에 관하여―후칭포, 자오쉰 동지와의 논의也談反映人民內部矛盾――也胡青坡、趙尋二位同志商権」, 이판一帆의 「어째서爲什麼」, 다보수이大波水의 「후칭포 동지와의 논쟁與胡青坡同志爭辯」 등 위혜이딩, 후칭포胡青坡, 자오쉰 등의 「문학창작의 인민 내부의 모순 반영 문제에 관하여關於文學創作如何反映人民內部矛盾問題」 좌담회에서의 발언을 비판하는 글이 여러 편 발표되었다.

『옌허』 12월호에 하오란의 소설 「신춘곡新春曲」이 발표되었다.

『신관찰』 제23호에 톈젠의 「송가頌歌」, 거비저우의 「치롄산에게致祁連山」, 리지의 「고산 운하 송가高山運河頌」 등의 시, 톈한의 「녜얼을 추억하며憶聶耳」, 저우얼푸의 「영원히 우리 마음속에 살아 있다―진이 동지를 추모하며永遠活在我們的心中――悼念靳以同志」, 쉬츠의 「두 자매兩姐妹」, 루옌저우의 「도화수 전桃花汛前」이 발표되었다.

『인민일보』에 리준의 「난양 황소南陽黃牛」가 발표되었다.

2일, 장쯔핑張資平이 향년 66세로 병사했다.

장쯔핑(1893~1959), 본명은 장싱이張星儀 혹은 장성張聲으로 광둥성 메이현梅縣 출신이다. 1921년에 궈모뤄 등과 함께 창조사를 설립하였다. 1922년에 중국 현대문학사상 최초의 장편소설 『충격기의 화석沖擊期化石』을 출간하였다. 1939년 5월, 월간 『신과학新科學』이 상하이에서 출간된 후 장성이라는 필명으로 편집장 겸 발행인을 맡았다. 공화국 성립 전에는 상하이에 거주하며 창작에 종사하다가 1953년 9월에 전민보습학교振民補習學校에서 교사를 맡았다. 1955년 6월에 공안에 의해 체포되어 매국노로 판결받은 후 안후이성 남부의 노동개조 농장에서 병사하였다. 저서로 『타락沉淪』, 『메이링의 봄梅嶺之春』, 『사이허탄 강가의 달밤曬禾灘畔的月夜』, 『조라집蔦蘿集』, 『웨탄허의 강물約檀河之水』, 『충격기의 화석』 등이 있다. 장쯔핑은 30년대에 진보문학계에 의해 비판을 받았다.

루쉰은 일찍이 그에 대해 "장쯔핑 씨는 예전에는 삼각관계 소설가로, 여자의 성욕이 남자보다 더하다고 보았다. 남자를 찾는 모양이 상스럽기 짝이 없다. 이것은 자연히 무산계급 소설이 아니다. 그러나 작가는 방향을 바꾸었다. 한 사람이 출세하면 주위에도 덕이 미친다는데, 신선의 시체는 오죽하랴. 『장쯔핑 전집張資平全集』은 반드시 읽어 볼 만하다", "나는 『장쯔핑 전집』과 '소설학'의 정수를 추출해 숭배자들에게 드러내 보이려 한다. 그것은 바로―(삼각형)이다"라고 풍자한 바 있다.[4] 이후로 장쯔핑의 소설은 오랫동안 냉대를 받다가 1980년대에 와서야 다시 주목받기 시작하였다.

---

4) 루쉰, 「장쯔핑 씨의 '소설학'張資平氏的"小說學"」, 『루쉰 전집』 제4권, 제230―231쪽, 인민문학출판사 1981년

5일, 『상하이문학』 12월호(통권 3호)에 커란의 소설 「모든 이가 출진해 말에 오르다人人上陣, 個個上馬」가 발표되었다.

『변강문예』 12월호에 리차오의 소설 「우정友誼」이 발표되었다.

『꿀벌』 제23호에 캉줘의 「공사 사원 만세 삼창의 모습―『공사사 작품선집』서문」및 허베이성 시가좌담회에서의 쉬츠의 발언 「제고 등에 관하여談提高及其它」가 발표되었다.

『양청만보』에 「어우양산이 「삼가항」을 말하다歐陽山談<三家巷>」가 발표되었다.

7일, 『인민일보』에 웨이웨이의 「선홍색의 역사를 쓰다書寫鮮紅的歷史」가 발표되었다.

8일, 『인민문학』 12월호에 마오둔의 평론 「창작과 재능의 관계로부터 이야기를 시작하다從創作和才能的關系說起」, 뤼쑨의 평론 「'정치가 너무 많고, 예술은 너무 적은'가?是"政治太多, 藝術太少"麼」, 마펑의 소설 「태양이 막 산 위로 뜨다太陽剛剛出山」, 가오잉의 시 「술잔酒杯」, 천치퉁의 6막 가극 「커산의 붉은 해」(하), 우한의 「등하잡담燈下雜談」(『등하집燈下集』 머리말), 바진의 「진이를 위해 곡하다哭靳以」, 빙신의 「진이를 추모하며悼靳以」, 선충원의 「진이를 추모하며悼靳以」가 발표되었다.

마오둔의 글은 우옌의 「창작에는 재능이 필요하다」에 관한 글로, 그는 글에서 우옌의 글이 "결코 있어서는 안 될 경박한 태도를 표현하였다. 그는 자신이 생각하기에 재능이 없는데도 창작에 종사하는 청년들을 차갑게 비웃고 신랄하게 풍자해, 군중문예활동의 고조에 찬물을 끼얹었다. 뿐만 아니라 신랄하고 가혹하며 경박한 어조로 이러한 공격을 진행했다. 어째서 문제를 이처럼 단순화하는가? 어째서 문제에 대해 자신도 모르게 이처럼 경박한 태도를 취하는가? 나는 그 근원은 우옌 동지의 문예관점이 자산계급 문예관점인 데에 있다고 본다"라고 보면서, "우옌 동지는 천부적인 재능이 문학창작에 종사하는 일에 결정적인 의의를 가진다고 단편적으로 생각하고 있다. 이는 비과학적이며 유심주의적인 관점이다. 우옌 동지는 이처럼 재능의 역할을 주관적으로 긍정하고 있으나, '재능'이라는 말의 함의를 정확히 파악하지 못하고 있다. 그는 간혹 '재능'을 '능력'으로 해석하고, 간혹 '재능'과 '천재'를 같은 말로 쓰고 있으며, 이 문제에 관한 몇몇 용어들에 대해 명확한 개념이 결핍되어 있다"라고 보았다.

『베이징문예』 12월호에 쩌우디판의 「베이하이 만찬회北海晚會」가 발표되었다.

9일, 『상하이희극』 제3호에 왕렌의 9장 화극 「고목에 꽃이 피다」가 발표되었다.

『광명일보』에 리차오의 「석면성石綿城」, 저우리보의 「여장부(상)女將(上)」(『산촌의 대격변』 속편 부분)이 발표되었다.

11일, 『문예보』 제23호에 스취안石泉의 「사회주의 문학의 새로운 피-공장사 창작운동 논평社會主義文學的新血液——工廠史寫作運動述評」, 광지의 「중국 공인계급의 빛나는 역사-『공장사 작품선』 서문中國工人階級的光輝歷史——<工廠史作品選>序言」, 화푸의 「궈샤오촨의 「별이 총총한 하늘을 바라보다」를 평하다評郭小川的<望星空>」, 옌자옌의 「생생하고 착실한 「라오뉴진」生動楽實的<老牛筋>」이 발표되었다. 화푸는 글에서 "온 국민이 환호하는 날에 노동인민들은 우리 혁명사업의 빛나는 성취를 열렬히 경축하며, '만수무강'을 환호해 자신들의 마음속에 품고 있는 진정으로 위대하고 숭고한 형상에 대한 축복을 표현하였다. 그러나 궈샤오촨 동지는 이처럼 더없이 황당무계한 시를 창작하였다. 이는 용인할 수 없는 정치적 잘못이다"라고 밝혔다.

12일, 『독서』 제23호에 캉줘의 「공사 사원 만세 삼창의 모습-『공사사 작품선집』 서문」이 발표되었다.

『인민일보』에 차오밍의 「마음은 웃고, 불꽃은 높고, 홍기는 휘날린다心兒笑, 焰兒高, 紅旗飄」, 리잉의 「시골 집배원鄕郵員」이 발표되었다.

『광명일보』에 저우리보의 「여장부(하)女將(下)」(『산촌의 대격변』 속편 부분)가 발표되었다.

14일, 『인민일보』에 웨아웨이의 「항미원조 영웅의 찬가-화극 「영웅 만세」를 보고一曲抗美援朝英雄的贊歌——話劇<英雄萬歲>觀後」가 발표되었다.

15일, 『희극보』 제23호에 본지 평론가의 글 「우경에 반대하고, 의욕을 고취해 당의 문예방침을 단호히 관철하자反右傾, 鼓幹勁, 堅決貫徹黨的文藝方針」가 발표되었다.

16일, 『우화』 제24호에 청샤오칭程小青의 산문 「톈안먼 앞의 등불天安門前的燈」이 발표되었다.

청샤오칭(1893~1976), 본명은 청칭신程青心 혹은 청후이자이程輝齋로 장쑤성 우현吳縣 출신이다. 18세 때부터 문학창작을 시작해 저우서우쥐안과 합동으로 코난 도일의 작품을 번역하였고, 이후에 「훠쌍 사건집霍桑探案」을 창작해 단번에 명성을 얻었다. 중국작가협회 회원이며, 장쑤성 문화예술공작자연합회 위원, 중국민주촉진회中國民主促進會 장쑤성 위원, 장쑤성 정협 위원 등을 역임하였다. 저서로『장난의 제비江南燕』, 『주항권珠項圈』, 『황푸장 속黃浦江中』등 30여 편의 탐정소설이 있다.

　『신관찰』제24호에 췐칭의「스펑의 달밤獅峰月夜」, 란란藍藍의「우리 시대의 향기我們時代的芳香」, 비예의「향비묘 주위에서在香妃墓周圍」가 발표되었다.

　『광명일보』에 천찬원의「깊은 산 높은 봉우리의 작은 마을深山大嶺一小村」, 리젠우의「이상과 현실-「음모와 사랑」공연을 보고理想與現實──看<陰謀與愛情>的演出」가 발표되었다.

　18일,『광명일보』에「군중창작을 어떻게 볼 것인가-「창작에는 재능이 필요하다」에서 시작된 토론應該如何看待群眾創作──由<創作, 需要才能>一文引起的討論」이 발표되었다(본 토론은 우옌이『신항』1959년 8월호에 발표한「창작에는 재능이 필요하다」로부터 시작된 것이다).『인민일보』,『문예보』,『인민문학』,『베이징일보』등 여러 신문과 잡지에 60여 편의 글이 발표되어 우옌이 군중창작을 대하는 태도를 비판하였다. 군중창작 문제에 대한 토론은 창작과 재능의 문제, 군중창작의 정치 및 예술적 품질에 대한 견해 문제, 군중창작의 양과 질 문제, 군중창작의 동기에 대한 문제 등을 포함하였다.

　23일,『인민일보』에 루옌저우의「종달새雲雀」, 리잉의「변경 신곡塞上新曲」이 발표되었다.
　『광명일보』에 류수더의「라오뉴진」(상)이 발표되었다.

　24일, 문화부에서「인민미술출판사 미술출판물 원고료 임시 시행 규정人民美術出版社美術出版物稿酬暫行辦法」을 비준해 1960년 1월 1일부터 시행하기로 결정하였다.
　『광명일보』에 류수더의「라오뉴진」(중)이 발표되었다.

　25일,『시간』12월호에 셰멘 등의「민족 항일전쟁의 호각('신시 발전 개황' 제4편)民族抗戰的號角("新詩發展概況"之四)」가 발표되었다.
　『인민일보』에 젠셴아이의「산간도시 구이양의 어제와 오늘山城貴陽的今昔」이 발표되었다.

　26일,『문예보』제24호에 야오원위안의「「초원의 봉화」를 평하다評<草原烽火>」, 쉬친원의「『들풀』탐구<野草>初探」가 발표되었다. 야오원위안은 글에서 「초원의 봉화」를 높이 평가하였다. 그는 혁명의 불씨, 노예의 각성, 숭고한 우정 등 세 가지 측면에서 작품을 평가하였다. 같은 호에 샤오쉐曉雪의 「10년간의 형제 민족 민간서사시에 관하여略談十年來的兄弟民族民間敘事詩」가 발표되었다.

샤오쉐(1935~), 백족白族 시인이자 문학평론가로 본명은 양원수楊文輸, 필명은 창얼성蒼洱生 혹은 샤오쉐이다. 윈난성 다리大理 출신이다. 중국작가협회 이사, 작가협회 민족문학위원회 위원, 작가협회 윈난분회 부주석을 역임하였다. 저서로 장시『대흑천신大黑天神』, 시집『조국의 봄祖國的春天』, 『채화절采花節』, 『푸른 잎의 노래綠葉之歌』, 『샤오쉐 시선曉雪詩選』, 논문집『생활의 목가—아이칭 시론生活的牧歌――論艾青的詩』, 『신시의 봄新詩的春天』, 『시의 미학詩的美學』, 『새 시대를 향하다面向新時代』, 산문집『눈과 조매雪與雕梅』, 『창산과 얼하이蒼山洱海』 등이 있다. 장시『대흑천신』으로 제1회 전국 소수민족문학상 창작상을 받았으며, 『샤오쉐 시선』으로 제2회 전국 우수신시상 및 제22회 이탈리아 몬델로 국제문학상 특별상을 받았다.

『광명일보』에 류수더의 「라오뉴진」(하)이 발표되었다.

29일, 『인민일보』에 차오밍의 「군중생활의 사소한 부분에 침투하자深入群衆生活的點滴」가 발표되었다. 그는 글에서 생활에 침투하는 것에 네 가지 장점이 있다고 보면서, "첫째는 공작에 필요하기 때문이다. 당의 정책과 매 시기의 당의 방침 정책의 지시를 학습해, 머리가 깨어 있어 잘못을 저지르지 않고, 사물의 본질을 인식하는 능력을 제고할 수 있다", "둘째로, 공작 과정에서 당의 정책이 군중에서 출발해 다시 군중으로 돌아간다는 것을 깊이 느낄 수 있다", "셋째로, 정치적 민감성을 배양할 수 있다", "네 번째 장점은 군중 투쟁 생활의 풍부하고 다채로운 점을 느낄 수 있다는 것이다"라고 밝혔다.

이달에 궈모뤄의『낙타집駱駝集』이 인민문학출판사에서 출간되었다. 시집에는 궈모뤄가 1949년에서 1959년 사이에 창작한 시가 수록되었다. 서두에는 저자의 머리말이 수록되어, 이 시집에 수록된 시들이『신화 송가新華頌』, 『백화제방百化齊放』, 『장춘집長春集』 및 당시에 아직 출간되지 않은『조석집潮汐集』 가운데『조집潮集』 등에서 선별한 시임을 밝혔다. 시집에는 시인의 대표작「신화 송가」, 「마오쩌둥의 깃발이 바람에 펄럭인다」, 「홍암 예찬」, 「창장대교長江大橋」, 「낙타駱駝」 등이 수록되었다.

두펑청의 장편소설『평화로운 나날 속에서』, 장톈이의 중편소설『청명 시기清明時節』, 라오서의 단편소설집『초승달月牙兒』 및 『취추바이가 문학을 논하다程秋白論文學』가 인민문학출판사에서 출간되었다.

『반혁명분자 숙청 소설선肅反小說選』(1949－1959년)이 군중출판사에서 출간되었다.

구궁의 시집『꽃, 악기, 그리고 술잔鮮花樂器和酒杯』, 왕시옌의 평론집『파종에서 수확까지從播種到收獲』가 백화문예출판사에서 출간되었다.

옌원징이 편찬한『건국문학 10년 문학창작 · 산문특필建國文學十年文學創作 · 散文特寫』(1949－1959)이 중국청년출판사에서 출간되었다. 선집에는 웨이웨이의「누가 가장 사랑스러운 사람인가」, 류바이위의「불빛이 붉은 바다를 비춘다火光照紅海洋」, 중타오鍾濤의「베이다황 답사기北大荒踏查記」등이 수록되었다. 옌원징은 서문에서 "더 많은 사람들이 생활을 더욱 신속히 반영해 투쟁에 직접적으로 호응할 수 있는 문학양식, 바로 산문특필을 더 잘 장악하게 하자"라고 밝혔다. 본 선집에서는 건국 후 10년간 발표된 우수한 산문 및 특필 작품을 중점적으로 소개하였다.

추이더즈의 단막 화극『생활의 찬가』가 중국희극출판사에서 출간되었다.

마오둔, 허창궁何長工 등의 이론집『혁명회고록을 어떻게 쓸 것인가怎樣寫革命回憶錄』가 닝샤인민출판사寧夏人民出版社에서 출간되었다.

『시간』편집부에서 편찬한 시론집『신시가의 발전 문제新詩歌的發展問題』(제3집), 캉줘의 평론집『초명집初鳴集』, 이췬의『문학문제 만담文學問題漫談』, 어우양위첸의 문예이론집『일득여초一得餘抄』, 커란의 산문시집『아침노을 피리』가 작가출판사에서 출간되었다.

쉬친원의『루쉰 선생을 학습하다學習魯迅先生』가 상하이문예출판사에서 출간되었다.

1959년 정리

청다오시 문학예술계연합회에서 편찬한 월간 『칭다오문학靑島文學』이 창간되었다.

창이昌儀의 「형제 민족 문학의 거대한 성취兄弟民族文學的巨大成就」가 중국과학원 문학연구소에서 편찬한 『문학평론』 제6호에 발표되었다.

중국민간문예연구회의 「민간고사의 기록, 정리 경험 및 문제民間故事的記錄、整理經驗和問題」가 중국민간문예연구회에서 편찬한 『민간문예통신民間文藝通訊』 제8호에 발표되었다.

귀위형의 「『중국민간문학사』 비평簡評<中國民間文學史>」이 인민문학출판사에서 편찬한 『문학서적평론총서文學書籍評論叢刊』(1959년 제1호)에 발표되었다.

1956년 10월에 인쇄를 시작한 『루쉰 전집』 전10권과 『루쉰 역문집魯迅譯文集』 전10권의 출간이 완료되었다.

『홍기가 바람에 펄럭인다』(제10~13집), 『작가가 창작경험을 말하다作家談創作經驗』가 중국청년출판사에서 출간되었다.

장쥔샹의 『영화의 특수한 표현수단에 관하여關於電影的特殊表現手段』, 스둥산史東山의 『표현형식 면에서의 영화예술의 몇 가지 특징電影藝術在表現形式上的幾個特點』이 중국전영출판사에서 출간되었다.

장쥔샹(1910~1996), 감독, 극작가. 본명은 위안쥔袁俊으로 장쑤성 전장鎭江 출신이다. 칭화대학 서양문학과를 졸업한 후 1936년에 미국 예일대학교 희극연구원에 유학해 감독학을 수학하였고, 1939년에 석사학위를 취득한 후 귀국하였다. 공화국 성립 후에는 상하이전영국 국장, 중국영협 상하이분회 주석, 중국영협 부주석, 문화부 전영국 부국장을 역임하였다. 1956년에 중국공산당에 가입하였다. 저서로 화극 극본 『변경 도시 이야기邊城故事』, 『미국 대통령호美國總統號』, 『소도시 이야기小城故事』, 『산간도시 이야기山城故事』 등이 있으며, 영화극본 「홀륭한 사위를 얻다乘龍快婿」, 「긴급 공문雞毛信」 등을 창작 및 각색하였다. 『장쥔샹 문집張駿祥文集』(2권)이 출간되었다.

중국과학원 문학연구소 민간문학조에서 편찬한 『백족 민간고사전설집白族民間故事傳說集』, 『백족 민가집白族民歌集』, 『납서족의 노래納西族的歌』가 인민문학출판사에서 출간되었다.

류자밍의 『신민가에 관하여談談新民歌』가 고등교육출판사에서 출간되었다.

중국민간문예연구회에서 편찬한 『민가로부터 배우다向民歌學習』가 작가출판사에서 출간되었다.

탄다셴譚達先의『민간동요 산론民間童謠散論』이 광둥인민출판사에서 출간되었다.

류시청劉錫誠, 마창이馬昌儀가 번역한 소련 작가 소콜로바 등의『소련 민간문예 40년蘇聯民間文藝四十年』이 베이징과학출판사北京科學出版社에서 출간되었다.

롄수성, 추이리빈이 번역한 소련 작가 소콜로프의『구두문학이란 무엇인가什麼是口頭文學』가 작가출판사에서 출간되었다.

『영락대전永樂大典』영인본 전730권이 중화서국에서 출간되었다.

베이징방송국에서「화인 이야기火人的故事」,「까치설날을 쇠다守歲」,「생활의 찬가」,「장갑 열두 켤레一打手套」,「새로운 세대新的一代」,「여자 장원女狀元」,「진짜 의사와 가짜 의사真假醫生」,「가족 사진合家歡」,「우리 가족我的一家」,「좋은 며느리를 얻다娶了個好媳婦」,「꽃무늬 원피스를 입은 처녀穿花布拉吉的姑娘」,「달이 동쪽 벽을 비추다」,「늙은 회계원老會計」등 14편의 드라마를 방영하였다. 광저우방송국에서는 첫 드라마「사위는 누구인가誰是姑爺」를 방영한 후「양류춘풍楊柳春風」,「100점은 만점이 아니다一百分不算滿」등 30여 편의 드라마를 방영하였다.

연말에 왕옌王炎이 각본을 맡고 창춘전영제편창에서 제작한「전화 속의 청춘戰火中的青春」이 상영되었다. 본 영화의 좌담회에서 위안원수袁文殊는「완벽한 영웅 인물 형상을 창조하다塑造完美的英雄人物形象」라는 제목의 발언을 진행해 신중국 수립 이후에 긍정적 영웅 형상의 창조라는 측면에서 영화창작자들이 쏟아 온 지대한 노력을 긍정하였다.

위안원수(1911~1993), 극작가, 문예이론가, 영화사업가. 본명은 위안원수袁文樞, 필명은 수페이舒非로 광둥성 싱닝興寧 출신이다. 1930년에 광둥희극연구소에 입학해 각본 창작을 공부한 후, 1934년에 상하이로 가서 좌익희극가연맹 활동에 참가해 집행위원을 맡았다. '7 · 7' 사변 이후에 상하이구국연극3대에 참가해 부대장을 맡았다. 1941년에 옌안으로 갔으며 1942년에 중국공산당에 가입하였다. 공화국 성립 후에 문화부 전영국 극본창작소 소장, 상하이전영제편창 창장, 중공 상하이시위원회 선전부 부부장 겸 시 전영국 당위원회 서기, 국장, 중국영협 상무부주석 겸 서기처 제1서기, 중국문련 당조부서기 등을 역임하였다. 저서로 화극 극본『사각死角』,『군민일가軍民一家』, 단막극집『민족의 공적民族公敵』, 영화극본『머나먼 농촌遼遠的鄉村』, 논저『극작교정劇作教程』,『영화 속의 인물, 성격 및 줄거리電影中的人物、性格和情節』,『희극 및 영화 극본의 창작에 관하여談談戲劇、電影劇本的寫作』,『영화 탐구록電影求索錄』,『영화계 풍운록影壇風雲錄』등이 있다.

올해 상영된 중요 영화는 다음과 같다.

「빙상의 자매」(우자오디武兆堤, 팡유량房友良 각본, 우자오디 감독, 창춘전영제편창 제작)

「초원의 아침 노래草原晨曲」(마라친푸, 주란치치커珠蘭琪琪柯 각본, 주원순朱文順, 주란치치커 감독, 창춘전영제편창, 네이멍구전영제편창內蒙古電影制片廠 제작)

「폭풍風暴」(진산 각본 및 감독, 베이징전영제편창 제작)

「바다매海鷹」(루주궈, 장이민張逸民, 왕쥔王軍, 원다聞達 각본, 홍례鴻烈 감독, 8 · 1전영제편창 제작)

「회민지대回民支隊」(리쥔, 마룽馬融, 펑이푸馮一夫 각본, 펑이푸, 리쥔 감독, 8 · 1전영제편창 제작)

「나는 오늘 쉰다」(리톈지李天濟 각본, 루런魯靭 감독, 하이옌전영제편창 제작)

「노병신전老兵新傳」(리준 각본, 선푸 감독, 하이옌전영제편창 제작. 신중국 최초의 35mm 컬러 와이드 스테레오 영화로, 1958년 8월에 모스크바국제영화제 고도기술성취高度技術成就상 수상)

「린씨네 가게」(샤옌 각색, 수이화水華 감독, 베이징전영제편창 제작. 1983년 제12회 포르투갈 피구에라 다포즈 국제영화제 심사위원상 수상. 중국 영화 가운데 1986년에 홍콩에서 개최된 '세계 경전 영화전世界經典影片展'에 참가한 유일한 작품)

「임칙서」(예위안葉元 각본, 정쥔리, 천판岑範 감독, 하이옌전영제편창 제작)

「녜얼聶耳」(위링, 정쥔리, 멍보夢波 각본, 정쥔리 감독, 하이옌전영제편창 제작. 1960년 제12회 카를로비바리 국제영화제 전기영화상 수상)

「차오 노인이 가마에 타다喬老爺上轎」(톈녠쉬안田念萱, 류충劉瓊 각본, 류충 감독, 하이옌전영제편창 제작)

「청춘의 노래」(양모 각본, 추이웨이崔嵬, 천화이아이陳懷皚 감독, 베이징전영제편창 제작)

「사막에서 도적을 쫓다沙漠追匪記」(거신葛鑫, 펑펑馮封 각본, 거신 감독, 톈마전영제편창天馬電影制片廠 제작)

「빙상춘추氷上春秋」(웨예, 저우정周正, 셰톈謝添, 쉬시판徐洗繁 각본, 셰톈 감독, 베이징전영제편창 제작)

「만수천산」(쑨첸, 청인 각본, 화춘華純, 청인 감독, 8 · 1전영제편창 제작)

「백화가 만발해 언제나 봄萬紫千紅總是春」(선푸, 취바이인, 톈녠쉬안 각본, 선푸 감독, 하이옌전영제편창 제작)

선푸(1905~1994), 감독, 극작가. 선바이닝沈百寧, 아이훙哀鴻이라고도 하며 톈진 출신이다. 1924년에 톈진보하이영업공사天津渤海影業公司에 입학해 배우가 되었다. 1933년에 상하이 롄화영업공사聯華影業公司에 가입해 편집자 및 각본가를 맡았다. 중일전쟁 승리 후 베이핑으로 가서 중전3창中電三廠 각본가 및 부창장을 역임하였다. 이후에 상하이로 가서 쿤룬영업공사에 가입해 영화 「수많은 등불萬家燈火」, 「희망은 인간 세상에 있다希望在人間」를 각색 및 연출하였다. 공화국 성립 후에는 상하이전영제편창 감독, 상하이 하이옌전영제편창 창장, 중국영협 제1기 위원, 제2~4기 상무이사, 중국영협 상하이분회 주석, 상하이시 전영국 예술위원회 주임 등을 역임하였다. 1959년에 중국공산당에 가입하였다. 저서로 화극 극본『금옥만당金玉滿堂』,『충칭 14시간重慶十四小時』,『소인물 광상곡小人物狂想曲』, 영화 극본『까마귀와 참새烏鴉與麻雀』(합동 창작),『수많은 등불』(합동 창작),『백화가 만발해 언제나 봄』(합동 창작) 등이 있다.

취바이인(1910~1979), 영화 극작가, 평론가. 본명은 취진쥐瞿金駒, 필명은 바이인白音, 옌커펑顏可風, 후무윈胡慕雲 등으로 상하이 자딩嘉定 출신이다. 좌익희극가연맹 난징분맹 책임자를 역임하였다. 1933년부터 작품 발표를 시작하였다. 중일전쟁 시기에 상하이구국연극대 4대 부대장, 항적연극대 2대 대장을 맡았다. 1940년에 청두에서 시베이영업공사西北影業公司에 가입하였다. 1943년에 시난 제1기 희극전람회를 조직 및 참여하였다. 1948년에 홍콩으로 가서 영화공작에 종사하였다. 공화국 성립 후에는 상하이전영제편공사上海電影制片公司 부책임자, 상하이시 전영국 부국장, 중국영협 이사, 중국영협 상하이분회 부주석을 역임하였다. 저서로 단막극집『남하하는 열차南下列車』, 영화극본『물 위의 인가水上人家』,『붉은 해紅日』,『백화가 만발해 언제나 봄』(합동 창작), 장시『세한곡歲寒曲』, 논문『영화의 창조성 문제에 관한 독백關於電影創新問題的獨白』,『희극영화 토론에 존재하는 몇 가지 문제에 관하여關於喜劇電影討論中的一些問題』등이 있으며, 번역서로 스타니슬랍스키의『나의 예술생활我的藝術生活』, 소련의 화극 극본『모스크바의 여명莫斯科的黎明』등이 있다.

「금꽃 다섯 송이」(자오지캉趙季康, 왕궁푸王公浦 각본, 왕자이王家乙 감독, 창춘전영제편창 제작. 1960년에 중화인민공화국 건국 10주년 헌정 영화 18편 중 하나로 제작되어 전국적으로 상영된 후 큰 반향을 불러일으켰다. 같은 해, 이집트 카이로에서 개최된 제2회 아시아 아프리카 국제영화예술제에서 왕자이 감독이 '최우수 감독 은매상'을, 양리쿤楊麗坤이 '최우수 여자배우 은매상'을 수상해 양리쿤은 이집트 대통령이 직접 수상하는 상패를 받았다. 이후「금꽃 다섯 송이」는 46개 국가 및 지역에서 상영되어 당시 중국 영화가 해외에서 상영된 최고 기록을 세웠다.)

「우리 마을의 젊은이(상)」(마펑 각본, 쑤리蘇裏 감독, 창춘전영제편창 제작)

「전화 속의 청춘」(루주궈, 왕옌王炎 각본, 왕옌 감독, 창춘전영제편창 제작)

「상하이 전투戰上海」(천리群力 각본, 왕빙王冰 감독, 8·1전영제편창 제작)

「추어追魚」(잉윈웨이 감독, 톈마전영제편창 제작)

올해 말까지 중국 대륙에 설립된 출판사는 모두 96곳으로, 그 가운데 중앙급 출판사는 46곳, 지방 출판사는 50곳이다. 출판한 서적은 41,905종으로 그 가운데 신판 도서는 29,047종이며, 총 인쇄 수량은 20억 9,200만 권이다. 잡지는 851종이 출간되었다.

제2권 후기

장닝

이 책은 베이징사범대학 문학원에서 현당대문학을 전공하는 일부 교수와 대학원생들이 힘을 합쳐 완성한 결과물이다.

제2권의 구체적인 분담 상황은 아래와 같다.

장닝張檸: 제2권 전체 원고 검토

마칭춘馬青春, 장위張玉, 리메이李梅: 제2권 전체 원고 보조

주원팅朱文婷: 1954년 상반기 부분 담당

마칭춘馬青春: 1954년 하반기 부분 담당

저우쉐화周雪花: 1955년 부분 담당

저우샤오야周笑雅: 1956년 부분 담당

리위안위안李媛媛: 1957년 상반기 부분 담당

양린楊琳: 1957년 하반기 부분 담당

쉬웨이徐偉: 1958년 상반기 부분 담당

샤오첸肖茜: 1958년 하반기 부분 담당

추이젠崔健: 1959년 상반기 부분 담당

장위張玉: 1959년 하반기 부분 담당

편년사 초고를 기초로 하여 아래의 연구성과를 선택적으로 흡수 및 이용하였다.

천후이陳暉 교수가 편찬한『중국 당대 아동문학 전제 사료中國當代兒童文學專題史料』

친옌화秦豔華 교수가 편찬한『중국 당대 출판 전제 사료中國當代出版專題史料』

탄우창譚五昌 부교수가 편찬한『중국 당대 시가 전제 사료中國當代詩歌專題史料』

량전화梁振華 부교수가 편찬한『중국 당대 보고문학 전제 사료中國當代報告文學專題史料』

량전화 부교수가 편찬한『중국 당대 영화문학 전제 사료中國當代影視文學專題史料』

웨융이嶽永逸 박사가 편찬한『중국 당대 민간문학 전제 사료中國當代民間文學專題史料』

장궈룽張國龍 박사가 편찬한『중국 당대 산문 잡문 전제 사료中國當代散文雜文專題史料』

쉬젠徐健이 편찬한 『중국 당대 희극 전제 사료中國當代戲劇專題史料』

2년간의 편집 작업이 마침내 끝났다. 이 순간 내 머릿속에 떠오르는 것은 혹한과 무더위를 무릅쓰고 신제커우와이다제新街口外大街에서 중관춘난다제中關村南大街로 가는 버스 안에 비집고 서서 국가도서관 자료관으로 자료를 수집하러 가는 여러 청년 학생들의 모습이다. 마지막에 완고 작업을 할 때는, 몇몇 학생들은 졸업을 앞두고 취업을 해야 하는 힘든 시기임에도 그 탓에 일을 지체하지 않고, 수시로 학교에 불려와 도서관에 가서 자료 한 줄, 수치 하나, 인명 하나를 대조해 주었다. 이 책의 편집 수준이 어떠하든, 그들의 노력에 경의를 표해야 한다. 만약 누락된 부분이 있다면 그 책임은 내게 있다. 이번의 합동 작업이 우리가 베이징사범대학에서 함께 보낸 시간의 아름다운 기억이 되기를 바란다.

장닝

2010년 1월 26일, 베이징사범대학에서

역자 후기

박희선

이 책은 2011년 11월에 중국 산둥문예출판사에서 출간된『중국 당대문학 편년사』전10권 가운데 1~3권을 완역한 것이다.

중국 문학계에서는 1919~1949년, 즉 중화민국 시기의 문학을 현대문학이라고 지칭하며, 1949년 중화인민공화국이 성립된 이후의 문학을 당대문학當代文學이라고 규정하고 있다. 주편인 장젠이 전집 서문에서 밝혔다시피『중국 당대문학 편년사』는 여섯 부분으로 구성되어 있는데, 그 가운데 시기상으로 첫 부분인 '17년 문학', 즉 1949년 중화인민공화국이 성립된 이후로 1966년 문화대혁명이 시작되기 전까지 17년간의 문학을 다룬 1~3권을 이번에 번역해 출간하게 되었다.

역사학이 아닌 문학에서 편년사의 형태로 문학사를 정리한 저술은 흔치 않다. 편년사적인 서술은 역사 서술 가운데 가장 객관적인 방식이라 할 수 있다. 이 책은 방대한 사료의 수집 조사를 바탕으로 하여 "문학의 역사적 사실이 발생한 년, 월, 일을 서술 순서로 하여 문학 운동, 문학사조, 문예 논쟁, 문학단체와 유파, 문학 교류, 문학 회의, 작가의 생애, 작품 발표, 이론 비평, 문학 간행물의 연혁, 문화 및 문학 정책의 제정과 연혁 및 문학 발전과 관련된 사회, 정치, 경제, 군사, 문화 사건 등의 배경 자료를 동시에 수록"하여 당대문학의 전경全景을 그려내고, 읽는 이가 이러한 서술 속에서 역사적인 의미를 찾을 수 있도록 하였다.

중화인민공화국 성립 이후 17년간의 문학은 강렬한 정치적 색채를 띠고 있다. 이어지는 문화대혁명 시기의 문학만큼 경직되어 있지는 않으나 자유로운 창작이 가능했다고 하기는 힘들다. 즉 장닝이 머리말에서 밝힌 것처럼 "이 시기의 문학과 '문혁' 10년간의 중국문학은 '전체적인 논리'상에서는 일치하지만, '표현 형태' 면에서는 차이가 있다." 이 시기의 문학은 "최고의 권위를 가진 대상을 유일한 기준으로 삼는 '일체화'된 문학 형태와 이에 의문을 표하는 여타 문학 형태 사이의 모순"을 끊임없이 보여주는데, 이러한 모순은 몇몇 작가 혹은 작품에 대한 비판과 논쟁의 형태로 드러난다. 1951년의 영화「무훈전」에 대한 비판, 1955년에 전개된 위핑보의『홍루몽』연구에 대한 비판, 후평 집단에 대한 비판, 1957년의 왕멍의 단편소설「조직부에 새로 온 젊은이」에 대한 비판과 토론, 1958년의 '딩링, 천치샤 반당집단'에 대판 비판, 양모의 장편소설『청춘의 노래』에 대한 비판, 1965년의 우한의 역사극「해서파관」에 대한 비판 등이 대표적인 사건이다.

이 책은 이러한 비판과 논쟁에 중요한 역할을 한 비평과 논문의 내용을 인용하고, 각 연도별 서술의 말미에는 해당 연도에 일어난 사건들을 정리하여 독자가 이러한 문학사적 사건의 전개 과정과 흐름을 객관적으로 파악할 수 있도록 하였다.

역자는 이 책을 번역하면서 정확하고 객관적인 번역에 가장 큰 주안점을 두었다. 작품명 등을 최대한 직역에 가깝게 변역하되, 숨은 뜻이 있는 경우에는 역자 주를 추가하였다. 다소 거칠고 딱딱하게 느껴질 수도 있으나 가능한 한 정확하게 전달하려 노력하였다. 최선을 다하였으나, 그럼에도 존재하는 오류가 있다면 전적으로 역자의 책임이다. 독자 여러분의 지적과 가르침을 기대한다.

1년 8개월 동안 세 권의 책을 번역하면서 여러 분들로부터 많은 도움을 받았다. 번역가 김택규 선생님은 역자에게 이 책을 번역할 기회를 주셨고, 윤정안 선생님은 방대한 분량의 번역문을 꼼꼼히 살펴보고 문장을 다듬어 주셨다. 무엇보다 이 책을 출판하기로 결정하고 편집을 비롯한 제반 작업을 맡아 주신 국학자료원의 정구형 대표님께 큰 감사를 드린다.

끝으로, 이 책이 중국 당대문학을 연구하는 독자들에게 조금이나마 도움이 될 수 있기를 바란다.

제2권 책임 편집자 약력

장닝張檸, 본명은 장닝張寧으로 1958년에 장시 두창都昌에서 출생했다. 화둥사범대학 중문과를 세계문학 전공으로 졸업해 문학석사학위를 취득하였다. 광둥성 작가협회 창작연구부 연구원(문학 창작 1급), 중국사회과학원 문학연구소 당대문학연구실 객좌연구원, 베이징사범대학 '985 2기 ('985 공정' 2기를 뜻함. 중국 내 일류대학들을 세계적인 유명 대학 수준으로 건설하고자 하는 목적으로 중국공산당과 국무원에서 시행한 중국 대학 육성 정책-역자)' 특별초빙 연구원을 역임하였다. 현재 베이징사범대학 문학원 교수로, 중국현당대문학 박사과정 지도교수를 맡고 있다.

중국당대문학 및 대중문화 비평에 오랫동안 종사하였으며, 현재는 중국당대문학사와 20세기 중국문학 경험 연구 및 교육에 주로 종사하고 있다. 『문학평론文學評論』, 『외국문학평론外國文學評論』, 『문예연구文藝研究』, 『문예이론연구文藝理論研究』, 『남방문단南方文壇』, 『인민문학人民文學』, 『상하이문학上海文學』, 『화성花城』, 『당대當代』(중국 타이완), World Literature Today(미국) 등의 잡지에 학술논문 및 이론수필 총 200만 자 이상을 발표하였다.

저서로 학술논저『서사의 지혜敘事的智慧』(1997), 『시는 역사보다 영원하다詩比歷史更永久』(2000), 『비상하는 박쥐飛翔的蝙蝠』(2002), 『유행 하이에나時尚鬣犬』(2003), 『문화의 병증 - 중국 당대 경험 연구文化的病症——中國當代經驗研究』(2004), 『유토피아의 말은 없다沒有烏托邦的言辭』(2005), 『땅의 황혼 - 농촌 경험의 미시적 권리 분석土地的黃昏——鄕村經驗的微觀權利分析』(2005), 『상상의 붕괴 - 개발 도상국 정신현상 해석想象的衰變——欠發達國家精神現象解析』(2008), 『중국 당대문학과 문화연구中國當代文學與文化研究』(2008), 『시들어 버린 언어의 꽃枯萎的語言之花』(2009) 등이 있다.

중국 당대문학 편년사 제2권

초판 1쇄 인쇄일	2022년 10월 20일
초판 1쇄 발행일	2022년 10월 29일
주 편	장젠張健
편 자	장닝張檸
번역자	박희선
국문감수	윤정안
펴낸이	한선희
편집	정구형 이나윤
디자인	우정민 김보선 신하영
마케팅	정찬용
영업관리	한선희 정진이
책임편집	정구형
인쇄처	으뜸사
펴낸곳	국학자료원 새미(주)
	등록일 2005 03 15 제25100－2005－000008호
	경기도 고양시 일산동구 중앙로 1261번길 79 하이베라스 405호
	Tel 442－4623 Fax 6499－3082
	www.kookhak.co.kr
	kookhak2001@hanmail.net
ISBN	979-11-6797-061-6 *94820
가격	180,000원